人物事典
Biographical Dictionary

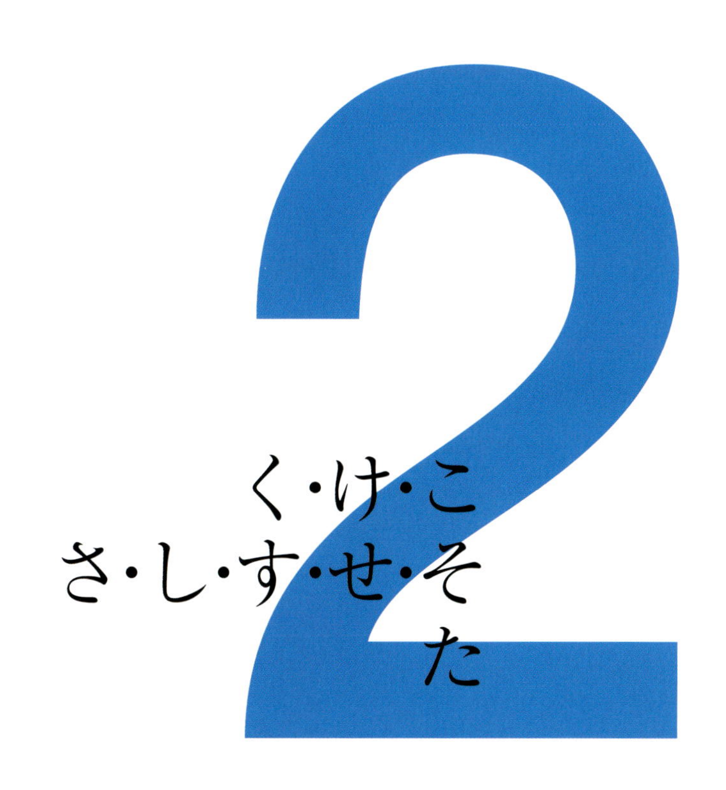

監修者一覧（五十音順）

今泉　忠明	動物科学研究所所長（生物）
小野田　襄二	数学教育家（算数・数学）
金井　直	信州大学准教授（西洋・東洋美術）
川手　圭一	東京学芸大学教授（世界史）
久保田　篤	成蹊大学教授（国語）
阪上　順夫	東京学芸大学名誉教授（政治・経済・産業）
田中　比呂志	東京学芸大学教授（学問・思想・宗教・心）
坪能　由紀子	日本女子大学教授（音楽）
西本　鶏介	昭和女子大学名誉教授（文学）
野口　剛	根津美術館館員（日本美術）
山村　紳一郎	科学評論家（サイエンス）
山本　博文	東京大学史料編纂所教授（日本史）
吉田　健城	スポーツジャーナリスト（スポーツ）
渡部　潤一	国立天文台副台長（宇宙）

この人物事典のつかい方

ポプラディアプラス『人物事典』（全５巻）は、古代から現代までのあらゆる時代、あらゆるジャンルで活躍した、日本と世界の人物 4300 人以上を掲載した学習用人物事典です。

以下に、この人物事典（第１巻から第４巻）のくわしいつかい方をまとめましたので、よく読んでじゅうぶんに活用してください。

★第１巻から第４巻では、すべての人物を五十音順に解説しています。人物名は、原則として「姓・名」の順であらわした場合の、五十音順にならんでいます。

★第５巻では、「征夷大将軍一覧」「天皇系図」など、関連する学習資料と索引を収録しています。

索引は、「五十音順」のほか「ジャンル別」「時代別」「地域別」の３つのテーマでひくことができます。五十音順の索引では、外国人の名前を正式名にしたがって「姓・名」ではなく「名・姓」の順でひくこともできます。

※第５巻『学習資料集・索引』のつかい方は、第５巻３～７ページに書いてあります。

■ページ全体の見方

■**つめ**　そのページにある項目の最初の１文字をひらがなであらわしています。

■**はしら**　左ページではそのページにある最初の項目、右ページではそのページにある最後の項目のはじめの文字を、原則として４文字目まで、ひらがなでしめしています。

■**項目**　見出し語と解説文からできています。

■項目の見方

■**見出し語**　見出し語は、上段と下段の２段でできています。あらわし方のくわしいきまりについては、次のページに説明があります。

■**見出し帯の色**　青色は男性、ピンク色は女性。

■**ジャンル別マーク**
（６ページで説明しています）

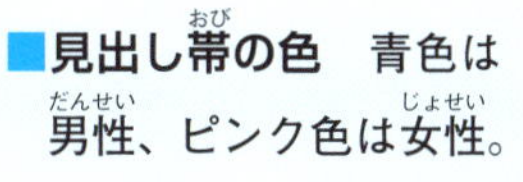

クリントン，ヒラリー　政治
ヒラリー・クリントン　1947年～
アメリカ大統領候補にもなった大統領夫人
アメリカ合衆国の政治家。
イリノイ州シカゴに生まれる。父は衣料品店の経営者。高校時代から政治に関心をもち、共和党員として活動した。1965 年、マサチューセッツ州の名門女子大学ウェルズリー大学に入学。ベ

■**生没年**

■**日本／世界をあらわすマーク**
●**マーク**　主に日本で活躍した人物や、日本の歴史で学習する人物。
🌐**マーク**　主に世界で活躍した人物や、世界の歴史で学習する人物。

■**解説文**
その項目の人物の説明です。

見出し語についてのきまり

■見出し語（上段）のあらわし方

(1) 人物名の読みを、ひらがな、または、カタカナであらわしています。
すべての項目は、この見出し語（上段）の五十音順でならんでいます。

(2) 原則として「姓・名」の順であらわしています。
中国・韓国・朝鮮人以外の外国人の場合、「姓」と「名」は、「,」（カンマ）で区切っています。

［例］
アインシュタイン，アルバート
アシモフ，アイザック

> **●例外的な人名のあらわし方**
>
> 「姓」よりも「名」が有名であり、習慣的に「名」でよばれる人物は、「名・姓」であらわしている場合があります。
>
> ［例］
> **ミケランジェロ・ブオナローティ**
> **ダンテ・アリギエリ**
>
> 正式名より通称が有名である人物は、通称であらわしている場合があります。
>
> ［例］
> **マザー・テレサ**
>
> 習慣的に「姓」「名」でくぎることをしない人物は、ひとつづきの呼び名であらわしている場合があります。
>
> ［例］
> **バスコ・ダ・ガマ**
> **レオナルド・ダ・ビンチ**

(3) 中国人名は、日本式の読みであらわしています。ただし、現地音に近い読みも一般的につかわれている場合、その読みを（　）に入れています。

［例］
もうたくとう（マオツォトン）

(4) 韓国・朝鮮人名は、現代の人物は現地音に近い読みで、それ以外の人物は日本式の読みであらわしています。ただし、それぞれ日本式の読みや現地音に近い読みも一般的につかわれている場合は、その読みを（　）に入れています。

［例］
キムデジュン（きんだいちゅう）
こうそう（コジョン）

■見出し語（下段）のあらわし方

(1) 日本・中国・韓国・朝鮮人の場合は、正式名を「姓・名」の順で漢字などであらわしています。

(2) 中国・韓国・朝鮮人以外の外国人の場合は、正式名をカタカナなどであらわしています。
正式名の「姓」と「名」の順は、国によってことなります。
また、見出し語（上段）の●例外的な人名のあらわし方と同じく、習慣によって特別なあらわし方をしている人物名もあります。

(3) 同姓同名の人物の場合は、（　）で補足しています。

［例］
フランシス・ベーコン（哲学者）
フランシス・ベーコン（画家）

■ほかの項目を参照するための見出し語

次の場合には、ほかの項目を参照するための見出し語をのせています。

(1) 同一人物で複数の呼び名がある場合、矢印 → で参照先の項目をしめしています。
下の例の場合、「なかのおおえのおうじ（中大兄皇子）」は「天智天皇」という項目で、「こうぼうだいし（弘法大師）」は「空海」という項目で解説していることをあらわします。

［例］
なかのおおえのおうじ
中大兄皇子 → 天智天皇

こうぼうだいし
弘法大師 → 空海

(2) 同一人物で複数の読み方やあらわし方がある場合、矢印 → で参照先の項目をしめしています。
下の例の場合、「えいさい（栄西）」は「栄西」という項目で、「マオツォトン（毛沢東）」は「毛沢東」という項目で解説していることをあらわします。

［例］
えいさい
栄西 → 栄西

マオツォトン
毛沢東 → 毛沢東

■大項目のページを参照するための見出し

この人物事典では、とくに重要な60名の人物については、2ページまたは1ページ大の特別な項目をつくって、くわしく解説しています。この特別な項目を「大項目」といいます（7ページ参照）。

大項目であつかっている人物は、矢印➔で参照先のページをしめしています。下の例の場合、「徳川家康」という大項目が、70ページにあることをあらわします。

［例］ **とくがわいえやす**

徳川家康➔70ページ

■見出し語のならべ方

(1) 見出し語（上段）は、五十音順にならべています。

(2)「゛」（濁音）や「゜」（半濁音）がつく場合は、清音（たとえば［は］）→濁音（［ば］）→半濁音（［ぱ］）の順にならべています。

(3)「ゃ、ゅ、ょ」（拗音）と「っ」（促音）も、五十音順にふくめます。同じ字の場合には、大きい字のあとにならべています。

(4)「ー」（のばす音、長音）は、その前の文字の母音と同じように読むと考えて、ならべています。

［例］

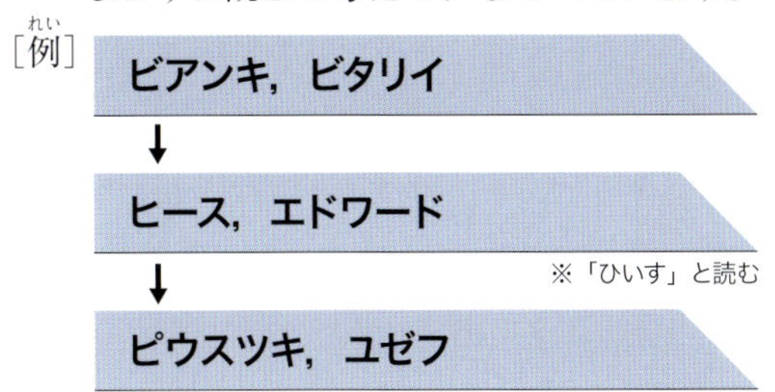

(5)「,」（カンマ）がつく場合は、その前の文字までの五十音順でならべています。

［例］

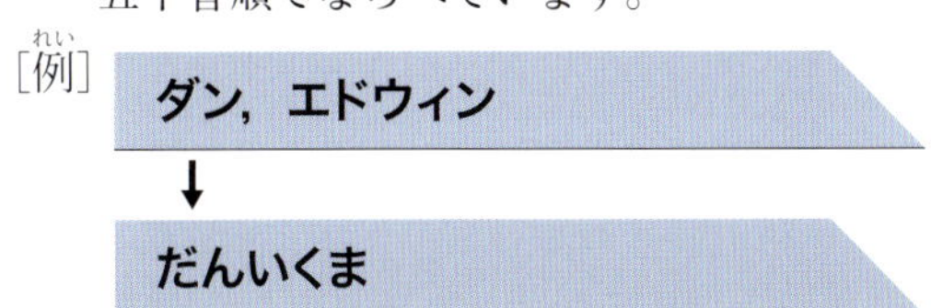

(6) 王族など、見出し語に「○世」とつく場合は、即位順（小さい数字を先）にならべています。

［例］

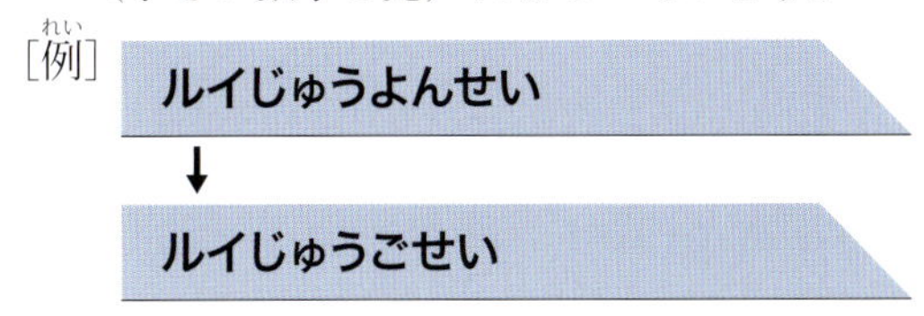

表記やマークについてのきまり

■人物名でのかなや漢字のつかい方

人物名の表記は、おもに中学校や高等学校でつかわれている教科書を参考にしています。ただし、外国人の人名などにはさまざまな表記のしかたがあり、同一人物であっても、この人物事典とはちがう表記も広くつかわれています。この人物事典では、調べやすさを重視して、次のきまりにもとづいて表記しています。

(1) 外国語のV音をあらわすカタカナの「ヴ」は原則としてつかいません。「ヴァ」「ヴィ」「ヴ」「ヴェ」「ヴォ」は、「バ」「ビ」「ブ」「ベ」「ボ」などとあらわしています。

(2) 中国・韓国・朝鮮人以外の外国人の「姓」と「名」の間などには、「・」を入れてあらわしています。

(3) 常用漢字の表記は、原則として「常用漢字表」の字体にもとづいています。ただし、現代の人物などで旧字体で表記されることが一般的な人物名については、一部で旧字体をつかってあらわしています。

［例］ **えくにかおり**

江國香織

いけざわなつき

池澤夏樹

■年代のあらわし方

(1) 年代は原則として西暦であらわしています。日本国内のできごとで、明治時代以降の事がらは、必要に応じて元号を（　）でしめしています。

［例］ 1945（昭和20）年

(2) 人物の生没年は、生年または没年がわからない場合には「？」、はっきりしない場合には数字に「？」をつけて「○○？年」のようにあらわしています。生年、没年ともにわからない場合は「生没年不詳」としています。存命中の人物は生年のみしめしています。

［例］ ？～621年／345～367？年／1973年～

(3) 解説文中または大項目の年表内の年齢は、（生まれたときの年齢を1歳と数える）数え年の場合があります。また満年齢の場合でも、その時点での実年齢が実際の満年齢とことなる場合があります。

■青い字であらわした人物名

解説文に出てくる人物名のうち、この人物事典でほかの「項目」としてあつかっている人物は、青い字であらわしています。人物名を「名・姓」の順であらわしている場合、調べやすいように、姓の部分だけを青い字にしています。

解説文を読んで、青い字であらわした関連人物の項目をさらに調べることで、学習を深めることができます。

［例］フランクリン・ローズベルト

■第5巻の学習資料集との関連マーク

解説文の終わりにある 学 マークは、その人物が第5巻の学習資料集にも掲載されていることをあらわします。学 マークの右側は、学習資料集の中でのテーマをしめしています（7ページ参照）。

［例］学 征夷大将軍一覧

■人物のジャンル別マーク

見出し語（上段）の右側にあるマークは、その人物が活躍したジャンルをあらわしています。マークは複数入っている場合があります。
ジャンル別マークは下記の32種類があります。　※🔴は日本の人物、🔵は世界の人物が当てはまるジャンルであることをあらわします。

王族・皇族 ＝王族・皇族など
🔴🔵（例）聖徳太子、天智天皇、ルイ16世

貴族・武将 ＝貴族・豪族・武将など
🔴（例）足利尊氏、蘇我入鹿、平清盛、藤原道長

戦国時代 ＝戦国・安土桃山時代の大名・武将など
🔴（例）織田信長、真田幸村、伊達政宗、豊臣秀吉

江戸時代 ＝江戸時代の大名・武士など
🔴（例）大岡忠相、徳川家康、松平定信、水野忠邦

幕末 ＝幕末・明治維新で活躍した人物
🔴（例）勝海舟、西郷隆盛、坂本龍馬、吉田松陰

古代 ＝古代ギリシャ・ローマの人物
🔵（例）アリストテレス、カエサル，ユリウス

政治 ＝政治家・軍人・運動家
🔴🔵（例）吉田茂、毛沢東、リンカン，エイブラハム

宗教 ＝宗教に関する人物
🔴🔵（例）空海、イエス・キリスト、ムハンマド

思想・哲学 ＝思想家・哲学者
🔴🔵（例）西田幾多郎、ルソー，ジャン＝ジャック

学問 ＝学者
🔴🔵（例）湯川秀樹、ダーウィン，チャールズ

文学 ＝作家
🔴🔵（例）芥川龍之介、川端康成、魯迅

絵本・児童 ＝絵本・児童文学作家
🔴🔵（例）新美南吉、キャロル，ルイス

詩・歌・俳句 ＝詩人・歌人・俳人
🔴🔵（例）藤原定家、松尾芭蕉、杜甫

絵画 ＝画家・書家
🔴🔵（例）葛飾北斎、王羲之、ピカソ，パブロ

音楽 ＝音楽家
🔴🔵（例）武満徹、ブラームス，ヨハネス

写真 ＝写真家
🔴🔵（例）木村伊兵衛、土門拳、キャパ，ロバート

映画・演劇 ＝映画・演劇に関する人物
🔴🔵（例）黒澤明、シェークスピア，ウィリアム

漫画・アニメ ＝漫画・アニメに関する人物
🔴🔵（例）宮﨑駿、シュルツ，チャールズ・モンロー

伝統芸能 ＝伝統芸能・文化に関する人物
🔴（例）大山康晴、観阿弥、近松門左衛門

華道・茶道 ＝華道家・茶道家
🔴（例）池坊専慶、今井宗久、千利休、古田織部

彫刻 ＝彫刻家
🔴🔵（例）運慶、高村光雲、ムーア，ヘンリー

建築 ＝建築家
🔴🔵（例）安藤忠雄、丹下健三、ガウディ，アントニ、ル・コルビュジエ

工芸 ＝工芸作家
🔴🔵（例）酒井田柿右衛門、正宗、ウェッジウッド，ジョサイア、ストラディバリ，アントニオ

デザイン ＝デザイナー
🔴🔵（例）横尾忠則、シャネル，ガブリエル

産業 ＝産業人
🔴🔵（例）松下幸之助、カーネギー，アンドリュー

教育 ＝教育家
🔴🔵（例）新渡戸稲造、クーベルタン，ピエール・ド

医学 ＝医学に関する人物
🔴🔵（例）緒方洪庵、北里柴三郎、ナイチンゲール，フローレンス、パスツール，ルイ

スポーツ ＝スポーツ選手
🔴🔵（例）長嶋茂雄、ベーブ・ルース

発明・発見 ＝発明・発見に関する人物
🔴🔵（例）高峰譲吉、エジソン，トーマス・アルバ

探検・開拓 ＝探検・開拓に関する人物
🔴🔵（例）植村直己、間宮林蔵、マルコ・ポーロ

架空 ＝架空・伝説上の人物
🔵（例）アーサー王、ウィリアム・テル、徐福

郷土 ＝郷土の発展につくした人物
🔴（例）玉川兄弟、安井道頓、布田保之助

大項目について

とくに重要な60名の人物については、2ページまたは1ページにまとめて、「大項目」として大きくあつかっています。写真や年表、コラムとあわせて、くわしく解説していますので、理解をより深めることができます。

見出し語のあらわし方やマークの意味は、そのほかの項目と同じです。

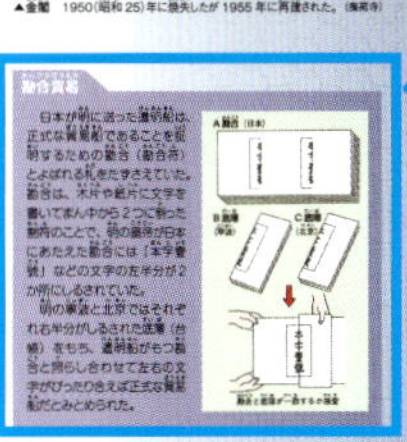

■見出し語　見出し語のあらわし方のくわしいきまりは、4ページに説明があります。

■解説文　小見出しをつけて、内容の組み立てがすぐわかるようにしています。

■コラム　人物を幅広く理解するための知識を入れています。

■年表　その人物の一生をわかりやすくまとめています。

第5巻『学習資料集・索引』について

この人物事典の第5巻には、「天皇系図」「征夷大将軍一覧」「ノーベル賞受賞者一覧」「芥川賞・直木賞受賞者一覧」など、第1巻から第4巻の掲載人物に関連のある学習資料を収録しています。

また、巻頭には、各世紀の「人物年表」、366日その日に生まれた人がわかる「人物カレンダー」を掲載しています。

これらの資料を参照することで、さまざまな人物の相関関係や、同じ時代に生きた人物について知ることができます。

学習資料には、右の一覧のようなテーマがあります。

また、「五十音順」のほか、すべての人物を「ジャンル別」で、日本の人物を「時代別」で、世界の人物を「地域別」でひける索引が収録されています。

索引をつかうことで、より便利に調べることができ、また同じジャンル、同じ時代、同じ地域の人物に興味を広げていくことができます。

※第5巻『学習資料集・索引』のつかい方は、第5巻3～7ページに書いてあります。

■学習資料集テーマ一覧

- 歴代の内閣総理大臣一覧
- 天皇系図
- 藤原氏系図
- 源氏・平氏系図
- 征夷大将軍一覧
- 江戸幕府大老・老中一覧
- 鎌倉幕府執権一覧
- 室町幕府執事・管領一覧
- 日本の歴史地図
- アメリカ合衆国大統領一覧
- 国連事務総長一覧
- 主な国・地域の大統領・首相一覧
- ローマ教皇一覧
- 世界の主な王朝と王・皇帝
- 世界の主な王朝地図
- ノーベル賞受賞者一覧
- 日本人ノーベル賞受賞者
- 国民栄誉賞受賞者一覧
- お札の肖像になった人物一覧
- 切手の肖像になった人物一覧
- 文化勲章受章者一覧
- 芥川賞・直木賞受賞者一覧
- オリンピック日本代表選手メダル受賞者一覧
- 日本と世界の名言
- 人名別 小倉百人一首

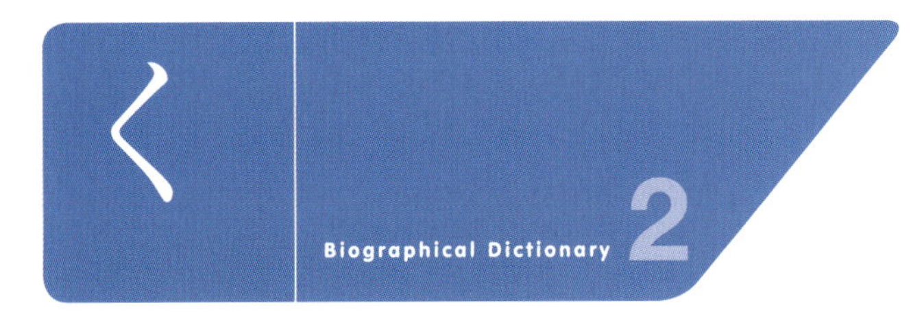

クイーン, エラリー

文学

エラリー・クイーン

2人組の推理作家

▲マンフレッド・リー（左）とフレデリック・ダネイ（右）

アメリカ合衆国の推理作家。

本名マンフレッド・リー（1905〜1971 年）とフレデリック・ダネイ（1905〜1982 年）という 2 人の作家が、いっしょに小説を書くときのペンネームである。いとこどうしの 2 人は、ともにブルックリン生まれで、幼いころから仲がよかった。おとなになったリーとダネイは、共同作業で『ローマ帽子の謎』を書き、出版社のコンテストに応募した。この作品が大好評となり、作品に登場する探偵の名前をペンネームにして、次々に作品を発表し推理作家としての地位を築いた。

2 人にはもう一つのペンネーム、バーナビー・ロスもあり、この名前で書いた『X の悲劇』にはじまるシリーズも人気が高い。スパイ物などが流行するなか、本格的な推理小説を書きつづけた。1941 年には雑誌『エラリー・クイーンズ・ミステリ・マガジン』を創刊し、推理作家の育成にも力を入れる。1971 年にリーが亡くなり、ペンネームでの活動は終わった。ダネイは亡くなるまで、評論などで活躍した。

くうかい

空海 → 10 ページ

グーテンベルク, ヨハネス

発明・発見

ヨハネス・グーテンベルク　1400?〜1468年

活字・活版印刷術を発明

ドイツの技術者。

マインツに生まれる。父が造幣局の役人をしていたことから、金属を加工する技術やプレス機で文字や絵がらを刻印する技術を身につけた。父の死後、1428 年ころストラスブルク（現在のフランスのストラスブール）に移って、貴金属細工の職人となり、そのかたわら活字で文字を印刷する方法について研究を重ねた。

1445 年ころマインツにもどり、金属で活字をつくり、それに適したインクと紙を組み合わせて印刷する方法を完成した。1450 年ころ、事業家のフストの出資を得て印刷所を設立。はじめは天文暦や、教会が発行する免罪符（教会にお金をはらうと罪がゆるされるとして教会が売りだした札）の印刷をおこなっていたといわれる。そして 1455 年ころ、『四十二行聖書』（『グーテンベルク聖書』）とよばれるラテン語の聖書を 300 冊ほど印刷し、出版した。これは 42 行の 2 段組、1282 ページ、全 2 巻からなる聖書で、活版印刷による最初の本である。

▲ヨハネス・グーテンベルク

しかし、さまざまな実験や準備作業に財産をつかいはたし、フストから借りたお金を返すことができなかったため、うったえられて、印刷機と活字、聖書など、これまでつちかってきた事業のすべてがフストの手にわたってしまった。その後、マインツの資産家フメリーから出資を受けて印刷業を再開し、マインツの大司教アドルフ 2 世から発明の功績をたたえられ、恩給をあたえられた。また、グーテンベルクが発明した活版印刷術は、またたく間にヨーロッパ中に広まっていった。活版印刷術が発明される前は、ほとんどの本は人の手によって書きうつされたため数は少なく、読む人も一部の聖職者や学者、裕福な人々にかぎられていたが、活版印刷術の登場によってたくさんの本が出版されるようになり、知識は急速に広まっていった。こうして宗教改革や科学の発展をうながし、歴史を大きく転換させる原動力となり、火薬や羅針盤とともに、ルネサンスの三大発明とよばれた。

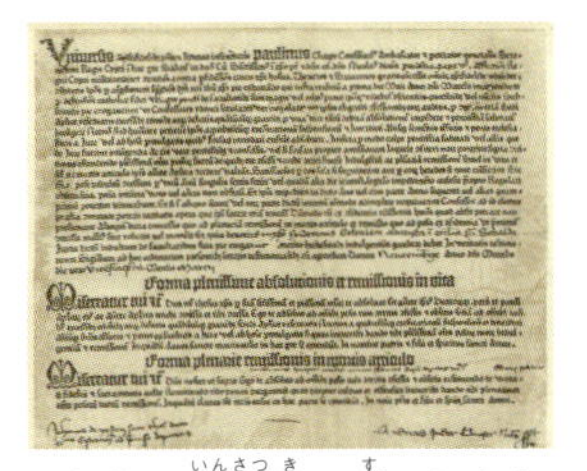
▲初期の印刷機で刷った文書

クーデンホーフ=カレルギー, リヒャルト

政治

リヒャルト・クーデンホーフ=カレルギー　1894〜1972年

ヨーロッパ共同体の基礎を築いた先駆者

オーストリアのヨーロッパ統合運動家。

東京で、駐日オーストリア公使の父と日本人の母クーデンホーフ=カレルギー光子とのあいだに生まれる。ウィーン大学卒業後、1923 年に雑誌『パン・ヨーロッパ』を発刊し、ヨーロッパ統合運動をとなえた。内容は、ドイツとフランスが和解し、ソビエト連邦（ソ連）以外のヨーロッパ諸国が連邦を形成して、ヨーロッパの勢力回復をめざすというもので、のちのヨーロッパ合衆国案やヨーロッパ統合案の先がけとなった。しかし運動はナチスドイツに弾圧され、1939 年にフランス、翌年アメリカ合衆国へ亡命した。第二次世界大戦後、帰国してふたたび統合運動を進め、それがヨーロッパ共同体（EC）の基礎を築くことになった。現在は「ヨーロッパ連合（EU）の父」の一人にもあげられる。

宗教　774〜835年

空海

真言宗をひらいた僧

▲空海像　（四天王寺）

■紀伊半島や四国で修行

平安時代前期の僧。

讃岐国（現在の香川県）の豪族、佐伯氏の子として生まれ、名は真魚といった。諡は弘法大師。15歳のとき京都へのぼり18歳で大学寮（朝廷の役人養成機関）に入って儒教などを学んだ。しかし満足できず、仏教をきわめようと思い、紀伊半島の吉野山（奈良県）や四国の山、海岸できびしい修行をつづけた。その後都にもどり、797年、24歳のとき『三教指帰』を著し、仏教、儒教、道教（中国の老子によってはじめられた宗教）では仏教がいちばんすぐれていると主張した。

■唐にわたり密教を伝授される

804年、東大寺（奈良市）で僧になるための戒律（仏教を信仰する者が守るべき規律）をさずかったあと留学僧として中国の唐にわたった。このとき別の船で最澄も唐にわたった。

空海は唐の都長安（西安）の青竜寺で修行し、すぐれた能力をみとめられ、師の恵果から密教（奥深い秘密の教え）の秘法をさずけられた。806年、多くの仏教経典をたずさえて帰国し真言宗をひらいた。

■最澄との交流

809年、京都の高雄山寺（神護寺）（京都市）に入って密教を広め、やがて最澄との交流がはじまった。空海は最澄に密教の経典を貸したり灌頂（頭に香水をそそぐ儀式）をさずけたりした。しかし密教への考え方のちがいや修行にきた最澄の弟子が最澄のもとにもどらなかったことなどもあり交流は数年でとだえた。

■真言宗を広め、社会事業をおこなう

816年、嵯峨天皇の信頼を得た空海は高野山（和歌山県）をあたえられ、3年後真言密教（真理を伝える大日如来のことばを中心にする宗教）を広めるため金剛峯寺（高野町）を建立した。823年、京都に東寺（教王護国寺）（京都市）をあたえられ、密教の道場として弟子を育てた。

▲高野山金剛峯寺根本大塔（金剛峯寺）

一方で、たびたび水害がおこる故郷の満濃池（香川県まんのう町）を修復し、さらにかんがい用の池をつくって農民たちを助けた。

828年、京都に庶民たちの教育機関「綜芸種智院」をひらいた。それまで仏教は国家のためにあると考えられていたので民衆はかえりみられなかった。空海はこうした社会事業を積極的におこなった。各地をめぐった空海が水不足で苦しんでいる村々に井戸をほったという「弘法清水伝説」も空海の社会事業の一つだったと考えられる。

▲胎蔵界曼荼羅　真言密教でたいせつな図絵。中央に真言宗の本尊大日如来がいてまわりを仏や菩薩がとりかこむ。（『両界曼荼羅図』より）

（東京国立博物館 Image:TNM Image Archives）

死後、空海は朝廷からその功績をみとめられ、弘法大師の称号を贈られた。その後、弘法大師信仰が民間に広まった。

なお、空海は嵯峨天皇、橘逸勢とともに三筆（平安時代前期の3人のすぐれた書家）の一人として知られている。

▶空海が修復した満濃池

（香川県観光振興課）

空海の一生

年	年齢	主なできごと
774	1	讃岐国の豪族佐伯氏の子として生まれる。
791	18	京都へ行き大学寮に入り儒教などを学ぶ。
797	24	『三教指帰』を著す。
804	31	留学僧として唐（中国）にわたる。
806	33	唐から帰国し、真言宗をひらく。
809	36	最澄との交流がはじまる。
819	46	高野山に金剛峯寺を建てる。
821	48	讃岐国の満濃池を修復する。
823	50	嵯峨天皇から東寺（教王護国寺）をあたえられる。
835	62	高野山で亡くなる。

※年齢は数え年であらわしている

クーデンホーフカレルギーみつこ

政治

クーデンホーフ=カレルギー光子　1874〜1941年

EECの母とよばれた日本人女性

オーストリア・ハンガリー帝国のハインリヒ・クーデンホーフ=カレルギー伯爵の妻。

東京府牛込（現在の東京都新宿区）の骨董商の3女として生まれる。旧名は青山みつ（光子）。1892（明治25）年、オーストリア・ハンガリー帝国の駐日外交官ハインリヒ・クーデンホーフ=カレルギー伯爵と知り合い、周囲の反対をおしきって結婚。東京で長男ハンス光太郎、次男リヒャルト栄次郎をもうけた。1896年、夫の祖国オーストリア・ハンガリー帝国にわたりロンスペルク城（チェコ）でくらし、7人の子を産んだ。1906年、夫が急死すると、ウィーンへ移住し、こどもたちの教育に専念。1914（大正3）年、第一次世界大戦がはじまると、赤十字社の食料の供出などにつくした。

戦後、次男のリヒャルト・クーデンホーフ＝カレルギーがヨーロッパの統一をめざすパン・ヨーロッパ連盟を提唱した。この構想は、第二次世界大戦後の1958（昭和33）年、ヨーロッパ経済共同体（EEC）を生み、さらにヨーロッパ連合（EU）のいしずえを築くことになった。これにより光子は「パン・ヨーロッパの母」「EECの母」とよばれた。

クープラン，フランソワ

音楽

フランソワ・クープラン　1668〜1733年

クラブサン音楽の頂点に立つ教本をのこす

フランスの作曲家、クラブサン（チェンバロ）奏者、オルガン奏者。

パリ生まれ。250年以上つづく名門音楽一家に生まれ、教会のオルガン奏者だった父から手ほどきを受け、11歳で、父のあとをついで同じ教会のオルガンをひく。1693年に、ルイ14世の宮廷礼拝堂のオルガン奏者にえらばれ、皇太子や王室の人々にクラブサンを教えた。また、宮廷作曲家として室内楽曲や礼拝用の宗教曲を作曲する。作品は、主旋律が装飾音でかざられたロココ音楽の特徴をもつ。

1713年から、230曲以上をおさめた『クラブサン曲集』全4巻や教本『クラブサン奏法』を出版した。この曲集は、クラブサン音楽の頂点として、ピアノなど鍵盤楽器の奏者には現在も重要な教本であり、レパートリーとなっている。ほかにも室内楽曲、オルガン曲、宗教曲をのこす。クープラン一族でもっとも有名な音楽家で「大クープラン」とよばれる。

クーベルタン，ピエール・ド

教育　スポーツ

ピエール・ド・クーベルタン　1863〜1937年

近代オリンピックの創設者

フランス出身の教育学者。

パリで、貴族（男爵）の3男として生まれる。父の希望で陸軍幼年学校に入学、当時の貴族の息子たちと同様、軍人か官僚になることを期待されたが、教育内容に反発し、教育学に興味をもつ。やがて、普仏戦争（プロイセンとフランスとの戦争）の敗戦で沈滞ムードだった祖国フランスの教育を改革したいと考え、1884年に渡英。イギリスのパブリックスクールを視察し、学生たちが積極的にスポーツにとりくむ姿に感銘を受けた。さらにアメリカ合衆国でも学生スポーツの盛況にふれ、教育におけるスポーツの価値を認識する。はじめは自国の教育改革のためにスポーツをとり入れたいと思っていたが、しだいに国際的競技会を意識し、構想をふくらませていった。1894年に国際オリンピック委員会（IOC）を創設、1896年にギリシャのアテネで第1回オリンピック大会を成功させた。「オリンピックは参加することに意義がある」という有名なことばをのこす。また、五輪のマークも考案している。

くうや

宗教

空也　903〜972年

阿弥陀念仏をとなえ、浄土信仰を説く

▲空也上人立像
（六波羅蜜寺）

平安時代中期の僧。

「こうや」とも読む。醍醐天皇の皇子、仁明天皇の孫などと伝える説もあるが出自は不明。

20代はじめ、尾張（現在の愛知県西部）の国分寺で出家して僧となり、空也と称した。その後、諸国をめぐって道路をつくり、橋をかけ、井戸をほるなど社会事業をおこなった。これは、奈良時代の僧行基の活動とよく似ている。また、貧しい人々にほどこしをあたえ、病人を看病し、野ざらしの死体を火葬するなど、民衆のためにつくした。938年、京都にあらわれた空也は、身に鹿革をまとい、シカの角をつけたつえをつき、鉦（銅製の楽器）をたたき、念仏をすすめて布教した。それまでの仏教ではかえりみられなかった女性も布教の対象だった。

「南無阿弥陀仏」と念仏をとなえて阿弥陀仏にすがれば、極

楽浄土（阿弥陀仏の住む清らかな世界）に往生（生まれかわること）できるという空也の教えは浄土教として庶民にも広く受け入れられ、空也は市聖、阿弥陀聖とよばれてうやまわれた。

948年、比叡山延暦寺（京都市、滋賀県大津市）で受戒（僧になるための戒律をさずかること）し、貴族たちに対しても積極的に布教活動を進めた。951年、このころ流行した疫病をしずめるため、西光寺（現在の六波羅蜜寺）（京都市）を創建し、十一面観音像をつくって安置し、病人に治療のための茶をあたえたといわれる。また、貴族や民衆に寄付をつのって観音像、梵天像、帝釈天像、四天王像をつくるとともに『大般若経』600巻を書写する事業をおこない、13年かけて完了した。

空也の死後、仏教が民衆のあいだに広まり、各地に浄土教や念仏が伝わった。鎌倉時代に時宗をひらいた一遍は、空也をおどりながら念仏をとなえる踊り念仏の始祖としてうやまった。

クーリッジ，カルビン

政治

カルビン・クーリッジ　1872〜1933年

国民の人気が高かった繁栄の大統領

アメリカ合衆国の政治家。第30代大統領（在任1923〜1929年）。

バーモント州生まれ。アマースト大学を卒業後、弁護士となる。その後、政界へと進み、マサチューセッツ州ノーサンプトン市長、同州上院議員などをへて、同州知事に選出された。州知事在任中の1919年、ボストン警察官のストライキをおさめるなどの手腕をふるい、翌年の選挙では、ハーディング政権の副大統領となった。1923年、ハーディングの急死により大統領に昇格し、翌年再選された。保守的で、実業界を重視した立場をとり、汚職事件が多かったハーディング政権とは対照的に清潔な政治をおこなった。経済政策としては、政府が市場に介入しない自由放任主義をとり、指導性に欠ける面も指摘されたが、1920年代のアメリカ経済はかつてないほどの繁栄をきわめていたため、繁栄の大統領として国民からの人気が高かった。無口な性格とファーストネームの「カルビン」から、「サイレント（寡黙な）カル」とよばれた。

学 アメリカ合衆国大統領一覧

グールド，スティーブン・ジェイ

学問

スティーブン・ジェイ・グールド　1941〜2002年

生物の進化についてわかりやすく解説

アメリカ合衆国の進化生物学者、古生物学者、科学史家。

ニューヨーク市クイーンズ生まれ。アンティオーク大学、イギリスのリーズ大学で地質学を学び、コロンビア大学大学院で博士号を取得。1973年からハーバード大学の地質学の教授に就任し、古生物学や進化生物学を教えるかたわら、科学雑誌『ナチュラル・ヒストリー』に科学エッセーを連載する。生物の進化は短期間に爆発的におこり、それ以外の時期は安定するという断続平衡説をナイルズ・エルドリッジとともにとなえた。1999年、アメリカ科学振興協会の会長をつとめ、死後の2008年、ロンドン・リンネ学会から進化生物学を大きく発展させた人に贈られるダーウィン＝ウォレス・メダルを受賞した。

5億500万年前には海底だったロッキー山脈のバージェス頁岩層から発見された5億年前（カンブリア紀）の化石動物群に関する壮大な生物進化の物語『ワンダフル・ライフ』はベストセラーに。そのほか『ダーウィン以来』など多くの著書がある。

クールベ，ギュスターブ

絵画

ギュスターブ・クールベ　1819〜1877年

フランスの写実主義の創始者

フランスの画家。

スイスとの国境に近い村の農家に生まれる。はじめは法律を学んでいたが、転身してブザンソンの学校でデッサンの指導を受けはじめる。1839年にパリに出て、ルーブル美術館にかよいながら独学で絵画を学んだ。とくに、レンブラントやハルスなどのオランダの画家たちの作品に大きな影響を受けた。1844年、自画像『犬を連れた男』を発表する。自然をありのままにとらえる写実主義を確立し、のちの印象派の画家たちに影響をあたえた。1871年のパリ・コミューンに美術委員として参加し、投獄される。その後スイスに亡命し、まもなく生涯を終えた。19世紀フランスの写実主義の創始者、社会主義リアリズムの先駆者ともいわれる。作品は『石割人夫』のように、労働者や農民たちの現実の姿を美化することなくえがいたものが多い。代表作に『波』や『画家のアトリエ』『オルナンの埋葬』などがある。

クーロン，シャルル・オーギュスタン・ド

学問　発明・発見

シャルル・オーギュスタン・ド・クーロン　1736〜1806年

「クーロンの法則」を発見した物理学者

18世紀のフランスの物理学者、工学者。

西部のアングレーム生まれ。家族とともにパリに移住して名門校で基礎教育を受ける。1761年に陸軍士官学校を卒業、軍の工兵隊に入り、地図作成の測量でイギリス沿岸各地におもむく。その後、カリブ海のマルティニーク島へ転属して要塞建設にたずさわり、建築の耐久性や支持構造についての実験をおこなった。1781年、パリに転属し、磁気コンパスや摩擦の研究が評価されてフランス科学アカデミー会員となる。また、電気をおび

た粒子間のひき合う力（引力）と反発する力（斥力）は、距離の2乗に反比例するという法則を確認し、1787年に実験でしめした。これはのちに「クーロンの法則」とよばれる。晩年はフランス学士院会長や社会教育長官を歴任した。

くがかつなん

政治

● 陸羯南　1857〜1907年

近代日本を代表する反骨のジャーナリスト

明治時代の新聞記者。

弘前藩（現在の青森県西部）の藩士の家に生まれる。本名、実。宮城師範学校に進むが、退学。1876（明治9）年に上京し、司法省法学校に入るが、学校と対立。原敬らとともに退学となった。1879年、『青森新聞』の編集長となり、県を批判したことで、退職。その後は、太政官文書局、内閣官報局編輯課長などをつとめる。1889年に新聞『日本』を創刊し、国民主義の立場から、対立する徳富蘇峰らや政府へのするどい批判を展開し、新聞はおよそ30回もの発行停止処分を受けた。

つねに政府や政党と一線を画し、新聞記者としての使命をまっとうし、近代のジャーナリズムに大きな影響をあたえた。正岡子規らの文学者を育成したことでも知られている。

くぎょう

貴族・武将　宗教

● 公暁　1200〜1219年

源実朝を暗殺

鎌倉時代前期の僧。

鎌倉幕府2代将軍源頼家の子。1204年、頼家の死後、鎌倉（神奈川県）の鶴岡八幡宮に入り、1206年、おじで3代将軍源実朝の養子となった。1211年、出家して園城寺（三井寺）（滋賀県大津市）で修行する。1217年、鎌倉にもどり、鶴岡八幡宮の別当（寺の庶務を統括する職）となった。父の頼家が死んだのは実朝のせいだと思いこみ、1219年、ある雪の日、実朝が右大臣に任命されたことを祝う儀式が鶴岡八幡宮でおこなわれたあと、境内で実朝をおそって殺害した。その後、有力御家人の三浦義村をたより将軍につこうとしたが、討ち手をさしむけられ、その日のうちに殺された。公暁に実朝暗殺をそそのかしたのは、北条義時と三浦義村の両説がある。実朝と公暁が亡くなったため、源氏の将軍はここで絶えた。

くさかげんずい

幕末

● 久坂玄瑞　1840〜1864年

尊王攘夷運動に加わり、禁門の変で自害

幕末の長州藩（現在の山口県）の藩士。

長州藩の医師の家に生まれる。1856年、吉田松陰の松下村塾に入門し、高杉晋作とともに優秀な門下生として評価された。1857年、松陰の妹と結婚し、松下村塾の運営や教育をてつだった。1858年、江戸（東京）に出て、蘭学や医学を学ぶ。井伊直弼による安政の大獄で、吉田松陰らが処刑されたことにおこり、尊王攘夷運動（天皇をうやまい外国勢力を追いはらおうとすること）に入った。1862年、藩をぬけだして京都に行き、薩摩藩士の有馬新七らと幕府の京都所司代（朝廷と西日本の大名を監視する役職）の襲撃を計画したが、京都伏見の寺田屋事件で有馬らが切られて計画は挫折した。藩の方針を尊王攘夷にむけさせ、高杉晋作らと江戸高輪のイギリス公使館焼き打ち事件をおこし、1863年、下関での長州藩による外国船砲撃事件にも参加する。同年、八月十八日の政変で尊王攘夷派の公家が宮中から追いだされると、京都で長州藩の勢力回復につとめた。1864年、長州藩の過激派がおこした京都御所襲撃（禁門の変）に加わり、戦いの最中に負傷して自決した。

（山口県立山口博物館）

くさかべのおうじ

王族・皇族

● 草壁皇子　662〜689年

皇太子のまま亡くなった天武天皇と持統天皇の子

飛鳥時代の皇子。

天武天皇の子で、母は鸕野讃良皇女（のちの持統天皇）。

きさきの阿閇皇女（元明天皇）とのあいだに軽皇子（文武天皇）、氷高内親王（元正天皇）、吉備内親王などをもうけた。672年、父がおこした壬申の乱のとき、挙兵した父と行動をともにした。681年、皇太子となり、685年、皇子たちの中で最高の冠位をさずけられた。686年、父の天武天皇が病になり、皇后の鸕野讃良皇女とともに政治をゆだねられた。その直後におきた大津皇子の謀反事件ののち、天皇に即位することが期待されたが、689年に亡くなった。

▲草壁皇子の墓とされている岡宮天皇陵
（宮内庁書陵部）

くさかわしん

音楽

● 草川信　1893〜1948年

童謡『夕焼小焼』を作曲

大正時代〜昭和時代の作曲家、バイオリン奏者、音楽教育家。

長野県生まれ。東京音楽学校（現在の東京藝術大学）卒業。音楽教師の兄弟にかこまれて育ち、みずからも音楽家を志す。音楽学校では、バイオリンとピアノを学んだ。

卒業後は、女学校などの教師をつとめながら作曲をおこなう。音楽学校時代の同級生、成田為三や、ピアノの恩師である弘田龍太郎の影響で雑誌『赤い鳥』の童謡運動に作曲家として参加。故郷の自然を歌った童謡『夕焼小焼』(中村雨紅作詞)で有名になる。『揺籃のうた』(北原白秋作詞)、『どこかで春が』など、現在も歌われる童謡を数多く発表する。作品は、バイオリン奏者らしい流れるような豊かなメロディーに特徴がある。

くさのしんぺい

詩・歌・俳句

草野心平　1903〜1988年

カエルに託したユニークな詩で知られる

大正時代〜昭和時代の詩人。

福島県生まれ。慶應義塾大学を中退後、中国の広東省広州の嶺南大学(現在の中山大学)に進む。この時期、16歳で亡くなった兄のノートにあった詩をみて詩作をはじめ、1925(大正14)年に詩の雑誌『銅鑼』を創刊する。帰国後は、さまざまな職を転々とし、貧しい生活を送りながら、1928(昭和3)年に詩集『第百階級』を発表。もっとも下の階級を「第百階級」とあらわし、階級をこえた原始的な生命力や反骨精神をカエルに託したことばで表現した。

その後、詩誌『学校』を創刊。次いで『歴程』を創刊し、以後中心的な存在として活動する。詩作とともに、詩誌を通じて宮沢賢治を紹介したり、高村光太郎の詩集を編集したりするなど、現代詩を広めることにも力をそそいだ。作品には「すべてのものとともに生きる」という独自の共生感を、富士山、天、石などに託したものが多い。1987年に文化勲章を受章。

学 文化勲章受章者一覧

くさまやよい

絵画

草間彌生　1929年〜

海外でも注目される個性的な美術家

美術家、小説家。

長野県生まれ。10歳のころからしばしば幻覚や幻聴におそわれ、それらからのがれるために、水玉や網目模様のある絵をえがきはじめる。京都市立美術工芸学校(現在の京都市立銅駝美術工芸高等学校)で日本画を学び、1949(昭和24)年に卒業し、松本市や東京で個展をひらく。1957年、アメリカ合衆国にわたり、水玉や網目などのパターンを無限に反復する表現で注目される。絵画のほか、布に綿をつめた立体作品なども発表する。1960年代後半には、からだに絵をかくボディーペインティングなど、偶然的なできごとを表現手段とする「ハプニング」の芸術家として知られ、映画やファッションショーもてがけた。

1973年に帰国したのち、自伝的な小説も発表し、1983年刊行の『クリストファー男娼窟』は野性時代新人文学賞を受賞。1998(平成10)年から翌年にかけて、ニューヨーク近代美術館などで大規模な回顧展を開催した。2009年、文化功労者にえらばれ、2016年には文化勲章を受章した。

学 文化勲章受章者一覧

くしだまごいち

文学　詩・歌・俳句

串田孫一　1915〜2005年

ラジオ番組『音楽の絵本』で知られる

昭和時代〜平成時代の詩人、随筆家、哲学者。

東京生まれ。東京帝国大学(現在の東京大学)卒業。作家の福永武彦らと雑誌『冬夏』を創刊し、第二次世界大戦後は、詩の同人誌『歴程』に加わる。少年時代から登山に親しみ、1958(昭和33)年、山の雑誌『アルプ』を創刊。

詩集『羊飼の時計』、随筆『山のパンセ』『博物誌』など、登山や自然、人生についての作品を多数発表する。また、東京外国語大学でパスカルなどの哲学を教える。1965年からは、30年にわたってFM東京のラジオ番組『音楽の絵本』で司会者をつとめ、音楽が流れるなか、短いエッセーや自作の詩を朗読していた。同名の詩文集もだしている。

くじょうかねざね

貴族・武将

九条兼実　1149〜1207年

源頼朝におされ摂政・関白を歴任

(国立国会図書館)

鎌倉時代前期の公家の高官。

藤原忠通の子。別名は藤原兼実。月輪関白ともよばれる。

1166年、18歳で右大臣に昇進した。京都九条に邸宅(九条殿)をかまえていたことから九条右大臣とよばれ、子孫は九条を姓にした。1185年、源平の争乱で平氏が滅亡したあと、源頼朝におされて内覧(天皇への文書や天皇のくだす文書をみる役職)となり、翌年、後鳥羽天皇の摂政、1189年、最高職の太政大臣に昇進した。1191年には関白となる。このころは後白河法皇(譲位後に出家した後白河天皇）が院政をしいて強い影響力をもった時代で、藤原氏など公家の勢力はおとろえていた。1192 年、後白河法皇の死後、源頼朝に、望んでいた征夷大将軍（蝦夷を平定する軍の最高司令官）の地位をあたえ、武家政権の頭としてみとめたので頼朝の信頼を得た。

その後、頼朝の支援により源平の争乱で荒れた奈良の興福寺や東大寺の復興につとめた。また、藤原氏の勢力を回復しようと娘を後鳥羽天皇のきさきにして皇子の誕生を望んだが、かなわなかった。1195 年、京にのぼった頼朝との関係が所領問題などで悪化し、さらに、公家の高官である源通親の養女がのちの土御門天皇となる皇子を産んだので兼実の勢力はおとろえた。1196 年、関白をやめさせられ政界を追われた兼実は、1202 年に出家し、尊敬する法然の下で信仰にはげんだ。

兼実が 40 年間にわたりつづった日記『玉葉』は当時のできごとなどを知る貴重な資料としてのこされている。

くじょうたけこ

詩・歌・俳句　教育

九条武子　1887～1928年

才色兼備の歌人、女性運動家

大正時代の歌人、社会事業家。

京都生まれ。西本願寺の宗主、大谷光尊の次女。男爵九条良致と結婚してヨーロッパにわたり、ロンドンで慈善病院や孤児院、養老院などを視察して、1 年後に一人で帰国する。佐佐木信綱に和歌を、上村松園に絵を学びながら、10 年以上を一人でくらす。夫を思う気持ちをよんだ歌などをおさめた歌集『金鈴』、歌文集『無憂華』などで名を知られる。ほかに『薫染』『白孔雀』、戯曲『洛北の秋』などがある。

慈善事業家としても活躍し、関東大震災（1923 年）時には、みずからも罹災しながら被災者の救済に先頭に立って指揮をとる。また、1920（大正 9）年、京都女子高等専門学校（現在の京都女子大学）を設立するなど、女性運動家としても活動した。

くじょうみちいえ

九条道家 → 藤原道家

くじょうよりつぐ

九条頼嗣 → 藤原頼嗣

くじょうよりつね

九条頼経 → 藤原頼経

ぐすくませいあん

郷土

城間正安　1860～1944年

人頭税廃止運動を指導した技師

幕末～昭和時代の役人。

琉球王国の久茂地（現在の沖縄県那覇市）に生まれ、沖縄県の農業試験場の技師になった。1884（明治 17）年、サトウキビの製糖法を指導するために宮古島へわたったとき、島民が人頭税に苦しんでいることを知った。人頭税は、江戸時代初期に薩摩藩（鹿児島県）にやぶれてから、薩摩藩に年貢をおさめていた琉球政府が、宮古島と八重山列島の人々に課した税で、明治時代になってもつづいていた。

廃止運動に立ち上がり、新聞などで宮古島の惨状をうったえて、国会に請願書を提出した結果、1903 年に人頭税は廃止された。

くすしえにち

医学

薬師恵日　生没年不詳

大陸から医学を伝え、唐との交流を進言

飛鳥時代の留学生。

朝鮮半島の百済からの渡来人の子孫という。

7 世紀のはじめころ、推古天皇の時代に中国の隋にわたり、618 年、隋がたおれ唐がおこると、ひきつづき滞在して医術を学び薬師と名のった。623 年、朝鮮半島の新羅の使節とともに帰国し、先進医学を伝えた。また「法律などのととのった唐とぜひ交流するべきだ」と推古天皇に進言した。630 年、第 1 回遣唐使として犬上御田鍬らとともに唐にわたり、2 年後に帰国したという。また 654 年にも第 2 回遣唐使として高向玄理にしたがい、新羅をへて唐にわたった。

グスタフにせい

王族・皇族

グスタフ 2 世　1594～1632年

スウェーデン王国最盛期の王

スウェーデン王（在位 1611 ～ 1632 年）。

グスタフ・アドルフともよばれる。カール 9 世の長男として生まれる。1611 年に父が亡くなると、16 歳でスウェーデン王に即位した。宰相オクシェンシェルナの力を得て、身分制議会をつくり、国政を整備するとともに、軍隊組織の強化、製鉄業や銅山の開発、商工業の振興などにつとめた。また、外国から学者をまねき学問の発展につくした。外交では、父の時代から対抗してきたデンマーク、ポーランド、ロシアなどと戦い、エストニアからポーランドにいたるバルト海東岸に勢力をのばし、バルト海の支配権を獲得、スウェーデンを北欧（北ヨーロッパ）の強大国におしあげた。また、ドイツで三十年戦争がおこると、1630 年、新教徒であるプロテスタントのルター派を支援してドイツに攻めこみ、神聖ローマ帝国軍と戦った。機動力にすぐれたスウェーデン軍は、次々に勝利をおさめたが、

1632 年、リュッツェンの戦いで、神聖ローマ帝国の将軍ワレンシュタインと戦って戦死した。勇猛な戦いぶりから、「北方の獅子」とよばれた。

クストー，ジャック=イブ

探検・開拓

ジャック=イブ・クストー　1910～1997年

海中の世界を人々に紹介した

フランスの海洋・海中探検家。

ボルドー近郊に生まれる。海軍兵学校を卒業後、海軍の潜水技術の研究、開発にかかわる。1943 年に、ガニャンと共同で水中肺（スキューバ）を発明した。スキューバは、その後の海洋開発、水中レジャーをおおいに発展させた。

1951 年からは調査船カリプソ号で、紅海の海洋調査をおこなう。その後『沈黙の世界』という本を出版し、海中の世界やそこにすむ生物のようすを伝えた。1956 年には本を映画化。深海の世界を芸術的に記録したことが高く評価され、カンヌ国際映画祭のパルムドール、アメリカ合衆国のアカデミー最優秀長編記録映画賞を受けた。1957 年に海軍をしりぞくと、モナコ海洋博物館所長、フランス海洋開発センター所長に就任。その後も、映画の製作や、テレビ番組への出演を通じて、海洋研究を世に発信しつづけた。1967 年からはカリプソ号にて世界各地の海洋探検に出発。大陸棚開発、海中生活、海洋汚染防止などの活動をおこなった。

くすのきまさしげ

貴族・武将

楠木正成　1294?～1336年

忠臣の代表とされる、南朝につくした武将

▲東京都千代田区皇居外苑の銅像

鎌倉時代後期～南北朝時代の武将。

河内国（現在の大阪府東部）の武将。楠木氏の出自ははっきりしていないが、荘園領主から「悪党」とよばれている史料がある。1331 年、後醍醐天皇の鎌倉幕府をたおそうというよびかけにこたえて、赤坂城（大阪府南河内郡）で兵をあげた。幕府軍とはげしく戦い、1333 年には千早城（大阪府南河内郡）を守って幕府の大軍を足止めして時間をかせいだ。そのあいだに、足利尊氏や新田義貞などが後醍醐天皇に味方して、六波羅探題（鎌倉幕府が京都においた機関）や鎌倉を攻撃したため、鎌倉幕府はほろんだ。

後醍醐天皇が建武の新政とよばれる政治をおこなうと、その功績から朝廷で多くの重要な役職につき、天皇にあつく信頼された。

1335 年、新政に不満をもつ武士におされて尊氏が反乱をおこすと、正成は京都の守護を担当した。翌年、尊氏軍をむかえ撃ち、北畠顕家と協力して尊氏を九州に追った。尊氏との和睦などを献策するが朝廷から受け入れられず、半年後に尊氏が体勢を立て直して攻めてきたため、摂津国（大阪府北西部・兵庫県南東部）の湊川でふたたび戦ってやぶれ、自害した。

くすのきまさつら

貴族・武将

楠木正行　?～1348 年

父の遺志をつぎ、南朝のために戦った

（国立国会図書館）

南北朝時代の武将。

楠木正成の長男。南朝の後醍醐天皇に反発する足利尊氏が攻めてきたため、1336 年、正成は湊川の戦いに出陣する。正成はその戦いが不利であったので、桜井駅（大阪府三島郡）で正行に教訓をさずけ、本拠地の河内国（現在の大阪府東部）で再起するように帰したと軍記物語の『太平記』にえがかれている。これは桜井の別れとよばれ、名場面の一つとなっている。このとき正行は11 歳とされているが、事実かはわかっていない。

正成が戦死すると、正行はあとをついで一族をまとめ、近畿地方における南朝軍の中心的存在となった。1347 年に尊氏が細川顕氏を河内国に派遣すると、正行はこれと戦って大勝した。尊氏はさらに山名時氏を送って、態勢を立て直そうとしたが、正行は摂津国（大阪府北西部・兵庫県南東部）住吉で戦って再度大勝。時氏は負傷、顕氏は京都に逃げ帰った。1348 年には高師直を中心とした軍を四条畷（大阪府四条畷市）でむかえ撃つが、はげしい戦いの末にやぶれ、弟の正時とともに自害した。

くずはらしげる

絵本・児童

葛原しげる　1886～1961年

幼児むけの童謡運動の先がけとなる

明治時代～昭和時代の童謡作家、童話作家。

広島県生まれ。本名は(齒＋令)。東京高等師範学校（現在の筑波大学）を卒業。江戸時代末期に活躍した盲目の箏（13 弦の琴）の名手、葛原勾当の孫にあたる。

卒業後は、小学校や女学校で教師をつとめつつ、作詞家として活躍。いまも歌われる有名な『夕日』『とんび』『村祭り』『キューピーさん』など約4000の唱歌や童謡、多数の校歌をのこす。明治時代の終わりから広まった尋常小学校唱歌にかわる、親しみやすくやさしい幼児むけの唱歌をめざして活動し、のちの童謡運動の先がけとなる。歌集『大正少年唱歌』や童謡集『かねがなる』、評論『童謡の作り方』がある。

くすみもりかげ

絵画

久隅守景　生没年不詳

狩野探幽門下の四天王の一人と称された画家

▲『納涼図屏風』
(東京国立博物館 Image:TNM Image Archives)

江戸時代前期の画家。

狩野派の画家狩野探幽に入門し、探幽の本名守信から一字をあたえられ、守景を名のった。絵の才能をみとめられて、1642年に探幽とともに聖衆来迎寺（滋賀県大津市）客殿の障壁画（障子絵や屏風絵などの総称）を制作した。探幽門下の四天王の一人と称されたが、のちに探幽から破門されたといわれる。

一時加賀国金沢藩（現在の石川県）前田家にまねかれて金沢の城下に滞在し、晩年は京都にもどって『賀茂競馬・宇治茶摘図屏風』などを制作した。代表作に、農民の生活を生き生きとえがいた『四季耕作図屏風』や、国宝に指定されている『納涼図屏風』などがある。

娘の清原雪信も探幽に師事して絵を学び、狩野派の女性画家として活躍した。

くすもとイネ

医学

楠本イネ　1827～1903年

シーボルトの娘で、日本初の女性産科医

明治時代の医師。

幕末に訪日したドイツ人医師シーボルトと、そのおかかえ遊女だった楠本瀧の子として、長崎に生まれた。

長崎で医学やオランダ語を学び、1859年に再来日した父シーボルトから蘭方医学を教わる。その後、産科医として東京の築地で開業するが、女性に受験資格をみとめない医術開業試験制度がはじまったために医院を閉鎖して助産師になった。産科医として西洋医学を学んだ最初の日本女性であり、名医との評判も高かった。

また、福沢諭吉の推薦で宮内省御用掛となり、明治天皇の側室の出産にも立ち会った。のちに小説やドラマにもえがかれた。生涯独身だったが、シーボルト門下の医師、石井宗謙とのあいだに娘の高子をもうけた。

くぜひろちか

幕末

久世広周　1819～1864年

家茂と和宮の結婚を実現させた

幕末の江戸幕府の老中。

下総国（現在の千葉県北部・茨城県南西部）に旗本の子として生まれる。1829年、関宿藩（千葉県野田市）の藩主、久世広運の養子となり、藩主をついだ。寺社奉行（全国の寺や神社を管理し宗教をとりしまる役職）をへて1851年、老中となったが、1858年に大老（幕府の最高職）井伊直弼が安政の大獄で、徳川斉昭、松平慶永らを処分したことに反対して、辞任した。1860年、桜田門外の変で井伊が暗殺されたあと再任され、1861年、老中首座（老中の筆頭）となり、老中安藤信正とともに公武合体（朝廷と徳川将軍家が協力すること）を進め、皇女和宮と江戸幕府第14代将軍徳川家茂の結婚を実現させた。しかし、1862年、安藤が公武合体に反対する水戸浪士におそわれて辞任すると（坂下門外の変）、久世も老中を辞任し、在職中の失政により永蟄居（生涯外出を禁止すること）を命じられた。

クセルクセスいっせい

王族・皇族

クセルクセス1世　?～紀元前465年

ギリシャ遠征に失敗した国王

アケメネス朝ペルシアの第4代国王（在位紀元前486～紀元前465年）。

父はダレイオス1世。即位してエジプトの反乱を平定したのち、紀元前480年、父の遺志をつぎ、みずから大軍をひきいてギリシャに遠征した。一度はアテネに入ることができたが、サラミスの海戦で敗北すると、戦う意欲をなくし、早々に帰国した。翌年ペルシア軍はふたたびプラタイアの戦いにやぶれ、ギリシャ遠征は失敗に終わった。

以降は大規模な遠征をせず、国内の建築事業に力を入れる。ペルセポリスの都市を建設し、宮殿や万国の門（クセルクセス門）を建造した。しかし、これらの事業や、ぜいたくな宮廷生活が財政を圧迫し、しだいに国力が低下した。最後は部下に殺された。

くたにしょうざ

工芸　郷土

九谷庄三　1816～1883年

九谷焼の名工といわれた陶工

江戸時代後期～幕末の陶工。

加賀国寺井村（現在の石川県能美市）の農家に生まれた。陶器の窯元に弟子入りし、焼いた陶器に色絵をほどこす上絵付けの技法を学んだ。1835年、顔料を求めて山野を歩いていると

き、能登の火打谷（石川県志賀町）で、能登呉須とよばれる青色顔料を発見し、九谷焼（石川県金沢市、小松市、加賀市、能美市などで製作される磁器）の絵付けに大きな影響をあたえた。

（能美市九谷焼資料館）

1841年、26歳のとき故郷の寺井村にもどって工房をひらき、庄三風とよばれる画風を確立し、その作品は海外にも輸出されて評判となった。庄三は九谷焼の名工といわれ多くの門人を育てた。

クック，ジェームス

探検・開拓

ジェームス・クック　1728～1779年

「キャプテン・クック」と親しまれた探検家

▲ジェームス・クック

イギリスの軍人、科学者、探検家。

中東部にあるヨークシャー地方の農家に生まれる。17歳のときに石炭運搬船の水夫になり、航海術や測量術などを学び、1755年、海軍に入った。翌年、植民地獲得をめぐるフランスとの七年戦争がはじまると、カナダのセントローレンス川の水路の測量をおこなって地図を作成し、イギリス海軍の上陸作戦を成功させた。その後もカナダのニューファンドランド島の測量をおこない、科学者としてもみとめられた。

イギリス王立協会の南太平洋学術調査隊では指揮官としてタヒチ島にむかい、1769年太陽面を通過する金星を観測。その後、ニュージーランドの沿岸を1周して地図を作成、さらにオーストラリアを発見して東岸に上陸した。そしてオーストラリアとニューギニアのあいだのトレス海峡を通って、それらが陸つづきではないことを確認し、アフリカ南端の喜望峰をへて帰国した。

1772年、第2回周航に出発。今度は未知の南方大陸（テラ・アウストラリス）を発見するための航海で、南にむかって進み、史上はじめて南緯71度10分の南極圏に達した。その後、南極のまわりを周航し、南方大陸は予想より大きくないこと、人が住めるところではないことを確認し、食料などを補給するため、タヒチにむかった。さらにニューカレドニア、ソロモン諸島など太平洋の島々を発見、それらの位置を地図上に記入し、南アメリカ最南端のオルノス岬をめぐって、1775年に帰国した。

▲クック諸島の一つのラロトンガ島

1776年、北大西洋と北太平洋をむすぶ北西航路の発見を目的とする第3回周航に出発。インド洋をへて太平洋に出て、ニュージーランドから北にむかい、ハワイ諸島にいたった。その後、北アメリカ西岸をたどってベーリング海峡の北に達するが、氷にはばまれてひきかえす。その途中、ハワイ島に上陸したとき、島民におそわれて亡くなった。

延べ10年にわたる3度の航海を通して、太平洋の多くの島々を発見し、正確な位置を地図にしるすことに成功した。また船員に特有なビタミンC不足による壊血病の予防につとめて、その病気による死者はほとんどださなかった。「キャプテン・クック」として親しまれ、ニュージーランドにあるクック海峡、ニュージーランド最高峰のクック山、南太平洋のクック諸島などは、彼にちなんで名づけられた。

くつげん

詩・歌・俳句

屈原　紀元前340？～紀元前278？年

楚の国を愛した詩人

中国、楚の政治家、詩人。

楚国（現在の湖北省・湖南省あたり）生まれ。本名は平。字は原。中国の戦国時代、楚の王に信頼されて、政治家として活躍するが、強国の秦との連合に反対し、王からきらわれて追放され、放浪生活を送る。

やがて、楚が秦にほろぼされると、悲しみのあまり、川に身を投げて亡くなった。中国に伝わる竜船の競漕は、屈原を救おうとしてはじまったといわれている。

中国最初の詩集である『楚辞』には、屈原の作とされる『離騒』『九歌』『九章』『遠遊』などがおさめられている。『離騒』は、ぬれぎぬによってうたがわれ、弁解することもできないつらさを歌った愛国の詩として知られる。

グッチ，グッチオ

デザイン

グッチオ・グッチ　1881～1953年

高級皮革ブランドを確立した職人

イタリアの皮革職人。

フィレンツェで商人の息子として生まれる。10代後半からパリとロンドンへ旅をして、サボイホテルなどの高級ホテルではたらきながら、上流階級のセンスを身につけた。

故郷にもどると、馬具や、ウマに乗る人のためのバッグの製造販売をはじめる。すぐれた職人技で評判となり、1921年にはバッグを中心にした皮革製品の店をひらく。1938年、念願のローマ店を出店した。一代でイタリアを代表する高級皮革製品ブランドに成長させ、世界に知られるようになった。

オリジナリティーの高いデザインで定評がある。あぶみなどの馬具をモチーフにした「ホースビット」シリーズは有名である。

グッドイヤー，チャールズ

発明・発見

チャールズ・グッドイヤー　1800〜1860年

ゴム工業発展の土台を築いたアメリカの発明家

アメリカ合衆国の発明家。

コネチカット州生まれ。生活用品などをあつかう店を経営していたが、1830年、不景気の影響を受けて閉店し、多額の借金を背負った。1834年、当時使用されていた天然ゴムの、低温だとひび割れができ、高温だととけてねばりが出るという不具合から、ゴムの品質改良を思いたった。その後、研究に打ちこみ、硫黄をまぜるとねばりが軽減されることを知り、これを応用した実験をつづけた。

1839年、偶然、硫黄をまぜたゴムをストーブの上に落としてしまったところ、高温でもゴムがとけなかったため、加熱することでゴムの品質が安定することを発見した。この技術で特許を取得したが、特許をめぐる訴訟や、昔の借金の返済のため、貧しいまま一生をすごした。しかし、ゴム工業の発展につくした彼の功績は大きい。なお、アメリカ最大のタイヤメーカーであるグッドイヤー・タイヤ・アンド・ラバー社は、社名に彼の名をとっているが、グッドイヤー家との関係はない。

グッドマン，ベニー

音楽

ベニー・グッドマン　1909〜1986年

スイング・ジャズの王様

アメリカ合衆国のクラリネット奏者。

シカゴで、ユダヤ系の貧しい移民の子に生まれ、地元の無料音楽教室でクラリネットを習う。ジャズに興味をもち、16歳で人気バンドのリーダーに見いだされる。その後、25歳でベニー・グッドマン楽団を結成。人種差別のはげしい時代に、黒人のミュージシャンを積極的に起用した。1938年、カーネギーホールではじめてとなるジャズ・コンサートをひらく。

高い音楽性をそなえた演奏で、ジャズの楽しさやわかりやすさを伝えた。大人数のバンドによるスイング・ジャズでブームをおこし、「スイングの王様」とよばれる。代表曲『シング・シング・シング』が有名。

グテレス，アントニオ

政治

アントニオ・グテレス　1949年〜

アフリカや中東の難民支援に活躍

ポルトガルの政治家。第9代国際連合（国連）事務総長（在任2017年〜）。

首都リスボンに生まれる。リスボン工科大学で物理学と電気工学を学び、卒業後は助教をつとめていた。1974年、ポルトガル社会党に入り政治活動を開始。ポルトガル社会党書記長や世界各国の社会民主主義政党が加盟する社会主義インターナショナルの副議長（のちに議長）などを歴任。1995年、ポルトガル首相に就任し、「貧困との戦い」をスローガンに国政を進めた。

2005年、国連難民高等弁務官に選任され、アフリカや中東の難民支援の最前線に立って指揮にあたった。とくにシリア内戦による難民に対して、国際的な支援をよびかけるなど力をつくした。2017年1月、潘基文事務総長のあとを受けて、第9代国連事務総長に就任。難民問題やシリア内戦、北朝鮮の核問題など課題が山積している中、強力なリーダーシップが期待されている。

学 国連事務総長一覧

くどうきちろべえ

郷土

工藤吉郎兵衛　1860〜1945年

イネの品種改良につくした育種家

幕末〜昭和時代の農民。

出羽国西田川郡京田村（現在の山形県鶴岡市）の農家に生まれる。1885（明治18）年、排水の溝をほって、1年中水はけの悪い湿田を、排水がよく、水をぬくとかわく乾田にかえ、乾田に適したイネの品種をさがして、人工的に交配させ、生涯で360の交配組み合わせを試みたといわれる。「敷島」「日の丸」などの品種を育てたが、1930（昭和5）年、「福坊主」という優秀な品種をつくった。その結果、乾田が広く普及し、山形県、宮城県、福島県などで広く栽培され、東北地方の優良品種となった。さらに1940年、酒造用の品種「酒の華」「京の華」「国の華」の育成に成功するなど、稲作の改良に一生をかけた。

くどうてつろう

郷土

工藤轍郎　1849〜1927年

村や農民の福利をはかった開拓者

▲工藤轍郎の銅像

（七戸町教育委員会）

明治時代〜大正時代の開拓者。

盛岡藩（現在の岩手県・青森県南東部・秋田県北東部）の武士の子として、七戸（青森県七戸町）に生まれた。工藤家は代々七戸地方の開拓をおこなってきたが、父のあとを受けついで、萩の沢の約500haの官有地（国有地）をはらいさげてもらい、牧場をひらいた。外国産の種馬を輸入し、南部馬の改良を進めた。

1882（明治15）年、七戸付近の荒れ地、荒屋平約500haの開拓にとりくんだ。22年の歳月をかけ、多額の費用をつぎこんで、失敗を重ねながら、開拓をつづけた。こうして約12kmはなれた熊の沢川から水をひき、ついに約43kmの用水路を完成させた。

水田約300ha、畑約150haがひらかれ、425戸の農家がくらせるようになった。また、農民の小作料（土地の使用料）を少なくし、小作人信用組合をつくって農民たちの福利をはかり、私費を投じて神社や学校を建てるなど、一生を村や農民のためにささげた。

くどうなおこ

絵本・児童　詩・歌・俳句

工藤直子　1935年〜

自然をテーマに心あたたまる詩や童話を書く

詩人、児童文学作家。

台湾生まれ。本姓は松本。お茶の水女子大学卒業。台湾で第二次世界大戦の敗戦をむかえ、10歳のとき引き揚げてきた。大学卒業後はコピーライターをしながら詩や童話を書く。

1982（昭和57）年に発表した詩集『てつがくのライオン』で、日本児童文学者協会新人賞を受賞。野原の虫や風を主人公にした詩集『のはらうた』のシリーズ、クジラとイルカの友情物語『ともだちは海のにおい』、子ネコの成長をえがいた『ねこはしる』など、動物や植物、自然を題材にした心あたたまる作品が多い。こども時代の思い出をつづった詩集『こどものころにみた空は』は、息子で漫画家の松本大洋がさし絵をかいている。

クトゥブッディーン・アイバク

王族・皇族

クトゥブッディーン・アイバク　?〜1210年

インド初のイスラム王朝の創始者

インド、奴隷王朝の初代スルタン（イスラム国家の政治的最高権力者）（在位1206〜1210年）。

中央アジア出身のトルコ人で、奴隷として売られた。マムルーク（奴隷軍人）として教育と訓練を受け、アフガニスタンのゴール朝の君主ムハンマドにつかえた。のちに騎兵隊の指揮官となり、ムハンマドの信任を得て親衛隊長となる。インドのベンガルやビハールなどの征服を担当して大きな成果をあげ、トルコ系イスラム教徒による北西インド支配の基礎をつくった。

1206年、ムハンマドが暗殺されると、デリーにおいてインド最初のイスラム王朝を創立し、スルタンとなった。スルタンとはイスラム世界における君主の称号である。後継者の娘婿イルトゥトゥミシュもまた奴隷出身であったことから、アイバクの王朝は奴隷王朝とよばれる。

デリーを中心に北インドを支配したが、1210年、王朝の基礎を確立する前に落馬が原因で亡くなった。デリー郊外に大規模なモスク（礼拝所）を造営し、石造の巨大な塔クトゥブ・ミナールの建設にも着手した。

くどうへいすけ

思想・哲学

工藤平助　1734〜1800年

蝦夷地の開拓を主張した医者

江戸時代中期の医者、思想家。

紀州藩（現在の和歌山県）の藩医の子として生まれ、のちに仙台藩（宮城県）の医者工藤家の養子になった。江戸（東京）に出て蘭学者の前野良沢や大槻玄沢らと交流し、医学修業のために滞在した長崎では、オランダ人から海外の情勢を学んだ。また、松前藩（北海道松前町）の元役人から、東蝦夷地（北海道の太平洋側と千島列島）のロシアの情報を得た。

1783年、幕府の老中である田沼意次に『赤蝦夷風説考』をさしだして、赤蝦夷（ロシア人のこと）との貿易と蝦夷地開発の必要性をうったえた。これにもとづき、1785年に幕府の調査隊が蝦夷地へ派遣されて蝦夷地の開発が検討されたが、まもなく意次が失脚したため、調査は中止された。

一方で、オランダからの輸入品を大名や裕福な町人に世話して、大きな利益を得た。娘に、女性の自立を説いた『独考』の著者で思想家の只野真葛がいる。

グドール，ジェーン

学問

ジェーン・グドール　1934年〜

野生チンパンジーの行動や生態を明らかにする

イギリスの動物行動学者、霊長類学者。

ロンドンに生まれる。こどものころから動物に興味をもっていたが、経済的な事情から、高校卒業後は秘書としてはたらいた。1957年、知人のいるケニアをおとずれた際に、人類学者のリーキーと出会い、動物についての知識の豊かさをみこまれて助手になった。

1960年、リーキーにすすめられてタンザニアで野生のチンパンジーの研究をはじめ、調査のかたわらケンブリッジ大学で行動生態学を学び、博士号を取得した。長年の調査研究によって、チンパンジーが道具をつかうこと、肉を食べることなど、それまで知られていなかった行動や生態を明らかにし注目された。1975年、アメリカ合衆国アリゾナ州に野生動物の研究や保護のための研究所を創設し、世界中で講演やワークショップなどの活動をおこなっている。

チンパンジー研究の第一人者として知られ、『森の隣人』などの著書がある。野生動物保護の功績によって、数々の国際的な賞を受賞し、2002年には国連平和大使に任命された。

グナイスト，ルドルフ・フォン

学問

ルドルフ・フォン・グナイスト　1816〜1895年

大日本帝国憲法の制定に影響をあたえたドイツの法学者

ドイツの法学者、政治家。

ベルリン生まれ。ベルリン大学で法律を学び、地方裁判所裁判官になったのち、1858年、プロイセン下院議員、1868年にドイツ帝国議会議員、1875年には最高裁判所裁判官をつとめた。政治家としては、憲法制定問題に活躍し、多くの立法にたずさわり、ドイツ立憲君主制の確立につとめた。法学者としては、1858年よりベルリン大学ローマ法教授に就任。

1882（明治15）年、大日本帝国憲法制定の準備として渡欧した伊藤博文らに講義をおこなったほか、明治政府の法律顧問に教え子のモッセを推薦するなど、大日本帝国憲法の制定に大きな影響をあたえた。

くにきだどっぽ

文学

国木田独歩　1871〜1908年

日本の自然主義の先がけとなる小説をのこす

（日本近代文学館）

明治時代の詩人、作家。

千葉県生まれ。幼名は亀吉、のちに哲夫と改名した。東京専門学校（現在の早稲田大学）中退。少年時代を山口県ですごす。専門学校在学中にキリスト教の洗礼を受け、雑誌に投稿をはじめた。1892（明治25）年、浪漫主義の同人誌『青年文学』に参加して、ワーズワースや思想家カーライルの作品に出会う。その後、国民新聞社に入社、日清戦争では従軍記者として戦場へ行った。

1897年、田山花袋らと共著詩集『抒情詩』に『独歩吟』を発表する。同じころ、自然主義の先がけとなる短編小説『源叔父』『忘れえぬ人々』『今の武蔵野』などを発表。1901年には、これらをまとめた短編集『武蔵野』を刊行するが、反応は少なかった。

1906年に出版した短編集『運命』によって、作家としてみとめられた。その後、出版社をおこすが経営に失敗、過労の中で、以前からわずらっていた結核が悪化、茅ケ崎の療養先で38歳の若さで亡くなった。

くにさきじへえ

郷土

国東治兵衛　1743〜？年

石見に畳表と和紙づくりを広めた商人

江戸時代中期〜後期の商人。

岩見国美濃郡遠田村（現在の島根県益田市）で、紙問屋の子として生まれた。祖先は、豊後国国東郡（大分県国東地方）出身といわれる。1786年、石見は凶作で農作物がみのらず、人々は飢えに苦しんだ。村を救う方法はないかと考え、豊後でい草（イ）を栽培して畳表にしていることを思いだした。豊後に行き、い草の苗を持ちかえって植えたところ、遠田の土がい草に合っていることがわかり、村人たちにい草の栽培法や畳表のつくり方を指導した。村でつくられた畳表は、「遠田表」とよばれて全国に広まり、村を豊かにした。さらに大坂（阪）の商人に評判のよかった「石州半紙」とよばれる、じょうぶな和紙のつくり方を女性たちに教えるために、1798年、コウゾの木からつくる和紙づくりの工程を絵で解説した『紙漉重宝記』を出版した。浜田藩（浜田市）も紙すきを奨励したので、女性の仕事として普及した。

▲『紙漉重宝記』より紙すきのようす　（国立国会図書館）

くにさだちゅうじ

江戸時代

国定忠次　1810〜1851年

芝居や講談で有名になった博徒の親分

（草雲美術館）

江戸時代後期の博徒（ばくち打ち）。

上野国国定村（現在の群馬県伊勢崎市）の裕福な農家に生まれた。17歳のときに人を殺して村をとびだし、無宿人（江戸時代の戸籍、人別帳から名前をはずされた人）になった。その後、博徒の親分になり、1834年、なわばりをめぐる博徒どうしの争いから殺人を犯して幕府から追われる身になった。その後、赤城山（群馬県）の山中をすみかにして長わきざしや鉄砲などで武装した子分をひきいてなわばりを広げた。1850年、とらえられ、関所やぶりの罪ではりつけの刑になった。

1833（天保4）年から1839年にかけておこった天保のききんのとき、私財を投げだして貧しい農民に米や金を分けあたえたともいわれる。死後、英雄として芝居や講談などにとり上げられた。新国劇の「赤城の山もこよいかぎり」ではじまるせりふは非常に有名。

くになかのきみまろ

彫刻

国中公麻呂　？〜774年

東大寺の大仏造立に貢献した仏師

奈良時代の役人、仏師（仏像彫刻にたずさわる技術者）。

朝鮮半島の国、百済からの渡来人の子孫。祖父や父から進んだ文化や技術を学んだといわれる。その能力を買われ、746年、金光明寺、のちの東大寺（奈良市）を建立するときの造仏長官をつとめた。747年からはじめられた東大寺大仏の鋳造の技術面で活躍し、749年に鋳造を終え、752年、大仏開眼供養会がおこなわれた。その功績をみとめられ、761年、造東大寺司（東大寺を造営する役所）次官となり、技術者としては異例の出世をとげた。

東大寺法華堂（三月堂）の不空羂索観音像ほかのすぐれた仏像を制作したが、それらは天平年間（729～749）の仏像彫刻の優美さや雄大さをいまに伝えている。

くによしやすお

絵画

国吉康雄　1889～1953年

アメリカで活躍した日本人の洋画家

大正時代～昭和時代の洋画家。岡山県生まれ。1906（明治39）年、17歳でアメリカ合衆国にわたる。さまざまな職業につきながら画家を志し、ロサンゼルスやニューヨークの美術学校で学ぶ。1922（大正11）年、ニューヨークで最初の個展をひらく。はじめ幻想的な素朴派風の絵をえがいたが、2度のヨーロッパ旅行をへて、写実的な作風にかわる。1929（昭和4）年、ニューヨーク近代美術館の「19人の現在アメリカ作家展」に出品し、評価を高める。1931年に一時帰国して個展をひらくが、その後はアメリカで活躍した。悲しげで、かげりのある女性像を得意とした。

第二次世界大戦中は弾圧も受けたが、日本の軍国主義には反対した。1943年、代表作『誰かが私のポスターを破った』がカーネギー国際美術展で1等賞をとる。1947年には、芸術家組合の初代会長となる。翌年にはホイットニー美術館で、現存する画家としてはじめての回顧展がひらかれた。

クヌート

王族・皇族

クヌート　995?～1035年

「北海帝国」を築いた3国の王

イングランド王（在位1016～1035年）、デンマーク王（在位1018～1035年）、ノルウェー王（在位1028?～1035年）。

デンマーク王スベン1世の子として生まれる。カヌート、クヌードとも書かれる。デーン人が住むデンマーク王国は、8世紀末からイングランド侵攻をはじめ、クヌートも父王とともにイングランドへ侵攻した。1014年に父が戦死したあとも、戦いをつづけて勢力を拡大。2年後、イングランド王エドマンド2世をやぶったが、和平交渉の末、エドマンド2世がウェセックスを、クヌートがテムズ川の北を支配することになった。同年、エドマンド2世が亡くなると、クヌートはイングランド王に即位。1018年には兄の死により、デンマーク王となる。1026年、ヘルゲ川の戦いでノルウェーとスウェーデンの連合艦隊を撃破。1028年には、ノルウェー王位もかねて大王と称され、3国にまたがる広大な「北海帝国」を築いた。

クヌートはキリスト教に改宗し、有能な君主として、長い戦乱によって荒廃したイングランドの復興につとめた。しかし後継者争いがおこり、彼の死後7年でこの帝国は崩壊した。

学 世界の主な王朝と王・皇帝

グノー，シャルル

音楽

シャルル・グノー　1818～1893年

グランドオペラの傑作『ファウスト』の作者

フランスの作曲家。

パリ近郊サンクール生まれ。ピアニストの母に手ほどきを受け、早くから音楽の才能を発揮した。1835年、パリ音楽院に入り作曲を学ぶ。1839年、すぐれた芸術家を育てるための奨学金制度、ローマ大賞を受賞し、翌年から3年間ローマに留学する。ルネサンス期の音楽家パレストリーナに影響されて宗教曲にめざめ、『聖チェチーリア荘厳ミサ曲』を発表して成功をおさめる。詩の美しさを生かした優雅なメロディーが特徴。代表作に、バッハの『平均律クラビーア曲集』の前奏曲に『アベ・マリア』の歌詞をあてはめメロディーをつけた歌曲『アベ・マリア』、オペラ作品の『ロメオとジュリエット』『ファウスト』などがある。

くはらふさのすけ

産業

久原房之助　1869～1965年

日立製作所などの基礎となった久原財閥の創始者

（国立国会図書館）

明治時代～昭和時代の実業家、政治家。

山口県生まれ。萩の醸造業者、久原庄三郎の4男。東京商業学校（現在の一橋大学）、慶應義塾（慶應義塾大学）を卒業。貿易立国論に共鳴し、貿易を志して、森村組（現在の森村商事）に入社したが、おじ、藤田伝三郎の要請により藤田組に入り、小坂鉱山の再建につとめた。1905年（明治38）年、藤田組をやめ、茨城県下の赤沢銅山を買収、これを日立鉱山と改称して独立した。

1908年、同鉱山内に鉱山用電気機械の修理工場が設置されたが、これが日立製作所のはじまりである。1912（大正元）年、久原鉱業所（JXホールディングス）を設立。その後、造船業、肥料生産、商社、生命保険を傘下とする久原財閥をなした。第一次世界大戦後、恐慌により不振におちいった久原鉱業の経営再建を義兄の鮎川義介にたのみ、昭和時代に入り政界に進出すると、逓信大臣、政友会幹事長・総裁、内閣参議などを歴任。第二次世界大戦後は、日ソ・日中国交回復国民会議議長に就任し、両国の関係回復につとめた。

ぐびじん

政治

虞美人　?〜紀元前202?年

四面楚歌の故事にも登場する項羽の恋人

中国、秦末期の武将、項羽の恋人。

虞姫ともいう。西楚の覇王、項羽は、のちに前漢の初代皇帝となる劉邦との争いの末、紀元前202年の垓下の戦いでやぶれ、四方をかこまれた（四面楚歌）。項羽はみずからの最期をさとって別れのうたげをもよおした。その席で項羽は虞の行く末を案じて『垓下の歌』を贈り、虞はこれに「私などがどうして生きのびられようか」と返歌した。その後、項羽は自殺。虞の最期はわかっていないが、項羽の足手まといになるのをおそれ、自殺したとも伝えられる。虞が死んだときに流れた血の跡に、美しいヒナゲシの花が咲いたという伝説があり、ヒナゲシを虞美人草ともよぶ。2人の話は、京劇の『覇王別姫』をはじめ、さまざまな小説や舞台の題材にもなっている。

クフおう

王族・皇族

クフ王　生没年不詳

世界最大のピラミッドを建設したファラオ

▲象牙でつくられたクフ王の像

古代エジプト、第4王朝の第2代ファラオ（王）（在位紀元前2550年ごろ）。

ギリシャ語ではケオプスともよばれる。エジプトのギザに、平均2.5トンの石を約280万個積み上げげた、底辺約230m、高さ約146mの大ピラミッドをつくった。ギザには三大ピラミッドがあり、なかでもクフ王のピラミッドがもっとも大きい。

ファラオの権威の象徴であったピラミッドは、エジプト古王国時代（第3〜6王朝）にさかんに建造された。この時代は、ファラオを頂点とした中央集権国家が確立し、第4王朝はその最盛期で、クフ王は巨大な権力をもっていた。

紀元前5世紀の古代ギリシャの歴史学者ヘロドトスは、「クフ王のピラミッドは、常時10万人以上の国民が交代にはたらきつづけ、20年かけてつくられた」、「クフ王は、ピラミッド建造のために国民を強制労働させた暴君であり、そのために国力がおとろえた」という言い伝えをのこしている。しかし今日では、ナイル川のはんらんで失業した農民に仕事をあたえるために、大事業をおこなったと考えられている。

くぼぞえけいきち

郷土

窪添慶吉　1859〜1923年

高知県の水産業の功労者

明治時代〜大正時代の漁業指導者。

土佐国高岡郡上ノ加江村（現在の高知県中土佐町）の農家に生まれた。小学校の教員になったが、新聞でブリの大敷網漁法を知り、高知県の漁業に役だつと考え、教員をやめて、漁民や網業者を説得した。しかし漁民たちは大敷網をつかうと漁場が荒れる、失敗すれば大きな損害になると、反対した。1895（明治28）年に村長になり、大敷網漁法をとり入れている宮崎県へ行き、実情を調査して帰り、高岡郡や村の有力者を説得した。資金を集め、みずから大敷網づくりをてつだった。1898年、高知県初の大敷網を、加江崎沖にしかけた。結果は大成功で、その後、大敷網漁法がさかんになった。

くぼたうつぼ

詩・歌・俳句

窪田空穂　1877〜1967年

長歌を現代に再生させた歌人

明治時代〜昭和時代の歌人、国文学者。

長野県生まれ。本名は通治。太田水穂に影響を受けて短歌をつくりはじめる。東京専門学校（現在の早稲田大学）文学科卒業後、新聞や雑誌の記者をへて、早稲田大学教授となる。雑誌『明星』で活躍して以来、歌人として活動し多くの歌集を発表した。とくに、近代以後ほとんどつくられなくなっていた長歌をよみ、長歌を現代に再生させた。最初の歌集『まひる野』(1905年）にみられる浪漫主義的な作風から、のちには人生をみつめる力強く現実的な独自の作風を打ち立てた。歌集に『濁れる川』『土を眺めて』などがある。また、国文学の研究でも知られ、『万葉集』『古今和歌集』『新古今和歌集』の評釈をのこしている。

くぼたろうえもん

郷土

久保太郎右衛門　1676〜1711年

萱原用水をひらいた治水家

江戸時代前期〜中期の農民、治水家。

讃岐国阿野郡萱原村（現在の香川県綾川町）の庄屋（村の長）の家に生まれた。降水量の少ない村で、ため池だけでは水量が足りず、農民たちは毎年のように干害に苦しんだ。これを救うため、約14kmはなれた綾川から村まで用水をひこうと計画し、高松藩（香川県東部）に許可願いをだしたが、ゆるされなかった。そのうえ、何度もうったえたことをとがめられ、牢屋に入れられた。農民たちは、太郎右衛門を救うために、必死になってゆるしを願った。ついにゆるされて、私財を投じて工事をはじめ、1707年、村の大羽茂池まで萱原用水がひかれ、約200haの水田がうるおった。

くぼやまあいきち

政治

久保山愛吉 1914～1954年

第五福竜丸で水爆実験に遭遇

昭和時代の漁船員。

静岡県生まれ。静岡県焼津市の遠洋マグロ漁船第五福竜丸に無線長として乗船。1954（昭和29）年3月1日、南太平洋ビキニ環礁でアメリカ合衆国がおこなった水爆実験に遭遇（第五福竜丸事件、ビキニ事件ともいう）。水爆実験のことは知らされておらず、船は危険区域外の公海上を航行していた。現地時間の午前4時12分ごろ、空も海も夕焼け色に染まり、閃光のあとにきのこ雲を目撃。その約2時間後から数時間のあいだふりつづく白い灰（死の灰）をあび、3月14日に焼津港に帰る。乗組員全員が放射線による被害を受け、めまい、頭痛、吐き気、下痢、やけどなどの症状があり、原爆症と診断された。船内の物や水揚げされたマグロ、また船員の爪などからも強い放射能が検出された。国立東京第一病院（現在の国立国際医療研究センター）に入院したが、半年後に容態が急変し、亡くなった。死因は急性放射能症とその続発症と発表された。

この事件に抗議して、核兵器禁止へむけた運動が一気にもり上がった。1976年に第五福竜丸展示館（東京都の夢の島公園内）がつくられ、船などがおかれている。

くまがいなおざね

貴族・武将

熊谷直実 1141～1208年

平敦盛の首を討ちとった

▲土佐派『一の谷合戦図屏風』（部分）より

（© 東京富士美術館イメージアーカイブ /DNPartcom）

平安時代後期～鎌倉時代前期の武将。

武蔵国熊谷郷（現在の埼玉県熊谷市）出身。1156（保元元）年の保元の乱では源義朝にしたがい、1159（平治元）年の平治の乱では源義平に、その後、平知盛につかえた。1180年、源平の戦いがはじまると、平氏方として石橋山（神奈川県小田原市）の戦いで源頼朝を攻めた。しかしその後、頼朝につかえて平氏方の佐竹氏追討に活躍し、1182年、頼朝から熊谷郷の地頭職（諸国の荘園や公領の管理と年貢徴収を担当する役職）に任命された。1184年、一ノ谷の戦いで平氏方の平敦盛を討った。『平家物語』では両者の一騎打ちのようすがえがかれ、能や幸若舞でもとり上げられている。

1187年、鶴岡八幡宮の流鏑馬の的立役が不満でこれを拒否し、所領の一部を没収された。1192年、鎌倉幕府の将軍と主従関係をむすんだ御家人、久下氏との所領争いにやぶれると、不当な判決をくだされたとして髪を切り、京都に行って、浄土宗をひらいた法然の弟子となり蓮生と名のった。出家した理由には、16歳の平敦盛を討ちとったことで世の無常を感じたこともあるといわれる。

くまがいなおたか

郷土

熊谷直孝 1817～1875年

小学校教育に力をつくした商人

（鳩居堂製造株式会社）

江戸時代後期～明治時代の商人。

京都で筆や墨を製造販売していた老舗の鳩居堂に生まれた。皇室をうやまう心が強く、幕末の動乱期には、勤王の志士たちを援助した。

明治時代になると、新しい世にはこどもたちの教育が必要だと考え、父直恭が種痘を普及させるために設立した有信堂の中に教育塾をつくり、みずからこどもたちに読み書きを教えはじめた。また、妹が教師となり、女子に裁縫や礼儀作法を教えた。

国が学制を定める3年前の1869（明治2）年、京都では町衆が寄付、献金をして64の番組（学区）に小学校を1校ずつ開校した。直孝が私財を投じた上京第二十七番組小学校は、5月21日に開校式をおこなった。現在は京都市立京都御池中学校となっている。

くまざわばんざん

学問

熊沢蕃山 1619～1691年

著書で政治を批判したため幕府ににらまれた儒学者

江戸時代前期の儒学者。

浪人の子として京都に生まれ、8歳のとき母方の祖父で常陸国水戸藩（現在の茨城県中部・南部）の藩士、熊沢氏の養子になった。本名は伯継。16歳で備前国岡山藩（岡山県南部）の藩主、池田光政に小姓としてつかえるが、4年後、学問に専念するため辞職し、儒学者の中江藤樹に師事して陽明学を学んだ。1644年ころ、ふたたび光政につかえると、才能をみとめられ3000石をあたえられて藩政にかかわり、治水や治山、ききん対策などに成果をあげた。また、光政が開設した蕃山を中心とした学習結社、花畠教場で藩士やその子弟の教育にあたった。幕府の重臣や諸大名の中にも教えをこうものは多かったが、名声が高まるにつれて非難中傷もはげしくなり、1657年、病気を理由に隠居した。その後は各地を転々としながら著作にはげんだ。しかし、1687年、著書『大学或問』で政治を批判したため幕府ににらまれ、下総国古河城（茨城県古河市）に幽閉されて、その地で病死した。『集義和書』『集義外書』などの多くの著書がある。

くまだちかぼ

絵画

熊田千佳慕　1911～2009年

細密な表現で昆虫や花をえがいた画家

昭和時代～平成時代の絵本画家、グラフィックデザイナー。

神奈川県生まれ。本名は五郎。東京美術学校（現在の東京藝術大学）に在学中、兄の親友である山名文夫にグラフィックデザインを学ぶ。1934（昭和9）年に卒業し、山名のつてで、デザイナーと写真家の集団である日本工房に入社した。写真家の土門拳らとともに、海外むけの宣伝雑誌『NIPPON』のデザインを担当した。

第二次世界大戦後は、主にこどもむけの本のさし絵画家、絵本画家として活躍し、『ふしぎの国のアリス』『みつばちマーヤの冒険』『オズの魔法つかい』などのさし絵を担当した。

徹底した観察にもとづく細密な表現や、美しい色彩が評判となり、花や虫、動物などをえがいた図鑑などもてがける。ファーブルの『昆虫記』をえがきつづけ、1981年、イタリアのボローニャ国際絵本原画展に入選した。1989（平成元）年には、小学館児童出版文化賞を受賞した。

くまらじゅう

宗教

鳩摩羅什　344？～413年

インドの仏典を多数翻訳し、中国に仏教を広めた僧侶

4世紀、中国で活躍した仏典漢訳者、仏教学者、僧侶。

中央アジアの亀茲国（現在の中国西部の新疆ウイグル自治区クチャ県）生まれ。クマラジーバともいう。父はインドの貴族の家の出身、母は亀茲国王の妹。7歳で出家し、9歳でインドにわたり仏教を学び、大乗仏教をおさめ、高僧として知られる。前秦の将軍・呂光によって17年間幽閉されたが、401年、後秦の王の姚興によって長安にむかえられ、仏典の漢訳（中国語訳）と説教につとめることになった。

インドでサンスクリット語を習得し、亀茲では西域（漢民族が中国の西方地域をさしていった呼称。現在の新疆ウイグル自治区など）の諸語をおぼえ、幽閉された17年間に漢語（中国語）をマスターして、語学の天才として知られていた。鳩摩羅什の訳は正確・流麗であり、唐の玄奘とならぶ二大訳聖といわれる。漢訳書は『法華経』『阿弥陀経』『維摩経』などの仏典をはじめ、竜樹（ナーガールジュナ）の大乗仏教の思想書『中論』など多数にのぼり、中国での仏教普及に大きく貢献した。また三論宗・成実宗の基礎を築いた。

くめえいざえもん

郷土

久米栄左衛門　1780～1841年

坂井塩田を開発した技術者

（坂出市塩業資料館）

江戸時代後期の技術者。

讃岐国大内郡馬宿村（現在の香川県東かがわ市）の農家で、船のかじをつくる職人をかねた家に生まれた。19歳のときに大坂（阪）に出て、数学者の間重富の弟子となり、数学、地理、天文、測量を学んだ。23歳で故郷に帰り、高松藩（香川県東部）の測量方に任命され、領内を測量調査した。1808年、伊能忠敬が讃岐国（香川県）を測量したときに案内役をつとめた。

1824年、坂出（香川県坂出市）の遠浅の海岸線が塩づくりにむくと考え、高松藩の産業をおこすために『坂出墾田建白書』をさしだした。藩主松平頼恕はこれを採用し、栄左衛門を塩田づくりの普請奉行とした。しかし、工事費がかさみ、藩からの資金では足りず、私財を投じて、3年半で約131haの広大な塩田をひらいたので、松平頼恕はその功績をたたえた。その塩田づくりの方法は、久米式塩田とよばれ、瀬戸内海各地の塩田づくりのモデルとなった。

くめくにたけ

学問

久米邦武　1839～1931年

『大日本編年史』の編さんをした

幕末～昭和時代の歴史学者。

肥前国佐賀藩（現在の佐賀県）の藩士、久米邦郷の子。

藩校の弘道館に入り、大隈重信と知り合う。1862年、江戸（東京）に出て、幕府直轄の学校の昌平坂学問所に学んだ。1869（明治2）年、明治新政府につかえた。1871年、岩倉使節団（岩倉具視を大使として、副使の木戸孝允、伊藤博文、大久保利通、政府幹部、留学生などから構成された使節団）の一員となってアメリカ合衆国にわたり、さらにヨーロッパ各国をめぐって帰国し、その記録を『特命全権大使米欧回覧実記』に著した。1879年、太政官に設置された歴史編さん所の修史館に入り、『大日本編年史』の編さんにあたった。1888年、帝国大学文科大学（現在の東京大学文学部）教授となり、日本歴史、地理、支那（中国）歴史などを講義した。1891年、神道を分析した論文『神道は祭天の古俗』が、神道家や国学者に非難されて免職となった。1899年、東京専門学校（早稲田大学）の講師となり、1922（大正11）年まで講師、教授をつとめ、古文書学、古代史、平安時代史などを講義した。

くめけいいちろう

絵画

久米桂一郎　1866〜1934年

美術行政家、教育家として活躍した画家

明治時代の洋画家。

佐賀生まれ。父は歴史学者の久米邦武。1886（明治19）年、絵を学ぶためフランスにわたり、黒田清輝とともに外光派の画家ラファエル・コランの指導を受ける。帰国後も黒田と行動をともにし、1894年に絵画塾の天真道場、1896年には白馬会を創立した。東京美術学校（現在の東京藝術大学）に西洋画科ができると、美術解剖学や西洋の考古学を教えた。しかし、しだいに制作からは遠ざかった。政府から万国博覧会に関する仕事をひきうけ、何度も海外におもむくなど、美術行政、教育で大きな役割をはたした。代表作は『裸婦』『林檎拾い』『秋景』などで、森鷗外とともに解剖学についての本もだしている。

くめこうたろう

江戸時代

久米幸太郎　1811〜1891年

江戸時代最後のあだ討ちをはたした武士

越後国新発田藩（現在の新潟県中部）の藩士。

新発田藩藩士の久米弥五兵衛の子。父弥五兵衛が同僚の滝沢休右衛門が藩の金をつかいこんでいることを知ると、事実の発覚をおそれた休右衛門は1817年、弥五兵衛をたずねて囲碁を打ち、その後の酒席で弥五兵衛を切り殺して、ゆくえをくらました。このとき幸太郎は7歳、弟は5歳だった。1828年、18歳になった幸太郎は藩主に父のあだ討ちを願いでてゆるされ、弟とともに休右衛門をさがす旅に出た。このあだ討ちは、幕府から「仇討廻国御免」というゆるし状を得ておこなわれた。幸太郎たちはその後30年間旅をつづけ、1857年、ついに休右衛門が仙台藩石巻（宮城県石巻市）近郊の寺で黙昭という僧になってひそんでいることをつきとめ、討ちはたした。父の死から40年という長い歳月をかけた江戸時代最後の幕府がみとめたあだ討ちとされ、菊池寛などにより小説の題材としてえがかれている。

くめまさお

文学　映画・演劇

久米正雄　1891〜1952年

私小説で流行作家となる

大正時代〜昭和時代の作家、劇作家、俳人。

長野県生まれ。東京帝国大学（現在の東京大学）英文科卒業。幼いころに父を亡くし、母の実家がある福島県で育つ。旧制中学時代、河東碧梧桐に俳句を学び、才能をみとめられる。大学在学中に、菊池寛、芥川龍之介らとともに、雑誌『新思潮』に参加。1914（大正3）年、『新思潮』に発表した戯曲『牛乳屋の兄弟』が、有楽座で上演される。

翌年、夏目漱石に弟子入りして、『父の死』『競漕』『手品師』『受験生の手記』などを発表。みずからの失恋の体験を書いた『蛍草』（1918年）、『破船』（1922年）で流行作家となる。第二次世界大戦後、川端康成らと鎌倉文庫を創立して社長をつとめた。

くようだつ

思想・哲学

孔穎達　574〜648年

五経の解釈書『五経正義』を編さんした儒学者

中国、隋、唐の時代の儒学者。

冀州（現在の河北省）生まれ。「こうえいたつ」とも読む。幼少のころから利発で、儒学をおさめ、数学や暦に関する学問にも通じていた。隋の煬帝の時代、科挙に合格する。唐の時代になると、先輩たちをおさえ、638年、国子監（国家の最高学府）の長官となった。

第2代皇帝の太宗（李世民）にしばしば進言して、信任を得た。当時は、儒教の経典である五経について、さまざまな解釈がなされ、科挙の合格の基準もあいまいであった。太宗は科挙制度を整備するために、孔穎達に統一的な解釈書の編さんを命じ、孔穎達は180巻からなる『五経正義』を完成させた。以後、この書が五経の国定教科書となり、科挙の基準とされた。しかし一方で、儒学の解釈が固定化されたために、儒学そのものの進化は停滞する結果となった。また、孔穎達は歴史書『隋書』の編集にも参加した。

クラーク，アーサー・チャールズ

文学

アーサー・チャールズ・クラーク　1917〜2008年

『2001年宇宙の旅』の作者

イギリスの作家、科学解説者。

サマセット州生まれ。グラマースクール（国立の中高一貫校）

卒業後、公務員、空軍技術士官をへて、ロンドン大学に入学、物理学、数学を学ぶ。

1946 年、『太陽系最後の日』で作家デビュー。その後、未知の大宇宙船団に支配される地球の運命をえがいた『幼年期の終り』(1953 年)、300 万年前の地球にあらわれた石板のなぞをさぐる宇宙の旅をえがいた『2001 年宇宙の旅』(1968 年)などの名作を生みだした。『2001 年宇宙の旅』はシリーズ化され、映画の原作にもなっている。

『宇宙のランデヴー』(1973 年)、『楽園の泉』(1979 年)で空想科学小説(SF)・ファンタジーに贈られるヒューゴー賞とネビュラ賞を獲得。ほかに『海底牧場』『都市と星』や自伝的エッセー『楽園の日々』などがある。

豊かな科学の知識を生かして、近未来のテクノロジー社会をえがきだし、アシモフ、ハインラインとならぶ三大 SF 作家の一人といわれる。

クラーク，ウィリアム

教育

ウィリアム・クラーク　1826～1886年

「青年よ、大志をいだけ」で有名な教育家

(北海道大学附属図書館)

明治時代に来日した、アメリカ合衆国の教育家。

マサチューセッツ州の医師の家に生まれる。アマースト大学で学び、母校の教授をへて、1867 年、マサチューセッツ農科大学の初代学長となる。

1876(明治 9)年に、日本政府のまねきで、新設の札幌農学校(のちの北海道帝国大学、現在の北海道大学)の初代教頭として来日。わずか 8 か月のあいだに、キリスト教精神にもとづく新しい人格教育を実施する。

実験農場での実践的な教育をおこない、北海道の開拓に必要な人材の育成につくした。1 期生からは、北海道帝国大学の初代総長である佐藤昌介や、農学士の内田瀞らを育て、直接教えてはいないが 2 期生の内村鑑三や新渡戸稲造などにも大きな影響をおよぼした。

翌年帰国するにあたって、学生たちに「青年よ、大志をいだけ」という有名なことばをのこした。

日本ではクラーク博士として知られ、さっぽろ羊ヶ丘展望台に像が立っている。

クライフ，ヨハン

スポーツ

ヨハン・クライフ　1947～2016年

空を飛ぶといわれたサッカー選手

オランダのサッカー選手、監督。

17 歳のとき、オランダのサッカークラブ、アヤックスでプロデビューした。国内リーグでの 6 度の優勝や、欧州チャンピオンズカップ 3 連覇などに貢献した。1974 年のワールドカップ・西ドイツ大会では、ポジションにかかわらず選手が積極的に動きまわる「トータルフットボール」で大会を圧倒し、準優勝ながら MVP(最優秀選手)にえらばれた。現役時代はその華麗なプレーから「空飛ぶオランダ人」とよばれた。

引退後はアヤックスやスペインの FC バルセロナの監督として、国内リーグや欧州チャンピオンズカップ優勝など、数々の業績をのこしている。

クライブ，ロバート

政治

ロバート・クライブ　1725～1774年

イギリスのインド支配の基礎をつくった

イギリスの軍人、政治家。ベンガル知事。

シュロップシャー州の名門の家に生まれる。1744 年、18 歳のときに、イギリス東インド会社の書記となってインドにわたった。その後、傭兵隊に志願し、将校として活躍。1750 年におきた、フランスとの第 2 次カーナティック戦争では、フランス軍に大打撃をあたえ、南インドにおけるイギリスの覇権を確立した。

1756 年、インド北東部でベンガル太守(地方長官)が反乱をおこし、カルカッタ(現在のコルカタ)を占領すると、軍をおこしてこれを奪回。

1757 年のプラッシーの戦いではベンガル太守とフランスの連合軍との戦いに勝利し、イギリスのインド支配の基礎をかためた。1758 年、初代ベンガル知事となり、ベンガルの土地税を集める権利と、財政を管理する権利を獲得。1767 年に帰国すると、イギリス議会からインドでの不正を告発され、健康を害して 1774 年、自殺した。

クライン，イブ

絵画

イブ・クライン　1928～1962年

1色だけでかく絵画で知られた美術家

フランスの美術家。

南フランスのニースで画家の両親のもとに生まれる。地元の商

船学校を卒業後、パリで語学と柔道を学ぶ。1952年から1953年、柔道の修業のために日本をおとずれ、帰国後も柔道家として活躍した。絵の技術は、独学で身につけた。

1958年にパリの画廊で、展示室になにもおかない、『空虚』展をひらくなど、意欲的に活動していたが、34歳のとき心臓発作で急死した。フランスを中心におこったヌーボーレアリスム（新現実主義）運動の代表的な美術家といわれる。

キャンバスに1色だけでかくモノクローム絵画が特徴である。なかでも「インターナショナル・クライン・ブルー」と名づけた独自の青色をつかって、自然現象や宇宙を表現する作品をつくりつづけた。

主な作品に『宇宙進化』、人体に絵の具をぬって画面におしつけ、人体をうつしとった『人体測定』、火炎放射器をつかった『火の絵画』などの作品がある。

クラウゼヴィッツ，カール・フォン

政治

カール・フォン・クラウゼヴィッツ　1780～1831年

『戦争論』で戦争の本質を論じた

プロイセン王国の軍人、軍事理論家。

ドイツ北東部のマクデブルク近郊の町に生まれる。

1792年、プロイセンの軍隊に入り、フランスとの戦いに参加した。1801年、ベルリンの陸軍士官学校に入学。1806年、フランス、ナポレオン1世の軍と戦い、イエナの戦いにやぶれて捕虜となった。翌年、釈放されて陸軍省で軍制改革にとりくんだ。プロイセンがナポレオンと軍事同盟をむすぶと、これに反対し、1812年、ロシアに脱出。ロシア軍の将校となってナポレオン軍と戦った。その後、プロイセンにもどり、士官学校の校長をつとめながら、戦争理論についての執筆にとりかかった。

1830年、ポーランドで反乱がおこると、参謀長として派遣され、翌年、コレラがもとで病死。死後、彼の遺稿全10巻が刊行された。最初の3巻が『戦争論』で、「戦争の本性」「戦争の理論」などについて論じられ、軍事理論の不滅の古典とされた。その中に「戦争はほかの手段でもってする政治の延長だ」という有名なことばがある。

くらくまつえもん

郷土

工楽松右衛門　1743～1812年

松右衛門帆を発明した漁師

江戸時代中期～後期の漁師。

播磨国高砂（現在の兵庫県高砂市）の漁師、宮本松右衛門の子として生まれた。20歳のころから廻船の仕事につき、40歳のころ独立して、荷物を運送する仕事をいとなんだ。そのころの船の帆はむしろなどを重ねたもので、雨風が強くなると、操作がむずかしく、船足もおそくなった。帆の改良を試み、木綿の細い糸を十数本よりあわせて太い糸にし、その糸で織った厚手の帆（松右衛門帆）を発明した。雨風に強く操作もかんたんだったので、大型の廻船などで急速に普及した。波止場の築造にも力を発揮し、1791年、幕府の命令で択捉島に波止場を築いた。その功績により、1802年くふうを楽しむという意味の「工楽」の姓をあたえられた。

グラス，ギュンター

文学

ギュンター・グラス　1927～2015年

『ブリキの太鼓』で世界的作家に

ドイツの作家、詩人、劇作家。

ダンツィヒ（現在のポーランド、グダンスク）生まれ。第二次世界大戦に少年兵として召集され、アメリカ軍の捕虜となる。その後、仕事を転々としながら彫刻や絵画を学び、詩、戯曲を書きはじめる。1959年に、3歳で成長をやめた主人公が太鼓をたたきながら語る『ブリキの太鼓』が世界的ベストセラーとなり『猫と鼠』『犬の年』とあわせて「ダンチヒ三部作」といわれる。ほかに『ひらめ』『私の一世紀』などがある。1999年、ノーベル文学賞を受賞。

2006年の自伝『玉ねぎの皮をむきながら』で、ナチス親衛隊にいたことを告白し、世界に衝撃をあたえる。生涯にわたり、作家として、政治や社会のあるべき姿を発言しつづけた。

学 ノーベル賞受賞者一覧

くらたじろうえもん

郷土

倉田次郎右衛門　？～1703年

長崎に水道をひいた商人

江戸時代前期の商人。

肥前国長崎の本五島町（現在の長崎市）で船による物資の輸送をおこなう廻船問屋をいとなんだ。長崎は、干潟を埋め立ててつくられたので、井戸をほっても海水がまじり、飲料水を得るのに苦労した。水不足を解決しようと考えていた次郎右衛門は、1663年、大火で市中が焼失したことをきっかけに、水道づくりを決意した。家業のかたわら、4年かけて水源の調査や測量をおこない、1667年、長崎奉行（長崎の行政・司法などをつかさどる役職）に水道建設を願いでた。計画は、長崎市を流れ長崎湾にそそぐ水量の豊富な中島川で取水して市中まで水をひき、地中にうめた木樋（水道管）で各町に水を送るというもので、防火用水としても利用しようと考えた。私財を投じて工事をつづけ、1673年、水道が完成し、各町に水が行きわたった。水道は倉田水樋と命名され、明治時代に近代的な水道ができるまで用いられた。

▲倉田水樋の木樋　（長崎市上下水道局）

くらたひゃくぞう

文学　映画・演劇

倉田百三　1891～1943年

大正期の宗教文学ブームの先がけとなる

大正時代～昭和時代の戯曲家、評論家。

広島県生まれ。旧制第一高等学校に入学し、西田幾多郎の哲学書に影響を受ける。高校を中退したあと、親鸞の仏教思想をまとめた『歎異抄』を読みふける。1916（大正5）年から雑誌に戯曲『出家とその弟子』を連載し、多くの読者の共感を得て、大正期の宗教文学ブームの先がけとなった。

以後、宗教的な作品『歌はぬ人』『布施太子之入山』や作者の社会的関心をしめした『父の心配』『赤い霊魂』などの戯曲を発表した。また、高校生時代から30歳までに書いた文章を集めた評論集『愛と認識との出発』を発表。友情や恋愛、信仰など人生を深く考えた書として、若者の共感を得た。

グラックスきょうだい

古代　政治

グラックス兄弟　兄ティベリウス　紀元前162～紀元前133年　弟ガイウス　紀元前153～紀元前121年

古代ローマの改革をめざした兄弟

▲兄ティベリウス（左）と弟ガイウス（右）

古代ローマの政治家。

名門貴族の出身で、父は執政官（コンスル）、母はスキピオの娘だった。兄ティベリウスは、紀元前137年、財務官としてスペインに従軍する。当時のローマは、戦争が多く、農民も兵役を課せられていた。そのため、中小農民の没落が進み、富裕層が農地を購入し、大規模な経営がおこなわれた。紀元前133年、ティベリウスは護民官になると、富裕層による土地の占有を制限し、あまった土地を没落した農民にあたえる改革案を平民会に提出する。元老院など保守派がはげしく反発したが、強行して法案を成立させる。しかし、その後、反対派によって殺害された。

弟ガイウスは、紀元前123年に護民官となり、兄の遺志をついで、土地改革を進めた。また、穀物法を成立させるなど、さまざまな改革をするが、最後は元老院派に追いこまれて自殺した。自作農を育て、軍の再建をめざしたグラックス兄弟の改革は実現せず、以後ローマは内乱の1世紀に入る。

くらつくりのとり

彫刻

鞍作鳥　6世紀後半？～7世紀前半？

法隆寺金堂の釈迦三尊像の作者

飛鳥時代の仏師（仏像彫刻にたずさわる技術者）。

止利仏師ともいう。祖父は朝鮮半島の国、百済から渡来した司馬達等。

蘇我氏のもとで、仏師として活躍した。606年、蘇我馬子の建立した日本ではじめての本格的な伽藍（堂や塔）をそなえた寺、飛鳥寺（法興寺）の本尊、釈迦如来像（飛鳥大仏）を制作、安置した。また、聖徳太子の死の翌年、623年に法隆寺金堂に太子と等身大の釈迦三尊像を安置した。この仏像は聖徳太子とその母、きさきの冥福を祈って制作したものといわれている。

鞍作鳥の制作した仏像は中国の南北朝時代の北魏（386～534年）の仏像の様式を伝えているといわれる。威厳をしめす顔だちと、独特のほほえみを浮かべたアルカイックスマイルとよばれる口もと、直線的で力強い衣のひだなどに特徴がある作風は止利様式とよばれ、飛鳥文化を代表する彫刻の主流となった。

▲飛鳥大仏
（安居院／明日香村教育委員会）

クラッスス，マルクス・リキニウス

古代　政治

マルクス・リキニウス・クラッスス　紀元前115?～紀元前53年

第1回三頭政治をおこなった

古代ローマの政治家。

騎士階級の出身。政治家で軍人のスラの下で、頭角をあらわす。スラの政敵から没収した財産や、火災にあった建物や土地を安く買い占め、ローマで一番の富豪になる。紀元前73年、スパルタクスひきいる奴隷たちの大規模な反乱（スパルタクスの反乱）がおこり、クラッススは将軍としてこれを鎮圧した。その後、ポンペイウスとともに執政官にえらばれるが、ポンペイウスとは、つねに対抗する関係にあった。

紀元前60年、資金援助をして協力者となったカエサルの仲介で、ポンペイウスとも手をむすび、第1回三頭政治を成立させた。カエサルはガリア、ポンペイウスはスペイン、クラッススはシリアというように、ローマ領土をそれぞれの勢力圏で分けた。その後、クラッススは、ポンペイウスなどが実現できなかったパルティア征服をくわだてる。紀元前54年、自分の勢力圏であるシリアを拠点として、パルティアに侵攻するが、翌年、パルティア軍にやぶれ、戦死した。

グラッドストン，ウィリアム

政治

ウィリアム・グラッドストン　1809〜1898年

自由貿易を推進し、アイルランドの解放をめざした

イギリスの政治家。首相（在任1868～1874年、1880～1885年､1886年､1892～1894年）。

リバプールの豪商の生まれ。名門イートン校からオックスフォード大学に進み、父のあとをついで保守党の下院議員になった。もともと雄弁家で政界でも頭角をあらわし、ピール保守党内閣の下で商務院総裁となり、関税の引き下げや、自由貿易の推進などをおこなった。穀物法の廃止をめぐって保守党が分裂すると、ピールとともに自由党に接近。自由主義貿易を主張する。財務大臣に3度就任。財政改革案を次々に打ちだし、自由党の指導者の一人となった。1868年に首相になると、1894年までに4次にわたる内閣を組織。保守党党首のディズレーリとともに、議会政治の全盛期に活躍した。

イギリス国教会からのアイルランド解放、アイルランド土地法による小作農の保護、小学校の義務教育制度、無記名投票制、選挙法改正による農業労働者への選挙権拡大など多数の業績をあげた。1893年、第2次アイルランド自治法案の成立をめざしたが、保守派の抵抗で失敗し、政界を引退した。

学 主な国・地域の大統領・首相一覧

クラナハ，ルーカス

絵画

ルーカス・クラナハ　1472〜1553年

ドイツ絵画の伝統を受けつぐ画家

ドイツの画家。

バイエルン州のクローナハに画家の息子として生まれる。父に絵の指導を受けたのち、1501年にウィーンに行って修業をした。

1504年からは、宮廷画家としてフリードリヒ3世（ザクセン選帝侯）につかえる。ウィッテンベルク市に工房をもち、教会の祭壇画や選帝侯たちの肖像画を主にてがけた。キリスト教の宗教改革をおこなったルターと親しかった関係で、彼やその家族の肖像画も多くえがいている。1537年から7年間はウィッテンベルクの市長もつとめた。

後期には風景画や神話を題材にした作品ものこし、とくにビーナスなどの女神像は、ウエストを極端に細くした独自の体形を特徴とする。同時代の画家にはイタリアに行ってルネサンス芸術を学んだ者も多いなか、ドイツにとどまり、ドイツ絵画の伝統を受けついだ画家といわれる。代表作に『キリスト磔刑』『風景の中のビーナス』『三女神』などがある。同名の息子も画家となった。

グラバー，トーマス

幕末

トーマス・グラバー　1838〜1911年

明治維新をささえた貿易商

（長崎歴史文化博物館）

幕末に来日した、イギリスの貿易商。

スコットランド出身。1857年、上海のイギリス商社につとめた。1859年、来日して長崎でグラバー商会を設立、貿易業をいとなんだ。幕末の動乱の中、倒幕派を支援してイギリスから艦船、武器弾薬を大量に輸入して長州藩（現在の山口県）や薩摩藩（鹿児島県）らに売り、大きな富を得た。1867年には土佐藩（高知県）の岩崎弥太郎と知り合い、小銃や小型の艦船を手配した。しかし、維新前後の戦いをみこんで輸入した大量の武器が売れず、1870（明治3）年、グラバー商会は倒産。また、佐賀藩（佐賀県）が委託した高島の炭鉱経営も失敗したが、1881年、岩崎の三菱商会（郵便汽船三菱会社）が高島炭坑を買収したあと顧問となった。その後、三菱財閥の顧問もつとめ、ビール産業などにもかかわるなど、明治維新後の実業界で活躍した。

長崎の旧グラバー邸は、日本人大工によるはじめての洋風住宅で、2015（平成27）年、高島炭坑などとともに世界遺産（文化遺産）として登録された。

くらはしゆみこ

文学

倉橋由美子　1935〜2005年

文学に新風をもたらす

昭和時代～平成時代の作家。

高知県生まれ。本姓は熊谷。明治大学仏文科大学院中退。

1960（昭和35）年、政党で活動する青年をえがいた『パルタイ』で『明治大学新聞』の学長賞を受賞。これが雑誌『文学界』に掲載されて、作家としてデビューする。

この作品で女流文学賞（1960年）を受賞。寓話的な小説で、文学に新風をもたらす。1966年、アイオワ州立大学大学院に留学。帰国後、『スミヤキストQの冒険』『夢の浮橋』などを発表。1987年、『アマノン国往還記』で泉鏡花文学賞を受賞。翻訳に、シルバースタインの『ぼくを探しに』やサン=テグジュペリの『新訳星の王子さま』などがある。

グラフ，シュテフィ

スポーツ

シュテフィ・グラフ　1969年〜

世界1位をつづけたテニス選手

ドイツのプロテニス選手。

父の指導の下、1973年からテニスをはじめ、1982年に13歳でプロデビューした。1987年に全仏オープンに初優勝し、1988年にはテニスの四大大会（全豪、全仏、ウィンブルドン、全米）すべてに優勝して「年間グランドスラム」を達成した。さらにこの年のソウルオリンピックでも金メダルを獲得した。

四大大会シングルス優勝回数22は、マーガレット・スミス・コートに次ぐ歴代2位で、世界ランキング1位を通算で377週にわたり守ったことは、男女を通じて史上最長記録である。

1999年に現役を引退し、2001年にアメリカ合衆国のテニス選手、アンドレ・アガシと結婚した。

くらもとそう

映画・演劇

倉本聰　1935年〜

国民的ドラマ『北の国から』が大ヒット

脚本家、演出家。

東京生まれ。本名は山谷馨。東京大学卒業。はじめニッポン放送に入社し、1963（昭和38）年、脚本家として独立。主な作品に、『前略おふくろ様』（1975年、ゴールデン・アロー賞、毎日芸術賞）、『うちのホンカン』（1975年）などがある。

1977年、北海道の富良野市に移住する。4年間の構想をへて、富良野を舞台にした『北の国から』を書き上げて、1981〜1982年にテレビドラマ化する。

この作品により日本中の感動をよび、山本有三記念路傍の石文学賞ほか、数々の賞を受賞。2010（平成22）年まで、富良野塾をひらいて若手の俳優や脚本家の育成にも力を入れる。2000年、紫綬褒章を受章。

グラント，ユリシーズ

政治

ユリシーズ・グラント　1822〜1885年

アメリカ南北戦争、北軍の総司令官

アメリカ合衆国の軍人。第18代大統領（在任1869〜1877年）。

オハイオ州出身。陸軍士官学校を卒業後、アメリカ・メキシコ戦争で功績をあげた。いったん退役したが、南北戦争で合衆国陸軍（北軍）に志願。以後各地で戦果をあげ、北軍総司令官となる。リー将軍ひきいる南軍を降伏させ、1865年に南北戦争は終結。翌年、大将に昇進。戦後その名声によって共和党から大統領となる。アメリカは南北戦争後の経済発展期に入るが、大統領としては政治的経験、能力を欠いており、在任時に汚職事件が頻発したことから、彼の政治家としての評価は低い。政界引退後の1879（明治12）年、世界旅行の途中に日本に立ちより、琉球帰属問題で対立していた日本と中国の清の調停役をつとめたが、両国の主張は折り合わず失敗に終わった。

学 アメリカ合衆国大統領一覧

グリーグ，エドバルド

音楽

エドバルド・グリーグ　1843〜1907年

北欧の国民楽派の代表

ノルウェーの作曲家、ピアニスト。

西部ベルゲン生まれ。ピアニストの母に音楽を学び、15歳でドイツのライプツィヒ音楽院に留学する。そこで、シューマンらドイツ・ロマン派の影響を受け、帰国後の1862年にピアニスト、作曲家としてデビューする。

ノルウェーの作曲家リカルド・ノールロークとの親交から、民謡や伝承音楽に関心をもち、民族の文化を重視する国民楽派の基礎を築く。現在のオスロに音楽院を設立し、ベルゲンのオーケストラの楽長をつとめる。代表作に、劇作家イプセンの詩劇の付随音楽『ペール・ギュント』、『抒情小曲集』全10集、『ピアノ協奏曲イ短調』などがある。北欧の国民楽派を代表する一人。

グリーン，グレアム

文学

グレアム・グリーン　1904〜1991年

映画『第三の男』の原作者

イギリスの作家。

ハートフォードシャー州生まれ。オックスフォード大学時代に、詩集を発表する。卒業後は地方新聞社をへて、ロンドンで『タイムズ』紙の記者となる。1929年、長編小説『内なる私』を出版し、作家としてデビューする。第二次世界大戦中は、イギリス情報部などでスパイの任務についていた。

サスペンスからスパイ小説、恋愛小説、純文学まで、幅広くてがけた。作品は文学性と娯楽性をそなえていて、映画になった作品も多い。映画『第三の男』（キャロル・リード監督）では、原作だけでなく脚本も書いた。映画評論家としても活躍した。

クリスティ，アガサ

文学

アガサ・クリスティ　1890〜1976年

イギリスのミステリーの女王

イギリスの推理作家。

デボンシャー（現在のデボン州）トーケイ郊外の非常に裕福

な家に生まれる。学校にはかよわず、家で母と家庭教師に教育を受けた。音楽が好きで、オペラ歌手を夢みていた。

1914年に結婚したあと、看護師や薬局の仕事につく。その後、姉のすすめで、推理小説『スタイルズ荘の怪事件』を書く。この作品は、出版をことわられつづけたが、1920年にようやく出版すると、たちまち人気となった。以後、ベルギー人の探偵エルキュール・ポアロやミス・マープルのシリーズで不動の人気をたもつ。晩年は、毎年1作をクリスマスの時期に出版して、イギリス人のクリスマス休暇の楽しみとなった。

思いもよらぬ展開と意外な結末でおどろかせたり、人物の性格から推理のかぎをみつけたりと、豊富なアイディアや技巧を生かした作品により「ミステリーの女王」とよばれる。『オリエント急行の殺人』『ナイルに死す』など、映画の原作になった作品も多い。

クリスト

彫刻

クリスト 1935年〜

「梱包の芸術家」とよばれる造形作家

ブルガリア出身の造形作家。

ブルガリア中北部に生まれる。本名はクリスト・ヤバチェフ。1953～1956年にソフィアの国立芸術アカデミーで学ぶ。1958年にパリでデビューし、物体を布で包んだ作品で、環境芸術を新しく展開させたヌーボーレアリスム（新現実主義）の作家として、注目される。1964年にアメリカ合衆国へわたり、以後、市民権を得て、彫刻家の妻ジャンヌ・クロードとともに活動している。

日常でみえているものを視覚的にかくすことをねらい、日用品や木の枝など、大小の物を布で梱包するアートを発表する。1960年代後半から、大型の建築物や自然を巨大な布でくるんだ作品を発表し「梱包の芸術家」とよばれる。フランスのパリではセーヌ川にかかる橋、ドイツのベルリンでは国会議事堂を包んだ。1991（平成3）年に来日し、茨城県で19kmにわたり、1000本以上の大きな傘を立てる作品『アンブレラ・プロジェクト』を発表して、話題となった。

くりたさだのじょう

郷土

栗田定之丞 1767～1827年

能代海岸に防砂林を植樹

（秋田市立日新小学校）

江戸時代中期～後期の武士、植林家。

出羽国秋田藩（現在の秋田県）の下級藩士高橋家に生まれ、17歳で藩士栗田家の養子となった。秋田領内の海岸は南北にのびる大砂丘で、大風のたびに大量の砂が飛び、田畑は大被害を受けていた。1797年、飛び砂をふせぐための砂留役についた。大内田村（能代市）の村人にマツの苗を植えることをすすめたが、「砂浜でマツが育つはずがない」と相手にされなかった。

そのため、みずから、根付きのよいグミやヤナギの苗木を植え、グミの木の風よけができてからマツを植えて、植林に成功した。

この植林の結果、現在能代市の海岸には、「風の松原」とよばれる日本最大級のマツの防風・防砂林（約700万本）が広がっている。

クリック，フランシス

学問

フランシス・クリック 1916～2004年

DNAの二重らせん構造を証明する

イギリスの分子生物学者。

イングランド中東部のノーサンプトンに生まれる。ロンドン大学とケンブリッジ大学で物理学を学び、第二次世界大戦中は、海軍でレーダーの開発をおこなった。戦後、専門を生物学にかえ、物理学の考え方をとり入れながら、生命とは何かを明らかにするために、生命の基礎物質とされるタンパク質の構造の研究をはじめた。アメリカ人研究者のジェームズ・ワトソンとともに、タンパク質の合成や遺伝にかかわる物質であるデオキシリボ核酸（DNA）の構造の研究にとりくみ、1953年、モーリス・ウィルキンズらが撮影したDNAのX線解析像などをもとに、DNAがねじれたはしごのような二重らせん構造になっていることを証明した。

DNAの構造の解明によって、遺伝のしくみの研究を大きく前進させ、生物学の進歩に貢献した。この業績によって、1962年、ワトソン、ウィルキンズとともに、ノーベル生理学・医学賞を受賞した。

学 ノーベル賞受賞者一覧

くりばやしじへえ

郷土

栗林次兵衛　？～1700年

筑後川から用水をひいた庄屋

▲現在の大石堰　（うきは市教育委員会）

江戸時代前期の農民、治水家。

筑後国夏梅村（現在の福岡県うきは市）の庄屋（村の長）をつとめた。夏梅村がある浮羽地方は、筑後川が近くを流れていながら、川よりも土地が高く、川の水を利用することができなかった。1663年、夏の大干ばつに苦しむ村人をみた次兵衛は、周辺の4つの村の庄屋とともに、筑後川上流の大石村（うきは市）で取水し、約10kmはなれた村まで用水をひく計画を立て、久留米藩（福岡県久留米市）に許可を願いでた。用水の途中にある村の庄屋たちに反対されたが、失敗した場合は、5人の庄屋たちを処刑する条件で許可された。1664年、工事に着手して大石堰を築き、60日ほどで大石用水と長野用水を完成した。その後、反対していた村々にも用水をのばす工事がおこなわれ1687年、約1400haの水田がうるおった。次兵衛たち5人の庄屋の功績は、五庄屋物語として語りつがれている。

グリフィス=ジョイナー，フローレンス

スポーツ

フローレンス・グリフィス=ジョイナー　1959～1998年

短距離の世界記録をもつ女子陸上選手

アメリカ合衆国の陸上選手。

11人兄弟の7番目として生まれる。スラム街に育ち、貧しい生活からぬけだすため、陸上競技に打ちこんだ。

1984年のロサンゼルスオリンピックで女子200m走に出場し、銀メダルを獲得した。1987年、ロサンゼルスオリンピック金メダリスト（三段とび）のアル・ジョイナーと結婚した。

夫の指導を受けて出場した1988年のソウルオリンピックでは100m、200m走、4×100mリレーで金メダルを獲得した。彼女がもつ100m、200m走の世界記録は、現在もやぶられていない。長くのばしたつめのマニキュアなど、ファッション面でも話題をよんだ。1998年、38歳の若さで急死した。

グリムきょうだい

絵本・児童　学問

グリム兄弟　兄ヤーコプ　1785～1863年　弟ウィルヘルム　1786～1859年

祖国に伝わる昔話をまとめる

ドイツの言語学者、昔話の研究者。

ヘッセン領邦（現在のヘッセン州）ハーナウに生まれる。1802年、ヤーコプは法律家を志して、マールブルク大学法学部に入学、翌年にはウィルヘルムも同じ学部に進む。大学で兄弟ともに、古いドイツの言語、歴史、文学、説話などに興味をもつようになる。

▲兄ヤーコプ（右）と弟ウィルヘルム（左）

1806年、フランスのナポレオン1世がドイツに攻め入ると、ヘッセンもその支配下に入り、兄弟はドイツに古くから伝わる昔話を集めておくことを決心。『白雪姫』や『赤ずきん』など、民間に伝わる昔話の聞きとりをはじめた。1812年に、それらをまとめて『子どもと家庭のための昔話集』を出版し、その後も聞きとりをつづけ、1822年までに3巻を発行した。この物語集には、『灰かぶり』『いばら姫』『ヘンゼルとグレーテル』『ブレーメンの音楽隊』など200の昔話と10の聖者伝がおさめられた。世界各国で翻訳され、日本でも『グリム童話』の名で、多くのこどもたちから親しまれている。

その後、兄弟そろってベルリン大学教授などをつとめるが、1859年に弟のウィルヘルムが、1863年には兄のヤーコプが亡くなる。彼らが編さんした『ドイツ語大辞典』は後輩たちに受けつがれ、1960年に全16巻32冊が完成。ドイツの精神文化を伝える名著としてたたえられている。

クリムト，グスタフ

絵画

グスタフ・クリムト　1862～1918年

独自の絵画表現をした象徴主義の画家

オーストリアの画家。

ウィーン近郊の町バウムガルテンに生まれる。14歳でウィーン工芸学校に進み、建築物の外装の仕事につく。1883～1892年、弟たちとともに工房を運営し、国内の有名建築物の天井画や壁画をてがけた。1898年、伝統的な美術からぬけだし、アールヌーボー（新芸術運動）様式の芸術活動をめざすグループ、ウィーン分離派を立ち上げる。展覧会を開催し、装飾的な作品を次々と発表していたが、のちに分裂して、1906年にオーストリア芸術家同盟を設立した。

主に女性の肖像画、神話などを題材とする大作をえがいた。尾形光琳など日本の琳派や、古代エジプト美術の影響を受け、作品には金ぱくをよくつかった。華麗で象徴的な人物画、点描による風景画にすぐれた作品が多い。代表作に『接吻』『人生の三世代』（『女の生の三段階』）、『ユディト1』などがある。生と死が混在する世紀末の雰囲気を表現し、シーレら後続の画家に影響をあたえた。

グリューネワルト，マティアス

絵画

マティアス・グリューネワルト　1470ごろ～1528年

迫力のある宗教画をえがいた画家

ドイツの画家。

生まれた年や経歴などについては、不明な点が多い。出身は南ドイツのウュルツブルクといわれる。

マインツ大僧正の宮廷画家としてつかえ、主に宗教画をえがいた。1524年に宗教改革者ルターを支持する農民戦争がおこったとき、農民側についたために職を失ったと伝えられる。その後は絵をえがかず、フランクフルトやハレで建築物の設計や技師をして、生涯を終えた。

荘厳なゴシック様式の伝統を守った、ドラマチックで力強い表現を特徴とする。とくに、1513年ごろにかかれた『イーゼンハイム祭壇画』は迫力に満ち、世界の宗教画の中でも傑作とされる。のこっている作品が少ないことなどから、死後わすれられていたが、19世紀に再評価され、研究がはじまった。20世紀になって名前は17世紀の美術史家がまちがえて紹介したもので、本名はマティス・ゴタート・ナイタートとわかったが、広く従来の名が用いられている。

くりようじ

漫画・アニメ

久里洋二　1928年～

日本のアニメを世界に広めた

漫画家、イラストレーター、アニメーション作家。

福井県生まれ。本名、栗原英夫。幼少時から絵が好きで、中学卒業後、京都市美術学校に合格するが、家庭の事情から進学を断念。はたらきながら漫画家を志す。1950（昭和25）年には父の反対をおしきって上京し、共同通信社で時代風刺の一こま漫画をかいていた。

1958年、久里実験漫画工房を設立。『久里洋二漫画集』を自費出版し、文藝春秋漫画賞を受賞。アニメーション制作にも乗りだした。1962年制作の短編アニメ『人間動物園』が、ベネチア国際映画祭で青銅賞を受賞、同作品は各国の映画祭で11もの賞を獲得した。つづいて発表した『LOVE』『ゼロの発見』でも、さまざまな賞を受賞している。1960年代にはNHK総合テレビで放映された『ひょっこりひょうたん島』や、『みんなのうた』などでアニメ作品を発表し、多くの人に親しまれた。日本のアニメを世界に広めた先駆者として、1992（平成4）年に紫綬褒章、2011年には旭日小綬章を受章した。

グリルパルツァー，フランツ

映画・演劇

フランツ・グリルパルツァー　1791～1872年

19世紀のオーストリアを代表する劇作家

オーストリアの劇作家、作家。

ウィーン生まれ。定年まで役人としてつとめながら、作家活動をおこなう。1817年、人間は運命の前で無力であることをえがいた『祖先の女』でデビュー。ギリシャの女流詩人をえがいた『ザッフォー』（1818年）や『金羊毛皮』（1821年）で成功し、劇作家としての地位をかためる。その後、『海の波恋の波』、童話劇『夢は人生』（1834年）は大あたりするが、『嘘つきに禍あれ』（1838年）は不人気で、劇作を休止する。

小説では、老人のバイオリンひきをえがいた『ウィーンの辻音楽師』（1847年）が知られている。晩年に、ウィーン名誉市民、貴族院議員などにえらばれる。

グリンカ，ミハイル

音楽

ミハイル・グリンカ　1804～1857年

ロシア国民音楽の父

ロシアの作曲家。

西部のスモレンスク近郊の地主の家に生まれる。農民の歌やおじがもつオーケストラの音楽にかこまれて育つ。1818年、ペテルブルクの寄宿学校に入り、作曲家フンメルや作家プーシキンとまじわる。卒業後、運輸省につとめながらピアノ曲、室内楽曲を作曲して、社交界の注目をあびた。1830年からイタリアで歌曲を学び、ドニゼッティのオペラに影響される。帰国後、イタリア歌劇の形式で、ロシア民謡を素材とする国民的題材のオペラ『ルスラーンとリュドミーラ』などを発表した。

ロシア国民音楽の父とよばれ、バラキレフらのロシア五人組やチャイコフスキーなどの作曲家たちに大きな影響をあたえた。

クリントン，ヒラリー

政治

ヒラリー・クリントン　1947年～

アメリカ大統領候補にもなった大統領夫人

アメリカ合衆国の政治家。

イリノイ州シカゴに生まれる。父は衣料品店の経営者。高校時代から政治に関心をもち、共和党員として活動した。1965年、マサチューセッツ州の名門女子大学ウェルズリー大学に入学。ベトナム戦争に疑問をもち、1968年の大統領選挙では民主党候補を支持した。1969年、エール大学法科大学院に進み、1973年に法務博士の学位を得た。1975年、ビル・クリントンと結婚し、法律事務所で弁護士として活動をはじめる。1980年、女子を出産。1993年、ビルが大統領に就任すると、大統領夫人（ファーストレディー）として活躍。医療保険の専門委員会の座長などをつとめた。2000年、ニューヨーク州選出の上院議員に、次いで2009年、オバマ大統領の下で国務長官に就任。2016年には大統領選挙に出馬したが、共和党から指名された大統領候補トランプにやぶれた。

クリントン, ビル

政治

ビル・クリントン　1946年～

史上3番目に若い戦後生まれのアメリカ大統領

アメリカ合衆国の政治家。第42代大統領（在任1993～2001年）。

アーカンソー州生まれ。高校時代にケネディ大統領と握手したことから大統領を志したという。1968年にジョージタウン大学を卒業後、オックスフォード大学に留学、エール大学で法学博士号を取得し、弁護士となる。アーカンソー州司法長官をへて、1978年に同州知事として史上最年少の32歳で当選、以後、同州知事を通算で5期つとめた。1992年の大統領選挙で民主党から立候補、「アメリカ経済の再生」をかかげ、現職だったブッシュ大統領をやぶり、翌年、第二次世界大戦後生まれとしてはじめて、また史上3番目の46歳の若さで大統領に就任した。積極的な経済政策で財政の立て直しを成功させ、対外的には、中華人民共和国との関係を改善させるなど手腕をふるった。1999年のコソボ紛争では、アメリカ軍を北大西洋条約機構（NATO）軍として参加させ、ユーゴ空爆をおこなった。一方で、献金疑惑や女性問題などスキャンダルが多かった。著名な弁護士でもある夫人のヒラリー・クリントンは、2016年のアメリカ大統領選挙に立候補し、民主党の候補となった。

学 アメリカ合衆国大統領一覧

グルーバー, フランツ・クサーファー

音楽

フランツ・クサーファー・グルーバー　1787～1863年

『きよしこの夜』を作曲

オーストリアの教会音楽家。

ホッホベルク生まれ。貧しい機織職人の父から、家業をつぐように教育されたが、音楽の才能を見いだされ、オルガンの勉強をはじめる。12歳のとき、代役でオルガン奏者をつとめてみとめられる。29歳で学校の教師となり、ザルツブルク近郊の村アルンスドルフでオルガン奏者の職につく。

1818年のクリスマス前、教会のオルガンが故障していたため、神父にたのまれてギター伴奏つきの2部合唱曲『きよしこの夜』を作曲する。この曲の楽譜を受けとったオルガン技師が、オルガンの調律のためにおとずれた各地の教会でこの曲をひいたため、人々に知られて人気となった。

くるすさぶろう

政治

来栖三郎　1886～1954年

太平洋戦争回避につとめた

大正時代～昭和時代の外交官。

神奈川県横浜市生まれ。東京高等商業学校（現在の一橋大学）卒業後、1910（明治43）年に外務省に入り、諸外国での勤務をへて、ペルー公使、外務省通商局長、駐ベルギー特命全権大使、駐ドイツ特命全権大使を歴任。駐ドイツ特命全権大使時代の1940（昭和15）年、日独伊三国同盟を締結する際には、日本代表として調印した。翌年には、近衛文麿内閣において、特命全権大使としてアメリカ合衆国に派遣され、野村吉三郎駐米大使を補佐して、戦争を回避するべく日米交渉にあたる。しかし、交渉は決裂。同年12月8日に、太平洋戦争に突入した。戦後は連合国軍最高司令官総司令部（GHQ）により公職追放となった。

クルップ, アルフレート

産業

アルフレート・クルップ　1812～1887年

ドイツの鋼鉄業界を牽引した企業家

ドイツの発明家、企業家。

エッセン市生まれ。14歳のときに父親が亡くなり、小さな鋳物工場をひきつぐと、スプーンの製造機械の発明や、鉄道部品の改良などで、1840年代には工場を大会社へと成長させた。鋼鉄製の大砲の製造に成功すると、プロイセン軍に採用され、オーストリア、フランスとの戦争で効力を発揮した。これによって、外国からも注目される存在となり、市場を世界に拡大させた。その後も、新しい製造方法や設備を積極的にとり入れ、また、石炭の採掘から鉄鋼製品の製造までをすべて自社でおこなうしくみを確立し、鉄鋼業界を牽引、エッセンを拠点としてルール重工業地域の発展をささえた。

クルップの死後、会社は息子にひきつがれ、クルップ社は第

二次世界大戦までは兵器産業の代名詞となった。現在は他社と合併し、ティッセンクルップ社として鉄鋼などを生産している。

グレアム，ケネス

絵本・児童

ケネス・グレアム　1859〜1932年

テムズ川を舞台にした不朽の名作をのこす

イギリスの児童文学作家。

スコットランドのエディンバラ生まれ。父は法律家で、5歳のときに母が亡くなり、きょうだいとともにテムズ河畔の祖母の家にあずけられた。内気で友だちと遊ぶよりも川辺や野原、小動物など自然に親しんですごした。成績は優秀だったが、父も亡くなり、進学をあきらめて銀行に就職。銀行員としてはたらきながら、こども時代の自伝的エッセー『黄金時代』や『夢みる日々』を出版し、作家としてみとめられた。

1908年に出版された代表作の『たのしい川べ』は、息子に聞かせた物語がもとになっている。この物語は、川辺にすむヒキガエル、アナグマ、モグラなどの動物たちがまきおこす事件を、あたたかくユーモラスにえがき、のちにミルンによって演劇作品にもなった。イギリスの児童文学では不朽の名作とされている。日本では石井桃子の翻訳のほか、岡本浜江の訳による『川べにそよ風』の題などで出ている。

クレイステネス

古代　政治

クレイステネス　生没年不詳

アテネに民主政の基礎を築いた

古代ギリシャの政治家。

アテネの名門貴族の出身。母方の祖父は、古代ギリシャのポリス（都市国家）、シキュオンの僭主（非合法な手段で権力をにぎった独裁者）だった。

最高役人をつとめるが、政治上の争いにやぶれて、亡命する。紀元前510年、アテネの僭主政が崩壊すると、民衆を味方にして実権をにぎり、民主的な改革を実施。それまで政治や軍事の役割は、血縁でつくられた4部族制でおこなわれていたが、これを廃止して、地域を基盤とした10部族制にあらためた。さらに各部族から1名、計10名の将軍職を選挙でえらび、政治指導にあてた。また議員500人からなる500人評議会を設置し、僭主がふたたび出現しないように陶片追放（オストラキスモス）の制度をもうけた。これは、僭主になるおそれのある人物を投票にかけ、6000票に達した者を10年間追放できる制度である。このようなクレイステネスの改革により、古代ギリシャ民主政の基礎が確立した。

クレー，パウル

絵画

パウル・クレー　1879〜1940年

色彩と色調を重ねあわせた画風の抽象画家

スイスの画家、版画家。

ベルン郊外に生まれる。父は音楽教師、母は声楽家という芸術一家に育ち、幼少からバイオリンや絵画の手ほどきを受けた。ドイツのミュンヘンの美術学校で学び、銅版画の制作をおこなったほか、独自の画法の線描画を確立した。

1911年にカンディンスキーが主宰する芸術家集団「青騎士」に参加し、前衛美術を推進した。1914年、チュニジアへの旅行などを機に色彩表現にめざめ、色紙を細かく切ったような四角形をリズミカルにならべた独特の画風を生みだした。

1921年、新しい芸術運動の中心になったバウハウス（総合造形学校）の教授になり、ドイツで活躍したが、ヒトラー政権の前衛画家への弾圧がはじまり、故郷に亡命した。素朴で自由な画法だが、色彩には多声音楽のような独自性と重層性がみられ、20世紀を代表する抽象画家といわれる。主な作品に『パルナッソス山へ』『セネキオ』『天使』がある。

クレージュ，アンドレ

デザイン

アンドレ・クレージュ　1923〜2016年

ミニスカートを発表したファッションデザイナー

フランスのファッションデザイナー。

フランス南西部に生まれる。はじめは国立土木学校で建築を学び、建築家の道をめざしていたが、同時に美術にも興味をもっていた。1945年にパリへ出て、靴やバッグ、服飾のブランドメーカー、バレンシアガに就職して10年間つとめた。

1961年に自分の店「クレージュ・ハウス」をひらき、新しいファッションを発信する。1965年に発表したミニスカートは、イギリスのファッションモデル、ツイッギーが着て、世界的なブームとなった。パンタロン、ショートパンツなど、動きやすく、女性が美しくみえる服をつくった。なかでもボディータイツは「第二の肌」とよばれた。

クレオパトラ

王族・皇族

クレオパトラ　紀元前69〜紀元前30年

ローマの将軍をとりこにしたエジプトの女王

古代エジプト、プトレマイオス朝の女王（在位紀元前51〜紀元前30年）。

プトレマイオス12世の次女として生まれる。正式な名はクレオパトラ7世。王家はマケドニア系ギリシャ人の家系。容姿や声、会話などが魅力的で、ギリシャ語を母国語としていたが、エジプト語をはじめ近隣諸国のことばを理解し、通訳なしでも話ができる高い教養の持ち主だったと伝えられている。

▲クレオパトラ

紀元前51年、17歳のとき、父が亡くなると、弟のプトレマイオス13世との共同統治者として即位するが、弟を支持する廷臣たちに追われ、シリアにしりぞいた。紀元前48年、ローマの内乱でポンペイウスを追ってエジプトに進撃してきたローマの将軍カエサルの協力を得て、実権をにぎり、末の弟プトレマイオス14世を共同統治者にして王位についた。

紀元前46年、カエサルとのあいだに生まれたカエサリオンをともなってローマを訪問して、約2年間、ローマにとどまった。しかし紀元前44年、カエサルが暗殺されると、急いでエジプトにもどり、カエサリオンを共同統治者として君臨した。

紀元前41年、カエサルの暗殺者たちを追って東方にきたローマの将軍マルクス・アントニウスと会い、関係を深めていった。彼とのあいだに3人の子をもうけ、オクタウィアヌス帝（のちのローマ皇帝アウグストゥス）の姉と離婚させた。紀元前34年、アルメニアで勝利をあげたアントニウスは、その凱旋式をアレクサンドリアでクレオパトラとともにおこない、東方の専制君主としてふるまったため、ローマ市民はアントニウスに失望し、オクタウィアヌスとの対立は決定的となった。

▲グエルチーノ作『クレオパトラの死』

紀元前31年、オクタウィアヌスがひきいるローマ軍と、アントニウスとクレオパトラの連合軍が、ギリシャ西岸のアクティウムで戦闘をはじめる（アクティウムの海戦）。戦いのなかばでクレオパトラの艦隊は逃走し、アントニウスもこれを追って退却した。翌年、アントニウスは自殺し、クレオパトラも毒ヘビに身をかませて死んだといわれている。

その後、クレオパトラは作家のシェークスピアやバーナード･ショーらによりとり上げられ、その魅力はさまざまに語りつがれてきた。

グレゴリウスいっせい

宗教

グレゴリウス1世　540ごろ～604年

ローマ教皇を全キリスト教世界の最高の指導者とした

ローマ教皇（在位590～604年）。

ローマの富裕な貴族の家に生まれる。573年、ローマ市の知事となる。父の死をきっかけに、自宅をベネディクト派の修道院につくりかえ、修道士として信仰の道に入る。578年、ローマ市の第7教区助祭に任ぜられ信者に対する慈善事業をおこない、ゲルマン人の改宗を進めた。590年、教皇にえらばれ、精力的に教会改革をおこなう。イングランド（ブリテン島中～南部）のアングロサクソン族やスペインの西ゴート族などに修道士を派遣して布教を進め、ローマ教会に属する広大な領地を管理し、内部の規律をひきしめて、カトリック教会の基礎を築いた。

グレゴリウスは西方だけでなく東方でも著名な存在となり、ローマ地域の司教でしかなかった教皇職の権威を高め、キリスト教世界の最高の指導者としての教皇の地位を築いた。多くの著作や書簡をのこし、ダンテの『神曲』などに大きな影響をあたえた。また中世教会音楽である「グレゴリオ聖歌」を作曲したと伝えられている。

学 ローマ教皇一覧

グレゴリウスななせい

宗教

グレゴリウス7世　1020?～1085年

ハインリヒ4世をカノッサの屈辱で屈服させた教皇

11世紀後半のローマ教皇（在位1073～1085年）。

イタリア、トスカーナ生まれ。貧しい家庭であったが、ローマのサンタマリア修道院で教育を受ける。1046年、ローマ教皇グレゴリウス6世が神聖ローマ帝国のハインリヒ3世によってドイツに追放されると同行し、翌年の教皇の死後に修道士となり、1049年、新任教皇レオ9世とともにローマに帰った。以後6代の教皇のもとで大きな影響力をもった。

1073年、教皇となり、1075年に俗人による聖職叙任（任命）を禁止した。神聖ローマ帝国皇帝のハインリヒ4世は、皇帝の行政権をおびやかすとして承服せずに対立。

1076年、教皇はハインリヒ4世を破門して窮地に追いこみ、翌年、皇帝を屈服させた（カノッサの屈辱）。しかし、その後、勢いをもりかえした皇帝により、1082年ローマを追われて南イタリアのサレルノにのがれ、同地で亡くなった。世俗の君主にあった司教や大修道院長の任命権（叙任権）を教会にとりもどし、教皇の権威を高め、教会の自主性をたもつというグレゴリウス7世の改革は、以後の教皇にひきつがれた。 学 ローマ教皇一覧

グレゴリウスじゅうさんせい

宗教

グレゴリウス13世　1502〜1585年

宗教改革に対抗し、教会の内部改革を推進した教皇

ローマ教皇（在位1572〜1585年）。

イタリアのボローニャ生まれ。法律を学び、ボローニャ大学の教授となる。

1565年枢機卿となったのち、教皇となり、これまでの教皇たちの反（対抗）宗教改革の運動をついだ。教会の制度改革を学問的に裏づけるため、学問を奨励し、カトリック教会の教育制度を充実させた。ローマのグレゴリアーナ大学をはじめ、多くの学院の創設に尽力。多くの宣教師を養成し、インドや日本にも派遣した。

教会法典『コルプス・ユリス・カノニキ』の改訂も完成させて発布した。また、従来のユリウス暦はずれが累積していたため、1582年に新しい暦（グレゴリオ暦、現行の太陽暦）を採用した。

しかし、フランスでのサンバルテルミの虐殺への対応や、イングランド女王エリザベス1世の統治の転覆のたくらみを支援したことなど失策もある。また、グレゴリウス聖堂の建築やクイリナーレ宮殿の造営のために、教皇領内にある貴族たちの資産を没収し反感を集めた。1585年には、日本の天正遣欧使節に接見している。 学 ローマ教皇一覧

グレシャム，トーマス

産業

トーマス・グレシャム　1519?〜1579年

「グレシャムの法則」の提唱者

イギリスの貿易商人、財政家。

ロンドンの商人の家に生まれ、ケンブリッジ大学卒業後、商人のおじをてつだう。商才があり、大きな財をなした。イギリス王室の財務担当官としてエドワード6世、メアリ1世、エリザベス1世につかえ、アントウェルペンの取引所で金融操作の手腕を発揮した。1559年、ナイトの称号をあたえられ、1566年にはロンドンに為替取引所（のちに王立取引所と改称）を設立した。貨幣の改鋳に力をつくし、「悪貨は良貨を駆逐する」（同じ金額で、質のことなる貨幣が同時に出まわった場合、質のよいものはしまいこまれたり、輸出されたりして市場に出まわらなくなり、質の悪いものばかりがつかわれるようになる）という「グレシャムの法則」をとなえた。

クレッチマー，エルンスト

医学

エルンスト・クレッチマー　1888〜1964年

人間の体型と気質の相関関係を論じた精神医学者

ドイツの精神医学者。

ハイルブロン市近郊生まれ。ミュンヘン大学で医学を学び、第一次世界大戦には軍医として参戦。このとき、ヒステリーについて研究したのが、精神医学を専門とするきっかけとなった。1926年、マールブルク大学の精神神経科教授、1946年にテュービンゲン大学教授となる。多くの患者を診察した経験から、人間の体型を肥満型、細長型、筋骨型などに分類して、体型と気質の関係性を主張した。つまり、肥満型は躁うつ気質で社交的、細長型は分裂気質でまじめ、筋骨型は粘着気質できちょうめんであるなどとした。のちにこの体型論は発展して、心理学の一つの方法となった。

主な著書に『体格と性格』『医学的心理学』『天才の心理学』などがある。

クレペリン，エミール

医学

エミール・クレペリン　1856〜1926年

クレペリン検査で知られる精神科医

ドイツの医学者、精神科医。

ドイツ北部生まれ。ライプツィヒ大学で学位取得後、実験心理学の父とよばれるブントとともに心理学研究にたずさわる。のちにハイデルベルク大学などの精神医学教授になった。

患者の病歴と退院時の状況を書きこんだカードをつかって研究を進め、精神障害を早発性痴呆（統合失調症）と躁うつ病（双極性障害）に分類。その原因についての主張は現代の精神医学にも大きな影響をあたえた。

精神検査の一つであるクレペリン検査の考案者としても知られる。「現代精神医学の父」とよばれ、弟子の中にはアルツハイマー型認知症を見いだしたアロイス・アルツハイマーなど、現代精神医学の基礎を築いたすぐれた研究者が多い。

クレマン，ルネ

映画・演劇

ルネ・クレマン　1913〜1996年

職人技の作品を撮った映画監督

フランスの映画監督。

ボルドーに生まれる。美術学校で建築学を学ぶ。18歳で短編映画を撮り、1934年に助監督として映画の世界に入る。

最初は短編を撮っていたが、1945年、第二次世界大戦でのレジスタンスをえがいた『鉄路の闘い』で長編映画をはじめて監督する。第1回カンヌ国際映画祭で監督賞と審査員特別賞をダブル受賞して、注目を集めた。1952年の『禁じられた遊び』では、アカデミー賞名誉賞（のちの外国語映画賞）とベネチア国際映画祭金獅子賞に輝き、世界で巨匠とよばれるようになる。

1960年代からはスリラーやミステリータッチの作品を主にてがけた。ドキュメンタリーを思わせる映像の撮り方と、ストーリーのていねいなえがき方で、職人技の監督といわれる。ヌーベルバーグとよばれる若い監督たちが登場したため、1960年以降の作品は話題にならなかったが、近年、再評価されている。ほかの代表的な作品に、『居酒屋』『太陽がいっぱい』がある。

クレマンソー，ジョルジュ

政治

ジョルジュ・クレマンソー　1841〜1929年

パリ講和会議でベルサイユ体制を主導

フランスの政治家。首相（在任1906〜1909年、1917〜1920年）。

バンデ県出身。普仏戦争中にパリ18区長となり、その後、社会党の下院議員となった。累進課税制度、国家専売制の強化などを主張し、1893年、急進社会党を発足。雄弁家として有名で、反対党からは「トラ」の異名でおそれられた。ブーランジェ事件では共和政を擁護したが、パナマ事件で一時政界をしりぞき、ジャーナリストに転身。

ドレフュス事件ではゾラの『わたしは糾弾する』を掲載するなど、冤罪を主張した。1902年、政界に復帰。第一次世界大戦中に2度目の首相となると抗戦を主張。和平論者を排除し、フランスを勝利にみちびいた。のちのパリ講和会議ではドイツ弱体化政策をとなえた。1920年の大統領選挙にやぶれると政界を引退した。

くろいわるいこう

文学

黒岩涙香　1862〜1920年

日本最初の推理作家

明治時代〜大正時代のジャーナリスト、翻訳家、作家。

土佐国（現在の高知県）の生まれ。本名は周六。筆名の涙香は、主に探偵小説を書くときに用い、新聞では民鉄、大の筆名をつかった。慶應義塾など複数の学校に入学するがどこも正式に卒業していない。『絵入自由新聞』『都新聞』の記者として、論文や探偵小説などを書いて名を知られるようになる。その後、『万朝報』を創刊、支配層の不正を追及する記事を書く。また、フランスの人気作家ボアゴベの『鉄仮面』、デュマの『巌窟王』（『モンテ・クリスト伯』）、ユゴーの『噫無情』（『レ・ミゼラブル』）など、ヨーロッパやアメリカ合衆国の小説を翻案し紹介して、人気を得た。1889（明治22）年には日本最初の推理小説といわれる『無惨』を発表した。

グローテフェント，ゲオルク

学問

ゲオルク・グローテフェント　1775〜1853年

くさび形文字の最初の解読者

ドイツの古代言語学者。

16歳まで故郷のラテン語学校にかよったのち、ゲッティンゲン大学で神学・哲学を学び、古典語学を研究する。卒業後は、ギムナジウム（中等教育機関）で古典語などを教えた。1802年、イランのペルセポリスで発掘された碑文のくさび形文字を、アケメネス朝の王の名前を手がかりに解読し、古代ペルシア語研究に貢献した。この業績ははじめはみとめられなかったが、グローテフェントの解読がおおむね正しいことが確認され、くさび形文字の最初の解読者となった。また、古代イタリアの地理や歴史を研究し、ウンブリア語、オスキ語などの研究を進めた。

1812年から1814年まで、フランクフルトに設立された大学で古典文学の教授となり、1819年にドイツ古代学協会の設立者の一人となった。

クローデル，カミーユ

彫刻

カミーユ・クローデル　1864〜1943年

動きのある作品をつくった女性彫刻家

フランスの彫刻家。

パリ北東部の町に生まれる。劇作家のポール・クローデルは弟である。5歳から12歳まで、教会の修道会や家庭教師から教育を受ける。家では父の蔵書を読みあさり、粘土をつかってさまざまな像をつくった。

1881年、財務官の父の転勤をきっかけに一家でパリへ移る。その後パリの美術学校で学び、彫刻家をめざした。19歳のとき、彫刻家のロダンに弟子入りして、助手やモデルをつとめながら彫刻の制作にはげみ、当時めずらしかった女性の美術家として歩みはじめた。

48歳のころ、ロダンとの意見のちがいなどから精神のバランスをくずし、以後は南フランスのアビニョン近くの病院に入る。30年あまりを病院ですごし、生涯を終えた。作品は、動きのあるはげしいポーズや人体の豊かな肉づけが特徴で、ロダンの影響があらわれている。

代表作に『分別盛り』『ワルツ』『欲望と悦楽』『波』などがある。

クローデル, ポール

政治　詩・歌・俳句　映画・演劇

ポール・クローデル　1868〜1955年

20世紀前半の文学界に影響をあたえた

フランスの劇作家、詩人、外交官。

シャンパーニュ地方に生まれる。姉のカミーユ・クローデルは彫刻家。パリの国立政治学校で政治学を学ぶ。ランボーの詩に熱中する文学青年だったが、1886年、クリスマスのミサで宗教にめざめ、カトリック信仰を回復する。外交官試験に首席で合格し、1893年より、アメリカ合衆国、中国の駐在大使を歴任する。1921年から日本にも駐在し、関東大震災（1923年）に罹災。姉の影響から日本文化に興味をもち、渋沢栄一と協力して日仏会館を発足するなど、日本とフランスの交流にも力をそそいだ。

外交官をつとめるかたわら、詩や戯曲、評論などに多くの作品をのこした。ダンテやシェークスピアの影響を受けながら、深い学識と豊かな見聞のもと、信仰にささえられた宇宙や神への思いを神秘的な詩にしあげた。

主な作品に、評論集『朝日の中の黒い鳥』、詩集『東方の認識』『五つの大讃歌』、戯曲『マリアへのお告げ』『繻子の靴』『クリストファー・コロンブスの書物』などがある。20世紀前半の文学界に影響をあたえた。

クロービス

王族・皇族

クロービス　466?〜511年

フランク王国を建国し、カトリックへ改宗

フランク王国、メロビング朝の初代国王（在位481〜511年）。

トゥルネー（ベルギー）を中心に支配していたフランク人のサリ族の王子として生まれる。481年に父が亡くなると、15歳で王に即位し、メロビング朝をひらいた。486年にはガリア（のちのフランス）北部を支配していたローマ人のシアグリウスをやぶり、領土をロアール川北部まで拡大し、フランク王国の基礎を築いた。

その後も、いくつもの戦いを制して支配下をふやしていく。507年には西ゴート王アラリック2世をやぶり、フランク王国の領土を、北海からピレネー山脈まで大きく拡張した。

また496年、王妃のすすめもあって、ゲルマン諸王の中ではじめてカトリックに改宗し、フランク人の部下3000人とともに洗礼を受けた。これにより国内にいるローマ人との関係が深まり、また、ローマ・カトリック教会の支持を受けることで、フランク王国の発展の基盤をつくった。

学 世界の主な王朝と王・皇帝

グローフェ, ファーデ

音楽

ファーデ・グローフェ　1892〜1972年

組曲『グランド・キャニオン』で知られる

アメリカ合衆国の作曲家。

ニューヨーク生まれ。ピアノとバイオリンを母に、ビオラを祖父に学ぶ。1909年にロサンゼルス交響楽団に採用され、10年間ビオラ奏者をつとめる。1919年、ジャズ楽団のリーダーのホワイトマンに編曲の腕を見いだされ、ジャズバンドで活躍した。1924年、ガーシュインの『ラプソディー・イン・ブルー』の管弦楽版の編曲で名声を得た。管弦楽をつかった描写音楽を得意とする。代表作はアメリカの国立公園グランドキャニオンの姿を大胆に表現した組曲『グランド・キャニオン』。この曲は、1931年にホワイトマンの楽団で初演、1945年にはトスカニーニの指揮で録音され、世界的に有名になった。ほかに『ミシシッピ組曲』などがある。

くろかわさぶろうざえもん

郷土

黒川三郎左衛門　1723〜1806年

小野池を開発した指導者

江戸時代中期〜後期の農民、治水家。

安芸国加茂郡志和東村（現在の広島県東広島市）の農家に生まれた。26歳で村の庄屋（村の長）となり、周辺の8つの村をまとめた。丘陵地の志和地域は水源にとぼしく、たびたび干ばつの被害を受けた。ため池をつくって水不足を解消しようと考えて、付近を調査し、山の裏側の小野が原にため池をつくり、村に水をひく計画を立てた。1765年に、広さ約1haの小野池、約2haの小野原大池、約0.5haの小野原新池を開発し、地域の大半を新田とした。1942（昭和17）年から改修工事がおこなわれ、3つの池は一つにまとめられて、約11haの小野池となった。

くろさわあきら

映画・演劇

黒澤明　1910〜1998年

海外の監督にも影響をあたえた映画監督

昭和時代〜平成時代の映画監督。

東京生まれ。はじめ画家をめざしたが、1936（昭和11）年、映画会社のP.C.L.映画製作所（のちに東宝と合併）に入社した。

▲黒澤明

山本嘉次郎のもとで助監督をつとめる一方、山本のすすめでシナリオを書きはじめる。1943年、『姿三四郎』で監督としてデビューした。

第二次世界大戦後、『わが青春に悔なし』『素晴らしき日曜日』『酔いどれ天使』を発表するが、1948年に東宝で大争議がおきると、東宝を去って、他社で作品を制作した。1950年、大映でつくった『羅生門』が、翌年のベネチア国際映画祭で金獅子賞（グランプリ）、その後、アカデミー賞でも特別賞を受賞し、日本映画が世界から注目されるきっかけとなった。

1951年に東宝にもどり、翌年『生きる』を発表した。1954年の『七人の侍』は大ヒットとなり、ベネチア国際映画祭で銀獅子賞を受賞した。この作品は海外の映画監督にも大きな影響をあたえ、アメリカ映画『荒野の七人』などの「七人もの」が数多くつくられた。1959年には、『隠し砦の三悪人』がベルリン国際映画祭で銀熊賞（監督賞）を受賞した。

1960年代には、『悪い奴ほどよく眠る』『用心棒』『椿三十郎』『天国と地獄』を制作し、世界有数の映画監督として知られるようになる。しかし、1965年に発表した『赤ひげ』では、完全主義を徹底して、制作費が大きくふくらんだため、東宝との契約関係を打ち切られる。

1960年代後半は、アメリカ合衆国での映画制作の話もあったが成立せず、1970年に発表した『どですかでん』も商業的には失敗するなど、苦しい時代をむかえた。

1975年に発表した、ソビエト連邦と日本の合作映画『デルス・ウザーラ』がモスクワ国際映画祭で大賞、アカデミー賞で外国語映画賞を受賞し、復活を印象づける。1980年には『影武者』がカンヌ国際映画祭で最高賞を受賞した。

その後も『乱』『夢』などを発表した。妥協をゆるさない、きびしい演出で知られ、スティーブン・スピルバーグ、ジョージ・ルーカスなど、海外の監督にも大きな影響をあたえている。1985年、映画人としてはじめて文化勲章を受章し、1998（平成10）年には国民栄誉賞を受賞した。

▲映画『羅生門』

学 国民栄誉賞受賞者一覧
学 文化勲章受章者一覧

クロスビー，ビング

音楽　映画・演劇

ビング・クロスビー　1903～1977年

『我が道を往く』でアカデミー賞を受賞した歌手

▲『喝采』でのグレース・ケリー（右）とビング・クロスビー（左）

アメリカ合衆国のポピュラー音楽の歌手、映画俳優。

北西部のワシントン州に生まれる。本名はハリー・リリス・クロスビー。ゴンザガ大学在学中にジャズバンドを結成した。1926年に、人気バンドのポール・ホワイトマン楽団に参加、歌手としてデビューした。1931年、ヒット作を出して独立し、ラジオの『ビング・クロスビー・ショー』がはじまると、アメリカ中で知られるようになった。普及しはじめたばかりのマイクの特性を生かして、低音でささやくように歌う独特のスタイルを確立した。1942年、映画『スイング・ホテル』で歌った『ホワイト・クリスマス』が大ヒットし、世界最大のレコード売り上げを記録した。1930年代から映画にも出演し、1940年代には、コメディー『珍道中シリーズ』が人気を集め、芸の幅を広げた。1944年、映画『我が道を往く』で、神父役を演じ、アカデミー賞主演男優賞を受賞した。グレース・ケリーと共演した『喝采』『上流階級』も話題を集めた。

くろずみむねただ

宗教

黒住宗忠　1780～1850年

天照大神を最高神とする黒住教を立教した

（黒住教）

江戸時代後期の神道家。

備前国上中野村（現在の岡山市）に神官の子として生まれる。両親を感染症で亡くし、自分も肺結核をわずらって死を覚悟するが、1814年、35歳のとき、太陽をおがむうちに太陽神（天照大神）と一体になるという体験をして黒住教を立教した。その体験をもとに、天照大神に感謝して陽気にくらせば平安と繁栄が得られると説き、布教活動をはじめた。一方で、祈とうやまじないにより病人を治して評判をよんだ。信者は有力町人から岡山藩（岡山県南部）の藩士へと広がった。とくに幕末の京都で公家方の信仰を得て、1862年、神楽岡（京都市）に宗忠神社が建てられ、孝明天皇の勅願所に指定された。1876（明治9）年、明治政府から教派神道（神道を信仰する民間宗教）の黒住派（黒住教）として公認された。

くろだかんべえ

黒田官兵衛 → 黒田孝高

くろだきよたか

幕末 政治

黒田清隆 1840～1900年

北海道の開拓を進めた

(国立国会図書館)

幕末の薩摩藩（現在の鹿児島県）の藩士、明治時代の政治家。第2代内閣総理大臣（在任1888～1889年）。

薩摩藩の藩士の子に生まれる。1863年、薩英戦争で活躍し、江戸（東京）で西洋砲術などを学んだ。薩摩藩の重臣となり、戊辰戦争で鳥羽伏見の戦いや長岡城攻撃で戦功をあげる。1869（明治2）年、箱館（北海道函館市）の五稜郭の戦いを指揮し、榎本武揚を降伏させた。

明治政府では1870年、北海道開拓使次官となり、アメリカ合衆国の農政家ケプロンを顧問としてむかえ、北海道に農場や官営工場などをつくった。1874年に北海道開拓使長官となり、屯田兵制度を創設して、失業士族を移住させ開拓と警備にあてた。日朝修好条規の締結や、西南戦争で活躍し、薩摩派閥の重鎮となる。1881年、同郷の実業家五代友厚に、不当に安く開拓使官有物を払い下げようとして世間に非難され、辞職した（開拓使官有物払い下げ事件）。1887年、第1次伊藤博文内閣の農商務大臣となる。1888年、内閣総理大臣となり、翌年、大日本帝国憲法を発布した。その後、最高顧問として天皇の政治を補佐する元老となり、逓信大臣（総務大臣）、天皇に属して重要な国事を審議する枢密院の議長をつとめた。

学 歴代の内閣総理大臣一覧

くろだじょすい

黒田如水 → 黒田孝高

くろだせいき

絵画

黒田清輝 1866～1924年

日本の洋画の発展につくした画家

明治時代の洋画家。

鹿児島生まれ。本名は清輝。おじの黒田清綱の養子となり、1872（明治5）年に上京した。1884年、法律を学ぶためフランスにわたるが、絵画への関心を深め、画家を志して、外光派のラファエル・コランの教室に入る。同じ教室には久米桂一郎がおり、生涯の友となった。留学中の代表作は、『読書』と『朝妝』で、それぞれサロンに出品され、入選をはたした。1893年に帰国し、翌年、久米とともに絵画塾の天真道場をひらき、1896年には白馬会を結成した。この年、東京美術学校（現在の東京藝術大学）に西洋画科ができると、初代教授として実技指導にあたる。これらの活動を通して、屋外の明るい光をとらえる印象派的な表現を日本にはじめてもたらした。

(国立国会図書館)

文部省美術展覧会（文展）の開設にかかわる。1910年、洋画家としてはじめて皇室から制作を奨励される帝室技芸員となる。代表作に『昔語り』『智・感・情』『湖畔』がある。

くろだながまさ

戦国時代

黒田長政 1568～1623年

多くの武功を立てた、福岡藩の初代藩主

(福岡市博物館)

安土桃山時代～江戸時代前期の武将。

播磨国（現在の兵庫県南部）姫路に、黒田孝高の長男として生まれる。1577年、父の孝高が織田信長についたため、人質として、近江国（滋賀県）長浜城の羽柴秀吉（のちの豊臣秀吉）の下で幼少期をすごす。

1582年、秀吉の備中高松城の戦いに従軍したのを初陣とし、賤ヶ岳の戦い、小牧・長久手の戦いなどに参戦して武功をあげた。

1587年の九州征伐後、1589年に父のあとをついで、豊前国（大分県中津市）中津に12万石をゆずりうけ、従五位下甲斐守となる。朝鮮出兵（文禄・慶長の役）でも活躍するが、このころから石田三成とは仲が悪くなり、秀吉の死後は徳川家康にしたがい、家康の養女、栄姫を妻にむかえた。

1600年、関ヶ原の戦いでは父の孝高とともに、徳川方の東軍について勝利に大きく貢献する。その功により、筑前国（福岡県北西部）52万石をあたえられ、福岡城を築き、福岡藩初代藩主となった。1615年の大坂夏の陣では、徳川秀忠について出陣した。

くろだなりたか

江戸時代

黒田斉隆　1777〜1795年

福岡藩の藩校を設立した若き藩主

江戸時代後期の大名。

御三卿（徳川氏の一族で田安、一橋、清水の3家）の一橋家に生まれた。幼名は雅之助。江戸幕府第11代将軍徳川家斉の弟。1782年、6歳のとき筑前国福岡藩（現在の福岡県北西部）の藩主、黒田治高の末期養子（あとつぎのいない武家が死の直前に決めた養子）になり、福岡藩主になった。儒学者の竹田定良と、儒学者で医者の亀井南冥に藩校をつくることを命じ、1784年、定良が東学問稽古所「修猷館」を、南冥が西学問稽古所「甘棠館」を設立。藩士の子弟の教育につとめた。すぐれた藩主となると周囲から期待されたが、若くして病にたおれ、亡くなった。

くろだよしたか

戦国時代

黒田孝高　1546〜1604年

秀吉の天下統一を助けた名軍師

（黒田孝高画像／東京大学史料編纂所所蔵模写）

安土桃山時代の武将。

播磨国（現在の兵庫県南部）の姫路城主、小寺職隆の子。通称は官兵衛、法号は如水。キリシタン大名でもあり、洗礼名はドン・シメオン。1567年にあとをつぎ、姫路城主となる。1575年、播磨国は織田家と毛利家の2大勢力にはさまれるが、織田信長の才能をみぬき、信長につくことを提案。姫路城を羽柴秀吉（のちの豊臣秀吉）にゆずった。1578年、織田家の家臣、荒木村重が離反すると有岡城に入って説得するが、とらえられ1年間を土牢ですごす。その後、秀吉に重用され、毛利攻めに参加、兵糧攻めや水攻めで降伏させる。信長の死後も、中国、四国、九州の攻略で活躍し、豊前国（福岡県東部・大分県北部）12万石をあたえられる。1589年に家を子の黒田長政にゆずり、1593年に出家する。その後も秀吉の軍師として小田原攻めなどで活躍した。秀吉の死後、関ヶ原の戦いでは、子の長政とともに徳川方につくが、徳川家康に警戒されていることをさとり、隠居する。卓越した洞察力で戦国時代を生きぬき、黒田家を存続させた。

クロック，レイ

産業

レイ・クロック　1902〜1984年

マクドナルドを世界最大チェーンにした創業者

アメリカ合衆国の実業家。

イリノイ州に生まれる。ミルクセーキをつくるミキサーのセールスマンをしていたとき、カリフォルニア州でハンバーガー店をいとなむマクドナルド兄弟に出会う。効率化された調理システムに感心し、フランチャイズ店を展開することを提案。1955年、シカゴで第1号店をオープンさせた。1960年、社名をマクドナルドコーポレーションとし、商権を兄弟から買いとる。1984年までに、世界34か国8300店舗を展開、世界最大のファーストフードチェーンとなった。

品質、サービス、清潔さ、価値を企業理念としてかかげ、亡くなる直前まで効率、品質の追求をした。50歳をすぎてから億万長者となった、アメリカンドリームの体現者でもある。

グロティウス，フーゴ

学問

フーゴ・グロティウス　1583〜1645年

「国際法の父」とよばれるオランダの法学者

オランダの法学者、政治家。

古都デルフト生まれ。神童といわれるほど才能にめぐまれ、11歳でライデン大学に入る。1598年、15歳でオランダ使節団とともにフランス国王アンリ4世のもとにおもむき、その才能は国王から「オランダの奇跡」とたたえられた。16歳で弁護士となり、その後、法務官、行政長官などの公職につく。しかし、1619年、政治上の紛争にまきこまれて終身刑とされ、幽閉された。1621年、脱走に成功し、フランスに亡命、ルイ13世の庇護を受け、『戦争と平和の法』などを執筆した。1634年に駐仏スウェーデン大使となり、その後、62歳で死去。

グロティウスは、三十年戦争（1618〜1648年、ドイツの宗教戦争から、ヨーロッパの国際戦争へと発展した戦争）の経験から、国家において国民が服すべき法があるのと同様に、国際社会においても国家が服すべき法が必要であると説き、国家間の対立を解決するものとして国際法の基礎を築いた。「国際法の父」「自然法の父」とよばれている。

くろのいきちろう

郷土

黒野猪吉郎　1856〜1921年

大分県ではじめて電灯をともした実業家

幕末〜明治時代の実業家。

豊後国竹田町（現在の大分県竹田市）で醸造業をいとなむ家に生まれ、のちに家業をついだ。1891（明治24）年、医者で資産家の黒川文哲とともに、京都にできた水力発電を見学し、竹田防火水道から稲葉川に落ちる水の落差を利用すれば、地元でも水力発電が可能だと確信した。その後、電灯の便利さを説いてまわり、1899年、電力会社竹田水電を設立した。翌1900年、大分県で最初の水力発電所が完成し竹田町、玉来町、豊岡村（ともに竹田市）の736戸に電灯がともった。九州では熊本県に次いで2番目だった。

グロピウス，ワルター

建築

ワルター・グロピウス　1883〜1969年

多くの近代建築をてがけた建築家

ドイツ生まれの建築家。

ベルリン出身で、ミュンヘン工科大学などで建築を学ぶ。卒業後はモダニズム（近代主義）の建築家ベーレンスの事務所ではたらく。

1910年、同僚とともに独立し、家具などをデザインしながら、ファグス靴工場やドイツ工作連盟展のモデル工場を設計した。

直線とガラス張りのシンプルな外観は、その後の近代建築の原型になる。1919年にバウハウス（総合造形学校）を設立し校長に就任すると、画家クレーなど多彩な教師をまねいて、革新的な教育をおこなった。ナチス政権成立後はアメリカ合衆国に亡命し、ハーバード大学の教授をつとめる。若い建築家たちと設計集団「T・A・C」を設立し、多くの建物をてがけた。

バウハウスは14年ほどで閉校したが、世界のデザイン教育に大きな影響をあたえた。工業化の進む時代に手づくりのよさを再発見し、工芸やデザインも芸術と考えるバウハウスの理念は、いまも建築やデザインの分野で受けつがれている。

グロフ，スタニスラフ

学問

スタニスラフ・グロフ　1931年〜

呼吸法を用いた「ホロトロピック・ブレスワーク」を創始

トランスパーソナル心理学会の創始者。

チェコの首都プラハ郊外で生まれる。

1940年代後半、アニメーション制作会社に就職。そこで出会った本、ジグムント・フロイトの『精神分析学入門』に影響を受け、精神科医になることを決意する。チャールズ大学医学部を卒業し臨床医となったが、精神分析のアプローチに限界を感じる。やがて、化学合成でつくられる幻覚剤のLSDを用いたセラピーの研究を開始し、エイブラハム・マズローとトランスパーソナル心理学会を創始。

1970年代にアメリカ合衆国に移住するが、危険性の高いLSDを用いた医学実験が全面的に禁止され、さらに盟友マズローの死を経験した。そこで、妻とともにあみだした代替手段が「ホロトロピック・ブレスワーク」という呼吸法を用いた手法で、現在でもさまざまなセラピーに応用され、高い効果をあげている。

クロポトキン，ピョートル

政治

ピョートル・クロポトキン　1842〜1921年

権力を否定し、個人の完全な自由と独立をめざした

ロシアの地理学者、革命家、アナキスト（無政府主義者）。

モスクワの名門貴族の出身。幼年時にニコライ1世に目をかけられ、ペテルブルクの近衛士官学校で学び、アレクサンドル2世につかえるが、宮廷生活をきらいアムール川沿岸地域の騎兵隊に志願した。1864年、満州（中国東北部）に近いシベリア地区の探検隊に参加し地理の研究を進める。1867年、ペテルブルク大学にもどりロシア地理学会に加入、北欧の現地調査をおこなう一方でひそかに革命運動に関係し、1872年にはバクーニンと知り合い、第一インターナショナルに参加した。その後、ペテルブルクで革命サークルに参加して逮捕される。1876年に脱走後、40年以上にわたって亡命生活を送り、1917年、二月革命（ロシア暦。西暦では三月革命）時に帰国。その後、ドミトロフで亡くなった。

クロムウェル，オリバー

政治

オリバー・クロムウェル　1599〜1658年

ピューリタン革命を指導した

▲オリバー・クロムウェル

イギリスの軍人、政治家、革命指導者。

東部のハンティンドンのジェントリ（富裕な地主層）の家に生まれる。母からピューリタン（イギリスのプロテスタントの一派、新教徒）の信仰を受けつぎ、のちに熱心なピューリタンとなる。1615年、ケンブリッジ大学のシドニー・サセックス・カレッジに入学するが、1617年に父が亡くなったため中退して故郷に帰り、領地の経営にあたった。その間の1628年、下院議員にえらばれた。

1640年に国王チャールズ1世が、戦費を調達するために議会を招集すると、1642年に国王を支持する王党派と議会による改革を求める議会派のあいだで内戦がはじまる（ピューリタン革命）。このとき、クロムウェルは、議会派の軍人として戦った。ピューリタンのきびしい規律をもとに戦闘にすぐれた鉄騎隊を組織し、1644年のマーストン・ムーアの戦いで王党派に勝利し武功をあげ、さらに1645年に新型軍（ニューモデル軍）を組織し、ネーズビーの戦いで王党派をやぶって敗走させた。

チャールズ1世と議会との交渉をつとめたが、1648年にチャールズ1世がスコットランドに逃げて、スコットランド軍とむすんで挙兵すると、プレストンの戦いでこれをやぶって、発言力を高めた。

チャールズ1世と妥協しようとする長老派を議会から追いだし、のこった議員による議会を指導して国王を裁判にかけ、1649年1月、チャールズ1世を処刑し、共和制を実現した。

▲ネーズビーの戦いのようす

新政権は、1650年、カトリック（旧教派）が反乱をおこしているアイルランドを攻めて征服し、スコットランドでチャールズ1世の子（のちのチャールズ2世）が挙兵すると、みずから軍を指揮してこれに勝利した。また、海上を支配するオランダに対し、中継貿易を制限する航海法を定めると、1652年、英蘭戦争に発展、これに勝利した。

1653年に終身の護国卿になり、1655年、全国を12の区域に分けて軍政官をおく軍管区制度を実施し、独裁政治をおこなった。1658年、子のリチャードを護国卿に指名し、亡くなった。その後、ピューリタンの独裁政治が国民にきらわれると、1660年、チャールズ1世の子がチャールズ2世として即位し、王政が復古した。

くろやなぎてつこ

映画・演劇

黒柳徹子　1933年〜

日本最大のベストセラー『窓ぎわのトットちゃん』の作者

女優、司会者、UNICEF親善大使。

東京生まれ。父・黒柳守綱はバイオリニスト、母・黒柳朝は随筆家、声楽家である。幼少期、公立小学校を1年生で退学になり、私立のトモエ学園に転校した。1953（昭和28）年に東京放送劇団（のちのNHK放送劇団）、に入団し、テレビ女優の第一号となる。デビューから、レギュラー番組を絶やしたことのないマルチタレントである。1976年にテレビ朝日で開始された自身の冠番組『徹子の部屋』が、2015（平成27）年には放送回数通算1万回となり、「同一の司会者による番組の最多放送回数記録」としてギネス・ワールド・レコーズに認定された。同年、文化功労者にえらばれる。1981年に発刊された、幼少期のエピソードをつづった『窓ぎわのトットちゃん』は累計800万部を売り上げ、日本最大のベストセラーとなり、世界35か国で翻訳されている。UNICEF親善大使、パンダ研究家としても活動している。

クロンプトン，サミュエル

発明・発見

サミュエル・クロンプトン　1753〜1827年

ミュール紡績機を完成させたイギリスの発明家

産業革命期のイギリスの発明家。

イングランド北西部のランカシャー生まれ。綿の布を織る職人としてはたらき、布の原料である綿糸の紡績もてがけていた。当時の紡績機械では、細い糸をつむぐことができず、手作業でおこなっていため、紡績機械の改良に乗りだした。1779年、アークライトの発明した糸をひきのばす機械（水力紡績機）と、ハーグリーブスの発明した糸をよる機械（ジェニー紡績機）のしくみを組み合わせ、細い糸をつむぐことのできる紡績機械を完成させた。2種類の機械をかけ合わせた新型機械は、ウマとロバをかけ合わせたミュール（ラバ）の名前にちなんでミュール紡績機とよばれた。当初は手動の機械であったが、1830年に発明家ロバーツの改良によって自動化された。

19世紀末まで、イギリスの綿紡績では主にミュール紡績機が使用されたが、クロンプトンはこの機械の特許をとっておらず、事業にも失敗して、不遇の人生を送った。

くわばらきゅうえもん

郷土

桑原久右衛門　1581〜1654年

長岡市に福島江をつくった庄屋

▲現在の福島江

戦国時代〜江戸時代前期の農民、治水家。

越後国福島村（現在の新潟県長岡市）の庄屋（村の長）の家に生まれた。福島村のあたりには20の村があったが、水田にひく水が不足し、水争いがしばしばおきた。

水不足を解決しようと考えた久右衛門は、水量の豊富な信濃川の水をひいて約20kmの用水をつくる計画を立て、3年におよぶ調査ののち、長岡藩（新潟県長岡市）の許可を得て、1648年工事に着手した。用水の建設で土地をうばわれるのではないかと心配した農民や、藩の命令で工事にかりだされた武士たちからうらまれ、工事を妨害されることもあったが、苦労の末、1651年に用水を完成させた。村々の水田はうるおい、安心して米づくりができるようになったので、人々は久右衛門に感謝し、出生地である福島村の名前をとって、用水を「福島江」と名づけた。

ぐんじしげただ

探検・開拓

郡司成忠　1860～1924年

千島列島を探検して開拓した軍人

明治時代の海軍軍人、北方探検家。

江戸（現在の東京）生まれ。幼名は幸田金次郎。小説家の幸田露伴は実弟。幼いころ、郡司家の養子となる。海軍兵学寮をへて、海軍大尉まで進んだが、ロシアに対する北方警備の必要性をとなえて千島開拓を決意し、予備役となった。1893（明治26）年、報効義会という名の開拓隊を組織し、白瀬矗らをひきいてボートに分乗し、東京を出発する。道中、死者をだすなどさまざまな苦難にみまわれながらも、千島列島北端の占守島に上陸した。島を探検して自然環境などを調査、1896年には家族らとともに移住し、農業や漁業の開発にあたった。日露戦争開戦後、義勇艦隊を組織しカムチャツカ半島に進撃。捕虜となったが、のちに解放され日本に帰国する。戦後は沿海州水産組合長をつとめた。

け

Biographical Dictionary 2

ケイ，ジョン

発明・発見

ジョン・ケイ　1704～1764年

産業革命にも影響をあたえた飛びひを発明

イギリスの発明家。

イングランド北西部のランカシャー生まれ。織物職人としてはたらく。当時の織機は、横糸を通した「ひ」とよばれる道具を、手で投げて縦糸にくぐらせることで布を織ったが、幅の広い布を織るためには、ひをくぐらせる作業を2人組でおこなわなければならなかった。そこで、ひに車をつけて糸をひき、溝にそってすべらせる「飛びひ」というしくみを1733年に発明し、幅の広い布も一人で織ることを可能にした。

飛びひの織機によって生産効率はめざましく上がったが、機械化が進んで仕事がへることをおそれた職人たちの反発にあった。また、飛びひを導入した織物業者からは使用料がはらわれず、これに対しておこした訴訟の費用もはらいきれずに破産した。職人による暴動もおきたため、1747年、フランスへ移住した。飛びひは繊維産業の効率化・機械化のきっかけとなり、産業革命にも影響をあたえたが、本人は正当な見返りを受けることなく、フランスで死去した。

けいあんげんじゅ

宗教　学問

桂庵玄樹　1427～1508年

薩摩地方の儒学の一派、薩南学派の始祖

（鹿児島県立図書館所蔵）

室町時代の臨済宗の僧、儒学者。

南禅寺（京都市）で修行し、京都五山（室町幕府が最上位とした京都の5つの禅寺）で国内外の書物などを学んだ。豊後国（現在の大分県）の万寿寺（大分市）をへて、周防国・長門国（山口県）の守護大名である大内氏にまねかれて、永福寺（山口市）の住持（住職）となった。

当時の大内氏は、筑前国（福岡県北西部）博多港を拠点にして、中国の明と貿易をしていた。1467年、玄樹は遣明船に乗って明にわたり、1473年に帰国するまで中国各地をめぐり、学問をおさめた。日本に帰国後は長門をはなれ、九州各地をまわった。1478年には薩摩国（鹿児島県西部）の守護大名、島津氏にまねかれ、島陰寺（桂樹院）を拠点に、儒教の考えをもとに仏教の禅や道教の教えをとり入れた朱子学を教えた。1481年には、島津氏の家臣、伊地知重貞とともに朱子学の書籍である『大学章句』を刊行している。

玄樹を始祖とする儒学の流派は薩南学派とよばれ、室町時代後期から江戸時代初期にかけて南九州地域で繁栄した。

けいかい

宗教

景戒　生没年不詳

『日本霊異記』を書いた法相宗の僧

▲『日本霊異記』

（奈良県興福寺／奈良女子大学学術情報センター）

奈良時代～平安時代前期の僧。

「きょうかい」ともいう。紀伊国（現在の和歌山県・三重県南部）出身で薬師寺（奈良市）の僧となったといわれる。仏教の『法華経』『涅槃経』『般若経』などの諸経典を研究したが、寺の中だけで仏教論をおこなっている現状に疑問をいだき、民衆のために社会福祉に尽力した道昭や、その弟子の行基の行動に深い関心を寄せていたといわれる。787年、仏教の因果応報（前世のおこないの善悪により、必ずそのむくいがくるという思想）を、日本ではじめての説話集『日本霊異記』3巻に著し、さらに不足分をおぎなって822年に完成したことで有名になった。この書物は、民衆に読ませるために書いたものだが、仏教の教えだけでなく、当時の社会や人々の暮らしがうかがえる貴重な資料ともなっている。

けいこうてんのう

王族・皇族

景行天皇　生没年不詳

熊襲や蝦夷を征伐させた日本武尊の父

▲渋谷向山古墳（山辺道上陵）

（宮内庁書陵部）

古墳時代の第12代天皇（在位1世紀～2世紀ごろ）。

『古事記』『日本書紀』によれば、垂仁天皇の子。80人の子をもうけたというが、中に日本武尊（倭建命）や成務天皇がいる。『古事記』では、子の日本武尊に命じて九州や東北地方を平定させたとされるが、『日本書紀』では天皇みずからが平定し、各地できさきをむかえて多数の子をもうけ、生まれた皇子たちに諸国をおさめさせたと書かれている。いずれにしろ、景行天皇の時代に大和政権による全国の統一が進められたと考えられている。墓は、奈良県天理市にある渋谷向山古墳（山辺道上陵）とされている。学 天皇系図

けいたいてんのう

王族・皇族

継体天皇　生没年不詳

大伴氏に天皇としてむかえられた

▲福井市足羽山の像

古墳時代の第26代天皇（在位6世紀ごろ）。

『古事記』『日本書紀』によれば、応神天皇の子孫。即位前は男大迹王として、越前（現在の福井県北東部）、近江（滋賀県）を支配していた。武烈天皇の死後、皇子がなくあとつぎをめぐる争いがつづく中、大和政権の有力豪族、大伴金村にむかえられ、6世紀はじめ、河内樟葉宮（大阪府枚方市）で即位した。しかし、即位に反対する豪族も多く、20年近く各地を転々とし、526年、大和国磐余（奈良県桜井市）に都をかまえた。翌年、北九州に大きな勢力をもっていた筑紫国造磐井が反乱をおこすと軍を送る（磐井の乱）。天皇軍と磐井軍の戦いは1年半つづき、磐井軍をやぶった。その結果、継体天皇の大和政権は各地の豪族に対し強大な力をしめすことになった。継体天皇の死後、天皇の地位をめぐって子孫があらそい、皇子の欽明天皇が即位するまで国内が乱れたという。

墓は、宮内庁では大阪府茨木市にある太田茶臼山古墳（三島藍野陵）としているが、現在の研究では、60点以上の埴輪が出土した大阪府高槻市の今城塚古墳が有力だとされている。

学 天皇系図

けいちゅう

学問

契沖　1640～1701年

国学の基礎を築き、本居宣長に大きな影響をあたえた

（契沖画像／東京大学史料編纂所所蔵模写）

江戸時代前期の僧、国学者。

摂津国尼崎（現在の兵庫県尼崎市）に生まれる。13歳のころから高野山で修行し真言宗の僧になった。1662年、大坂生玉（大阪市）の曼陀羅院の住職になるが、歌人の下河辺長流との交流を通じて古典の研究を志すようになる。その後、常陸国水戸藩（茨城県中部と北部）の藩主徳川光圀から依頼され、長流にかわって『万葉集』を研究し、

1690年、注釈書『万葉代匠記』を完成した。日本の古典文学を研究するかたわら、門人に『万葉集』を講義した。著書にはほかに『古今和歌集』の注釈書『古今余材抄』や『源氏物語』の注釈書『源註拾遺』などがある。日本の古典から日本古来の独自の文化などを研究する国学の基礎を築いたとされ、とくに本居宣長に大きな影響をあたえた。国学四大人の一人。

ゲイツ，ビル

産業

ビル・ゲイツ　1955年〜

マイクロソフト社の創業者

アメリカ合衆国の実業家。

シアトルの裕福な家庭に生まれる。小学校を優秀な成績で卒業し、シアトルの私立レイクサイド高校時代に友人のポール・アレンとトラフォデータ社をおこし、企業や州政府を相手にコンピュータービジネスをおこなう。1973年、ハーバード大学に入って法学を志すが打ちこめなかった。1975年、MITS社の開発した世界初の個人向けコンピューターのアルテア8800の雑誌記事を読んで、MITS社にプログラミング技術を売りこんだ。その後、大学を休学し、アルバカーキでアレンとともにマイクロソフト社を創業した。

1980年にIBMがパーソナルコンピューター市場に進出した際、マイクロソフト社は既存のオペレーティングシステム（コンピューターのシステム全体を管理する基本的なソフトウェア。OSと略すことが多い）を改良して納入し、さらにMS-DOSとしてライセンス供給をはじめた。その後、新しいOSのウィンドウズを開発し、1990年代後半には世界1位の市場占有率を獲得。13年連続で世界長者番付トップになるなど、世界的に有名になった。2008年に第一線からしりぞいて、慈善活動に力をそそいでいる。

ケインズ，ジョン

学問

ジョン・ケインズ　1883〜1946年

近代経済学を確立した経済学者

イギリスの経済学者。

学園都市のケンブリッジに生まれる。1905年、ケンブリッジ大学を卒業後、インド植民地統治のために設置されたインド省に勤務。1909年よりケンブリッジ大学で金融論を教えた。1915年からは大蔵省に勤務し、第一次世界大戦の戦後処理のための国際会議であるパリ講和会議において大蔵省主席代表、大蔵大臣代理をつとめたが、連合国が敗戦国ドイツへばく大な賠償金を要求したことに反対し、役職を辞任した。

1936年に『雇用・利子および貨幣の一般理論』を刊行、失業と不況の原因、その克服のための理論をしめした。政府が経済に介入しない自由放任では失業率が改善しないので、政府が公共投資などをおこない、経済に積極的に介入し、有効需要をふやす必要がある、というもの。この理論は、その後の経済学や各国の経済政策に大きな影響をあたえ「ケインズ革命」とよばれた。第二次世界大戦中は大蔵大臣顧問、イングランド銀行理事をつとめ、戦後の1945年、国際通貨基金（IMF）の初代総裁となった。

ケージ，ジョン

音楽

ジョン・ケージ　1912〜1992年

「偶然性の音楽」を創造する

アメリカ合衆国の作曲家。

ロサンゼルス生まれ。作曲家ヘンリー・カウエルやシェーンベルクの指導を受け、1938年ごろ作曲活動をはじめる。1951年には、コロンビア大学で鈴木大拙に禅を学ぶ。

家具をたたいて演奏したり、グランドピアノの弦のあいだに、ねじやゴムをはさんだりして音色をかえたプリペアード・ピアノを発案したりと、実験的な音楽を次々と発表する。偶然性を作曲にとりいれたピアノ曲『易の音楽』や、楽譜に「TACET（休み）」とだけしるされ、音符がない『4分33秒』が有名。音はつねに存在し、あるがままに聴くべきだと考え、文学、美術などの芸術家にも大きな影響をあたえた。

ゲーテ，ヨハン・ウォルフガング・フォン

文学　詩・歌・俳句　映画・演劇

ヨハン・ウォルフガング・フォン・ゲーテ　1749〜1832年

ドイツ文学史上、最高の作家

▲ヨハン・ウォルフガング・フォン・ゲーテ

ドイツの詩人、作家、劇作家、自然科学者、政治家。

フランクフルト生まれ。1765年、ライプツィヒ大学法学部に入学するが、病気のため中退し、1770年、シュトラスブルク（現在のフランスのストラスブール）大学に入学。思想家のヘルダーを知り、古代ローマの詩人ホメロスやイギリスの作家シェークスピアなどに親しみ、文学にめざめる。ドイツの文学運動、シュトルム・ウント・ドラング（疾風怒濤）運動の先頭に立って活動し、女性への愛のよろこびと苦しみをえがいた小説『若きウェルテルの悩み』（1774年）でヨーロッパ中に名を広める。

いっぽうで弁護士としても活動し、1775年にドイツ中東部にある小国ワイマール公国にまねかれると、30歳で大臣になり、政治家としても活躍。

1786年には、あこがれのイタリア旅行に出かけ、イタリアの風土と、古代ローマやイタリア・ルネサンスの美術にふれ、芸術家として再生をはかる。その後、詩人で劇作家のシラーとの交流がはじまり、活発な創作活動を再開。主人公の精神的な成長をえがいた『ウィルヘルム・マイスターの修業時代』（1795年）や、フランス革命にゆれうごく時代をえがいた『ヘルマンとドロテーア』（1797年）、ドイツの民間伝承をもとにした戯曲『ファウスト』第1部（1808年）などを次々に発表。自伝『詩と真実』（1811年）、『イタリア紀行』（1816～1817年）、自然科学の研究書『色彩論』（1810年）などを著した。

▲ドラクロア画『ファウスト』
ゲーテの戯曲をもとにえがかれた。

1831年、世界文学の最高傑作とされる『ファウスト』第2部を書き終え、翌年、「もっと光を」というつぶやきをのこし、83歳で死去した。文学、哲学、自然科学などあらゆる分野を世界的な視野で広くみわたし、自分の個性を開花させる道を追求する生涯だった。

ケーベル，ラファエル

教育

ラファエル・ケーベル　1848～1923年

東京帝国大学で多くの人材を育てた

明治時代に来日した、ロシアの哲学者、音楽家。

ニジニーノブゴロドで生まれる。1867年、モスクワ音楽院でピアノを学んだのち、ドイツのハイデルベルク大学などで哲学、文学を学んだ。1893（明治26）年、来日し、東京帝国大学（現在の東京大学）でドイツ哲学、ドイツ文学、ラテン語などを講義して、阿部次郎、安倍能成、和辻哲郎など多くの人材を育成した。夏目漱石も講義を受け、のちに随筆『ケーベル先生』を書いた。一方、東京音楽学校（東京藝術大学）でピアノを指導し、日本女子大学校（日本女子大学）の『日本女子大学校開校式祝歌』を作曲した。1914（大正3）年に退職し、ドイツに帰国しようとしたが、第一次世界大戦のためかなわず、横浜で随筆などを著して亡くなった。

ゲーリケ，オットー・フォン

学問

オットー・フォン・ゲーリケ　1602～1686年

真空について研究を進めた物理学者

17世紀のドイツの物理学者、工学者、政治家。

中央部の都市マクデブルクで貴族の家に生まれる。1646年からマクデブルク市長となり、三十年戦争による戦災からの復興に、30年にわたって尽力した。この間に科学研究もおこない、1650年には、シリンダーとピストンにより空気を排出して真空状態をつくる真空ポンプを発明。これを用いて真空についての研究を進めた。金属製半球を組み合わせて中の空気をぬくと、両側から多数のウマにひかせても、半球ははなれないという公開実験をおこない、真空と大気圧のしくみを解明した。この実験はのちに「マクデブルクの半球実験」とよばれた。また、気象学の先がけとなる気圧計の製作や、世界初の静電起電機を発明した。

ゲーリッグ，ルー

スポーツ

ルー・ゲーリッグ　1903～1941年

「鉄の馬」とよばれたプロ野球選手

アメリカ合衆国のプロ野球選手。

ドイツ系移民の子として、ニューヨークに生まれる。高校時代から野球選手として注目され、コロンビア大学を中退して1923年にニューヨーク・ヤンキースに入団した。一塁手の4番打者として活躍し、3番打者のベーブ・ルースとともにヤンキースの第1期黄金時代を築いた。その活躍はめざましく、1926年から13年連続で100打点以上、1932年には初の4打席連続ホームラン、1934年には首位打者、本塁打王、打点王の三冠に輝いた。また1925年6月から1939年4月までの15シーズンで2130試合連続出場を達成し、「アイアンホース（鉄の馬）」とよばれた。この記録は衣笠祥雄にぬかれるまで世界記録だった。1939年に史上最年少で野球殿堂入りをはたした。

1939年、全身の筋肉がまひしていく筋萎縮性側索硬化症と診断され、やむなく現役を引退し、1941年に37歳の若さで亡くなった。その功績をたたえ、ゲーリッグの背番号4は、ヤンキースの永久欠番となっている。

ゲーリング，ヘルマン

政治

ヘルマン・ゲーリング　1893～1946年

ヒトラーの後継者に指名された

ナチスドイツの軍人、政治家。

バイエルンのローゼンハイムに生まれる。第一次世界大戦中には、飛行機のパイロットとして活躍。1922年、ナチス（国民社会主義ドイツ労働者党）に加入し、突撃隊（SA）を組織してヒトラーのミュンヘン一揆に加わるが、失敗し亡命。特赦で帰国し、1933年にヒトラー内閣に入閣した。その後、ヒトラーの信任を得て次々と昇進。1936年には、秩序を乱すとして党内外の不平分子を銃殺した。第二次世界大戦がおこるとヒトラーの後継者に指名され、1940 年に国家元帥となる。しかしやがて、党内の有力者ヒムラーやゲッベルスとの権力争いがおこり、1945 年には反逆のうたがいですべての職をうばわれ、ナチスからも除名された。戦後、アメリカ軍に逮捕され、ニュルンベルク国際裁判で死刑判決を受けたが、処刑の直前に自殺した。

ケストナー，エーリヒ

絵本・児童

エーリヒ・ケストナー　1899～1974年

ユーモアで時代を風刺する児童文学

ドイツの詩人、作家、児童文学作家。

ドレスデン生まれ。父は革職人で、貧しい少年時代を送る。苦労して大学を卒業し、時代を風刺した詩集を出版、詩人としてデビューした。1928 年、女性編集者にすすめられて書いたこどもむけの『エーミールと探偵たち』が大評判となり、世界的に有名になる。つづけて『点子ちゃんとアントン』『五月三十五日』『飛ぶ教室』などの児童文学を発表した。

ヒトラーがひきいるナチスが政権をとると、しんらつな風刺で政府を批判したとして執筆を禁止され、2 度も逮捕されるなど苦難を経験したが、愛するドイツにとどまった。

第二次世界大戦後は、人間をユーモラスに皮肉った『動物会議』や、離婚した両親の仲を双子の少女がとりもつ『ふたりのロッテ』などを発表。こどもの本を通して国際交流をはかるため、国際児童図書評議会や国際児童図書館の設立にも力をそそいだ。1960 年、国際アンデルセン賞を受賞。

ゲッベルス，ヨゼフ

政治

ヨゼフ・ゲッベルス　1897～1945年

ナチス政権の広報宣伝活動をおこなった

ナチスドイツの政治家。

ラインラントでカトリックの中流家庭に生まれる。幼少時の病気が原因で右足が不自由だったため、第一次世界大戦の兵役を免除され、ハイデルベルク大学で哲学を学び学位を得た。卒業後ナチス（国民社会主義ドイツ労働者党）に入党し、党のベルリン支部長、国会議員、ナチス宣伝部長をへて、ヒトラー内閣における国民啓発宣伝大臣となる。

徹底的な言論弾圧に加え、報道や映画、さまざまな行事を統制して国民をコントロールし、戦争へとうながしてナチス政策を遂行した。ヒトラーの腹心の一人でありユダヤ人虐殺の実行者でもあった。第二次世界大戦後、ベルリン陥落の直前に総統官邸で家族とともに自殺した。 学 主な国・地域の大統領・首相一覧

ケッペン，ウラディミール

学問

ウラディミール・ケッペン　1846～1940年

「ケッペンの気候区分」で知られる気象学者

19 ～ 20 世紀のドイツの気象学者。

ロシアのサンクトペテルブルクでドイツ人の両親のもとに生まれる。大陸移動説をとなえた地球物理学者のウェゲナーは義理の息子。

ハイデルベルク大学、ライプツィヒ大学で植物学、気象学を学び、卒業後、ロシア気象局勤務をへて、ハンブルクのドイツ海上保安局海上気象部長をつとめる。退職後、植生と気候をむすびつけた新しい気候区分を考案して最初の気候区分地図を 1884 年に発表する。

これをもとに気候区分研究を進め、世界各地を熱帯、乾燥帯、温帯、冷帯（亜寒帯）、寒帯に分類、さらにこれらの気候区を気温や降水量によって細かく区分した。これはのちに「ケッペンの気候区分」とよばれ、地理学、気象学をはじめ、農業や文化研究、社会学や人類学など幅広い分野で活用された。

ケニヤッタ，ジョモ

政治

ジョモ・ケニヤッタ　1891?～1978年

ケニア民族運動の指導者

ケニアの政治家。ケニア共和国の初代大統領（在任 1964 ～ 1978 年）。

キクユ族の農家の子として生まれる。職業を転々とし、1922 年、ナイロビの水道局につとめ、民族運動の組織キクユ中央連盟に参加。

1929 年、白人による土地収奪に抗議するためイギリスにわたり、1931 年にもふたたびイギリスにわたって、反植民地運動にかかわった。その間にモスクワ大学で経済学を学び、ロンドン大学では社会人類学を学び、学位をとった。博士論文は『ケニア山のふもと』（『ケニア山に向かいて』）。

1946 年、ケニアに帰国し、ケニア･アフリカ人同盟の総裁となって反植民地闘争をおこした。1952 年、急進派のマウマウ団による反乱の首謀者として逮捕され、投獄された。1961 年に釈放され、ケニア・アフリカ人民族同盟の総裁となり、1963 年、ケニアが独立すると初代首相に、1964 年、共和制になると初代大統領にえらばれた。

政治は穏健な社会・経済政策をかかげ、親欧米、外貨導入により、ケニアに経済発展をもたらした。

ケネー，フランソワ

学問

フランソワ・ケネー　1694～1774年

重農主義を提唱したフランスの経済学者

フランスの経済学者、重農主義の創始者、医師。

パリ近郊の生まれ。パリ大学医学部で外科学を学び、1718年に医師となり、医学に関する多数の書物を執筆。1749年、ルイ15世の愛人ポンパドール夫人、その後ルイ15世の侍医となり、ベルサイユ宮殿に住む。医師としての名声を得たケネーは、老年になって経済学の研究にとりくみ、1758年に社会全体の経済循環の分析を試みた『経済表』を著した。当時、経済危機に直面していたフランスの再建策として、国家、社会の財政の基礎を農業とする重農主義を提唱し、農業発展の必要を説いた。それまでヨーロッパでは貿易などの流通面を重視した重商主義が主流だったが、生産面から経済を考察したケネーの学説は、後世の経済学に大きな影響をあたえた。

ケネディ，ジョン・フィッツジェラルド

政治

ジョン・フィッツジェラルド・ケネディ　1917～1963年

「ニューフロンティア」をかかげた若き大統領

▲ジョン・フィッツジェラルド・ケネディ

アメリカ合衆国の第35代大統領（在任1961～1963年）。

ボストン郊外のブルックリンに生まれる。アイルランド系移民の子孫だった父は、銀行業や映画産業などで成功した実業家で、イギリス大使もつとめた。ハーバード大学で政治学を学び、卒業後、海軍に入り、1943年、南太平洋のソロモン沖海戦で、乗船していた魚雷艇を日本の駆逐艦に撃沈され、みずからも負傷しながら、部下を守って泳ぎぬいて助かった。

1946年、29歳でマサチューセッツ州から民主党候補として下院議員に当選、1952年には同州から上院議員に当選した。戦争で負傷した背中の傷の療養中、8人の政治家について書いた『勇気ある人びと』が、ピュリッツアー賞（ジャーナリズムにおけるアメリカでもっとも権威ある賞）を受賞した。

1960年、大統領選挙に立候補して、「ニューフロンティア（新しい未開地）」をスローガンに、共和党の副大統領ニクソンをわずかな差でやぶって当選した。アメリカ史上2番目に若い43歳の大統領の誕生で（セオドア・ローズベルトが42歳）、カトリック教徒としても初の大統領であった。大統領就任演説では、「諸君のために国が何をしてくれるかを問うのではなく、諸君が国のために何をすることができるかを問うてほしい」とのべ、国民にアメリカへの献身をよびかけた。

▲暗殺される直前のケネディ

内政では、教育改革、老人医療、人種差別や貧困問題、宇宙開発などにとりくんだ。外交では、ソビエト連邦（ソ連）がキューバにミサイル基地を建設しようすると、海上を封鎖、武力衝突寸前となりながらも（キューバ危機）、ソ連のフルシチョフ首相にミサイルを撤去させた。また、ソ連、イギリスとのあいだで部分的核実験停止条約をむすび、米ソ和解への道をひらいた。

1963年11月22日、テキサス州ダラスを自動車でパレード中に暗殺された。この事件は、その後、関係者が次々と死亡するなど多くのなぞをはらみ、人々の強い関心をよんでいる。

大統領として、わずか2年10か月であったが、キューバ危機を乗りこえ、部分的核実験禁止条約を締結、宇宙開発ではアポロ計画をおし進め、人種差別の撤廃にとりくんだ功績は高く評価されている。一方で、ベトナムに軍事介入を進め、戦争の泥沼化の原因をつくった責任も指摘される。なお、次期大統領として期待された弟ロバートの暗殺や、息子ジョンの事故死など、ケネディ家には悲劇的な話題が多い。

学 アメリカ合衆国大統領一覧

ゲバラ，エルネスト・チェ

政治

エルネスト・チェ・ゲバラ　1928～1967年

キューバ革命を成功にみちびいた医師出身の革命家

アルゼンチン生まれのラテンアメリカの革命家。

第2の都市ロサリオ生まれ。幼いときからぜんそくが持病であったが、スポーツを好み、成績も優秀だった。ブエノスアイレス大学医学部に入学、医学を学ぶかたわら、オートバイでチリやペルーなどラテンアメリカ各地を旅行し、貧しい人々の生活をみて、社会問題にめざめた。

1953年、大学を卒業すると、中央アメリカのグアテマラに行き、革命派のアルベンス政権の下で医療活動をおこなう。アメリカ合衆国に支援された反革命軍にアルベンス政権がたおされると、

メキシコへのがれた。ここで、キューバから亡命してきたカストロと出会い、キューバのバティスタ政権打倒をめざす革命組織の7月26日運動に加わる。1956年末、キューバに上陸、従軍医師として、またゲリラ戦の司令官として活躍した。農民を味方につけ、学校や病院を建て、ラジオ放送を開始、新聞を発行するなどして勢力を広げていった。そのようすを書いた『ゲリラ戦争』（1961年）は、革命家たちのバイブルとなる。キューバでは、スペイン語のアルゼンチン方言で「やあ」などにあたる「チェ」の愛称でよばれた。

1959年、バティスタ政権をたおし、キューバ革命を成功させた。革命政権の国立銀行総裁、工業相などを歴任、社会主義経済の建設につくした。世界各地の国際会議にも出席し、帝国主義に対して、アジア、アフリカ、ラテンアメリカの国々が連帯し民族解放闘争に立ち上がることをうったえた。1959（昭和34）年に来日し、政府高官と会談、工場を見学するなどして、広島平和記念資料館もおとずれた。

1965年、キューバを去ってアフリカにむかい、コンゴ動乱に参加。その後、ボリビアをラテンアメリカ革命の拠点にしようと、ボリビアの山中で民族解放軍を結成、ゲリラ戦をはじめた。1967年、39歳のとき、ボリビア政府軍に射殺された。

キューバ革命の功労者であるだけでなく、強い意志と行動力、誠実な人がらなどから、死後も熱狂的支持者が多い。『ゲバラ日記』などの著書も発行され、世界の民族解放運動をめざす人々に影響をあたえた。1997年、ボリビアで発見された遺骨はキューバにもどされ、カストロの手で埋葬された。

ケプラー，ヨハネス

学問　発明・発見

ヨハネス・ケプラー　1571～1630年

惑星運行の法則（ケプラーの法則）を発見した天文学者

16～17世紀のドイツの天文学者。

ドイツ南西部の居酒屋をいとなむ貧しい家に生まれる。奨学金で神学校に学び、1587年にテュービンゲン大学入学。のちにグラーツ高等学校（現在のグラーツ大学）で数学と天文学を教えた。1596年に出版した『宇宙の神秘』で、天文学者としてはじめてコペルニクスの地動説を全面的に支持する。宗教対立が高まるグラーツから退去を命じられ、1600年にプラハへ移り、天文学者ティコ・ブラーエの助手となる。ブラーエが死去すると、のこされた膨大な観測データをもとに研究をつづけ、惑星の運動に関する法則「ケプラーの第1法則」「第2法則」を発見し、1609年に発表した（「第3法則」は1619年に発表）。1627年には画期的精度の天文表「ルドルフ表」を完成させたが、3年後に58歳で死去した。「ケプラーの法則」は、ニュートンの万有引力の法則の基礎になるなど、後世に大きな影響をあたえた。2009年に打ち上げられたアメリカ航空宇宙局（NASA）の太陽系外惑星用宇宙望遠鏡には「ケプラー」の名がつけられている。

ケプロン，ホーレス

郷土

ホーレス・ケプロン　1804～1885年

「北海道開拓の父」となったお雇い外国人

明治時代に来日した、アメリカ合衆国の軍人、農政家。

マサチューセッツ州の医師の家に生まれる。陸軍士官学校を卒業し、南北戦争に従軍したのち、アメリカ政府の農務省長官となる。

1871（明治4）年、北海道の開拓をいそぐ日本政府が、アメリカに開拓使の黒田清隆を派遣。黒田に求められ、67歳で、開拓使顧問として多くの技師をつれて来日する。4年間で、北海道の各種の調査にあたり、道路建設、鉱業、工業、農業、水産業など、以後の北海道開発の基本計画をつくり上げた。帰国後も、ケプロンの進言による多くの計画が実行された。札幌農学校（現在の北海道大学）の開校など、多大な業績をのこし、「北海道開拓の父」とよばれている。

ケマル・アタチュルク

政治

ケマル・アタチュルク　1881～1938年

トルコの近代化を進めた

オスマン帝国の軍人。トルコ共和国の初代大統領（在任1923～1938年）。

オスマン帝国の支配下にあったサロニカ（現在のギリシャ北部の都市テッサロニキ）に生まれる。本名はムスタファ・ケマル。父は税関の役人。少年のころから軍人をめざし、12歳で陸軍幼年学校に入学、その後、陸軍士官学校、イスタンブールの陸軍大学へと進学した。大学ではオスマン帝国のスルタン（イスラム国家の政治的最高権力者）アブデュルハミト2世の専制政治に反対し、立憲君主制をめざそうという革新運動が高まっていて、ケマルもこれに参加した。

1905年に大学を卒業すると、ダマスカス（シリアの首都）の駐留軍に派遣され、ここで秘密結社「祖国と自由委員会」を結成し、革新運動を進めた。1907年にテッサロニキの軍隊に移ると、青年将校たちが結成した青年トルコ党に参加し、1908年、反乱をおこして憲法を復活させ、アブデュルハミト2世を退位させたが、その後、政治活動からはなれて軍務にはげんだ。

1914年に第一次世界大戦がはじまると、オスマン帝国はドイツやオーストリアの同盟国側について、イギリス、フランス、ロシア、ギリシャなどの連合国側と戦った。1915年にイギリス軍がトルコ西部のゲリボル半島に上陸すると、ケマルはこれをチャナッカレで撃退し、国民の英雄となり、1916年にパシャ（将軍）に昇進した。しかし、オスマン帝国は第一次世界大戦にやぶれ、連合国側から分割される危機におちいると、ケマルは祖国の独立を守ろうと祖国解放運動をおこした。

1920年、イスタンブールのスルタン政府に対し、アンカラに大国民議会をひらき、アンカラ政府をおこした。1922年、トルコに侵入してきたギリシャ軍をやぶり、連合国と休戦をむすんだ。つづいてオスマン帝国をほろぼし、1923年に連合国とローザンヌ条約をむすび、トルコの独立を確保。アンカラを首都とするトルコ共和国の樹立を宣言し、初代大統領となった。その後、1924年に新憲法を公布したのをはじめ、政治と宗教を切りはなす政教分離、女性参政権の実施、太陽暦やメートル法の採用、文字をアラビア文字からローマ字にあらためるなど、トルコの近代化を進めた。

1934年、大国民議会により数々の功績をたたえられ、「アタチュルク（父なるトルコ人）」の姓をあたえられる。その4年後、57歳でイスタンブールで病死した。

ケラー，ヘレン

教育

ヘレン・ケラー　1880〜1968年

障害者に生きる希望と喜びをあたえた

▲ヘレン・ケラー

アメリカ合衆国の教育家、社会福祉事業家。

南部のアラバマ州に生まれる。生後1年7か月で熱病にかかり、みることも聞くことも、話すこともできない三重の障害を負った。7歳のとき、家庭教師としてやってきたサリバンから人形をもたされ、これが「doll」（人形）、また井戸水にさわらせられ、これが「water」（水）と教えられて、物にはそれをあらわすことばがあることに気づいた。こうした指話法によって、3か月目には300のことばをおぼえ、4か月後には盲人用の文字盤をつかって、左手で文字の形をなぞりながら、右手で文字を書くことをおぼえた。

1894年、14歳のとき、ニューヨークのライト・ヒューマン聾唖学校（耳が聞こえず口がきけない人のための学校）に入学、発声法と、人のくちびるにさわってその動きで話の内容を理解する読唇法を学んだ。20歳で、ハーバード大学付属ラドクリフ・カレッジ（女子大学。現在はハーバード大学に合併されている）に入学。ラテン語やフランス語、ドイツ語、歴史などを学び、多くの文学書を読み、1902年に『私の生涯』を出版、大評判となる。

▲1893年ケラー（左）とサリバン先生（右）

1904年、優秀な成績で卒業。三重の障害をもちながら、正規の大学を卒業した世界ではじめての人となった。

卒業後は、自分が受けてきた教育を、障害をもつ人たちのために役だてたいと、マサチューセッツ州の盲人委員会の委員をつとめ、講演をおこなう一方、女性の参政権運動や黒人の差別をなくす公民権運動、戦争反対の運動などにも参加した。

1924年からアメリカ盲人協会の大使となり、アメリカ国内だけでなく、ヨーロッパやアジアなどでも講演をおこない、障害をもつ人々の教育や訓練のための募金活動に協力した。日本には1937（昭和12）年、1948年、1955年の3度おとずれた。初来日のとき、ケラーはこどものころ、盲目の国学者の塙保己一を目標にしていたことを語っている。1950年には来日を記念して、日本ヘレンケラー財団が創設された。

障害をもつ人々に希望をあたえた著作や活動に対して、アメリカのフィラデルフィアのテンプル大学から人文学博士、イギリスのグラスゴー大学から法学博士の称号、フランス政府から最高勲章であるレジオン・ド・ヌール勲章が、そして日本政府からは勲一等瑞宝章が贈られた。「愛と光の天使」「奇跡の人」などとよばれ、多くの人に生きる希望と勇気をあたえ、87歳で亡くなった。

学 日本と世界の名言

ケリー，グレース

王族・皇族　映画・演劇

グレース・ケリー　1929〜1982年

モナコ公妃になった映画俳優

アメリカ合衆国の映画俳優、モナコ公妃。

ペンシルベニア州フィラデルフィアの名門の家に生まれる。こどものころから読書や演劇が好きだった。12歳で劇団に入り、1947年からニューヨークの演劇学校で演技を学んだ。

モデルなどで活動したあと、1952年に映画『真昼の決闘』で、映画俳優としてみとめられる。女性としての魅力と上品な美貌が評判となり、ヒッチコック監督からは「セクシュアル・エレガンス」と評価された。同監督の『ダイヤルMを廻せ!』『裏窓』『泥棒成金』など、生涯で11本の作品に出演した。1955年に映画『喝采』で、アカデミー賞主演女優賞を受賞する。この年にカンヌ国際映画祭で知り合ったモナコ公国レーニエ大公と、翌年結婚した。

公妃時代は3人のこどもにめぐまれ、慈善活動を積極的におこなっていたが、不慮の交通事故で亡くなった。気品のあるファッションがつねに世界中の女性の注目を集め、使用したバッグは「ケリーバッグ」とよばれ、親しまれている。

ケリー，ジーン

映画・演劇

ジーン・ケリー　1912～1996年

ミュージカル映画黄金期のダンサー

▲『巴里のアメリカ人』でのレスリー・キャロン（右）と

アメリカ合衆国の映画俳優、ダンサー、映画監督。

東部のペンシルベニア州ピッツバーグに生まれる。幼少のころからダンス教室にかよい、ピッツバーグ大学で経済学を学ぶかたわら、家業のダンス・スタジオで教えていた。1938年、ニューヨークに出て、ブロードウェーのミュージカルダンサーとなり、1941年、映画会社MGMに入り、1942年、『フォー・ミー・アンド・マイ・ギャル』で映画デビューした。第二次世界大戦後は、ミュージカル映画『踊る大紐育』（1949年）で主演。同作品をはじめ、『雨に唄えば』（1952年）、『舞踏への招待』（1954年）、『いつも上天気』（1955年）などでは、監督もかねた。カメラを屋外にもちだして撮影するなど、革新的な試みを駆使して、話題になった。また、ガーシュインの曲をモチーフにしたミネリ監督の『巴里のアメリカ人』（1951年）が大ヒットした。名ダンサーとして知られるフレッド・アステアとともに、ミュージカル映画の黄金期をつくり上げた。

ゲルツェン，アレクサンドル

思想・哲学

アレクサンドル・ゲルツェン　1812～1870年

ロシア革命運動の源流をつくった思想家

19世紀のロシアの思想家、作家。

モスクワに、貴族の庶子として生まれる。モスクワ大学で学ぶ一方、自由思想の論文を書き、卒業後逮捕される。シベリア流刑のあと、フランスのサン＝シモン、フーリエの社会主義思想、プルードンのアナキズム（無政府主義）に共感し、専制政治の打倒と農奴解放の意欲を強める。1847年に亡命し、翌年、パリの六月事件を目撃。ヨーロッパの近代市民社会に絶望する。ミール（農村共同体）のようなロシアの共同体原理と、ヨーロッパの個の原理とを結合させた「ロシア社会主義論」を説いた。彼の思想はナロードニキ（人民主義者）に大きな影響をあたえ、ロシア革命運動の先がけとなった。自伝『過去と思索』は名著と名高い。

ケルビン

学問　発明・発見

ケルビン　1824～1907年

熱力学ほか、多数の物理分野に功績をのこした物理学者

19世紀のイギリスの物理学者。

本名はウィリアム・トムソン。アイルランド島北部のベルファスト生まれ。グラスゴー大学をへて、ケンブリッジ大学に入学。卒業後に22歳の若さで、グラスゴー大学の自然哲学教授となった。熱力学の研究をおこない、カルノーの理論を発展させて絶対温度（熱力学温度）の考え方をつくるなどの功績から、1851年に王立協会の会員になる。ジュールと共同で気体の圧力、体積と温度変化についての研究をおこない、のちに「ジュール=トムソン効果」とよばれる現象を1852年に発見した。そのほか、地球の年齢推定、電気関連の研究など、科学と技術についての多数の業績を上げた。

1866年、大西洋横断電信ケーブルの敷設に成功し、この功績がみとめられてナイトの称号を得る。1890年には王立協会の会長に就任、1892年、男爵の爵位を受けて「ケルビン卿」と名のるようになった。1904年にはグラスゴー大学総長に就任。絶対温度の単位K（ケルビン）にその名をのこしている。

ケレンスキー，アレクサンドル・フョードロビッチ

政治

アレクサンドル・フョードロビッチ・ケレンスキー　1881～1970年

二月革命後の臨時政府でボリシェビキを弾圧

ロシアの政治家。首相（在任1917年）。

シビルスク県に生まれる。ペテルブルク大学を卒業後、弁護士となる。1912年以降、社会革命党保守派に属して国会議員をつとめる。1917年の二月革命（ロシア暦。西暦では三月革命）で、ブルジョア自由主義派議員によって成立した臨時政府に司法大臣として入閣。当時ロシアは、臨時政府と、労働者と農民と兵士で構成される評議会（ソビエト）の二重権力構造となっており、ソビエトでは社会革命党が優勢だったことから、その党首であるケレンスキーの臨時政府内への影響力も大きかった。同年、陸海軍大臣をへて、首相となる。しだいにソビエト内でめだってきたボリシェビキ勢力を弾圧、自身も反革命路線に立つようになる。同年の十月革命（西暦では十一月革命）ではボリシェビキの反乱にやぶれ、ペトログラード（現在のサンクトペテルブル

ク）の冬宮から女装して脱出した。1918年以降はフランス、イギリスで亡命生活を送り、第二次世界大戦がおこるとアメリカ合衆国にわたった。ロシア人亡命者の組織づくりに参加するなどし、その後、ニューヨークで亡くなった。

ケロッグ, ウィル・キース

産業

ウィル・キース・ケロッグ　1860～1951年

コーンフレークを一般家庭に広めた

アメリカ合衆国の産業人。

ミシガン州生まれ。父親の工場でつくったほうきのセールスが最初の仕事であった。のちに兄のジョン・ハーベイ・ケロッグが館長をつとめる教会の施設ではたらきはじめ、兄弟でさまざまな健康食開発にとりくむなか、トウモロコシのフレーク化に成功し製品化する。1897年に兄とコーンフレーク会社を設立した。健康食品の領域をこえて人々に広めようと、1906年に独立、のちのケロッグ社初代社長となる。コーンフレークは、ケロッグの努力により一般家庭の食卓に広がった。1929年、社長を辞任し、1946年まで会長をつとめた。自分の資産でWKケロッグ財団を設立、大学への寄贈など多くの慈善事業をおこなったことでも知られている。

ケロッグ, フランク

政治

フランク・ケロッグ　1856～1937年

フランスのブリアンとともに不戦条約を成立させた

アメリカ合衆国の政治家、国務長官。

ニューヨーク州ポツダムに生まれ、弁護士となる。その後地方検事から共和党の地方有力者となった。1904年に司法長官特別顧問、その後、上院議員、駐英大使を歴任し、1925年、クーリッジ大統領の下で国務長官となる。中南米諸国との関係改善に力をつくし、その後のアメリカの善隣外交の先がけとなった。1928年、フランスの外務大臣ブリアンの提案にこたえ、主要国家間ケロッグ・ブリアン協定（不戦条約）を提唱、日本をふくむ15か国がパリで調印した。のちに63か国が参加し、戦争は違法であるという原則を各国が確認した最初の国際法となった。この功績により、1929年にノーベル平和賞を受賞した。

学 ノーベル賞受賞者一覧

げんかかん（イエンジャアガン）

政治

厳家淦　1905～1993年

蔣介石から蔣経国への過渡期の台湾総統

台湾の政治家。総統（在任1975～1978年）。

中国の江蘇省（現在の蘇州市）生まれ。上海の大学を卒業後、福建省政府ではたらいた。第二次世界大戦後、日本の統治から解放され中国に復帰した台湾にわたる。1947年に財政庁長となり、1949年、通貨改革を実施した。同年、国民党政府が台湾に撤退してくると、総統蔣介石の下で政府の要職につき、1963年に行政院院長、1966年には副総統を兼任した。

1975年、蔣介石の死去により総統に就任、1978年に任期が満了すると、蔣介石の長男の蔣経国を総統に推薦して、引退した。第二次世界大戦後の台湾経済の安定に尽力するとともに、蔣介石から蔣経国への政権継承の中つぎ役をつとめた。

学 主な国・地域の大統領・首相一覧

げんくう

源空 → 法然

けんこうほうし

文学　詩・歌・俳句

兼好法師　1283?～1352?年

日本三大随筆の一つ『徒然草』の作者

（神奈川県立金沢文庫）

鎌倉時代後期～南北朝時代の随筆家、歌人。

俗名は卜部兼好。吉田兼好ともいう。吉田神社（京都市）の神職をつとめた卜部氏（吉田氏）の出身。1301年ごろ、後二条天皇の朝廷で蔵人（天皇の機密文書などを管理する蔵人所の役人）としてつかえた。1308年、天皇が亡くなると朝廷から退出し、1313年以前に出家して洛北の修学院や比叡山横川で修行した。その後、都にもどり、洛北の双ヶ丘のふもとに草庵を建てて住んだ。

1324年ころから歌人の二条為世の門人となり、同門の歌人頓阿、浄弁、慶運とともに二条派の和歌四天王の一人として数えられた。『続千載和歌集』などの勅撰和歌集に和歌がとられている。

その後、「つれづれなるままに、日暮らし、硯にむかひて、心にうつりゆくよしなし事を、そこはかとなく書きつくれば、あやしうこそものぐるほしけれ」という書き出しではじまる『徒然草』を著した。その内容は、人生訓や人間観察、求道や世俗的な逸話、こっけい話まで多方面にわたり、当時の風潮を知らせている。『徒然草』は、清少納言の『枕草子』、鴨長明の『方丈記』とともに日本三大随筆の一つとされる。

げんじょう

宗教

玄奘　602～664年

仏典を求めてインドにわたった僧

中国、唐の僧、旅行家。

三蔵法師ともいう。河南省洛陽の近くに生まれる。幼いときから古典や仏典を愛読し、11歳のころ、地方役人をしていた父が亡くなると、兄が出家していた浄土寺（洛陽）にひきとられ、13歳で出家した。618年、長安（現在の西安）の都へ行くが、王朝が隋から唐にかわる時代で、長安の政情が不安定だったため、蜀（四川省）の成都にむかった。622年、成都の空慧寺で受戒（僧になるための戒律をさずかること）したのち、高僧をたずねて各地を旅し、政情が落ち着いた長安にもどり、大覚寺（西安）で高僧から仏教の教義をさずけられた。しかし、仏教の教えについてさまざまな疑問がわきおこり、解決できないため、インドの原典をもとに本場の学者から直接回答を得ようと、インド留学を決意した。当時、国外への旅行は禁じられていたため、627年（629年という説もある）、ひそかに長安を出発し、役人の目をのがれながら高昌国（新疆ウイグル自治区トルファン）にいたり、国王の歓迎を受け旅費などを寄進された。その後、クチャから天山北路に出て、アフガニスタンをへて北インドに入り、630年、中インドのマガダ国にいたった。この地にある仏教学の中心とされたナーランダ僧院に入り、シーラバドラの下で5年間学び、唯識（大乗仏教の学説の一つで、中国、日本では法相宗の教え）の経学をきわめた。その後、インド各地の仏教史跡をめぐる旅に出発。北インドではバルダナ朝のハルシャ王にまねかれて講義をおこなった。

▲玄奘三蔵像
（東京国立博物館 Image:TNM Image Archives）

645年、サンスクリットで書かれた多くの仏典や仏像などをたずさえて、16年ぶりに長安に帰ると、皇帝の李世民（唐の太宗）をはじめ、多くの人々から大歓迎を受けた。さっそく弘福寺（西安）に入り、仏典の翻訳グループを組織して翻訳をはじめ、のちに大慈恩寺（西安）に移るが、664年、65歳で亡くなる直前まで翻訳はつづけられた。その後も弟子たちによって翻訳はつづけられ、完成した経論1335巻は、訳語を統一し、原文に忠実に訳されていることから、新訳と称された。ほかに玄奘は、インド・西域の旅行記『大唐西域記』を著した。これは、7世紀前半のインドや西域の地理や風俗、文化などを伝える貴重な資料となっている。またのちの明代に書かれた小説『西遊記』の素材ともなった。

日本から唐にわたった飛鳥時代の僧・道昭は、玄奘から唯識の教えを受けて、日本に法相宗を伝えた。

▲陝西省西安にある玄奘三蔵院

げんしょうてんのう

王族・皇族

元正天皇　680〜748年

養老律令や三世一身法を定めた

奈良時代の第44代天皇（在位715～724年）。草壁皇子と、天智天皇の子の阿閇皇女（のちの元明天皇）の娘。文武天皇の姉で、即位する前は氷高内親王とよばれた。

715年、文武天皇の子の首皇子（のちの聖武天皇）が幼かったので、首皇子が成長するまでの中つぎとして、母の元明天皇から位をゆずられて即位した。717年、中国の唐に遣唐使を派遣し、留学生である吉備真備、阿倍仲麻呂や、留学僧の玄昉らがしたがった。718年、藤原不比等らに命じた養老律令（大宝律令を修正したもの）が完成したので、国の基本法典とした。

720年、日本ではじめての公式な歴史書である『日本書紀』が完成した。天武天皇が舎人親王らに命じて編さんをはじめさせてから、40年近くがかかっていた。同年、不比等が亡くなったのち、天武天皇の子、長屋王を右大臣に任命して政治を補佐させた。723年、新しく土地を開墾したものには3代にわたり私有をみとめる三世一身法を制定した。

学 天皇系図

げんしん

宗教　思想・哲学

源信　942〜1017年

『往生要集』を著した

（国立国会図書館）

平安時代中期の天台宗の僧。

大和国北葛城郡当麻（現在の奈良県葛城市）出身。950年、9歳で比叡山延暦寺（京都市・滋賀県大津市）に入り、天台宗を学んだ。954年、受戒（僧になるための戒律をさずかること）し、学問にすぐれ英才として知られた。貴族とむすびついて世俗化し、僧らしくない暮らしを送る僧を批判し、地位や名誉を望まず、比叡山の横川にある恵心院にかくれ住んで、念仏、読経、著述の日々を送ったので、恵心僧都ともよばれた。早くから浄土信仰に関心をいだいて念仏を研究し、985年、浄土教の手引きともいえる『往生要集』を著した。その中で地獄のおそろしさと極楽のすばらしさを説き、豊かな者も貧しい者も、みな極楽往生のさまたげになる罪を背負っているとさとし、救われるためには念仏をとなえよと教えた。

この思想は、貴族から一般庶民にまで広く受け入れられ、藤原道長なども『往生要集』を読み、源信をうやまった。76歳で亡くなったが、生涯に念仏を20億回となえ、5万5500巻におよぶ仏教の経典を読み上げたという。

げんそう

王族・皇族

玄宗　685～762年

開元の治をおこない唐の黄金時代を築く

中国、唐の第6代皇帝（在位712～756年）。

唐の皇帝、睿宗の子で、本名は李隆基。710年、則天武后と韋后により混乱していた唐の政治を、クーデターで平定させ、父を復位させてみずからは皇太子となる。712年にゆずられて即位すると、すぐれた人材を用いて数々の政策をおこない、公正な政治の再建につとめた。対外的には北辺の平和維持に成功。経済、文化も発展させ、「開元の治」とよばれる平和と繁栄の時代をつくった。しかし742年ごろから政治姿勢がくずれ、李林甫などの寵臣を宰相として政治をゆだね、高力士らの宦官を重用した。晩年は白居易（白楽天）の『長恨歌』に歌われたように、絶世の美女、楊貴妃を寵愛して政治をかえりみなくなったため国が乱れ、安禄山、史思明らによる安史の乱をまねいた。756年、玄宗は都の長安（現在の西安）を脱出、四川に落ちのびたが楊貴妃はその途中で殺された。位を子の粛宗にゆずり上皇となり、長安奪回の折に帰還したが、粛宗との不和などが原因で幽閉同然の生活を送り、失意のうちに亡くなった。

学 世界の主な王朝と王・皇帝

けんにょ

宗教

顕如　1543～1592年

信長と戦った本願寺の僧侶

（石川県立歴史博物館）

戦国時代～安土桃山時代の僧侶、本願寺11世。

浄土真宗本願寺第10世の証如の子。本名は本願寺光佐。父の死によって12歳で本願寺をつぐ。門徒による一向一揆勢力を掌握し、幕府内で力のあった細川家や京の公家との縁戚関係を深める。本願寺は大名におとらない権力をにぎり、当時勢力を強めていた織田信長と対立して、1570年には交戦状態となった。室町幕府の将軍、足利義昭と信長との争いがおこると反信長連合である信長包囲網に加担、各地で一向一揆をおこさせ、信長に対抗した。石山本願寺（現在の大阪城の地にあった）を中心に戦ったが、1580年に和睦。顕如は石山本願寺をしりぞいて紀伊国（現在の和歌山県・三重県南部）鷺森別院に移り、約120年間つづいた一向一揆は終結した。

信長の死後、羽柴秀吉（豊臣秀吉）と和解し、本願寺は豊臣政権の影響の下におかれた。顕如の晩年、本願寺は京都に移った。

顕如の時代に強大な勢力を誇った本願寺は、顕如の長男である教如と3男の准如の対立により、徳川家康の時代に東西に分裂した。

げんふくえい

王族・皇族

阮福暎　1762～1820年

タイやフランスの協力を得てベトナムを統一

ベトナム、阮朝の初代皇帝（在位1802～1820年）。

ベトナム阮朝の創始者で、嘉隆帝の称号をもつ。ベトナム語ではグエン・フック・アイン。ベトナム南部の半独立国家、広南国の阮氏は、黎朝後期、北部の鄭氏との200年にわたる抗争で勝利をおさめたが、圧政をおこなったため、1771年に農民反乱（西山党の乱）がおこる。阮福暎は、その際生きのこった阮氏一族の一人で、乱をのがれてタイに逃亡。タイのラーマ1世の保護を受けた。後年、フランス人宣教師ピニョーとタイの協力を得て反乱軍をやぶり、1802年、ベトナム全土を統一して阮朝をひらいた。年号を嘉隆、国号を越南、首都をフエに定める。治世においては、清朝を宗主国とすることを条件に統治をみとめられて朝貢をおこない、また国内制度も清朝にならって改革し、1812年には皇越律例を発布した。さらに、軍隊の強化、治水事業や道路、運河の建設、農業の振興、学校の創設、儒学の復活啓蒙などにもつとめた。その結果、乱れていた国情は安定し、嘉隆帝の在位期間は18年におよんだ。

けんぶんてい

王族・皇族

建文帝　1383～1402年

永楽帝に帝位をうばわれた皇帝

中国、明の第2代皇帝（在位1398～1402年）。

初代皇帝洪武帝（朱元璋）の孫。姓名は朱允炆。皇太子であった父、懿文が死去後に皇太孫となり、洪武帝が亡くなると16歳で即位した。側近らの進言により、皇帝の地位をかためるために、各地で領地をおさめていた洪武帝の子であるおじたちを自殺に追いこんだり、流刑にしたりした。しかし1399年、北平（現在の北京）をおさめていた洪武帝の4男、燕王（のちの永楽帝）が反乱をおこし（靖難の変）、1402年に京師（南京）を攻略。建文帝は南京城陥落の際、火中で自殺した。

僧侶に変装して生きのび、雲南にのがれたという伝説がある。もともとは温和な性格で、拷問の廃止や税の軽減、宦官の重用禁止を実施するなど、善政もおこなっている。

学 世界の主な王朝と王・皇帝

ケンペル，エンゲルベルト

学問

エンゲルベルト・ケンペル　1651〜1716年

日本の政治、歴史、地理などを『日本誌』にまとめた

江戸時代中期に来日したドイツ人の医者、博物学者。

レムゴーに牧師の子として生まれる。ヨーロッパ各地の大学で語学、医学、博物学を学んだ。東洋に興味をもち、オランダ東インド会社に入社し、1690年、出島（現在の長崎市）のオランダ商館の医者として来日した。1692年まで滞在し、オランダ商館長にしたがって2度の江戸参府を経験し、5代将軍徳川綱吉とも対面した。また、日本の政治、歴史、地理、風俗などを研究し、帰国後、その成果を『日本誌』にまとめた。『日本誌』はケンペルの没後、英語、オランダ語、フランス語に訳されて出版され、日本を知るための書として重用された。その一部を、オランダ通詞（通訳）の志筑忠雄が『鎖国論』の題で翻訳したことから、幕府の対外政策を鎖国とよぶようになった。

げんぼう

政治

玄昉　?〜746年

朝廷で権力をふるって左遷された

奈良時代の僧。

717年、遣唐使にしたがい、吉備真備、阿倍仲麻呂らとともに中国の唐にわたり、仏教の一派である法相宗を学んだ。唐の皇帝玄宗に気に入られ、高僧だけが着られる紫のけさを贈られた。735年、多くの仏像や仏教の経典をもって帰国。737年、僧の高い位である僧正に任命され、聖武天皇の母の病を治して天皇の信頼を得た。同年、疫病が流行し、実力者の藤原氏が亡くなると、橘諸兄が実権をにぎり、吉備真備らとともに重用される。これに対し不満をいだいた藤原広嗣が、九州で反乱をおこしたがやぶれた。その後玄昉は、天皇の信頼をもとに権力をふるったので、人々の反感を買った。朝廷で橘諸兄にかわり、光明皇后のうしろだてを得た藤原仲麻呂が台頭すると、745年、玄昉は観世音寺（福岡県太宰府市）に左遷され、翌年亡くなった。

げんめいてんのう

王族・皇族

元明天皇　661〜721年

平城京への遷都をおこなった

奈良時代の第43代天皇（在位707〜715年）。

天智天皇の子。草壁皇子のきさきとなり軽皇子（のちの文武天皇）、氷高内親王（のちの元正天皇）、吉備内親王を産む。

707年、文武天皇が亡くなると、まだ7歳と幼かった孫の首皇子（のちの聖武天皇）を確実に天皇にするため、中つぎとして即位した。708年、銅が献上されたことを祝い、元号を和銅とあらため、銅銭の和同開珎を鋳造させた。710年、藤原京（奈良県橿原市）から平城京（奈良市）に都を移し、藤原不比等らの補佐を得て、律令制度の完成につとめた。712年、太安万侶に『古事記』を編さんさせ、また翌年、諸国に命じ、風土、風俗、産物、伝説などをまとめた『風土記』をつくらせた。715年、首皇子を皇太子とし、娘の氷高内親王に譲位したが、その後も政治を後見した。

学 天皇系図

けんりゅうてい

王族・皇族

乾隆帝　1711〜1799年

清の最大領土を獲得

中国、清の第6代皇帝（在位1735〜1795年）。

高宗ともいう。第5代雍正帝の第4子として生まれる。1735年、24歳のとき皇帝に即位。チベットで反乱がおこると、これを鎮圧してチベットの支配を確実にした。つづいて東トルキスタンを征服し、この地を新疆と名づけた。その後、雲南省や貴州省、グルカ（現在のネパール）、ベトナム、ビルマ（ミャンマー）、台湾など、周辺地域へ10回におよぶ遠征をくりかえし、歴代王朝の中で最大の帝国を築いた。学問を奨励し、学者を動員して、『明史』『大清会典』『四庫全書』のほか、満州語、漢語、トルコ語、モンゴル語、チベット語5か国の対訳辞書『五体清文鑑』の編さんを進めた。一方、思想統制をおこない、文字の獄で多くの人を処罰した。

60年にわたる治世の晩年には、白蓮教徒の乱がおこるなど、政府の力がおとろえた。1795年、子に皇帝の位をゆずるが、その後3年間、院政をおこなった。

学 世界の主な王朝と王・皇帝

けんれいもんいん

王族・皇族

建礼門院　1155〜1213年

平家とほろびた、安徳天皇の母

平安時代後期の中宮（皇后と同じ身分）。

平清盛の娘。名は平徳子。建礼門院として知られる。1171年、後白河法皇（譲位後に出家した後白河天皇）の養子となって宮中に入り、翌年、高倉天皇の中宮に立てられた。1178年、言仁親王（のちの安徳天皇）を産む。1181年、院号をたまわり、建礼門院と称する。

前年の1180年からはじまった源平の争乱で、平氏が劣勢になり、1183年、源義仲の軍勢にやぶれた平氏一門は、安徳天皇と建礼門院をともなって都をはなれ、西国へのがれた。1185年、壇ノ浦（山口県下関市）の戦いで平氏は滅亡した。建礼門院は8歳の安徳天皇とともに入水したが、助けられて京都に送られた。その後出家し、大原（京都市）の寂光院で平氏の菩提をとむらいながら余生をすごした。

こ
Biographical Dictionary 2

ゴア，アル

政治 学問

アル・ゴア 1948年〜

地球温暖化防止をうったえる元アメリカ副大統領

アメリカ合衆国の政治家、環境問題研究者。

ワシントンD.C.生まれ。父はテネシー州選出の元上院議員。ハーバード大学を1969年に卒業後、ベトナム戦争に従軍。地方の新聞記者をへて、1976年、連邦下院議員に当選し、1984年からは上院議員となった。1993年から2001年にはクリントン政権の下で、2期にわたり副大統領をつとめた。2000年の大統領選挙に民主党から出馬し、共和党候補のブッシュとあらそったが、わずかの差でやぶれた。議員時代から地球環境問題に積極的にとりくんでおり、2000年以降は地球温暖化防止をうったえる講演を世界各国でおこない、2006年には、ドキュメンタリー映画『不都合な真実』を制作した。それらの活動が評価され、2007年に気候変動に関する政府間パネル（IPCC）とともに、ノーベル平和賞を受賞した。アメリカの全家庭にコンピューター・ネットワークをもうける情報スーパーハイウエー構想を提案し、今日のインターネットの普及にも貢献した。

学 ノーベル賞受賞者一覧

こいかわはるまち

文学

恋川春町 1744〜1789年

黄表紙本の創始者

江戸時代中期の戯作者、浮世絵師。

本名は倉橋格。紀伊国田辺藩（現在の和歌山県田辺市）の藩士の子として生まれ、20歳のとき、おじの駿河国小島藩（静岡県静岡市）の藩士の倉橋忠蔵の養子になった。江戸（東京）の藩邸に住み、留守居役などをつとめる一方で、浮世絵や俳諧（こっけいみをおびた和歌や連歌、のちには俳句などのこと）を学んだ。1775年、藩邸が小石川春日町（東京都文京区）にあったことから、恋川春町と名のり、自作の絵を入れた『金々先生栄花夢』を著して、大好評となる。これは草双紙（絵入りの大衆小説）の新しいジャンルとなり、表紙が黄色だったことから黄表紙とよばれた。その後も多くの作品を著したが、1789年に発表した『鸚鵡返文武二道』が、松平定信の寛政の改革を風刺しているとして幕府にとがめられ、その直後に病死した。一説には、藩に迷惑がおよばぬように自殺したともいわれる。

こいずみじゅんいちろう

政治

小泉純一郎 1942年〜

テロ対策特別措置法や郵政民営化関連法を成立させた

政治家。第87、88、89代内閣総理大臣（在任2001〜2006年）。

神奈川県出身。祖父は元逓信大臣、父は元防衛庁長官の、政治家一族に生まれる。慶應義塾大学経済学部を卒業、ロンドン大学留学をへて、福田赳夫の秘書となる。1972（昭和47）年、衆議院議員に初当選。厚生大臣、郵政大臣を歴任。2001（平成13）年、構造改革をとなえて、「改革に抵抗するなら自民党をぶっこわす」と主張し、橋本龍太郎や麻生太郎らをやぶって自民党総裁選挙に勝利、内閣総理大臣に就任した。以後、第2次、第3次と5年5か月にわたり、連立内閣を組織した。2001年のアメリカ同時多発テロ後、テロ対策特別措置法を成立させた。2002年には朝鮮民主主義人民共和国（北朝鮮）の最高指導者である金正日総書記と会談、日本人拉致問題などをみとめさせ、国交正常化交渉の再開を確認した日朝平壌宣言に署名。2003年、アメリカ合衆国のイラク侵攻に際して日米同盟を強化し、イラク特措法や有事法制を成立させた。2005年に郵政民営化。また道路関係四公団も民営化した。2006年、総裁任期満了で内閣総理大臣を退任する。2008年に政界を引退した。

学 歴代の内閣総理大臣一覧

こいずみやくも

文学

小泉八雲 1850〜1904年

明治の日本の日常生活や文化を世界に紹介

（日本近代文学館）

明治時代の文芸評論家、作家。

ギリシャのレフカダ島でアイルランド人の父とギリシャ人の母のあいだに生まれる。本名はパトリック・ラフカディオ・ハーン。19歳でアメリカ合衆国にわたり、苦労を重ねた末に24歳で新聞記者となる。モーパッサンやドストエフスキーなどの翻訳や創作により、文才をみとめられた。1884年、ニューオーリンズでひらかれた万国産業綿花博覧会で、日本の美術工芸と出会い、日本に興味をいだく。

1890（明治23）年、39歳のとき新聞記者として来日する。東京帝国大学（現在の東京大学）や文部省の紹介で、島根県尋常中学校（現在の県立松江北高校）の英語教師となる。松江の街の風情や情緒を愛し、やがて身のまわりの世話をしていた武家の娘、小泉節子（本名セツ）と結婚する。翌年には九州の熊本第五高等中学校（現在の熊本大学）へ移る。1894年、神戸で英字新聞社の記者となり、1896年、日本国籍を取得して、小泉八雲と名のった。上京して東京帝国大学、東京専門学校（現在の早稲田大学）で英文学を教えていたが、1904年に心臓疾患で死去。日本の伝統的な精神や文化に興味をもち、日本での日常生活の体験をもとに研究を深め、多くの作品を英文で書いた。主な著作に『日本の面影』『心』『神国日本』などがある。なかでも1904年に発表した短編小説集『怪談』は、『雪女』や『むじな』など幽霊が登場する名作がおさめられ、広く読まれている。

学 切手の肖像になった人物一覧

こいそくにあき

政治

小磯国昭 1880〜1950年

朝鮮で皇民化政策を進めた

明治時代〜昭和時代の軍人、政治家。第41代内閣総理大臣（在任1944〜1945年）。

栃木県宇都宮市生まれ。陸軍大学校卒業。

陸軍屈指の実力者であった宇垣一成から能力をみとめられて重用され、1930（昭和5）年、軍務局長となる。翌年、橋本欣五郎らが計画したクーデター未遂事件（三月事件）に関与して中央を追われ、関東軍参謀長や朝鮮軍司令官などを歴任した。

1939年の平沼騏一郎内閣と、翌年の米内光政内閣で、植民地行政を統轄する拓務大臣をつとめ、太平洋戦争開戦後の1942年に朝鮮総督に就任。「内鮮一体」をスローガンに皇民化政策を進め、朝鮮にも徴兵制度を施行した。1944年に東条英機内閣がたおれたのち、内閣総理大臣となり米内と協力して組閣するが、本土の空襲の激化や米軍の沖縄上陸など、悪化する戦局に対して有効な打開策を打てず、和平工作も成功できずに総辞職した。戦後は連合国軍最高司令官総司令部（GHQ）により戦犯として逮捕されて極東国際軍事裁判（東京裁判）でA級戦犯となり、1948年、終身刑の判決を受け、服役中にがんのために亡くなった。

学 歴代の内閣総理大臣一覧

こいそりょうへい

絵画

小磯良平 1903〜1988年

女性の肖像や群像にすぐれた画家

昭和時代の洋画家。

兵庫県神戸市生まれ。1922（大正11）年、東京美術学校（現在の東京藝術大学）に入学し、藤島武二に洋画を学ぶ。

在学中の1925年、『兄弟』が帝国美術院展覧会（帝展）で入選、翌年には『T嬢の像』が帝展の特選となる。1928（昭和3）年から1930年までフランスに留学した。1936年、美術学校時代の同級生である猪熊弦一郎らと新制作派協会を結成した。1938年からは、陸軍にしたがって中国などにわたり、戦争画をえがいた。1941年に代表作『斉唱』『娘子関を征く』を発表した。『娘子関を征く』は、翌年の帝国芸術院賞を受賞した。

第二次世界大戦後の1953年から1971年まで、東京藝術大学の教授として後進の指導にあたり、その後も、迎賓館の大広間の壁画『絵画』『音楽』などをえがいた。女性の肖像や群像にすぐれた作品をのこしている。1979年、文化功労者、1983年に文化勲章を受章した。

学 文化勲章受章者一覧

ごいちじょうてんのう

王族・皇族

後一条天皇 1008〜1036年

道長に大きな権力をあたえた

▲天皇陵の菩提樹院陵

（宮内庁書陵部）

平安時代中期の第68代天皇（在位1016〜1036年）。

一条天皇の子で、敦成親王という。母は藤原道長の娘彰子。誕生のときのようすは、彰子につかえていた紫式部の『紫式部日記』にしるされている。1011年、一条天皇が病により退位すると、道長のおいである三条天皇が即位し、敦成親王は皇太子となった。1016年、9歳で位をゆずられて後一条天皇として即位すると、道長とその子の藤原頼通が幼い天皇にかわって政治をみる摂政や関白となって大きな権力をにぎった。このとき皇太子となった三条天皇の子敦明親王は、翌年、皇太子を辞退し、皇太子には、後一条天皇の同母弟の敦良親王（のちの後朱雀天皇）がなった。1018年、道長の娘威子を中宮（皇后と同じ身分）にむかえると、藤原氏の全盛期を歌にのこした。

学 天皇系図

こいつみ

産業

肥富 生没年不詳

日本と明の国交をひらいた

室町時代の商人。

「こいとみ」ともよむ。出自は明らかではない。肥富氏は、安芸国（現在の広島県西部）の小早川氏の一族、小泉氏という説もある。

『善隣国宝記』によると、博多商人であった肥富は、1394年に中国の明から帰国し、室町幕府第3代将軍足利義満に、明との貿易がばく大な利益を生むことを進言する。財政が苦しかった幕府はこの意見をとり入れ、1401年、最初の遣明使を鎖国中の明に送り、国交を申し入れた。このときの正使（使者の代表）は僧である祖阿、肥富は副使（使者の副代表）をつとめた。翌年、明の国書をもって帰国、勘合貿易（勘合符を利用した正式な日明貿易）が開始された。日明国交をひらくきっかけとなった人物である。

こいでならしげ

絵画

小出楢重　1887〜1931年

独自の作風を切りひらいた洋画家

大正時代〜昭和時代の洋画家。

大阪市生まれ。東京美術学校（現在の東京藝術大学）の日本画科に入学後、西洋画科に移り、1914（大正3）年に卒業した。

1919年、二科展に出品した『Nの家族』が、新人賞にあたる樗牛賞を受賞し、翌年には『少女於梅像』が二科賞を受ける。

1921年から翌年にかけて、ドイツやフランスを旅行した。1924年、二科会会員の鍋井克之らと大阪に信濃橋洋画研究所をつくり、関西の画壇の発展につくした。初期の写実的で暗い画面から、しだいに単純化した形をのびやかにえがく作風に変化した。晩年は裸婦を多くえがき、独自の世界を切りひらいた。代表作には『支那寝台の裸女』『枯木のある風景』がある。

こいとみ

肥富 → 肥富

こう

興 → 安康天皇

ごう

江 → 崇源院

こうう

政治

項羽　紀元前232〜紀元前202年

劉邦と天下をあらそった希代の軍事家

中国、秦末期の武将。

楚の貴族の子として生まれ、おじの項梁の教育を受け、会稽郡（現在の江蘇郡）に住んでいた。秦末期の混乱の中、陳勝と呉広が秦に対しておこした反乱（陳勝・呉広の乱）に乗じて、おじとともに挙兵し、のちに漢を建国する劉邦と同盟して秦軍を次々にやぶっていった。紀元前206年には秦の王、子嬰を殺し、首都咸陽を焼きはらって秦をほろぼした。楚の懐王を義帝として皇帝に格上げし、みずからを「西楚の覇王」と称して天下の覇権をにぎるが、関係が良好な部下ばかりを登用したため反感をまねき、反旗をひるがえした劉邦とのあいだで5年にわたる激戦をくり広げた（楚漢戦争）。紀元前202年には、劉邦の漢軍に垓下の戦いでやぶれ、楚軍は防塁の中に後退。

死をさとった項羽は別れのうたげをもよおし、愛する虞美人に『垓下の歌』を贈った。漢軍にかこまれた中を烏江にのがれたが、追手にせまられ、最後は漢軍にむかって突撃し、みずからの首をはねて自殺。31歳だった。「四面楚歌」はこの故事に由来する。

こうえいたつ

孔穎達 → 孔穎達

こうかいどおう

王族・皇族

広開土王　374〜412年

高句麗の最盛期を築いた

朝鮮半島、高句麗の第19代王（在位391?〜412年）。

好太王ともいう。即位後、年号を永楽とした。北の契丹（中国東北部にいた遊牧狩猟民族）、西の燕（中国の五胡十六国時代の国の一つ）と戦い、朝鮮半島の百済、新羅を攻めて国の領域を広げ、2国のうしろだてとなっていた倭（日本）の勢力も追いはらった。410年、中国東北部を流れる川、松花江の東の地方を征服して、高句麗を大きく発展させ、最盛期を築いた。

死後の414年、子の長寿王が好太王の功績をたたえて、現在の中華人民共和国（中国）吉林省集安市郊外に、高さ6.34 mという巨大な広開土王陵碑（好太王碑）を建てた。

時の歴史を知るうえで貴重な資料であり、約1800字の碑文の中には、倭との戦いもしるされているが、その解読や解釈をめぐっていろいろな説がだされている。学 世界の主な王朝と王・皇帝

▲広開土王の碑

こうかくてんのう

王族・皇族

光格天皇　1771〜1840年

父に太上天皇の称号を贈ろうとしたが断念

江戸時代後期の第119代天皇（在位1779〜1817年）。

1779年、後桃園天皇が急死したため、養子になって9歳で即位した。在位中、400年近くとだえていた石清水八幡宮（京都府八幡市）と賀茂神社（京都市）の臨時祭の再興などをお

こなった。1789年、皇位についたことのない父の閑院宮典仁親王に太上天皇（上皇。本来は譲位した天皇）の称号を贈ろうとしたが、幕府の老中松平定信に反対され断念した。その後、幕府が事件に関係した公家を処罰したため、朝廷と幕府のあいだに緊張が高まった（尊号事件）。1817年、皇太子（のちの仁孝天皇）に天皇の位をゆずって上皇になり、院政をおこなった。

学 天皇系図

こうきてい

王族・皇族

康熙帝　1654～1722年

清の最盛期を築いた

中国、清の第4代皇帝（在位1661～1722年）。

聖祖ともいう。第3代順治帝の第3子として生まれる。1661年、6歳のとき父が亡くなり、皇帝に即位。オボイら4人の重臣が摂政として補佐した。1669年、親政をはじめ、1673年、呉三桂ら漢人の藩王による三藩の乱がおこると、1681年、これを平定。1683年、台湾に勢力をもつ鄭氏を攻略し、中国統一を完成した。

また、満州（中国東北部）に入って黒竜江（アムール川）沿岸に城を築いたロシア人を追いかえし、1689年、ネルチンスク条約をむすび、国境を定めた。天山山脈の北に勢力をはるジュンガル部のガルダンがモンゴルに侵入してくると、1696年にこれをやぶり、モンゴル、青海省、チベットを服属させた。

国内では、朱子学を奨励し、漢字辞典の『康熙字典』をはじめ、多くの書物を編さんさせた。またフェルビーストらイエズス会宣教師が伝えるヨーロッパの科学にも興味をもち、暦法の改善や実測地図『皇輿全覧図』の作成にあたらせた。

在位は60年以上にわたり、清の最盛期をつくりだした。1722年、68歳で亡くなった。

学 世界の主な王朝と王・皇帝

こうぎょくてんのう

王族・皇族

皇極天皇　594～661年

百済を救援しようと九州へむかう

飛鳥時代の第35、37代天皇（在位642～645年、655～661年）。

敏達天皇の孫の茅渟王の子。即位する前は宝皇女とよばれた。おじの舒明天皇の皇后となり、中大兄皇子（のちの天智天皇）、大海人皇子（天武天皇）を生んだ。642年、舒明天皇の死後に即位する。645年の乙巳の変で蘇我氏がほろびたあと、弟の軽皇子（孝徳天皇）に譲位したが、654年の孝徳天皇の死後、ふたたび天皇に即位して斉明天皇となった。

658年、阿倍比羅夫に命じて蝦夷を討った。661年、朝鮮半島の百済を救援するための船団をひきいる中大兄皇子と大海人皇子とともに難波津（大阪市）から九州にむかい、朝倉橘広庭宮（福岡県朝倉市）を築いて根拠地としたが、病で亡くなった。

▲亀形石造物　酒船石の北で発見された。（明日香村教育委員会）

土木工事を好み、飛鳥川原宮、飛鳥岡本宮などの宮殿を造営し、また香具山（奈良県橿原市）から石上山（天理市）まで溝をほらせ、200隻の船で石をはこんで宮殿の東の山に石垣を築かせた。

現在、奈良県明日香村にある酒船石というなぞの石の周辺に石垣の跡が発見されていて、斉明天皇の工事との関連があるのではないかといわれている。

学 天皇系図

こうけいらい（ホンギョンネ）

政 治

洪景来　1780～1812年

朝鮮王朝に対する農民反乱を指導

朝鮮王朝（李氏朝鮮）の農民反乱指導者。

平安道の没落した両班（朝鮮の特権階級）の家に生まれる。当時平安道は地域的に差別されていたために、平安道の両班たちは中央の政治にかかわって出世することができなかった。また農民たちも、治安が悪く、政府による収奪などもある中で、不安定な状況にあった。

1811年、洪はそれらの不満をもつ同志を集め、禹君則、金士用、李禧著、金昌始らとともに、中央政府をたおそうと反乱をおこした（洪景来の乱）。翌年に反乱軍は鎮圧されて、洪も戦死したが、この反乱は、地方の官僚、農民、商人などがおこした封建制度に反対する農民反乱の先がけとなった。その後、農民反乱ははげしくなり、李朝の支配体制をゆるがすようになっていった。

こうけんし

宗 教

寇謙之　365？～448年

太武帝の信任を得て仏教を排斥、道教を国教化した道士

中国、南北朝時代の北魏の道士（道教の僧）。

上谷（現在の河北省）生まれ。字は輔真。洛陽近くの霊山の嵩山において、天師道（五斗米道）とよばれていた道教の修行をしているとき、天の啓示を受けて、天師の位をついで道教の改革を命じられたという。

その後、北魏の都の大同にむかい、儒者の崔浩とともに北魏の3代皇帝太武帝（世祖）に、道教を国教とし、インド伝来の仏教の排斥を建言。太武帝に信任され、寇謙之は国師、崔浩は側近（のちに宰相）となった。

道教を新たに体系化し、修行の段階に応じて資格をあたえる

など、寺院や教会のように宗教組織として道教を確立した。寇謙之の説く道教は新天師道と称される。442年、太武帝は仏教弾圧を断行し、道教は国教として栄え、2人は政界・宗教界に権力をもった。しかし、崔浩が失脚し、寇謙之も亡くなると仏教復興の動きが出るようになり、4代皇帝文成帝は仏教弾圧を廃止しているが、中国北部において、道教はその後も国教に準ずるあつかいを受けつづけた。

こうけんてんのう

王族・皇族

孝謙天皇 718～770年

道鏡を重用して貴族の反発をまねいた

奈良時代の第46、48代天皇（在位749～758年、764～770年）。

聖武天皇と光明皇后の皇女。即位する前は阿倍内親王とよばれた。738年、聖武天皇の皇子が早死にしたため、女性としてはじめての皇太子となり、749年、孝謙天皇として即位した。その後、大仏造立に力をそそぎ、752年、東大寺大仏の開眼供養会をおこなった。758年、藤原仲麻呂がうしろだてとなった大炊王に譲位。淳仁天皇が即位した。これにより上皇となるが、僧の道鏡を信頼したことで天皇や仲麻呂と対立。

仲麻呂を政治の中心から遠ざけたことで反感を買う。そして764年、仲麻呂が朝廷から道鏡を追放しようと反乱をおこした（藤原仲麻呂の乱）。孝謙上皇は、吉備真備などをつかい仲麻呂を討ち、淳仁天皇をやめさせ、称徳天皇としてふたたび即位した。その後、道鏡を重く用いて、766年には天皇と同じあつかいを受ける法王に任じたので、貴族や僧たちの反発をまねいた。769年、道鏡を天皇につけよという神のお告げで皇位をゆずろうとしたが、和気清麻呂を宇佐八幡宮につかわすと神託は否認されたので、道鏡を皇位につけることをあきらめ、翌年亡くなった。

▲墓といわれている佐紀高塚古墳（高野陵） （宮内庁書陵部）

学 天皇系図

こうこう（ホワンシン）

政治

黄興 1874～1916年

辛亥革命で中心となって活躍

中国、清末期～中華民国の革命家。

湖南省善化出身で、両湖書院を卒業後、1901年から2年間日本に留学する。

帰国後、湖南省長沙で宋教仁らと清朝をたおそうと華興会を結成。1905年、長沙暴動をおこすが失敗し、亡命した日本で孫文と知り合い、革命勢力を集めた中国同盟会を設立した。その後各地を遊説して華僑から資金を得て、湖南、広東、雲南各地での武装蜂起をくわだてた。

1911年、辛亥革命のきっかけとなる武昌蜂起では総司令官に任命され、革命を成功させた。孫文が臨時大総統に就任した中華民国で陸軍総長となる。孫文の後任として袁世凱が大総統になると、その独裁に反対し南京で第二革命をおこすが失敗、日本とアメリカ合衆国に亡命した。袁の死後帰国し、上海で亡くなった。

こうこうてんのう

王族・皇族

光孝天皇 830～887年

事実上はじめての関白を任じた

平安時代前期の第58代天皇（在位884～887年）。

仁明天皇の皇子。848年、常陸太守（現在の茨城県の長官）、864年、上野太守（群馬県の長官）、866年、大宰帥（九州を統括する大宰府の長官）などをへて、876年、式部卿（朝廷の役人の人事や学校の管理をおこなう式部省の長官）となる。884年、陽成天皇が退位したのち、55歳で即位したとき、自分を天皇にするようあとおししてくれた藤原基経に政治をまかせるという詔をだしたので、基経は日本ではじめての事実上の関白となった。

皇太子を立てなかったが、887年に亡くなるときには、源の姓を名のり、皇室をはなれていた皇子の源定省を即位させるように強く望んだ。基経はその遺志をくんでことをはこび、天皇の死の当日、源定省は皇太子に立てられ、宇多天皇が即位した。

学 天皇系図　学 人名別 小倉百人一首

こうごんてんのう

王族・皇族

光厳天皇 1313～1364年

北朝の初代天皇

鎌倉時代後期の北朝初代天皇（在位1331～1333年）。

名は量仁。後伏見天皇の第1皇子として生まれる。母は広義門院寧子。1326年、後醍醐天皇の皇太子となる。1331（元弘元）年、後醍醐天皇が鎌倉幕府をたおそうとくわだてて失敗し、隠岐国（現在の島根県隠岐諸島）に流罪となると（元弘の変）、鎌倉幕府によって北朝の初代天皇に立てられ即位した。しかし1333年、鎌倉幕府の滅亡により後醍醐天皇が復活したため、退位。太上天皇という称号をあたえられ、政権から引退する。のちに後醍醐天皇の建武の新政に反旗をひるがえした足利尊氏によって、弟の光明天皇が北朝第2代天皇として即位させられると、院政をおこなった。その後、南朝軍の京都進出によって出家し、夢窓疎石のもとで禅道に入り、晩年は丹波国（京都府中部・兵庫県東部）常照寺（京都市）ですごした。

学 天皇系図

こうさ

光佐 → 顕如

こうし
思想・哲学

孔子　紀元前551？～紀元前479年

儒教をひらいた思想家

中国の春秋時代末期の思想家。

魯国（現在の山東省）に生まれる。名を丘、字（成人後につける別名）を仲尼という。孔子は尊称で、「孔先生」という意味。3歳のとき、下級役人をしていた父が亡くなり、貧しい少年時代をすごした。15歳で学問を志し、魯国の役人となり、倉庫番や牧場の管理をしながら、学問にはげんだ。そのころの中国は周王朝の支配がくずれ、諸侯はたがいに対立し、抗争をくりかえしていた。小国の魯国では、主君の昭公にかわり3人の重臣が実権をにぎったため、昭公はこれを討とうとしたが失敗し、北の斉国にのがれた。このとき36歳の孔子も斉国へ行き、その後、魯国で昭公の弟の定公が即位すると、帰国する。

52歳で魯国の地方官となり、その後、斉国との和平会議に同席した孔子は、交渉を魯国の有利になるようにみちびき、最高裁判官となった。55歳のとき、宰相の代行として政務をおこない、家老たちの勢力を弱めようと改革をはかるが失敗し、官を辞した。以後14年間、現在の河南省にあった衛、宋、鄭、陳、蔡、現在の湖北省にあった楚など諸国をまわり、自分が理想とする政治を実現する名君をさがし求めた。

人間愛を基本とする「仁」にもとづく政治を実践すれば、国はうまくおさまり、豊かになる、また政治をおこなうものは、民を法律によってきびしくとりしまるよりも、道徳や礼儀によって教えさとすことが理想だと説いた。しかし、どこにも受け入れられず、69歳のとき、政治への望みを断ち帰郷、弟子の教育にあたる。一方、周の時代の詩集『詩経』、最古の王室の文集『書経』、魯国の年代記をもとにつくった歴史書『春秋』を編さんした。「弟子の数は3000人」と伝えられるほど、多くの弟子を育て、紀元前479年、72歳で死去。孔子の思想は、弟子たちが記録した言行録『論語』20編にのこされている。のちに、孔子の教えは儒教としてまとめられ、350年後の漢の時代に国教とされた。

生前、孔子はみずからが聖人とされることをきらったが、後世には聖人としてうやまわれ、孔子を祭った孔子廟（聖堂）が中国全土に建てられた。日本には6世紀はじめ、仏教と同じころに伝わり、聖徳太子の憲法十七条にも影響をあたえた。儒教は江戸時代には幕府の学問として重んじられ、1690年、林羅山の私塾から江戸（東京）湯島に移された聖堂は湯島聖堂とよばれる。

学 日本と世界の名言

こうしゅうぜん
政治

洪秀全　1814～1864年

キリスト教に影響を受け、太平天国の乱をおこした

太平天国の指導者。

広東省花県の農家の3男として生まれる。3度科挙試験を受けるがすべて失敗し、病床にふせた際、夢にあらわれた不思議な老人に邪を切る剣をさずけられたという。その老人は、キリスト教の神ヤハウェだと考え、悪魔退治の天命を受けたと確信して、同志と宗教結社、拝上帝会を結成。キリスト教を布教した。アヘン戦争によって社会不安が深まるなか、広西省の金田村を拠点に清朝に反乱をおこし、1851年、みずからを天帝と称し、「太平天国」の国号で独立国家を宣言した。

また1853年には南京を占領し、天京と名をあらためて首都とした。土地を均等に分けることを定めた天朝田畝制をおこない、男女平等、悪習の廃止などを説く。しかし、諸王、諸将の内部対立が絶えず、1856年以降、清軍や曾国藩らの漢人地主などに敗北を重ねた。1864年、天京を包囲され、天京陥落の直前に病死。太平天国は滅亡した。この反乱はのちの革命運動の先がけとなった。

こうじゅんこうごう
王族・皇族

香淳皇后　1903～2000年

歴代皇后の中では最長寿

昭和天皇の皇后。

皇族の久邇宮邦彦王の第1女子として東京に生まれる。本名は良子。1907（明治40）年、学習院女学部幼稚園に入園。同小学科をへて、中学科に進学した。在学中の1918（大正7）年、皇太子裕仁親王（のちの昭和天皇）のきさきに内定すると、退学し、皇后としての教育を受ける。

1924年に結婚し、1925年、第1皇女が誕生。1926（昭和元）年、昭和天皇の即位にともない皇后となる。その後もつづけて3人の皇女が誕生。1927年、待望の男子明仁親王が誕生すると、日本中で祝賀会がもよおされた。戦後は皇室のありかたもかわり、春の植樹祭、秋の国民体育大会など、天皇に同伴する公務も多くなった。書道や歌道、日本画など趣味も多く、

日本画では桃苑という画号をもつ。1989年、昭和天皇の死去にともない、皇太后となる。

2000（平成12）年、歴代の皇后の中では最長寿の97歳で亡くなった。死後、香淳皇后の追号が贈られた。

こうしょう

彫刻

康勝　生没年不詳

運慶の子で、数々の仏像制作にたずさわる

鎌倉時代前期の仏師。

仏師の運慶の子で、湛慶や康弁の弟にあたる。

奈良や京都諸寺の仏像を制作していた父の下で学んだ。1198年ごろ、京都にある真言宗の東寺（教王護国寺ともいう）南大門の仁王像、中門の二天王像の制作に参加した。

1212年ころ、法橋（僧位の第3位）となってから、興福寺（奈良市）北円堂の多聞天像を制作した。

1232年、法隆寺（奈良県斑鳩町）金堂の阿弥陀如来像、1233年、東寺の弘法大師像、また、年代不明だが六波羅蜜寺（京都市）の『空也上人像』などを制作した。

こうしょてい

王族・皇族

光緒帝　1871～1908年

西太后に幽閉された皇帝

中国、清の第11代皇帝（在位1875～1908年）。

第8代皇帝道光帝の孫で、母は西太后の妹。第10代皇帝同治帝が亡くなると、西太后の指示により、わずか4歳で即位する。西太后が摂政となり、独裁をつづけた。西太后のめいを皇后にして、1889年から親政をみとめられたが、実権は西太后にあり、しだいに政策について対立を深めた。

日清戦争敗戦後の1898年には、康有為や梁啓超らの官僚とともに、日本の明治維新を模範として近代化をめざす改革（戊戌の変法）を強行。

しかし、これが西太后の怒りにふれ、また保守的な官僚たちの強い反発をよび、クーデターによってわずか3か月で失敗、幽閉された。その後、幽閉されたまま、西太后の死の前日に亡くなった。毒殺されたという説もある。

学 世界の主な王朝と王・皇帝

こうせい（チヤンチン）

政治

江青　1913～1991年

文化大革命を主導した毛沢東の夫人

中華人民共和国（中国）の政治家。

本名は李進。山東省に生まれる。実験劇院で演劇を学び、女優として上海で活躍した。1930年に中国共産党に入党。陝西省の延安に入り名を江青とあらためた。革命思想を学ぶとともに毛沢東と出会い、1939年に結婚。1966年に文化大革命（文革）がおこると、文革指導者となる。1969年、第9回党大会で政治局員に就任。1971年には林彪のクーデター未遂事件ののち、張春橋、姚文元、王洪文らと四人組を結成する。1974年、林彪を批判する批林批孔運動を口実に、周恩来、鄧小平らを攻撃した。

しかし、1976年に毛沢東が亡くなると、急速にその権威を落とし、同年10月華国鋒政権によって四人組は逮捕された。1981年、死刑判決を受けたが、のち病気で保釈となり自宅で自殺した。

こうそう

王族・皇族

高宗（唐）　628～683年

唐の最大領土を実現した皇帝

中国、唐の第3代皇帝（在位649～683年）。

唐の第2代皇帝太宗（李世民）の第9子で、本名は李治。母は文徳皇后。母方のおじである長孫無忌のあとおしを受けて皇太子となり、22歳で即位。長孫無忌らに命じて編さんした法令、永徽律令を公布し、また日本をはじめアジアでの律令体制確立にも影響をあたえた法令解釈書で刑事法典の『唐律疏議』を完成させた。

高宗は主導権を発揮せずに臣下に政治をまかせる傾向が強く、はじめのうちは長孫氏らによって政治は比較的安定した。655年武氏（のちの則天武后）が皇后となり、実権をにぎるようになる。

668年には高句麗を征服、西域へも進出するなどして唐の領土は最大となったが、晩年の政治は武氏によって動かされるようになっていった。

学 世界の主な王朝と王・皇帝

こうそう

王族・皇族

高宗（南宋）　1107～1187年

南宋の基礎を築いた初代皇帝

中国、南宋の初代皇帝（在位1127～1162年）。

北宋の第8代皇帝徽宗の9男。姓名は趙構。兵馬大元帥として河北で金軍をふせいでいたが、1126年、都の開封が陥落、父や、兄の第9代皇帝欽宗らが金軍にとらえられ（靖康の変）、北宋は滅亡。

1127年に南京（現在の河南省商丘市）で即位し、宋を再興した（南宋）。内乱がおきるなど不安定な状況であったが、岳飛らの活躍により内乱が平定され、金との戦争も好転した。金に対しては、和平派と主戦派が対立したが、和平派の秦檜を重用して、主戦派の岳飛を獄死させた。1141年、銀や絹を毎年贈るなど屈辱的な内容ではあったが、金との和議が成立。江南の開発も進み、文化も発展した。1162年に遠縁の孝宗に譲位し、上皇となった。

学 世界の主な王朝と王・皇帝

こうそう

高宗（清）→乾隆帝

こうそう（コジョン） 王族・皇族

高宗（朝鮮王朝） 1852〜1919年

日本や清、ロシアの介入に苦しんだ

朝鮮王朝の第26代国王（在位1863〜1907年）。

先王の死後、当時宮廷の実力者だった大院君の次男、高宗が11歳で即位した。1873年からの親政では、王妃の閔妃一族が政権をにぎった。清朝とむすぶ保守派と金玉均など開化派との党争、帝国主義列強の侵略など問題も多かった。1876年、閔氏政権は、日本と不平等条約である日朝修好条規をむすび開国。こうした日本の侵略により、壬午軍乱、甲申政変、閔妃殺害事件がおこる。日露戦争後の1905年、第2次日韓協約では外交権をうばわれ、朝鮮（1897年以降、大韓帝国）は実質的に日本の植民地となる。高宗はそれを国際世論にうったえるため、ハーグ国際平和会議に密使を送るが失敗。初代韓国統監の伊藤博文にその責任を追及されて退位した。

学 世界の主な王朝と王・皇帝

こうそう 政治

黄巣 ?〜884年

黄巣の乱をひきいて長安を攻略

中国、唐末期の農民反乱指導者。

曹州（現在の山東省）に生まれ、官吏をめざして科挙を受けたが何度も落第。当時、塩は国の専売であり、高価で民衆を苦しめていたが、黄巣は塩の密売をして富をたくわえた。また、そのころ黄河下流域一帯がききんにおちいり、民衆の不満が爆発。あいついで農民反乱がおこる。874年に同業の王仙芝が兵をあげると、これに参加して反乱軍の中心人物となった。878年に王仙芝が戦死すると、残党を吸収して進撃をつづけ、880年に長安をおとしいれ、皇帝に即位して大斉国を建国した。しかし唐の反撃を受け、884年、朱全忠（当時は朱温）に長安を攻撃され、長安を追われて自殺した。この黄巣の乱は唐の存続に致命的な打撃をあたえることとなった。

こうそうぎ 学問

黄宗羲 1610〜1695年

「中国のルソー」とよばれた思想家

中国、明末期〜清初期の思想家。

浙江省に生まれる。父は政治改革をとなえる東林派の官僚で、皇帝の側近として専制政治をおこなっていた魏忠賢を追放しようとしたが、逆にとらわれて、1626年に牢獄で亡くなった。黄宗羲は父の名誉を回復しようと政治運動に走り、東林派の精神をひきつぐ、進歩的な知識人のグループである復社に参加して、専制政治をはげしく批判した。

1644年に明がほろびると、明を復活させようと義勇軍を組織して清に対抗した。日本に援軍を求めて長崎をおとずれたがはたせなかった。清の支配が確実になると、故郷に帰って学問研究と執筆に打ちこんだ。

明の政治を批判して理想的な政治や社会のあり方をとなえた『明夷待訪録』は、「君主は民衆のために存在する」といった内容で、清末期の改革運動に影響をあたえたことから、フランスの思想家ルソーになぞらえて「中国のルソー」とも称されている。ほかにも、宋や元、明などの学者の伝記や学説をまとめた思想史『宋元学案』『明儒学案』など、多くの本を編さんした。

こうそんりゅう 思想・哲学

公孫竜 生没年不詳

「白馬はウマにあらず」の論を説いた思想家

中国、戦国時代の思想家、哲学者。

趙（現在の河北省）生まれ。弁論術にすぐれ、趙の政治家、平原君につかえ優遇されたが、陰陽家の鄒衍があらわれ、しりぞいた。公孫竜の思想は『公孫竜子』6編にのこされている。「白馬非馬論」が代表的で、「白馬というのは、白という色と、ウマという動物がむすびついたことばなので、ウマとはちがう」、また「ウマに黒いウマや茶色いウマもふくまれるから、ウマと白馬は同じではない、つまり白馬はウマにあらず」という意味である。当時、公孫竜は詭弁（道理に合わないことを強引に正当化する弁論）といわれ、非難された。しかし、名（ことばや概念）と実（本質）の関係を論理学的に追求しているとして、後世で再評価されるようになった。

こうだあや 文学

幸田文 1904〜1990年

庶民の生活体験を豊かにえがく

昭和時代の随筆家、作家。

東京生まれ。明治の文豪幸田露伴の次女。娘は随筆家の青木玉。少女時代から父に生活技術をしこまれて育つ。25歳で結婚するが、離婚して娘とともに実家にもどり、その後は父の死まで身辺の世話をした。1949（昭和24）年、露伴とその死をえがいた随筆『雑記』『終焉』『葬送の記』などにより才能をみとめられた。

1955年に『黒い裾』で読売文学賞、1956年に小説『流れる』で新潮社文学賞などを受賞し、作家の地位をかためる。高い教養とするどい感性からつむぎだされるめりはりのきいた文体で評価された。作品はほかに『おとうと』『闘』『木』などがある。

こうだいいん 戦国時代

高台院 1549?〜1624年

秀吉をささえつづけた正妻

安土桃山時代〜江戸時代前期の豊臣秀吉の正妻。

名はねね、またはおね。のちに出家して高台院とよばれた。

（高台寺所蔵）

尾張国（現在の愛知県西部）の杉原定利の娘で、織田家の足軽組頭、浅野長勝の養女となる。14歳で木下藤吉郎（のちの豊臣秀吉）と結婚し、1585年、秀吉が関白になると、北政所と称された。1588年、准三后、従一位に昇進し、朝廷との交渉役や、領地の財務などをつとめ、秀吉をささえた。秀吉とのあいだに子はいなかったが、小早川秀秋を養子としたほか、親類縁者の加藤清正や福島正則らをはじめとし、石田三成、片桐貞隆などの家臣たちのめんどうをみて育て世に送りだし、終生母のようにしたわれた。

秀吉の母にもよく孝行をし、仲がよかったという。秀吉の死後は、秀吉と淀殿の子である、豊臣秀頼のうしろだてとなった。秀頼の結婚を見届けると出家して、高台院と称した。1606年、徳川家康の助けで、京都東山に高台寺を建て、晩年を送った。

こうたいおう

好太王 → 広開土王

こうたくみん（チアンツォーミン）

政治

江沢民　1926年～

経済自由化と対外強硬路線を打ちだした

中華人民共和国（中国）の政治家。共産党総書記、中央軍事委員会主席、国家主席（在任1993～2003年）。

江蘇省生まれ。大学で工学を学び、在学中に共産党入党。卒業後はエンジニアとして、技術系の管理職を歴任した。1985年、上海市長に就任、その後、同市の共産党要職を兼任する。1989年、天安門事件で失脚した趙紫陽にかわり党総書記に抜てきされ、1997年の香港返還式典には中国政府代表として出席した。鄧小平のあとおしのもと、中央軍事委員会主席、国家主席に就任し、権力を独占した。

鄧小平の改革開放を継承し、経済自由化を進める一方、軍備を拡大、外国に強硬姿勢をしめし、反日教育も強化した。2002年に党総書記を退任、その後、じょじょにさまざまな役職をはなれた。

学 主な国・地域の大統領・首相一覧

ごうだてんのう

王族・皇族

後宇多天皇　1267～1324年

元寇の際の天皇

鎌倉時代後期の第91代天皇（在位1274～1287年）。亀山天皇の子で、即位する前は世仁親王とよばれた。

1268年、生後8か月で皇太子となり、1274年に8歳で即位したが、父の亀山上皇（譲位した亀山天皇）が院政をおこなった。

在位中には、1274（文永11）年と1281（弘安4）年の2回にわたって元寇（文永の役・弘安の役）がおこった。1287年に伏見天皇、1298年に後伏見天皇と後深草天皇の子孫である持明院統の天皇がつづいた。

しかし、1301年、大覚寺統（亀山天皇の子孫）に実権が移り、後伏見天皇の皇太子となっていた実子の邦治親王が後二条天皇として即位すると院政をしいた。1307年に出家し、大覚寺に入山。

翌1308年、後二条天皇が亡くなるまでつづけた。1318年、実子の尊治親王が後醍醐天皇として即位すると、院政を再開したが、1321年、幕府の同意を得て、白河上皇以来200年あまりにおよんだ院政を停止し、後醍醐天皇みずからが親政をおこなった。

1303年には『新後撰和歌集』をまとめさせるなど、好学の天皇としても有名。

学 天皇系図

こうだろはん

文学

幸田露伴　1867～1947年

明治・大正時代の文壇の中心的存在

明治時代～昭和時代の作家、随筆家。

江戸（現在の東京）の下谷の生まれ。本名は成行。別号に蝸牛庵などがある。

娘は作家の幸田文。生家は代々江戸城で大名の取次をつとめた幕臣の家がらで、少年のころから中国の古典や滝沢馬琴などの小説を読んだ。

1885（明治18）年に電信技術者を育成する電信修技学校を卒業し、電信技手として北海道に赴任した。しかし、文学を志して帰京する。

1889年に『露団々』『風流仏』を出版して作家として注目された。その後、代表作『五重塔』や、中国の明の歴史に取材して書いた『運命』を発表し、高く評価された。同じ時代に活躍した尾崎紅葉とともに、「紅露」とならび称され文学界の中心となって活躍した。

張りのある男性的で味わい深い文章、博学と多趣味、広い教養により文壇の尊敬を集めた。主な作品に『風流微塵蔵』『評釈芭蕉七部集』、史伝物の『頼朝』『蒲生氏郷・平将門』など。1937（昭和12）年、第1回文化勲章受章。

学 切手の肖像になった人物一覧　学 文化勲章受章者一覧

こうとくしゅうすい

政治 思想・哲学

幸徳秋水 1871～1911年

大逆事件の中心的人物

（日本近代文学館）

明治時代の社会主義者、ジャーナリスト。

高知県生まれ。本名、伝次郎。自由民権運動の影響を受け、1888（明治21）年に中江兆民の弟子になる。秋水の名も中江からさずかった。社会問題に関心をいだき、『中央新聞』『万朝報』などの新聞記者、社会主義研究会の会員となる。政府を「軍事的、帝国主義」であると、するどく批判。1901年に安部磯雄や片山潜、木下尚江らとともに、日本初の社会主義政党である社会民主党を結成するも、即日解散させられる。同年、足尾鉱毒事件の田中正造に協力し、直訴文を書いた。日露戦争に反対し、1903年に堺利彦らと平民社を結成。

『平民新聞』を発刊するが、1905年、反政府的言論活動をおさえる目的の新聞紙条例を受けて逮捕され、5か月間獄中ですごす。政府による弾圧が強くなると、ロシアの革命家、クロポトキンなどの影響を受けて、アナキズム（無政府主義）をとなえるようになる。

1910年、天皇の暗殺をくわだてたとされる大逆事件の中心人物として逮捕され、翌年、死刑となった。

こうとくてんのう

王族・皇族

孝徳天皇 597?～654年

大化の改新の詔をだした

飛鳥時代の第36代天皇（在位645～654年）。

敏達天皇の孫の茅渟王の子、皇極天皇の弟。即位する前は軽皇子とよばれた。

645年の乙巳の変で蘇我氏がほろびたあと、皇極天皇のあとをついで即位し、おいの中大兄皇子（のちの天智天皇）を皇太子として、大化という年号を定めた。この年、難波長柄豊碕宮（大阪市）に都を移した。翌年大化の改新の詔を公布したが、政治の改革の諸政策を実施したのは、政治の実権をにぎっていた中大兄皇子だった。

653年、政治に参加できないことに不満をいだき中大兄皇子と対立したため、中大兄皇子は皇極上皇（譲位した皇極天皇）、孝徳天皇の皇后の間人皇女（中大兄皇子の妹）をはじめ多くの役人たちをひきつれて飛鳥（現在の奈良県明日香村）にもどってしまった。難波宮にとりのこされた孝徳天皇は、これをうらんだが、翌年、失意のうちに亡くなった。

学 天皇系図

こうにんてんのう

王族・皇族

光仁天皇 709～781年

仏教重視の政治をあらためた

奈良時代の第49代天皇（在位770～781年）。

天智天皇の孫。即位する前は白壁王とよばれた。天武天皇の子孫の聖武天皇や、孝謙天皇などが皇位をついだ朝廷では、めだたない存在だった。766年、58歳で正三位大納言（太政官の次官）となる。

770年、称徳天皇が亡くなると皇太子となり、藤原氏におされて、62歳の高齢で即位したあと、称徳天皇や道鏡がおこなってきた仏教を重んじる政策をあらためた。772年、天皇をのろったという罪で、皇后の井上内親王（聖武天皇の娘）と皇太子の他戸親王を幽閉した。

翌年、朝鮮半島の百済の王族の高野新笠とのあいだに生まれた山部親王を皇太子とし、781年に位をゆずり、桓武天皇が誕生した。

学 天皇系図

こうのいけぜんえもんむねとし

郷土

鴻池善右衛門宗利 1667～1736年

大名貸をはじめた豪商

▲初代鴻池善右衛門の木像

（鴻池家蔵・大阪歴史博物館）

江戸時代中期の大坂（阪）の豪商。

鴻池家の3代目として生まれる。山中宗利ともいう。

鴻池家は、江戸時代のはじめに、摂津国鴻池村（現在の兵庫県伊丹市）で酒造業をいとなんだことにはじまる。初代善右衛門正成は伊丹の酒を江戸にはこぶため、大坂で海運業に乗りだし、しだいに西日本の大名（藩）から物資の輸送をまかされるまでになった。

1656年は両替商を開業、また、大名に金を貸す大名貸もはじめた。3代善右衛門は、酒造業と海運業をやめ、両替商、大名貸の一方で、蔵元・掛屋をつとめて、藩の年貢米・特産品の販売にもたずさわった。尾張藩（愛知県）、紀伊藩（和歌山県）、加賀藩（石川県）など30以上の藩と取り引きして、家業を発展させた。宗利は1707年に約158haにおよぶ鴻池新田（大阪府東大阪市）をひらいた。新田では米やワタを栽培していた。

こうのひろなか

政治

河野広中　1849〜1923年

弾圧に屈せず、自由民権をつらぬいた

明治時代〜大正時代の政治家、自由民権運動家。陸奥国三春藩（現在の福島県三春町）の郷士の家に生まれる。明治維新後、ヨーロッパの思想に影響を受けて、自由民権運動に参加。国会期成同盟を結成し、片岡健吉らと国会開設の請願書を提出したが却下される。

1881（明治14）年、板垣退助らとともに自由党を結成した。31歳で福島県会議長となって地方自治の確立につとめたが、1882年、強引な道路工事を進める県令（県知事）の三島通庸と対立し、国事犯として投獄された（福島事件）。6年後に憲法発布の恩赦により出獄し、1890年の第1回総選挙から連続14回、衆議院議員に当選。

1903年には衆議院議長に就任、桂太郎内閣を批判した（勅語奉答文事件）。1915年には第2次大隈重信内閣の農商務大臣をつとめた。

こうのもろなお

貴族・武将

高師直　?〜1351年

室町幕府を成立させたが、主導権争いにやぶれる

（国文学研究資料館）

室町時代初期の武将。

高一族は、足利荘（現在の栃木県足利市）の有力者で、足利家の執事（補佐役）をつとめていた。師直は足利尊氏の執事として軍事財政や、引付方（裁判機関）の長官として訴訟の審理にあたった。1335年、尊氏が後醍醐天皇と対立すると、尊氏を助けて南朝軍と戦う。北畠顕家や楠木正行をやぶり、1348年には大和国（奈良県）吉野を攻めて南朝の皇居などを焼きはらい、後村上天皇を吉野から追いだすことに成功した。しかし、力をもちはじめたことで、天皇をないがしろにしたり、秩序を無視したりするなどの行動がめだちはじめ、尊氏の弟である足利直義と幕府の主導権をめぐって対立を深めた。1349年に一度尊氏の調停で和議をむすんだが、最終的に幕府の内紛、観応の擾乱に発展し、武力を背景に直義の一派を追いだした。1351年、尊氏とともに直義軍と戦ってやぶれ、降伏して護送中に、摂津国（大阪府北西部、兵庫県南東部）武庫川で襲撃されて殺された。師直は、当時の武将としては教養があり、和歌をよくよみ、書にもすぐれていた。

学 室町幕府執事・官領一覧

こうのもろやす

貴族・武将

高師泰　?〜1351年

兄とともに室町幕府の成立に貢献した

南北朝時代の武将。

足利家で代々執事（補佐役）をつとめた高家に生まれる。高師直の弟。1331（元弘元）年の元弘の変以来、執事である兄の師直とともに、足利尊氏にしたがって、功績をあげる。各地の守護などを歴任した。1336年、軍事・刑事・京の警護を担当する侍所の頭人（長官）となり、尊氏の室町幕府成立に貢献する。翌年には、新田義貞の越前国（現在の福井県北東部）の金崎城を落とし、1348年には河内国（大阪府東部）の四条畷の戦いで楠木正行をやぶるなど、各地で戦功をあげた。

のちに尊氏の弟の足利直義と対立し、1349年からはじまる幕府の内紛、観応の擾乱では、一族の中心となって戦ったが、最終的に直義軍にやぶれ、1351年、摂津国（大阪府北西部・兵庫県南東部）の武庫川で、一族とともに殺害された。

こうぶてい

王族・皇族

光武帝　紀元前6〜紀元後57年

漢王朝を復興した英雄

▲光武帝

中国、後漢の初代皇帝（在位25〜57年）。

湖北省に生まれる。姓名は劉秀。前漢の初代皇帝の高祖から9代目にあたる子孫で、9歳のときに父を亡くし、おじに育てられた。20歳のころ、首都の長安（現在の西安）に出て、中国の古典『書経』などを学び、儒教にふれた。

18年に山東半島の農民たちが、新の王莽に対して反乱をおこし（赤眉の乱）、長安をめざして進撃すると、22年、劉秀は南陽の豪族たちによびかけて挙兵。王莽軍と戦いながら長安をめざして北上した。その途中で、一族の劉玄を更始帝として即位させて軍を進め、23年、昆陽（河南省）の戦いでわずか3000の軍で王莽の大軍をやぶった。さらに赤眉軍も合流して洛陽を、つづいて長安を攻め落とした。

その後、更始帝との関係が悪くなったため、劉秀は河北省にむかい、この地の反乱軍を平定し勢力を広げた。その間の25年、赤眉軍が更始帝を殺して長安を占拠。同じころ、劉秀は皇帝に即位して光武帝を名のり、洛陽に入城し、ここを都に定め、王莽にうばわれた漢王朝を再興し、後漢を立てた。26年に、赤眉軍がこもる長安を攻めてこれをやぶり、その後も各地で豪族の反乱がつづくが、これらを次々に平定し、36年には蜀（四

川省）の反乱を制圧して、中国の統一をはたした。

内政では、戦乱で疲れはてた社会を安定させて国を立て直そうと、混乱の中で奴隷にされた奴婢を解放。税を10分の1から30分の1にへらし、常備軍を廃止して兵士を農村に帰すなど、農村の生産力を高めた。

また、耕地や戸籍の全国調査をおこない、郡や県の数をへらし、中央や地方の役人の数をへらして財政を立て直し、皇帝が直接政治の権力をにぎり、在地の豪族連合が政権をささえる体制をつくった。洛陽に大学を、各地にも学校をもうけて儒学を講義させ、儒教によって秩序をたもつ政治方針を確立した。

外交では、朝鮮半島の高句麗を朝貢させ、ベトナム北部ではチュン・チャクら姉妹の反乱を鎮圧し、北方では匈奴が南北に分裂したのを機に南匈奴をしたがわせた。

57年に倭（日本）の奴国の使節が洛陽をおとずれると、「漢委奴国王」の金印をあたえ、その翌月、63歳で亡くなった。

▲志賀島（福岡県）で発見された金印　（福岡市博物館所蔵）

学 世界の主な王朝と王・皇帝

こうぶてい

洪武帝 → 朱元璋

こうぶんてい

王族・皇族

孝文帝　467～499年

鮮卑族の漢化政策をおこなった北魏の皇帝

中国北朝、魏（北魏）の第6代皇帝（在位471～499年）。第5代皇帝献文帝の長子で、姓名は拓跋宏（のちに元宏）。魏は鮮卑族の拓跋氏が華北に建てた国で、5歳のときに父にゆずられて即位したが、はじめは祖父の文成帝の皇后、馮太后が摂政として国をおさめた。

その間、官吏の俸禄制の制定、国家が直接土地を把握するための均田法の発布、三長制の設置など画期的な政策をおこない、国力の充実をはかった。孝文帝は490年に親政をはじめ、律令を改定して、鮮卑族の漢化政策を進めた。

493年、山西省の平城（現在の大同）から洛陽へ遷都すると同時に、鮮卑風の姓名や服装を禁止し、風習や言語を中国風にあらためさせた。南朝にならい、官制を整備して北朝貴族制をつくり、漢人の名族と鮮卑族の貴族を格づけして、同格どうしでの結婚を奨励した。

しかし、この急激な漢化政策は鮮卑族の不満をつのらせ、孝文帝の死後、524年に六鎮の乱をまねき、534年の北魏滅亡、翌年の東西分裂に大きな影響をおよぼした。

学 世界の主な王朝と王・皇帝

こうぶんてんのう

弘文天皇 → 大友皇子

こうべん

高弁 → 明恵

こうべん

彫刻

康弁　生没年不詳

運慶の作風を受けついだ

鎌倉時代前期の仏師。

運慶の子で、康勝の兄にあたる。

奈良や京都諸寺の仏像を制作していた父のもとで学んだ。1198年ごろ、京都にある真言宗の東寺（教王護国寺ともいう）南大門の仁王像、中門の二天王像の制作に参加した。1212年ごろ、法橋（僧位の第3位）になってから、興福寺（奈良市）北円堂の広目天像を制作した。

1215年、頭の上に灯籠をのせてユーモラスな表情をみせ、力強く写実的な興福寺の竜燈鬼像を制作、運慶派の作風を受けついだ。

こうぼうだいし

弘法大師 → 空海

こうみょうこうごう

王族・皇族

光明皇后　701～760年

仏教をあつく信仰した皇后

▲光明皇后　（小泉淳作・画／東大寺所蔵）

奈良時代の聖武天皇の皇后。

藤原不比等の子。光明子、安宿媛ともいう。光明子という名は、光輝くほど美しく賢明で、慈悲深いことをあらわしている。716年、幼なじみの首皇子（のちの聖武天皇）のきさきとなり、718年に阿倍内親王（孝謙天皇）を生んだ。729年、長屋王の変ののち、皇族以外の臣下出身ではじめての皇后となった。このころの皇后は、天皇を補佐して政治をおこなっており、藤原氏の政治進出のきっかけとなった。

仏教をあつく信仰し、聖武天皇とともに国分寺や国分尼寺の建立、東大寺（奈良市）の大仏造立を進め、興福寺、新薬師寺、のちに総国分尼寺となる法華寺（いずれも奈良市）を建立した。また、孤児たちのために悲田院、貧しい病人のために施薬院という施設をつくり、社会救済事業につくした。

そのため、皇后の慈悲深さから生まれた伝説も多い。あるとき、仏のお告げにより、「1000人のからだを洗おう」と決意し、蒸しぶろをつくって庶民のからだを洗った。1000人目の男はひどい皮膚病にかかっていて、からだ中にうみができ、ひどいにおいがしていた。皇后はそれにたえ、男のあかをこすり、うみを吸いだしてやった。すると、男は突然光をはなち、実は自分は仏であるといってとび去った。皇后はおどろき、感激してそこに寺を建てたといわれている。聖武天皇には何人かのきさきがいたが、光明皇后を大事にしていた。皇后が病気になり、なかなか治らなかったときには、天皇は寝食をわすれて看病し、大赦（有罪とされたものの罪をゆるすこと）をおこなって皇后の病気回復を祈ったので、まもなく病気が治ったという。756年、聖武上皇（譲位した聖武天皇）が亡くなると、その遺愛品をみていると泣きくずれてしまうとして、東大寺におさめた。それらは現在、正倉院宝物としてのこされている。書にもすぐれ、皇后の自筆の巻物も正倉院にのこされている。

▲光明皇后が建立した法華寺

（法華寺）

こうみょうし

光明子 → 光明皇后

こうみょうてんのう

王族・皇族

● 光明天皇 1321〜1380年

足利尊氏によって立てられた天皇

南北朝時代の北朝第2代天皇（在位1336〜1348年）。名は豊仁。後伏見天皇の皇子として生まれる。兄は光厳天皇。1336年の湊川の戦いで後醍醐天皇がやぶれ、室町幕府がひらかれると、初代将軍足利尊氏に立てられて北朝第2代天皇に即位する。しかし、実際の政務は上皇となった兄によっておこなわれていた。その後、大和国（現在の奈良県）吉野にのがれた後醍醐天皇が南朝をひらき、南北朝対立の時代となる。1348年、兄の皇子の崇光天皇に位をゆずり、上皇として院政をおこなった。1351年、尊氏が一時、南朝に降伏（正平一統）すると、出家し、真常恵と称した。1352年、兄の光厳上皇らとともに南朝にとらえられ、大和国などに軟禁される。帰京後は仏門を転々とし、晩年は大和国の長谷寺（奈良県桜井市）ですごした。

学 天皇系図

こうめいてんのう

王族・皇族

● 孝明天皇 1831〜1866年

攘夷を主張し、公武合体をみとめた

江戸時代後期の第121代天皇（在位1846〜1866年）。仁孝天皇の子で、皇女和宮の兄。即位する前は統仁親王とよばれた。1853年、ペリーが来航して日米和親条約がむすばれたとき、開国は日本をけがすといって攘夷（外国勢力を追いはらおうという考え）を主張した。1858年、大老（幕府の最高職）井伊直弼が日米修好通商条約をむすぶために天皇の勅許（天皇の許可）を得ようと、老中堀田正睦を使者としたがこれを拒否した。同年、幕府が勅許なしで条約に調印したため激怒し、攘夷の意志をさらに強めた。しかし、1860年、井伊大老が暗殺されたあと、攘夷を条件に幕府の公武合体策（朝廷と徳川将軍家が協力すること）をみとめ、妹の和宮が江戸幕府第14代将軍徳川家茂にとつぐことをゆるした。しかし過激な尊王攘夷派の倒幕運動には反対で、1863年、朝廷内の尊王攘夷派の公家三条実美らを宮中から追いだした（八月十八日の政変）。1865年、外国勢力の圧力により条約を勅許したが、兵庫（兵庫県神戸港）の開港はみとめなかった。1866年、天然痘によって亡くなったが、倒幕派により毒殺されたという説もある。

（泉涌寺）

学 天皇系図

こうもとだいさく

政治

● 河本大作 1883〜1955年

張作霖爆殺事件の首謀者

大正時代〜昭和時代の軍人。兵庫県に生まれる。1926（大正15）年、陸軍大佐、関東軍参謀となり、1928（昭和3）年に満州（中国東北部）で張作霖爆殺事件をおこした。この事件が日本の満州侵略のはじまりとされている。犯行の動機としては、日露戦争以来、日本の権益が確立していた満州において、中華民国の軍隊が侵略してくるのをふせごうとしたというものが有力である。河本は事件後停職となったが、南満州鉄道の理事などをへて、1942年に国策会社である山西産業の社長に就任。戦後、山西産業が中華民国政府に接収されたあとも帰国せず、大陸に残留。中国国民党の山西軍に協力して中国共産党軍と戦ったが、1949年、共産党軍に制圧され捕虜となり、戦犯として抑留され、1955年に病死した。

こうや

空也 → 空也

こうゆうい（カンユーウェイ）

政治　学問

康有為　1858～1927年

戊戌の変法を指導した

中国、清末期～中華民国初期の学者、政治家。

広東省の名門に生まれる。仏教や儒教を通じて公羊学を学んだ。公羊学とは、孔子が編さんしたという『春秋』から読みといた孔子の思想をもって、現実の社会に合う政治や経済の改革をめざす学問で、康有為はこれを奨励した。一方で、香港、上海などで欧米思想にふれ、私塾をひらき、後進を指導した。また、国内の政治改革による近代化と富国強兵をめざす「変法自強説」を説き、ヨーロッパの科学技術を導入して国力増強をめざす「洋務運動」を批判し、光緒帝へたびたび進言した。その後、光緒帝に抜てきされ、1898年、戊戌の変法を断行。しかし、光緒帝をはじめとする革新派には、武力も実権もなかったため、変法は3か月あまりで失敗。日本に亡命した。日本では、同様に亡命した梁啓超らとともに、日本の有力政治家に支援を求めた。1911年に辛亥革命がおこると、清朝回復運動や儒教復興運動にかかわるが、時流におくれたその思想は急速に支持を失い、第一線からしりぞいた。

こえんぶ

思想・哲学

顧炎武　1613～1682年

清の考証学の祖

中国、明末期～清初期の思想家。

江蘇省の名家に生まれる。進歩的な知識人がつどう文学結社復社に参加し、朱子学を学ぶが、観念的な理論に満足できず、経世の学という生活体験に根ざした世の中に役だつ学問を志した。1644年に明がほろびると、明の復興を求めて南京に擁立された福王にしたがった。その後、各地を旅して、賢者や学者、詩人たちとまじわり、地勢や地理、歴史、社会経済などを実証的に検証し、それを集大成した『天下郡国利病書』120巻を著した。清から、明史の編さんへの協力を求められたが、「二姓につかえず」としてことわった。

著書はほかに『日知録』32巻などがある。事物を客観的に検証し、原理を把握していこうとする考証学の祖とされる。

ゴーガン，ポール

絵画

ポール・ゴーガン　1848～1903年

タヒチの人々をえがいた後期印象派の画家

フランスの画家。

パリ生まれ。ゴーギャンともいわれる。1855年までナポレオン3世のクーデターによる迫害をおそれ、家族で南米のペルーですごす。帰国後は船員や株取り引きなどで生計を立て、絵は趣味でかいていた。30歳代の後半から画家として活動し、1886年、印象派展に19点の油彩画を出品した。1888年には画家仲間のゴッホとアルルで共同生活をした。1891年に南太平洋のタヒチ島をおとずれ、のちに移住した。近代文明社会をきらい、晩年はマルキーズ諸島のアツオナで生涯を終えた。

強い色彩と単純な線で、素朴な島の人々の生活をえがいた。平らに色をぬったところに明確な線をかいて区分し、形と色の総合をめざした。代表作は『タヒチの女たち』『黄色のキリスト』『われわれはどこからきたのか、何者か、どこへ行くのか』で、著作には、タヒチでの生活を書いた日記『ノアノア』がある。後期印象派を代表する有名な画家である。

ゴーゴリ，ニコライ

文学　映画・演劇

ニコライ・ゴーゴリ　1809～1852年

ロシア写実主義文学の父

ロシアの作家、劇作家。

ウクライナのソローチンツィ村で、小地主の家に生まれる。おとなしく、夢みがちなこどもだった。

20歳のとき詩を発表するが、注目されずに終わる。その後に書いたはじめての小説『イワン・クパーラの夕べ』が好評を得て、この作品により、劇作家プーシキンらと知り合う。師とあおぐプーシキンにテーマをあたえられて書いた喜劇『検察官』が1836年に上演され、大きな話題をよんだ。以後は、主にイタリア、スイスなど外国に滞在して、小説や戯曲を発表した。しかし、自分の作品が宗教の教えにさからっているのではないかとなやむようになり、精神を病んで亡くなった。農民や庶民の生活を写実的にえがき、「ロシア写実主義文学の父」とよばれる。すさんだ社会と人の卑俗さを、ユーモアと悲しみをまじえてえがきだすのが特徴で、代表作に『外套』『鼻』『死せる魂』などがある。

ゴーチエ，テオフィル

文学　映画・演劇

テオフィル・ゴーチエ　1811～1872年

バレエ『ジゼル』を書いた脚本家

フランスの作家、脚本家。

南部のタルブ生まれ。はじめ画家をめざすが、ユゴーなどの影響を受け、個性や感情を重んじるロマン主義の作家となる。『アルベルチュス』（1832年）、『死の喜劇』（1838年）など幻想と怪奇をえがいた作品、『若きフランスたち』（1833年）のような風刺のきいた作品が多い。ほかに『化身』『魔眼』『スピリット』『モーパン嬢』など。1852年に発表した詩集『七宝と螺鈿』はフローベール、ボードレールらに評価され、芸術の純粋性を求める高踏派の先がけとなる。バレエの脚本も手がけ、『ジゼル』（1841年）は、いまなお人気が高い。批評家、旅行家として、多くの芸術批評や旅行記ものこしている。

コート，マーガレット・スミス

スポーツ

マーガレット・スミス・コート　1942年〜

女子テニス界をリードした選手

オーストラリアのプロテニス選手。

1960年に地元の全豪選手権に初優勝し、以後1966年まで7連覇をとげる。1970年にはテニスの四大大会（全豪、全仏、ウィンブルドン、全米）すべてに優勝する「年間グランドスラム」を達成した。

同年代のビリー・ジーン・キングとともに、圧倒的な強さで女子テニス界をリードした。また体力強化のため、基礎体力を高めるトレーニングを早くからとり入れるなど、当時の女子テニスに画期的な影響をあたえた。

四大大会でのシングルス優勝回数24は、現在もなお歴代1位の記録である。1975年に現役を引退した。

ゴードン，チャールズ・ジョージ

政治

チャールズ・ジョージ・ゴードン　1833〜1885年

常勝軍を指揮して太平天国の乱を鎮圧

イギリスの軍人、植民地行政官。

イギリス陸軍砲兵隊将軍の4男としてロンドンに生まれる。中国名は戈登。王立陸軍士官学校に入学し、21歳のとき少尉となった。1855年にクリミア戦争に従軍。1860年に中国に派遣され、アロー戦争での北京攻略に従軍した。太平天国の乱をおさめるため、1863年、アメリカ軍人ウォードが創設した外国人傭兵部隊「常勝軍」の指揮官として清を勝利にみちびき、チャイニーズ・ゴードンとたたえられた。帰国後、エジプトのスーダン知事、喜望峰植民地軍司令官などを歴任。1884年、マフディーの反乱鎮圧のためにスーダンにおもむくが、ハルトゥームの戦いでマフディー軍に包囲され、300日あまりにわたる戦いの末、本国の援軍が到着する2日前に戦死した。

ゴードン，ベアテ・シロタ

政治

ベアテ・シロタ・ゴードン　1923〜2012年

日本国憲法の草案づくりに参加した

アメリカ合衆国国籍の連合国軍最高司令官総司令部（GHQ）の民間人要員、舞台芸術監督。

オーストリアのウィーン生まれ。1928（昭和3）年、ピアニストの父レオ・シロタが山田耕筰に東京音楽学校（現在の東京藝術大学）教授としてまねかれたのにともない、5歳で両親とともに来日。1939年、アメリカのミルズ大学に留学。卒業後、『タイム』誌の出版社に就職し、調査員として勤務。もっぱら記事を書く男性の補助という立場だった。

第二次世界大戦終戦直後の1945年、GHQの民間人要員（調査専門官）として採用され再来日。民政局で女性の政治運動や小政党について調べる仕事をする。

1946年、GHQによるモデル憲法草案起草の極秘命令を受け、社会保障と女性の権利についての条項を担当、男女同権条項をつくった。憲法誕生後の1947年、アメリカに帰国。その後も1954年、ジャパン・ソサエティー学生交流委員会ディレクター、1960年、アジア・ソサエティー舞台芸術ディレクター、1991（平成3）年、同協会上級顧問などとして文化交流にかかわり、たびたび来日した。著書に『1945年のクリスマス』などがある。

ゴーリキー，マクシム

文学　映画・演劇

マクシム・ゴーリキー　1868〜1936年

20世紀ロシア最高の作家

ロシアの作家、劇作家。

モスクワに近いニジニー・ノブゴロドの生まれ。本名はアレクセイ・マクシーモビチ・ペーシコフ。早くに両親を亡くし、仕事を転々としながら自力で勉強した。友人のすすめで、24歳のときに小説『マカール・チュドラ』を書き、文学にめざめる。新聞記者などをしながら書きためた短編を出版し、名を知られるようになると、チェーホフやトルストイと交流する。1902年、社会の下層の人々をえがいた戯曲『どん底』がロシア全土で注目され、作家としての地位を確立した。

ロシア革命にかかわりながら、伝統的な芸術や文化を守るためにもつくした。ロシアでは20世紀最大の作家として名高い。

コール，ヘルムート

政治

ヘルムート・コール　1930年〜

東西ドイツの統一を実現させたドイツ首相

ドイツ（西ドイツ）の政治家。首相（在任1982〜1998年）。

ルートウィヒスハーフェン生まれ。1947年、17歳でキリスト教民主同盟に入党。フランクフルト、ハイデルベルク両大学で法律と社会学を学んだのち、市会議員、州議会議員などを歴任、1969年、39歳でラインラント・プファルツ州首相に就任した。1973年、キリスト教民主同盟党首に選出され、1976年から連邦議会議員となり、1982年のシュミット政権崩壊後、自由民主党との連立内閣を樹立し、首相に就任。

ドイツ統一を警戒する周辺諸国と信頼関係を築き、東西ドイツ分断の象徴であったベルリンの壁崩壊の翌年1990年、東西ドイツの統一を実現させた。

直後におこなわれた総選挙で圧勝し、統一ドイツ（ドイツ連邦共和国）首相に就任した。1992年のヨーロッパ連合（EU）条約の成立にはリーダーシップを発揮したが、1998年の総選挙で社会民主党に大敗し、退陣。任期は戦後の首相として最長の16年間におよんだ。 学 主な国・地域の大統領・首相一覧

ゴールディング，ウィリアム

文学

ウィリアム・ゴールディング 1911〜1993年

現代の寓話小説の第一人者

イギリスの作家。

イングランド南部コーンウォールの生まれ。こどものころはジュール・ベルヌなどの冒険小説に熱中し、12歳のとき、小説を書きはじめる。オックスフォード大学卒業後、演劇関係の仕事をへて教師になり、仕事のかたわら小説を書きつづける。核戦争後の少年たちの世界をえがいた寓話小説『蠅の王』は26回も出版をことわられたが、1954年に出版されると、たちまち注目を集めた。

現実の世界より、近未来や架空の場所をえがくのが得意で、「現代の寓話作家」とよばれる。代表作に『尖塔』『ピンチャー・マーティン』など。1983年、ノーベル文学賞を受賞。

学 ノーベル賞受賞者一覧

ゴールドマン，マーカス

産業

マーカス・ゴールドマン 1821〜1904年

国際金融グループ、ゴールドマン・サックスの創設者

ユダヤ系ドイツ人で、アメリカ合衆国に移住した実業家。

ドイツの貧しい牛飼いの家に生まれ、1848年におきた三月革命で、多くのユダヤ系ドイツ人とともにアメリカへわたる。行商をしたのち、1869年にニューヨークで手形仲介業を開始（マーカス・ゴールドマン商店の設立）。

その後、義理の息子で、同じくユダヤ系ドイツ人のサム・サックスをまねいた。

さらに、息子のヘンリー・ゴールドマンを入社させ、社名をゴールドマン・サックスとする。1896年にはニューヨーク証券取引所に参加。ゴールドマンが引退後も会社は成長をつづけ、現在では資金調達などをおこなう投資銀行業務を中心とした国際金融グループとして、世界的な影響力をもつ。

こがいし

絵画

顧愷之 344?〜408?年

人物画を得意とした中国の画家

（立命館大学ARC所蔵 Ebi1425-01-23）

中国、東晋の画家。

江蘇省無錫に生まれる。生没年については定かでない。父は主君につかえて、すぐれた能力を発揮したが、その才能はつがず、画業に実力をみせた。

当時の武将、桓温の下で、貴族などの肖像をてがける。『論画』をはじめ、絵の評論書も書いた。その後、散騎常侍という位の高い役職につき、62歳ごろに亡くなったとされる。

人物画や肖像を得意とし、見た目ではなく、その人の内面や精神をえがくことを心がけた。南京にある寺、瓦官寺の壁面に、仏教の経典の登場人物、維摩をえがいて、観音さまによろこばれたという伝説をもつ。

中国史上で最初の天才画家、あるいは「画聖」とよばれる。現存する作品は非常に少ない。ロンドンの大英博物館に収蔵されている代表作『女史箴図巻』は、唐時代初期に模写されたものと考えられている。

こがはるえ

絵画

古賀春江 1895〜1933年

たえず新しい画風をとり入れた洋画家

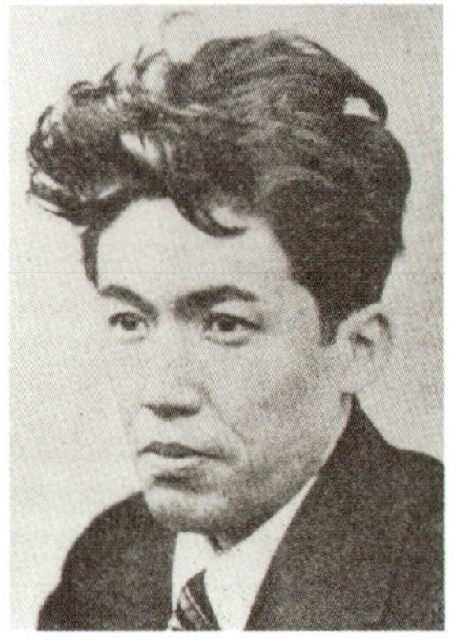

（日本近代文学館）

大正時代〜昭和時代の洋画家。

福岡県生まれ。本名は亀雄。1912（大正元）年、洋画を学ぶため上京し、太平洋画会研究所に入所した。翌年には日本水彩画研究所に入り、洋画家の石井柏亭の指導を受ける。1915年、寺の住職をつとめる父の意向で僧侶となり、名前を良昌とかえ、呼び名を春江とした。

翌年、宗教大学（現在の大正大学）に入学するが、のちに退学し、絵をえがくことに専念する。1922年、こどもの死産をきっかけにえがいた『埋葬』が、二科賞を受賞し、注目される。この年、二科会の若手とともに前衛的な団体「アクション」を結成し、フランスの絵画運動キュビスムの影響を受けた作品を制作する。

その後も、パウル・クレーをはじめ、たえず新しい画風を絵にとり入れ、しだいにシュールレアリスム（超現実主義）に近づいていった。代表作に『海』『素朴な月夜』などがある。1930

（昭和5）年に二科会会員となる。晩年は作家の川端康成と親しくまじわった。

こがひゃっこう

郷土

古賀百工　1718〜1798年

新堀川用水をつくった庄屋

▲三連水車　土地が高い水田に水を入れるため、堀川用水には二連水車や三連水車がつくられた。（朝倉市商工観光課）

江戸時代中期〜後期の農民、治水家。

筑前国下大庭村（現在の福岡県朝倉市）の庄屋（村の長）の家に生まれた。下大庭村のある朝倉地方（福岡県朝倉市）では、農民たちが谷川やため池の水を利用し、ほそぼそと作物をつくってくらしていた。1663年、この地方を大干ばつがおそったことをきっかけに、福岡藩（福岡県西部）は、水量の豊富な筑後川に山田堰を築いて、用水をひく計画を立てた。翌年、堀川用水が完成し、約150haの新田がひらかれた。

やがて新田の増加により、堀川用水だけでは足りなくなった。父のあとをつぎ庄屋になった百工は、藩の許可を得て1759年、堀川用水を流れる水量をふやすために川幅を広げ、さらに新たな用水をつくる工事をはじめた。5年後の1764年、新堀川用水を完成させた。これにより農民たちが干ばつの被害になやまされることはなくなり、水田の面積もさらに広がった。

こがまさお

音楽

古賀政男　1904〜1978年

叙情的なメロディーで大衆の心をゆさぶる

昭和時代の作曲家、ギター奏者。

福岡県生まれ。本名は正夫。明治大学卒業。小学生まで音楽には興味がなかったが、兄やいとこから大正琴やマンドリンを贈られ、楽器演奏にめざめ、音楽家を志す。

明治大学在学中に、マンドリン倶楽部の創設に参加。卒業後は、レコード会社と契約して『影を慕いて』などを発表する。1936（昭和11）年からは、歌手の藤山一郎とコンビを組み、『丘を越えて』『東京ラプソディ』『酒は涙か溜息か』など、ヒット曲を次々と送りだす。作品は、ギターやマンドリンなどの特徴を生かした叙情的なフレーズで「古賀メロディー」とよばれ親しまれた。美空ひばりが歌った『柔』『悲しい酒』など代表作のほか、膨大な数の作品をのこす。それまで民謡調とか唱歌調といわれた大衆音楽を、歌謡曲へと進化させた。日本作曲家協会の設立や日本レコード大賞の制定（1959年）など、大衆音楽の発展に力をつくす。死後、王貞治に次いで2人目となる国民栄誉賞を贈られた。

学 国民栄誉賞受賞者一覧

ごかめやまてんのう

王族・皇族

後亀山天皇　?〜1424年

南北朝の分裂を終わらせた

（大覚寺）

南北朝時代の第99代（南朝第4代）天皇（在位1383〜1392年）。

室町幕府の初代将軍足利尊氏と対立した後醍醐天皇が主宰した南朝において、後村上天皇の第2皇子として生まれる。兄の長慶天皇からゆずられて南朝第4代天皇として即位したが、このころの南朝は勢力が大きく衰退し、北朝の優位はゆるぎない状況となっていた。1392年、北朝を支持する室町幕府の第3代将軍足利義満が、南朝と北朝との合一をめざす、和平の提案をもちかけてくる。その条件には、天皇を象徴する宝物である「三種の神器」を北朝の後小松天皇にゆずること、統一後は南北朝両統の天皇が交互に位につくこと、国衙領（国司の領地）は大覚寺統（南朝方）のものとすること、長講堂領（後白河法皇が寄進した領地）は持明院統（北朝方）のものとすることがしめされた（明徳の和約）。後亀山天皇はこれを了承し、南北朝は合一され、後亀山天皇は出家して、引退。南朝最後の天皇となった。

しかしこののちも、室町幕府に反抗する勢力が「後南朝」を称するなど、南朝復興運動がしばしばおこった。

学 天皇系図　学 切手の肖像になった人物一覧

こかんしれん

宗教

虎関師錬　1278〜1346年

仏教の歴史をまとめあげた

（虎関師錬［虎関国師］画像／東京大学史料編纂所所蔵模写）

鎌倉時代後期〜南北朝時代の僧。

1285年、8歳で臨済宗の僧のもとで修行し、1287年、比叡山延暦寺（京都市・滋賀県大津市）で受戒した。その後、京都の真言宗の寺、仁和寺、醍醐寺で密教（きびしい修行によって身につけられる秘密の教え）を学んだ。1307年、臨済宗の建長寺（神奈川県鎌倉市）の一山一寧の下で、中国の教養、朱子学、文学などを学び、京都と鎌倉の五山を中心とした禅僧らの漢文学である五山文学の先がけとなった。その知識をもとに、1322年には仏教伝来から鎌倉時代までの仏教の歴史や高僧の伝記などを記述した歴史書『元亨釈書』30巻を著した。1339年、臨済宗の寺、南禅寺（京都市）の住持となったが、2年後、東福寺（京都市）海蔵院に移り住み、海蔵和尚ともよばれた。

ごき

思想・哲学

呉起　紀元前440ごろ～紀元前381ごろ

兵法書『呉子』の作者とされる兵家の思想家

中国、戦国時代の兵法家、政治家。

衛（現在の山東省）生まれ。兵法と儒学を学び、戦国初期の魯の将軍として功績を上げるが、中傷により失脚。魏に移り、名君といわれた文侯につかえ、武将、政治家として活躍する。文侯の死後、楚に亡命し、大臣となって富国強兵につとめたが、反対派のクーデターにあって殺害された。

呉起は6編からなる兵法書『呉子』をのこしたが、本人が書いたかさだかではない。『呉子』は『孫子』とならび称された兵法書であるが、『孫子』が、戦略や政略を重視しているのにくらべ、『呉子』は儒家の思想的な内容が多いといわれている。呉起のように兵法を説く学派は、兵家とよばれた。

こきんとう（フーチンタオ）

政治

胡錦濤　1942年～

急成長する中国を指導した国家主席

中華人民共和国（中国）の政治家。総書記、中央軍事委員会主席、国家主席（在任2003～2013年）。

安徽省生まれ。清華大学で工学を学び、在学中、共産党に入党した。卒業後は水力発電所ではたらき、共産党支部などの役職を歴任する。交流の深かった開明派の胡耀邦の失脚により、1988年、チベット自治区へ赴任となる。そこでおきた拉薩の大規模なデモを鎮圧した手腕が鄧小平の目にとまり、1992年に共産党幹部に抜てきされた。

その後、江沢民を助けて要職をつとめ、2002年、党中央総書記に就任、つづけて国家主席、中央軍事委員会主席の座を江沢民からひきつぎ、実権を得た。

政策としては、改革開放路線を継続する一方、これにより生じた格差の是正の問題などにとりくんだ。また、北京オリンピック（2008年）や上海万国博覧会（2000年）を成功させたほか、国内総生産（GDP）で日本をぬいて世界2位になるなど、急成長する中国を指導した。

学 主な国・地域の大統領・首相一覧

コクトー，ジャン

文学　映画・演劇

ジャン・コクトー　1889～1963年

さまざまな芸術分野で、独自の美を追究する

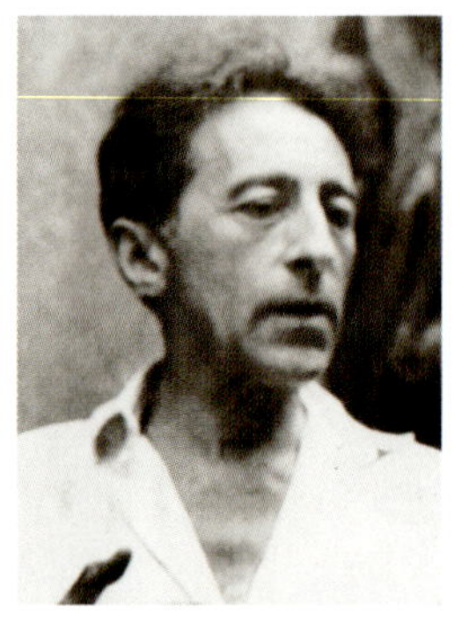

フランスの詩人、作家、劇作家、映画監督、画家。

パリ郊外、メゾン・ラフィットの裕福な家に生まれる。幼いころ父を亡くし、芸術好きな母方の祖父のもとで育った。

20歳のとき詩集『アラジンのランプ』を出版して、絶賛された。第一次世界大戦中の経験を詩集『喜望峰』にまとめて発表。バレエのために書いた『パラード』は、ピカソの舞台装置、音楽家サティの作曲で上演し、話題をよぶ。その後も多くのバレエ台本や戯曲をてがけた。やがて恋人の死にショックを受けアヘン中毒になり、その治療中、わずか17日間で小説『恐るべき子供たち』を書き上げた。映画にも力を発揮し、監督作品には『詩人の血』『美女と野獣』などがある。

才能にあふれ、さまざまな芸術にかかわったが、どれもが新しい趣向をあたえられて、独自の美しさをもつ作品になっている。理性をこえて心の奥にひそむ世界を表現するシュールレアリスム（超現実主義）の代表的な芸術家として名高い。

こくぶんいちたろう

教育

国分一太郎　1911～1985年

作文（つづり方）教育に力をそそいだ国語教育の指導者

大正時代～昭和時代の児童文学作家、教育評論家。

山形県生まれ。1930（昭和5）年山形師範学校（現在の山形大学教育学部）を卒業したのち、小学校教師となり、自分の生活についての文章をありのままに書かせる「生活綴方運動」に参加。文集『もんぺ』『もんぺの弟』を発表し、雑誌『綴り方生活』『北方教育』に論文を投稿するなどして、すぐれた実践教育の指導法が注目を集めた。1941（昭和16）年、生活綴方運動が治安維持法に違反しているとされ、2年間服役する。第二次世界大戦後、1946年に児童文学者協会、1950年に日本綴り方の会（現在の日本作文の会）の設立に参加するなど、綴方運動や民主教育運動に力をつくした。

1955年に児童文学者協会児童文学賞を受賞した『鉄の町の少年』や、翌年発行された『リンゴ畑の四日間』などは、民主主義のあり方をわかりやすくかいた児童文学作品であり、若い作家たちに大きな影響をあたえた。ほかに、『生活綴方読本』

『新しい綴方教室』などの代表作がある。

こけんせい

学問

顧憲成 1550〜1612年

万暦帝を批判した、東林派の指導者

中国、明末期の学者、官僚。

無錫（現在の江蘇省無錫）に生まれ、貧しい家に育ったが学問好きで、朱子学などを学んだ。1580年に官吏登用試験に合格して、中央官僚となる。張居正ら権力者に反対しつづけ、1594年に万暦帝の後継者争いの対立から、免官され故郷に帰った。宋の儒学者、楊時が創立した学校である東林書院を、弟や友人とともに再興する。

学問や研究のあいまに政治や官僚を批判したので、万暦帝と宦官らによる堕落した王朝政治に不満をもち、新しい王朝体制を模索していた学者や官僚などが集まり、東林派とよばれる勢力となった。顧憲成はその指導者の役割をはたしたが、その死後、東林派は反東林派の宦官らに弾圧され、東林書院は破壊された。

ごこう

政治

呉広 ？〜紀元前208年

中国史上初の農民反乱指導者の一人

中国、秦末期の農民反乱指導者。

楚の地方の日雇い農民としてくらしていたが、紀元前209年に辺境警備のため徴兵され、900人の農民たちと辺境へむかう。その中に陳勝がおり、大志をかかげる陳勝が反乱を立案すると、それにこたえて彼を補佐し、ともに反乱をおこした（陳勝・呉広の乱）。反乱当初、人々のあいだで人気のあった楚の英雄、項燕を名のった。陳勝が張楚国を建てて王となると、その命令で兵をひきいて戦ったが、戦況が苦しくなると、指揮権をうばおうとした部下に殺され、呉広の首は陳勝に送られた。結局は秦軍にやぶれ、陳勝も部下に殺され、反乱は半年で鎮圧された。この反乱は失敗に終わったが、これをきっかけに各地で反乱がおき、秦はほろびることとなった。

ココ・シャネル

ココ・シャネル → シャネル，ガブリエル

ごこまつてんのう

王族・皇族

後小松天皇 1377〜1433年

南朝と北朝がふたたび統一されたときの天皇

南北朝時代〜室町時代の第100代（北朝第6代）天皇（在位1382〜1412年）。

名は幹仁。朝廷が南北朝に分立していた時代の、北朝の後円融天皇の第1皇子として生まれる。一休宗純は実子であるといわれている。

6歳で即位し、11歳で元服。このころ室町幕府は第3代将軍足利義満の全盛期であり、1392年、義満の提案を受け入れた南朝の後亀山天皇から、正統な皇位継承のあかしである「三種の神器」をゆずりうけ、南北朝の合一をはたした。政治の実権は太政大臣となった義満がにぎっていたが、1408年に義満が急死すると、天皇の権威は回復した。1412年、称光天皇に位をゆずり、上皇として院政をおこない、1431年に出家したのちもこれをつづけた。

学 天皇系図

ここんていしんしょう

伝統芸能

古今亭志ん生 1890〜1973年

天才的な話芸をみせた5代目

▲5代古今亭志ん生

昭和時代の落語家。

東京生まれ。本名は美濃部孝蔵。1910（明治43）年ころ、2代三遊亭小円朝に入門した。朝太を振り出しに、16回も改名し、1939（昭和14）年、江戸時代から継承されている5代古今亭志ん生を襲名した。昭和30〜40年代の古典落語の黄金期には、8代桂文楽、6代三遊亭円生、8代林家正蔵（のちの彦六）とともに、名人とよばれ、昭和時代の落語家を代表する存在になった。持ちねたの多さで有名で、なかでも得意演目は、『火焔太鼓』『お直し』『文七元結』『あくび指南』『強情灸』など、人情ばなしやこっけいばなしに、天才的な話芸をみせた。また、天衣無縫、八方破れといわれる芸風と生活で知られた。若いころからの貧乏暮らしは有名で、「貧乏はするもんじゃねぇ。味わうもんだ」の名言をのこした。1964年に紫綬褒章、1967年に勲四等瑞宝章を受章した。長男は10代金原亭馬生（1982年没）、次男は古今亭志ん朝（2001年没）である。

ごさがてんのう

王族・皇族

後嵯峨天皇 1220〜1272年

子を皇族初の鎌倉幕府将軍にした

鎌倉時代中期の第88代天皇（在位1242〜1246年）。

土御門天皇の子で、即位する前は邦仁親王とよばれた。1242年、四条天皇が亡くなり、朝廷の実力者、九条道家は順徳上皇（譲位した順徳天皇）の皇子の即位をすすめたが、鎌倉幕府は順徳上皇が承久の乱にかかわったとして拒否したので、かわって皇位についた。1246年、次の久仁親王に譲位して後深草天皇が即位すると、院政をはじめた。また1252年、長男の宗尊親王を鎌倉に送り、皇族としてはじめて幕府の第6代将軍とした。その後、後深草天皇に命じて3男である弟の亀山天皇に譲位させた。兄の後深草上皇の皇子ではなく、弟である亀山天皇の皇子、世仁親王（のちの後宇多天皇）を皇太子と

したことが、以後持明院統（後深草天皇の系統）と大覚寺統（亀山天皇の系統）とのあいだでの皇位継承をめぐる確執のきっかけとなった。

学 天皇系図

こざきひろみち

宗教

小崎弘道 1856〜1938年

東京YMCAの初代会長

（同志社大学）

明治時代〜昭和時代の宗教家。

肥後国託摩郡（現在の熊本県熊本市）に、熊本藩士の子として生まれる。1871（明治4）年、熊本洋学校に入学。1876年にはキリスト教の洗礼を受けた。同志社英学校（現在の同志社大学）を卒業後は、各地を伝道して、1879年に上京。東京の京橋区（中央区南部）に新肴町教会を開設した。

翌年、植村正久や本田庸一らと日本初の基督教青年会（のちの東京YMCA）を創立して会長をつとめる。機関誌『六合雑誌』を刊行し、キリスト教をはじめとした思想一般に加え、社会問題もとりあつかった。1886年には著書『政教新論』を発表し、儒教と対比して、近代国家の建設にはキリスト教を精神的基礎とすべきだと論じる。1890年に新島襄が亡くなると、あとをついで同志社の校長、社長に就任。

その間、アメリカ合衆国のシカゴでおこなわれた世界宣教大会に日本基督教代表として出席したり、エール大学で8か月間、神学を研究したりした。1899年からは東京の霊南坂教会の牧師、1913（大正2）年からは日本基督教会同盟の会長をつとめる。日本プロテスタントの中心的指導者だった。

ごさくらまちてんのう

王族・皇族

後桜町天皇 1740〜1813年

日本の歴史上最後の女帝

江戸時代後期の第117代天皇（在位1762〜1770年）。

桜町天皇の子。即位する前は智子内親王とよばれた。1762年、弟の桃園天皇が急死したため、幼い英仁親王（のちの後桃園天皇）が成長するまでの中継として即位した。

女性天皇としては、江戸時代では明正天皇に次いで2人目、日本の歴史上では最後となる。聡明な女性で学問を好み、和歌にもすぐれ、少年時代の後桃園天皇や光格天皇の指導に心をつくした。

1770年、13歳になった後桃園天皇に譲位した。朝廷の有職故実をしるした『禁中年中の事』や『後桜町院宸記』などの著書がある。

学 天皇系図

ごさんけい

政治

呉三桂 1612〜1678年

清の中国統一につくした明の武将

中国、明末期〜清初期の武将。

遼東（現在の遼寧省）の武人の家に生まれる。明の武官となり、北方から攻めてくる清軍の防衛にあたった。1644年、農民反乱を指揮した李自成の軍が明の首都北京を攻略すると、清に降伏。

清軍とともに北京に攻め入り、清の中国攻略を助けた。この功績により平西王に任じられ、以後、農民反乱を平定し、明の永明王（桂王）を追って、ビルマ（現在のミャンマー）で討ちはたした。そして親王に昇進。雲南省と貴州省の総管となり、力をたくわえた。同じころ、広東の尚可喜、福建の耿精忠も清につくして力を得て、呉とともに三藩と称されていた。しかし、清の康熙帝は、その力をおそれるようになる。1673年、尚可喜が息子に位をゆずろうとするが康熙帝はそれをみとめず、引退をせまる。位が子孫に継承できないと知った呉は、清からの独立をめざし、反乱をおこした（三藩の乱）。はじめは清軍を圧倒して、帝位につき大周を建国したが、半年ほどで病死。三藩の乱は、3年後、鎮圧された。

ごさんじょうてんのう

王族・皇族

後三条天皇 1034〜1073年

藤原氏の権力をおさえた

▲墓所の圓宗寺陵 （宮内庁書陵部）

平安時代後期の第71代天皇（在位1068〜1072年）。

後朱雀天皇の子。母は禎子内親王（三条天皇の皇女）。即位する前は尊仁親王とよばれた。

1045年、父が亡くなり兄の後冷泉天皇が即位すると、皇太弟（天皇のあとつぎの弟）となる。一族の娘の子を天皇にしたい関白の藤原頼通は、これに反対したが、一族の娘は子にめぐまれず、1068年、後冷泉天皇が亡くなると、後三条天皇は35歳で即位した。天皇は、頼通や、関白となった教通など藤原氏との血縁関係がうすかったので、思うとおりの政治をおこなった。

1069年、記録荘園券契所を設置し、荘園整理令をだした。これは、1045年以後の新しい荘園や、不正な手続きによる荘園を廃止して国家の土地とするもので、貴族や寺社、藤原摂関家の荘園も例外ではなく、頼通、教通もしたがわざるをえなかった。1072年、天皇は、子の貞仁親王に位をゆずり、摂関家とは縁のうすい白河天皇が即位した。天皇の力はさらに強くなり、藤原氏の摂関政治は弱まっていった。

学 天皇系図

ごし

呉子 → 呉起

コシチューシコ，タデウシュ

政治

タデウシュ・コシチューシコ　1746〜1817年

ポーランドの独立を指導

ポーランド・リトアニア共和国の軍人、独立運動指導者。

ポレシエ地方（現在のベラルーシとウクライナのあいだの地方）の下級貴族の子として生まれる。1765年、首都ワルシャワの騎士学校に入学、1769年、パリに留学し、工兵学など軍事技術を学んだ。1776年、アメリカにわたり独立戦争に参加し、要塞建設で功績をあげた。その後、ポーランドに帰国して少将となり、1792年、ロシア軍と戦い、一時的に勝利をおさめた。その後、国外へ亡命し、1794年、南部の都市クラクフで蜂起。みずから最高指令官に就任し、農民軍をひきいて戦い、農奴制の廃止をかかげたポワニェツ宣言を発した。しかし、ロシアとプロイセンの連合軍に攻めこまれ、10月、ロシア軍の捕虜となった。1795年、ポーランドはロシア、プロイセン、オーストリアによる3回目の分割にあい、国家は消滅した。その後、コシチューシコは釈放され、アメリカ合衆国をへてパリにわたるが、政治活動からしりぞいた。ポーランド、リトアニアでは彼の功績をたたえて国民の英雄とされた。

こしばまさとし

学問

小柴昌俊　1926年〜

ニュートリノを世界ではじめてとらえた

物理学者。

愛知県生まれ。旧制第一高等学校（現在の東京大学教養学部）では成績が悪かったが、教授たちが「小柴はできが悪い」といっているのを聞いて発奮、猛勉強をして1948（昭和23）年、東京大学理学部物理学科に入学した。大学院で修士号をとり、朝永振一郎の推薦状により、1953年、アメリカ合衆国のロチェスター大学に留学した。シカゴ大学研究員をへて1962年に帰国。東京大学原子核研究所助教授、同大学理学部教授などを歴任し、1974年に高エネルギー物理学実験施設（現在の東京大学素粒子物理国際研究センター）を設立、施設長・センター長となった。陽子崩壊の研究を目的として、岐阜県神岡鉱山跡に観測装置「カミオカンデ」を建設。1987年、大マゼラン星雲でおきた超新星爆発によりふりそそいだ素粒子ニュートリノをとらえることに成功し、世界ではじめて太陽系外のニュートリノをとらえた。この業績により、1997（平成9）年に文化勲章受章、2002年、ノーベル物理学賞を受賞した。2015年にノーベル物理学賞を受賞した梶田隆章をはじめ、後進の指導育成にも熱心にとりくんでいる。

学 ノーベル賞受賞者一覧　学 文化勲章受章者一覧

こじまいけん

政治

児島惟謙　1837〜1908年

司法権の独立を守った「護法の神」

（国立国会図書館）

明治時代の裁判官。

伊予国（現在の愛媛県）宇和島藩士の家に生まれる。名は「これかた」とも読む。少年時代は剣術の修業にはげむ。幕末には3度にわたり脱藩し、長崎で坂本龍馬らとまじわって倒幕運動に参加した。

1870（明治3）年に司法省に入り、各地の裁判所長をつとめ、関西法律学校（現在の関西大学）の設立にもかかわった。1891年に大審院長（最高裁判所長官）に就任すると、同年、ロシア皇太子ニコライ2世が切りつけられた大津事件がおこる。事件の裁判をめぐり、政府はロシアの日本干渉をおそれ、犯人の津田三蔵の死刑を要求。それに対し、児島は条文にない刑罰は適用できないとして、通常の謀殺未遂罪をあてることを主張。無期徒刑（無期懲役）を宣告した。このことが、政府による干渉をしりぞけ、司法権の独立を守ったとされ、「護法の神」といわれた。翌年、裁判官たちが花札賭博をしたとされる事件（司法官弄花事件）の責任をとって辞任した。その後、貴族院議員、衆議院議員をつとめた。

コジモ・デ・メディチ

コジモ・デ・メディチ → メディチ，コジモ・デ

コシャマイン

政治

コシャマイン　?〜1457年

和人に立ちむかったアイヌの英雄

室町時代のアイヌの首長。

蝦夷地（現在の北海道）にくらすアイヌは、本土から進出してきた和人と交易をしていたが、不当な取り引きをさせられることもあり、不満がたまっていた。1456年、志濃里（函館市）で、アイヌの少年が和人の鍛冶屋に製作を依頼した小刀のできと値段をめぐって口論となり、少年が殺害されるという事件がおこる。

これをきっかけに、アイヌと和人の抗争が勃発した。渡島半島東部の首長だったコシャマインは、アイヌの人々をひきいて和人の拠点であった道南地域に攻めよせ、12か所あった和人の館（道南十二館）のうち、茂別館（北海道北斗市）と花沢館（北海道上ノ国町）をのぞく10の館を攻め落とした。しかし当時、花沢館の領主、蠣崎氏のもとに寄宿していた武士、武田信広を中心に和人は反撃に転じ、コシャマインは息子とともに信広に弓で射殺された（コシャマインの乱）。

乱をしずめた信広は、蠣崎氏をつぎ、道南地域最大の勢力となった。また、その子孫は松前氏と改姓してさらに勢力を広げ、江戸時代には松前藩主としてアイヌとの交易を独占し、蝦夷地をおさめた。

コシュート・ラヨシュ

政治

コシュート・ラヨシュ　1802～1894年

ハンガリー独立運動を指導した国民的英雄

ハンガリーの政治家、国民主義運動指導者。

オーストリア帝国に支配されていた時代のハンガリーに生まれ、ブダペスト大学を卒業。弁護士となるが、まもなく地方政界に進出した。

1832年に国会議員となり、ハンガリーの分離独立を主張した。それにともないみずから発行した議会通信の内容が原因で投獄された。釈放後は国民党機関紙『ペスト新報』で民族独立をうったえた。1847年、下院議員になり、ハンガリーの政治的独立を主張、独立運動の指導者となる。1848年のウィーン三月革命に際し、憲法改革と責任内閣制の実施を要求した。

これがオーストリアにみとめられ、初代ハンガリー内閣の財務大臣となる。しかしまもなく、周辺民族のハンガリー人（マジャール人）の支配に対する反発とオーストリアの裏切りで革命戦争がおこると独立を宣言。1849年、臨時政府の執政として独裁的権力をにぎった。しかしオーストリアの要請で、ロシア皇帝ニコライ1世の干渉を受け敗北。亡命後、イタリアのトリノで亡くなった。

ごしゅん

絵画

呉春　1752～1811年

文人画の技法に応挙の技法をとり入れ四条派を確立

江戸時代中期～後期の画家。

本名は松村豊昌。号は月渓。京都の金座（金貨の鋳造所）役人の家に生まれる。家業をついで金座ではたらくかたわら、与謝蕪村に師事して絵と俳諧を学んだ。1781年、摂津国池田（現在の大阪府池田市）に移り、池田の古い呼び名「呉服里」にちなんで、名前を呉春にあらためた。

その後、画家の円山応挙の影響を受け、文人画（学者や文人がえがいた絵画）の技法に円山応挙の写実的な技法をとり入れて、独自の画風を確立した。

京都四条（京都市）に住み、門人も自宅周辺に集まったので、四条派とよばれた。代表作『柳鷺群禽図』『絹本墨画淡彩白梅図屏風』は重要文化財に指定されている。

ごしょうおん

文学

呉承恩　1500？～1582？年

『西遊記』の作者

中国、明の時代の作家。

山陽（現在の江蘇省）生まれ。射陽山人という名もある。若いころは秀才といわれたが、科挙（官僚の採用試験）になかなか合格できず、50歳をすぎて合格し役人になった。しかし、役人生活に失望し、故郷に帰って文筆生活に入る。著書には『射陽先生存稿』がある。

中国四大奇書の一つといわれる『西遊記』は、呉承恩がまとめたとされる。『西遊記』は、唐の時代に、僧の玄奘（三蔵）がインドに経典を求めて旅をした史実をもとに、孫悟空、猪八戒、沙悟浄らが妖怪と戦う物語がつけ加えられた。日本でもテレビドラマ化、映画化されてファンが多い。

こじょうやじろう

郷土

古城弥二郎　1857～1912年

八代海の干拓工事を指揮した役人

幕末～明治時代の役人。

肥後国熊本藩（現在の熊本県熊本市）の藩士の子として生まれた。明治時代になると、各地の郡長（市長）をつとめ、43歳のとき、八代郡八代市郡長になった。当時、八代郡では郡の収入をふやすため、八代海を干拓して新田を開発する工事が進んでいた。工事にかかる費用のほとんどを銀行から借金したため、反対する声が多かったが、反対派の人々を説得して、工事をつづけた。海水をせき止める堤防が途中までできたとき、台風にみまわれ、一夜でこわれるなど、苦難の連続だったが、1904（明治37）年に干拓工事が完成した。

これにより、約1000haの土地が開発され、300戸の農家が移住して郡築村（八代市）ができた。現在、干拓工事のため に建設された、海水をせき止める開閉式の水門、旧郡築新地甲号樋門が国の重要文化財に指定されている。

▲2016年熊本地震被災前の旧郡築新地甲号樋門　（八代市会教育委員会）

コジョン

高宗 → 高宗（朝鮮王朝）

ごしらかわてんのう

王族・皇族

● 後白河天皇　1127～1192年

源平の争いのころ、院政をおこなった

▲後白河天皇
（宮内庁三の丸尚蔵館）

平安時代後期の第77代天皇（在位1155～1158年）。鳥羽天皇の子。崇徳天皇の同母弟。即位する前は雅仁親王とよばれた。1155年、29歳で即位し、32歳で退位して上皇（譲位した天皇）となり、43歳で出家して法皇（出家した上皇）となった。上皇、法皇として天皇にかわって政治をおこなった院政の期間は、1158年から1192年の34年間、5代の天皇にわたった。後白河天皇が即位したとき、兄の崇徳上皇は自分の皇子が天皇になれなかったことに不満をいだいており、1156（保元元）年、鳥羽法皇が亡くなると保元の乱をおこした。後白河天皇は平清盛らを味方につけて戦いに勝利し、上皇を讃岐国（現在の香川県）に流した。

1158年、子の守仁親王に位をゆずり二条天皇が即位し、出家して法皇となる。翌年、平治の乱がおこり、平氏が源氏をやぶると、後白河法皇は実力者となった平清盛を利用しながら、朝廷の権力をかためていった。

しかし、勢力を強めた清盛との対立が深まり、1177年、清盛打倒をたくらんだ近臣たちの鹿ヶ谷の陰謀が発覚、さらに、1179年、清盛の子、平重盛の所領を没収したことにおこった清盛によって鳥羽殿（京都市にあった離宮）にとじこめられ院政を停止された。

1180年、子の以仁王が平氏追討の命令文書を諸国にだしたので、源頼朝や源義仲が挙兵し、源平の争乱がおこった。1181年、清盛が亡くなると院政を再開した。1183年、平氏を都落ちさせた義仲と対立し、頼朝に義仲追討の命令をだした。頼朝は弟の源義経らを送って義仲を討たせた。

その後、頼朝と対立した義経に頼朝追討の命令をくだしたり、頼朝追討の命令をだした責任を頼朝に追及されて義経追討の命令をくだしたりするなど、武士の力を弱めながら朝廷の存続をはかる、たくみな政治力を発揮した。このような法皇を、頼朝は「日本国第一の大天狗」と評した。

▲三十三間堂　後白河上皇が自身の離宮内に建立した。
（妙法院・三十三間堂）

寺社の造営に熱心で、蓮華王院（三十三間堂）（京都市）などを建立した。また、『年中行事絵巻』『伴大納言絵詞』『信貴山縁起絵巻』『地獄草紙』など、現在にのこる多くの絵巻物を制作させた。

芸能にも熱心で、今様（当時の流行歌謡）を集めた『梁塵秘抄』を編さんした。

学 天皇系図

ごすざくてんのう

王族・皇族

● 後朱雀天皇　1009～1045年

藤原氏の政治の陰にあった天皇

平安時代中期の第69代天皇（在位1036～1045年）。一条天皇の子。母は藤原道長の娘彰子。後一条天皇の同母弟。即位する前は敦良親王とよばれた。

1017年、三条天皇の皇子である敦明親王が皇太子を辞退したので、後一条天皇の皇太弟（天皇のあとつぎの弟）となる。1036年、後一条天皇の死後、28歳で即位したが、藤原道長のあとをついだ関白の藤原頼通が権勢をふるった時代だったので、政治の中心には立てなかった。

1045年、親仁親王（後冷泉天皇）に譲位したが、同時に子の尊仁親王（のちの後三条天皇）を皇太子に立てた。尊仁親王は藤原氏との血縁関係がうすかったので、藤原頼通は皇太子にすることを反対したが、天皇はこれを実現させた。

学 天皇系図

こせのかなおか

絵画

● 巨勢金岡　生没年不詳

平安時代を代表する宮廷画家

（国立国会図書館）

平安時代前期の絵師。

貞観年間（859～877年）、菅原道真の依頼で平安京にあった天皇の庭園、神泉苑の景色をえがいた『神泉苑図』を制作したという。

880年、朝廷の大学寮（朝廷の役人養成機関）に唐絵（中国の絵画）をもとにして先聖、先師像をえがく。885年、朝廷の実力者である藤原基経の50歳の祝いの屏風をえがいた。

また、宇多天皇の時代に朝廷の中心の建物、紫宸殿の賢聖障子（中国古代の賢人や聖人をえがいた障子）を制作するなど、作品自体はのこっていないが、多くの文献に、朝廷や貴族の依頼で多くの絵をえがいた記録がのこされている。中国の伝統的絵画をもとにしつつ、日本的な要素もとり入れた作風は、そのころから高く評価され、巨勢派の開祖となった。

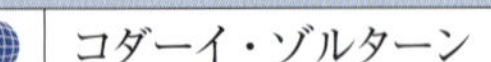

コダーイ・ゾルターン

音楽

コダーイ・ゾルターン　1882〜1967年

ハンガリーの民族主義音楽の基礎を築く

ハンガリーの作曲家、音楽学者。

南ハンガリーのケチケメートに生まれる。ピアノや弦楽器を学び、ロマ（ジプシー）の民謡やキリスト教音楽に親しむ。ブダペスト音楽院で作曲を学んだ。音楽院の先輩バルトークと共同でハンガリー民謡を採集・調査し、出版した。1922年より本格的な作曲活動に入り、ブダペスト市50年祭のためにつくった合唱曲『ハンガリー詩篇』で名声を得る。第二次世界大戦後は自国の民謡やわらべ歌をもとにした音楽教育のシステムを確立し、国際的にも影響をあたえた。主な作品にオペラとその管弦楽版組曲の『ハーリ・ヤーノシュ』や『ガランタ舞曲』のほか、『ブダ城のテ・デウム』など多数の合唱曲がある。

ゴダード，ロバート

学問　発明・発見

ロバート・ゴダード　1882〜1945年

世界初の本格的ロケットをつくった「近代ロケットの父」

20世紀のアメリカ合衆国の発明家、ロケット工学者。

マサチューセッツ州生まれ。少年時代にウェルズのSF『宇宙戦争』を読み、宇宙に興味をいだいた。大学教授のかたわらロケットエンジンの研究をおこなう。はじめは固体燃料のロケットを、その後、液体燃料のロケットを研究し、1926年に、初の液体燃料ロケットの飛翔実験をおこない、以後、液体燃料の有効性を確認していく。その後の実験が失敗したなどと新聞で誤報されたため、州内での実験を禁止されるが、この記事がリンドバーグの目にとまり、資金援助を得て、実験場をニューメキシコ州ロズウェルに移した。第二次世界大戦中は軍用ロケットの研究をおこなうが、喉頭がんにより、1945年に62歳で死去した。進歩的な彼の理論は、生前はほとんど評価されず、ときとして嘲笑さえ受けたが、後年、見直されて214にのぼる特許があたえられ、今日では「近代ロケットの父」と称される。1959年に設立されたNASAで最初の宇宙飛行センターは、「ゴダード宇宙飛行センター」と命名された。

ゴダール，ジャン＝リュック

映画・演劇

ジャン＝リュック・ゴダール　1930年〜

映画の新しいスタイルに挑戦をつづける監督

フランスの映画監督。

パリの裕福な家庭に生まれる。パリ大学に在学中、大学近くのシネマクラブに出入りするようになる。のちに映画監督となるトリュフォーやロメールと知り合い、映画雑誌『カイエ・デュ・シネマ』でいっしょに映画批評を書いた。やがて監督業に乗りだし、1959年、『勝手にしやがれ』で本格的にデビューする。それまでの映画になかった斬新な撮影方法で、新しい波を意味する「ヌーベルバーグ」の映画運動の先頭を切った。次々と話題作を監督するが、1970年ごろからはテレビに移る。1970年代後半から映画にもどり、『パッション』『映画史』など数々の作品を手がける。2014年には3Dによる『さらば愛の言葉よ』を発表して、話題をよんだ。手持ちカメラでの撮影をいち早くおこない、ドキュメンタリーの手法をとり入れるなど、映画の新しいスタイルにたえず挑戦し、映画界のピカソといわれることもある。

ごだいごてんのう

後醍醐天皇 ➔ 83ページ

ごだいともあつ

産業

五代友厚　1835〜1885年

大阪経済を大きく発展させた

（国立国会図書館）

明治時代の実業家、政商。

薩摩藩（現在の鹿児島県）生まれ。1857年、藩の命令で長崎に留学し、航海、砲術、測量などの技術を学び、勝海舟らと知り合う。1862年、藩の汽船を買うために上海へわたる。高杉晋作やイギリス商人、グラバーとも親交を重ねた。薩英戦争では、イギリス海軍の捕虜となり、釈放後は亡命生活を送る。1865年、藩の命令で留学生を引率してヨーロッパを視察し、藩の貿易発展のために活躍した。明治維新後は外交官となるが、1869（明治2）年に辞任。その後、鉱山経営、貿易・銀行・鉄道会社の運営や、大阪株式取引所、大阪商法会議所、大阪堂島米商会所、商業講習所（現在の大阪市立大学）の設立などをてがける。富国強兵、殖産興業で意気投合した大久保利通との親交も深かった。政府から多額の補助金を得て関西貿易会社を設立し、1881年、開拓使官有物払い下げ事件の中心人物として非難された。しかし、大阪の経済発展、近代産業の振興につくした功績は大きい。

ごだいごてんのう

王族・皇族 | 1288〜1339年

後醍醐天皇

建武の新政をはじめた天皇

▲後醍醐天皇像『天子摂関御影』より。（宮内庁三の丸尚蔵館）

■幕府をたおす計画が失敗

鎌倉時代後期〜南北朝時代の第96代天皇（在位1318〜1339年）。

後宇多天皇の子として生まれ、31歳で即位した。3年後に後宇多上皇（譲位した後宇多天皇）の院政（上皇や法皇が天皇にかわって政治をおこなうしくみ）を停止し、みずから意欲的に政治をおこなおうとした。しかし、天皇が考える天皇中心の政治をおこなうには鎌倉幕府の存在がじゃまだった。

幕府をたおす計画をねった天皇は1324（正中元）年、京都の北野天神（北野天満宮）（京都市）の祭りにまぎれて兵をあげようとした。しかし、この計画は六波羅探題（鎌倉幕府が京都においた役所）にもれ、計画の中心にいた公家の日野俊基らがとらえられた。天皇は「何も知らなかった」と弁明したので幕府に追及されなかった。この事件を「正中の変」という。

1331（元弘元）年、天皇はふたたび幕府を討つために奈良の東大寺や興福寺に応援を求め、山伏に姿をかえた日野俊基が諸国をめぐって幕府に不満の武士や悪党たち（幕府の支配に反抗する人々）に決起をうながした。しかし、天皇の信頼していた側近が六波羅探題に計画を密告した。これを知った天皇は京都をのがれたが幕府軍にとらえられ翌年、隠岐（島根県隠岐諸島）に流罪となった。この事件を「元弘の変」という。

■隠岐を脱出し幕府をほろぼす

1333年、天皇は隠岐をぬけだすことに成功し、豪族の名和長年に助けられて船上山（鳥取県琴浦町）に立てこもり、全国の武士たちに幕府を討てという綸旨（命令書）を送った。これにこたえて幕府の御家人（家臣）だった足利尊氏や新田義貞が倒幕の兵をあげ、尊氏は京都の六波羅探題を攻め、義貞は鎌倉を攻め、鎌倉幕府をほろぼした。

■建武の新政

京都にもどった天皇は1334年、年号を建武とあらため天皇中心の新しい政治をはじめた（建武の新政）。しかし、公家中心の政治をおこない、幕府をほろぼした武士たちを重んじなかったので多くの武士が不満をもった。こうした情勢の中で1335年、足利尊氏は武士の政治をおこなおうと考え、後醍醐天皇に反旗をひるがえした。1336年、尊氏は後醍醐天皇が信頼した武将楠木正成の軍をやぶって京都に入り、光厳上皇（譲位した光厳天皇）の弟を光明天皇として即位させた。さらに後醍醐天皇に降伏をせまったので、天皇は三種の神器（天皇のしるしの宝器）を光明天皇にゆずり、上皇となった。

建武新政府は3年で終わりを告げた。

■吉野にのがれ南朝を建てる

1336年の暮れ、天皇は京都を脱出して吉野（奈良県吉野町）へむかい、光明天皇にわたした神器はにせものだといって吉野でふたたび天皇となった。こうして南の吉野と北の京都に2つの朝廷、2人の天皇という異常な事態となった。その後、約60年間、武士や公家は北朝か南朝どちらかについてあらそった。この時代を南北朝時代という。1338年、側近の北畠顕家や武将の新田義貞が戦死した。翌年、天皇は「自分の魂はいつも京都にむかっている」といいのこして亡くなったという。

学 天皇系図

▲吉水神社内部　後醍醐天皇が南朝をひらいた御所だったといわれる。（吉水神社）

後醍醐天皇の一生

年	年齢	主なできごと
1288	1	後宇多天皇の皇子として生まれる。
1318	31	天皇に即位する。
1324	37	倒幕計画に失敗する（正中の変）。
1331	44	ふたたび倒幕計画に失敗する（元弘の変）。
1332	45	隠岐に流される。
1333	46	隠岐を脱出する。鎌倉幕府がほろびる。
1334	47	京都で建武の新政をはじめる。
1335	48	足利尊氏が後醍醐天皇と対立する。
1336	49	足利尊氏が京都で北朝を建てる。後醍醐天皇は吉野に移って南朝をひらく。南北朝の内乱がはじまる。
1339	52	吉野で亡くなる。

※年齢は数え年であらわしている

こだいらくにひこ

学問

小平邦彦 1915〜1997年

数学のノーベル賞の日本人初の受賞者

昭和時代の数学者。

東京に生まれる。こどものころから、数や図形に興味をしめしていた。1938年（昭和13年）に東京帝国大学（現在の東京大学）理学部数学科、1941年に物理学科を卒業したのち、同大学で講師、のちに助教授をつとめる。1949年、朝永振一郎とともに、アメリカ合衆国のプリンストン高等研究所の研究員としてまねかれて渡米し、プリンストン大学などの教授などをつとめながら、研究をつづけた。主な研究の業績として、小平消滅定理、複素構造の変形理論、複素曲面の分類理論などが知られ、複素多様体論といわれる分野の研究発展に、大きな役割をはたした。1954年に、日本人としてはじめて、数学のノーベル賞といわれるフィールズ賞を受賞した。1968年に帰国後は、母校などの教授をつとめた。1957年に学士院賞、文化勲章を受章した。晩年は、数学教育改革のために積極的に発言した。

学 文化勲章受章者一覧

こだまきゅうえもん

郷土

児玉久右衛門 1689〜1761年

一ツ瀬川に杉安井堰をつくった庄屋

▲児玉久右衛門の像
（杉安堰土地改良区）

江戸時代中期の農民、治水家。

日向国三宅村（現在の宮崎県西都市）の庄屋（村の長）の家に生まれた。三宅村のある穂北地方は水がとぼしく、水田をひらけなかった。村人の貧しい暮らしをみかねて、水量の豊富な一ツ瀬川に堰を築いて、川をせき止め、村まで用水をひいて水田をひらく計画を立てた。1720年、資産家の日高六右衛門の援助を得て、工事に着手した。しかし、川幅が約140mもあり、流れが急な一ツ瀬川に堰を築くのはむずかしく、工事がはかどらなかった。やがて、工事の成功をうたがった六右衛門が資金をだすことを拒否した。自分の田畑や家財を売って費用をくめんしたが、すぐになくなった。そんなとき、付近の南方村の大地主、黒木弥能右衛門が協力を申しでて、1722年、杉安井堰と杉安用水が完成した。その後も工事を進めた結果、用水の長さは約10kmになり、三宅村、南方村など8つの村の水田約600haがうるおった。

こだまげんたろう

政治

児玉源太郎 1852〜1906年

日露戦争を勝利にみちびいた名参謀

（国立国会図書館）

明治時代の陸軍軍人。

周防国（現在の山口県東部）の徳山藩士の家に生まれる。

戊辰戦争で初陣をはたす。明治維新後、陸軍に入り、参謀として佐賀の乱や神風連の乱などをおさめる。1877（明治10）年の西南戦争では、熊本城での籠城を指揮し、薩摩軍のはげしい攻撃から城を守りぬいた。1885年、参謀本部第一局長、1887年、陸軍大学校の初代校長となり、ドイツ人のメッケルとともにドイツ式の戦術を導入。近代の軍制整備、参謀の養成教育に力を入れた。日清戦争で功績を上げ、男爵となる。1898〜1906年、台湾総督として台湾の反乱鎮圧に成功。その間、陸軍大臣、内務大臣、文部大臣を兼任したのち、ロシアとの戦争のため参謀次長に就任。1904年には陸軍大将となる。日露戦争では満州軍の総参謀長として大陸にわたり、大山巌総司令官を助け、作戦指導の中心となった。このとき、メッケルが「児玉がいるかぎり、日本は勝つ」と予想したほど、軍略、政略にすぐれた名将として伝えられている。

コッホ，ロベルト

学問 医学

ロベルト・コッホ 1843〜1910年

結核菌、コレラ菌の発見者

19世紀末のドイツの医学者、細菌学者。

北西部のニーダーザクセン州生まれ。ゲッティンゲン大学を卒業。細菌の培養法を確立し、1876年に炭疽菌の純粋培養に成功。細菌が動物の病原体であることを証明した。1882年に結核菌を、1883年にはコレラ菌を発見。1890年、結核菌の培養過程で生じる上澄みからつくったツベルクリン抗原は、のちに結核感染の判定に用いられた。結核に関する研究の業績から1905年のノーベル生理学・医学賞を受賞した。ベルリン大学で教えた門下生の中には、腸チフス菌を発見したガフキー、血清療法の研究で1901年のノーベル生理学・医学賞を受賞したベーリング、破傷風菌の純粋培養に成功し、さらにペスト菌を発見した北里柴三郎ら多数の著名な細菌学者がいる。パスツールとともに、「近代細菌学の開祖」とよばれる。1908年、北里にまねかれて日本をおとずれ、その翌々年に亡くなった。コッホが結核菌を発見した3月24日は世界結核デーとされている。

学 ノーベル賞受賞者一覧

ゴッホ, ビンセント・ファン

→ 87 ページ

コッポラ，フランシス・フォード

映画・演劇

フランシス・フォード・コッポラ　1939年～

斬新な映像や音楽で演出した映画監督

アメリカ合衆国の映画監督、脚本家、映画製作者。

ミシガン州デトロイトに生まれ、ニューヨークで育った。イタリアの家系で、作曲家の父をもつ。8歳ごろから8ミリ映画を撮りはじめる。ホフストラ大学で演劇を専攻し、卒業後はカリフォルニア大学で映画を学んだ。監督ロジャー・コーマンのアシスタントをしながら脚本を書き、映画脚本家としてスタートする。1972年の監督作品『ゴッドファーザー』、つづく『ゴッドファーザー PART II』、1979年の『地獄の黙示録』の大ヒットで監督としての地位を確立した。その後も監督をつづけるが、自分の会社の倒産、息子の死などが重なり、一時期、製作の仕事に専念する。2007年から監督として復帰した。斬新な映像や、音楽の効果的なつかい方で群をぬき、とくに初期の作品は、熱烈なファンをもつ。家族、親類に映画関係者が多く、娘や息子、孫娘も映画監督をしている。最近はワインづくりでも知られる。

コッローディ，カルロ

絵本・児童

カルロ・コッローディ　1826～1890年

ことばを話すあやつり人形ピノッキオの物語作者

イタリアの児童文学作家、ジャーナリスト。

コローディともいう。フィレンツェの生まれ。本名はカルロ・ロレンツィーニ。コッローディの名前は、母親の故郷である村の名前からつけた。19世紀なかばまで小国に分かれ、外国に支配されていたイタリアで、独立戦争に参加する。イタリアが独立したのちは、ジャーナリストとして政治を風刺する新聞記事を書いたり、コッローディの名前で評論、戯曲、小説を発表したりする。50歳をすぎてから、フランスの童話作家シャルル・ペローの作品の翻訳や、ユーモラスな文章による教科書『ジャンネッティーノ』などの創作をはじめた。

1881年からこども新聞に連載した『ピノッキオの冒険』で、一躍人気となる。この作品は、木工職人のジェペットじいさんの手でつくられたあやつり人形のピノッキオが、さまざまな冒険をへて愛にめざめ、人間のこどもになる物語で、イタリアをはじめ、各国で人気になり、現在も読みつがれている。

コティ，ルネ

政治

ルネ・コティ　1882～1962年

フランス第四共和政最後の大統領

フランスの政治家。大統領（在任 1954 ～ 1959 年）。

ル・アーブル生まれ。カーン大学卒業後、1902年に弁護士を開業し、その後は県会議員などをつとめる。第一次世界大戦には志願して参加した。1923年に下院議員、1935年からは上院議員をつとめた。第二次世界大戦中のドイツ占領下では、政治活動はおこなわなかったが、戦後はふたたび下院議員をつとめ、1947年に復興大臣、1954年に大統領に就任した。1958年、フランス領であったアルジェリアで独立をめぐる反乱がおこると、反乱側の要求を受け入れてド・ゴール将軍を首相に任命した。1959年の第五共和政の発足にともない引退。第四共和政最後の大統領となった。

学 主な国・地域の大統領・首相一覧

ゴ・ディン・ジェム

政治

ゴ・ディン・ジェム　1901～1963年

ベトナム共和国の初代大統領

ベトナム（南ベトナム）の政治家。ベトナム共和国初代大統領（在任 1955 ～ 1963 年）。

古都フエの名家に生まれ、ハノイの法律行政学校に学ぶ。1932年、アンナン王国の内務大臣に就任。1945年、日本軍が進駐した際、新内閣の首班に指名されるが拒否。1954年、アメリカ合衆国の影響下にあるバオダイ帝が統治する南ベトナム首相に任命される。1955年、国民投票によりバオダイ帝をやぶり、ベトナム共和国を樹立、初代大統領に就任した。南北ベトナム統一のための総選挙実施を求めたジュネーブ協定最終宣言への署名を、アメリカとともに拒否。共産主義勢力や反政府勢力をアメリカの支援を受けながら、きびしく弾圧した。しかし、弾圧に抗議し、焼身自殺をした仏教僧の映像が世界に流れるなどして国際世論の反感を買い、またアメリカとの関係も悪化していき、1963年、ドン・バン・ミン将軍らの軍部クーデターにより、弟で大統領顧問をつとめたゴ・ディン・ヌーとともに殺害された。

こてき（フーシー）

思想・哲学

胡適　1891～1962年

中国の言文一致を主張、文学革命をおこなった

中華民国の学者、思想家。

安徽省生まれ。「こせき」とも読む。字は適之。1910年アメリカ合衆国に留学。コーネル大学、次にコロンビア大学で学び、ジョン・デューイのもと、真理は人間が行動によって創造するものであると考えるプラグマティズムを学んだ。

帰国後、雑誌『新青年』の編集者であった陳独秀の依頼を受け、1917年に「文学改良芻議」を発表、西洋と同様に、中国も言文一致であるべきだと主張した。これは伝統的な文学に対する文学革命のきっかけとなった。北京大学の教授となり、社会改革と儒教批判をうったえたが、五・四運動以後は改革運動のはげしさを警戒、李大釗との論争では保守的な考えをみせ、マルクス主義と対立した。その後、蔣介石政権に接近、駐米大使や行政院最高政治顧問、北京大学長をつとめたが、中華人民共和国の成立によってアメリカへ亡命した。1958年に台湾へ移り、1962年に70歳で死去。自伝『四十自述』や『胡適文存』など、多数の著書がある。

ごとうけいた

産業

五島慶太　1882～1959年

東急グループの礎をつくった

（国立国会図書館）

大正時代～昭和時代の実業家。

長野県生まれ。小林姓から結婚後、五島姓となった。五島昇は長男。1911（明治44）年、東京帝国大学（現在の東京大学）法科大学卒業後、農商務省をへて鉄道院に勤務。東京近郊の私鉄経営に転じ、1920（大正9）年、武蔵電気鉄道の常務となる。

1922年には目黒蒲田電鉄を設立し、専務に就任。その後、両社の社長となり、1939（昭和14）年に合併させて東京横浜電鉄とした。1942年には小田急と京浜電鉄を統合し、東京急行（東急）電鉄とし、沿線に娯楽施設やデパートをつくって、大学などの学校を誘致、付加価値を高めた。旺盛な事業活動から「強盗慶太」の異名をとる。小林一三とならび、「西の小林・東の五島」といわれた。1944年、東条英機内閣の運輸通信大臣に就任し、名古屋駅の交通緩和や船員の待遇改善などに貢献。第二次世界大戦後、東京急行電鉄の会長となると、鉄道事業のかたわら教育事業にも関心を寄せ、東横学園（東京都市大学グループ五島育英会）を設立。貴重な美術品を集め、死後は世田谷区に創立された五島美術館で、その所蔵品が公開されている。

ごどうげん

絵画

呉道玄　生没年不詳

山水画の基本をつくった画家

中国、唐代の画家。

河南省禹県に生まれる。呉道子ともいう。玄宗が皇帝だった8世紀前半ごろに活躍した。

最初は書を学び、やがて画業をめざす。地方官吏のもとで壁画などをかいていて玄宗皇帝の目にとまり、宮廷画家となる。人物、風景、花鳥など、どんな絵もじょうずだったといわれる。とくに壁などの大画面が得意で、仏教の寺や道教の建物に、合計で約300点もの壁画をてがけた。観察はじっくりとするが、かきはじめると速く、一気にしあげるのが特徴だったとされる。ある武人の絵は、剣の舞をおどっているのをみて、その場でかき上げたという話が伝えられている。画風は生き生きとしてダイナミックで、山や川に立体感をもたらす手法を考えだし、山水画の基本をつくった。中国絵画の発展を進めた唐代第一の画家とよばれる。現在のところ、自筆の作品は一つものこっていない。

ごとうじゅあん

郷土

後藤寿庵　1577？～1638？年

胆沢川に用水路をつくった武士

戦国時代～江戸時代前期の武士。

陸奥国東磐井郡（現在の宮城県北部、岩手県南部）を支配した葛西氏の家臣岩淵氏の子として生まれた。1590年、豊臣秀吉に抵抗してやぶれ、五島列島（長崎県）にのがれたとき、洗礼を受け、キリシタンとなる。洗礼名は五島（のちに後藤）ジュアンだった。その後、伊達政宗につかえ、1612年ころ、胆沢郡福原（岩手県奥州市）に領地をあたえられた。領内の大規模な開発が命じられ、1618年、胆沢川上流から水をとり入れ、胆沢平野に用水路をつくる治水工事をはじめた。しかし用水路（寿庵堰）の工事中に、幕府がキリスト教禁止令を強めたため、ゆくえをくらまし、工事は1.7km進んだところで中断した。その後、村人が再開し、1631年、全長約9kmが完成した。

▲現在の寿庵堰　（奥州市商業観光課）

ビンセント・ファン・ゴッホ

みずからを燃やしつくした炎の画家

■美術商から伝道師へ

後期印象派を代表するオランダの画家。

ベルギーとの国境に近い北ブラバント州の村に生まれる。父はカルバン派（キリスト教の新教派）の牧師。16歳のときに美術商のグーピル商会につとめ、オランダのハーグ、イギリスのロンドン、フランスのパリなどではたらいた。思いこみがはげしく、人づきあいが苦手だったことなどから、1876年、客や上司と口論をして、解雇される。その後、語学教師や書店員になるが、長つづきせず、1878年、ブリュッセルの伝道師養成所で学んだのち、炭鉱の町で伝道師としてはたらきはじめた。しかし、貧しい炭鉱労働者の悲哀を分かち合おうと、みすぼらしい身なりで生活するなどしたため、聖職者としてふさわしくないとみなされ、教会から解任された。

▲ゴッホの自画像（『耳を切った自画像』） 耳を切った事件の直後の1889年1月にえがかれた。背景に日本の浮世絵がかけられている。

■画家への道をあゆむ

失意のどん底のなか、「画家こそ天職」だと確信し、1880年、ブリュッセルの美術学校で遠近法や解剖学などを学んだ。その後、オランダ各地を転々としながら、画家ミレーの模写や農夫のデッサンなどをつづけた。社会の底辺でくらす貧しい人々を暗い色彩でえがいた『じゃがいもを食べる人々』がそのころの代表作である。1886年、パリの画廊につとめる弟のテオのところに行き、ロートレックやピサロ、ゴーガンらと知り合った。当時、パリの若い画家たちのあいだでブームとなっていた印象派や日本の浮世絵版画の影響を受け、それまでの暗い色彩は消えて、みちがえるように明るくなった。

▲『じゃがいもを食べる人々』 貧しい農民の姿を愛情こめてえがいている（1885年）。

■ゴーガンとの共同生活

1888年、新たな芸術の拠点を求めて、南フランスのアルルへ移った。温暖で光あふれるこの地で、『アルルの跳ね橋』『ひまわり』など、強い色彩と荒々しい筆づかいの独自の作品を次々に生みだした。また芸術家のユートピア（共同体）を夢みて、ゴーガンをよびよせ、その秋から共同生活をはじめた。しかし、2人の強烈な個性がはげしくぶつかり、12月23日、口論の末、ゴッホはかみそりでゴーガンに切りかかり、自分の耳たぶを切り落とす事件をおこした。翌1889年、ゴッホはアルル近郊のサン・レミの精神病院に入院し、ときどきはげしい発作をおこし、そのあいまに制作に没頭した。心の動揺が、ゆれ動く大地や燃え上がるイトスギ（『糸杉のある道』）、渦をまくような幻想的な星空（『星月夜』）などに表現された。

▲『ひまわり』 ゴッホは太陽に顔をむけるとされたヒマワリを、信仰の象徴として、好んでえがいた（1888年）。

■病気との闘いと自殺

1890年5月、パリ近郊にあるオーベール・シュル・オワーズに移り、医師ガシェの治療を受けながら絵をかきつづけた。荒れくるう空の下、麦畑の中を不吉な黒いカラスが舞っている『カラスのいる麦畑』をしあげてまもなく、ピストル自殺をはかり、7月29日、37歳で死去した。

画家として活動したのは生涯のうち約10年だが、その期間に850点あまりの油彩をえがいた。人並み以上の熱情をそそぎ、みずからを燃焼しつくしたことから、「炎の画家」とよばれ、20世紀のフォービスムや表現主義に大きな影響をあたえた。

▶『星月夜』 黒いイトスギが炎のように燃え上がり、青暗い夜空には星や月が不気味に渦をまきながら輝いている（1890年）。

ゴッホの一生

年	年齢	主なできごと
1853	0	3月30日、オランダのフロート・ツンデルト村に生まれる。
1869	16	美術商のグーピル商会ではたらく。
1878	25	伝道師として炭鉱ではたらく。
1880	27	画家を志し、ブリュッセルほか、オランダ各地で学ぶ。
1886	33	パリに出て、印象派の画家たちと交流。
1888	35	アルルでゴーガンと共同生活。年末に「耳切り事件」おこる。
1889	36	サン・レミの精神病院に入院。
1890	37	7月27日、ピストル自殺をはかり、29日に亡くなる。

※年齢は満年齢であらわしている

ごとうしょうざぶろう

産業

後藤庄三郎　1571〜1625年

徳川家康にまねかれ慶長小判、慶長一分金を鋳造

▲慶長小判
（日本銀行金融研究所貨幣博物館所蔵）

江戸時代初期の金座の初代責任者。

本名は橋本光次。京都生まれ。豊臣秀吉につかえて天正大判を鋳造した後藤徳乗の門人で、のちに養子になった。1593年、徳川家康にまねかれて徳乗のかわりに江戸に行き、小判を鋳造した。江戸幕府がひらかれると、慶長小判、慶長一分金を鋳造し、金貨鋳造と鑑定をする金座の責任者となって幕府の貨幣整備につとめた。また、銀貨を鋳造する銀座の設立にも力をつくした。徳川家康に信頼されて側近としてつかえ、朱印がおされた公的文書である朱印状の発行など幕府の貿易や外交にも大きな役割をはたした。子孫は、代々後藤庄三郎を名のり金座の責任者をつとめ、勘定奉行（税の徴収など幕府の財政運営を担当する役人）の管理の下金貨の鋳造をおこなった。しかし、1810年、11代目の光包のとき不正が発覚して三宅島（現在の東京都三宅島）に流罪になり、後藤家はとりつぶされた。江戸本町にあった後藤家の屋敷の場所には、現在日本銀行の本店がある。

ごとうしょうじろう

幕末

後藤象二郎　1838〜1897年

大政奉還や、自由民権運動でも活躍

（国立国会図書館）

幕末の土佐藩（現在の高知県）の藩士、明治時代の政治家。

土佐藩の重臣吉田東洋にみとめられ、郡奉行（地方の行政を担当した役職）などをつとめたが、1862年、吉田が尊王攘夷派（天皇をうやまい外国勢力を追いはらおうという考えの人々）の土佐勤王党によって暗殺されると辞職した。1863年、藩主山内豊信に抜てきされて藩政の中心に立ち、土佐勤王党の弾圧、長崎での交易、開成館の設立などをおこなった。1867年、坂本龍馬と幕府から朝廷に権力を返させる大政奉還に力をつくして実現させ、明治新政府では重職の参議などをつとめた。1873（明治6）年、西郷隆盛らと、征韓論を主張したが、大久保利通らにやぶれて、辞職した。1874年、板垣退助らと愛国公党を結成し、国会の開設を求め「民撰議院設立建白書」を政府に提出。1881年、自由党に参加して国民の政治参加や権利拡大をうったえる自由民権運動を進めたが、政府のさそいに乗って外国へ遊学して問題になった。1887年、反政府でまとまる大同団結運動をとなえたが、2年後に突然黒田清隆内閣の逓信大臣になるなど、立場の変転がはげしかった。その後の内閣でも逓信大臣（郵政、電気通信省の大臣）をつとめ、1892年、第2次伊藤博文内閣では農商務省大臣をつとめたが、商品取引所の開設で収賄の問題がおこり、辞職した。

ごとうしんぺい

政治　郷土

後藤新平　1857〜1929年

植民地行政、都市政策、震災復興につくした

▲後藤新平　（国立国会図書館）

明治時代〜大正時代の政治家、東京市長。

仙台藩（現在の岩手県南部・宮城県）の藩士の子として、城下町の一つ、水沢（岩手県奥州市）で生まれる。福島県の須賀川医学校で学び、1876（明治9）年、愛知県病院（現在の名古屋大学医学部附属病院）につとめ、1881年、同病院の院長および医学校の校長になった。1882年、岐阜で遊説中におそわれて負傷した板垣退助の治療にあたった。

1883年、内務省衛生局に入り、病院や衛生に関する制度の改革にとりくんだ。1890年、ドイツの衛生制度を研究するためドイツに留学し、ドクトルの学位をとった。コッホや北里柴三郎らにも学んだ。1895年、日清戦争が終わって日本に帰ってくる兵士の検疫業務を担当し、陸軍次官の児玉源太郎の信任を得た。1898年、台湾総督になった児玉に抜てきされ、台湾総督府の民政局長に任じられた。後藤は時間をかけてアヘンの常用者をへらすことに成功。土着の反日武装勢力には、仕事をあたえることで投降させた。また鉄道の建設、港湾の建設、土地調査などを進める一方、食塩やしょうのう、アヘン、タバコを専売制にし、新たにサトウキビの栽培を進めるなど、台湾の産業や経済を活性化させた。

1906年、南満州鉄道の初代総裁に就任。鉄道の広軌化（レールの間隔を標準より広くする）を進めるとともに、炭鉱の拡大、火力発電所の設置など沿線の開発や、水道、道路、公園の整備など都市の建設にあたるなど、満州（中国東北部）経営に力をそそいだ。

1908年、桂太郎内閣の逓信大臣と鉄道院総裁に、1916（大正5）年、寺内正毅内閣の内務大臣と鉄道院総裁に、次

いで外務大臣となり、シベリア出兵政策を進めた。1920年、東京市長に就任。東京市改造計画を提案した。また、ソビエト連邦（ソ連）政府の代表ヨッフェと会談し、1917年のロシア革命以後、とだえていたソ連との国交回復をはかった。

▲1929年の神戸大阪少年団閲団式に出席したときの後藤新平

1923年、関東大震災がおこり、東京が焼け野原になると、山本権兵衛内閣の内務大臣と帝都復興院総裁を兼任し、復興に力をつくした。その後、東京放送局（現在のNHK）の総裁、少年団日本連盟（ボーイスカウト）の総裁などもつとめた。晩年は政治の倫理化運動をはじめ、各地を遊説してまわった。

岡山にむかう途中、東海道線の列車内で脳溢血にたおれ、1929（昭和4）年4月13日、死去した。

ごとうまたべえ

戦国時代

● 後藤又兵衛　1560？～1615年

大坂夏の陣で真田幸村とともに戦った武将

戦国時代～江戸時代前期の武将。

本名は基次。戦国時代の武将黒田孝高（官兵衛）に育てられ、黒田孝高・黒田長政親子につかえた。豊臣秀吉の九州平定、文禄・慶長の役、関ヶ原の戦いなどで戦功を立て黒田家の重臣になった。1600年、長政が筑前国（現在の福岡県北西部）52万石をあたえられると、大隈城（福岡県嘉麻市）の城主になった。しかし、孝高の死後、長政にうとんじられて1606年、黒田家をはなれ浪人になった。1614年、大坂冬の陣がおこると豊臣秀頼にまねかれて大坂（阪）城に入った。翌年の夏の陣では真田幸村とともに城を出て戦うが、やぶれて戦死した。

ごとうみつつぐ

後藤光次 → 後藤庄三郎

ごとうゆうじょう

工芸

● 後藤祐乗　1440～1512年

格調高いみやびな細工で将軍たちに愛された

室町時代の金細工師。

美濃国（現在の岐阜県南部）の出身といわれる。祐乗は法名。室町幕府第8代将軍足利義政につかえ、将軍おかかえの金細工師として、小づか（日本刀に付属する小刀のつか）、こうがい（男性が髪をととのえるときなどにつかう道具。刀のさやに収納した）、目貫（日本刀のつかにつける金具）などの製作を進め、『牡丹獅子造小さ刀拵』（国指定重要文化財）、『倶利伽羅龍三所物』などの作品をのこした。

（後藤祐乗画像／東京大学史料編纂所所蔵模写）

東山文化とよばれる水墨画、造園、茶道、華道など多彩な芸術が花ひらいたこの時代、祐乗は工芸の分野から東山文化の発展に貢献した。

祐乗の子孫は代々四郎兵衛の名を名のり、織田信長、豊臣秀吉、徳川家康につかえて大判（金貨）の彫金、鋳造にもたずさわるようになった。

後藤四郎兵衛家は、江戸幕府がたおれて明治維新をむかえるまで17代にわたってつづき、幕府の貨幣生産に重要な役割をはたした。

ごとうりゅうじ

絵本・児童

● 後藤竜二　1943～2010年

挑戦するこどもたちの姿をリアルにえがく

昭和時代～平成時代の児童文学作家。

北海道生まれ。本名は隆二。早稲田大学文学部を卒業。1966（昭和41）年、北海道の農村を舞台に躍動感あふれるこどもたちをえがいた『天使で大地はいっぱいだ』が、講談社児童文学新人賞の佳作にえらばれ、児童文学作家としてデビューした。その後も『1ねん1くみ』シリーズや、『キャプテンはつらいぜ』シリーズ、『12歳たちの伝説』シリーズなど、学校を舞台にさまざまな問題に前向きにいどむこどもたちの姿をえがきつづけた。1979年の『故郷』で旺文社児童文学賞、1994（平成6）年、『野心あらためず』で野間児童文芸賞など多数の賞を受賞し、2006年発表の『おかあさん、げんきですか。』（絵・武田美穂）で日本絵本賞大賞と読者賞をダブル受賞した。

ごとばてんのう

王族・皇族

● 後鳥羽天皇　1180～1239年

鎌倉幕府に対し、承久の乱をおこす

（宮内庁三の丸尚蔵館）

鎌倉時代前期の第82代天皇（在位1183～1198年）。高倉天皇の子で、土御門天皇、順徳天皇の父。即位する前は尊成親王とよばれた。

源平の戦いのなか、1183年、安徳天皇が平氏とともに都落ちしたため、4歳で即位した。三種の神器（天皇が皇位のしるしとして受けつぐ鏡、玉、剣の3つの宝物）のない異例の即位だった。祖父の後白河法皇（譲位後に出家した後白河天皇）が院政をおこなっ

たが、1192年、法皇の死後は摂政の九条兼実が朝廷の実権をにぎった。1198年、皇子の為仁親王（土御門天皇）に譲位して院政をはじめ、順徳天皇、仲恭天皇の3代にわたり院政をおこなった。1201年、和歌所（和歌の選定をおこなう役所）をつくり、西面の武士（院の御所の西面につめて警護にあった武士）をおいた。文武両道をすすめ、琵琶、笛の演奏、けまり、水練（水泳）、流鏑馬（ウマを走らせながら弓矢で的を射る武芸）などに、すぐれた才能を発揮したといわれる。多くの荘園からの収入をもとに、水無瀬（大阪府島本町）、鳥羽（京都市）、宇治（京都府宇治市）などに離宮を造営し、宴会などをして楽しんだ。寺社への御幸（天皇が出かけること）もたびたびで、とくに天皇家が尊崇する信仰の地、熊野神社（和歌山県）には生涯で28回も参詣した。歌人としても才能をあらわし、中世屈指の歌人であり、1205年、藤原定家らに命じて『新古今和歌集』を撰集させた。

鎌倉幕府に対しては朝廷の公卿の娘を源実朝の妻とさせるなど、幕府とよい関係をたもちながら、影響力を強めようとした。しかし、1219年、実朝が暗殺されると態度をかえ、将軍として上皇の皇子をむかえたいという幕府の要望をこばみ、幕府をたおそうという考えにかたむいた。

1221（承久3）年、諸国に北条義時追討の命令をくだし、西国の武士などを集めて挙兵した。はじめは京都守護（京都の警護や軍事、警察を担当する役職）を討ちとるなど戦果をあげたが、数万の大軍で京都へ攻めのぼった幕府の軍勢に、1か月あまりであっけなくやぶれ、隠岐（島根県隠岐諸島）に流罪となった（承久の乱）。その後和歌に情熱をそそぎ、『新古今和歌集』の追加や訂正をおこなった。

学 天皇系図　学 人名別 小倉百人一首

こにしやごろはち　郷土

小西屋五郎八　？～1687年

広島カキの新しい養殖法を考えた漁師

江戸時代前期の漁師。

安芸国佐伯郡草津村（現在の広島県広島市）に生まれた。広島湾の沿岸は潮がひくと広い干潟となり、アサリ、カキ、ノリなどの生育に適した環境だった。カキの養殖は、室町時代の終わりころにはじめられたと考えられている。海中に石をまき、カキが付着した石を干潟にならべ、生育したものを収穫する「石まき法」だった。干潟では、タケの枝をさして海面をくぎり、アサリを育てていたが、あるとき五郎八は、枝にカキがたくさんついているのを発見した。そこで、「ひび」とよばれるタケや雑木を干潟に立てて、カキを付着させる「ひび建て法」という新しい養殖法を考えだした。石まき法よりも大量のカキを養殖することができたので、しだいに広島湾沿岸各地に広まった。その後、カキを大坂（阪）の市場へはこび、販売の拡大をはかった。船を岸につなぎ、船内で販売したり、料理したりして、客に提供することもはじめた。

こにしゆきなが　戦国時代

小西行長　1558?～1600年

豊臣秀吉につかえた加藤清正のライバル

(『太平記英雄伝　八十八　小西摂津守行長』/都立中央図書館特別文庫室所蔵)

安土桃山時代の武将、キリシタン大名。

和泉国（現在の大阪府南西部）堺の豪商、小西隆佐の子に生まれる。幼名、弥九郎。幼いころ洗礼を受けた。洗礼名、アゴスチーニョ。

はじめ備前国（岡山県南東部）の宇喜多氏につかえ、のちに豊臣秀吉につかえる。1585年の紀州征伐において水軍をひきいて活躍し、そのの ち、九州征伐、肥後一揆の鎮圧などでも武功をあげる。1588年、肥後国（熊本県）を加藤清正と2分して、24万石を領地としてあたえられ、宇土城主となる。

1592（文禄元）年からの朝鮮出兵（文禄・慶長の役）では、第一軍の指揮官として先陣をつとめ、釜山城、漢城を落とし、平壌まで進んだ。

明軍との講和交渉にあたったが決裂し、要求をはたせなかったため、秀吉の怒りを買った。秀吉の死後、1600年の関ヶ原の戦いでは、石田三成ひきいる西軍につき、徳川家康と戦ったがやぶれ、京都六条河原において処刑された。

こにしりゅうさ　戦国時代

小西隆佐　1520?～1592年

キリシタン商人から豊臣秀吉の財務担当に

戦国時代～安土桃山時代の商人。

和泉国（現在の大阪府南西部）に生まれる。立佐とも書く。小西行長の父。

宣教師ザビエルの世話役をしたことがきっかけとなり、宣教師フロイスの師事を受けて、キリシタンとなった。洗礼名はジョウチン。1565年、キリスト教宣教師の京都追放令が出された際には、フロイスらを保護し、織田信長への使者をつとめるなどした。

羽柴秀吉（のちの豊臣秀吉）から商才をみとめられ、1586年、石田三成とともに、堺政所（堺奉行）となり、和泉国、河内国（大阪府東部）の豊臣家の直轄地の代官をつとめる。

1587年、九州攻めのための軍需品や兵糧の調達や運搬にあたり、翌年には南蛮船（ポルトガル船）から生糸を優先的に買いつけるなど、豊臣政権の財務を担当した。しかし同年、秀吉によりバテレン追放令がだされたのをきっかけに、堺奉行をやめ、その後、布教活動をつづけた。

このえひでまろ

音楽

近衛秀麿　1898〜1973年

日本のオーケストラの育成につくす

大正時代〜昭和時代の作曲家、指揮者。

東京生まれ。東京帝国大学（現在の東京大学）中退。兄は政治家の近衛文麿。宮中の雅楽を担当する旧公爵の家がらで、幼いころからバイオリンなどを習う。大学は音楽に熱中して退学し、その後、山田耕筰から作曲の指導を受ける。

1923（大正12）年から、ヨーロッパに留学して指揮法を学ぶ。1926年、新交響楽団（現在のNHK交響楽団）を創設、指揮を担当する。1952（昭和27）年に自身の管弦楽団をつくると、各地で客演指揮をおこない、モーツァルト、ベートーベン、マーラーなどの交響曲の日本初演をはたすなど、オーケストラの振興とクラシック音楽の普及につくす。演奏活動は約50年にのぼり、海外公演ではトスカニーニ、フルトベングラーなど世界の名だたる指揮者たちと交流する。

作品には『御大典交声曲』や童謡の『ちんちん千鳥』などがある。とくに伝統的な雅楽を管弦楽に編曲した『越天楽』は国際的にも評価が高い。

このえふみまろ

政治

近衛文麿　1891〜1945年

日中戦争、太平洋戦争時の内閣総理大臣

（国立国会図書館）

大正時代〜昭和時代の政治家。第34、38、39代内閣総理大臣（在任1937〜1939年、1940〜1941年、1941年）。

公爵近衛篤麿の長男として東京に生まれた。京都帝国大学（現在の京都大学）卒業後、1916（大正5）年、貴族院議員となる。1919年には西園寺公望についてパリ講和会議に出席。1933（昭和8）年には貴族院議長となった。

1937年、内閣総理大臣に就任した1か月後、盧溝橋事件をきっかけに日中戦争が勃発、内閣は不拡大方針をとったが、軍部におされて全面戦争に突入した。その後は当初とは逆に中国侵略継続の意志をしめし、講和せず、1939年、内閣は総辞職する。その後、太平洋戦争がはじまると、ふたたび内閣総理大臣となり、大政翼賛会を結成してファシズム体制をつくり、日独伊三国同盟をむすぶなど、軍中心の政治をおこなった。

日米交渉をおこなうためいったん総辞職し、1941年に第3次内閣を組閣したが、日米交渉に行きづまり10月に総辞職。1943年、戦局が不利になりはじめると和平運動に尽力するが、戦後、A級戦犯に指名され、自殺した。

学 歴代の内閣総理大臣一覧

ごはいふ（ウーペイフー）

政治

呉佩孚　1874〜1939年

北洋軍閥直隷派の一大勢力を築く

中国、清末期〜中華民国初期の軍閥政治家。

山東省出身。天津で淮軍に入隊し、1904年、北洋軍閥の陸軍学校を卒業。当時、北洋軍閥は、袁世凱の後継をめぐって、段祺瑞の安徽派と馮国璋や曹錕らの直隷派に分裂していた。呉佩孚は曹錕にみとめられて昇進し、辛亥革命の影響をおさえるため活躍した。日本の支援を受けていた安徽派や、同じく軍閥である奉天派の張作霖とは敵対し、1920年の安直戦争、1922年の第1次奉直戦争に勝利。直隷派が北洋軍閥の実権をにぎることになった。

洛陽を根拠地にイギリス、アメリカ合衆国とともに中国北方を支配し、1923年の京漢鉄道のストライキでは労働者を虐殺した（二・七事件）。しかし1924年、第2次奉直戦争に敗北。蔣介石の北伐軍にも追われ、その後は四川にかくれ住んだ。

こばやかわたかかげ

戦国時代

小早川隆景　1533〜1597年

毛利氏をささえた智将

（米山寺）

戦国時代〜安土桃山時代の武将。

安芸国（現在の広島県西部）の領主、毛利元就の3男として生まれるが、同じく安芸国の領主であった小早川家の養子となり、1550年、当主の座をつぐ。父、元就を助け、兄の毛利隆元、吉川元春とともに毛利氏の中国地方での勢力拡大につくし、元春とは「毛利の両川」とうたわれた。1582年、羽柴秀吉（のちの豊臣秀吉）の中国攻めに対しては、水軍をひきいて秀吉軍と戦うが、本能寺の変で織田信長が亡くなると、秀吉と和平をむすぶ。その後は秀吉にしたがい、四国、九州の平定や小田原攻めなど、天下統一事業を助けた。

1592（文禄元）年からの朝鮮出兵（文禄・慶長の役）では、

何度も日本軍の危機を救い、大きく貢献。これらにより、秀吉から智将としてあつい信頼を得て、1595年、豊臣五大老の一人となる。しかし病をわずらい、秀吉から養子にもらった小早川秀秋に当主の座をゆずり、隠居した。

こばやかわひであき

戦国時代

小早川秀秋 1582〜1602年

寝返ったことで関ヶ原の戦況がかわった

(高台寺所蔵)

安土桃山時代の武将。

近江国(現在の滋賀県)に生まれる。豊臣秀吉の正室、北政所(高台院)のおい。秀吉の養子として、幼少のころから北政所の下で育てられ、羽柴秀俊を名のる。1593年、秀吉の側室である淀殿が豊臣秀頼を産んだことで、小早川隆景の養子となり、秀秋と改名。翌年、当主の座をつぎ、隆景から筑前国(福岡県北西部)、筑後国(福岡県南部)、肥前国(佐賀県・長崎県)の一部をゆずりうけた。

1597(慶長2)年の朝鮮出兵(慶長の役)には予備隊の総大将として参戦するが、指導力に欠けると判断され、秀吉に帰国を命じられる。帰国後、筑前国、筑後国を没収されるが、翌年、秀吉の死後、もどされた。1600年、関ヶ原の戦いでは、はじめは石田三成ひきいる西軍に属したが、途中で徳川家康の東軍に寝返り、勝利の一因をつくった。この功績により、家康から備前国(岡山県南東部)・備中国(岡山県西部)・美作国(岡山県北東部)に50万石をあたえられ、岡山城に移り住んだが、21歳の若さで亡くなった。

こばやしいちぞう

産業 郷土

小林一三 1873〜1957年

「アイディアの神様」といわれた阪急グループ創始者

(国立国会図書館)

明治時代〜昭和時代の実業家、政治家。

山梨県の商家に生まれる。1892(明治25)年に慶應義塾大学を卒業後、三井銀行に入社し、1907年に34歳で退社。同年、箕面有馬電気軌道(現在の阪急電鉄)の専務取締役となり、電鉄の経営にたずさわる。沿線の宅地を開発し、遊園地や動物園などの娯楽施設を建設、宝塚少女歌劇団を創設するなど、電鉄経営と組み合わせた多角化戦略を展開した。1927(昭和2)年に社長に就任し、日本ではじめて、直営のターミナル・デパートである阪急百貨店を開店させる。さらに、ホテル事業、東京宝塚劇場、東宝映画などの興業、娯楽事業にも進出し、「アイディアの神様」ともいわれて、阪急東宝グループをつくり上げた。「沿線の地域を開発することにより、人口がふえ、鉄道の乗客もふえる」という独創的な経営戦略は、近代の私鉄経営のモデルとなっている。1940年に商工大臣、1945年に国務大臣兼復興院総裁をつとめるなど、政界でも活躍した。

こばやしいっさ

詩・歌・俳句

小林一茶 1763〜1827年

親しみやすい句で愛された俳諧師

▲小林一茶 (一茶記念館提供)

江戸時代後期の俳諧師。

信濃国柏原(現在の長野県信濃町)の農家に生まれた。本名は信之。3歳で母と死別し、8歳のときに父がむかえた新しい母になじめず、15歳で江戸(東京)へ奉公に出た。奉公のかたわら俳諧(こっけいみをおびた和歌や連歌、のちの俳句など)を学ぶ。30歳のときから6年間、京都や大坂(阪)、四国、中国、九州地方をめぐって俳諧の修業をした。その後、江戸にもどって句集『さらば笠』『旅拾遺』を出版し、名を知られるようになった。生活は苦しかったが江戸の俳諧師らと親しく交流し、独自の俳風の確立につとめた。

39歳のとき、父を看病するため故郷にもどり、そのときのようすを『父の終焉日記』にまとめた。父は、一茶と異母弟で家や田畑を半分ずつ分けるように遺言するが、父の死後、異母弟と遺産の配分をめぐってあらそい、1813年、ようやく和解して故郷に定住した。翌年、52歳で結婚。しかし、4人のこどもや妻に先だたれるなど、家庭的にはめぐまれず、一茶自身も病気に苦しんだ。1827年、大火で家を失い、焼けのこった土蔵でくらしていたが、まもなく亡くなった。

▲小林一茶の旧宅
(一茶記念館提供)

幼くして亡くなった娘、さとの追悼のためにあらわした句集『おらが春』は、一茶の最高傑作といわれている。ほかに48歳から56歳までの9年間の記録『七番日記』などがある。一茶は生涯に2万句をこえる俳諧をつくったが、その中には「名月を　とっ

てくれろと　なく子かな」「やせ蛙　まけるな一茶　これにあり」などにみられるように、こどもや動物への愛情にあふれた句が多い。

こばやしきよちか

絵画

● 小林清親　1847〜1915年

明治時代に最後の浮世絵師とよばれた画家

（協力：練馬区美術館）

明治時代の木版画家、風刺画家。

江戸本所（現在の東京都墨田区）生まれ。15歳のとき家をつぎ、江戸幕府の年貢米などを保管する御蔵につとめる。明治維新のあと、静岡に移るが、画家をめざして上京し、イギリス人画家チャールズ・ワーグマンから洋画を、河鍋暁斎から日本画を、柴田是真に漆絵を学んだとされる。

1876（明治9）年、木版画『東京江戸橋之真景』などを発表し、文明開化により変化する東京の風景をえがきつづける。浮世絵に西洋画の明暗法や遠近法をとり入れたもので、みずから「光線画」とよび、独特の画風をつくった。1881年、両国の大火で自宅を失うが、火事のようすをえがいた連作が評判となる。その後、「清親ポンチ」とよばれる風刺画を雑誌などに発表し、新聞のさし絵でも活躍した。日清戦争や日露戦争の時代には、戦争を題材にした作品を制作した。浮世絵そのものがおとろえたため、最後の浮世絵師ともよばれる。

こばやしくめざえもん

郷土

● 小林粂左衛門　1806〜1856年

諏訪地方に寒天づくりを広めた商人

江戸時代後期の商人。

信濃国玉川村（現在の長野県茅野市）に生まれた。商品をもって売り歩く行商をしていたとき、丹波国（京都府中部・兵庫県東部）で寒天づくりをしているところを目にした。寒天は、海藻のテングサなどを煮つめてろ過し、煮汁を寒気にさらしてこおらせて、ほしてつくる。寒天づくりが、寒くて空気のかわいた冬の諏訪地方（長野県中部の諏訪市、岡谷市、茅野市など）に適していると考え、丹波に出かけて、製法を学んだのち、帰郷した。1841年ごろから、原料となるテングサを大坂（阪）から仕入れて、玉川村で寒天づくりをはじめた。製品を江戸（東京）や甲府（山梨県甲府市）で販売した。やがて、寒天づくりは諏訪地方の農家の副業になり、諏訪寒天の名で広まり、特産品となった。現在も、茅野市を中心に、寒天づくりがさかんにおこなわれている。

▲12月下旬から2月上旬までおこなわれる寒天干しのようす
（茅野商工会議所）

こばやしこけい

絵画

● 小林古径　1883〜1957年

日本美術院の中心的な画家

大正時代〜昭和時代の日本画家。

新潟県生まれ。本名は茂。1899（明治32）年、画家をめざして上京し、梶田半古のもとで大和絵を学ぶ。日本美術院と日本絵画協会が連合でひらく共進会に作品を発表し、受賞を重ねる。1910年、今村紫紅や安田靫彦らの紅児会に参加した。1912年、文部省美術展覧会（文展）にだした『極楽井』で注目を集める。1914（大正3）年、日本美術院の第1回展に『異端』を出し、同人となる。以後、『阿弥陀堂』『竹取物語』『いでゆ』『麦』を発表し、日本美術院の中心的画家として活躍した。

1922年から翌年にかけて、前田青邨とヨーロッパに留学した。ロンドンの大英博物館で古代中国の『女史箴図巻』の細い線の美しさに圧倒され、みずからの技術をみがいた。1931（昭和6）年の『髪』は、その成果が発揮された代表作である。1944年から1951年まで東京美術学校（現在の東京藝術大学）教授をつとめた。1950年、文化勲章を受章した。

学 文化勲章受章者一覧

こばやしたきじ

文学

● 小林多喜二　1903〜1933年

『蟹工船』を書いたプロレタリア作家

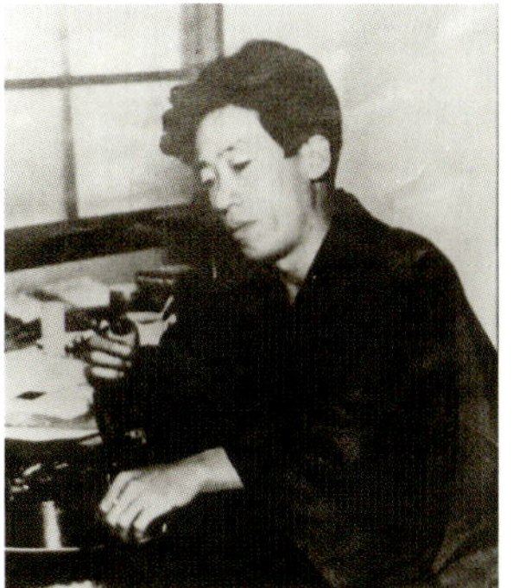
（日本近代文学館）

昭和時代の作家。

秋田県生まれ。生家の農家が没落し、5歳のとき、おじをたよって一家で北海道小樽へ移住した。小樽高等商業学校（現在の小樽商科大学）を卒業後、北海道拓殖銀行に就職した。少年時代から文学への関心が高く、作品を雑誌へ投稿し、友人らと同人誌『クラルテ』を創刊。ロシア文学や志賀直哉の作品に刺激されていた。その後、労働者の権利を獲得するための社会運動にも参加するようになり、労働者の立場に立って社会の革命をえがくプロレタリア文学に関心をもつ。1928（昭和3）年、特高警察の大弾圧と拷問をえがいた『一九二八年三月十五日』を、1929年には『蟹工船』や『不在地主』を発表して作家としてみとめられた。しかし、当時は非合法だった共産党員として活動したことを理由に銀行を解雇され、逮捕された。1933年に『地区の人々』の発表直後、スパイを手引きした容疑でふたたび逮捕され、拷問によって殺害された。

こ
こばやし

こばやしとらさぶろう

郷土

● 小林虎三郎　1828～1877年

長岡の教育の基礎を築いた教育者

（長岡市立中央図書館）

江戸時代後期～明治時代の武士、教育者。

越後国長岡藩（現在の新潟県長岡市）の藩士の子として生まれ、俊才として名高く、17歳で藩校崇徳館の助教となった。1850年、藩の命令で江戸（東京）へ行き、佐久間象山の門下生となり、蘭学などを学んだ。1854年、ペリーが再来して開国を求めたとき、横浜開港を幕府に進言し、藩から帰国を命じられた。戊辰戦争では、新政府軍と幕府軍のあいだで中立を主張し、結局新政府軍と戦うことを決めた河井継之助と対立し、非戦論を主張した。長岡藩はやぶれて、領地を没収されたが再興され、1869（明治2）年、藩の大参事（藩の政治をみる家老）となった。長岡藩の支藩の三根山藩（新潟市西蒲区）から、見舞いの米100俵が送られてきた。虎三郎は「国が栄えるためには人が大事だ。そのためには教育が第一だ」と考え、その米を売りはらい、国漢学校（小学校）の設立基金にして、その後の長岡の教育の基礎を築いた。

こばやしひでお

文学

● 小林秀雄　1902～1983年

日本を代表する評論家

昭和時代の評論家。

東京生まれ。東京帝国大学（現在の東京大学）仏文科卒業。旧制中学のころに詩人の富永太郎や評論家の河上徹太郎と知り合い、大学では中原中也、大岡昇平らと交流する。はじめは『蛸の自殺』『一ツの脳髄』『ポンキンの笑ひ』などの小説を書いていたが、1926（大正15）年に、フランスの詩人ランボーをとり上げた『人生斫断家アルチュル・ランボオ』で文学批評をはじめた。1929（昭和4）年に、文芸雑誌『改造』の懸賞評論で『様々なる意匠』が入賞し、批評家としてみとめられた。

日本の歴史や古典文学を深く研究し、『無常といふ事』『モオツァルト』『ゴッホの手紙』などを発表する。音楽や美術などさまざまな分野でも独創的な批評をおこない、自己表現としての近代の批評を確立し、大きな影響をあたえた。ほかに多くの読者に支持された『考へるヒント』や、12年をついやして完成させた『本居宣長』などがある。1967年に文化勲章受章。

学 文化勲章受章者一覧

こばやしまこと

学問

● 小林誠　1944年～

クォークについての研究でノーベル物理学賞を受賞

理論物理学者。

愛知県生まれ。名古屋大学理学部物理学科卒業。1967（昭和42）年に同大学大学院で理学博士の学位を取得。その後、京都大学理学部助手となる。1973年、名古屋大学の先輩の益川敏英とともに、「小林・益川理論」を発表。クォーク（陽子、中性子などを構成する素粒子）が全部で6種類あることを理論的に予言した。その後、高エネルギー物理学研究所（現在の高エネルギー加速器研究機構）で理論物理学の研究を進め、2003（平成15）年に同研究機構素粒子原子核研究所長、2006年には同機構名誉教授に就任した。

1995年に6種類目のクォークが確認されたことにより、2008年、ノーベル物理学賞を受賞。同年、文化勲章受章。

学 ノーベル賞受賞者一覧　学 文化勲章受章者一覧

ごふかくさてんのう

王族・皇族

● 後深草天皇　1243～1304年

持明院統の祖

（宮内庁三の丸尚蔵館）

鎌倉時代中期の第89代天皇（在位1246～1259年）。

後嵯峨天皇の子で、亀山天皇の兄。即位する前は久仁親王とよばれた。

1246年、4歳で即位したが、父の後嵯峨上皇（譲位した後嵯峨天皇）が院政をおこなった。1259年、父の命令により弟の恒仁親王に譲位し、亀山天皇が即位した。1272年に後嵯峨上皇が死ぬと皇位継承や所領をめぐる問題がおこり、後深草天皇と亀山天皇が対立したが、後嵯峨天皇の中宮（皇后と同じ身分）だった大宮院が亀山天皇を支持したので、鎌倉幕府も了承した。

1274年、亀山天皇の皇子で8歳の世仁親王が後宇多天皇として即位し、亀山上皇（譲位した亀山天皇）が院政をおこなった。これを不満とした後深草天皇の近臣が幕府にはたらきかけたので、1275年、皇子の熙仁親王が皇太子となり、1287年、伏見天皇として即位し、後深草上皇（譲位した後深草天皇）が院政をおこなった。その後は、亀山天皇の子孫（大覚寺統）と、後深草天皇の子孫（持明院統）が交互に皇位につくことになった。これを両統迭立といい14世紀の終わりまでつづけられた。

学 天皇系図

コブデン，リチャード

政治

リチャード・コブデン　1804〜1865年

穀物法廃止を実現した産業資本家

イギリスの政治家、経済学者。

サセックス州の農家に生まれる。早くに父を亡くし、15歳からロンドンで事務員としてはたらくが、24歳のとき友人と織物商をはじめ、マンチェスターでキャラコ捺染工場をおこして成功し富豪となった。アメリカ合衆国、近東、ドイツへの旅行で見聞を広め、自由貿易と国際平和を説いた。また、アダム・スミスの経済学に傾倒し、マンチェスター学派をひらいた。産業資本家の立場から、同志であるブライトらと反穀物法同盟を組織して下院議員となり、1846年、穀物法廃止に成功、「貧民の救済者」として人気を得た。自由貿易、軍縮をとなえ、クリミア戦争、アロー戦争に反対したため1858年に落選したがまもなく復帰し、英仏通商条約締結に貢献した。

コペルニクス，ニコラウス

学問　発明・発見

ニコラウス・コペルニクス　1473〜1543年

地動説をとなえた近代天文学の祖

▲ニコラウス・コペルニクス

ポーランドの天文学者、聖職者。

ビスワ川中流の都市トルンに、商人の子として生まれる。10歳のときに父が亡くなり、聖職者のおじに育てられる。1491年、クラクフ大学に入学し神学を専攻。数学や天文学も学び、宇宙について関心をもった。1496年、イタリアのボローニャ大学に編入し、ローマにも滞在、パドバ大学に移り、神学、医学を学び、さらにフェラーラ大学で神学の学位を得た。この10年間にわたるイタリア留学中に、古代ギリシャの天文学者アリスタルコスの地動説（地球やほかの天体は太陽のまわりをまわるという太陽中心説）を知ったといわれる。

そのころ、プトレマイオスの天動説（地球のまわりを太陽やほかの天体がまわっているという地球中心説）をもとにした教会の暦と実際の季節のあいだには10日間もずれが生じていること、航海者がつかう天体の位置をしめす暦と実際の惑星の位置がずれていることは、すでに知られていた。1506年、ポーランドに帰国、おじの任地のハイスベルク（ポーランド北部の都市）で、教会領を管理する秘書となる。病気がちなおじの私的な医師としてもつかえ、貧しい人たちにも治療をほどこした。おじの死後、フロムボルクの教会に着任、教会内の小さな塔に観測所をつくり、昼は教会の行政官、医師としてはたらき、夜は手製の測角器で天体を観測した。観測をつづけるうちに地動説を確信し、1530年ごろ、地動説の解説書『概要』を少部数のみ自費出版し、知り合いの天文学者や数学者に配布、一部をローマ教皇ら聖職者にも送った。同書に感銘を受けたドイツの数学者レティクスは、1539年にコペルニクスに弟子入り、出版をすすめ、印刷することを約束。1543年5月24日、コペルニクスの亡くなる直前のまくらもとに印刷された自著『天球の回転について』が届けられた。地動説は当時のキリスト教世界では異端とされていたため、宗教家や天文学者から非難を受けたり、無視されたりしたが、この書は近代天文学のはじまりを告げる画期的なものとなった。

天文学以外にも、ドイツ騎士団がオルスチン城を包囲すると、城内にとどまって城を守り（1519〜1521）、ポーランドの国民的英雄とされた。また『貨幣論』（1528）を著し、貨幣の質が落ちると物価が上がることを指摘するなど、政治や経済の世界でも活躍した。

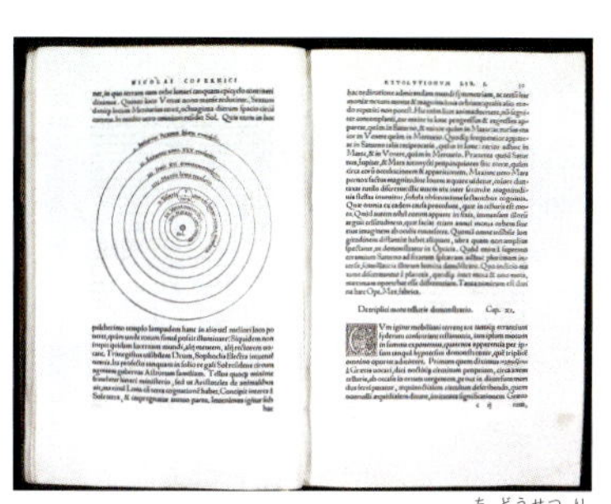
▲『天球の回転について』内の地動説理論の図説

こぼりえんしゅう

江戸時代　華道・茶道

小堀遠州　1579〜1647年

遠州流茶道の開祖

（頼久寺）

江戸時代前期の大名、茶人。

本名は政一。近江国小堀村（現在の滋賀県長浜市）に生まれ、豊臣秀吉の弟豊臣秀長につかえた。このころ、千利休の門人である古田織部に師事して茶道を学んだ。その後、徳川家康につかえ、1604年、備中国（岡山県西部）の国奉行になった。建築や造園にすぐれ1606年、28歳のとき後陽成天皇の御所の作事奉行（建築や修理などの工事を担当する役職）を命じられて、以来、駿府城や名古屋城、二条城などを造営した。1608年に遠江守に任じられてから遠州と称するようになった。

一方で、茶人としても活躍し、江戸幕府第3代将軍徳川家光や諸大名に茶道を教えて近世茶道を大成し、遠州流茶道の開祖となった。大名や公家などをまねき、生涯に約400回の茶会をひらいたといわれている。茶室の建築にもたずさわり、京都の大徳寺孤蓬庵や金地院などの茶室をてがけた。各地の庭園工事にもとりくみ、南禅寺の方丈庭園は遠州作と伝えられ、国の名勝に指定されている。そのほか、陶芸や和歌、書にもすぐれていた。

ごほりかわてんのう

王族・皇族

後堀河天皇　1212〜1234年

承久の乱後の天皇

鎌倉時代前期の第86代天皇（在位1221〜1232年）。

高倉天皇の子である守貞親王（後高倉院）の子で、即位する前は茂仁親王とよばれた。1221（承久3）年の承久の乱のあと、乱にかかわった順徳天皇の子の仲恭天皇が退位すると、10歳の茂仁親王が後堀河天皇として即位した。そして、出家して僧になっていた父の後高倉院が、上皇となって異例の院政をおこなった。父の死後の1223年以後はみずから政治をみたが、1232年、皇子で、まだ2歳だった秀仁親王（四条天皇）に譲位し上皇となり、その院政をおこなった。しかし病弱であり、2年あまりで死去した。

学 天皇系図

こまおうじゃっこう

王族・皇族

高麗王若光　?〜748?年

高句麗から来日し、渡来人をまとめた

▲高麗王若光を祭っている高麗神社
（日高市観光協会提供）

飛鳥時代〜奈良時代に来日した、高句麗の王族。

『日本書紀』に、666年、朝鮮半島の高麗（高句麗のこと）から来日した使節の一人として「玄武若光」の名が記述されている。668年、中国の唐と朝鮮半島の新羅の連合軍により高麗がほろぼされたので、若光は帰国できなかった。平安時代初期に編さんされた歴史書『続日本紀』には、703年、「従五位下、高麗若光に王の姓をあたえた」とあり、これは高麗王若光のことと考えられている。716年、朝廷は、新設した武蔵国高麗郡（現在の埼玉県日高市、飯能市）に、駿河（静岡県中部と北東部）、甲斐（山梨県）、相模（神奈川県）、下野（栃木県）、上総（千葉県中部）、下総（千葉県北部・茨城県南西部）、常陸（茨城県）の7か国にいた高麗人1799人を移住させた。高麗王若光は彼らの首長となり、未開の原野を切りひらいた。その死後、人々はその徳をしのび「高麗明神」として祭った。埼玉県日高市にある高麗神社は、高麗王若光の子孫が代々その宮司をつとめている。

こまつさきょう

文学

小松左京　1931〜2011年

『日本沈没』を書いたベストセラー作家

昭和時代〜平成時代の作家。

大阪府生まれ。本名は実。京都大学イタリア文学科を卒業後、経済誌の記者、漫才の台本作家など、さまざまな仕事につく。1961（昭和36）年に雑誌『SFマガジン』の第1回空想科学小説コンテストに応募した『地には平和を』が入選。翌年の『易仙逃里記』が雑誌に掲載されて作家としてデビューした。その後『お茶漬の味』『継ぐのは誰か?』などを次々と発表する。1973年にはスケールの大きな近未来SF『日本沈没』をだし、400万部をこえるベストセラー作家となった。ほかに『さよならジュピター』『首都消失』などの作品がある。多くの作品が映画化され、『さよならジュピター』の映画化では脚本や総監督をつとめる。また、1970年に大阪でひらかれた万国博覧会ではEXPO'70テーマ館サブプロデューサーなどもつとめた。

こまつたてわき

幕末

小松帯刀　1835〜1870年

薩摩藩の倒幕派の中心人物

（国立国会図書館）

幕末の薩摩藩（現在の鹿児島県）の藩士、明治時代前期の政治家。

1861年、薩摩藩の藩主、島津忠義の父、島津久光の側近に抜てきされて藩政改革にあたり、翌年家老（藩主を補佐して政治をおこなう役職）となり、大久保利通などを登用した。1862年、久光が京都へのぼるときこれにしたがい、公武合体（朝廷と徳川将軍家が協力すること）を進めた。1864年、長州藩（山口県）の過激派が京都御所をおそった禁門の変では、西郷隆盛らと薩摩藩兵を指揮し長州軍を撃退した。その後、公武合体から倒幕へと方針をかえ、京にとどまって西郷や大久保、公家の岩倉具視らと倒幕運動を進めた。1866年、坂本龍馬の仲介で対立していた長州藩の木戸孝允と薩長同盟をむすんで、軍事的に長州を支援することを約束した。1867年、土佐藩（高知県）の後藤象二郎と薩土盟約をむすんだ。

一方で、後藤とともに15代将軍徳川慶喜に、朝廷に政権を返す大政奉還を進言して実現した。王政復古後の1868（明治元）年、明治新政府の重職である参与となり、外国事務局

判事などを歴任したが、2年後病気で亡くなった。

こまつやえもん

郷土

小松弥右衛門　1670〜1753年

絹はかま地の仙台平をつくった職人

江戸時代前期〜中期の職人。

京都の西陣で織物師をしていたが、1711年、陸奥国仙台藩（宮城県、岩手県南部）藩主の伊達吉村にまねかれて、藩内の織物づくりをまかされた。福島の伊達地方（福島県伊達市）から質のよい生糸を仕入れ、緻密に織られて、品質のよい絹のはかま地をつくりだし、「精好織」とよばれた。また、伊達地方から養蚕の技術をおぼえて帰った山内甚之丞とともに、藩内での養蚕をさかんにした。その結果、本吉郡入谷村（宮城県南三陸町）で、はかま地となる最高級の生糸がとれるようになり、「精好織」はより品質のよいものとなった。幕府への贈り物などとしてもつかわれて、好評だったので、のちに仙台平として広まり、藩の特産品となった。仙台平は、独特の織り味や気品を生かした絹織物で、とくに地質のかたい「精好仙台平」とよばれる精好織の仙台平は、国の重要無形文化財に指定されている。

ごみかわじゅんぺい

文学

五味川純平　1916〜1995年

小説で戦争の不条理をうったえる

昭和時代〜平成時代の作家。

中国の大連の生まれ。本名は栗田茂。東京外国語学校（現在の東京外国語大学）卒業。第二次世界大戦で召集され、ソビエト連邦（ソ連）軍と戦い、捕虜となる。戦後、この体験をもとに、戦争の不条理を徹底的に告発する小説をのこす。

ベストセラーになった『人間の条件』（1956年）は、エリートサラリーマンの主人公が、軍隊内部の虐待に抵抗し、ソ連軍との戦いで捕虜となり、収容所の重労働にたえる物語で、戦争がすべての人の人間らしさをこわしていくさまをえがいた。ほかに『自由との契約』『孤独の賭け』『戦争と人間』『ノモンハン』などがある。1978（昭和53）年、菊池寛賞を受賞。

ごみずのおてんのう

王族・皇族

後水尾天皇　1596〜1680年

幕府の制限に反発した

江戸時代前期の第108代天皇（在位1611〜1629年）。後陽成天皇の子。1611年、16歳で即位し、江戸幕府第2代将軍徳川秀忠の娘徳川和子（のちの東福門院）を中宮（皇后と同じ身分）にむかえた。

1615年、幕府は朝廷や公家をとりしまるための禁中並公家諸法度を制定し、天皇の権限も制限した。

その一つに、徳の高い僧にあたえられる紫衣を着用する勅許（天皇のゆるし）の制限もあったが、1627年、後水尾天皇はこ

（宮内庁書陵部）

れまでどおり、幕府の許可を得ずに紫衣着用の勅許をあたえた。これに対し幕府が勅許の取り消しを命じ、抗議した大徳寺の僧沢庵らを処罰する事件がおきた（紫衣事件）。これに反発した天皇は1629年、突然7歳の興子内親王（明正天皇）に天皇の位をゆずって上皇となり、幕府をおどろかせた。以後、明正天皇から霊元天皇まで4代、約50年にわたり、天皇にかわって院政をしいた。学問や和歌にすぐれ、みずから『源氏物語』などの古典を公家たちに講義するなどした。また、茶道や立花（華道）などにも親しみ、晩年には京都郊外に山荘「修学院離宮」を造営した。

学 天皇系図

ごみたろう

絵本・児童

五味太郎　1945年〜

斬新な色とデザインで独特の絵本をつくる

デザイナー、絵本作家。

東京生まれ。桑沢デザイン研究所卒業。ものづくりが好きで、工業デザイン、グラフィックデザインの仕事につく。文章と絵でリズミカルに展開していく絵本づくりのおもしろさにめざめ、絵本中心の創作活動をはじめた。1973（昭和48）年の『みち』をはじめ、『みんなうんち』『かくしたのだあれ』『きんぎょがにげた』『さる・るるる』などを次々と発表。こどものためというよりも、おもしろいと思うことを楽しみながら表現しているという一貫した考え方に立つ。

シンプルな絵とことばでものごとの本質をとらえる独特の作風により、こどもからおとなまで幅広いファンをもつ。サンケイ児童出版文化賞、山本有三記念路傍の石文学賞、ボローニャ国際絵本原画展入賞など受賞多数。国際的にも高く評価され、外国語に翻訳されている作品も多い。そのほか、こどもの歌の作詞やエッセーなど、多彩な分野で活躍している。

こみやとよたか

文学

小宮豊隆　1884〜1966年

夏目漱石の研究をする

明治時代〜昭和時代の文芸評論家、ドイツ文学者。

福岡県生まれ。東京帝国大学（現在の東京大学）農学部卒業。東北帝国大学教授をへて、東京音楽学校（現在の東

京藝術大学）、学習院大学女子短期大学の学長をつとめる。

夏目漱石を尊敬して弟子となり、1909（明治42）年に『「三四郎」を読む』を書いて評論家としてみとめられる。

その後、『東京朝日新聞』の文芸欄を担当し、文芸評論で活躍する。漱石の研究者として『漱石全集』の編集をてがけ、伝記『夏目漱石』を執筆する。このほか、物理学者の寺田寅彦の随筆集の編集、ドイツ文学の翻訳をおこなう。伝統文学の研究でも有名で、『能と歌舞伎』や『芭蕉の研究』などがある。

ごむらかみてんのう

王族・皇族

後村上天皇　1328〜1368年

足利を相手に戦った天皇

南北朝時代の第97代天皇（在位1339〜1368年）。

名は義良。後醍醐天皇の皇子として生まれる。1333年、鎌倉幕府がほろび父による建武の新政がはじまると、陸奥国（現在の山形県・秋田県をのぞく東北地方）の北畠顕家とともに東北地方をおさめた。1335年、足利高氏（のちの足利尊氏）の反乱によって、比叡山（京都市・滋賀県大津市）にのがれ、同地で元服する。即位後は、吉野（奈良県吉野町）を皇居として京都の回復をはかるがはたせず、1448年、足利軍によって吉野行宮を焼きはらわれ、賀名生（奈良県五條市）にのがれた。足利軍の攻撃にともなって河内国（大阪府東部）の金剛寺、観心寺（ともに大阪府河内長野市）などを転々として戦ったが、京都にもどることはかなわず、摂津国（大阪府北西部、兵庫県南東部）住吉で亡くなった。

学 天皇系図

こむらじゅたろう

政治

小村寿太郎　1855〜1911年

不平等条約を完全撤廃させた外交官

▲小村寿太郎　（国立国会図書館）

明治時代の外交官、政治家。

日向国（現在の宮崎県）飫肥藩士の家に生まれた。1870（明治3）年、藩の推薦を受けて大学南校（現在の東京大学）で法律を学び、1875年に文部省貸費留学第1期生としてアメリカ合衆国に留学、ハーバード大学法律学部を卒業した。帰国後は司法省、大審院判事をへて、外務省に入り、翻訳局長となる。このころ、国家の独立維持に価値をおく国権論の立場に立ち、井上馨、大隈重信の条約改正交渉に反対していた。

1893年に当時の外務大臣、陸奥宗光に見いだされて、中国の北京へむかい、臨時代理公使として日清戦争開戦当時の難局にあたった。日清戦争後は駐韓弁理公使として閔妃殺害事件の対応にあたり、三国干渉後の1896年には、特命全権公使として、朝鮮の内政をロシアと共同で監督するという小村・ウェーバー協定に調印した。さらに外務次官就任後の1898年に、アメリカ、ロシアの各公使をつとめた。

▲ポーツマスの講和会議のようす

清朝末期、1900年におこった清国の民衆による欧米排外運動である義和団事件では、講和会議に全権として出席し、処理にあたった。1901年、第1次桂太郎内閣の外務大臣として、英米と協調しながら大陸進出をはかる、小村外交を確立した。翌年にはロシアに対抗するためにイギリスと日英同盟をむすび、日露戦争の戦時外交処理を進めた。また、日露戦争後の1905年にひらかれたポーツマス講和会議には、全権代表として出席。ポーツマス条約に調印した。これにより朝鮮での日本の優越がみとめられ、満州（中国東北部）遼東半島の租借権およびハルビン〜旅順間の鉄道が日本へ譲渡され、南樺太が日本の領土となった。

1908年、第2次桂内閣でも外務大臣をまかされる。欧米列強と足並みをそろえて大陸での利権を確保するという方針により、アメリカと高平・ルート協定やロシアと日露協約をむすび国の安定をはかり、1910年には韓国併合を進めた。

同年8月の内閣交替で外務大臣を辞任すると、まもなく結核のため療養していた葉山の別荘にて、57歳で亡くなる。

明治時代の日本外交を代表する人物として、一貫して日本の大陸政策を進め、極東を日本の勢力圏にするために、現実的外交路線を追求した。

ゴムルカ，ウラディスラフ

政治

ウラディスラフ・ゴムルカ　1905〜1982年

ポーランドの社会主義化を推進した

ポーランドの政治家。

ゴムウカともいう。ガリツィア地方クロスノの出身。1922年以降、労働運動、社会主義運動で活躍し、1926年、共産党に入党した。非合法活動により投獄されたのち、モスクワに留学。帰国後、1942年、ポーランド労働者党中央委員、翌年に総書記となった。第二次世界大戦後、副首相兼回復領土担当大臣など要職についたが、右翼的としてふたたび投獄された。スターリンの死後、1956年の反ソビエト連邦（ソ連）のポズナニ暴動をきっかけに党第一書記に復帰し、「社会主義への道」という演説で社会主義化を進めた。しかし、その後は保守的になり、1968年のチェコ事件ではソ連にならって自由化路線を否定した。1970年、グダニスクでの港湾労働者によるストライキの責任をとり辞職した。

こむろしのぶ

政治　産業

小室信夫　1839〜1898年

攘夷志士から自由民権運動家へ

明治時代の政治家、自由民権運動家、実業家。

丹後国（現在の京都府）のちりめん問屋に生まれる。1863年、尊王攘夷の志士たちと京都等持院の足利尊氏などの木像の首を切ってさらした、足利氏木像梟首事件に参加し、徳島藩で幽閉される。しかし明治維新後は、徳島藩徴士として上京。岩鼻県（群馬県・埼玉県）の権知事となる。1872（明治5）年に欧米の視察を命じられ、鉄道事業や、イギリスの立憲制度を学ぶ。帰国後の1874年、板垣退助らとともに民撰議院設立建白書を提出。自助社、愛国社の設立にも参加した。

その後は実業界で活躍し、共同運輸会社（のちの日本郵船）をはじめ、鉄道、銀行、製糸会社など、多くの会社企業をおこした。1871年には、貴族院議員にもなった。

ごももぞのてんのう

王族・皇族

後桃園天皇　1758〜1779年

強まる幕府の圧力のなか、若くして亡くなった

江戸時代中期の第118代天皇（在位1770〜1779年）。桃園天皇の子。即位する前は英仁親王とよばれた。

1762年、5歳のとき、父が亡くなる。英仁親王は幼かったため、おばが後桜町天皇として即位し、1770年、後桜町天皇から譲位され、13歳で天皇になった。1773年、宮中ではたらく下級役人の不正が発覚し、江戸幕府によって30人あまりが処罰されるという事件がおこった。この事件により幕府の朝廷に対する圧力はさらに強まった。からだが弱く病気がちで、1779年、22歳で亡くなった。こどもは内親王（天皇の皇女）一人だったため、死後、閑院宮典仁親王の子が即位して光格天皇になった。

学 天皇系図

ゴヤ，フランシスコ・ホセ・デ

絵画

フランシスコ・ホセ・デ・ゴヤ　1746〜1828年

近代絵画の創始者とされる画家

▲フランシスコ・ホセ・デ・ゴヤ

スペインの画家、版画家。

北東部の村に生まれる。父はめっき職人だった。14歳のころ、画家の工房に入り、本格的に絵の勉強をはじめた。1769年、イタリアに自費で留学し、1年数か月間、ローマ、ベネツィア、フィレンツェなどの美術館をめぐり、名作を模写し、深くきわめようとした。帰国後、聖堂の天井画やフレスコ画をえがき、1775年、マドリードに出て、宮廷織物工場で王家のタペストリーのための下絵を製作した。このころの作品は、明るくかげりのない民衆の姿をえがいた『マドリードの市』、はなやかさとすがすがしい生命感にあふれた『日傘』など18世紀前半からはやった繊細で優美な後期ロココ様式の画風の影響を受けたものが多い。

▲『カルロス4世の家族』

1783年ごろ、宰相をはじめ貴族たちから肖像画の注文があいつぎ、1789年、スペイン王カルロス4世の宮廷画家となった。1793年、病により、耳がまったく聞こえなくなったが、創作意欲はますますつのり、自由に制作の領域を広げた。6点の魔女シリーズや、聖職者や貴族など、社会を風刺した版画集『ロス・カプリーチョス（気まぐれ）』など、洞察力にすぐれた作品を制作した。1799年に宮廷首席画家となり、画家として最高位を手に入れた。この時期に『裸のマハ』と『着衣のマハ』、王家一族の集団肖像画『カルロス4世の家族』など、数々の大作をえがいた。

1808年、フランスのナポレオン1世がスペインに侵入したときにマドリードの民衆がフランス軍に対しておこした動乱を間近でみて、ナポレオン軍が民衆を虐殺するようすを『5月2日の変』『5月3日の処刑』にえがいた。1814年、フェルナンド7世が王位に返り咲くと、『マハ』が異端として告訴された。ゴヤは別荘にこもり、超大作『黒い絵』シリーズ14点をえがいたが、『わが子を食らうサトゥルヌス』のように、破壊と暴力、死など、暗くおそろしい画風にかわった。1824年、静養のためフランスのボルドーに移り、死の直前まで絵筆をにぎりながら、82年の生涯をとじた。その作風は、のちの画家マネやピカソらに影響をあたえ、近代絵画の創始者とされている。

こやままますた

郷土

小山益太　1861〜1924年

新品種のモモを開発した岡山の果樹園芸家

明治時代〜大正時代の果樹園芸家。

備前国磐梨郡稗田村（現在の岡山県赤磐市）で、代々名主（村の長）をつとめてきた家に生まれた。26歳のとき、果樹の栽培を志して、山林を切りひらき、果樹園をつくった。ここでモモ、ブドウ、ナシなどを栽培しながら、交配の方法などを研究した。また、病虫害をふせぐ方法を研究し、自家製の殺虫剤「六液」を開発した。

1895（明治28）年に、モモの新品種「金桃」を生みだした。

その評判を聞いた実業家の大原孫三郎から、みずからが設立した大原農業研究所に指導者としてまねかれ、園芸部で熱心に果樹栽培を指導した。1901年、門下生の大久保重五郎が、新しい品種の「白桃」を生みだした。甘みが強く、果汁を多くふくんだ白桃は、評判をよび、岡山県内で栽培されるようになった。現在では、白桃をもとにした新品種もつくられている。

（岡山大学附属図書館）

ごようぜいてんのう

王族・皇族

後陽成天皇 1571〜1617年

江戸幕府がひらかれたときの天皇

安土桃山時代〜江戸時代前期の第107代天皇（在位1586〜1611年）。

1586年、祖父の正親町天皇の養子となり即位した。同年、太政大臣となった豊臣秀吉は、みずからの権威を高めるために、天皇を尊重し、朝廷の尊厳を回復させることに力をつくした。その政策の一つとして、1588年、贅沢をつくして築いた聚楽第という屋敷に天皇をまねき、5日間にわたり豪華けんらんな宴をひらいた（聚楽第行幸）。その席で、秀吉とならんだ天皇も、諸大名から忠誠の誓いを受けたという。秀吉の死後、徳川家康に征夷大将軍の位をさずけ、江戸幕府がひらかれると、幕府から朝廷が実権を行使できないような政策をとられ、朝廷の会議にまで干渉を受ける。漢学や和学などの学問を好み、秀吉から献上された活字の器具で木製活字をつくり、『古文孝経』『職原抄』『日本書紀神代巻』などの、いわゆる「慶長勅版」を刊行したことでも知られている。

学 天皇系図

こようほう（フーヤオパン）

政治

胡耀邦 1915〜1989年

その追悼集会で第2次天安門事件がおこった

中華人民共和国（中国）の政治家、中国共産党主席（在任1981〜1982年）、総書記（在任1982〜1987年）。

湖南省生まれ。1949年の中華人民共和国建国後は、鄧小平にみとめられ、中国共産主義青年団の第一書記となった。1966年の文化大革命でいったん失脚するが復帰、1976年の第1次天安門事件でふたたび失脚。毛沢東夫人江青ら四人組の逮捕によって再度復活した。1981年、前任の華国鋒の失脚により中国共産党首席となる。鄧小平の下、共産党一党支配による近代化政策をとったが、民主化を求める学生の抗議活動を黙認したとの非難を受け、総書記を辞任。1989年に没すると、天安門広場での追悼集会に集まった学生、民衆による民主化要求運動が高まったため、政府は武力で制圧し、国際的な非難をあびた（第2次天安門事件）。

学 主な国・地域の大統領・首相一覧

コルチャック，ヤヌシュ

絵本・児童

ヤヌシュ・コルチャック 1878〜1942年

こどもの権利条約のもとをつくる

ポーランドの小児科医、教育者、児童文学作家。

ワルシャワのユダヤ人の家庭に生まれる。本名はヘンリック・ゴールドシュミット。1898年、ワルシャワ大学医学部に入学し、医学を学ぶかたわら、貧しいこどもたちにポーランド語や歴史を教えたり、週刊誌に社会改革をうったえる意見を寄稿したりしていた。1904年、ワルシャワの小児科医院につとめ、1911年、ユダヤ人孤児のための孤児院ドム・シュロットを開設し、その院長に就任。また1919年、ポーランド人孤児のためにナシュ・ドムを設立する。これらのホームではこども議会、こども裁判、こども法などを柱にして、運営をこどもにまかせた。そのかたわら、こども新聞の発行や、地域裁判所の教育問題の顧問、ラジオ放送のキャスターなどをつとめ、正面からこどもとむき合った。1940年、ホームのこどもたちとともにナチスドイツ軍にとらえられ、1942年、トレブリンカ強制収容所に移され殺害された。1989年、国連総会でコルチャックの『子どもの権利の尊重』が生かされた「子どもの権利条約」が採択された。児童文学の著書に、『マチウシ一世王』『もう一度子供になれたら』などがある。

コルデコット，ランドルフ

絵本・児童　絵画

ランドルフ・コルデコット 1846〜1886年

シンプルでユーモラスな絵本作家

イギリスのさし絵画家。

イングランドのチェスター生まれ。絵をかくのが好きなこどもで、15歳で銀行に就職してからも絵をかきつづけていた。26歳のとき、ロンドンに出て画家をめざす。絵入り雑誌にかいたさし絵が評判になり、その絵をみた木版印刷所の経営者にたのまれ、絵本のさし絵をてがける。木版の多色刷りになったさし絵は、たいへんな人気をよんだ。その後、年に2冊を出版するようになる。病気のため39歳で亡くなった。

絵の学校には行かなかったが、ユーモアと愛情をこめてえがいた人や動物は、生き生きとしていて、みて楽しく、こどもにもおとなにも愛されている。さし絵をてがけた有名な絵本に『蛙が嫁さんさがしにいったよ』（復刻版では『かえるくん恋をさがしに』）や『ジョン・ギルビンの愉快なお話』などがある。死後半世紀をへた1938年、その業績にちなんで、アメリカ合衆国で出版された優秀な絵本作家に贈られるコルデコット賞が創設された。

コルテス, エルナン

探検・開拓

エルナン・コルテス　1485～1547年

アステカ帝国をほろぼした征服者

スペインの征服者。

下級貴族の家に生まれ、1504年、西インド諸島へわたる。1511年、キューバ征服に参加、1518年には、キューバ総督からメキシコ遠征隊の指揮を命じられ、1519年、11隻の船と兵士およそ600人をひきいてユカタン半島へ上陸した。抵抗する現地住民を降伏させて内陸へ進み、アステカ帝国の首都テノチティトラン（現在のメキシコシティ）を包囲する。勇敢に立ちむかう第11代君主クアウテモックに苦戦するも、1521年に首都を陥落させ、アステカ帝国はほろんだ。1525年にクアウテモックは反乱をくわだてたうたがいにより絞首刑にされた。その後、スペインは残虐の限りをつくし、徹底的に金銀財宝を略奪し、遺構の上に植民地としてのメキシコシティを建設した。コルテスはスペイン国王から現地の総督に任じられて、植民地の経営やキリスト教の布教、探検をおこなったが、統治をめぐって王室と対立し、1540年に帰国。アルジェリアなどに遠征したが、成果のないまま死去した。

コルトレーン, ジョン

音楽

ジョン・コルトレーン　1926～1967年

ジャズ史上、不滅のサックス奏者

アメリカ合衆国のジャズ・サックス奏者、作曲家、指揮者。

ノースカロライナ州生まれ。19歳でプロデビューし、1955年にマイルス・デイビスのバンドに入って注目された。1960年には、みずからのグループを結成する。テナー・サックスとソプラノ・サックスを演奏し、作曲家、指揮者としても活動、ジャズ界をリードする。とくに、新しいサックス奏法を開発し、当時人気のなかったソプラノ・サックスを併用して、それまでにない新たな演奏をおこなった。『ジャイアント・ステップス』では、音符をしきつめたように鳴らすシーツ・オブ・サウンド奏法や、倍音をつかいこなすフラジオレット奏法を披露し、のちのサックス奏者に大きな影響をあたえた。1964年、代表作となるアルバム『至上の愛』をだし、即興演奏のメロディーをより開放的にしたスタイルで、聴衆をわかせる。音楽と思想をむすびつけて、ジャズに新しい生命をもたらした。

コルネイユ, ピエール

映画・演劇

ピエール・コルネイユ　1606～1684年

フランス演劇の父とよばれる劇作家

フランスの劇作家。

ルーアンで、司法官をつとめる家がらに生まれる。学校を卒業したのち、弁護士になる。当時のルーアンでは芝居の上演がさかんで、仕事のあいまに喜劇『メリット』を書き上げ、公演中の劇団にみせた。この作品がパリで上演されて好評を得る。次々に作品を発表し、喜劇作家として有名になった。

昔のギリシャ悲劇のような格調の高い芝居を求める時代がくると、悲劇にも実力を発揮する。とくに古代ローマを舞台にした『オラース』『シンナ』『ポリュークト』が絶賛され、劇作家としての地位はゆるぎないものになった。

喜劇では、下品なことばをつかわず、質のよい笑いにしあげ、悲劇では古典を題材にしたジャンルを育てた。演劇全体の向上に大きく貢献し、フランス演劇の父とよばれる。また、のちに活躍する劇作家のラシーヌ、モリエールとともにフランス古典劇の三大作家にあげられる。

ゴルバチョフ, ミハイル

政治

ミハイル・ゴルバチョフ　1931年～

ソ連の自由化と民主化にとりくんだ大統領

ソビエト連邦（ソ連）の政治家。ソ連唯一の大統領（在任1990～1991年）。

南西部のスタブロポリの農村で生まれる。1950年、モスクワ大学入学、在学中に共産党に入党し、1970年にスタブロポリ地方党委員会第一書記、1980年には政治局員となり、スピード昇進した。1985年、チェルネンコ書記長の死後、共産党書記長に就任し、党の最高指導者となる。「ペレストロイカ（建て直し）」や「グラスノスチ（情報公開）」をスローガンに、自由化と民主化にとりくむ。外交面では「新思考外交」をかかげ、アフガニスタンからのソ連軍撤退、中距離核戦力（INF）全廃条約調印など、軍縮や緊張緩和をおし進めた。1989年、アメリカ合衆国のブッシュ大統領と冷戦終結を宣言。翌年、大統領制を導入し、初代大統領となる。同年、冷戦を終結させた功績でノーベル平和賞を受賞。1991年、ペレストロイカ反対派によるクーデター未遂（ソ連8月クーデター）がおこり、これをきっかけに勢力を失い、独立国家共同体（CIS）の設立後まもなく辞任した。1996年、ロシア大統領選に出馬したが落選。ロシア本国よりも、日本や欧米諸国で人気が高い。

学 主な国・地域の大統領・首相一覧　学 ノーベル賞受賞者一覧

コルベール，ジャン=バティスト

政治

ジャン=バティスト・コルベール　1619〜1683年

ルイ14世の親政をささえた

フランスの政治家。

ランスの毛織物商人の家に生まれる。ルイ14世が親政をはじめると、1665年、財務総監に、のちに宮内省長官、海軍長官などをかねて、絶大な権力をにぎった。国が経済を管理し、産業の育成、輸出の奨励をはかって国富をふやそうという重商主義政策をおし進めた。

国際的に競争力のある毛織物やゴブラン織、ガラスなどを大量生産する王立マニュファクチュア（工場）を建てて輸出産業を育成し、輸入品に保護関税をかけた。また、職人のギルド（同業組合）に製品の質を管理させた。東・西インド会社を再興するなど海外の植民地経営に乗りだし、一時成功するが、オランダやイギリスに勝てず、軽視された農村地域からの反発も強まった。

コルボーン，シーア

学問

シーア・コルボーン　1927〜2014年

環境ホルモンの危険性を主張しつづけた

アメリカ合衆国の動物学者、環境活動家。

ニュージャージー州に生まれる。本名はティオドラ。ティオともいう。薬剤師のかたわら1970年代後半までロッキー山脈のふもとで酪農をしていたが、農場の近くを流れる川の汚染をきっかけに、水質の勉強をはじめた。大学、大学院で学び、58歳で理学博士となると、1987年からは世界自然保護基金（WWF）で、野生動物と汚染物質の研究プロジェクトを組織し活動した。ミシガン湖のアオサギの調査をおこない、環境ホルモン（内分泌かく乱物質、動物のからだの中のホルモンをだすはたらきをかく乱させる化学物質）によって脳に異常が生じていることを立証し、環境ホルモンの危険性を主張する活動をつづけた。主な著書に『奪われし未来』（1996年）がある。

ごれいぜいてんのう

王族・皇族

後冷泉天皇　1025〜1068年

藤原氏全盛期の天皇

平安時代後期の第70代天皇（在位1045〜1068年）。

名は親仁。後朱雀天皇の子。母は、藤原道長の娘嬉子。後三条天皇の異母兄。即位する前は親仁親王とよばれた。

1036年、父が即位し、翌年、皇太子となった。1045年、位をゆずられて即位したが、在位中は関白藤原頼通が権勢をふるった時代で、藤原道長の栄華を中心にえがいた『栄華物語』に、天皇は「何ごとも殿（関白、藤原頼通）にまかせた」とある。しかし、1051年に東北で蝦夷の反乱（前九年の役）がおこるなど、動揺もみられた。1067年には、藤原頼通が建立した平等院（京都府宇治市）に立ち寄っている。皇子がいなかったため、皇位は藤原氏と血縁関係のうすい弟の後三条天皇が受けついだ。

学 天皇系図

コレッジョ

絵画

コレッジョ　1489？〜1534年

イタリア盛期ルネサンスの画家

イタリアの画家。

北イタリアのモデナの郊外コレッジョで織物職人の息子として生まれる。本名はアントニオ・アレグリだが、生まれた土地の名前でよばれた。地元で絵を学んでいたが、マントバへ出て宮廷画家マンテーニャらの影響を受ける。その後、ラファエロ、ミケランジェロ、レオナルド・ダ・ビンチらの技術も学び、宗教画家としてはたらきはじめる。1518年以降はパルマに移り、約12年間にわたり大聖堂の天井画や祭壇画を制作した。対角線の構図を多くつかい、輪郭線をえがかずにやわらかな色調で明暗を繊細に表現した。独自の作風は、バロック美術の先がけとなった。代表作に、パルマ大聖堂の天井画『聖母被昇天』、サンジョバンニ・エバンジェリスタ聖堂の円蓋画『栄光のキリスト』、サンフランチェスコ聖堂の祭壇画『聖フランチェスコの聖母』、神話をえがいた『ダナエ』『イオ』などがある。イタリア盛期ルネサンスの画家といわれる。

コレット，シドニー=ガブリエル

文学

シドニー=ガブリエル・コレット　1873〜1954年

『シェリ』で成功をおさめる

フランスの作家。

ブルゴーニュの生まれ。結婚してパリに住む。1900年、少女時代の思い出を書いた『学校へ行くクローディーヌ』が好評を得て、4冊の「クローディーヌ作品」を書く。

その後、離婚して踊り子をしながら、『さすらいの女』（1910年）、『ミュージックホールの内幕』（1913年）を著す。第一次世界大戦中は、従軍記者として活躍する。1920年に、母親ほど年のちがう女性と若い青年の愛をえがいた傑作『シェリ』を発表し、大作家としてみとめられる。人間の心理描写や自然、動物の姿をえがくのにたくみで、『青い麦』『牝猫』などの傑作がある。

これはりのあざまろ

貴族・武将

伊治呰麻呂　生没年不詳

反乱をおこした蝦夷の長

奈良時代後期の蝦夷の首長。

伊治は「いじ」とも読む。陸奥国伊治村（現在の宮城県栗原市）を本拠地とした。778年、朝廷軍にしたがって出羽（秋田県・山形県）の蝦夷の反乱をしずめた功績で、従五位下をさずけられた。

しかし780年、胆沢（岩手県奥州市）に軍事拠点を築くため、陸奥按察使（地方政治を監督する官職）紀広純が伊治城（宮城県栗原市）に入ると、大領（地方の長官）だった呰麻呂は蝦夷をひきいて、広純と牡鹿郡大領（宮城県石巻市の長官）だった道嶋大楯を殺した。表向きではしたがっていたものの、紀広純をきらっており、また、蝦夷ということで自分をさげすんでいた道嶋大楯をうらんでいたといわれる。呰麻呂はその後、多賀城（宮城県多賀城市）を攻めて兵器や食料をうばい、焼きはらった。その後の消息はわからない。この反乱をきっかけに、桓武天皇の時代に蝦夷征討が本格的におこなわれることになった。

コロー，カミーユ

絵画

カミーユ・コロー　1796〜1875年

詩情あふれる風景画をのこした画家

フランスの画家。

パリの服飾店に生まれる。母からファッションの美意識を受けつぎ、こどものころから絵画が好きだった。19歳のころ、家業をつぐための修業にだされるが、商売より絵をかくことに熱中し、夜は画塾にかよった。1825〜1828年にローマへ留学し、イタリアの自然を題材に、明るい地中海の光や景色をえがいた。また、森や農村などを詩的にえがき、19世紀最高の風景画家とされる。画風は、はじめは明るい色をつかっていたが、しだいに霧がかかったような作品にかわった。「コローの銀灰色」とよばれる独特の色をつかい、やわらかな光や空気、木々などを表現した。

代表作に『シャルトル大聖堂』『マントの橋』『モルトフォンテーヌの思い出』などがある。また『青衣の婦人』『真珠の首飾りの夫人』など、女性の肖像画にもすぐれた作品をのこし、のちの印象主義に影響をあたえた。

コローディ，カルロ

コローディ，カルロ → コッローディ，カルロ

ゴロブニン，バシリイ

政治

バシリイ・ゴロブニン　1776〜1831年

日本にとらえられ、『日本幽囚記』を著した

（『俄羅斯人生捕之図』より／早稲田大学図書館）

江戸時代にとらえられた、ロシアの軍人。

リャザン州に生まれる。1807年、ディアナ号に艦長として乗りこみ、世界一周の航海に出た。1811年、千島列島の国後島を測量中、幕府の役人にとらえられ箱館（現在の北海道函館市）、次いで松前（松前町）に監禁された。これに対して翌年、ロシアが箱館の商人高田屋嘉兵衛をとらえる事件がおこり、ロシアとの関係が悪化したが、1813年、嘉兵衛との交換で釈放された（ゴロブニン事件）。この間、探検家の間宮林蔵やオランダ通詞（通訳）の馬場佐十郎に、ロシアのようすやロシア語を教えた。

帰国後の1816年、監禁されていたときの体験をもとに『日本幽囚記』を著した。これは各国で出版されて、鎖国下の日本のようすを世界に伝えた。日本でも1825年、馬場佐十郎らによって『遭厄日本紀事』の題名で翻訳された。

コロンブス，クリストファー

→ 104ページ

クリストファー・コロンブス

「新大陸」の発見者

■西へ進めばアジアにつくはず

▲クリストファー・コロンブス

イタリアの航海者。

ジェノバに生まれる。毛織物業者の父をてつだって織物などを売買し、やがて船乗りとなった。1476年、ジェノバの船で航海中、ポルトガルの南西沖で、船が海賊におそわれて沈没、板切れにすがって陸に泳ぎついた。その後はポルトガル船に乗り、アイスランドやマデイラ諸島（モロッコの西にある島）などを航海した。その間に、ベネチアの旅行家マルコ・ポーロの『東方見聞録』で黄金の国「ジパング」の存在を知り、またフィレンツェの地理学者トスカネッリの「アジアへ行くには、大西洋を西にむかったほうが近道だ」という説を信じ、西まわりでアジアへ行くことを思い立った。

■第１回航海に出発、新大陸を「発見」

1483年、ポルトガル国王ジョアン２世に協力を求めたが拒否され、1486年、スペインの女王イサベル１世に援助を求め、6年後、ようやく協力が得られることになった。こうして1492年8月3日、サンタマリア号をはじめとする3隻の船と乗員120人をひきいてスペインのパロス港を出帆。ひたすら西に進み、10月12日、バハマ諸島の一つの島に到達。「サンサルバドル島」と名づけ、そこをインドだと信じて、先住民を「インディオ」とよんだ。この島はのちにアメリカ大陸「発見」のはじまりの地とされた。その後、現在のキューバ、ハイチと進み、ハイチのある島を「イスパニョーラ島」と名づけ、乗員約40人を植民者としてのこし、1493年に帰国。オウムなどめずらしい産物や金のかけら、何人かの先住民をつれてスペイン王宮をたずね、熱烈な歓迎を受けた。

▲サンタマリア号の複製

▶イスパニョーラ島に上陸するコロンブス一行　先住民と会見し、贈り物を交換している。

■第２回〜第４回の苦難の航海

イサベル１世から、発見した土地の総督に任命され、1493年9月25日、第２回航海に出発。今度は植民を目的とした17隻の船団と約1500人の乗員をひきいた。ところがイスパニョーラ島にのこしてきた植民者は先住民によって皆殺しにされ、とりでは破壊されていた。新たに植民をはじめたが、いさかいが絶えず、弟のバルトロメオを副総督に任命して、一時帰国した。

1498年5月、第３回航海は6隻の船団で出帆。南アメリカのベネズエラ近くの島を発見、「トリニダード島」と名づけた。その後、イスパニョーラ島にむかうと、島内では植民者のあいだで反乱がおこり、コロンブスはその責任を問われて、本国から派遣された査察官によって本国に送還された。

1502年に出帆した第４回目の航海では、中央アメリカにいたり、その海岸を南へくだった。先住民からこの先にもう一つの海（太平洋）があることを知らされたが、そこにつながる海峡を見いだすことはできなかった。1504年11月、スペインに帰国。王室は彼を相手にせず、失意のうち、1506年に亡くなった。彼は最期まで、自分が発見した土地はアジアだと信じていた。

●コロンブスの航路

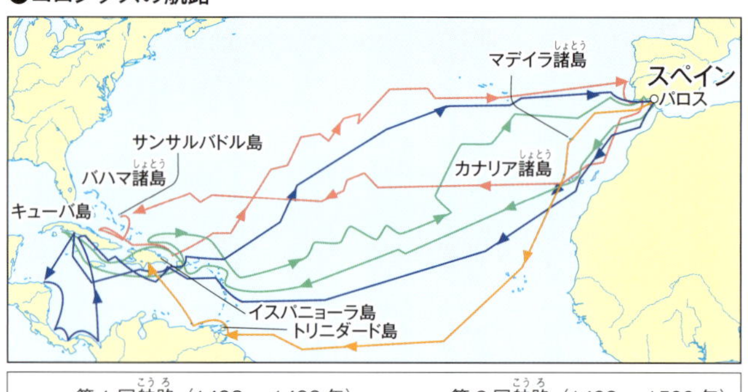

第１回航路（1492～1493年）　第３回航路（1498～1500年）
第２回航路（1493～1496年）　第４回航路（1502～1504年）

コロンブスの一生

年	年齢	主なできごと
1451	0	イタリアのジェノバに生まれる。
1465	14	このころ、船乗りになる。
1483	32	ポルトガル国王ジョアン2世と会う。
1486	35	スペインの女王イサベラ1世と会う。
1492	41	第1回航海に出発（～1493）。
1493	42	第2回航海に出発（～1496）。
1498	47	第3回航海に出発（～1500）。
1502	51	第4回航海に出発（～1504）。
1506	54	5月20日、スペインのバリャドリードで亡くなる。

※年齢は満年齢であらわしている

ゴンクールきょうだい

文学

ゴンクール兄弟　兄エドモン 1822～1896年　弟ジュール 1830～1870年

文学賞ゴンクール賞の創設者

フランスの作家の兄弟。

兄エドモンはフランス東部ナンシー生まれ。4歳のときに一家でパリに移り、弟ジュールが生まれた。2人とも最初は画家をめざしていたが、そろって文学に転向した。兄が語った内容を弟が筆記し、2人で推敲する方法で歴史小説をのこした　作品には、18世紀のフランス社会をえがいた歴史小説『大革命期のフランス社会史』や『マリー・アントワネット伝』、実在の人物を主人公にした『マネット・サロモン』などが知られている。兄は日本の美術品の収集家で、喜多川歌麿や葛飾北斎の研究書ものこした。遺言により文学賞がもうけられ、1903年から毎年、フランスにおけるその年の最良の小説にゴンクール賞が贈られている。

コンスタブル，ジョン

絵画

ジョン・コンスタブル　1776～1837年

19世紀の代表的な風景画家

イギリスの画家。

サフォーク州に生まれる。農業と製粉業をいとなむ裕福な家庭に育った。親の仕事をてつだいながら、風景などをスケッチするようになる。23歳のとき、王立アカデミーの美術学校に入学した。1802年、王立アカデミー展に風景画を出展して入選する。そのころのアカデミーでは、宗教画や歴史画が主流だったため、故郷にもどって風景画をかきつづけた。イギリスではなかなか評価されなかったが、1824年、フランス、パリのサロン展に風景画『干草車』を出展して絶賛され、金賞を獲得する。1829年、53歳で王立アカデミーの会員にえらばれた。身近な自然やなにげない風景を、やさしい筆づかいでえがき、印象派とよばれるフランスの画家に影響をあたえた。低くみられていた風景画の地位を高める役割もはたし、同時代のターナーとともにイギリスを代表する画家である。

コンスタンティヌスてい

王族・皇族　古代

コンスタンティヌス帝　274？～337年

キリスト教を公認したローマ皇帝

ローマ皇帝（在位306～310？年（副帝）、310？～337年（正帝））。

バルカン半島のナイッスス（現在のセルビアのニシュ）に生まれる。父はコンスタンティウス1世。少年時代はディオクレティアヌス帝の下で人質としてくらし、ペルシア遠征に参加した。そのころ、ローマ帝国は帝国を四分し、2正帝と2副帝の計4人が分担して統治するテトラルキア（四分割統治）にあり、たがいに権力をきそいあっていた。305年、

父がローマ帝国西方の正帝となると、父のいるブリタニア（ブリテン島）にのがれた。翌年、父が亡くなると、副帝に任じられ、310年ころには正帝を自称した。312年、イタリアに侵入し、正式な西方の正帝だったマクセンティウスをやぶり、ローマに入城。313年、ミラノ勅令を発して、すべての宗教に信仰の自由をみとめ、それまで迫害されてきたキリスト教を公認した。324年、東方の正帝リキニウスをやぶって帝国を統一。新都コンスタンティノープル（現在のイスタンブール）の建設を進めた。内政では軍政と民政を分けて皇帝直属の軍隊を創設し、中央集権的な官僚制をととのえ、職業や身分を固定化するなど、専制君主政を確立した。325年、ニケーアの公会議をひらいて、アタナシウスの三位一体説（父なる神、神の子イエス・キリストと聖霊は一体であるとする説）を正統とし、アリウスらを異端とするなど、キリスト教の教義の統一をはかった。337年、ペルシア遠征を計画中、病にたおれ、死の直前に洗礼を受けた。

こんちいんすうでん

宗教

金地院崇伝　1569～1633年

家康を補佐した黒衣の宰相

（『本光師頂相』狩野探幽筆／金地院）

江戸時代前期の臨済宗の僧。以心崇伝ともいう。室町幕府第13代将軍足利義輝の家臣の子として生まれる。1573年、室町幕府滅亡の際、父と死別し京都の南禅寺に入った。1605年、南禅寺の住職になり金地院に住み、応仁の乱で荒廃した伽藍の復興につとめた。

1608年、徳川家康にまねかれて駿府（現在の静岡市）へ行き、幕府の外交文書の作成などにあたり、家康に信頼されて政治顧問として腕をふるい、大名を統制するための武家諸法度、朝廷や公家をとりしまるための禁中並公家諸法度、仏教の各宗派や寺院をとりしまるための諸宗寺院法度、キリスト教禁止令（禁教令）などの制定にたずさわった。

1614年の豊臣家滅亡のきっかけになった方広寺鐘銘事件

（豊臣秀頼が再建した方広寺の鐘銘が家康をのろったものだといいがかりをつけた事件）は、崇伝のはかりごとといわれる。1618年には江戸城（東京都千代田区）北の丸に江戸金地院を建立。家康の屈指のブレーンとして、黒衣の宰相とよばれるにふさわしい活躍をした。

コント，オーギュスト

思想・哲学　学問

オーギュスト・コント　1798〜1857年

実証主義の立場から社会学を創始した哲学者

フランスの哲学者、社会学の創始者。

南部のモンペリエ生まれ。ナポレオン1世が創立したエコール・ポリテクニーク（理工科学校）で数学を学ぶが、退学。その後、社会思想家サン＝シモンの教えを受けるも、決別した。1826年からは、自宅で講義をおこない、これをもとに『実証哲学講義』全6巻を12年かけて刊行。この中ではじめて、社会学ということばが登場する。観察された事実から法則を発見していく実証主義により、社会の発展をめざした。

また、人間の精神は、神学的、形而上学的、実証的という3段階をへて発展するという「3段階の法則」をとなえた。精神の発展に応じて、社会も軍事的、法律的、産業的という3段階で発展すると定義。そして、フランス革命後の無秩序な状態を、実証的な人間の知性と社会性をもって解決すべきだと説いた。

そのため、社会学と教育学を重視した。イギリスの哲学者スペンサーにも大きな影響をあたえ、ならんで社会学の祖と称される。晩年は「人類教」という宗教を創始し、精神を病み自殺した。

こんどういさみ

幕末

近藤勇　1834〜1868年

新選組の局長

（国立国会図書館）

幕末の幕臣。

武蔵国石原村（現在の東京都調布市）の農家に生まれた。1849年、江戸（東京）の市谷（新宿区）にあった天然理心流の道場試衛館の師範近藤周助の養子となり道場をついだ。1863年、江戸幕府第14代将軍徳川家茂が京都にのぼるための護衛をつとめる浪士組に参加したが途中で分裂し、土方歳三、沖田総司らと幕府の京都守護職の支配下に新選組を結成した。その後対立した芹沢鴨を暗殺して局長となり、隊の規律に違反した者はすべて厳罰にするというきびしい姿勢で隊を統一した。1864年、池田屋事件で尊王攘夷派（天皇をうやまい外国勢力を追いはらおうという考えの人々）の志士を殺害するなど、尊王攘夷派をとりしまって活躍した。

1867年、京都の治安を守る警備隊の幕府見廻組頭取に任命され、幕臣となった。1868年、新政府軍との鳥羽伏見の戦いでやぶれて、江戸にもどった。その後も戦うことを主張し、甲陽鎮撫隊を組織して甲府（山梨県甲府市）にむかい旧幕府軍をひきいて新政府軍と戦ったがやぶれ、下総国流山（千葉県流山市）で新政府軍にとらえられ、江戸の板橋で処刑された。

こんどうかつよし

郷土

近藤勝由　1827〜1901年

綾部井堰の改修を指揮した役人

江戸時代後期〜明治時代の役人。

丹波国綾部藩（現在の京都府綾部市）の藩士の家に生まれた。18歳から20歳まで江戸（東京）に行き、利根川や荒川などの水路や井堰（水量を調節する施設）を見学した。

帰郷して、治水担当の代官（地方の事務をおこなう役職）となった。領内を流れる由良川から水をひくための綾部井堰と天田井堰は、洪水のたびにこわれていたため綾部井堰の水路を延長して天田井堰にむすぶ計画を立て、藩主に許可された。農民たちから人手と経費がかかると反対されたが、私財を投じても断行すると宣言し、1867年、延長約900mの工事をはじめ、40日で約350haの農地をうるおす綾部用水を完成させた。1884（明治17）年に井堰の改修がおこなわれたとき綾部郵便局長になったが、ふたたび工事責任者に任命された。

こんどうじゅいちろう

郷土

近藤寿市郎　1870〜1960年

東三河に豊川用水をつくった市長

明治時代〜昭和時代の政治家。

愛知県高松村（現在の愛知県田原市）に生まれた。愛知県県会議員、衆議院議員をへて、1941（昭和16）年に豊橋市長になった。高松村のある東三河地方は、水にとぼしいやせた土地だった。

渥美半島には大きな川がないため、日照りがつづくと、水不足に苦しんでいた。寿市郎は1921（大正10）年に視察でおとずれたインドネシアの水利事業をヒントに、豊川上流の鳳来町（愛知県新城市）にダムをつくり、水をひく計画を立てた。第二次世界大戦がはじまり、実現しなかったが、戦後の1949年、国の事業として工事がはじまり、1958年に宇連ダムが完成し、1968年に豊川用水が渥美半島まで完成した。

こんどうじゅうぞう

探検・開拓

近藤重蔵　1771～1829年

千島開拓の基礎を築いた

（函館市中央図書館所蔵）

江戸時代後期の探検家。

本名は守重。江戸幕府の下級家臣の子として江戸（現在の東京）に生まれる。幼少のころより神童とよばれ1794年、幕府の学問吟味（朱子学の試験）を受けて、最優秀の成績で合格した。翌年、長崎奉行にしたがって長崎に行き、西洋の事情を学んだ。その後、蝦夷地（北海道）警護の重要性を幕府にうったえ、1798年、最上徳内らとともに蝦夷地に派遣された。以後4回にわたって蝦夷地へ行き、千島列島の国後島、択捉島を探検した。1802年には、択捉島でロシア人が立てた標柱をとって、「大日本恵登呂府」と書いた標柱を立て、択捉島が日本の領土であることを宣言した。山道をつくり、航路をひらくなど、蝦夷地や千島列島の開拓をおこなった。1808年、図書の収集や分類などをおこなう書物奉行になり、北方探検の成果や記録を『辺要分界図考』をはじめ多くの書物にまとめた。1826年、長男富蔵が屋敷の敷地争いからおこした殺人事件により、近江国大溝藩（滋賀県高島市）にあずけられ、その地で病死した。

こんどうよしみ

詩・歌・俳句

近藤芳美　1913～2006年

戦後の歌壇のリーダー的存在

昭和時代～平成時代の歌人。

朝鮮（現在の大韓民国）生まれ。本名は芽美。東京工業大学建築科卒業。旧制広島高等学校在学中から短歌雑誌『アララギ』の同人となり、歌人の中村憲吉や土屋文明に師事した。第二次世界大戦後、社会性の強い『埃吹く街』などを発表して注目される。1951（昭和26）年には、短歌雑誌『未来』を創刊。新歌人集団を結成して戦後派のリーダーとして活躍した。

建築設計の仕事のかたわら、みずからの戦場での経験や知識人としての自覚にもとづき、歌人として現実社会にするどいまなざしをむけた作品を発表する。歌集『早春歌』『歴史』『黒豹』『メタセコイアの庭』『命運』、歌論集『新しき短歌の規定』などがある。

コンドル，ジョサイア

建築

ジョサイア・コンドル　1852～1920年

日本の近代建築を指導した建築家

明治時代のイギリス人建築家。

ロンドン生まれ。サウスケンジントン美術学校とロンドン大学で建築を学んだ。1873年から1875年まで、ゴシック復興運動の建築家ウィリアム・バージェスの事務所につとめる。バージェスが日本美術の愛好家だったこともあり、日本への関心を深める。1876年、王立建築家協会の設計競技に応募し、有望な建築家にあたえられるソーン賞を受賞し、注目を集めた。1877（明治10）年、日本政府のまねきにより、来日した。工部大学校造家学科（現在の東京大学工学部建築学科）の教師として、建築学を教えるとともに、工部省に属して、政府関係の施設を設計した。工部大学校では、辰野金吾、片山東熊、曽禰達蔵ら、日本の近代建築の基礎を築いた人々を指導した。また工部省では、上野の博物館や鹿鳴館などを設計した。

（東京大学大学院工学系研究科建築学専攻所蔵）

1888年、大学をやめて東京に建築事務所をかまえる。三菱や三井といった財閥との交流もあり、多くの大邸宅や関連施設などの建築にたずさわった。独立後の主な作品には、ニコライ堂（1891年）、岩崎久弥邸（1896年、現在の旧岩崎邸庭園）、三井家倶楽部（1913年、現在の綱町三井倶楽部）、古河虎之助邸（1917年、現在の旧古河庭園）などがある。また、三菱から丸の内のビジネス街の設計を依頼され、工部大学時代の弟子である曽禰達蔵を主任にむかえて、全体の構想にたずさわった。1894年には、日本最初のオフィスビルとなる三菱一号館が完成、1896年までに二号館と三号館も完成した。1893年には日本人女性と結婚し、日本舞踊を習い、浮世絵師の河鍋暁斎から日本画を学ぶなど、日本文化全般に親しむ。日本の建築、美術、生け花、庭園などについての著作もある。妻が亡くなってまもなく、日本国内で病気により亡くなった。

こんぱるぜんちく

伝統芸能

金春禅竹　1405～1470?年

金春流を再興した能役者

室町時代の能役者、能作者。

本名は七郎氏信。祖父は「金春」をはじめて名のった金春権守。20歳ころ金春流のもととなった一座で金春大夫の地位をついだ。大和国（現在の奈良県）を中心に活躍し、観阿弥・世阿弥のおこした観世流と対立していたが、のちに世阿弥の娘婿となった。世阿弥を指導者とあおぎ、能についての理論書『六義』『拾玉得花』を1428年に伝授され、後継者の一人といわれるまでになる。誠実で、佐渡に流された世阿弥にさまざまな援助をした。世阿弥の理論を哲学的、仏教的に深めながらも、禅の教えを能にとり入れて独自の芸風を築き、金春流を再興。『六輪一露之記』などの能楽論書を著した。また能作者としても評価が高く、『雨月』『芭蕉』『玉葛』など「わび」「さび」を感じさせる作品を多くのこした。

さ

Biographical Dictionary 2

サーリーフ，エレン・ジョンソン

政治

エレン・ジョンソン・サーリーフ　1938年～

選挙によるアフリカ初の女性大統領

リベリアの政治家、経済学者。大統領(在任2006年～)。

首都モンロビア生まれ。リベリアの先住民とドイツ人の血をひく。西アフリカ大学を卒業後、アメリカ合衆国のハーバード大学などへ留学、帰国後、1979年に財務大臣となった。翌年、軍曹サミュエル・ドウがクーデターで政権をうばうと、ケニアに亡命。

1985年に帰国したが、ドウの軍事政権を批判したため禁固刑となり、9か月間の投獄後、アメリカに移住。民間銀行の幹部や国連開発計画アフリカ局長などをつとめた。リベリアでは1989年、将軍チャールズ・テーラーが反乱をおこし、7年間の内戦がはじまった。内戦後の1997年に帰国し、大統領選でテーラーと戦うがやぶれる。テーラーはその後、反政府勢力の反乱などにより、2003年にナイジェリアへ亡命。サーリーフは暫定政府の要職につき、2005年、大統領選に出馬、元サッカー選手のジョージ・ウエアをやぶり、翌年、大統領に就任、選挙でえらばれたアフリカ初の女性元首となった。2011年、女性の地位向上につとめたとしてノーベル平和賞を受賞。強い精神力から「鉄の女」とよばれる。

学 ノーベル賞受賞者一覧

サイイド・アリー・ムハンマド

宗教

サイイド・アリー・ムハンマド　1819～1850年

バーブ教を創始したイランの宗教家

イスラム教の一派バーブ教の開祖、宗教改革者。

本名はミールザー・アリー・ムハンマド。バーブともよばれる。イラン南部のシーラーズ生まれ。はじめは商人として活動していたが、メッカに巡礼し、イスラム教シーア派の聖地のカルバラー(現在のイラク中部の都市)におもむき、神学を学ぶ。イランにもどった1844年、「バーブ(門)」と称し、みずからがイマーム派の約束された救世主(マフディー)であると宣言。門から入れば真理に到達できるとし、バーブ教を創始して多くの支持を集めた。シーア派正統派の聖職者やカージャール朝政府はバーブ教の思想は危険なものととらえ、バーブを異端者、さらには背教者と断罪して、1847年に逮捕。バーブ教徒は反乱をおこしたが、1850年に彼は銃殺された。高弟の一人ホセイン・アリー(バハーオッラー)が、みずからをバーブの後継者、新たなる預言者と宣言し、バハーイー教を創始した。

サイード，エドワード

学問

エドワード・サイード　1935～2003年

オリエンタリズムに新たな視点を加えた

パレスチナ系アメリカ人の英文学者、比較文学者。

イギリス統治時代のエルサレム生まれ。1948年、エジプトに移住、2年後にアメリカ合衆国へわたり、プリンストン大学、ハーバード大学で学ぶ。アメリカの市民権を取得し、1963年から40年間、コロンビア大学で教鞭をとった。

1978年の著書『オリエンタリズム』で、オリエンタリズムとは、ヨーロッパ人がみずからの文化的優位をしめすために、ヨーロッパと中東地域を切りはなし定義した概念で、中東支配を正当化するヨーロッパ中心主義があらわれていると主張。この指摘は欧米の言論界、学界に大きな議論をよんだ。さらに、ポストコロニアリズム(植民地主義のその後の形態)の多元的な文化論として評価された。

さいえいぶん（ツァイインウェン）

政治

蔡英文　1956年～

台湾初の女性総統

台湾の政治家。総統(在任2016年～)。

台北で、不動産や建設業などをいとなむ実業家の家に生まれる。国立台湾大学に入り法学を学び、1978年に卒業。その後、アメリカ合衆国のコーネル大学で法学修士号を、イギリスのロンドン・スクール・オブ・エコノミクスで法学博士号を取得した。台湾に帰国後、国立政治大学および東呉大学の教授についた。

1990年代、政府の国際経済の法律顧問や貿易調査委員などをつとめた。2004年、台湾の独立をかかげる民主進歩党(民進党)に入党し政治家に転身、2008年、民進党の主席に就任した。2014年の統一地方選挙で民進党が躍進し、2016年の総統選挙で当選をはたして、台湾初の女性総統となった。政治的には穏健な台湾独立派で、中華人民共和国とは一線を画すことを主張している。

学 世界の主な国・地域の大統領・首相一覧

さいおん

郷土

蔡温　1682〜1761年

沖縄の羽地大川の改修工事をした大臣

▲切手にえがかれた蔡温

（切手の博物館）

江戸時代中期の琉球王国の政治家。

中国から琉球（現在の沖縄県）に移住した中国人の子孫で、琉球王国（1429年から1879年まで琉球諸島にあった王国）の久米村（沖縄県那覇市）に生まれた。

中国に留学して地理と経済を学び、帰国後、国王尚敬につかえて、1728年、国王を補佐して政治をおこなう三司官（大臣）の一人になった。そのころ、羽地間切（数か所の村からなる琉球王国の行政区画。名護市）では、付近を流れる羽地大川がたびたびはんらんしていた。蔡温は、中国で学んだ土木技術を用いて、羽地大川の改修工事に着手し、川を無理のない流れにかえて、堤防を築いた。洪水の心配はなくなり、流域に広大な水田が生まれた。また、災害をふせぎ、建築や造船に必要な材木を得るため、植林をおこなった。海岸には、強風や潮風をふせぐため、マツを植えた。各地にのこるマツは、蔡温松とよばれている。

さいおんじきんもち

政治

西園寺公望　1849〜1940年

政治に大きな影響力をもった最後の元老

（国立国会図書館）

明治時代〜昭和時代の政治家。第12、14代内閣総理大臣（在任1906〜1908年、1911〜1912年）。

京都出身。右大臣、公家の清華家の家柄である徳大寺公純の次男として生まれ、西園寺師季の養子となる。

戊辰戦争に参加したのち、1869（明治2）年、家塾立命館（現在の立命館大学）を創設する。1871年から10年間フランスに留学し、法学者エミール・アコラースなどから、自由思想の影響を受ける。帰国して、明治法律学校（明治大学）を設立し、中江兆民らと『東洋自由新聞』を創刊した。

1882年に、憲法や皇室制度の調査のため伊藤博文とともにヨーロッパへわたり、オーストリア、ドイツ、ベルギー各国の駐在公使をつとめる。のちに、賞勲局総裁、枢密顧問官などへて、文部大臣、外務大臣などを歴任。

日露戦争後、1906年と1911年の2度にわたり内閣総理大臣になり、桂太郎と交互に政権を担当した。1919（大正8）年のパリ講和会議では首席全権委員をつとめ、1924年以後は、最後の一人の元老として、後継の首相を推薦するなど、政界に大きな影響をあたえた。

学 歴代の内閣総理大臣一覧

さいぎょう

詩・歌・俳句

西行　1118〜1190年

全国を旅した歌人

（国立国会図書館）

平安時代後期〜鎌倉時代前期の僧、歌人。

出家して僧になる前の名は、佐藤義清。武士の家に生まれ、鳥羽上皇（譲位した鳥羽天皇）の北面の武士（院の御所の北面を警備した武士）としてつかえた。和歌にすぐれ、流鏑馬（ウマを走らせ的を射る競技）、蹴鞠などもたくみだった。1140年、妻子を捨てて出家し、のちに高野山（和歌山県）に住んで修行にはげんだ。

1156年、鳥羽上皇の葬儀のときに歌をよむ。

1168年ごろには弘法大師、空海ゆかりの地をたずねて四国を旅している。その後、藤原俊成、藤原隆信、僧の慈円などと交流し、歌をかわした。

1180年に高野山をおりてからは伊勢神宮（三重県伊勢市）で、神官たちに歌の指導をおこなう。また、1186年、源平の争乱で焼失した東大寺復興のため、奥州（東北地方）へおもむき勧進（寄付を集めること）をおこなう。この旅の途中で鎌倉に立ちより源頼朝に面会した。都にもどってからは河内国弘川寺（大阪府河南町）に没する。

死後、藤原定家らがまとめた『新古今和歌集』に歌人の中で最多の94首がえらばれ、歌人としての名声が高まった。ほかにも、後白河法皇（譲位後に出家した後白河天皇）の命令でつくられた『千載和歌集』に18首がのせられ、自選の『山家集』などをのこしている。

西行は諸国に旅した歌の僧として、多くの逸話が生まれ、室町時代の歌人宗祇、江戸時代の俳人松尾芭蕉など、後世の歌人や文学に大きな影響をあたえた。

学 人名別 小倉百人一首

さいけいか

崔圭夏 → 崔圭夏

さいこう

貴族・武将

西光　?〜1177年

平氏打倒をはかった、後白河法皇の側近

▲とらえられた西光
（『平治物語絵巻』「西光被斬（部分）」林原美術館蔵）

平安時代後期の官人。

出家して僧になる前の名は藤原師光。藤原通憲につかえ、左衛門尉（宮中の警備をする左衛門府の督、佐に次ぐ官職）となった。1159（平治元）年、平治の乱で藤原通憲が殺害されたとき出家した。その後、後白河法皇（譲位後に出家した後白河天皇）に重用され、第一の近臣となって勢力を得た。1177年、子の師高が延暦寺に属する神社とあらそい、延暦寺の圧力で尾張（現在の愛知県西部）へ流された。これにおこった西光は延暦寺の天台座主（天台宗の最高位の僧）の明雲を、伊豆（静岡県伊豆半島）へ流罪にした。同年、京都東山の鹿ヶ谷（京都市）の山荘で、後白河法皇の近臣の藤原成親と子の成経、平康頼、俊寛らと平氏打倒の陰謀をくわだてたが、密告にあって平氏にとらえられ、事件の全体を白状したあと、死罪となった。

さいごうたかもり

西郷隆盛 ➔ 112ページ

さいごうつぐみち

政治

西郷従道　1843〜1902年

日本に近代的な軍隊をつくった

（国立国会図書館）

幕末の薩摩藩の藩士、明治時代の軍人、政治家。

薩摩藩（現在の鹿児島県）の下級藩士西郷吉兵衛の子。西郷隆盛の弟。兄の影響を受け、尊王攘夷運動（天皇をうやまい外国勢力を追いはらおうという運動）に身を投じた。1862年、寺田屋事件にかかわり謹慎を命じられたが、年少だったため、のちにゆるされて薩英戦争、禁門の変に従軍した。

1868年、戊辰戦争に従軍。翌年、山県有朋とともにヨーロッパを視察し兵制を研究し、帰国後、明治政府の軍職を歴任し、近代的な陸軍海軍の創設に貢献した。

1873（明治6）年、兄の隆盛らが大久保利通や岩倉具視らと対立して政府を去ったが、従道はのこった。台湾蕃地事務都督に任命されると、中国、清領の台湾島民による琉球（沖縄）島民の殺害をきっかけに台湾出兵を強行し、清から賠償金を得た。1877年、隆盛が西南戦争をおこすが、兄にはつかなかった。それ以降政府の中心に立ち、海軍大臣や内務大臣となり、海軍の拡大や、労働・社会運動をとりしまる治安警察法制定に力を入れた。1892年、政府の最高首脳である元老となった。

さいこうまんきち

政治

西光万吉　1895〜1970年

部落問題にとりくみ、水平社宣言を起草した

大正時代〜昭和時代の社会運動家、文筆家。

奈良県生まれ。本名は清原一隆。浄土真宗西光寺の長男として生まれたが、部落差別を受けて中学を中退する。1913（大正2）年に画家を志して上京。日本美術院で日本画を学び、二科展で入選するなど、その才能を開花させていった。しかし、部落差別問題の苦悩や病気のため、奈良に帰郷する。1920年、阪本清一郎らと燕会を結成して部落内部の改革運動にとりくんだ。1922年、阪本、駒井喜作とともに全国水平社の創立に参加。「水平社宣言」の草案を起草し、部落解放運動の基本的な精神と原則を明らかにした。この運動は被差別部落の人々の心を強くつかみ、全国に広がっていった。また1924年には日本農民組合奈良県連合会を結成、のちに日本共産党に入党する。1928（昭和3）年、三・一五事件で逮捕、投獄される。この間、共産主義から転向し、服役後は国家社会主義運動に加わった。第二次世界大戦後は原水爆禁止運動など平和運動をおこない、恒久平和を提唱した。

▲初期水平社の運動家たち（後列右の人物が万吉）
（水平社博物館提供）

さいじょうやそ

詩・歌・俳句　音楽

西条八十　1892〜1970年

日本を代表する童謡詩人

大正時代〜昭和時代の詩人、作詞家、フランス文学者。

東京生まれ。早稲田大学卒業。中学時代にイギリス人から英語を学び、フランス文学者の吉江喬松から文学の影響を受ける。在学中から、文芸雑誌『早稲田文学』や同人誌の活動に参加し、三木露風や堀口大学らと交流する。

また、マラルメやメーテルリンクなどの外国文学を翻訳し、紹介する。大学を卒業後、1919（大正8）年には詩集『砂金』を出版。その後フランスに留学し、帰国後は、1945（昭和20）

（日本近代文学館）

年まで、早稲田大学仏文科の教授をつとめる。

フランス文学者として活躍するかたわら、若いころから繊細で優雅な詩をつくる。雑誌『赤い鳥』に発表した『かなりや』をはじめ、童謡を数多くてがけ、北原白秋とともに大正時代を代表する童謡詩人といわれる。

『東京行進曲』や『東京音頭』『お菓子と娘』などの流行歌も作詞した。

ほかに訳詩集『白孔雀』、詩人ランボーの研究書『アルチュール・ランボオ研究』など。

さいせいぐ（チェジェウ）

宗教

崔済愚　1824〜1864年

朝鮮半島において東学を創建した教主

朝鮮、李朝末期の宗教家、東学の創始者。

朝鮮半島の慶州府（現在の大韓民国慶尚北道慶州市）で没落した両班（特権階級）の家に生まれる。若くして父母に死別し、生活に困窮した。自分のめぐまれない境遇や国政の腐敗に絶望して、20歳ころから放浪の旅に出る。1860年、天の啓示を受けて、儒教、仏教、仙教と民間信仰を融合、発展させた独自の宗教として東学を創建した。「至気今至　願為大降侍天主　造化定　永世不忘　万事知」をくりかえしとなえて修養すれば、だれもが天と人が一体となれると説き、欧米列強や日本の侵攻の不安や苦しい生活からぬけだすことができて、地上天国が実現できるとした。著作に『竜潭遺詞』『東経大全』などがある。

東学は南部朝鮮の農民に急速に広まったが、当時の厳格な身分制社会を動揺させ、社会改革への動きをうながすものであったため、人心をまどわす罪で1864年に大邱で処刑された。東学は弾圧されたが、第2代教主の崔時亨を中心に各地に伝えられ、1894年の甲午農民戦争の大きな動因ともなる。1905年、第3代教主の孫秉熙からは天道教となる。

さいちょう

最澄 → 114ページ

さいとうういちろう

郷土

斎藤宇一郎　1866〜1926年

秋田県にかほの農業改革の指導者

明治時代〜大正時代の役人、農政家。

出羽国由利郡平沢村（現在の秋田県にかほ市）で、旗本（将軍に直接会うことをゆるされた武士）の仁賀保氏につかえる家に生まれた。1890（明治23）年、帝国大学農科大学（東京大学農学部）を卒業したのち、明治学院（明治学院大学）の教授となり、その後、農商務省（農林水産省）につとめたが、1899年、父の死後、故郷に帰った。

（斎藤宇一郎記念館）

父は農業改革に成功した山形県酒田で、乾田馬耕（収穫後の田をかわかし、春にウマでたがやす方法）を学び、地元にとり入れようとしたが、水のない田でイネは育たないと農民に反対され、改革は進まなかった。父の意思をつぎ、私有地の湿田を乾田にかえる排水工事をおこない、イネの収穫をふやした。農民たちも納得し、その後5年間で、8割の田が乾田にかわり、収穫は1.5倍になった。また、種苗交換会の会頭となり、イネの品質改善につくした。1902年、衆議院議員になり、以後23年間つとめた。

さいとうたかお

政治

斎藤隆夫　1870〜1949年

反ファシズムをとなえつづけた雄弁家

（国立国会図書館）

大正時代〜昭和時代の弁護士、政治家。

兵庫県生まれ。1891（明治24）年に東京専門学校（現在の早稲田大学）に入学し、主席で卒業。弁護士になり、アメリカ合衆国のエール大学に留学した。

帰国後の1912（明治45）年、立憲国民党から衆議院議員選挙に出馬し、当選した。満州事変後の軍部の政治介入を批判するなど、反軍部、反ファシズムの姿勢をつらぬき、雄弁家として知られた。また、普通選挙法導入前は、普通選挙賛成演説もおこなった。帝国議会での、1936（昭和11）年の粛軍演説、1940年の反軍演説などが軍部と親軍勢力の反発をまねき、一度は衆議院議員を除名されるが、1942年の翼賛選挙で非推薦ながら再当選。議員に返り咲いた。第二次世界大戦後は、日本進歩党の創立に加わり、公職追放令による追放からもまぬかれた。

1946年に第1次吉田茂内閣に国務大臣として初入閣、その後の片山哲内閣にも国務大臣兼行政調査部総裁として入閣した。演説で上半身をゆらすくせから「ネズミの殿様」のあだ名がつき、国民から支持を得た。

西郷隆盛

西南戦争で自決した明治新政府の功労者

▲西郷隆盛　（国立国会図書館）

■薩摩藩主島津斉彬につかえる

幕末〜明治時代の政治家。

大久保利通、木戸孝允とともに「明治維新の三傑」の一人として知られる。薩摩藩（現在の鹿児島県）の下級武士、西郷吉兵衛の子として生まれ大久保とは幼なじみだった。

1851年に藩主となった島津斉彬に能力をみとめられた西郷は1854年、斉彬にしたがって江戸（東京）へ行き、諸藩との連絡をする庭方役となり幕末の情勢をさぐった。1857年、斉彬の指示で第13代将軍徳川家定のあとつぎに水戸藩（茨城県中部と北部）の藩主の子、一橋慶喜（徳川慶喜）を立てるために京都へ行って朝廷にはたらきかけた。

■島津斉彬が亡くなり自殺をはかる

1858年、大老となった井伊直弼によって尊王攘夷派（天皇をうやまい外国勢力を追いはらおうと考える人々）が弾圧されるなか、斉彬が急死した。西郷は斉彬のあとを追って殉死しようとしたが尊王攘夷派の僧月照にさとされて思いとどまった。しかし幕府の追及は薩摩藩にもおよび、月照は日向国（宮崎県）に追放されることになった。責任を感じた西郷は日向にむかう船から月照とともに海中に身を投げた。月照は死んだが西郷は助けられ、1859年、奄美大島に流された。

▲西郷隆盛と勝海舟の会談　『江戸開城談判』（作者 結城素明）より。1868年3月14日の会談で江戸城無血開城が決定した。　（聖徳記念絵画館）

■ゆるされて藩の政治に参加する

西郷は奄美大島で3年間すごし、島民の娘と結婚してこどもも生まれた。その間、1860年、桜田門外の変で井伊直弼が暗殺された。薩摩藩では藩主島津忠徳の父島津久光が実権をにぎっていた。公武合体（朝廷と徳川将軍家が協力すること）が最上策だと考えていた久光は江戸へ行って幕府の改革をおこなおうとした。久光に信頼されていた大久保利通は、朝廷や幕府、諸藩の事情にくわしい西郷隆盛を復帰させることを願いでた。1862年、西郷は鹿児島によびもどされ島津久光にしたがって京都へむかったが、久光の命令を無視して大坂（阪）にむかい過激な尊王攘夷派をいさめようとした。そのため久光に誤解され沖永良部島（奄美諸島にある島）に流罪となった。

■倒幕をめざす

1863年、前年に島津久光一行がおこした生麦事件の賠償を求めてきたイギリス軍と薩摩藩との戦争（薩英戦争）がおこり、苦戦した薩摩藩はイギリスと和睦した。

1864年、西郷はゆるされて鹿児島に帰り、藩の軍賦役（軍隊の司令官）となって京都へ行き、同年、長州藩（山口県）の尊王攘夷派が京都御所を攻めた禁門の変では会津藩（福島県）とともに長州軍をやぶった。

その後幕府の軍艦奉行勝海舟と会い「幕府には有能な人材がいない。今後は有力な藩による連合政権をつくるべきだ」とさとされた。同年、幕府の第一次長州出兵で参謀（軍の指揮者）となった西郷は、禁門の変の責任者を切腹させ、藩主に謝罪させて長州藩との戦いを終わらせた。

そのころ坂本龍馬と知り合い「薩摩と長州は和解し、幕府にかわって新しい日本をつくらなければいけない」と説得され、1866年、ひそかに薩長同盟をむすんだ。その年におこなわれた第二次長州出兵で薩摩藩は出兵を拒否した。幕府軍は長州各地でやぶれて休戦となり幕府の権威は地に落ちた。

1867年、第15代将軍徳川慶喜が大政奉還（幕府が朝廷に政権を返すこと）をおこない、その後王政復古（朝廷の政治を復活させること）の大号令がだされて幕府は廃止され新政府が成立した。翌1868年、徳川慶喜の処分に反発した旧幕府軍と新政府軍のあいだで戊辰戦争がはじまった。西郷は新政府軍を指揮する参謀となって江戸城総攻撃を決定した。しかし勝海舟が西郷をたずねてきて徳川慶喜の謹慎と江戸城明け渡しを申しでた。西郷はこれを受け入れ江戸城は無血開城となった。

■明治新政府で活躍する

1871（明治4）年、西郷は明治新政府の参議（大臣に次ぐ官職）となった。まず、薩摩、長州、土佐

▲『田原坂激戦之図』 西南戦争でもっともはげしかった戦い。政府軍（左）と戦う西郷軍（右）。
（鹿児島市立美術館保管）

▲上野公園（東京都台東区）の西郷隆盛銅像 彫刻家の高村光雲によって1898年に制作された。

（高知県）の3藩から明治天皇警護のための御親兵を出させ、1万人の軍隊を組織して新政府をささえた。その後、廃藩置県をおこなったが諸藩で大きな混乱はおこらなかった。同年、不平等条約を改正するため欧米に出発した岩倉具視を大使とする岩倉使節団のあとを受けた「留守政府」の中心に立った。

1872年、西郷たちは地租改正（地価の3%を地租としておさめさせる税制改革）、学制、徴兵令を定める一方で、鉄道や電信を設置し太陽暦を採用するなどさまざまな改革をおこなって日本の近代化を進めた。

1873年、日本は鎖国をつづける朝鮮に対し、国交をむすぶことを求めたが朝鮮はこれを拒否した。国内では朝鮮に出兵するべきだという征韓論が強くなった。西郷はみずから朝鮮に行き、朝鮮国王を説得すると提案して、閣議で決定された。しかし、欧米から帰国した岩倉や大久保が朝鮮問題よりも国内の改革が先だと主張して対立した。結局明治天皇の裁断により朝鮮への使節派遣は無期延期となった。閣議の決定をくつがえされた西郷は参議を辞任して鹿児島に帰った。

■西南戦争で最期をとげる

鹿児島にもどった西郷は私学校をつくって士族の子弟を教育した。1876年、廃刀令がだされて士族（旧武士）が刀をもつことを禁じられ、秩禄処分（士族に支給されていた家禄（給料）を打ち切ること）がおこなわれたので、不満をいだいた士族が九州各地で反乱をおこした。

1877年、明治政府は西郷をしたう人々の多い鹿児島が反政府の大勢力になるのではないかとおそれ、密偵を送って、鹿児島の実情をさぐろうとした。これを知った私学校の生徒たちは、鹿児島にあった陸軍や海軍の弾薬庫をおそって、武器をうばった。この事件を知り、政府との対決はさけられないと考えた西郷は「政府の政策を尋問する」という名目で、1万3000の兵をひきいて鹿児島を出発した。しかし、熊本鎮台（熊本におかれた陸軍の軍団）を攻め落とせず、田原坂（熊本県植木町）の激戦で政府軍にやぶれ、その後も各地でやぶれて鹿児島にもどった。西郷はのこった300人とともに城山（鹿児島市北部にある山）に立てこもったが4万の政府軍にかこまれて自決した。これを西南戦争といい、日本における最大の士族の反乱で、最後の内戦となった。

学 日本と世界の名言

敬天愛人

西郷隆盛が好み、その人がらをよくあらわしているといわれることばに「敬天愛人」がある。「天をうやまい人を愛す」と読むが、「天は他人に愛をあたえるのと同じように自分にも愛をあたえてくれる。だから、自分を大事にする心と同じような心で他人もだいじにしなくてはいけない」という意味である。西郷は、天からあたえられた天命（運命）にしたがって生き、他人を差別することなくだれをも愛し、生涯、無私無欲であることを心がけた。

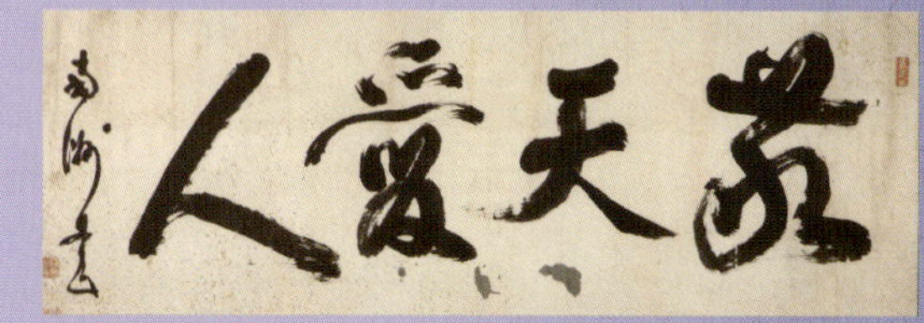

▲西郷隆盛自筆の書「敬天愛人」 （鹿児島市立美術館所蔵）

西郷隆盛の一生

年	年齢	主なできごと
1827	1	薩摩藩の下級武士の子として生まれる。
1854	28	薩摩藩主島津斉彬に抜てきされ江戸へ行く。
1857	31	一橋慶喜を将軍とするため活動する。
1858	32	島津斉彬の死後、幕府にうたがわれ藩によって翌年、奄美大島に流される。
1862	36	島津久光により沖永良部島に流される。
1864	38	禁門の変で薩摩軍をひきいて活躍する。
1866	40	長州藩と倒幕をめざす薩長同盟をむすぶ。
1867	41	王政復古のために活躍する。
1868	42	戊辰戦争で、江戸城無血開城をおこなう。
1871	45	新政府の参議となり廃藩置県などをおこなう。
1872	46	地租改正、学制、徴兵制、太陽暦採用などの改革をおこなう。
1873	47	征韓論で大久保利通らと対立し政府を去る。
1877	51	西南戦争で政府軍にやぶれて自決する。

※年齢は数え年であらわしている

さいちょう

宗教 767〜822年

最澄

天台宗をひらいた僧

▲最澄像 （延暦寺）

■中国にわたり天台宗を学ぶ

平安時代前期の僧。

近江国（現在の滋賀県）で渡来系氏族の子として生まれ、14歳で出家して僧になった。

785年、19歳のとき、東大寺（奈良市）で正式に戒律（仏教を信仰する者が守るべき規律）をさずかり最澄と名のった。その後、比叡山（京都市・滋賀県大津市）に登り、788年、一乗止観院（のちの延暦寺）という寺を建てて仏教を研究し修行にはげんだ。

804年、留学僧として中国の唐にわたった。中国南東部の浙江省にある天台山に登り天台宗を学んだ。短期間の滞在だったが高僧から戒律をさずかり、灌頂（頭に香水をそそぐ儀式）を受け、密教（奥深い秘密の教え）の経典を書きうつした。

805年、帰国したとき460巻という多くの経典をもち帰った。

■延暦寺で天台宗をひらく

806年、桓武天皇の許可を得て比叡山延暦寺で日本の天台宗をひらいた。最澄は、仏教の経典の中でも法華経を重んじ、僧とか俗人に関係なくすべての人はさとりをひらいて仏になれると説いた。この考えに対し、保守的な南都（奈良）の仏教界の僧たちは、最澄の考えは誤っているとはげしく批判したので、最澄も反論した。

▲延暦寺根本中堂　最澄はここで天台宗をひらいた。 （延暦寺）

■空海との交流

809年、中国で深く密教を学んできた空海と交流し、空海がもち帰った仏教の経典を借りたり密教の教えを受けたりした。しかし、2人の密教に対する考え方がちがい、最澄の弟子が空海の弟子になってしまったことなどがあり、数年間で交流はとだえた。

■伝教大師の称号を贈られる

818年、最澄は延暦寺に大乗仏教（仏教の二大流派の一つで人間の平等を説き、民衆の救済を主張する）の戒壇（戒律をさずけるためにもうける壇）を築こうと朝廷に願いでた。しかし、南都の仏教界がはげしく反対し、最澄は多くの著作を著して反論した。

延暦寺の戒壇がみとめられたのは、822年、最澄の死後7日目のことだった。朝廷は最澄の功績をみとめ、伝教大師の称号を贈った。その後、比叡山延暦寺は最澄の教えを受けた円仁、円仁に学んだ円珍など多くのすぐれた僧を育てて日本仏教の中心地となり、政治にも影響をおよぼすほどの勢力になった。

延暦寺で修行した僧の中には鎌倉時代に新仏教をひらいた法然、親鸞、栄西、道元、日蓮などがいた。

なお、空海のひらいた真言宗の密教を東密（東寺を道場とする密教）とよぶのに対し、最澄のひらいた天台宗の密教は台密（天台宗の密教）とよぶ。

▲延暦寺のある比叡山 （延暦寺）

最澄の一生

年	年齢	主なできごと
767	1	近江国に生まれる。
780	14	出家して僧になる。
785	19	東大寺で受戒し、比叡山に登る。
788	22	一乗止観院（延暦寺）を建てる。
804	38	唐にわたり天台宗を学ぶ。
805	39	唐から帰国する。
806	40	朝廷から天台宗が公認される。
809	43	空海との交流がはじまる。
822	56	比叡山で亡くなる。

※年齢は数え年であらわしている

さいとうたつおき

戦国時代

斎藤竜興　1548～1573年

美濃国をひきつぐが、織田信長にほろぼされる

▲『斎藤竜興 澤村訥升』より
（早稲田大学演劇博物館 101-5528）

戦国時代の武将。

斎藤道三の孫にあたる。父である斎藤義竜の死後、14歳であとをつぎ、美濃国（現在の岐阜県南部）の稲葉山城主になる。

隣国の尾張国（愛知県西部）から侵攻した織田信長と戦ったが、戦いで重臣らを失い、家臣からの信望を得ることができず離反する者があいついだ。当時、有力な家臣であった竹中重治（通称半兵衛のちに豊臣秀吉の軍師となる）は、竜興に改心させようとして、一時、稲葉山城をのっとることなどを画策していたが、家臣の流出は止められなかった。1567年、西美濃三人衆（稲葉良通、氏家直元、安藤守就）がうらぎって信長に内通したため稲葉山城は攻め落とされ、竜興は伊勢国（三重県東部）長島に退去した（稲葉山城の戦い）。さらに摂津へ移り、三好氏の重臣である三好三人衆（三好長逸、三好宗渭、岩成友通）とむすんで信長に抵抗をつづける。その後、越前国（福井県北東部）の朝倉義景をたより、義景とともに信長軍と戦うが、1573年、刀根山の戦いで朝倉氏はほろぼされ、竜興は討ち死にした。これにより、斎藤氏は3代で滅亡した。

さいとうどうさん

戦国時代

斎藤道三　1494?～1556年

下克上で知られる「美濃のまむし」

（常在寺）

戦国時代の大名。

道三は出家後の名前。本名、利政。油商人から出世し、美濃国（現在の岐阜県南部）の大名にまでのぼりつめた下剋上の代表的人物。現在では、親子2代でなしとげたことだとわかってきた。

道三の父親である西村新左衛門尉は、山城国（京都府南部）の妙覚寺（京都市）で学ぶ僧侶だった。のちに還俗（僧侶をやめて俗人にもどること）し、油問屋に婿入り、山崎屋庄五郎と改名する。行商でたびたび美濃をおとずれるうちに、美濃の守護である土岐氏の重臣、長井長弘につかえることになる。このころ、長井家家老の西村氏の家名をつぎ、西村勘九郎と改名。しだいに実力をあらわし、長井の姓を名のるようになった。

1533年に父が亡くなると、子である長井規秀（のちの斎藤道三）は、主人である長井長弘を討ち、長井家をのっとる。その後、守護職の相続争いにやぶれた土岐頼芸に近づき、守護である頼芸の兄、土岐政頼を追放。1537年ごろには守護代である斎藤氏の家名をつぎ、斎藤利政と名のるようになる。

実力、名声ともに高まった道三は守護の土岐頼芸を尾張国（愛知県西部）へ追放。美濃で実権をにぎった。土岐頼芸は織田信長の父である織田信秀の協力を得て、美濃へ侵攻。しかし、道三は籠城作戦によって織田軍を壊滅寸前まで追いこんだ。情勢をみて織田家と手を組んだほうが有利と考え、娘の帰蝶（のちの濃姫）を織田信長にとつがせる。うつけ（まぬけ）と評判の信長が道三との会見で、家来に鉄砲を装備させ、正装であらわれたことにおどろき、「わが子たちはあのうつけの門前にウマをつなぐようになる」といったとされる。将来、信長に負けて、自分の子らが家来になる日がくることをみぬいていたのだ。

1552年には、美濃に侵攻し、とどまっていた土岐頼芸をふたたび尾張に追放し、美濃を完全に平定。一国の大名となった。その2年後、長男の斎藤義龍に家をつがせ、自身は出家。道三と名のるようになる。しかし、不和が原因となり、義龍は道三に対して挙兵。信長の援軍が道三のもとにかけつけるが間に合わず、1556年、長良川の戦いで道三は敗死した。

道三は、小田原を中心として関東を平定した北条早雲とならんで、下剋上を体現した代表的人物である。その生き方から、親の腹をやぶるヘビとかけて、「美濃のまむし」ともあだ名された。

さいとうまこと

政治

斎藤実　1858～1936年

軍人から首相となり、国際連盟を脱退

（国立国会図書館）

明治時代～昭和時代の軍人、政治家。第30代内閣総理大臣（在任1932～1934年）。

水沢藩（現在の岩手県）の藩士の子に生まれる。1879（明治12）年、海軍兵学校を卒業。その後アメリカ合衆国へ留学し、アメリカ公使館づき武官となった。

1898年、第2次山県有朋内閣のとき、山本権兵衛海軍大臣の下で海軍次官となる。1906年、第1次西園寺公望内閣で海軍大臣に就任し、8年間、海軍大臣として海軍の軍備拡張につとめたが、1914（大正3）年にシーメンス事件で辞任した。1919年に朝鮮総督となる。病気のために一度辞任するが、ジュネーブ海軍軍縮会議全権委

員などをへて、1929年にふたたび朝鮮総督となった。

1932（昭和7）年、五・一五事件で暗殺された犬養毅のあとをついで内閣総理大臣となり、反対政党も加えて挙国一致内閣を組織した。満州国を承認して、国際連盟から脱退したため、日本は国際的に孤立した。1934年、大規模な贈収賄がからむ帝人事件により総辞職する。その後は内大臣に就任したが、1936年、二・二六事件で青年将校により暗殺された。

学 歴代の内閣総理大臣一覧

さいとうもきち

詩・歌・俳句

斎藤茂吉　1882〜1953年

力強い生命力にあふれた歌風

（日本近代文学館）

明治時代〜昭和時代の歌人、医師。

山形県生まれ。長男は随筆家の斎藤茂太、次男は作家の北杜夫。東京帝国大学医学大学（現在の東京大学医学部）卒業。14歳のとき、東京浅草で開業していた同郷の医師・斎藤紀一のもとに身を寄せ、医学を学ぶ。大学に在学中から、伊藤左千夫に短歌を学び、短歌雑誌『馬酔木』や『アララギ』に歌や評論を発表する。のちには島木赤彦らとともに『アララギ』の中心的な歌人として活躍。自然を客観的にとらえる歌風で知られる。

卒業後は、精神科医のかたわら創作にはげみ、1913（大正2）年に、歌集『赤光』を出版、力強い生命への欲求にあふれた歌風で、多くの作家に影響をあたえた。

ほかに『あらたま』『白き山』などの歌集がある。また、研究書『柿本人麿』や歌論集『童馬漫語』、随筆『童馬山房夜話』などでも知られる。70歳で亡くなる直前は、ふるさとにもどり、自然をおおらかにうたった作品をのこした。1951（昭和26）年、文化勲章受章。

学 文化勲章受章者一覧　学 切手の肖像になった人物一覧

さいとうりゅうすけ

絵本・児童

斎藤隆介　1917〜1985年

創作民話の代表的な作者

昭和時代の児童文学作家。

東京生まれ。本名は隆勝。明治大学卒業。北海道新聞社の記者をへて1945（昭和20）年、秋田に引っ越し13年間秋田に住んだ。1950年、秋田県北西部の八郎潟に着想を得た『八郎』を発表する。

その後50歳のときに出版した最初の童話集『ベロ出しチョンマ』で、小学館文学賞を受賞した。

高度経済成長で物があふれる時代に、作品を通して、たいせつなのは物質より人間の心、ほんとうの強さだとうったえた。『八郎』をはじめ、版画家の滝平二郎と組んだ絵本で小学校の教科書にも採用されている『モチモチの木』や『花さき山』、いわさきちひろの絵による『ひさの星』などがよく知られている。

さいめいてんのう

斉明天皇 → 皇極天皇

さいりん

発明・発見

蔡倫　?〜121?年

紙の改良をおこなう

中国、後漢の宦官。

第4代皇帝和帝のころ、宮廷の器物などの製造をつかさどる役所の長官、尚方令に任命された。

『後漢書』によると、105年に木の皮やアサ、布、魚網などをすいて紙をつくり、和帝に献上してよろこばれたとあり、これを蔡侯紙とよぶ。この記録から長らく最初の紙の発明者とされてきたが、20世紀の発掘により、前漢時代の遺跡からアサを原料とする紙が発見され、現在では蔡倫は紙の発明者ではなく、以前からあった技術を集約して改良し、より良質な紙をつくったと評価されている。蔡倫のつくった紙はより実用的だったといわれ、それまで字を書くのにつかっていた竹簡や木簡、絹布などにかわって普及し、西洋に伝わって文化の発展に貢献した。

さえきゆうぞう

絵画

佐伯祐三　1898〜1928年

パリの街頭風景をえがきつづけた画家

大正時代〜昭和時代の洋画家。

大阪府生まれ。1917（大正6）年、画家を志して上京し、川端画学校で藤島武二の指導を受ける。翌年、東京美術学校（現在の東京藝術大学）に入学した。1924年、学生時代に結婚した妻とこどもをともなって、フランスにわたる。

友人の里見勝蔵の紹介でフォービスム（野獣派）の画家ブラマンクを訪問したとき、自分の作品を批判されたことをきっかけに、それまでの作風を見直し、またユトリロの影響を受けて、パリの街頭風景を重厚な筆づかいでえがくようになる。1925年にはサロン・ドートンヌに『靴屋』を出品し、入選をはたす。

1926年に帰国し、二科展にフランスでかいた作品を出品した。

また『下落合風景』などをえがくが、日本の風景と自分の画風は合わないと考え、1927（昭和2）年にふたたびパリにもどった。パリの裏町や古い壁などをえがいたが、結核により短い人生をとじた。

代表作に『郵便配達夫』などがある。

さおとめかつもと

文学　絵本・児童

早乙女勝元　1932年〜

東京大空襲を記録する

作家、児童文学作家。

東京生まれ。小学校高等科卒業。第二次世界大戦中の1945（昭和20）年3月10日、東京大空襲を体験する。戦後は工場ではたらきながら文学の道をめざし、18歳で自伝『下町の故郷』を発表。その後、ルポルタージュ『東京大空襲』（1971年）を発表し、話題を集める。

1970年に、「東京空襲を記録する会」を結成し、その会でまとめた『東京大空襲・戦災誌』が菊池寛賞を受賞。2002（平成14）年、「東京大空襲・戦災資料センター」を設立し、館長となる。『図説東京大空襲』では、小松崎茂ら体験者のイラストと未公開写真により東京大空襲を再現した。自身の原体験を核にした執筆活動により、一貫して反戦と平和をうったえる活動をつづける。ほかに、『生きることと学ぶこと』『東京が燃えた日』や児童むけの『ベトナムのダーちゃん』『下町っ子戦争物語』などがある。

さかいだかきえもん

工芸　郷土

酒井田柿右衛門　1596〜1666年

現代に受けつがれる、有田焼の名陶の初代

▲伊万里　柿右衛門様式『色絵花鳥文大深鉢』
（東京国立博物館　Image:TNM Image Archives）

江戸時代前期の陶工。

本名は喜三右衛門。肥前国白石郷（現在の佐賀県白石町）の陶工の子として生まれる。のちに有田（佐賀県有田町）に移住した。豊臣秀吉の御用焼物師だった高原五郎七の指導を受けて、磁器を焼くようになったといわれる。透明な上薬（陶磁器に光沢をあたえる溶液）をかけて焼いた磁器に、色絵をほどこす上絵付けの技法を研究し、試行錯誤の末、1640年代に赤絵を完成した。これは、白地の磁器に赤を基調に緑、黄色、青などの顔料を用いて花や鳥、人物などをえがいたもので、色絵ともよばれる。赤絵の開発をきっかけに柿右衛門と名のるようになった。

柿右衛門の色絵磁器は、出島（長崎市）のオランダ商館によってヨーロッパにも輸出されて人気をよび、有田焼（有田を中心とした地域でつくられた磁器で、伊万里港から出荷されたので伊万里焼ともよばれた）の発展に貢献した。

柿右衛門の名前とその技法、柿右衛門様式は、代々の当主に受けつがれ、現在までに15代の柿右衛門が活躍している。

さかいただきよ

江戸時代

酒井忠清　1624〜1681年

下馬将軍とよばれ大きな権力をもった

江戸時代前期の大名。

徳川家康や徳川秀忠につかえた酒井忠世の孫で、酒井忠行の子。1637年、上野国厩橋藩（現在の群馬県前橋市）の藩主になった。1653年、30歳で江戸幕府の政治をとりしきる老中になり、松平信綱、阿部忠秋らとともに、第4代将軍徳川家綱を補佐して政治をおこなった。1666年、第3代将軍徳川家光の代からの老中たちが引退すると、将軍を補佐する最高の役職である大老に就任し、政治を主導した。絶大な権力をふるい、その屋敷が江戸城大手門下馬札（大名が登城するときの、下馬の場所をしめす札）の前にあったことから「下馬将軍」とよばれた。

しかし、こどもがいなかった家綱の後継者問題がおこると、家綱の弟徳川綱吉を次の将軍にすることに反対し、老中堀田正俊と対立した。1680年、綱吉が5代将軍になると、大老を解任された。

学 江戸幕府大老・老中一覧

さかいとしひこ

政治

堺利彦　1870〜1933年

日本共産党の結成にも参加した社会主義者

（日本近代文学館）

明治時代〜昭和時代の社会主義者、政治家。

豊前国（現在の福岡県東部・大分県北部）の士族の3男として生まれる。第一高等中学校（現在の東京大学教養学部）に入学するが、中退。1899（明治32）年、万朝報社に記者として入社し、社会主義運動に参加するようになる。しかし、同社が日露戦争を支持したことに反発して退社。1903年、幸徳秋水らとともに平民社を結成して『平民新聞』を創刊し、非戦論を展開した。1908年、社会主義運動への弾圧による赤旗事件で逮捕され、2年間獄中にいたため、1910年の大逆事件の弾圧はまぬがれた。1920（大正9）年、日本社会主義同盟

をつくり、1922年には日本共産党の初代委員長になる。翌年、共産党への最初の弾圧である第1次共産党事件で逮捕され、ふたたび入獄。釈放後は共産党には参加せず、雑誌『労農』を創刊した。1928（昭和3）年、無産大衆党を結成し、無産政党運動にかかわった。満州事変では全国労農大衆党の対支出兵反対闘争委員長として、反戦をつらぬいた。

さかいほういつ

絵画

酒井抱一　1761〜1828年

尾形光琳にあこがれ江戸琳派をつくり上げる

（国立国会図書館）

江戸時代中期〜後期の画家。

播磨国姫路藩（現在の兵庫県姫路市）の藩主の次男として、江戸（東京）に生まれる。本名は忠因。幼いころから文芸を好み、俳諧（こっけいみをおびた和歌）、和歌、茶道、能などをたしなんだ。絵画は、狩野派（狩野正信・狩野元信父子にはじまる絵画の流派）や円山派（円山応挙を祖とする絵画の流派）、浮世絵などを広く学んだ。1790年、よき理解者だった兄で姫路藩主の酒井忠以が亡くなった。

1797年、37歳のとき出家して絵画の制作に専念した。このころ、画家の尾形光琳の作品にふれて影響を受け、1815年には、光琳の百回忌に画集『光琳百図』を出版するなど光琳の絵を広めることにも力をつくした。俵屋宗達にはじまり、尾形光琳、酒井抱一らによって、受けつがれた絵画の流派を琳派をよぶが、江戸の抱一はとくに江戸琳派と呼ばれる。伝統的な大和絵の豊かな色彩に、繊細さをとり入れた独自の画風を確立し、代表作に光琳の『風神雷神図屏風』の裏面にえがいた『風雨草花図』（通称『夏秋草図屏風』）、『四季花鳥図屏風』などがある。

さかぐちあんご

文学

坂口安吾　1906〜1955年

戦後、無頼派を代表する作家として活躍

（日本近代文学館）

昭和時代の作家。

新潟県生まれ。本名は炳五。生家は旧家の大地主で、父は代議士だった。放任主義な父や母に反発し、自由奔放であまり学校へかようこともなかった。旧制県立新潟中学を退学後、東京の中学へ編入学する。その後は代用教員をへて、東洋大学へ入学し、哲学やフランス語などの語学を熱心に学んだ。卒業後に同人誌『言葉』を創刊し、作品を発表する。1931（昭和6）年、『風博士』『黒谷村』を発表し、牧野信一や島崎藤村らの評価を得て、新進作家として注目される。第二次世界大戦後、これまでの道徳観をやぶる評論『堕落論』を発表。また、小説『白痴』で話題となり、太宰治や織田作之助らとともに「無頼派」とよばれて流行作家として活躍した。

すぐれた文明批評や歴史評論をのこし、また歴史小説や探偵小説などまで広い範囲の作品をのこしている。主な作品に『桜の森の満開の下』、評論『日本文化私観』などがある。

さかたえいお

伝統芸能

坂田栄男　1920〜2010年

切れ味するどい打ち方だった囲碁棋士

昭和時代〜平成時代の囲碁棋士。

東京生まれ。囲碁好きの父の影響で囲碁をおぼえた。1929（昭和4）年に増淵辰子六段に入門し、翌年日本棋院院生となる。

1935年に初段、二段、1937年に三段、1938年に四段と着実に昇段し、1955年に九段になる。1961年に、第16期本因坊の資格を獲得した。1963年に名人位を獲得し、囲碁界初の名人・本因坊となる。その後、1967年まで7期連続本因坊を保持し、名誉本因坊の資格を得た。1984年に、囲碁界史上初の通算1000勝を達成した。囲碁の打ち方が、切れ味するどいので、「かみそり坂田」とよばれた。称号は、23世本因坊栄寿。

1947年に日本棋院を脱退し、囲碁新社を結成したが、1949年に復帰し、1978年から1986年まで理事長をつとめた。1990（平成2）年に勲二等瑞宝章を受章した。1992年には、囲碁界初の文化功労者となる。通算タイトル獲得数は、64（史上2位）、通算成績1117勝654敗16持碁の記録をのこした。

さかたさんきち

伝統芸能

坂田三吉　1870〜1946年

独特の棋風で将棋界に影響をあたえた棋士

明治時代〜昭和時代の将棋棋士。

大阪生まれ。読み書きはできなかったが、幼いころより将棋一筋で天才とうたわれた。1891（明治24）年ごろ、関根金次郎と初対決したが惨敗し、このことがプロの道をめざすきっかけとなったとされる。

1915（大正4）年、独学で八段に昇進したが、東京の将棋

界に受け入れられず、1925年、関西名人を宣言したことで、将棋界で孤立した。1937（昭和12）年、16年ぶりに中央の将棋界に登場し、木村義雄名人にいどんだが、敗退した。しかし、独特の着想による棋風は、近代将棋の確立に大きな影響をあたえた。

生涯、関西を本拠地として、第二次世界大戦前に大衆にもっとも愛された将棋棋士の人生を、劇作家北条秀司が『王将』の題名で劇にした。さらに映画、歌謡曲の題材となり、人気をよんだ。没後の1955年に実力がみとめられて、日本将棋連盟から名人位と王将位が贈られた。

さかたとうじゅうろう

伝統芸能

● 坂田藤十郎　1647〜1709年

上方歌舞伎の基礎を築いた初世

（国立国会図書館）

江戸時代前期の歌舞伎俳優。

代々つづく歌舞伎俳優の名で、初世は、京都の芝居小屋の子として生まれ京都や大坂（阪）で活躍した。1678年、32歳のとき大坂新町の遊女夕霧をモデルに、みずから脚本をてがけた『夕霧名残の正月』の藤屋伊左衛門役で名声を高めた。伊左衛門はあたり役となり、生涯、くりかえし演じたといわれる。

1693年、京都の都万太夫座で近松門左衛門の『仏母摩耶山開帳』に出演して以降、『傾城仏の原』『傾城壬生大念仏』など多くの近松の作品で主役をつとめた。江戸（現在の東京）の市川団十郎が荒事とよばれる豪快な演技を得意としたのに対し、人情の機微をこまやかに表現した和事（恋愛劇）を得意とし、写実的な演技を完成させて、義理や金でしばられた人々の悲しさを演じた。希代の名人といわれ、上方（京都や大坂）の歌舞伎の基礎を築いた。

さかたひろお

音楽
文学　絵本・児童

● 阪田寛夫　1925〜2005年

童謡『サッちゃん』の作詞者

昭和時代〜平成時代の詩人、作家、童話作家。

大阪府生まれ。小学生のころから宝塚歌劇に親しんで育つ。東京大学国史科在学中に三浦朱門らと第15次『新思潮』を創刊した。卒業後は放送局に勤務しながら、童謡、合唱曲、詩、童話、小説などを発表する。よく知られている童謡『サッちゃん』『おなかのへるうた』など、こどもの感覚や生命力にあふれる詩を多く発表した。代表作に歌曲集『うたえバンバン』、児童文学『トラジイちゃんの冒険』、詩集『夕方のにおい』などがある。また、1974（昭和49）年には小説『土の器』で芥川賞を受賞。その後も『わが小林一三』『海道東征』などで文学賞に輝くなど、小説家としても活躍した。

学 芥川賞・直木賞受賞者一覧

さがてんのう

王族・皇族

● 嵯峨天皇　786〜842年

上皇との争いに勝ち、政治を安定させた

平安時代前期の第52代天皇（在位809〜823年）。桓武天皇の子。母は、藤原宇合の子良継の娘。平城天皇の同母弟。

806年、平城天皇の皇太弟（天皇のあとつぎの弟）となり、809年に位をゆずられて即位した。810年、令外官（律令に規定のない官職）の蔵人（天皇の機密文書などを管理する蔵人所の役人）を設置し、藤原冬嗣を蔵人頭（長官）に任命した。

同年、平城上皇（譲位した平城天皇）が重用している藤原薬子やその兄の藤原仲成をつれて平城京に移り、嵯峨天皇の朝廷を混乱させるような命令をくだしたので、嵯峨天皇は上皇と対立するようになった。

翌年、平城上皇が平城京への遷都を命じ、薬子と仲成は兵をあげ、嵯峨天皇の政権をうばおうとした。これに対し、嵯峨天皇は軍をだして上皇との対決にふみ切った。上皇についた役人たちは動揺し、平安京にもどった。情勢がかわったことを知った上皇は、伊勢（現在の三重県東部）に行こうとしたが、坂上田村麻呂がひきいた朝廷軍が上皇軍をおさえ、仲成を殺した。上皇は平城京へもどって出家し、薬子は自殺した。この事件を薬子の変という。その結果上皇の子の高岳親王は皇太子をやめさせられ、異母弟の大伴親王（のちの淳和天皇）が皇太弟に立った。

この事件で活躍した藤原冬嗣は天皇の信任があつくなり、その後、藤原氏北家（藤原房前の家系）が朝廷で台頭することになる。815年には京都や周辺の1182にのぼる諸氏族の出自や血縁関係などを、皇別（天皇の子孫）、神別（天と地の神の子孫）、諸蕃（渡来人の子孫）に分類してまとめた『新撰姓氏録』をつくらせた。

816年、令外官として平安京の治安維持や裁判を担当する官職の検非違使を設置させた。823年、位をゆずり、淳和天皇が即位したが、その後もなにかと権力をふるった。また、天皇の時代に中断されていた編さんを進めさせ、830年、律令の不備をおぎなう法令の「格」、律令を細かく規定した「式」をまとめた弘仁格式を施行した。

嵯峨天皇の時代には唐風の文化がさかんになった。天皇も漢詩や書にすぐれ、空海、橘逸勢とともに、3人のすぐれた書家、「三筆」の一人にあげられている。

学 天皇系図

さかのうえのたむらまろ

貴族・武将

坂上田村麻呂　758〜811年

征夷大将軍として蝦夷地を平定

▲坂上田村麻呂
（清水寺）

平安時代前期の武将。

渡来人の阿知使主の子孫で、奈良時代の武将、坂上苅田麻呂の子。少年のころから武芸にすぐれ、身長5尺8寸（約175cm）、体重201斤（約120kg）の大男だったという。目はタカのようにするどく、おこれば100万の兵がおそれ、笑うと幼子もなついたという。

780年、宮中の警備などをおこなう近衛将監となる。791年、東北地方の住民である蝦夷を平定するための軍の征東副使となり、793年、軍の最高司令官、征夷大将軍の大伴弟麻呂のもとで蝦夷平定に戦功をあげた。

796年、陸奥守（現在の青森県、岩手県、宮城県、福島県の長官）と、鎮守府将軍（東北地方をおさめる軍事的な役所の長官）をかねた。797年、征夷大将軍となり、多賀城（宮城県多賀城市）を拠点として東北各地を平定した。801年、4万の兵で蝦夷の根拠地、胆沢（岩手県奥州市）を攻め落とし、翌年、胆沢城を築いたので、蝦夷の首長阿弖流為は抵抗をあきらめ、500人をひきつれて降伏した。田村麻呂は阿弖流為らを都につれていき助命を願ったが、聞き届けられず処刑されたので、たいへん悲しんだといわれる。

803年、さらに北へ進出して志波城（岩手県盛岡市）を築いた。田村麻呂の活躍により、9世紀なかばに朝廷の支配が東北地方北部にもおよぶようになった。

804年、ふたたび征夷大将軍となったが、805年、桓武天皇は蝦夷平定にばく大な費用がかかるという藤原緒嗣の進言を受けて中止した。この年、田村麻呂は太政官の役職の一つである参議に昇進し、その後、右近衛大将（宮中の警備などをおこなう近衛府の長官）になった。810年の薬子の変では、嵯峨天皇のもとで武功をあげ、大納言に昇進した。

▲復元された志波城の外郭南門

田村麻呂には、清水寺（京都市）を創建したという逸話がのこされている。780年ごろ、音羽山へ鹿狩りに行くと、僧侶の賢心（延鎮上人）と出会い、殺生をいましめられ、観音菩薩の教えをさとされた。賢心のことばに深く感銘した田村麻呂は、自分の邸宅を寄進して寺院にし、十一面千手観音菩薩像を安置したという。

さかもとはんじろう

絵画

坂本繁二郎　1882〜1969年

多くのウマの絵をのこした洋画家

明治時代〜昭和時代の洋画家。

福岡県に生まれる。小学校の同級生に洋画家の青木繁がいた。1902（明治35）年、高等小学校の代用教員をしているときに、帰郷中の青木と再会し、画家を志して上京した。小山正太郎の画塾、不同舎に入り、のちに新しくできた太平洋画会研究所に移る。1907年から文部省美術展覧会（文展）で活躍し、1912（大正元）年の第6回展に出した『うすれ日』は、夏目漱石に絶賛された。はじめ印象派の影響を受けた明るい色の絵を制作したが、しだいにえがくものの精神性を重んじるようになり、淡い色を重ねた幻想的な画風にかわっていく。

1914年、二科会の創立に参加した。1921年から1924年までフランスに留学し、みずからの絵への自信を深め、帰国後は郷里やその近郊で制作した。1932（昭和7）年の『放牧三馬』に代表されるウマの絵のほか、果実や野菜、晩年には月をえがいた連作も発表した。1956年、文化勲章を受章した。

学 文化勲章受章者一覧

さかもとようせん

郷土

坂本養川　1736〜1809年

諏訪地方に15本の用水をつくった名主

（茅野市八ヶ岳総合博物館）

江戸時代中期〜後期の農民、治水家。

本名市之丞。信濃国田沢村（現在の長野県茅野市）の農家に生まれ、1758年、23歳で名主（村の長）になった。27歳のとき、関西地方に旅をして、水田開発を見聞したあと、江戸（東京）に出て、用水づくりの技術を学んだ。水にとぼしく広い水田をひらけなかった八ヶ岳山麓の南部に、用水をひいて新田を開発する計画を立て、1775年から6回にわたって高島藩（長野県諏訪市）に許可を願いでた。

1783年、ようやく許可がおりると、八ヶ岳山麓北部を流れる水量の豊富な滝ノ湯川や渋川で水をとり入れ、水量の少ない南部の川に送る用水づくりをはじめた。水の多い川から少ない川へ水を送る用水を「繰越堰」という。1785年、滝之湯用水が完成した。

その後1800年まで15年間工事をつづけ、諏訪地方（諏訪市、岡谷市、茅野市など）に15本ほどの用水をつくり、新田や畑が次々とひらかれた。

さかもとりょうま

坂本龍馬 → 123ページ

さがらそうぞう

幕末

相楽総三　1839〜1868年

赤報隊の隊長

幕末の志士。

本名は小島四郎左衛門将満。下総国相馬郡（現在の茨城県南部・千葉県北部）の郷士の子。江戸（東京）の赤坂で生まれ、兵学と国学を学び、20歳で門人をとって教えるようになった。1861年、尊王攘夷（天皇をうやまい外国勢力を追いはらおうという考え）の志士となり、各地をめぐって同志をつのった。1864年、水戸藩（茨城県中部と北部）の尊王攘夷派が結成した天狗党に加わり、筑波山での挙兵に参加したが、その後はなれた。

1866年、京都で活動するうちに西郷隆盛と出会い、翌年、西郷の指示で江戸にもどり、薩摩藩邸に浪士たちを集め、江戸で騒動をおこした。そのため、三田の藩邸が幕府に焼き打ちされた。このころ、相楽総三と改名している。1868年、ふたたび西郷に命じられ新政府軍（官軍）の先鋒隊である赤報隊を結成し、新政府の了解を得た「年貢半減令」を旗印に、京都から江戸にむかって進軍。しかし、軍資金不足になやんでいた新政府は年貢半減令をとりけしたので、赤報隊は「にせ官軍」とされ、下諏訪（長野県下諏訪町）で新政府軍にとらえられ、処刑された。

サガン，フランソワーズ

文学

フランソワーズ・サガン　1935〜2004年

第二次世界大戦後の若者の心理をえがく

フランスの作家。

南部のロート県生まれ。本名はフランソワーズ・クワレ。裕福な家庭で育ち、読書が好きで、ジッドの作品をはじめ、さまざまな文学にふれる少女時代を送った。

パリ第4大学（通称ソルボンヌ大学）に在学中の18歳のとき、はじめての小説『悲しみよこんにちは』を発表し、批評家大賞を受賞する。この作品は、世界20か国以上で出版され、大ベストセラーを記録した。2作目の『ある微笑』も、高い評価を受け、若くして作家としての地位をたしかなものにした。

ブルジョワとよばれる金持ちや、インテリとよばれる知識階級の人々をとり上げて、その心のゆれを、むだのない独特の美しい文章でえがきだす。小説に『ブラームスはお好き』『厚化粧の女』、戯曲『スウェーデンの城』などがあり、多くの作品が映画になっている。また、随筆『私自身のための優しい回想』では、サルトルとの友情などが語られている。

さくましょうざん

幕末

佐久間象山　1811〜1864年

幕末の志士たちに大きな影響をあたえた

（国立国会図書館）

幕末の学者、兵学者。

本名は啓。号を象山といい、「ぞうざん」ともいう。信濃国松代藩（現在の長野市松代町）の藩士の子として生まれる。幼いときから利発で、藩の家老（藩主を補佐して政治をおこなう役職）の鎌原桐山から中国の古典や和算を学んだ。1833年、江戸（東京）に出て儒学者の佐藤一斎に詩文や朱子学を学び、その後、神田に私塾の象山書院をひらいて儒学を教えた。

1840年におこったアヘン戦争で中国の清がイギリスにやぶれたことに衝撃を受け、藩主の命令で海外事情、海防策を研究した。1841年、江戸にある藩邸の学問所の学長となる。その後さらに、江川太郎左衛門に砲術、兵学を、蘭方医の黒川良安に蘭学を学んだ。1851年、ふたたび江戸に私塾をひらき、勝海舟、吉田松陰、橋本左内、坂本龍馬らに兵学、砲術を教えた。

1853年、藩の軍議役（軍事にかかわる重職）となる。1854年、門下生の吉田松陰にアメリカ合衆国への密航をすすめたとしてとらえられ、松代に蟄居した。1862年に蟄居をとかれ、一橋慶喜（のちの徳川慶喜）にまねかれて京都に行き、公武合体（朝廷と徳川将軍家が協力すること）、開国を説いたが、尊王攘夷派（天皇をうやまい外国勢力を追いはらおうという考えの人々）によって暗殺された。

さくらそうごろう

江戸時代

佐倉惣五郎　生没年不詳

重い年貢に苦しむ村のため、将軍に直訴

▲『東山桜荘子』より
（早稲田大学演劇博物館 100-9565）

江戸時代前期の農民一揆の指導者。

本名は木内惣五郎。宗吾ともいう。下総国佐倉藩領公津村（現在の千葉県成田市）の名主をつとめた。藩主の堀田氏が凶作にもかかわらず、重い年貢をとりたてたので、農民を代表して年貢の軽減を願いでたが聞き入れられなかった。その後も無理なとりたてがつづいたため、江戸の藩邸、次いで江戸幕府にうったえた。しかし、とり上げられなかったので、第4代将軍徳川家綱への直訴を計画し、1653年ごろ、上野の寛永寺（東京都台東区）に参詣する将軍の行列の前にとびだして訴状をさしだしてとらえられた。直訴は大罪だったので、みせしめのために妻と4人のこどもとともに処刑されたという。

死後、人々のために命をかけた惣五郎は、義民とよばれて尊敬された。1851年、惣五郎を主人公にする歌舞伎『東山桜荘子』が江戸（東京）で上演されて評判となり、以降も芝居などにとり上げられた。

ささきごさぶろう

郷土

佐々木五三郎　1868～1945年

こどもや老人福祉につくした社会事業家

（弘前愛成園）

明治時代～昭和時代の社会事業家。

弘前（青森県弘前市）の事業家の家に生まれたが、幼いころに父と母を亡くした。東奥義塾（現在の東奥義塾高等学校）に学んだのち、東京に出て洋学を志したが、病気になって帰郷し、家業の薬の販売業をついだ。1902（明治35）年の大凶作のとき、孤児となった児童を救うために自宅を開放し、東北育児院をひらいた。その後、収容児童がふえたので、育児院移転のための寄付を集めようとしたが、世間の理解を得られなかった。資金をつくるために行商や、巡回活動写真（映画）などで資金を集め、1914（大正3）年、弘前で最初の映画館、慈善館を設立し、利益を育児院の経営にあてた。1921年に弘前幼稚保善園、1932（昭和7）年に弘前養老救護院を設立して、幼児の保育や貧困に苦しむ老人の保護につくした。その功績に対し、たびたび表彰された。東北育児院は、弘前愛成園と改称され、現在も児童・老人養護、保育などをつづけている。

ささきこじろう

江戸時代

佐々木小次郎　1595?～1612年

巌流島の決闘で武蔵にやぶれた

江戸時代初期の剣術家。

越前国（現在の福井県北東部）の生まれといわれるが、くわしい経歴はわかっていない。幼いころから剣が好きで、各地をめぐって武者修行をしたといわれる。3尺（約91cm）あまりの長い刀を用いて「燕返し」という技をあみだし、巌流という流派をおこした。諸国をめぐって武者修行をおこない、豊前国小倉藩（福岡県北九州市）藩主、細川忠興に剣術指南役としてつかえた。1612年、小次郎の武名を聞いて小倉にあらわれた宮本武蔵と、関門海峡にある船島で剣術の勝負をおこない、やぶれて死んだとされている。この決闘後、船島は小次郎の巌流にちなみ、巌流島とよばれるようになった。

ささきそういち

学問

佐々木惣一　1878～1965年

大日本帝国憲法改正草案の作成にたずさわった憲法学者

（国立国会図書館）

明治時代～昭和時代の憲法学者、行政法学者。

鳥取県生まれ。1903（明治36）年、京都帝国大学（現在の京都大学）法科卒業後、同大学の講師、助教授をへて1913（大正2）年に法学部教授となる。この間、憲法や行政法を教えていたが、1933（昭和8）年、滝川事件（京大事件）により、学問の自由のために政府に抗議して同僚とともに辞職した。その後は立命館大学学長にむかえられた。第二次世界大戦後、内大臣府御用掛として近衛文麿とともに大日本帝国憲法改正の調査にあたり、改正草案（いわゆる佐々木草案）を作成。しかし、作業に対する批判や連合国軍最高司令官総司令部（GHQ）に受け入れられなかったこともあり、その改正案が日の目を見ることはないまま、日本国憲法が制定された。公法学界では東京帝国大学（東京大学）の美濃部達吉とともに「東の美濃部、西の佐々木」と称され、大正デモクラシーの理論的指導者として活躍、客観主義的で論理主義的な憲法論を展開した。1952年、文化勲章受章。著書に『日本行政法原論』『日本憲法要論』『日本国憲法論』など。

学 文化勲章受章者一覧

さかもとりょうま

幕末 | 1835～1867年

坂本龍馬

新しい国づくりに活躍した幕末の志士

■町人郷士の子として生まれる

▲坂本龍馬　ふところにはピストルと近代国際法の本『万国公法』をしのばせていたという。
（高知県立坂本龍馬記念館提供）

幕末の土佐藩（現在の高知県）出身の藩士。

土佐藩の町人郷士（町人から武士の身分になった者）坂本八平の子として高知城下（高知市）に生まれた。1853年、19歳のとき剣術修業のため江戸（東京）に出て、北辰一刀流（千葉周作が創始した剣術の流派）の千葉定吉の道場に入門した。翌年、土佐にもどり、絵師の河田小龍に世界情勢を学んだ。

1861年、郷士の武市瑞山が土佐勤王党を結成すると参加し、尊王攘夷派（天皇をうやまい外国勢力を追いはらおうという考えの人々）の志士として活動し、長州藩（山口県）藩士の久坂玄瑞と交流した。

■勝海舟の弟子になる

1862年、藩にこだわらずに活動しようと考えて脱藩（藩をぬけて浪人になること）して江戸に出た。そこで、幕府の軍艦奉行並（海軍を統括する役職）の勝海舟に会った龍馬は海舟によって世界への目をひらかれ、弟子になった。

1863年、海舟が設立した幕府の神戸海軍操練所（海軍の訓練機関）で航海術を学び塾頭となった。1864年、海舟の紹介で薩摩藩（鹿児島県）の西郷隆盛と会い、日本の将来について話し合った。1865年、薩摩藩の援助を得て長崎に亀山社中（のちの海援隊）をつくり貿易や海運業にたずさわった。

■薩長同盟を成立させる

やがて龍馬は、薩摩藩と長州藩が手をむすべば幕府をたおす大きな力になると考えるようになった。そこで、土佐藩の中岡慎太郎と協力し、対立していた薩摩藩の西郷隆盛と長州藩の木戸孝允を説得して1866年1月、薩長同盟をむすばせることに成功した。その直後、伏見（京都市）の船宿、寺田屋で幕府の役人におそわれたが、寺田屋の養女お龍の機転で難をのがれ、これをきっかけにお龍と結婚した。

同じ年、幕府がおこなった第二次長州出兵では、亀山社中の船をひきいて長州藩に協力し勝利に貢献した。

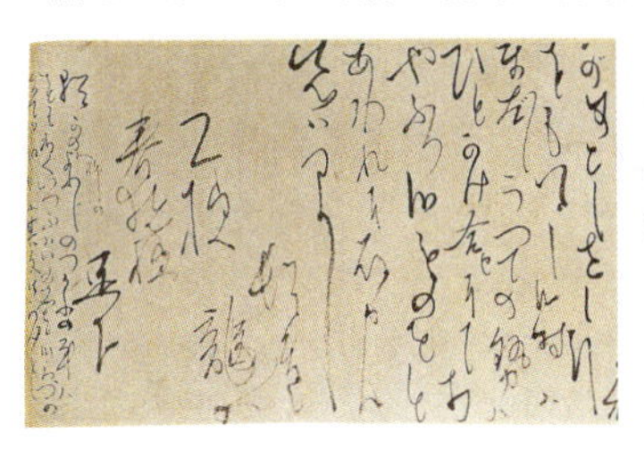

◀姉の乙女にあてた手紙
1863年、同じこころざしをもった元土佐藩士、吉村寅太郎の死をいたんで書き送った。
（高知県立坂本龍馬記念館提供）

■大政奉還を成功させる

1867年1月、長崎で土佐藩の重臣後藤象二郎と会談した龍馬は、土佐藩から脱藩の罪をゆるされて海援隊の隊長になった。その後、長崎から京都へむかう土佐藩の船の中で新しい国づくりを考え、「船中八策」としてまとめた。これは「幕府が政権を朝廷に返すこと（大政奉還）」「議会をつくること」「憲法をつくること」など8か条からなる案で、龍馬はそれを後藤象二郎にみせて土佐藩から幕府に進言するようはたらきかけた。その結果第15代将軍徳川慶喜はこれを受け入れ、10月、大政奉還が実現した。

その後も新しい国づくりのために活動していたが、1か月後の11月、京都のしょうゆ屋、近江屋で中岡慎太郎と会談していたところを幕府の見廻組におそわれ、暗殺された。

学 日本と世界の名言

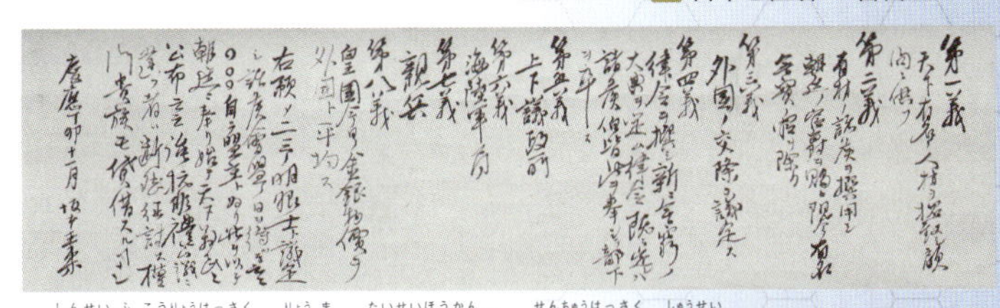

▲新政府綱領八策　龍馬が大政奉還後に船中八策を修正したもの。
（下関市立長府博物館）

坂本龍馬の一生

年	年齢	主なできごと
1835	1	土佐藩の町人郷士の子として生まれる。
1853	19	剣術修業のため江戸へ出る。
1854	20	土佐にもどる。
1861	27	土佐勤王党に参加する。
1862	28	土佐藩を脱藩し江戸で勝海舟の弟子になる。
1863	29	神戸海軍操練所で航海術を学び、塾頭となる。
1865	31	長崎で亀山社中をつくる。
1866	32	薩長同盟を成立させる。 京都の寺田屋で幕府の役人におそわれる。
1867	33	脱藩の罪をゆるされ海援隊の隊長になる。 「船中八策」をまとめ大政奉還を実現する。 京都で暗殺される。

※年齢は数え年であらわしている

ささきたかゆき

幕末

佐々木高行　1830〜1910年

大政奉還の実現に力をつくし、維新後は天皇の側近に

（国立国会図書館）

幕末の土佐藩（現在の高知県）の藩士、明治時代の政治家。

土佐藩の藩士だった父が早く亡くなったため、貧しい中で、儒学、国学、兵学を学んだ。その後、藩の郡奉行（地方の行政をおこなう役職）、普請奉行（堤防や港湾の工事をあつかう役職）、大目付（大名などを監視する役職）などをつとめ、尊王攘夷派（天皇をうやまい外国勢力を追いはらおうという考えの人々）として藩の政治の中心に立った。1867年、土佐藩の重臣後藤象二郎と、15代将軍徳川慶喜の大政奉還の実現に力をつくす。

明治新政府では、裁判や刑罰についてあつかう刑部省（のちに司法省）の次官など要職をつとめ、1871（明治4）年、条約改正のため、岩倉具視を大使としてアメリカ合衆国やヨーロッパに派遣された岩倉使節団の一員として、諸外国の司法制度を調査した。1873年の帰国後、西郷隆盛らが大久保利通や岩倉具視らと対立して政府をはなれ、土佐出身の板垣退助も政府を去ったが、佐々木は政府にとどまった。1878年、明治天皇の側近となる。その後、立法機関である元老院の副議長、工部卿（工部省の長官）などに就任した。1885年に内閣制度が制定されると政府を去り、1888年から22年間、天皇に属して重要な国事を審議する枢密院の顧問官をつとめた。1830年から1883年までの日記『保古飛呂比佐々木高行日記』は、明治時代の貴重な資料となっている。

ささきどうよ

貴族・武将

佐々木導誉　1296?〜1373年

室町幕府創立に貢献した「ばさら大名」

（勝楽寺蔵／京都国立博物館提供）

鎌倉時代〜南北朝時代の武将。

京極（佐々木）宗氏の子に生まれ、家をついだ。本名は高氏。鎌倉幕府第14代執権北条高時につかえ、高時が出家すると同時に出家し、導誉と称した。1335年、鎌倉幕府の再興をかかげ、高時の子が乱をおこすと、足利尊氏につかえて室町幕府の創立に功があった。1336年には上総国（現在の千葉県中部）、近江国（滋賀県）、出雲国・隠岐国（島根県）、飛驒国（岐阜県北部）などの守護となり幕府をささえた。いままでの権威を無視する「ばさら大名」の典型的な例としてあげられ、奔放な性格であったとされる。1340年には法親王の御所を焼いた罪で流罪となったが、まもなく復帰した。1350（観応元）年から翌年にかけておこった幕府の内紛、観応のじょう乱では、尊氏とその子の足利義詮を助けて、ますます権威を増大させる。1367年には、南朝との交渉をおこなったが失敗に終わった。

導誉は連歌、茶、立花、猿楽などのよき理解者であり、芸能を保護した武将としても有名。

ささきのぶつな

学問

佐佐木信綱　1872〜1963年

近代短歌を代表する歌人

明治時代〜昭和時代の歌人、国文学者。

三重県生まれ。父の弘綱は江戸時代末期から明治時代に活躍した歌人、国学者。佐佐木幸綱は孫。代々歌人の家系に生まれ、4歳で『万葉集』や『古今和歌集』などを暗唱した。12歳で東京帝国大学（現在の東京大学）古典科に入学し、16歳で卒業。その後、生涯文筆生活を送り、歌人として多くの門下を育てた。

1891（明治24）年、父との共著『日本歌学全書』を完結させる。その後も和歌史や歌学史などの研究につとめ、『校本万葉集』により近代の万葉学を確立した。歌人としても伝統の上に新しさを加えた歌風を主張し、歌壇に多くの影響をあたえた。歌集に『思草』『豊旗雲』などがある。唱歌『夏は来ぬ』の作詞者でもある。1937（昭和12）年、文化勲章を受章。

学 文化勲章受章者一覧

ささきゆきつな

学問　詩・歌・俳句

佐佐木幸綱　1938年〜

現代短歌界のリーダー

歌人、国文学者。

東京生まれ。本姓は佐々木。祖父は歌人で国学者の佐佐木信綱。代々国学者、歌人の家系に育ち、少年時代はスポーツに熱中していた。大学生のとき、父の死をきっかけに、短歌にめざめる。早稲田大学大学院修士課程修了。河出書房に入社し、雑誌『文藝』編集長をつとめる。1974（昭和49）年より、歌誌『心の花』編集長、1987年より早稲田大学教授となる。NHK教育テレビ『短歌入門』の講師、『産経新聞』や『朝日新聞』の歌壇の選者でも活躍する。

力強い男性的な歌が特色で、歌集『群黎』で現代歌人協会賞（1971年）、『瀧の時間』で迢空賞（1994年）、『アニマ』で芸術選奨（2000年）、『はじめての雪』で現代短歌大賞（2004

年）など、数々の賞を受賞する。評論に『柿本人麻呂ノート』などがある。短歌の弟子には俵万智がいる。

ささぬませいざえもん

郷土

● 笹沼清左衛門　1854〜1920年

水戸納豆を商品化した開発者

幕末〜明治時代の開発者。

常陸国米沢村（現在の茨城県水戸市）に生まれた。古文書で、江戸（東京）では糸引き納豆が好んで食べられていることを知り、1884（明治17）年、地元の農家で食べている納豆を水戸の名産にしたいと考えた。商品化するため納豆づくりのさかんな仙台（宮城県仙台市）に行って、製造技術を学び、1887年、納豆づくりの技術者をつれて、水戸に帰った。

さらに試作を重ねて、地元の小粒大豆でつくったものを、1889年、「天狗納豆」と名づけて売りだした。この年、開通した水戸鉄道（現在のJR水戸線）の水戸駅前で土産物として販売した。その後、水戸の名物となった。

さそうとう

政治

● 左宗棠　1812〜1885年

洋務運動を進め、イリ事件を平定した

中国、清末期の武将、政治家。

湖南省生まれ。科挙に3度失敗し帰郷。太平天国運動の農民軍が湖南に入ると官職につき、太平天国の乱の鎮圧に参加した。さらに曾国藩の湘軍に加わり、各地を転戦して功績をあげ、昇進した。西洋の近代技術の必要性を感じ、富国強兵を主張して軍備の近代化に力をつくす。四大工場の一つ、福州船政局（造船所）を創設し、洋務運動の先がけとなった。

1866年には陝甘総督に就任。1871年、新疆西部イリ地方にロシアが進出するなか、1875年にウイグル人のイスラム教徒によるヤークーブ・ベクの乱を平定し、領土を回復した。1884年の清仏戦争では福建軍務を命じられ、任地の福州で亡くなった。中国では、新疆回復の功績により、愛国主義者として評価が高い。

さたいねこ

文学

● 佐多稲子　1904〜1998年

プロレタリア小説を代表する女性作家

（日本近代文学館）

昭和時代の作家。

長崎県生まれ。本名イネ。母の死や父の失職などから、小学校5年生からキャラメル工場ではたらきはじめ、その後さまざまな職業を経験。やがて作家の中野重治、堀辰雄らと知り合って文学にめざめた。1928（昭和3）年、それまでの体験をもとに小説『キャラメル工場から』を書き、労働者の視点で書くプロレタリア文学の作家として出発する。

第二次世界大戦後は、婦人民主クラブの委員長をつとめ、女性運動にも尽力する。作品では、戦前、戦中の自身の体験をほり下げたものが多い。代表作に、野間文芸賞を受賞した『樹影』や『くれなゐ』『私の東京地図』『時に佇つ』などがある。

さたけよしまさ

江戸時代

● 佐竹義和　1775〜1815年

秋田藩の政治を大きく改革した

（天徳寺蔵 / 佐竹史料館提供）

江戸時代後期の大名。

出羽国秋田藩（現在の秋田県）の藩主、佐竹義敦の子として江戸（東京）に生まれる。1785年、11歳で藩主になったが、当時の秋田藩は天明のききん（1782〜1787年）による農村の荒廃と、藩財政の窮乏に直面していた。義和は、有能な家臣を登用して、藩における寛政の改革を進め藩政の立て直しにとりくんだ。農業を振興し、生産をふやし産業をさかんにすることにも力を入れ、植林や、クワ、コウゾ、アイ、ウルシなどの栽培を奨励して、養蚕、織物、製紙などの産業を保護した。また、藩政に役だつ優秀な人材を育てるために、藩校明道館（のちの明徳館）を設立した。

学問を好み、書画にもすぐれ、『東の記』『千町田記』などの紀行文も著した。肥後国熊本藩（熊本県）の藩主細川重賢や、出羽国米沢藩（山形県米沢市）の藩主、上杉治憲とともに、名君といわれている。

サダト，アンワル

政治

● アンワル・サダト　1918〜1981年

中東和平にむけて努力したエジプト大統領

エジプトの政治家。大統領（在任1970〜1981年）。

北部のミヌフィーヤ出身。陸軍士官学校を卒業し、通信将校となる。

1952年、エジプト革命を指導したナセルがひきいる自由将校団の一員として軍事クーデターに参加。国民議会議長などをへて、1969年にナセル政権の副大統領に就任。ナセルの死により1970年、大統領となる。

1973年のイスラエルとアラブ諸国との第四次中東戦争では、イスラエル軍への奇襲攻撃を主導し、成功をおさめ、国民的英

雄となった。その後、イスラエルを敵視する政策を転換、1977年、

イスラエルのエルサレムへの訪問をへて、中東和平にむけたキャンプ・デービッド合意（アメリカ合衆国大統領カーターの調停による、エジプトとイスラエルの平和条約締結への合意）にふみ切った。この和平努力が評価され、1978年、ノーベル平和賞を受賞。

しかし、イスラエルとの単独の平和条約締結は、アラブ諸国から反発をまねいた。1981年、第四次中東戦争を記念する軍事パレード観閲中にイスラム原理主義者に暗殺された。

学 ノーベル賞受賞者一覧

サッカレー，ウィリアム

文学

ウィリアム・サッカレー　1811～1863年

19世紀のイギリス文学を代表する作家

イギリスの作家。

インドのカルカッタ（現在のコルカタ）生まれ。4歳のとき東インド会社の高官だった父が死亡し、イギリスでおばに育てられた。大学を中退し、弁護士の勉強も途中であきらめる。画家をめざすが、父の遺産をつかいはたし、生活のために文筆家になる。2人の女性を主人公に、社会の表裏をするどくえがいた小説『虚栄の市』で作家としてみとめられた。

上流・中流の人々の生活を、独自の観察眼で皮肉をこめて写実的にえがいた。ディケンズとともに、19世紀のイギリス文学を代表する作家である。代表作に、映画化もされた『バリー・リンドン』や『ニューカム一家』などがある。

サックス，オリバー

学問　文学　医学

オリバー・サックス　1933～2015年

『レナードの朝』などを著した神経学者、作家

イギリスの神経学者、作家。

ロンドンで両親とも医者の家庭に生まれる。1958年、オックスフォード大学クイーンズ・カレッジで医学の学位を取得し、その後渡米した。40年あまりアルバート・アインシュタイン医科大学で脳神経科医として診療をおこない、2007年から2012年までコロンビア大学メディカルセンターの神経学・精神医学教授をつとめた。一方で精力的に作家活動も展開した。

著作には自身があつかった患者の症例をくわしくえがいており、とくに患者の体験に主眼がおかれている。『妻を帽子とまちがえた男』『レナードの朝』『火星の人類学者』『タングステンおじさん』『音楽嗜好症』などの著作がある。2008年、大英帝国勲章（CBE）を受賞した。

サッコ，ニコラ

政治

ニコラ・サッコ　1891～1927年

もっとも有名な冤罪事件の当事者

アメリカ合衆国のイタリア系移民、冤罪事件の被害者。

1908年にイタリアからアメリカに移住。靴職人としてはたらいていた。

1920年、マサチューセッツ州で輸送中の現金が強奪される事件が発生した際、その強盗殺人事件の容疑者として、同じくイタリア系移民のバンゼッティとともに逮捕された。彼らがアナキスト（無政府主義者）であること、第一次世界大戦時に徴兵を拒否したことなどを理由に、明確な証拠がないまま死刑判決がくだった。1927年までに世界的規模の救済運動が展開されたが、州知事が裁判に誤りはなかったとする声明を発表し、処刑がおこなわれた。偏見によりおきた冤罪であるこのサッコ=バンゼッティ事件は、1970年のイタリア映画『死刑台のメロディ』などにもえがかれている。

サッチャー，マーガレット

政治

マーガレット・サッチャー　1925～2013年

「鉄の女」とよばれたイギリス初の女性首相

イギリスの政治家。首相（在任1979～1990年）。

イングランド東部リンカンシャー州生まれ。オックスフォード大学で化学を専攻、卒業後、はたらきながら弁護士資格を取得。1959年、女性としては最年少で下院議員に当選し、1970年にはヒース政権の教育科学大臣に就任した。1975年、ヒースをやぶって女性ではじめて保守党党首にえらばれ、1979年の総選挙で圧勝し首相に就任。イギリス、さらにヨーロッパでも初の女性首相であった。1960年代よりつづく「英国病」とよばれた経済の低迷を、国営企業の民営化、規制緩和、労働組合活動の制限、税制改革、緊縮財政などの政策で立て直したが、一方で大量の失業をもたらした。対外的にはアルゼンチンとの領有権をめぐるフォークランド紛争において勝利し、ソビエト連邦に対しては強硬路線をとった。

ペレストロイカ政策で改革を進めるゴルバチョフ書記長を支援し、冷戦終結にもつとめた。18歳以上の国民が一律におさめる人頭税導入が国民の反発をまねき、1990年に首相を辞任した。強い指導力と妥協をゆるさない姿勢から「鉄の女」とよばれた。

学 世界の主な国・地域の大統領・首相一覧

サッフォー

古代　詩・歌・俳句

サッフォー　紀元前612?〜紀元前570?年

芸術の女神とたたえられた詩人

古代ギリシャの詩人。

エーゲ海、レスボス島の貴族の家に生まれる。幼少のころのギリシャは政情が不安定で、家族でシチリア島にのがれていた時期もあった。その後、レスボス島にもどり、若い女性たちを集めて音楽や詩を教え、自身も島の方言をつかって、多くの美しい詩を書いた。

同時代の詩人アルカイオスとは、詩を交換するなど、交友関係をもっていた。サッフォーの作品は、長い3行と短い1行からなる四行詩が多く、この形式は「サッフォー詩体」として知られている。恋愛を主題にした詩を好んで書き、生前から後世まで長いあいだ人気を誇った。ギリシャでは、サッフォーを「10番目のムーサ（芸術の女神たち）」として、高く評価している。

サティ，エリック

音楽

エリック・サティ　1866〜1925年

環境音楽の先がけ

フランスの作曲家。

ノルマンディーの港町オルフール生まれ。1879年、パリ音楽院に入学するが、保守的な風潮に反発して退学。その後、パリのカフェでピアノをひいて生計を立てる。

1888年には、教会旋法を利用した『3つのジムノペディ』を発表。プーランクらの作曲家グループ「フランス6人組」を応援し、家具のように存在が気にならない音楽の提唱など、環境音楽の先がけとして、音楽界に影響をあたえた。

ユーモアのある純粋で知的な表現が特徴。代表作は『グノシエンヌ』『パラード』『犬のためのぶよぶよした真の前奏曲』『家具の音楽』など。

サド，マルキ・ド

サド，マルキ・ド → マルキ・ド・サド

サトウ，アーネスト

政治

アーネスト・サトウ　1843〜1929年

明治維新の目撃者

幕末に来日した、イギリスの外交官。

愛称は佐藤愛之助。ロンドンに生まれる。イギリス外務省に入り、日本領事の通訳生として1862年に来日して、日本語を学んだ。イギリスの駐日公使パークスの片腕として、1864年におこった四国連合艦隊下関砲撃事件の事後処理の通訳などで活躍。1866年、英字新聞『ジャパン・タイムズ』に、朝廷の下に新しい政権をつくるべきだとする『英国策論』を匿名で発表して、倒幕派に影響をあたえた。

1882（明治15）年まで日本語書記官として勤務し、その後はタイなどの公使をつとめた。日清戦争後の1895年に全権公使として来日し、日英同盟の実現に貢献した。1900年、中国で清国公使となる。在日中のことを書いた『一外交官の見た明治維新』は、当時の日本の政治情勢などを知ることのできる貴重な史料となっている。

さとうあいこ

文学

佐藤愛子　1923年〜

ユーモアあふれる家庭小説で人気を得る

作家。

大阪府生まれ。父は作家の佐藤紅緑、詩人のサトウハチローは異母兄。北杜夫らと文芸雑誌『文芸首都』の同人となり、芥川賞の候補となった『ソクラテスの妻』や『二人の女』などを発表する。

1969（昭和44）年に『戦いすんで日が暮れて』で直木賞を受賞した。自分の分身や家族をモデルにした家庭小説やみずからの体験を題材にした小説で知られる。また、ユーモアと風刺にとんだエッセーも人気がある。2000（平成12）年、父や兄など自分の家族をモデルにした『血脈』が完結、菊池寛賞を受賞した。主な作品は、自伝小説『愛子』、紅緑の伝記『花はくれない』、母をえがいた『女優万里子』など。

学 芥川賞・直木賞受賞者一覧

さとうえいさく

政治

佐藤栄作　1901〜1975年

沖縄返還を実現、ノーベル平和賞を受賞した総理大臣

昭和時代の政治家。第61、62、63代内閣総理大臣（在任1964〜1967年、1967〜1970年、1970〜1972年）。

山口県生まれ。岸信介の弟。1924（大正13）年、東京帝国大学（現在の東京大学）法学部卒業後、鉄道省に入る。第二次世界大戦後の1947（昭和22）年、運輸次官となった。このとき吉田茂に見いだされ、翌年、鉄道省を退職して自由党に入り、吉田内閣の官房長官となった。翌年、衆議院議員に当選し、以後、自由党の幹事長、吉田内閣の郵政大臣、建設大臣などを歴任する。1954年、汚職で逮捕が確実となったが、法務大臣による特別措置によってまぬがれ、以後、自民党の最大派閥佐藤派を形成した。

1964年、池田勇人首相の病気辞任により、首相に就任、以後、7年8か月にわたる長期政権をとった。日本の順調な高度

経済成長をささえに、日米安全保障条約の自動延長、日韓基本条約の成立などを実現させ、1972年には沖縄の日本返還をはたして、首相をしりぞいた。非核三原則の推進などにより、1974年、ノーベル平和賞を受賞した。

学 ノーベル賞受賞者一覧 学 歴代の内閣総理大臣一覧

さとうえいすけ

郷土

佐藤栄助 1867〜1950年

サクランボの品種改良に成功した商人

（東根市教育委員会）

明治時代〜昭和時代の商人、果樹栽培家。

山形県東根市でしょうゆづくりをいとなむ家に生まれた。果樹づくりを好み、家業のかたわら、リンゴ、モモ、ブドウなどを育てた。1908（明治41）年に父が亡くなると、果樹園の経営をはじめた。そのころ明治政府は、欧米から輸入したサクランボ（セイヨウミザクラ）の苗木を山形県にも配布した。しかし収穫の時期が梅雨と重なり、サクランボの実が割れてしまい、あまり収穫できなかった。

1912（大正元）年から、サクランボの栽培にとりくみ、栽培時期を早めたりして、熱心に研究した。果実がかたくて大きく、色あざやかな品種「ナポレオン」と、あまいが保存のむずかしい品種「黄玉」を交配させ、その実からとった種をまいて、50本ほどの苗をつくり、じょうぶな苗を育てつづけた。約15年後、あまくて大きく日持ちのよいサクランボ「佐藤錦」がみのった。佐藤錦はサクランボを代表する品種となり、全国に普及した。

さとうさたろう

詩・歌・俳句

佐藤佐太郎 1909〜1987年

斎藤茂吉の短歌論を実践

昭和時代の歌人。

宮城県生まれ。幼いころに茨城県に引っ越した。1925（大正14）年から岩波書店につとめ、短歌の同人『アララギ』に入会して斎藤茂吉に師事する。1940（昭和15）年に、都会でくらすさびしさや青春期の悲しみを歌った最初の歌集『歩道』を発表して注目される。

その後、歌集『帰潮』で歌人としての地位を確立し、1945年、短歌誌『歩道』を創刊する。短歌は人生や生き方をうつしだすものだという茂吉の考え（短歌写生説）の実行をめざし、日常生活に題材を求めて純粋な叙情性を守る歌の世界を展開した。歌集のほかに、評論『純粋短歌』や、斎藤茂吉の研究書などもある。

さとうさとる

絵本・児童

佐藤さとる 1928年〜

戦後の本格ファンタジーの代表的作家

児童文学作家。

神奈川県生まれ。本名は暁。幼いころは横須賀市で三浦按針（ウィリアム・アダムズ）の墓がある塚山公園で遊び、小学生のときは世界の童話や児童文学に夢中だった。関東学院工業専門学校在学中から童話の創作をはじめ、新聞や雑誌に作品を発表する。

卒業後、教師や編集者をしながら、作家のいぬいとみこらと『豆の木』を創刊し、執筆をつづけていた。

1959（昭和34）年、少年と小人のコロボックルとの出会いと交流をえがいた『だれも知らない小さな国』を出版し、毎日出版文化賞などを受賞する。不思議で楽しい空想の世界と精密でリアルな描写で、日本初の本格的ファンタジーといわれ、こどもの本に新風を吹きこんだと注目された。その後『コロボックル』シリーズを次々と発表。ほかに『おばあさんのひこうき』『海へいった赤んぼ大将』『おおきなきがほしい』、横須賀ですごしたこども時代の体験にもとづいた『わんぱく天国』などの作品がある。

さとうたいぜん

医学 郷土

佐藤泰然 1804〜1872年

西洋医学塾の順天堂をひらいた医師

江戸時代後期〜明治時代の医師。

武蔵国川崎（現在の神奈川県川崎市）に、公事師（訴訟の代理人）佐藤藤佐の子として生まれた。

1835年、西洋医学を学ぶため長崎に行き、オランダの医学を学んだ。

1838年、江戸の薬研堀（東京都中央区）に塾をひらき、外科専門の治療をおこなった。1843年、その評判を聞いた佐倉藩（千葉県佐倉市）藩主堀田正睦にまねかれた。順天堂という塾をひらき、治療や手術をおこなうとともに、全国から集まった塾生の教育にあたった。弟子の一人、医者の子で、優秀な山口尚中を養子にして、順天堂の後継者とし、1859年、現役をしりぞいた。

1869（明治2）年、明治政府の要請で東京に移り、大学東校（現在の東京大学医学部）につとめ、1875年、順天堂医院（順天堂大学）をひらいた。

さとうたかこ

絵本・児童

佐藤多佳子 1962年～

『一瞬の風になれ』の作者

作家、児童文学作家。

東京生まれ。青山学院大学卒業。在学中に児童文学のサークルで創作をはじめた。デビュー作となった、1989（平成元）年の『サマータイム』でMOE童話大賞を受賞。『イグアナくんのおじゃまな毎日』で日本児童文学者協会賞などを受賞。スポーツ漫画が好きで、スポーツをモチーフにした作品を書きたいという思いを形にした『一瞬の風になれ』で、2007年の本屋大賞、吉川英治文学新人賞を受賞した。ほかに落語家の世界をテーマにし、映画化もされた『しゃべれどもしゃべれども』『黄色い目の魚』などがある。さわやかで純粋な世界と生き生きとした描写で人気を博す。

さとうちゅうじろう

郷土

佐藤忠次郎 1887～1944年

回転式稲こき機をつくった発明家

明治時代～昭和時代の農機具発明家。

島根県意宇郡出雲郷村（現在の島根県松江市）に生まれた。少年のころ、父が失明し、はたらいて家計を助けた。ある日、自転車で田のあぜ道を走っていたとき、くぼみにはまってころんだ。みると車輪が回転して稲穂にふれ、穂を飛びちらせていた。そのころ稲穂から実をとるときは、千歯こきという道具にイネの束をひっかけ、手で強くしごいて、もみ（イネの実）を落としていた。そこで、速く回転するものに稲穂を当てれば、力をかけずにもみを落とせるのではないかと考えた。失敗を重ねた末、1914（大正3）年、回転式稲こき機を発明した。この機械は評判がよかったので、工場を建てて、製作と販売に乗りだした。その後、会社は一流の農機具メーカーに発展した。

さとうとうざえもん

郷土

佐藤藤左衛門 1692～1752年

酒田の砂防林の植林をおこなった商人

江戸時代中期の豪商。

出羽国酒田（現在の山形県酒田市）で酒造業をいとなむ裕福な家に生まれた。酒田北方の西山海岸は、以前には樹木がしげっていたが、製塩のために伐採されて、砂山となっていた。強風が吹くと大量の砂が飛び、川や田畑が砂にうまって農民たちがこまっているのをみて、植林を決意した。

藩に願いでて、40haの砂地をあたえられたので、藤崎（山形県遊佐町）に家を建て、子の藤蔵とともに植林に着手した。ハマナスを植えて、地盤をかため、そこにヤナギ、ネムノキ、フジ、マツなどの苗を植えつけ、苗木を育てようとした。1751年の酒田大火で酒造をおこなっていた家屋が全焼して資産を失い、息子に植林をたくして亡くなった。その後息子の藤蔵が植林をつづけて、砂防林を育成し、遊佐の田畑を守った。

さとうのぶひろ

思想・哲学

佐藤信淵 1769～1850年

江戸時代に活躍した経済学者

（彌高神社所蔵）

江戸時代後期の思想家、経済学者。

出羽国西馬音内村（現在の秋田県羽後町）生まれ。少年期に父とともに東北、関東をめぐり、天明のききん（1782～1787年）に苦しむ各地のようすをみた。1784年、16歳のとき江戸（東京）に出て、宇田川玄随に蘭学を学んだほか、儒学や、天文・地理・測量術を学び、さらに諸国をめぐって見聞を広めた。47歳のときには、国学者の平田篤胤に師事し影響を受けるなど、さまざまな分野の学問を学んだ。『経済要録』『農政本論』『宇内混同秘策』など多くの著書を著して、農業、殖産興業（生産をふやし産業をさかんにすること）、外国との貿易の必要性などを説き、経世家（政治経済論を語る人）として名を高めた。

サトウハチロー

詩・歌・俳句　音楽

サトウハチロー 1903～1973年

日本を代表する現代童謡詩人

大正時代～昭和時代の詩人、作家。

東京生まれ。本名は佐藤八郎。ほかに陸奥速男、並木せんざ、玉川映二、星野貞志、清水操六などとも名のった。父は作家の佐藤紅緑。作家の佐藤愛子は異母妹。中学を転々とかわり、自由奔放な生活を送る。15歳ころから詩を書きはじめ、1926（大正15）年に最初の詩集『爪色の雨』を出版。その後、ユーモア小説や歌謡曲の作詞などで活躍する。第二次世界大戦後、雑誌『赤とんぼ』や『少年少女』を主な発表の場として、童謡を中心に創作活動をおこなう。『叱られぼうず』『木のぼり小僧』など多くの童謡集がある。また、いまも多くの人が口ずさむ『リンゴの唄』『かわいいかくれんぼ』『ちいさい秋みつけた』などの作詞でも知られる。詩や童謡を勉強する木曜会を結成し、『木曜手帖』を創刊、1944（昭和19）年には、日本童謡協会をつくるなど、童謡の発展に力をつくした。1973年勲三等瑞宝章を受章。

さとうはるお

文学

佐藤春夫　1892～1964年

『秋刀魚の歌』で広く知られる

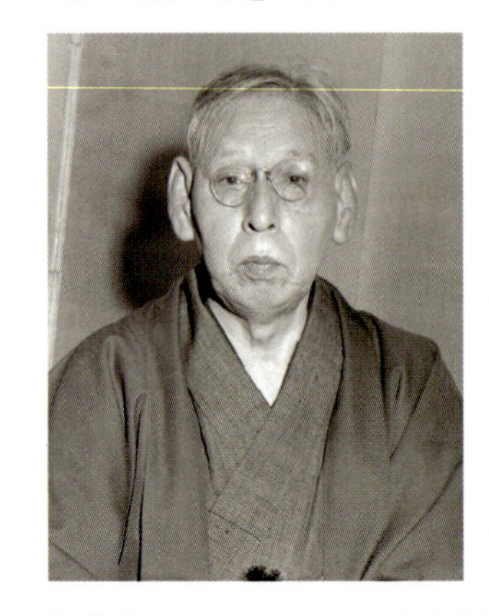

大正時代～昭和時代の詩人、作家。

和歌山県生まれ。慶應義塾大学中退。医師で文芸への造詣が深かった父の影響で文学に親しんで育つ。文芸雑誌『明星』や『趣味』などに短歌を投稿していた。上京後、評論家の生田長江や歌人の与謝野鉄幹に師事。学生時代は文芸雑誌『スバル』や『三田文学』に、短歌や詩などを発表していた。1919（大正8）年、傷つきやすい若い詩人をえがいた小説『田園の憂鬱』によって作家としてみとめられた。その後『都会の憂鬱』によって人気作家となり、芥川龍之介とならぶ若手作家として注目される。第二次世界大戦後は歴史小説や伝記小説を書いた。生得の文人気質とみずからやしなった西洋的な感性で、紀行文や戯曲、随筆、評論など、幅広い分野で作品を生みだした。主な著作に、詩集『殉情詩集』、『秋刀魚の歌』で知られる『我が一九二二年』、小説に『晶子曼陀羅』『小説智恵子抄』、童話集『蝗の大旅行』などがある。1960（昭和35）年に文化勲章を受章。

学 文化勲章受章者一覧

さとみとん

文学

里見弴　1888～1983年

人間観察の名人

大正時代～昭和時代の作家。

神奈川県生まれ。本名は山内英夫。東京帝国大学（現在の東京大学）英文科中退。兄は洋画家の有島生馬、作家の有島武郎。1910（明治43）年、志賀直哉らとともに、個性尊重や自由主義をかかげる雑誌『白樺』を創刊。作品には、精神の善悪をえがく傑作『善心悪心』や、人間は真心のままに生きるべしとする小説『多情仏心』、自伝的な小説『安城家の兄弟』、親交のあった映画監督の小津安二郎のために書き下ろした『彼岸花』などがある。小説づくりの名人として知られ、独自のなめらかな語り口に定評がある。こどもむけの『文章の話』もある。1959（昭和34）年、文化勲章受章。

学 文化勲章受章者一覧

さなだのぶゆき

戦国時代

真田信之　1566～1658年

真田家をささえた実力者

戦国時代～江戸時代前期の武将。

真田昌幸の長男で、初名は信幸。弟は信繁（真田幸村）。武田家の人質としてすごすが、織田信長により武田がほろぼされると、父とともに信長にしたがった。信長死後、豊臣秀吉、徳川氏につかえ、徳川家康の養女（本多忠勝の娘）と結婚。上野国（現在の群馬県）沼田城主となる。1600年の関ヶ原の戦いでは、父と弟は西軍につくが、徳川家と縁の深い信之は東軍につき、このころ、父との決別をあらわすため、名を信之とあらためた。東軍が勝利すると、信之は父と弟の助命を願って受け入れられ、2人は高野山（和歌山県）に流された。戦いの功績により、父の旧領をあたえられ、信濃国上田藩（長野県上田市）の藩主となった。1622年には、幕命により松代藩へと所領を移された。長命で知られ、第4代将軍徳川家綱の時代まで生きていた。

さなだまさゆき

戦国時代

真田昌幸　1547～1611年

名高い真田家の名将

戦国時代～江戸時代前期の武将。

武田家家臣、真田幸隆の3男。11歳で人質として武田信玄につかえ、信頼された。武藤喜兵衛と名のる。1575年、2人の兄が長篠の戦いで戦死して真田家をつぎ、のちに上野国（現在の群馬県）を攻め、沼田領（沼田市）を手に入れる。1582年の武田氏滅亡後は織田信長に、本能寺の変後は徳川氏につかえるが、徳川家康が沼田城を北条氏直にあたえようとしたため、上杉景勝とむすび、1585年、徳川軍を信濃国（長野県）上田城でやぶった。豊臣秀吉にしたがい、秀吉の命で家康に属し、長男、真田信之を家康に、次男、真田信繁（真田幸村）を秀吉につかえさせた。関ヶ原の戦いでは西軍に味方して上田城を守り、徳川秀忠を苦しめるが西軍の敗北後、高野山に流された。

さなだゆきむら

戦国時代

真田幸村　1567～1615年

大坂の陣で奮闘

（上田市立博物館提供）

安土桃山時代～江戸時代前期の武将。

本名は信繁。信濃国（現在の長野県）の上田城主、真田昌幸の次男。1587年、豊臣秀吉につかえ、秀吉の家臣大谷吉継の娘と結婚した。1590年、秀吉の小田原攻めで戦功をあげた。1600年、関ヶ原の戦いがおこると、石田三成の西軍に味方して父とともに上田城にこもり、東軍の徳川秀忠軍の進撃を食いとめた。西軍の敗北により戦ののち、命があぶなくなるが、東軍に味方した兄真田信之の助命嘆願によりゆるされて、高野山のふもとで謹慎した。しかし、1614年、大坂冬の陣がおこると豊臣秀頼にまねかれて大坂（阪）城に入り、城の南東に真田丸とよばれた出城を築いて奮戦した。翌年の夏の陣では5月6日（新暦では6月2日）の道明寺の戦いで伊達政宗の大軍をやぶった。翌日7日の天王寺口の戦いでは、徳川家康の本陣に三度せまったが、家康の孫松平忠直の軍が救援し、ついに戦死した。

真田軍の伝説的な強さから、のちに、忍者の猿飛佐助や霧隠才蔵などの真田十勇士の物語がつくられて人気をよび、有名になった。

さのつねたみ

政治　郷土

佐野常民　1822〜1902年

日本赤十字社の創始者

（国立国会図書館）

明治時代の政治家。

肥前国（現在の佐賀県・長崎県）の佐賀藩士の家に生まれ、藩医、佐野常徴の養子となる。藩校弘道館で医学を学んだのち、緒方洪庵の適々斎塾（適塾）で蘭学を学んだ。

藩の研究所、精煉社の主任となり、1855年、日本ではじめて、蒸気車、蒸気船の模型を走らせた。1867年、パリ万国博覧会視察のためにフランスへわたり、赤十字社のことを知る。帰国後は、海軍の育成に力をつくし、海外公使としても活躍した。1877（明治10）年の西南戦争のときに博愛社を創立し、敵味方の区別なく、けが、病気の看護にあたった。これが1887年に日本赤十字社となり、1894年の日清戦争や、1900年の義和団の乱などでも救護活動に活躍した。政治家としては、元老院議長、枢密顧問官、農商務相を歴任する。また、龍池会（現在の日本美術協会）とよばれる美術団体を結成して、芸術家の保護と育成に力をつくし、社会、文化事業の発展にも貢献した。

さのまさこと

江戸時代

佐野政言　1757〜1784年

世直し大明神とたたえられた

江戸時代中期の幕臣。

旗本、佐野政豊の子。善左衛門ともよばれた。1773年、父が隠居して500石を相続した。1784年、江戸城の城内で、若年寄（老中を補佐し旗本や御家人を指揮・管理した役職）の田沼意知に切りつけて重傷を負わせた。そのころは田沼意次、意知の親子が政治の実権をにぎっていたため出世のためにわいろを贈ったが実現しなかったことや、佐野家の貴重な系図をうばわれたことなど、さまざまなうらみが重なって、犯行におよんだといわれている。

事件後、意知が死亡したため、幕府から切腹を命じられて自害し、浅草徳本寺にほうむられた。しかし、田沼親子の権勢をこころよく思っていなかった世間から同情され、事件発生時に高騰していた米の値段が一時的に下がったこともあり、「世直し大明神」とたたえられた。

さのますぞう

郷土

佐野増蔵　1810〜1882年

佐野川用水をひらいた役人

（個人蔵／伯耆町教育委員会）

江戸時代後期の武士。

因幡国鳥取藩（現在の鳥取県）藩士の家に生まれ、郡奉行（地方の行政を担当した役職）などをつとめた。1851年、吟味役（容疑者の取り調べや起訴の審議などをおこなう役職）となったころ、石田村（鳥取県南部町）の豪農の吉持茂右衛門から、長者原に用水をひきたいという願いを受けた。

長者原は、日野川下流の左岸に広がる台地で、その開発は、吉持家代々の念願だった。吉持家は財産を投じて、工事を進めてきたが、途中に岩盤や断崖絶壁などがあって、たいへんな難工事となり、しばしば中断された。増蔵は先祖の意思を受けついだ茂右衛門の熱意に動かされ、この工事を藩の事業としてひきうけ、本格的にとりくんだ。工事は、茂右衛門の子の吉十郎がひきついだ。

1861年、250年におよぶ願いがかない、長さ9kmの用水路が完成した。用水路は、工事の指揮をした増蔵の名から「佐野川」と名づけられた。

さのまなぶ

政治

佐野学　1892〜1953年

最高幹部でありながら共産党をやめた

大正時代〜昭和時代の社会運動家、歴史学者。

大分県生まれ。東京帝国大学（現在の東京大学）卒業後、早稲田大学講師となる一方、全国水平社創立のきっかけとなる『特殊部落民解放論』を発表した。1922（大正11）年、荒畑寒村のすすめで日本共産党に入党。翌年、共産党の第1次検挙をまぬがれるため、ソビエト連邦（ソ連）に亡命した。帰国後、『無産者新聞』を創刊。共産党を再建したが、逮捕される。1927（昭和2）年に出獄すると、共産党の中央委員長に就任して、鍋山貞親とともに党を指導した。コミンテルンでは常任執行委員にえらばれるが、1929年に上海で検挙され、治安維持法違反で無期懲役となる。1933年、獄中から鍋山と連名で、それまでの主義主張を一転させる声明を発表した。それは、コミンテルンと日本共産党を否定し、民族主義と天皇制にもとづく「一国社会主義」をとなえたもので、多くの共産主義者が同調して転向した。第二次世界大戦後は、早稲田大学教授となる。その後も、反共産主義運動にかかわった。

さのようこ

絵本・児童

佐野洋子　1938〜2010年

生きることの意味を問いかける

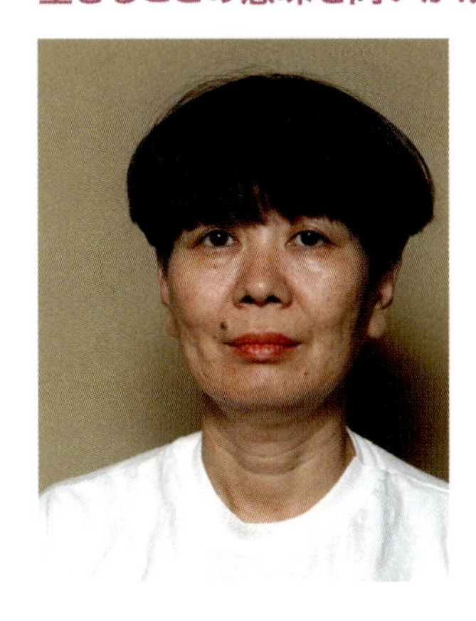

昭和時代〜平成時代の作家、絵本作家。

中国の北京生まれ。武蔵野美術大学卒業。第二次世界大戦後、9歳のときに一家で日本に引き揚げるが、弟と仲のよかった兄をあいついで亡くす。卒業後、百貨店の宣伝部につとめ、1967（昭和42）年からドイツのベルリン造形大学でリトグラフを学ぶ。帰国後はイラストレーターをしながら絵本を発表する。

1974年に出版した『おじさんのかさ』でサンケイ児童出版文化賞の推薦になる。1977年に出版した代表作『100万回生きたねこ』は、生きることの意味や愛することのたいせつさを問いかけ、世代をこえて読みつがれている。11歳で亡くなった兄との思い出をたどった童話『わたしが妹だったとき』は、新美南吉児童文学賞を受賞した。『神も仏もありませぬ』をはじめ、するどい感性と闊達自在な心でユーモアをまじえてつづったエッセーも多くの人を魅了している。

サパタ，エミリアーノ

政治

エミリアーノ・サパタ　1879〜1919年

農民への土地の分配を強く要求した

メキシコの革命家、農民運動指導者。

モレロス州の比較的裕福な小作農の家に生まれる。1909年、アネネクイルコ村の共有農地の返還を求める団体の長にえらばれたことを機に、農民軍をひきいる統領の一人となって、メキシコ革命に貢献した。当時サパタがかかげたアヤラ計画は、ディアス政権に不法にうばわれた土地の返還、大土地所有者の土地の3分の1を土地不足の農民や共同体にあたえること、反対する地主の土地は無償で没収することだった。ディアス政権がたおれてからも、サパタは農民への土地の配分、政府軍のモレロス州からの撤退、適切な州軍司令官の任命をくりかえし要求したが、マデロがついに農地改革の公約をはたさなかったことでマデロ政権にも反発した。このあと、クーデターにより政権をにぎったウエルタに対しても、農民の利益を無視するカランサに対しても敵対し、農民軍を組織して闘争をつづけたが、カランサ軍のモレロス州攻撃にあい、1919年に暗殺された。

サハロフ，アンドレイ

政治　学問

アンドレイ・サハロフ　1921〜1989年

ノーベル平和賞を受賞した「ソ連水爆の父」

ソビエト連邦（ソ連）の物理学者。

モスクワ生まれ。1942年にモスクワ大学を卒業。1945年、ソ連科学アカデミー物理学研究所に入り、物理学博士となる。その後、原子爆弾開発計画に参加し、1949年にソ連初の原爆を完成させる。さらに1953年には水爆開発に成功、この功績がみとめられて32歳でソ連科学アカデミーの正会員となった。「ソ連水爆の父」とよばれるが、環境破壊を懸念して核実験の中止をソ連共産党に提言、部分的核実験禁止条約締結につくした。その後、民主化運動や人権擁護活動をおこない、1975年にノーベル平和賞受賞。1980年、アフガニスタン侵攻に抗議してソ連当局に逮捕されるが、6年後に解放された。その行動は多くの尊敬を集め、言論や思想の自由につくした人に贈られる「サハロフ賞」に名をのこす。

学 ノーベル賞受賞者一覧

ザビエル，フランシスコ

→133ページ

サビニー，フリードリヒ・カール・フォン

政治

フリードリヒ・カール・フォン・サビニー　1779〜1861年

プロイセンの歴史法学を確立

プロイセンの法学者、政治家。

ドイツ西部、フランクフルトの貴族の子として生まれる。若くして両親を失い、遠縁にあたる帝国裁判所判事にひきとられた。マールブルク大学で学び、1808年、ランズフート大学のローマ法の教授となり、1810年、ベルリン大学の教授に就任した。ナポレオン1世没落後のヨーロッパとプロイセンの法体制のあり方が議論される中、1814年、『立法と法科学に関する現代の課題』を発表。「国民の法制は言語と同じように、民族の固有の歴史の中から発展したもので、民族精神の表現である」という歴史法学を提唱した。その後、プロイセンの法律委員や法律改正大臣をつとめ、新しいドイツ法学の樹立につくした。

フランシスコ・ザビエル

日本にキリスト教を伝えた宣教師

▲『聖フランシスコ・ザヴィエル像』 胸の前であわせた手は祈りをあらわし、赤い心臓は信仰の情熱をあらわしている。十字架の中央のIHSはイエズス（イエス）の略。
（神戸市立博物館　Photo:KobeCityMuseum/DNPartcom）

■イエズス会を創立する

安土桃山時代に来日したスペインのキリスト教宣教師（神父）。

北部のバスク地方にあったナバラ王国の貴族の家に生まれた。1525年、キリスト教を学ぶためフランスのパリ大学に留学した。そこで同じバスク地方出身のイグナティウス･デ･ロヨラと知り合い、キリスト教のためにつくしたいという考えが合った。

1534年、ロヨラはザビエルなどとイエズス会という修道会（きびしい規律でキリスト教の信仰や伝道にはげむ団体）を創立した。

当時、ポルトガル国王は海外に領土を広げるために、キリスト教の信者をふやそうとしていた。国王がイエズス会に協力を求めたので、ザビエルがアジアに派遣されることになった。

■布教のため来日する

1541年、ポルトガルのリスボンを出発し、翌年、インドのゴアについた。インドや東南アジアで布教につとめていたころ、マレー半島の都市マラッカで日本人のアンジローと出会った。アンジローと話すうちに日本人が教養のある民族だと知ったザビエルは、日本でキリスト教を広めようと考え、アンジローを案内人として日本にむかった。

■日本での布教

▲鹿児島に上陸したザビエル　右にしたがうのがアンジロー。（『ザビエルの鹿児島宣教』長谷川路可作 1949年 / 鹿児島カテドラル・ザビエル記念聖堂）

1549年、ジャンク（中国の小型船）に乗ったザビエルとアンジローはアンジローの故郷、鹿児島に上陸した。ザビエルは鹿児島領主の島津貴久の許可を得て布教をはじめたが、1年たっても布教は進まなかった。ザビエルは日本の中心地の京都にいる天皇に会って布教の許可を得ようと考えた。

平戸（長崎県）、山口、堺（大阪府）をへて1551年、京都に入った。しかし、戦乱がつづいた京都では天皇の住まいの京都御所も荒れはてていて天皇には力がないことがわかった。

ザビエルはあきらめて当時栄えていた山口にもどり、領主の大内義隆をたずねた。義隆はザビエルが献上した時計、眼鏡、望遠鏡などによろこび布教を許可した。その後、ポルトガル船が入港した豊後国（現在の大分県）領主の大友宗麟にまねかれ府内（大分市）に行った。しかし、布教の拠点とするインドからの連絡がなかったのでインドにもどることにした。ザビエルは2年あまりの日本滞在で700人の信者を得たが、満足できるものではなかった。翌年、ザビエルは中国でキリスト教を広めようとしたが、中国に入れず広東省の沖にある上川島で亡くなった。

ザビエルの来日以後、キリスト教の宣教師が日本で布教した結果、信者は13万人にふえたといわれる。ザビエルはその功績により1622年、聖人の称号をあたえられた。

●ザビエルの布教地図

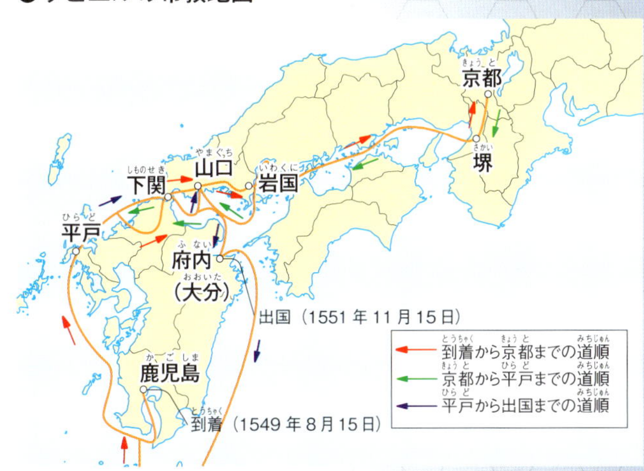

フランシスコ・ザビエルの一生

年	年齢	主なできごと
1506	0	スペインのザビエル城で生まれる。
1525	19	フランスのパリ大学に留学する。
1534	28	イグナティウス･デ･ロヨラとイエズス会を創立する。
1541	35	ポルトガルのリスボンから出航する。
1542	36	インドのゴアに到着し、布教をはじめる。
1547	41	日本人のアンジローに会い日本への渡航を決意する。
1549	43	インドのゴアを出航し鹿児島に上陸する。
1551	45	1月、京都へ行く。4月、山口で大内義隆に布教を許可される。9月、府内で大友宗麟に布教をゆるされる。11月、日本を去りインドにもどる。
1552	46	中国での布教をめざすが上川島で病死する。

※年齢は満年齢であらわしている

サボナローラ，ジロラモ

宗教

ジロラモ・サボナローラ　1452〜1498年

フィレンツェに神権政治をしいた修道士

イタリアの修道士、修道院長、宗教改革者。

フェラーラ生まれ。1474年ボローニャのドミニコ会に入り神学を学ぶ。その後、フィレンツェに派遣され、1491年にサンマルコ修道院院長になる。みずから禁欲主義をつらぬき、当時の教会の堕落や、メディチ家支配下のフィレンツェ社会の腐敗を痛烈に批判した説教をおこなった。フィレンツェの壊滅を予言するなど、説教は率直で予言的であり、市民を動かし、メディチ家と対立した。1494年フランスのシャルル8世のイタリア侵入によって、彼の予言が的中し、信望が高くなる。フランス軍撤退請願が受け入れられると、メディチ家を追放して、大評議会の設置、税制改革など国政改革を断行し、「虚栄の焼却」（異教的な本や美術、ぜいたく品を焼く）もおこなった。しかしメディチ家は勢力をもりかえし、サボナローラに退位をせまられていたローマ教皇アレクサンデル6世は説教を禁じた。彼は服従しなかったため破門され、市政庁広場で火刑となった。ウィクリフやフスとともに宗教改革の先駆者とみなされることもあるが、サボナローラの説く神権政治はむしろ中世的であったともいわれる。

ザメンホフ，ラザロ

学問

ラザロ・ザメンホフ　1859〜1917年

国際語エスペラントの創始者

ポーランドの眼科医。

当時ロシア領だったポーランドのビャウィストク生まれ。生まれ育ったロシア領東ポーランドでは、多くの民族が住み、それぞれの言語を話していたために、争いが多く、幼いころから人々が理解し合えないのは、ことばの壁があるためではないかとの考えをいだくようになった。ワルシャワの中学校にかよいながら、新しい言語をつくる試みをはじめ、19歳で世界語の試作を完成した。その後、眼科医として開業しながら、世界語の完成をめざして、1887年に『国際語』を発表し、普及につとめた。彼が筆名としてつかった「エスペラント（希望する人）博士」から、「エスペラント」とよばれるようになった。

サモリ・トゥーレ

政治

サモリ・トゥーレ　1830?〜1900年

フランスと戦った西アフリカの英雄

西アフリカ、サモリ帝国の建国者（在位1878〜1898年）。

▲サモリの逮捕を伝える、当時の新聞のさし絵

現在のギニアのコニヤン地方に、マリンケ人農民の息子として生まれる。1860年ごろから武将、政治家としてすぐれた才能を発揮、一代にしてこの地域の諸小王国を統合して、イスラム教にもとづくサモリ帝国を築き上げた。1880年代の最盛期には3万5000人の軍隊をもち、領土は現在のギニア、マリ、コートジボワールにまたがり、その面積は19万㎢におよんだ。支配下の人民数は100万人以上といわれている。しかし、19世紀後半、アフリカ沿岸部の拠点から内陸部に進出をはじめたフランス軍と対立。十数年にわたって抵抗をつづけたが、1898年にフランス軍に逮捕され、帝国は解体。1900年、流刑地のガボンで病死した。しかし、この地域におけるサモリの政治的手腕は、第二次世界大戦後の西アフリカの抵抗運動の過程で再評価され、運動を奮起させた。1958年にギニアを独立させ、大統領をつとめたセク・トゥーレはサモリの曽孫にあたる。

サヤ・サン

政治

サヤ・サン　1876〜1931年

ビルマの反イギリス抵抗運動の指導者

ビルマ（現在のミャンマー）の大規模な農民反乱の指導者。

イギリスの植民地であったビルマ南部のモールメイン近郊で占星師をしていたという。民族主義運動の団体であるビルマ団体総評議会に入会し、1925年に組織部長となる。貧困に苦しむ農民を救うため、秘密結社ガロン党を結成、イギリス領ビルマ政庁に対する納税拒否運動をはじめる。1930年12月、ガロン（ガルーダ）王を名のって武装蜂起、反乱は各地に飛び火し、ビルマ史上最大の民衆反乱となった。翌年3月、植民地軍はようやくこれを鎮圧した。一揆では、竹槍で武装した農民1万名が殺され、9000名が逮捕された。サヤ・サンも逮捕され、絞首刑となった。ミャンマーの90チャット紙幣の肖像画になっている。

サラサーテ，パブロ・デ

音楽

パブロ・デ・サラサーテ　1844〜1908年

完璧な技巧を手にしたバイオリンの巨匠

スペインのバイオリン奏者、作曲家。

北部パンプロナ生まれ。早くから音楽の才能を発揮し、8歳でバイオリンの演奏会をひらく。12歳でパリ音楽院に入り、卒業後は世界各地を演奏してまわる。

ずばぬけた技巧と美しい音色で、パガニーニ以来のバイオリンの名手といわれる。その演奏に刺激された同時代の作曲家たちは、サラサーテに演奏してもらうために曲を書いて贈った。サン=サーンスの『序奏とロンド・カプリチオーソ』やラロの『スペイン交響曲』『バイオリン協奏曲第1番』などはそうした曲の一つである。サン=サーンスとは親交が深く、ピアノとバイオリンのデュオを組み、演奏活動もおこなった。

作曲では、ロマ（ジプシー）の暮らしを歌った『ツィゴイネルワイゼン』が有名。ほかに『スペイン舞曲』『カルメン幻想曲』など、スペインの民謡や伝統的な舞曲マラゲーニャなどのほか、スペイン歌劇のメロディーを用いた作品が多い。

サラザール，アントニオ・デ・オリベイラ

政治

アントニオ・デ・オリベイラ・サラザール　1889〜1970年

独裁政治をおこなったポルトガルの政治家

ポルトガルの政治家。首相（在任 1932 ～ 1968 年）。

貧しい農家に生まれる。コインブラ大学法学部で学び、1918 年、同大学経済学教授となる。1921 年、カトリック中央党から代議士に当選。1926 年のクーデターにより軍事独裁政権となったカルモナ政権にまねかれ、1928 年、大蔵大臣に就任、財政危機を建て直し、大きな評価を得た。

1932 年、首相に就任すると、新憲法を制定、「エスタド・ノボ（新しい国家）」の方針のもと、カトリック的な一党独裁政治をおこなった。第二次世界大戦では中立的立場をとり、戦後はアメリカ合衆国を中心とした軍事同盟の北大西洋条約機構（NATO）に加盟、アメリカ、イギリスに接近して独裁を維持、植民地支配をつづけた。1968 年、病にたおれ辞任、2 年後に死去。サラザール体制は死後の 1974 年の軍事クーデターまでつづいた。

サラディン

王族・皇族

サラディン　1138〜1193年

十字軍と戦ったイスラム教の英雄

エジプトの軍人、アイユーブ朝の創始者。

サラディンはヨーロッパ人がよんだ名で、正しい名前はサラーフ・アッディーン・ユースフ・ブン・アイユーブという。ティクリート（現在のイラク北部）出身のクルド人で、父も軍人だった。イラク北部とシリアを支配していたザンギー朝につかえ、1169 年にエジプトに派遣され、ファーティマ朝の宰相となって実権をにぎり、イスラム教スンナ派のアイユーブ朝をおこす。その後スルタン（イスラム国家の政治的最高権力者）の称号を得て、領土を広げた。イスラム教勢力を統一し、1187 年には、ヨーロッパからきた十字軍が建国したエルサレム王国をたおして、約 90 年ぶりにエルサレムを占領した。エルサレムは、ユダヤ教、キリスト教、イスラム教共通の聖地で、これをめぐって戦いが絶えなかった。1189 年に第 3 回十字軍がはじまると、戦ってこれをしりぞけ和議をむすんだ。キリスト教徒のエルサレム巡礼をみとめる寛大さをもち、イスラムだけではなく、ヨーロッパ世界からも尊敬を集め、文学作品の題材にもなった。

サリンジャー，ジェローム・デービッド

文学

ジェローム・デービッド・サリンジャー　1919〜2010年

若者の純粋さと弱さをえがいた

アメリカ合衆国の作家。

ニューヨーク生まれ。輸入業をいとなむ父のもと、裕福な家庭に育つ。コロンビア大学で短編小説の講座にかよい、学生のときに、雑誌に短編『若者たち』が掲載された。第二次世界大戦中は陸軍に入り、戦時中も短編を書きつづけた。

1951 年、16 歳の少年を主人公にした長編『ライ麦畑でつかまえて』を発表すると、若者たちの支持を集め、「青春のバイブル」とよばれて大人気となる。その後、『ナイン・ストーリーズ』など、短編を中心に活躍する。1965 年に発表した『ハプワース 16、一九二四』を最後に、ニューハンプシャー州コーニッシュでひっそりくらし、91 歳で生涯を終えた。

若者の純粋さと弱さをえがいた作家として知られる。連作の短編をいくつかあわせて読むと作者のいくつかの作品に登場する「グラース家」の物語になっている。

サルコジ，ニコラ

政治

ニコラ・サルコジ　1955年〜

フランス初の、第二次世界大戦後生まれの大統領

フランスの政治家。大統領（在任 2007 ～ 2012 年）。

ハンガリー系移民の 2 世として、パリに生まれる。パリ大学で法律の学位を取得、弁護士となる。1977 年、パリ近郊ヌイイ・シュール・セーヌ市の市議会議員に当選、1983 年から 2002 年までは同市の市長をつとめた。一方、1988 年には国民議会議員に初当選し、1993 年に予算担当大臣として初入閣。以後、内務大臣、財務大臣などの要職を歴任、内務大臣としては強硬な姿勢で治安の改善にとりくんだ。2004 年からは保守派の国

民運動連合（UMP）党首。2007年の大統領選挙に出馬し、初の女性大統領をめざしたロワイヤル候補をやぶり当選、フランス初の移民系大統領で、第二次世界大戦後生まれとしても初の大統領となった。 学 世界の主な国・地域の大統領・首相一覧

サルゴンいっせい

王族・皇族

サルゴン1世　生没年不詳

はじめてメソポタミアを統一した国王

古代バビロニア、アッカド王国の初代国王（在位紀元前2350?～紀元前2294?年）。

アッカド語ではシャッルキン（真の王という意味）と表記される。サルゴンはアッカドで王になったのち、シュメールの諸都市を制圧し、シュメールとアッカドを統一した。さらに東方のエラム、西方ではユーフラテス川中流のマリ、北シリアのエブラ、レバノンの「杉の森」、アナトリア南東部の「銀の山」（タウルス山脈）をおさえた。

これにより、「上の海（地中海）から下の海（ペルシア湾）まで支配した王」として記録された。また、メソポタミアではじめて軍事的な帝国を創始したことでも知られ、周辺都市とは、積極的に交易をおこなった。サルゴン1世に関する歴史的資料は少ないが、王にまつわる伝承や物語は数多くのこされている。

サルトル，ジャン＝ポール

思想・哲学

ジャン＝ポール・サルトル　1905～1980年

「実存は本質に先だつ」ととなえた実存主義の哲学者

フランスの哲学者、作家。

パリ生まれ。教師生活をへて、1933年からドイツに留学、哲学者フッサールの現象学などを学ぶ。哲学論文を書くかたわら、1938年に小説『嘔吐』で作家デビュー。1943年、論文『存在と無』で、哲学者としての地位を確立した。人間の本質は、まず存在があってのちにつくられること、意識が存在の証明であること、自分をありのままに意識し、自由な思想で生きる道を決めることなどをとなえた。第二次世界大戦でドイツの捕虜となったが、釈放されてパリにもどると、戯曲『出口なし』などを発表、劇作家としても名をあげた。

戦後は、24歳で知り合い、生涯の恋人、理解者となった作家ボーボワールらとともに、雑誌『レ・タン・モデルヌ』を創刊。人間の絶対の自由と責任を求める実存主義をとなえ、反戦・平和運動にとりくみ、世界中の知識人に大きな影響をあたえた。1964年、ノーベル文学賞を授与されることになったが、選考が政治的にかたよっているとして受賞を拒否した。

さるはしかつこ

学問

猿橋勝子　1920～2007年

海洋の放射能汚染の調査研究で知られた女性科学者

昭和時代～平成時代の地球化学者。

東京生まれ。帝国女子理学専門学校（現在の東邦大学理学部）を卒業後、中央気象台研究部（気象庁気象研究所）につとめる。1954（昭和29）年に、アメリカ合衆国がおこなった水爆実験により、日本の漁船「第五福竜丸」が被曝したビキニ環礁事件以後、大気と海洋の放射能汚染の調査研究をおこなう。猿橋の報告した海中放射能の値が、アメリカのスクリップス海洋研究所の報告を大きく上まわったことから、核実験をつづけたいアメリカ政府は反論した。猿橋は測定法の精度検証のため、1962年に渡米。精度の高さが同研究所にみとめられて、結果は共同で発表された。1957年に東京大学で理学博士となり、翌年、「日本婦人科学者の会」の設立に参加。1981年には女性として初の日本学術会議会員となる。日本での女性科学者の育成に力をそそぎ、女性科学者を表彰する「猿橋賞」に名をのこしている。

サローヤン，ウィリアム

文学　映画・演劇

ウィリアム・サローヤン　1908～1981年

『わが名はアラム』の作者

アメリカ合衆国の作家、劇作家。

カリフォルニア州生まれ。アルメニア系移民の子に生まれ幼いころに父を亡くし、孤児院で育つ。高校卒業後、郵便配達などをしてはたらきながら作家をめざす。1934年、『空中ブランコに乗った若者』で注目を集めると、『わが名はアラム』『人間喜劇』などを次々と発表。『人間喜劇』では、郵便配達の少年が兄の戦死の知らせを母に届けるシーンが、日本の英語教科書にもとり上げられた。戯曲『わが心高原に』がブロードウェーでヒットし、『君が人生の時』はピュリッツァー賞にえらばれるが、受賞を辞退した。庶民の心情をユーモアや哀愁をまじえた文体でつづり、数多くの作品をのこした。

さわだきょういち

写真

沢田教一　1936～1970年

ピュリッツァー賞を受賞した報道写真家

昭和時代の報道写真家。

青森県生まれ。中学生のときに新聞配達のアルバイトをしてカメラを買い、写真に親しむ。高校卒業後、三沢のアメリカ軍基地内のカメラ店で、アメリカ合衆国の将校や家族の肖像写真を撮るうちに、写真家を志す。1961（昭和36）年に上京し、アメリカのUPI通信社の東京支局に入社した。1965年、休暇をとり、自費でベトナム戦争の取材をした写真がみとめられ、サイゴン（現在のホーチミン市）支局に移る。

この年に戦火をのがれて急流をわたる母子を撮った『安全への逃避』は、世界報道写真展でグランプリ、翌年のアメリカ海外記者クラブ賞、ピュリッツァー賞を受賞した。さらに、『泥まみれの死』と『敵を連れて』が、1966年の世界報道写真展で1位と2位を受賞した。1968年、香港支局に移るが、1970年には戦地にもどり、カンボジアを取材中に、銃弾を受けて死亡した。翌年、ロバート・キャパ賞を受賞した。

さわだしょうじろう

映画・演劇

沢田正二郎　1892〜1929年

大衆演劇の大スター

大正時代〜昭和時代の俳優。

滋賀県生まれ。父の死により3歳で東京に移る。早稲田大学在学中、坪内逍遙の文芸協会の研究生になり、『ベニスの商人』で初舞台をふむ。島村抱月の芸術座に参加し、『闇の力』のニキータ役などでみとめられた。しかし、1914（大正3）年に松井須磨子と衝突して退座し、新劇団を転々とする。

1917年、松竹の協力で、倉橋仙太郎らと劇団新国劇を結成。勢いのある殺陣を考案し、『国定忠治』『月形半平太』などで人気を得る。新国劇は結成1年半で座員120名の大劇団となり、1921年には明治座で公演、以後、浅草を中心に公演をつづけた。山本有三作『嬰児殺し』や、『罪と罰』などの外国劇もてがけた。

民衆とともにあゆむ演劇半歩前進主義をとなえ、熱のこもった演技と統率力もあり、大衆演劇界で大きな地位を築いた。「沢正」の愛称で親しまれ、風雲児として活躍したが、急性中耳炎がもとで38歳の若さで亡くなった。

さわだせいべえ

郷土

沢田清兵衛　1764〜1829年

庄川堤防を改修し新田をひらいた庄屋

江戸時代中期〜後期の農民、治水家。

越中国砺波郡光明寺村（現在の富山県高岡市）の庄屋（村の長）の家に生まれた。青年時代に射水郡高木村（富山県射水市）の学者、石黒信由のもとで和算や測量術を学び、のちの用水路づくりに役だてた。

1783年、付近を流れて富山湾にそそぐ急流の庄川が、大洪水をおこした。庄屋になった清兵衛は水害をふせぐために庄川流域の堤防改修をおこない、被害にあった水田の復興にも力をつくした。また、砺波郡、射水郡を流れる庄川流域の約20の村に120以上の用水路を築き、新田2100haをひらいて村々を豊かにした。

さわのとしまさ

郷土

澤野利正　1850〜1928年

播州そうめんを改良した事業家

（兵庫県手延素麺協同組合）

幕末〜大正時代の殖産家。

播磨国揖保郡林田村（現在の兵庫県姫路市）の武士の家に生まれた。播州（播磨国、兵庫県南部）では、昔からよいコムギがとれたので、村々では、農作業の合間にそうめんがつくられ、播州そうめんとして知られていた。利正が村長になったころには、そうめん製造業者の組合があったが、組合に入らない業者によって、質の悪い安価なそうめんが出まわり、播州そうめんの評判を落としていた。

1893（明治26）年、揖東西両郡素麵営業組合の頭取となり、播州そうめんの品質改良にとりくんだ。兵庫県内の業者に対し、「きびしい検査により、上質のそうめんをつくれば、値段が少し高くても客の信用を得られる」と説得して、協力を得た。その後23年間頭取をつとめ、たびたびの改良を重ね、販売領域を広げた。現在、播州そうめんは「揖保乃糸」の名で知られ、奈良県の三輪そうめんなどとともに全国に知られている。

さわほまれ

スポーツ

澤穂希　1978年〜

なでしこジャパンを優勝にみちびいたキャプテン

女子サッカー選手。

東京生まれ。1歳上の兄の影響でサッカーをはじめ、小学2年で地元のサッカーチームに入団した。チームメートは、全員男子だった。1993（平成5）年に15歳で日本代表となり、初出場のフィリピン戦で4得点をあげるなど活躍した。1999年には、より高いレベルでのプレーを求め、大学を中退してアメリカ合衆国にわたり、女子プロサッカーリーグに加入した。

日本代表としてワールドカップに6回、オリンピックに4回出場。キャプテンとして出場した2011年のFIFA女子ワールドカップ・ドイツ大会では5得点をあげて、得点王になるなどチームを優勝にみちびき、MVP（最優秀選手）にえらばれた。2011年度のFIFA最優秀選手賞を、アジア人としてはじめて受賞した。この年、サッカー日本女子代表チーム「なでしこジャパン」は国民栄誉賞を受賞した。2015年12月に、現役引退を発表。日本代表として205試合に出場、83得点は、いずれも歴代最多記録である。

学 国民栄誉賞受賞者一覧
学 オリンピック日本代表選手 メダル受賞者一覧

さわむらえいじ
スポーツ

沢村栄治　1917〜1944年

昭和時代のはじめに活躍した名投手

昭和時代のプロ野球選手。

三重県生まれ。京都商業（現在の京都学園高等学校）時代に甲子園に3回出場した。1934（昭和9）年の夏には、京都府予選の準々決勝で23奪三振を記録するなど、速球派投手として注目を集めた。この年、京都商業を中退して全日本チームに参加し、来日したアメリカ合衆国のメジャーリーグ選抜チームと対戦する。なかでも11月20日、静岡県草薙球場の試合では、ベーブ・ルース、ルー・ゲーリッグらの強打者を相手に、8回5安打1失点の好投、4連続をふくむ9奪三振を記録した。

その後、全日本チームを中心にしたプロ野球チーム「大日本東京野球倶楽部」（1936年に東京巨人軍と改称した。現在の読売ジャイアンツ）に参加し、1936年、1937年、1940年と3度のノーヒットノーランを達成するなどエースとして活躍した。しかし2度徴兵され、1944年に現役を引退した。その年の12月2日、東シナ海で乗っていた輸送船が撃沈され、27歳で戦死した。

さわむらかんべえ
郷土

沢村勘兵衛　1613？〜1655年

小川江筋をひらいた武士

江戸時代前期の武士、治水家。

本名は勝為。陸奥国磐城平藩（現在の福島県南東部）の家臣で郡奉行（地方の行政を担当した役職）をつとめた。

17世紀なかばにおきた干ばつにより、水の便の悪いこの地方は、大きな被害を受けた。藩の命令により、勘兵衛は用水路をひくことを計画した。関場村（福島県いわき市小川町）を流れる夏井川に、堰を築き、用水の途中に堤をつくり、岩を切りくずして、水門をもうけるなどの大工事をはじめた。3年あまりかかったが、工事をなしとげ、四倉村（福島県いわき市四倉町）まで総延長約28kmの用水路（小川江筋）をひらいた。

▲小川江筋取水堰
（いわき市文化スポーツ室　文化振興課）

これにより、約1200haの水田がうるおい、2万5000俵の米がとれたという。小川江筋は、現在も流域周辺の水田に水を供給している。

さわやなぎまさたろう
教育

沢柳政太郎　1865〜1927年

普通教育制度の基礎を築いた官僚出身の教育者

（国立国会図書館）

明治時代〜大正時代の文部官僚、教育者。

信濃国松本（現在の長野県松本市）の松本藩士の家に生まれる。1888（明治21）年、帝国大学文科大学（現在の東京大学文学部）を卒業したのち、文部省に入り、第二高等学校（東北大学）、第一高等学校（東京大学）の校長をつとめ、1906年に文部次官となる。1900年と1907年の小学校令改正で、授業料を無償にしたり、義務教育を4年から6年に延長したりするなど、近代の普通教育制度確立の中心となった。

1911年、東北帝国大学（東北大学）の初代総長となり、奨学金制度を導入、また、はじめて女性に帝国大学の入学をみとめた。1913（大正2）年、京都帝国大学（京都大学）の総長につくが、翌年、教員の任免権をめぐって教授団と対立、辞任した（京大沢柳事件）。

1915年、帝国教育会会長に就任。1917年には、成城小学校（成城学園）を創設、この学校でこどもの個性、自発的な活動を重んじる新教育運動を展開し、大正時代の自由教育運動に大きな影響をあたえた。

さわらしんのう

王族・皇族

早良親王　750〜785年

死後に、たたりをおそれられた

▲乙訓寺にある供養塔

奈良時代の皇子。光仁天皇の子。母は朝鮮半島の百済の王族の血をひく高野新笠。山部親王（のちの桓武天皇）の同母弟。

768年、出家して僧となり、東大寺（奈良市）に住んだ。781年、兄の山部親王が桓武天皇として即位すると、皇太子に立てられた。785年、長岡京（京都府長岡京市・向日市）の造営を指揮していた藤原種継が暗殺されると、事件にかかわったとして皇太子をやめさせられ、乙訓寺（長岡京市）に幽閉された。無実をうったえた親王は飲食を絶ち、淡路国（兵庫県淡路島）に流される途中で病死した。792年、桓武天皇の子の安殿親王が病気になったとき、占いにより早良親王のたたりだとされた。また、そのころ皇族や天皇の近臣があいついで亡くなったため、800年、桓武天皇は早良親王の霊をしずめるため、崇道天皇の尊号を贈った。

さん

讃 → 応神天皇　仁徳天皇　履中天皇

サンガー，マーガレット

政治

マーガレット・サンガー　1883〜1966年

産児制限運動で女性の権利を守った

アメリカ合衆国の産児制限論の提唱者、社会運動家。

ニューヨーク州の貧しいアイルランド系アメリカ人の家庭に生まれるが、多産が原因と考えられる病気で母を亡くす。大学卒業後に小学校教師となるが、看護学校に入り直し、貧民街の診療所に勤務した。たび重なる妊娠や、当時違法とされた人工妊娠中絶で、心身ともに傷つく女性をみて、避妊による家族計画の必要性を痛感。性教育をテーマとする連載を執筆し、のちに『すべての娘が知るべきこと』を刊行するなど、産児制限の普及をめざして活動する。しかし、その出版物の多くは、わいせつな内容とされて規制された。その後、ヨーロッパにわたり、マリー・ストープス、医師のハブロック・エリスらと知り合い、影響を受ける。1916年、ブルックリンで世界初の産児制限のための診療所をひらくが、世間をさわがせた罪で30日間の懲役刑に服した。1936年、産児制限の合法化を勝ちとると、翌年から全米の医学校で避妊法の教育がはじまり、産児制限運動は世界中に広がった。

サン=サーンス，カミーユ

音楽

カミーユ・サン=サーンス　1835〜1921年

近代フランスを代表する音楽家

フランスの作曲家、ピアニスト、オルガン奏者。

パリ生まれ。10歳のときピアニストとしてデビューし、「神童」とよばれる。パリ音楽院でオルガンと作曲を学ぶ。卒業後は、パリでもっとも地位の高いマドレーヌ大聖堂のオルガン奏者をつとめ、音楽学校でフォーレらの指導にあたる。1871年より、国民音楽協会の設立や交響楽復興運動をおこない、フランス音楽における器楽曲の振興につくす。晩年は、演奏会のためにアメリカ合衆国、東南アジアなどさまざまな地域をおとずれ、北アフリカのアルジェで生涯を終えた。作風は、古典的な形式をたいせつにしながら、楽器の特徴を生かした表現に特徴がある。組曲『動物の謝肉祭』は動物とそのようすをあらわしたタイトルがつけられた14曲からなる組曲で、第13曲の『白鳥』は、小学校の音楽教科書の鑑賞教材としてたびたびとり上げられている。ほかに、オペラ『サムソンとデリラ』、交響詩『死の舞踏』、ピアノの『協奏曲第5番　エジプト』など多くの作品をのこした。近代フランスを代表する音楽家といわれる。

サン=シモン，クロード・アンリ・ド

思想・哲学

クロード・アンリ・ド・サン=シモン　1760〜1825年

産業を社会の目的とし、生産者中心の社会をめざした

フランスの社会思想家。

パリの貴族の家に生まれる。啓蒙思想家ダランベールの教育を受け、アメリカ独立戦争では、ラ・ファイエットひきいるフランス遠征軍として参加。その後、フランス革命にも参加するが、途中で情熱を失う。国有財産売却にかかわり、1年間リュクサンブール宮殿に幽閉された。釈放後は社会問題に関心を移し、社会の目的はただ一つ、生産（産業）であると主張した。知識の進歩と人類の運命の改善をめざして、新しい社会のしくみ

の確立を考えるようになる。貴族や地主などの支配に反対し、すべての権力は生産者（勤労者）にゆだねられるべきだと考え、勤労者の協同連合体を打ち立てようとした。この思想は、弟子であり、実証主義哲学の創始者であるコントほか、多くの思想家に影響をあたえた。しかし、マルクスからは、現実とはかけはなれた社会主義であるという意味で「空想的社会主義」とよばれた。

サン=ジュスト，ルイ・アントワーヌ・ド

政治

ルイ・アントワーヌ・ド・サン=ジュスト　1767〜1794年

恐怖政治の大天使とよばれた

フランス革命期の政治家。

北東部のニベルネ州の富農の家に生まれる。ランス大学で法学を学び、フランス革命のさなかの1788年、法学士となった。1792年、国民公会の議員にえらばれ、急進的な山岳派（ジャコバン派）に属し、国王ルイ16世の処刑を主張して注目された。1793年、軍事や行政権をにぎる公安委員会のメンバーとなり、ロベスピエールの片腕として活躍。軍事面でもライン方面軍や北部方面軍に派遣され、祖国防衛につくした。内政では反革命派の財産を貧農に分配する法案を提出するなど急進的な政策を進めた。山岳派左派のエベールや右派のダントンを処刑し、恐怖政治の大天使とよばれたが、1794年、ロベスピエールらとともにとらえられ、処刑された。

さんじょうさねとみ

幕末

三条実美　1837〜1891年

尊王攘夷派の公家で、華族のまとめ役

（国立国会図書館）

幕末の公家、明治時代の政治家。

三条実万の子。1854年、孝明天皇につかえる侍従となる。1858年、大老（江戸幕府の最高職）井伊直弼が勅許（天皇のゆるし）なしで日米修好通商条約をむすんだことに対して反発し、尊王攘夷派（天皇をうやまい外国勢力を追いはらおうという考えの人々）として運動を進めた。1862年、権中納言に昇進し、公武合体（朝廷と徳川将軍家が協力すること）を進める公家の岩倉具視らを朝廷からしりぞけた。同年、天皇の勅使として江戸（現在の東京）に行き、第14代将軍徳川家茂に攘夷をうながす一方で、尊王攘夷を主張する長州藩（山口県）の志士と接触し、朝廷の尊王攘夷派の中心に立った。

1863年、家茂が京都へのぼると、天皇は家茂、在京大名らと攘夷祈願のため賀茂社（京都市の上賀茂神社、下鴨神社）や石清水八幡宮（八幡市）に行幸（天皇が出かけること）する。実美はその御用掛をつとめた。4月、幕府は5月10日に攘夷を実行することを天皇に上奏し、諸藩にも通達。長州藩が外国船を打ちはらったことで、攘夷熱がもり上がった。しかし8月、朝廷内の公武合体派が薩摩藩（鹿児島県）、会津藩（福島県西部・新潟県東部）とむすんで、急進的な公家や長州藩を朝廷から追放する事件がおき、実美ら7名の公家も長州山口（山口市）にのがれた（八月十八日の政変）。

1864年、長州藩が京都御所を襲撃する禁門の変がおこったが、御所を守った薩摩藩や会津藩にやぶれ、長州藩は朝敵となった。翌年、第一次長州出兵により長州藩が幕府に降伏したため、立場が微妙になり、公家らをひき受けるという福岡藩（福岡県北西部）の意向により大宰府（太宰府市）に移された。

1867年、朝廷が幕府から政権をとりもどした王政復古のあと、京都にもどり議定（新政府の総裁に次ぐ重要な役職）となった。1868年、岩倉具視とともに副総裁となり外国事務総督をかね、1869（明治2）年に行政官の最高職である右大臣、1871年にはさらにその上の名誉職である太政大臣へと昇進。1873年、西郷隆盛や板垣退助が征韓論（国交を拒否し鎖国政策をとっていた朝鮮に対し出兵するべきだという考え）を主張したが、大久保利通らが反対して国内政治優先を主張した。実美はそのあいだに立って苦労し、急病になった。1885年、内閣制度が創設されると内大臣（左大臣、右大臣に準ずる官職）に就任し、華族（公家や大名）のまとめ役となった。1889年、黒田清隆内閣が退陣したあと、一時首相を兼任した。

さんじょうにしさねたか

貴族・武将

三条西実隆　1455〜1537年

幅広い知識をもった室町時代の文化人

（三条西実隆画像（法体）／東京大学史料編纂所所蔵模写）

室町時代後期の公家、歌人。

内大臣、三条西公保の次男として生まれる。1460年、父公保の死去により、6歳で三条西家の主となる。

後花園、後土御門、後柏原、後奈良の4代の天皇につかえ、衰退していた皇室経済の回復につとめた。各天皇の信任を得て、1506年、内大臣となるが、同年辞任する。その後、将軍足利義稙を支持し、朝廷と幕府の調停役をつとめる。1516年に出家し、逍遥院堯空と称した。

学才、歌才にすぐれ、飛鳥井雅親から和歌を学び、飯尾宗祇から古今伝授を受け、一条兼良とともに、和歌、古典学（中世和学）の普及につとめた。歌道、書道、茶道などの門下生から、優秀な文化人を育てている。『源氏物語』『伊勢物語』

の研究の権威であり、一流の能書家としても知られる。著書に『源氏物語細流抄』、歌集『雪玉集』『聴雪集』などがあり、60年にわたる日記『実隆公記』は、貴重な歴史的資料として後世にのこる。

さんぞうほうし

三蔵法師 → 玄奘

サン=テグジュペリ，アントワーヌ・ド

文学

アントワーヌ・ド・サン=テグジュペリ　1900～1944年

『星の王子さま』の作者

フランスの作家。

リヨンの名門貴族に生まれる。まだ飛行機がめずらしかった時代に、12歳ではじめて飛行機に乗る。

飛行士をめざして海軍兵学校を受験するが失敗し、美術学校に行く。その後、兵役で航空隊に入り、操縦を学ぶ。除隊後、民間の郵便飛行会社でパイロットになると、1929年に自分の飛行体験をもとに小説『南方郵便機』を発表した。1931年、『夜間飛行』でフランスの文学賞、フェミナ賞を受賞する。第二次世界大戦中は、軍隊にもどり偵察飛行の任務につく。1944年、一人で偵察に飛び立ち、機体とともに消息を絶つ。2003年に、フランスのマルセイユ沖で飛行機の一部が発見された。みずからの飛行体験を通して、危機に直面したときの人間の精神のあり方を追求し、高い評価を受けた。代表作に『星の王子さま』『人間の土地』などがある。

サンド，ジョルジュ

文学

ジョルジュ・サンド　1804～1876年

田園小説の傑作をのこす

フランスの作家。

パリ生まれ。本名はオーロール・デュパン。幼いころに父を亡くし、母と別れて、中部の田園で祖母に育てられた。のちに修道院で教育を受ける。18歳で結婚するが、別居してパリにもどる。そして、ジョルジュ・サンドという男の名前で、女性の恋愛の自由をうったえる『アンディアナ』（1832年）ほかを発表し、高い評価を受ける。詩人のミュッセ、音楽家のショパンと恋愛をし、1842年に、ショパンとの交際から生まれた音楽小説『コンシュエロ』を発表する。1848年には、フランス二月革命に参加し、労働者や農民、女性のための共和国をめざす論文を多数執筆。その一方、田園小説といわれる美しい自然を背景に恋愛や少女の成長をえがく『魔の沼』『愛の妖精』『笛師のむれ』などの傑作シリーズをだす。

晩年は若い芸術家を応援し、彼女の館には、音楽家リスト、画家ドラクロア、作家デュマ、フローベールらがつどった。

さんとうきょうでん

文学

山東京伝　1761～1816年

江戸時代の人気作家

（山東京伝画像　東京国立博物館 Image:TNM Image Archives）

江戸時代中期～後期の戯作者（江戸時代の娯楽小説の作者）。

本名は岩瀬醒。江戸の深川（現在の東京都江東区）に商人の子として生まれる。少年のころから浮世絵を学び、江戸で流行した、表紙が黄色いことから「黄表紙」とよばれるおとなむけの絵入り小説のさし絵をえがいた。やがて執筆にも才能を発揮して、黄表紙『御存商売物』や『江戸生艶気樺焼』、洒落本（遊郭をえがいた小説）『通言総籬』などを書いて、江戸を代表する作家になった。しかし、1789年、田沼意知が佐野政言に江戸城内で切られた事件を題材にした『黒白水鏡』にさし絵をかいて処罰された。さらに松平定信の寛政の改革がおこなわれると、1791年、作品が風紀を乱すとして手鎖（両手首に手錠をかけて自宅謹慎させる刑罰）50日の刑を受けた。これにショックを受けた京伝は、以後、洒落本をつつしみ、『忠臣水滸伝』など、新しい試みの作品を書いた。門人に滝沢馬琴などがいる。創作活動の一方で、タバコ入れの店を経営して繁盛した。

サン=ピエール，シャルル・イルネ・カステル・ド

思想・哲学

シャルル・イルネ・カステル・ド・サン=ピエール　1658～1743年

はじめて国際法や国際機関による平和を説いた思想家

フランスの聖職者、啓蒙思想家。

1695年よりティロンの修道院長をつとめ、アカデミー・フランセーズの会員となった。1712年、スペインの王位をめぐり10年以上にわたっていくつもの国が対立したスペイン継承戦争の講和会議（ユトレヒト平和会議）に出席した。その体験をもとに、戦争放棄や、国際法による国際機構の設立、国際軍や国際裁判所の創設など、現代にも通じる平和思想を説く『永久平和論』を発表した。1718年には、ルイ14世の専制政治を批判したため、アカデミーを除名された。『永久平和論』は、カントやルソーに大きな影響をあたえ、のちの国際連盟や国際連合の成立につな

がった。

サン・マルティン，ホセ・デ

政治

ホセ・デ・サン・マルティン　1778〜1850年

ラテンアメリカ独立運動の指導者

アルゼンチンの軍人、ラテンアメリカ独立運動指導者。

当時スペイン領だったアルゼンチン北東部のコリエンテス州に生まれる。父はスペインの軍人。1785年、7歳のとき家族とスペインにわたり、1789年、士官候補生として軍隊に入り、その後、陸軍将校となってアフリカやヨーロッパを転戦。1808年にはフランス、ナポレオン1世の軍と戦った。

1812年、独立運動に身を投じるためにアルゼンチンに帰国し、1816年、アルゼンチンの独立を宣言した。北側に位置するスペインの副王領アルト・ペルー（現在のボリビア）のスペイン軍に圧迫されたため、チリとペルーを独立させ、背後からアルト・ペルーを攻めこむ構想を立てた。2年あまりの準備をへて、1818年にチリ、ついで1821年にペルーの独立を宣言した。1822年、ボリビアのスペイン軍を討とうと、ベネズエラの独立運動の指導者ボリバルに支援を求めたが拒否された。その後、すべての地位を辞職し、ヨーロッパに亡命。死後、ラテンアメリカ独立運動の英雄とされ、命日の8月17日は、アルゼンチンの祝日となった。

さんゆうていえんしょう

伝統芸能

三遊亭円生　1900〜1979年

昭和の落語界を代表する6代目

大正時代〜昭和時代の落語家。

大阪市西区に生まれる。本名は山﨑松尾。4歳のころ、東京に移り、5歳で4代目橘家円蔵の弟子になり、寄席に出て、義太夫を語った。10歳のころ円童と名のり、落語家の道をめざす。1920（大正9）年、円好と改名して真打に昇進し、円窓、円蔵をへて、1941（昭和16）年、江戸時代からつづく名跡の6代円生を襲名した。1945年、慰問に行った満州（現在の中国東北部）で終戦をむかえ、生死の境をさまよい、1947年に帰国した。この苦労が芸に生かされ、笑いあり涙ありの人情ばなしを得意とした。1953年、ラジオ東京と専属契約をむすび、人気となる。1960年、『首提灯』が芸術祭の文部大臣賞を受賞した。菊田一夫の芝居『がしんたれ』に出演し、芝居やテレビでも活躍した。1965年、落語協会会長に就任、1973年、皇后の古希のお祝いの御前口演で『御神酒徳利』を演じた。持ちねたが豊富で、100以上の演目、延べ110時間をこえる『円生百席』は、レコードに録音された。

さんゆうていえんちょう

伝統芸能

三遊亭円朝　1839〜1900年

近代落語への道をひらいた落語家の初代

▲初代三遊亭円朝　（日本近代文学館）

江戸時代後期〜明治時代の落語家。

江戸（現在の東京）生まれ。本名は出淵次郎吉。父は、2代三遊亭円生門下の音曲師、橘家円太郎（出淵長蔵）。

7歳のとき、子円太を名のって高座に上がり、のちに父の師の円生に入門する。一時落語をはなれ、歌川国芳のもとで画家の修業を積むなどしたが、のちに落語に復帰した。1855年、芸名を円朝にあらため、真打となる。はでな大道具をつかった芝居ばなし、世間の人情を語る人情ばなし、鳴り物をつかう怪談ばなしなどの新作落語を生みだし、近代落語への道をひらいた。

代表作に、『塩原多助一代記』『怪談牡丹灯籠』『真景累ヶ淵』などがある。『塩原多助一代記』は劇化され、主人公多助は、修身（現在の道徳）の教科書にもとり上げられた。明治維新後は、芝居ばなしをやめ、素ばなしに転向した。多くの作品を発表するとともに門人を育て、三遊派の中心となった。

サン=ローラン，イブ

デザイン

イブ・サン=ローラン　1936〜2008年

「モードの帝王」とよばれた服飾デザイナー

フランスの服飾デザイナー。

アルジェリアの生まれ。おしゃれな母親の影響を受け、早くから洋服づくりにめざめる。パリに出て、オートクチュール組合学校のデザイン科にかよい、16歳のときパリのデザインコンペで1位を受賞した。18歳でディオールのアシスタントになる。ディオールの急死により、21歳のときにブランドをつぐ。兵役後、雑誌の発行人だったピエール・ベルジェとともに、自分のブランドを立ち上げた。サファリルック、シースルードレス、ミリタリールックなど、時代の先を行くデザインを立てつづけに発表して流行をつくり、「モードの帝王」とよばれた。

シーガル，ジョージ

彫刻

ジョージ・シーガル 1924～2000年

新しい彫刻の技法を開拓した彫刻家

アメリカ合衆国の彫刻家。

ニューヨーク州に生まれる。実家の養鶏業をてつだいながら、絵画制作にはげんだ。1948年からニューヨーク大学で美術を学ぶ。1958年に絵画から彫刻へ転向した。1962年には新しい世代の芸術展覧会「ニューリアリスツ」にポップアート画家のウォーホルやリキテンスタインらと参加する。『バスの運転手』『食卓』を出品した。

1971年からは、石こうの流しこみ方法をくふうした「インサイド・キャスティング」をつかい、表情や衣服のしわなどをさらにこまかく表現した。また、生きた人間から型をとった石こう像をつくり、新しい彫刻の分野を開拓した。題材は、『大恐慌下のパンを求める行列』など、街角や地下鉄などの日常における人々の動きの一瞬をとらえた。代表作に『ガソリンスタンド』『映画館』などがある。1981（昭和56）年にはじめて来日し、その後、しばしば展覧会がひらかれている。

ジーコ

スポーツ

ジーコ 1953年～

サッカー選手から日本代表監督へ

ブラジルのサッカー選手、監督。

「ジーコ」は少年時代からの愛称で、本名はアルツール・アンツネス・コインブラ。14歳で名門サッカークラブ、フラメンゴのユースチームに入団した。1971年にはトップチームに昇格し、中心選手として活躍し、チームの黄金期を築いた。

ワールドカップには1978年、1982年、1986年の3度出場し、チームの司令塔として活躍した。完璧な技術と得点力、さらに試合を組み立てる頭脳をかねそなえたプレーヤーとして、世界的な名声を確立した。

1991（平成3）年に来日し、日本サッカーリーグ2部の住友金属工業（現在の鹿島アントラーズ）に入団。チームづくりやクラブづくりに、選手・総監督として大きく貢献した。

2002～2006年には日本代表の監督に就任し、選手一人ひとりの個性を生かしたチームづくりを進め、2006年のワールドカップ・ドイツ大会出場へとみちびいた。

シーザー，ジュリアス

シーザー，ジュリアス → カエサル，ユリウス

シーチンピン

習近平 → 習近平

シートン，アーネスト

文学

アーネスト・シートン 1860～1946年

動物物語と自然保護運動の先駆者

▲アーネスト・シートン

アメリカ合衆国の作家、画家、博物学者、ナチュラリスト。

イギリスの港町サウスシールズ生まれ。本名はアーネスト・トンプソン。6歳のとき、一家でカナダのオンタリオ州リンゼイに移住し、森と農場にかこまれた豊かな自然の中でくらす。オンタリオ美術学校で本格的に絵の勉強をしたのち、1880年、ロンドンの名門美術学校ロイヤル・アカデミーに入学したが病気になり、翌年、カナダにもどると農場の手伝いをしながら、野生動物を観察しフィールドノートに記録するようになる。

1883年、アメリカのニューヨークへわたり、さし絵画家として活動をはじめる。その後、パリへ行き、『眠るオオカミ』がグランド・サロン展で入選（1891年）。カナダにもどってからは、マニトバ州政府の博物学者の仕事につき、画家としてだけでなく博物学者としてもみとめられるようになった。

1893年、アメリカの実業家から「牧場のウシがオオカミにおそわれてこまっているので助けてほしい」と依頼され、ニューメキシコ州におもむく。その後、みずから経験した動物との交流を動物物語にまとめて、『私が知っている野生動物』（1898年）として出版、ベストセラーとなる。

その後も、自分でえがいた絵をそえた動物物語を次々に発表する。日本では、これらのすぐれた動物物語は、『シートン動物記』

として翻訳されている。

また1925年、博物学の本『狩猟動物の生活』を出版し、野生動物が安心してくらせる場所をつくることを提唱、各地に動物保護区が生まれるきっかけをつくる。86歳で亡くなるまで、野生動物の保護をうったえつづけるとともに、ボーイスカウト運動を発展させるなど、現在の自然保護運動の先がけとして大きな足跡をのこした。

▲ブラックフット族インディアンと

しいなどうさん

郷土

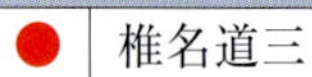

椎名道三　1790〜1858年

十二貫野用水をつくった農民

（西永寺）

江戸時代後期の農民、治水家。

越中国小林村（現在の富山県滑川市）の農家に生まれ、大熊村（魚津市）の椎名家の養子になった。測量や土木技術を学び、17歳のとき村に用水をひいて、約4.5haの水田をひらき、評判になった。1827年、加賀藩（石川県）に命じられて、室山野用水をつくった。そのころ、黒部川左岸の台地にある十二貫野は、水の便が悪いため、開発がおくれていた。1837年、加賀藩から調査を命じられ、十二貫野を測量し黒部川に流れこむ尾沼谷川、宇奈月谷川、分銅谷川などから水をとり入れ、十二貫野まで用水をひく計画を立てた。計画は藩にみとめられ1839年から工事に着手した。黒部渓谷の崖づたいに用水をつくるため、16か所もトンネルをほらなければならない難工事だったが、1840年、十二貫野用水を完成した。そのほかにも多くの用水工事をてがけ、生涯に約1200haの水田を開発した。

シーボルト，フィリップ・フランツ・フォン

学問　医学

フィリップ・フランツ・フォン・シーボルト　1796〜1866年

鳴滝塾で日本人に医学を教えたドイツ人医師

江戸時代後期に来日した、ドイツの医師、博物学者。

ドイツのウュルツブルク生まれ。ウュルツブルク大学で医学、生物学、民俗学、地理学などを学んだ。日本に関心をもち1823年、出島（現在の長崎市）のオランダ商館の医者として来日した。翌年、長崎奉行（長崎の行政・司法などをつかさどる役職）のゆるしを得て長崎郊外の鳴滝に診療所と塾をかねた鳴滝塾をひらいた。病人の治療をおこなうかたわら、西洋医学などの講義をおこない、高野長英など多くの蘭学者（西洋の知識や技術、文化を研究する蘭学を学ぶ人）を育てた。また、日本の動植物を採集したり、絵師に日本の風景や風俗をえがかせたり、門人たちに日本に関する論文を提出させたりして日本の資料を収集した。

▲フィリップ・フランツ・フォン・シーボルト　（国立国会図書館）

1828年、5年の任期を終えて帰国しようとしたとき、荷物の中から日本地図（伊能忠敬が作成した日本地図の写し）など国外へのもちだしが禁止されていた品物がみつかった。そのため、スパイのうたがいをかけられて長崎奉行の取り調べを受け、シーボルトに日本地図を送った幕府天文方（天体観測や改暦をおこなった役職）の高橋景保ら関係者50人もとらえられた。取り調べの結果、国外追放処分を受け、1829年、日本で結婚した妻の滝と娘イネ（楠本イネ）をおいて日本を去った（シーボルト事件）。

帰国後、オランダのライデンに住み、すでに本国へ送ってあった資料をもとに、日本の歴史や地理、言語、動植物などを研究して『日本』『日本動物誌』『日本植物誌』などを著し、日本の文化をヨーロッパに紹介した。1853年に来航したアメリカ合衆国の東インド艦隊司令長官ペリーは、『日本』を読んでいたといわれる。1859年、30年ぶりに来日して娘のイネと再会した。イネはオランダ商館の医者などから西洋医学を学び、のちに日本人女性としてはじめての産科医となった。

シーボルトは、日本においては西洋医学を弟子に教えるなどして日本の近代化に貢献し、ヨーロッパにおいては、日本を紹介したという功績がある。

▲鳴滝塾　（国立国会図書館）

ジーメンス，エルンスト・ウェルナー・フォン

産業

エルンスト・ウェルナー・フォン・ジーメンス　1816〜1892年

ジーメンス社を創業した発明家

19世紀のドイツの電気技術者、発明家。

中央部にある町レンテで小作農家に生まれる。学校を中退して陸軍に入り工学を学んだ。造兵廠（兵器工場）に勤務中、指針で文字をさして電文を伝える電磁式指針電信機や、地下ケーブルを発明。除隊後の1847年にハルスケとともにジーメンス・ウント・ハルスケ社を設立し、それまでの発明品の事業化をおこなった。まもなく海外支社をもつまでに発展する。1866年、世

界初ではなかったが発電機を発明し、1877年には電流を振動にするコイルの特許をドイツで取得。この発明はのちにスピーカーの発明につながった。1879年、電気機関車の実用化を、翌年には世界初の電気式エレベーターを開発した。1888年には爵位を受けて1890年に引退。その2年後にベルリンで亡くなった。多くの発明などの業績から「ドイツ電気工学の父」とよばれ、その名をコンダクタンス（電流の流れやすさをしめす値）の単位「ジーメンス（記号S）」にのこす。また創業した会社ものちにジーメンス社（日本法人は英語読みで「シーメンス」）になってさらに発展し、世界の技術発展に寄与している。

シーレ，エゴン

絵画

エゴン・シーレ　1890～1918年

するどい人物描写を得意とした表現主義画家

オーストリアの画家。

ウィーン北東部に生まれる。こども時代から、絵の才能にすぐれ、教師から美術学校の進学をすすめられる。ウィーン美術学校へ進学して、クリムトと知り合い、大いに影響を受け、親子のように親しくなった。

美術学校での教育と、自分のめざす芸術との差に反発し、2年あまりで退学する。1909年に仲間と「新美術集団」を結成して、前衛的な作品を発表しはじめた。1915年、自身のアトリエをもち、結婚した。1918年、妻とともにスペイン風邪にかかり、妻の死から3日後に28歳の若さで亡くなった。

作風は、クリムトの影響で装飾的な画法からはじまり、やがて制作者の感情や内面の表現をめざす表現主義へとむかった。するどく折れ曲がった強い線で、死のイメージをただよわせた人物像や風景画などを幻想的にえがいた。代表作に『死と乙女』『女と二人の子供』などがある。

シェイエス，エマニュエル・ジョゼフ

政治

エマニュエル・ジョゼフ・シェイエス　1748～1836年

「第三身分とは何か」で大ブレーク

フランス革命期の政治家。

南部のプロバンス地方に生まれる。パリの神学校で学び、シャルトル教区の司祭代理となった。啓蒙思想家ルソーの影響を受けて身分制に疑問をいだき、1789年、『第三身分とは何か』を著した。「第三身分（平民）こそ真の国民であり、聖職者や貴族はその特権を放棄してはじめて国民となる」という内容で、大反響をよび、その後のフランス革命の指導原理となった。全国三部会の第三身分の代表として議員にえらばれ、身分制の廃止と立憲君主制をめざした憲法の成立に力をつくした。

1792年、国民公会の議員にえらばれ、1799年、ナポレオン（のちのナポレオン1世）の統領政府を助け、3人の統領の一人となった。1815年に王政が復古すると、いちじオランダに亡命した。

シェークスピア，ウィリアム

詩・歌・俳句　映画・演劇

ウィリアム・シェークスピア　1564～1616年

演劇史上最高の劇作家

▲ウィリアム・シェークスピア

イギリスの劇作家、詩人。

イングランド中部ストラトフォード・アポン・エイボン生まれ。町のグラマースクール（ラテン語の文法を教える学校）で学ぶが、生家の家計が悪化し、高等教育は受けられなかった。1588年ごろロンドンに出て、俳優として舞台に立ったり、座つきの作家として脚本を書いたりしていたが、1592年ごろ歴史劇『ヘンリー6世』により新進の劇作家としてみとめられる。

1594年、エリザベス1世のいとこにあたる内大臣の庇護を受けて劇団、宮内大臣一座が結成されると、その幹部座員となる。この劇団のために悲劇『ロミオとジュリエット』や喜劇『真夏の夜の夢』など、若々しい感性があふれる作品を次々に発表し、さらに『ヘンリー4世』『ベニスの商人』など、人間性を深くみつめた作品を発表して、名声を確立する。1599年、ロンドンのテムズ川のほとりに常設の劇場グローブ座を建て、その所有者および株主となる。このころ、若い男女の恋愛をえがいた『お気に召すまま』や、最高の喜劇といわれる『十二夜』を発表し、人気は頂点に達した。

四大悲劇とされる『ハムレット』『オセロ』『リア王』『マクベス』は人間の苦悩や悲しみを深く追求し、美しい詩（韻文）のせりふをつけて表現した作品で、演劇史上最高の悲劇とよばれる。

▲復元されたシェークスピアの生家

シェークスピアの創作は生涯にわたり、37編の戯曲のほか、154編からなる『ソネット集』など多くの作品をのこした。

学 日本と世界の名言

ジェームズ，ウィリアム

思想・哲学

ウィリアム・ジェームズ 1842〜1910年

プラグマティズムをとなえた哲学者

アメリカ合衆国の心理学者、哲学者。

ニューヨーク生まれ。父親は神学者で、幼いころはヨーロッパですごす。画家を志していたが、断念。シラキューズ大学を卒業し、1865年、ブラジル探検に参加したことで生物学に興味をもち、その後、ハーバード大学に入る。化学や生物学をへて、医学部へ入り、ドイツ留学で神経生理学も学んだ。帰国後、医学博士号を取得。1875年、アメリカ初の心理学実験所を設立し、1885年にはハーバード大学の哲学教授となる。スペンサーの社会進化論に興味をもち、哲学の思索を深め、真理とは、人間にとって有用な結果をもたらす観念であるという「プラグマティズム」をとなえた。宗教や科学の意義も有用性にあるとしたプラグマティズムの考え方は、世界各国に広まり、経験や実験、社会とのむすびつきを重んじる教育にとり入れられた。著書に『信じる意志』『宗教的経験の諸相』『プラグマティズム』などがある。心理学においても、実証的な科学的心理学を提唱した第一人者であった。

ジェームズいっせい

王族・皇族

ジェームズ1世 1566〜1625年

王の権力を絶対として、議会や国民と対立した

スコットランド王（在位1567〜1625年）、イングランド王（在位1603〜1625年）。

スコットランド女王メアリ・スチュアートの子。母の退位によって1歳でスコットランド王ジェームズ6世として即位。即位後は摂政がおかれ、貴族の派閥争いの中できびしいこども時代を送った。1584年に直接政治をおこなうようになり、王は議会からの何の助言や承認も必要なく、自由に法律や勅令を制定できるという王権神授説を信じて政治を進めた。1603年、イングランド女王エリザベス1世の死後、血縁によりイングランド王ジェームズ1世として即位。以後イングランドとスコットランドは、共通の王とことなる政府・議会をもつ同君連合体制となり、約100年後の1707年に合同してグレートブリテン王国となる。イングランドでも、国王が最高権威者であることを強調し、イギリス国教会を国民に強制しようとしてピューリタンを圧迫するなど、議会や宗教界と何度も対立した。味方をふやそうと貴族に金品を贈り、王妃の浪費などもあって、国家財政も悪化させた。

学 世界の主な王朝と王・皇帝

ジェームズにせい

王族・皇族

ジェームズ2世 1633〜1701年

名誉革命で追放されたカトリック王

イングランド王国・スコットランド王国、スチュアート朝の第4代国王（在位1685〜1688年）。

第2代国王チャールズ1世の次男として生まれる。1648年、クロムウェルら急進的なピューリタン（イギリスのプロテスタントの一派、新教徒）の独立派によって共和制が樹立したピューリタン革命からのがれ、フランスに亡命。

1660年、イギリスで王政復古が実現すると帰国し、海軍総司令官につき、オランダとの戦争に功績をあげた。1673年、カトリック（旧教徒）であることを公にして、公職からしりぞいた。王位継承者からはずす法案が議会にだされ、はげしい議論がたたかわされたが、成立しなかった。

1685年、兄チャールズ2世が亡くなると、国王に即位。国王専制とカトリックの復活を強行したため、国民の支持を失った。1688年、王妃が男子を産むと、その皇子がカトリックとして育てられることが確実となったため、議会はジェームズの長女で新教徒として育ったメアリ（のちのメアリ2世）と、その夫のオラニエ公ウィレム3世（ウィリアム3世）をオランダからまねいた。

ウィレムが軍をひきいて上陸すると、ジェームズはフランスへ逃亡。この革命は、1滴の血も流れずなしとげられたことから、名誉革命とよばれる。

学 世界の主な王朝と王・皇帝

ジェーンズ，リロイ

教育

リロイ・ジェーンズ 1838〜1909年

熊本バンドの生みの親

明治時代に来日した、アメリカ合衆国の軍人、教育家。

オハイオ州に生まれる。陸軍士官学校で学び、その後、砲兵大尉となって南北戦争に従軍し、1867年、退役した。

1871（明治4）年、宣教師フルベッキのすすめで来日し、熊本洋学校（熊本市）で英語、数学、歴史、地理、天文学などを一人で教え、同時に自宅で聖書の講義もおこなった。1876年、教え子でキリスト教に入信した徳富蘇峰、海老名弾正など生徒の一部がキリスト教によって日本を救おうと誓って「奉教人趣意書」に署名し、「熊本バンド」を結成。その結果ジェーンズは解任され、洋学校も廃止されたが、熊本バンドの人々は京都の同志社英学校（現在の同志社大学）などに転入学した。その後、ジェーンズは1878年まで大阪英語学校（のちの第三高等学校）の教員主任をつとめて帰国したが、1893年、ふたたび来日して第三高等学校などで英語を教え、1899年、帰国した。

▲地震による倒壊前のジェーンズ邸
（写真提供／熊本県）

シェーンベルク，アルノルト

音楽

アルノルト・シェーンベルク　1874～1951年

作曲法としての十二音技法を開発する

オーストリアの作曲家。

ウィーン生まれ。ユダヤ系の家庭に育ち、幼いころからバイオリンを習う。ツェムリンスキーから対位法を学ぶが、それ以外、作曲は独学だった。1933年、ドイツのナチス政権からのがれてアメリカ合衆国に亡命し、ロサンゼルスで生涯を終えた。

はじめ、『浄夜』など後期ロマン派の影響による作品を書いたが、その後、調性のない無調音楽を試み、歌曲『月に憑かれたピエロ』を作曲。1928年に、オクターブの12の音を均等につかう作曲法、十二音技法により『オーケストラのための変奏曲』を発表する。ほかに『モーセとアロン』などがある。ウェーベルンやベルクとともに新ウィーン楽派とよばれる。

ジェファーソン，トーマス

政治

トーマス・ジェファーソン　1743～1826年

アメリカ独立宣言を起草した

アメリカ合衆国の政治家。第3代大統領（在任1801～1809年）。

イギリス領バージニア植民地の大農家の子として生まれる。1769年、バージニア植民地議会の議員にえらばれ、イギリスの植民地政策に反対する運動の指導者となった。1775年、イギリスからの独立を望むアメリカ独立革命がはじまると、「独立宣言」を起草する一人として草案を書いた。「すべての人は神によって平等につくられ、生命、自由、幸福を追求する権利をあたえられている」と、人間の権利を高らかにうったえた。

1790年、ワシントン大統領の下で国務長官となり、1796年の大統領選に立候補し、副大統領になる。1800年の大統領選で当選し、就任演説で「アメリカは人類最大の希望である」とのべた。在任中、フランスからミシシッピ川より西のルイジアナを購入し、領土を拡張。退任後は、バージニア大学の建設に参加、総長に就任した。ほかに、アメリカ哲学教会の会長をつとめ、科学者、建築家としても業績をのこした。

学 アメリカ合衆国大統領一覧　学 日本と世界の名言

シェリー，パーシー・ビッシュ

詩・歌・俳句

パーシー・ビッシュ・シェリー　1792～1822年

イギリスのロマン主義の代表

イギリスの詩人。

イングランド南東部サセックスで、国会議員を父に、裕福な家に生まれる。こどものころから自然の中を散歩し、不思議な話や幽霊の話を好んだ。オックスフォード大学で学ぶが、父に対する反発と、権威や道徳への反感から、無神論を説く本をだして大学から追放される。

おとなになっても純粋なまま、理想主義と自由な生き方を求める姿勢をつらぬいた。日本でもよく知られている「冬来りなば、春遠からじ」の詩句で名高い『西風の賦』や『雲雀に』、キーツの死をなげく詩『アドネイース』などが有名。また詩劇『鎖を解かれたプロメテウス』などがある。キーツやバイロンとともにイギリスのロマン主義を代表する詩人の一人とされる。

学 日本と世界の名言

ジェリコー，テオドル

絵画

テオドル・ジェリコー　1791～1824年

競走馬の絵を多くえがいた画家

フランスの画家。

北フランスのルーアンの裕福な家に生まれ、5歳のときパリに移る。ウマ専門の画家ベルネや歴史画家ゲランの指導を受ける。ベルネのアトリエでドラクロアと知り合う。絵の修業をつづけながら、ウマに魅せられ、ベルサイユ宮殿の帝室大厩舎でウマのスケッチにはげんだ。美術学校にかよい、ルーブル美術館でルーベンスなど巨匠たちの絵画を模写して勉強した。1812年、サロンに騎馬像の大作『突撃する近衛猟騎兵士官』を出品して、成功をおさめた。

競馬や海難事故など、動きのある題材を劇的に表現し、のちのドラクロアらロマン主義の画家たちの先がけとなった。代表作に1816年に西アフリカ沖でおこったフランス王立海軍の軍艦の悲劇をえがいた『メデューズ号の筏』、飛ぶように走るウマが印象的な『エプソムの競馬』がある。ウマが好きでよく乗っていたが、落馬のけがもとで命を落とした。

しえん

思円 → 叡尊

じえん

宗教 詩・歌・俳句

慈円 1155〜1225年

鎌倉幕府と朝廷の協調を説いた

(フェリス女学院大学附属図書館所蔵)

平安時代後期〜鎌倉時代前期の僧、歌人。

藤原忠通の子。10歳のとき父が亡くなり、比叡山延暦寺（京都市・滋賀県大津市）に入って僧となった。1192年、38歳で天台宗の座主（天台宗の最高位の僧）に任じられ、その後も3度座主をつとめた。鎌倉幕府が成立したころで、慈円は朝廷と幕府が協調しておこなう政治がよいと考えていたので、幕府をたおそうとする後鳥羽上皇（譲位した後鳥羽天皇）には批判的だった。1220年ごろ著した歴史書『愚管抄』にも、協調の考えと、源頼朝の政治への評価がしるされている。『愚管抄』は、貴族の世から武士の世への移りかわりをえがき、「保元の乱（1156年）から日本の乱世がはじまり武者の世になった」とのべている。

歌人としても有名で、家集に『拾玉集』がある。『千載和歌集』などにも歌がのこされ、藤原定家らがまとめた『新古今和歌集』には、西行に次ぐ92首の歌がのせられている。「おほけなく　憂き世の民に　おほふかな　わがたつ杣に　墨染の袖」という歌は、天台宗をひらいた最澄のようにはなれなくとも、僧として人々の幸せを祈るという理想をあらわしている。

学 人名別 小倉百人一首

シェンキェビッチ，ヘンリク

文学

ヘンリク・シェンキェビッチ 1846〜1916年

祖国の歴史を小説に書きつづけた

ポーランドの作家。

ロシア占領下のポドリア地方（現在のウクライナ）で地主の家に生まれる。ワルシャワ大学で法律と医学を学ぶ。在学中から保守的な新聞に社会時評を寄稿し、小説『老いたる召使い』『ハニャ』などで作家としての地位を築いた。1876年から3年間、アメリカ合衆国でくらし、その見聞を『アメリカの旅先からの手紙』にまとめ発表した。その後、愛国心をたたえる歴史小説『火と剣』を発表する。ローマ皇帝ネロのキリスト教徒迫害をテーマにした長編『クオ・バディス』、1900年には『十字軍の騎士』を発表し、一躍有名になった。祖国の独立を願い、ポーランドの歴史を小説に書きつづけた。1905年、ノーベル文学賞受賞。

学 ノーベル賞受賞者一覧

ジェンナー，エドワード

医学

エドワード・ジェンナー 1749〜1823年

種痘法を発明した医師

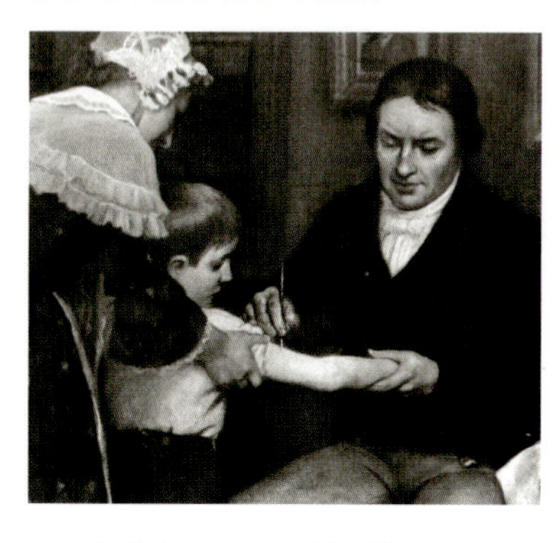

18世紀末のイギリスの医学者。

南西部のバークレーの牧師一家に生まれる。12歳のときに開業医ラドロウに師事し、21歳からロンドンで著名な解剖学者のハンターに学ぶ。当時のイギリスの酪農地帯では死亡率の高い天然痘がしばしば流行したが、感染症の一種の牛痘にかかった者は天然痘にならないとされていた。ジェンナーはこの話をヒントに、天然痘予防に利用する方法を模索、帰郷して開業医となったあと、18年間にわたって研究をつづける。

1796年に使用人の息子であった8歳のジェームズ・フィップスに牛痘を接種して確認し、それまでおこなわれていた人痘接種より安全性の高い天然痘予防法を確立させた。ジェンナーの種痘はその後、世界中に広まり、天然痘の被害は激減。1980年、世界保健機関（WHO）は天然痘撲滅を宣言した。この種痘はその後のワクチンの基礎となり、ジェンナーは「免疫学の父」と称される。

ジオノ，ジャン

文学

ジャン・ジオノ 1895〜1970年

『木を植えた男』を書いた作家

フランスの作家。

プロバンス生まれ。貧しい家庭に育ち、地元の銀行ではたらくかたわら、小説を書きはじめる。1914年、第一次世界大戦に兵士として参加する。1929年、プロバンス地方の集落をおそう自然の脅威を予知した長老をめぐる長編小説『丘』でみとめられ、作家としてデビューする。つづいて、『ボーミューニュの男』『世界の歌』などを発表する。

自然との共存や、反戦をとなえ、第二次世界大戦では、兵士になるのを拒否して刑務所に入れられる。戦後、『屋根の上の軽騎兵』『アンジェロ』などを発表する。1953年、プロバンス地方の荒れた大地にたった一人で木を植えつづける男をえがいた短編『木を植えた男』が話題となる。同作品は、アニメーション作家のフレデリック・バックによって映画化され、1988年アカデミー賞短編映画賞を受賞。この作品は、絵本としても出版され、日本でも翻訳された。

しがきよし

医学

志賀潔　1871〜1957年

赤痢菌を発見した医学者

明治時代〜大正時代の医学者、細菌学者。

仙台藩士の子として、現在の宮城県に生まれる。仙台藩の藩医をつとめる家がらだった母方の実家、志賀家の養子となる。帝国大学医科大学（現在の東京大学医学部）を卒業後に、大日本私立衛生会伝染病研究所に入所して北里柴三郎に師事し、細菌学の研究を進めた。1897（明治30）年に赤痢菌を発見し、この年に日本語で、翌年にドイツ語で発表した。内務省の伝染病研究所第一部長をへて、ドイツに留学、エールリヒに師事し、化学療法（がんの治療などに用いられる治療法）などを研究。帰国後の1915（大正4）年に、現在の北里大学の母体となった北里研究所に入所した。その後、慶應義塾大学医学部教授、朝鮮総督府医院長、京城医学専門学校長、京城帝国大学（現在のソウル大学）総長などをつとめた。文化勲章やハーバード大学の名誉博士号などさまざまな栄誉を受けながらも質素にくらし、85歳で死去した。

学 文化勲章受章者一覧

じかくだいし

慈覚大師 → 円仁

しがしげたか

学問

志賀重昂　1863〜1927年

日本の風景の特色をつづる

明治時代〜大正時代の地理学者、評論家、政治家。

三河国（現在の愛知県東部）生まれ。札幌農学校（現在の北海道大学農学部）卒業。1886（明治19）年、海軍練習船に乗せてもらい、オセアニア地方をたずね、帰国後『南洋時事』を発表する。1894年に刊行した『日本風景論』は、ベストセラーとなり、思想家の内村鑑三の『地理学考』とともに、明治時代の二大地理書とされる。

（国立国会図書館）

『日本風景論』は、日本の風景の特色について、科学的に、しかも名文でつづった著作で、研究や信仰などのためでなく、登山の楽しみを一般に広めた本でもある。その後、世界中を旅行し、『世界山水図説』(1911年）を著す。また、農商務省や外務省の役人、衆議院議員、早稲田大学教授などをつとめ、東京地学協会の設立に参加、地理学の普及に力をつくした。また、1888年には三宅雪嶺らとともに、政治評論雑誌『日本人』を創刊する。

愛知県の岡崎市東公園に、重昂が世界中から集めた木や石、タケなどでつくった四松庵（現在は南北亭）がある。

しがなおや

文学

志賀直哉　1883〜1971年

「小説の神様」とよばれた白樺派を代表する作家

（日本近代文学館）

明治時代〜昭和時代の作家。

宮城県生まれ。父は銀行員で3歳のころ家族で上京し、1889年（明治22）年、学習院初等科に入学し、5年生のときキリスト教信者の内村鑑三に出会い教えを受けた。

1906年、東京帝国大学（現在の東京大学）英文科に進学した。学習院時代から同級生だった武者小路実篤、木下利玄らと文学研究会をつくり、回覧雑誌『望野』を創刊する。文学者をめざして国文科に転向し、雑誌に『或る朝』などの作品を書きはじめるが、まもなく退学。

1910年、有島武郎、柳宗悦らと文芸誌『白樺』を創刊した。自然主義に反し、理想主義、人道主義、個人主義をかかげる小説家グループで、白樺派とよばれた。その創刊号に『網走まで』を発表し、作家の道を本格的にあゆみだした。1912（大正元）年、東京をはなれて広島県尾道市に移る。その後も東京（大森）、松江、京都、奈良、赤城山、我孫子などと転居をくりかえし、生涯で26回の引っ越しをしたといわれる。

1917年、18歳のころから対立していた父と和解をはたした。そのよろこびを『和解』という作品にまとめ、『小僧の神様』『焚火』と次々に代表作を生みだした。長編『暗夜行路』は、独特の構成、描写のすばらしさで多くの作家に影響をあたえた。「小説の神様」とうたわれ、ほかに『范の犯罪』『城の崎にて』などの名作がある。1949（昭和24）年、文化勲章受章。

学 文化勲章受章者一覧

しきしないしんのう

式子内親王 → 式子内親王

しきていさんば

文学

式亭三馬　1776～1822年

庶民の日常をえがいて人気に

▲式亭三馬（『戯作六家撰』より）
（早稲田大学図書館）

江戸時代後期の戯作者。

江戸の浅草（現在の東京都台東区）に版木彫師（浮世絵の図版を版木にほる職人）の子として生まれた。本名は菊地久徳。9歳で本屋に奉公にだされた。読書好きで少年のころに戯作者を志し、19歳のとき黄表紙（表紙が黄色の絵入り小説）の作者として出発した。以後、洒落本（遊里での遊びをえがいた小説）や滑稽本（庶民の生活をおもしろおかしくえがいた小説）などもてがける。

1799年、町火消（江戸の町人による消防隊）のけんかを題材にした『侠太平記向鉢巻』を書く。この中に町火消の「よ組」を中傷する文がふくまれるとして「よ組」の人々が版元（書物や浮世絵を出版するところ）を襲撃する事件がおきた。そのため、手鎖（両手首に手錠をかけて自宅謹慎させられる刑罰）50日の刑を受けた。

1806年、あだ討ちを題材にした『雷太郎強悪物語』が人気をよび、合巻（絵入りの小説の草双紙を数冊とじあわせたもの）が流行するきっかけをつくった。

▲『雷太郎強悪物語』表紙
（国立国会図書館）

1809年、代表作となる滑稽本『浮世風呂』を出版。これは、庶民の社交場だった銭湯に集まる人の会話を通して江戸の町人の日常生活や風俗をえがいた画期的な小説で、続編の、床屋に集まる人の世間話を通して町人たちのようすをえがいた『浮世床』とともに大流行し、一躍人気作家の仲間入りをした。

一方で、商才を発揮して日本橋本町（東京都中央区）に薬屋を経営した。白粉ののりをよくするという自家製の化粧水「江戸の水」が女性たちに評判となり、以後、薬屋で生計を立てながら執筆活動をおこなった。

しきのおうじ

王族・皇族　詩・歌・俳句

志貴皇子　?～716?年

天智天皇を父にもつ、万葉歌人

奈良時代の皇族、歌人。

施基、芝基、志紀とも書く。しきのみことも読む。天智天皇の子。光仁天皇の父。645年、大海人皇子（のちの天武天皇）がおこした壬申の乱ののち、皇位は天武天皇の子孫によって受けつがれたので、志貴皇子は皇位継承など政治とは無縁だった。

和歌にすぐれ、文化人としての人生を送ったといわれる。万葉歌人として有名で、『万葉集』に6首の歌をのこす。代表的な歌に「石ばしる　垂水の上の　さわらびの　萌え出づる春になりにけるかも」がある。

死後の770年、称徳天皇が亡くなると、志貴皇子の子の白壁王が即位して、光仁天皇となった。その即位にあたり、志貴皇子には春日宮天皇（田原天皇、春日宮御宇天皇）の尊称があたえられた。

学 人名別 小倉百人一首

シケイロス，ダビド・アルファロ

絵画

ダビド・アルファロ・シケイロス　1896～1974年

メキシコの壁画運動にとりくんだ画家

メキシコの画家。

北西部チワワ州生まれ。国立サンカルロス美術学校に入学するが、やがてメキシコ革命運動に参加する。1919～1922年に、大使館付武官としてヨーロッパをおとずれ、パリで前衛美術に接し影響を受けた。帰国後、画家仲間のリベラやオロスコらとともに壁画運動にとりくみ、「壁画の三大巨匠」とよばれた。1932年ころから、展覧会と政治的な講演会を同時に開催して、革命運動をおし進めた。

1936年に、自身の実験工房を設立し、壁画素材や器具の研究をおこなった。芸術家であると同時に活動家であり、政治活動のために何度もとらえられたり、国外に追放されたりしながら、多数の人々がみられる芸術として、壁画の研究と制作をつづけた。新材料や化学素材、エナメルをつかったり、突起をつけたりした新しい画風を考えだした。

作品はメキシコ市の国立芸術宮殿やメキシコ国立自治大学などでみられる。

しげまつきよし

文学

重松清　1963年～

現代の家庭や教育のあり方を文学で問う

作家。

岡山県生まれ。早稲田大学卒業。学生時代に文芸誌『早稲田文学』の編集にたずさわる。先輩には中上健次や立松和平がいた。卒業後、編集者をへて、執筆活動をはじめる。

1991（平成3）年に『ビフォア・ラン』で作家としてデビューする。

その後、『ナイフ』で坪田譲治文学賞を受賞したのをはじめ、『エイジ』『ビタミンF』『十字架』など文学賞作品を次々と発表し、人気作家となる。現代の家庭や家族のありかたをえがき、多くの共感を得ている。そのほか『定年ゴジラ』や『あおげば尊し』『流星ワゴン』など、テレビドラマや映画の原作となった作品も多い。

学 芥川賞・直木賞受賞者一覧

しげみつまもる

政治

重光葵　1887～1957年

戦時の外交を一手にひきうけた

昭和時代の外交官、政治家。

大分県生まれ。東京帝国大学（現在の東京大学）卒業後、外務省に入り、諸外国で日本国公使をつとめる。中国公使時代の1932（昭和7）年、第1次上海事変の停戦協定の場で、朝鮮独立運動家による爆弾攻撃を受け、右脚を失いながらも調印をはたした。

太平洋戦争中は、東条英機内閣、小磯国昭内閣の外務大臣を歴任した。敗戦当時は、東久邇稔彦内閣の外務大臣であり、1945年9月2日、アメリカ合衆国の戦艦ミズーリ号上でおこなわれた降伏文書の調印式で、日本政府代表として署名をした。その後、ソビエト連邦（ソ連）側からの要請もあり、A級戦犯として逮捕され、極東国際軍事裁判（東京裁判）で禁錮7年の刑を受けた。

1952年の追放解除後、政界に復帰し、改進党の総裁、日本民主党、自由民主党の副総裁となった。また1954年以降、鳩山一郎内閣の外務大臣として、ソ連との国交回復に力をつくし、日本の国連加盟を実現した。

しげやませんさく

伝統芸能

茂山千作　1919～2013年

新作狂言にとりくんだ能楽師の4世

▲4世茂山千作

昭和時代の能楽師。

京都生まれ。本名は茂山七五三。大蔵流狂言方、3世茂山千作（人間国宝）の長男。1924（大正13）年、『以呂波』のシテ（主役）で初舞台をふんだ。第二次世界大戦後、狂言界が低迷するなか、父や弟の千之丞とともに、全国の学校をまわりながら、狂言の普及につとめた。茂山家のモットーは、「お豆腐のように広く愛され、飽きのこない、味わい深い狂言を」という「お豆腐主義」だった。明朗な狂言で知られ、天衣無縫な芸で新作狂言などにもとりくみ、歌舞伎、新劇、ドラマなどさまざまなジャンルとの交流につとめた。

1966（昭和41）年、当主名である12世茂山千五郎を襲名した。1994（平成6）年に長男に名前をゆずり、隠居名の4世茂山千作を襲名した。1989年、重要無形文化財保持者（人間国宝）に認定され、2007年には、狂言の世界で初の文化勲章を受章した。

学 文化勲章受章者一覧

しこうてい

始皇帝 → 152ページ

しししんおう

獅子心王 → リチャード1世

ししぶんろく

文学　映画・演劇

獅子文六　1893～1969年

ユーモアあふれる家庭小説を書く

大正時代～昭和時代の作家、劇作家、演出家。

神奈川県生まれ。本名は岩田豊雄。慶應義塾大学中退後、フランスへ留学して演劇を学ぶ。帰国後、劇の翻訳や演出をてがけ、岸田国士らと劇団「文学座」を設立し、随筆や小説を発表する。1934（昭和9）年、雑誌『新青年』に『金色青春譜』を連載して好評を得る。その後、父の再婚を応援する『悦ちゃん』を新聞に連載する。戦後、社長命令で身をかくす社員の喜劇をえがいた『てんやわんや』、新憲法であたえられた自由をめぐる騒動をえがく『自由学校』などが大ヒットし、テレビドラマや映画になった。世相を風刺しながらユーモアあふれる文体で大衆の心にひびく家庭小説をのこす。1969年、文化勲章を受章。

学 文化勲章受章者一覧

王族・皇族　紀元前259～紀元前210年

始皇帝

中国史上初の統一国家を建設

■12歳で秦の王に

▲始皇帝

中国、秦の初代皇帝（在位紀元前221～紀元前210年）。

戦国時代末期の趙の都邯鄲（現在の河北省南部の都市）に生まれる。名は政。死後、「始皇帝」とよばれた。父はのちに秦の王となる荘襄王。紀元前247年、荘襄王が亡くなると、12歳で秦の王となった。紀元前237年ごろ、楚の地方官吏出身の李斯を登用し、みずから政治をおこなった。「いまこそ天下一統をはたす好機」という李斯のことばを採用し、周辺諸国に攻め入った。紀元前230年、南東の韓をほろぼし、その後、北東の趙、東の魏、南の楚、東北の燕と、次々に攻め落とし、紀元前221年、山東半島の斉をほろぼして、中国の統一を完成した。

■天下をおさめる皇帝の政策

天下をおさめる者としてみずからを「皇帝」と名づけた。国を統治するため、国内を36郡（のちに48郡）に分け、その下に県をおく郡県制をしいた。各郡には行政長官、軍事司令官、監察官をおき、また県には文官と武官をおき、これらの役人はすべて中央から派遣した。また、国によりことなっていた文字や度量衡（はかりの基準）、車軌（馬車の両輪の幅）を統一。文字は簡略な隷書体にし、首都の咸陽と各地をむすぶ道路網を整備した。

政権を強固にするため、秦史（秦の歴史書）、医学、薬学、農業書以外の歴史書や春秋時代に栄えていた諸子百家の書物などをことごとく焼きつくし、また皇帝を批判し民衆をまどわしたとされる儒学者たち460人あまりをとらえて穴にうめた。こうした「焚書坑儒」とよばれる弾圧により、思想を統制した。

▲兵馬俑坑　始皇帝の時代につくられた8000体もの兵馬俑がうまっている。1974年、西安の北東約36kmのところにある始皇帝陵の近くで発見された。

■咸陽に壮麗な宮殿と陵墓、北方に万里の長城

首都咸陽を流れる渭水の北に、壮麗な咸陽宮を造営し、そのまわりに官庁をおき、さらに12万人ともいわれる地方の大商人を移住させた。その10年後、渭水の南側に新宮殿阿房宮の建設をはじめた。また、驪山のふもとに自分の陵墓（始皇帝陵）の造営を進めた。その東1.5kmのところに、秦帝国の軍団を再現した兵馬俑坑がある。

▲万里の長城　のちの時代につくられた長城。

紀元前215年、内モンゴルのオルドスに30万人の兵を派遣し、国境をおびやかしていた遊牧民の匈奴を北へ追った。さらに防備をかためるため、全長約1500kmの万里の長城を築いた。また紀元前214年、長江の南に50万人の兵を送って征服し、現在の広東省一帯に桂林、象、南海などの南越三郡をおいた。

皇帝の威信を支配地にしめすため、山東半島や長江流域などへの巡行をおこなった。

名山にのぼって天下平定を宣言し、それを石碑にきざんだりした。5回目の巡行の途中、河北省で病死し、遺体は始皇帝陵にほうむられた。

その後、末子の胡亥があとをついだが、たび重なる外征や土木工事などの負担が大きく、各地で反乱がおこり、4年後に秦はほろびた。

学 世界の主な王朝と王・皇帝

始皇帝の一生

年	年齢	主なできごと
紀元前259	0	趙の都邯鄲で生まれる。
紀元前247	12	秦の王に即位する。
紀元前237	22	このころから親政をはじめる。
紀元前230	29	韓をほろぼす。
紀元前221	38	斉をほろぼし、中国を統一。「皇帝」を名のる。
紀元前220	39	第1回巡行にむかう。
紀元前214	45	桂林、象、南海の南越三郡をおく。
紀元前213	46	万里の長城の建設はじまる。
紀元前212	47	阿房宮の建設はじまる。
紀元前210	49	第5回巡行の途中、亡くなる。

※年齢は満年齢であらわしている

ししめい

政治

史思明　704?～761年

安史の乱をおこし、唐の弱体化をまねいた

中国、唐の武将で安史の乱の指導者の一人。

トルコ系の突厥人の母とイラン系のソグド人の父をもち、営州（現在の遼寧省）で育つ。思明の名はのちに玄宗からあたえられたもの。安禄山と同世代で同郷だったため親しい仲にあり、ともに教養は高かった。安禄山とともに貿易仲買人となり、地方軍司令官（節度使）につかえて戦功を立てる。755年に安禄山が反乱をおこすと、行動をともにした（安史の乱）。757年、安禄山が子の安慶緒に殺害されると、史思明は安慶緒とは合わず、いちじ唐にくだった。しかし唐の粛宗と対立し、758年に粛宗に殺されそうになったため反旗をひるがえし、759年には安慶緒を殺して燕京（北京）にて王位について燕の建国を宣言し、大燕皇帝を名のった。

761年、末子の史朝清を溺愛してあとつぎにしようとしたため、長男の史朝義に殺された。

ジスカール・デスタン，バレリー

政治

バレリー・ジスカール・デスタン　1926年～

ヨーロッパ理事会をつくったフランス大統領

フランスの政治家。大統領（在任1974～1981年）。

ドイツのコブレンツ生まれ。1952年に財務省につとめたのち、内閣官房長となり、1956年に農民中道派（CNI）の国民議会議員となった。1962年からド・ゴール連立政権下で4年間、財務大臣をつとめた後、ヨーロッパの統合を求めるCNIがド・ゴールを批判して政権をはなれると、自身もCNIをはなれ、独立共和派を立ち上げる。のちの大統領選挙ではポンピドゥーを支持し、ポンピドゥー当選後は財務大臣に復帰。ポンピドゥーが急死したあとは、みずから大統領選挙に出て、ミッテランをわずかな差でやぶり当選した。

大統領在任中はヨーロッパの統合を進め、ヨーロッパ共同体（EC）加盟国首脳によるサミットであるヨーロッパ理事会をつくり、ヨーロッパ議会の予算を拡大することに力を入れた。内政においては、妊娠中絶の合法化、選挙年齢の18歳への引き下げ、高速鉄道（TGV）の推進などをおこなったが、2度も石油危機にみまわれ、経済は安定しなかった。1981年、再選をかけた大統領選では、ミッテランにやぶれた。

学 主な国・地域の大統領・首相一覧

したいあん

文学

施耐庵　1296？～1370？年

『水滸伝』で英雄、豪傑の活躍をえがく

中国、元～明の時代の作家。

中国の興化（現在の江蘇省）、あるいは銭塘（浙江省）の生まれ。本名は子安、あるいは耳。元の進士（官僚の採用試験の合格者）となり、役人をつとめるが、まもなく退職する。民間に伝わる物語を小説『水滸伝』にまとめる。これは、のちに弟子の羅貫中がひきついで完成させたといわれる。一説に、羅貫中の師とされることもあるが、実在の人間かどうかなど、はっきりしたことはわからない。

『水滸伝』は学者、商人、農民、漁師、盗賊など108人の豪傑が梁山泊に集まって、腐敗した役人たちを相手に反乱をおこす物語で、『三国志演義』（羅貫中）、『西遊記』（呉承恩）、『金瓶梅』（作者不明）とともに、中国四大奇書の一つとされる。人々の共感を得て、中国や香港で何度も映画やテレビドラマがつくられている。

2011年には、中国で総製作費55億円をかけてテレビドラマ化され、話題をよんだ。こどもむけの小説や漫画など日本語の本も多数出ている。

しづきただお

学問

志筑忠雄　1760～1806年

地動説などを日本に紹介した

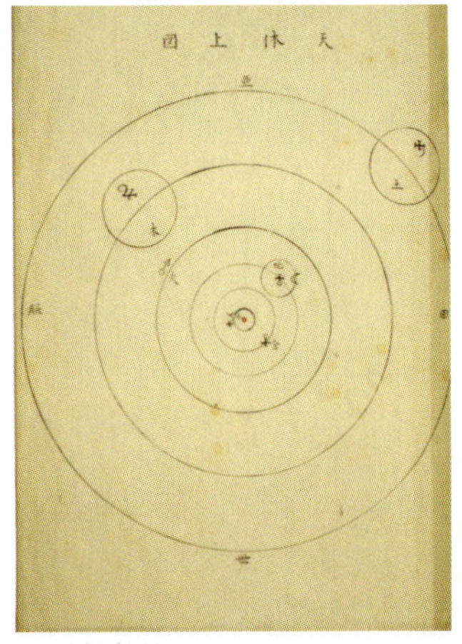

▲『暦象新書』　（国立天文台）

江戸時代後期の蘭学者。

長崎の資産家の家に生まれ、幼いころにオランダ通詞（通訳）の志筑家の養子になった。生家の名字と号から、中野柳圃ともいう。1776年、養父のあとをついだが、翌年病気を理由に辞職し、その後は蘭学の研究とオランダの書物の翻訳に専念した。

イギリス人ジョン・ケールが書いた物理学・天文学の入門書を生涯をかけて翻訳して『暦象新書』を著し、独自の見解をそえながら、ドイツの天文学者ケプラーの地動説や、イギリスの物理学者ニュートンの万有引力の法則などを紹介した。求心力（引力）、重力、遠心力などのことばは志筑によってつくられた。ほかに、オランダ語の文法を明らかにした『和蘭詞品考』などを著した。また、江戸時代中期に来日したドイツ人ケンペルの『日本誌』の一部を「鎖国論」と題して翻訳したので、幕府の対外政策が鎖国とよばれるようになった。

ジッド，アンドレ

文学

アンドレ・ジッド　1869～1951年

『狭き門』で知られるノーベル文学賞作家

フランスの作家。

パリ生まれ。ジード、ジイドとも書く。大学教授の父のもと、裕福な家庭に育つ。厳格なプロテスタントの母にきびしく育てられた。学生時代は病弱で成績もふるわなかった。18歳のころから作家を志す。このころいとこと恋に落ち、のちに妻とした。神の教えを厳格に守る妻の生き方と、人生をひたすら楽しむみずからの生き方がたがいにはりあい、それが作品に反映されている。『狭き門』では、自分を犠牲にしてまでも聖書の教えを守りぬく女をえがき、『背徳者』では享楽的な主人公をえがいた。代表作はほかに『田園交響楽』『贋金つくり』、自伝的な『一粒の麦もし死なずば』、評論『ドストエフスキー』などがある。1947年にノーベル文学賞を受賞した。

学 ノーベル賞受賞者一覧

じっぺんしゃいっく

文学

十返舎一九　1765～1831年

『東海道中膝栗毛』で大人気に

▲十返舎一九（『戯作六歌仙』より）
（慶応義塾図書館）

江戸時代後期の戯作者。

本名は重田貞一。駿河国府中（現在の静岡市）に武士の子として生まれる。江戸（東京）に出て武家奉公をしたが、まもなく武士をやめて大坂（阪）に行き、近松余七の名前で、三味線などの伴奏で物語を語る浄瑠璃とあやつり人形による芝居がむすびついた人形浄瑠璃の作家になった。

1793年、29歳のとき江戸にもどり、山東京伝作の黄表紙（表紙が黄色の絵入り小説）のさし絵をかいた。その後、書物や浮世絵を出版する版元の蔦屋重三郎のもとに身を寄せて黄表紙『心学時計草』を書いて戯作者（江戸時代の娯楽小説の作家）として知られるようになる。以後、黄表紙を次々と発表する。

1802年に発表した滑稽本『東海道中膝栗毛』が広く読まれて人気作家になった。これは、江戸の裏長屋に住む弥次郎兵衛と喜多八が伊勢神宮（三重県伊勢市）への参詣を思いたち、途中さまざまな失敗をくりかえしながら東海道を旅するようすをえがいた物語。あまりに評判がよかったので、『金比羅参詣』や『宮島参詣』などの続編も生まれ、1822年まで21年にわたって書きつづけられた。

その間、洒落本（遊里での遊びをえがいた小説）や人情本（恋愛小説）、読本（さし絵より文章を中心にした小説）などあらゆるジャンルの小説を書いた。生涯に500以上の作品を発表し、滝沢馬琴とともに原稿料だけで生計を立てた最初の職業作家といわれている。

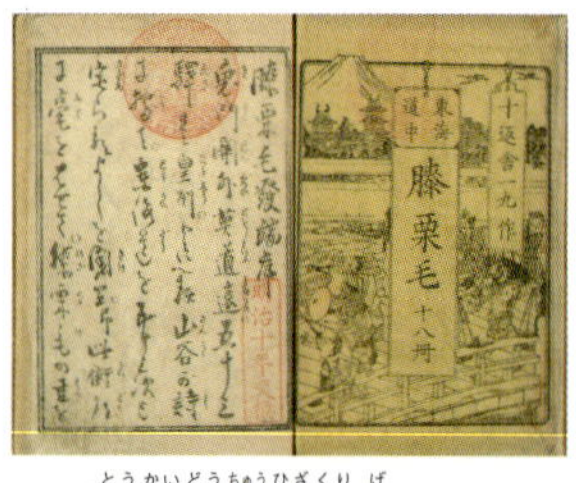

▲『東海道中膝栗毛』のとびらページ
（国立国会図書館）

しではらきじゅうろう

政治

幣原喜重郎　1872～1951年

戦後初の総選挙を実施した

（国立国会図書館）

明治時代～昭和時代の政治家、外交官。第44代内閣総理大臣（在任1945～1946年）。

大阪府生まれ。東京帝国大学（現在の東京大学）法科卒業。1896（明治29）年、外務省に入り領事館に勤務。1919（大正8）年に駐米特命全権大使となり、1921年、日本の太平洋進出を制限する国際会議であるワシントン会議にかかわる。1924年、外務大臣就任。ワシントン会議の精神を外交政策の基調とし、イギリス、アメリカ合衆国両国との協調外交（幣原外交）を推進、中国へは内政不干渉の態度をとる。政友会や陸軍からは「軟弱外交」と批判された。1930（昭和5）年、日中関税協定とロンドン海軍軍縮条約を締結。1931年、満州事変による若槻礼次郎内閣の総辞職で退陣。

第二次世界大戦後の1945年10月に内閣総理大臣就任。天皇制護持につとめ、日本国憲法草案作成に尽力した。1946年、大日本帝国憲法の下での最後で日本初の男女普通選挙となった衆議院議員総選挙ではどの政党も過半数の議席を確保できず、内閣は総辞職。1947年、衆議院議員に当選。日本進歩党総裁となり、吉田茂内閣では副総理をつとめた。民主党最高顧問をへて民主自由党を結成。1949年、衆議院議長となったが、1951年、在任中に亡くなった。

学 歴代の内閣総理大臣一覧

じとうてんのう

王族・皇族

持統天皇　645～702年

藤原京を築いた

飛鳥時代の第41代天皇（在位690～697年）。

天智天皇の子で、即位する前は鸕野讃良皇女とよばれた。子に草壁皇子、孫に文武天皇、元正天皇がいる。

657年、おじの大海人皇子（のちの天武天皇）と結婚する。671年、大海人皇子は天智天皇の後継者とされていたが、天智天皇は晩年、大友皇子に政治をみさせていた。それに危機感をいだいた大海人皇子は、近江大津宮（滋賀県大津市）から吉野へむけて脱出し、持統天皇も行動をともにした。翌年、大海人皇子が壬申の乱をおこして、大友皇子をやぶり、673年、天武天皇として即位すると皇后となった。686年、天武天皇の死後、政治の実権をにぎり、皇位継承の有力候補者だった大津皇子を、みずからの子である草壁皇子に対する謀反の罪で自害させた。しかし、あとつぎに考えていた草壁皇子が689年に亡くなると、翌年即位して持統天皇となった。天武天皇の政治方針で法律を基本とした律令体制を受けつぎ、飛鳥浄御原令を制定し、「庚寅年籍」という戸籍をつくらせた。694年、天武天皇のときに計画されていた飛鳥から、北に都を移して、藤原京（奈良県橿原市）の造営を進めた。藤原京は、唐の都長安にならってつくられた、東西約5.3km、南北約4.8kmの広大な都だった。

▲持統天皇
（小倉遊亀画／薬師寺所蔵／飛鳥園写真）

697年、孫の軽皇子（文武天皇）に位をゆずり、初の上皇（譲位した天皇）になった。しかし、文武天皇はまだ15歳だったので政治を後見し、その後も天皇中心の中央集権体制を築くために、大きな影響力をもった。701年、持統上皇と文武天皇の命令で、飛鳥浄御原令をもとにし、大きく改正・充実させた大宝律令が刑部親王、藤原不比等らによって完成した。大宝律令は、その後の政治の基本法典となり、さまざまな制度や組織があらためられた。翌年、持統上皇は亡くなり、日本で火葬された最初の天皇となった。

『万葉集』に6首の歌がおさめられている。「春過ぎて　夏来にけらし　白妙の　衣ほすてふ　天の香具山」が有名で、藤原定家の『小倉百人一首』にもえらばれている。

▲天武天皇・持統天皇の合葬墓の野口王墓古墳（檜隈大内陵）（宮内庁書陵部）

学 天皇系図　学 人名別 小倉百人一首

シドッチ，ジョバンニ

宗教

ジョバンニ・シドッチ　1668〜1714年

鎖国中の日本に潜入した最後の宣教師

江戸時代に来日した、イタリアのイエズス会宣教師。

シチリア島に貴族の子として生まれる。キリスト教を禁止して鎖国をしている日本でキリスト教を布教するため、教皇クレメンス11世の使節として派遣され、1704年、スペイン領のマニラ（現在のフィリピンの首都）で日本語を学んだ。

1708年、日本の和服に刀をさし武士に変装して薩摩藩（鹿児島県）屋久島に上陸したところをとらえられ、江戸（東京）に送られて、小石川の切支丹屋敷（キリスト教徒を収容した施設）で、江戸幕府第6代将軍徳川家宣の命を受けた新井白石の取り調べを受けた。その後、身のまわりの世話をしていた夫婦に洗礼（キリスト教の信者になるための儀式）をおこなったことが発覚し、地下牢に幽閉されて5年後に病死した。シドッチの取り調べを通してキリスト教の教義や世界地理などの知識を得た白石は、『西洋紀聞』『采覧異言』など西洋文化についての本を著した。これらの本は極秘にされたが、写本によってひそかに広まった。

▲シドッチの携行品『聖母像（親指のマリア）』
（東京国立博物館 Image:TNM Image Archives）

しながわやじろう

幕末

品川弥二郎　1843〜1900年

薩摩藩と長州藩のあいだをとりもつ

（国立国会図書館）

幕末の長州藩（現在の山口県）の藩士、明治時代の政治家。

長州藩の藩士、品川弥右衛門の子として萩（萩市）に生まれる。1857年、吉田松陰の松下村塾で学んだ。1862年、高杉晋作、久坂玄瑞とともに尊王攘夷（天皇をうやまい外国勢力を追いはらおうという考え）の運動をおこない、江戸（東京）のイギリス公使館焼き討ちに参加した。1864年、長州藩が京都御所を襲撃した禁門の変に参加してやぶれた。1866年、薩摩藩（鹿児島県）と長州藩が倒幕勢力としてむすぶための連絡役をつとめ、同年の第2次長州出兵では、幕府軍をやぶって軍功を上げた。1868年、戊辰戦争で新政府軍の長州藩部隊の参謀として軍を指揮。

1870（明治3）年、ヨーロッパにわたり、イギリス、ドイツなどで農政を学び、1873年、ドイツの日本公使（外交使節で大使に次ぐ地位）の書記官となり、1876年に帰国した。1877年、内務大書記官（国内行政を統括した内務省の事務官）、1880年、内務少輔（内務省で卿、大輔に次ぐ役職）となり、1881年には農政や山林事業をさかんにするため大日本農会、翌年、大日本山林会を創立。また同年、農商務大輔（農商務省の次官）に昇進し、殖産興業（生産をふやし産業をさかんにすること）

を進めた。1885年、日本公使（外交使節で大使に次ぐ地位）に任命され、ドイツのベルリンに駐在。1887年に帰国後、宮中顧問官（皇室を担当する宮内大臣の相談役）、1888年、枢密顧問官（天皇に属し重要な国事を審議する枢密院を構成した人）となる。

1891年、第1次松方正義内閣の内務大臣に就任したが、翌年、第2回総選挙で民党（政府に反対する野党）を圧迫するために警官や地方役人を動かして大がかりな選挙干渉をおこなったので、世間の非難をあびて辞職した。

シナトラ，フランク

音楽

フランク・シナトラ　1915～1998年

アメリカ・ポピュラー音楽界の大スター

アメリカ合衆国の歌手、映画俳優。

ニュージャージー州生まれ。1930年ころ、人気歌手ビング・クロスビーにあこがれ、歌手をめざす。いくつかの楽団に所属して歌ったのち、1942年にソロとしてデビューする。10代の女性を中心に人気を得て、数々のヒット曲をだす。

その後、声の不調のために一時期、歌手活動はふるわなかったが、1953年に出演した映画『地上より永遠に』でアカデミー助演男優賞を受賞し、俳優としての地位を確立する。以後、映画と歌の両方で活躍し、1969年には代表曲『マイ・ウェイ』を世界的に大ヒットさせる。

あまく息つぎがめだたないソフトな歌唱が特徴で、プレスリーやマイケル・ジャクソンに先がけるアメリカ・ポピュラー音楽界の代表的な存在。1971年に引退を表明したが、2年後に復帰をはたして晩年まで歌いつづけた。日本には1962年以来、公演やコマーシャル出演などでたびたびおとずれている。

しなののぜんじゆきなが

貴族・武将　文学

信濃前司行長　生没年不詳

『平家物語』の作者といわれる

▲『平家物語絵巻』より栄華をきわめる邸宅のようす

（明星大学）

鎌倉時代前期の官人。

『平家物語』の作者として兼好法師の『徒然草』に名がみられる。下野守（現在の栃木県の長官）だった藤原行長とされているが、諸説がある。信濃守（長野県の長官）だったかは不明。13世紀前半、後鳥羽天皇につかえていたとき、楽府（中国でつくられた民謡や歌曲を集めた詩）を論じたが、7つの舞のうち2つの舞をわすれて、はずかしめを受けたため世を捨てたという。しかし、その学問や芸能の才能をおしんだ天台座主（天台宗の最高位の僧）慈円のもとに行き保護された。その後、琵琶法師に聞いた源平の合戦や武士のあり方などをもとにして『平家物語』を書き、琵琶法師に語らせたといわれる。

シバージー

王族・皇族

シバージー　1627～1680年

デカン地方にマラータ王国を建設

インド、マラータ王国の初代君主（在位1674～1680年）。

父はインド中西部を支配していたイスラム教徒のビージャプル王国につかえる豪族だった。デカン地方西部の都市プネーを中心に勢力をのばし、17世紀中ごろには、西インドのマラータ農民を組織して、ゲリラ戦法で周辺に勢力をのばした。ムガル帝国の第6代皇帝アウラングゼーブと戦うが、1665年に和議をむすび、ムガル帝国につかえることになった。アグラでのアウラングゼーブ帝の冷たい態度に怒ったため、一時とらえられたがすぐに脱出した。

1674年、マラータ王国を創建して王位につき、「反ムガル・ヒンドゥーの独立」をかかげた。ムガル軍との戦いの途中で亡くなるが、あとを一族がついで、ムガル帝国の支配をゆるがした。シバージーは民族の英雄としてしたわれ、19世紀末のイギリスに対抗する民族運動の精神的なささえとなった。

しばえい

王族・皇族

司馬睿　276～322年

拠点を建康へ移し、東晋を建国

中国、東晋の初代皇帝（在位317～322年）。

元帝ともいう。晋（西晋）、琅邪国（現在の山東省膠南県）の王の子として洛陽に生まれ、15歳で瑯邪王となった。晋は武帝（司馬炎）の死後、皇族どうしの内乱（八王の乱）がおこり、国力がおとろえており、またきょうどや異民族の反乱（永嘉の乱）によっても混乱をきわめていた。司馬睿は307年に将軍となって揚州の軍事をまかされたが、近いうちに晋がほろびることを予見した名臣、王導のすすめで、同年、建業（南京）へと移る。そして晋がほろびると、317年には皇帝の位につき国を再興、東晋をひらいた。

皇帝としての影響力は弱く、貴族や豪族、とくに琅邪出身の王氏一族に強大な権力をにぎられていたため、彼らを排除して政権の強化をはかろうとする。

しかし王導のいとこで、大将軍をつとめていた王敦の反乱をまねいた。これを重くみた司馬睿は王敦と和睦。ほどなくして亡くなった。

学 世界の主な王朝と王・皇帝

しばえん

王族・皇族

司馬炎　236～290年

晋を建国し、三国分裂を終わらせて中国を統一

中国、晋（西晋）の初代皇帝（在位 265 ～ 290 年）。

武帝ともいう。晋王、司馬昭の長男で司馬懿の孫にあたる。265 年、蜀をほろぼした父が亡くなり、王位をつぐと、魏の元帝にゆずらせて帝位につき、洛陽を首都として晋をひらいた。

20 編 620 条におよぶ泰始律令を完成させ、学問、礼節を重視する国の基礎をかためた。また、魏では皇帝の親族に権威を集中させなかったことが衰退の原因と考え、みずからの一族に王位をあたえて各郡に封じ、軍権もにぎらせた。

280 年には呉を攻めてほろぼし、約 100 年ぶりに中国を統一。三国時代を終わらせる。この年、人民に一定の土地をあたえ、税をとりたてる占田・課田法を発布した。三国統一後、炎は政治への興味を失い、きさきや女官などを住まわせていた後宮を拡大し、宴にふけった。魏時代から国内にとどまっていた匈奴などの北方民族を放置したこと、また諸王に軍の権限をあたえていたことが各地で争いを生み、八王の乱へと発展。晋は衰退し、建国から 51 年で滅亡した。

学 世界の主な王朝と王・皇帝

しばこう

政治　学問

司馬光　1019～1086年

歴史書『資治通鑑』を完成させた

中国、北宋時代の官僚政治家、歴史家。

山西省生まれ。幼少から神童といわれ、こどもが水がめに落ちておぼれていると、石で水がめを割って救いだしたという逸話がある。

1038 年、優秀な成績で科挙（官僚の採用試験）に合格し、地方の管理職を歴任、若くして国の役人に昇進した。

1061 年、諫官（皇帝の相談役）となるなど、学問の力をみとめられて活躍したが、宰相であった王安石の提案した改革をめざす新法に反対して、役職を辞任した。

辞任後、それまで皇帝や英雄などの種類ごとにまとめられていた国の歴史書を、時の流れにそってまとめ直す作業を開始した。皇帝の援助を受け、19 年かけて作業を進め、1084 年、戦国時代から五代末までの 1362 年間の歴史を 294 巻にまとめた歴史書『資治通鑑』を完成させた。

1086 年、王安石の死去により政治に復帰、宰相となり、王安石の新法を撤廃したが、約半年後に自身も死去した。『資治通鑑』は、司馬遷の『史記』とならび、中国の代表的な歴史書として評価されている。

しばこうかん

絵画

司馬江漢　1747～1818年

日本初のエッチングの制作に成功した画家

▲司馬江漢　（国立国会図書館）

江戸時代中期～後期の洋風画家、蘭学者。

本名は安藤吉次郎。江戸（現在の東京）に生まれた。幼いころから絵が得意で、はじめ狩野派（狩野正信・狩野元信父子にはじまる絵画の流派）の画家に学び、次いで浮世絵師の鈴木春信に入門して、鈴木春重の名で美人画をえがいた。また、中国の清の画家、沈南蘋の写生画風を受けつぐ、宋紫石にも学んだ。

その後、師の紫石と交流があった平賀源内の影響を受けて洋風画に転向し、『解体新書』のさし絵をえがいた小田野直武に学んで遠近法や陰影法をとり入れ、日本の風景をえがいた。

さらに、蘭学者（西洋の知識や技術、文化を研究する蘭学を学ぶ人）の前野良沢や大槻玄沢の協力を得て、西洋の銅版画の制作方法を研究した。試行錯誤を重ねた末の 1783 年、日本ではじめて腐食銅版画（銅板に針で線をえがき、酸にひたして線の部分を腐食させる版画の技法。エッチングという）の制作に成功し、『三囲景図』『不忍之池図』『両国橋図』などを発表した。

▲『三囲景図』　（国立国会図書館）

また、油絵にも挑

戦して『相州鎌倉七里浜図』『異国風景人物図』などをえがき、1799年、『西洋画談』を出版するなど洋風画の普及につとめた。一方で、西洋の自然科学にも関心をもち、世界地理や天文、地動説などを図入りで解説した『地球全図略説』『和蘭天説』『刻白爾天文図解』などを著した。

晩年には老荘思想（老子と荘子の思想をあわせた中国の伝統的な思想）や禅に親しみ、随筆『独笑妄言』などによって封建社会を批判し、人間の平等をとなえた。

しばせん

学問

司馬遷　紀元前145?～紀元前86?年

歴史書『史記』の著者

中国、前漢の官僚、歴史家。

朝廷の記録や天文を担当する太史令であった司馬談の子。こどものころから古典に親しむ。20歳のころからは全国を旅して史跡をおとずれ、風土や習慣を調査するなど、見聞を広めた。紀元前110年、古代から当時までの歴史書を書くことを司馬遷に託して父が亡くなる。紀元前108年、父のあとをついで太史令となった司馬遷は、まず暦の改正をおこない、その後父の遺言にしたがって歴史書を書きはじめた。紀元前99年、漢の将軍李陵が異民族の匈奴と戦ってやぶれ、捕虜となる事件がおきると、司馬遷は李陵をかばう発言をしたために武帝に激怒され、宮刑という局部を切る刑に処せられた。紀元前96年、牢を出て役人に復帰すると、歴史書の編さんに全力をかたむけ、ついに『史記』全130巻を完成させた。

『史記』は伝説上の時代から前漢の武帝までを統一して書いた中国ではじめての歴史書である。その記述の形式は、その後中国王朝の歴史書の基本となった。

学 日本と世界の名言

しばたかついえ

戦国時代

柴田勝家　1522？～1583年

織田信長の勇猛な家臣

戦国時代～安土桃山時代の武将、織田家の家臣。

尾張国（現在の愛知県西部）に生まれる。はじめは織田信長の弟である織田信行につかえた。織田家の後継者をねらった信行がおこした信長への反乱に味方するが失敗。その後、再度信長を殺そうと画策した信行を、信長に密告した。この密告により信行は暗殺され、これ以降勝家は信長の家臣となる。

1560年の桶狭間の戦いや、信長の尾張統一などでの活躍はみられなかったが、信長が足利義昭を援助して、京都に入り将軍として立てるための戦いでは主力となる。1570年、近江国（滋賀県）長光寺城を六角義賢に攻められ、城への水の供給を絶たれた際、力のあるうちに戦おうと城にのこった水がめをあえてすべて割り、敵をあざむき、味方の士気を上げたうえで出撃。この戦いに勝利したことで、「かめ割りの柴田」という名で有名になった。

▲柴田勝家

（柴田勝次郎氏蔵／福井市立郷土歴史博物館保管）

1575年、信長が越前国（福井県北東部）を平定すると、北庄城主となって北陸をおさめた。1580年に加賀国（石川県南部）を平定、越中国（富山県）へと進出して、佐々成政、前田利家らの有力な武将を配下に加えた。しかし1582年、信長が明智光秀に襲撃された本能寺の変では、越後国（新潟県）の上杉景勝とにらみ合っており、信長の下へとかけつけられなかった。

信長の死後、信長の妹であるお市の方と結婚。また、信長の後継者をめぐって羽柴秀吉（のちの豊臣秀吉）と対立し、勝家は信長の3男、織田信孝を、秀吉は信長の孫（信長の長男織田信忠の長男）、三法師をおした。清洲会議にて三法師があとつぎに、その後見人として、勝家、秀吉、丹羽長秀、池田信輝の4人がえらばれた。勝家は、それを不服とした信孝や滝川一益と手を組み、秀吉に戦いをいどむ。しかし、信孝は岐阜城で降伏、一益も伊勢国（三重県東部）長島城でやぶれた。

1583年の賤ヶ岳の戦いで、勝家と秀吉は衝突。勝家側が劣勢となり、越前まで兵をしりぞいた。そのとき、前田利家は勝家をうらぎり、秀吉側につく。とうとう本拠地である北庄城も攻められた勝家は、秀吉の軍に包囲された城の中で、お市の方とともに自害した。

▲豊臣秀吉と柴田勝家が戦った賤ヶ岳古戦場

（公益社団法人びわこビジターズビューロー）

しばたきちのじょう

郷土

芝田吉之丞　生没年不詳

マグロの漁法を考案

江戸時代後期の庄屋、漁師。

伊勢国須賀利浦（現在の三重県尾鷲市）の庄屋（村の長）の子に生まれた。須賀利浦の人々はイワシ、カツオ漁をしてくらしていたが、魚がとれなくなってきた。吉之丞はイワシを追ってくるシビ（マグロ）をとるための網をつくろうと思いたち、日夜くふうを重ねて、シビ網を完成させた。

シビ網をしかけると、湾内に入ってきたシビが湾内から出られなくなり、岸の方へ追いこまれて捕獲された。シビは高い値で売れ、村は豊かになった。1840年には3万匹のシビがとれたという。シビ網漁法は、船によるシビ漁がさかんになる昭和時代初期までおこなわれた。

しばたっと

宗教

司馬達等　生没年不詳

日本に仏教を広めるために力をつくした

飛鳥時代に渡来した、百済人。

仏師の鞍作鳥の祖父で、朝鮮半島の百済からやってきたといわれる。

『日本書紀』に登場し、仏教が百済から正式に伝わる以前から、蘇我氏の下で仏教をあつく信仰し、仏像を礼拝していたという。584年、蘇我馬子が仏殿をつくって仏像を安置したとき、娘の善信尼ら女性3人を出家させて修行させた。その後、物部氏などによる仏教弾圧がおこるが、のちに仏教が日本の社会に広まったのは、司馬達等らの努力によると考えられる。

しばたれんざぶろう

文学

柴田錬三郎　1917〜1978年

眠狂四郎が活躍する剣豪小説で知られる

昭和時代の作家。

岡山県生まれ。慶應義塾大学支那文学科卒業。在学中に雑誌『三田文学』に作品を発表。第二次世界大戦で召集されたが、乗っていた輸送船が難破して奇跡的に助かる。1951(昭和26)年、『イエスの裔』で直木賞を受賞。

1956年から『週刊新潮』に連載された『眠狂四郎無頼控』は、孤高の剣士が円月殺法で強敵を倒す剣豪小説で、空前のヒットとなる。

その後『剣は知っていた』『赤い影法師』『運命峠』『御家人斬九郎』、現代小説『図々しい奴』などのヒットを重ねる。1970年、歴史小説『三国志英雄ここにあり』で吉川英治文学賞を受賞。『真田十勇士』は1975年、NHKテレビの人形劇になり、こどもたちにも人気となった。

学 芥川賞・直木賞受賞者一覧

シハヌーク，ノロドム

王族・皇族　政治

ノロドム・シハヌーク　1922〜2012年

カンボジアを独立させた

カンボジアの政治家。国王（在位1941〜1955年、1993〜2004年）、首相（在任1955〜1960年）、国家元首（在任1960〜1970年、1975〜1976年）。

王族に生まれ、フランス留学後に即位した。長らくフランスの保護国だったカンボジアは、第二次世界大戦中に日本軍に占領される。1945年には日本からの独立を宣言、またフランス植民地支配からも独立するために交渉をつづけ、1953年に実現させた。1955年、王位を父にゆずって、人民社会主義共同体を組織。首相をへて国家元首に就任した。内政では王政社会主義を進めたが、1970年、革新派のロン・ノルらのクーデターによって解任される。以後、北京などに亡命し、カンボジア民族統一戦線を結成した。1975年、ロン・ノルがたおれると国家元首に復帰するが、翌年、民主カンボジアのポル・ポト政権が成立し、辞任に追いこまれた。1979年にポル・ポトをたおしてヘン・サムリン政権が成立すると、民主カンボジア国家元首を名のる。1991年にカンボジア内戦が終わり、パリ国際会議でカンボジア和平協定を実現してカンボジア王国が復活すると、ふたたび国王となった。

しばのりつざん

学問

柴野栗山　1736〜1807年

寛政異学の禁を発した

江戸時代後期の儒学者。

讃岐国牟礼村（現在の香川県高松市）の農家に生まれる。10歳のころから後藤芝山に学び、18歳のとき江戸（東京）に出て、林羅山を祖とする儒学者の家系で幕府につかえ幕臣の教育などにあたった林家に入門して儒教の一派である朱子学を学んだ。京都でも遊学をしたのちに、1767年、阿波国徳島藩（徳島県）に儒学者としてつかえた。

1788年、老中（将軍を補佐して政治をおこなう役職）松平定信に登用されて、昌平坂学問所（江戸幕府直轄の学問所）の教官になり、儒学者の岡田寒泉とともに寛政異学の禁をおし進めた。これは、儒学のうち朱子学を正学とし、それ以外の学問を幕府の学問所で教えることを禁止した政策で、朱子学によって人々の心と社会をまとめ、幕府の体制を維持するのが目的だった。尾藤二洲、岡田寒泉（のちに古賀精里に入れかわる）とともに寛政の三博士とよばれた。

しばよしかど

貴族・武将

斯波義廉　生没年不詳

斯波氏の家督争いが応仁の乱へと発展

室町時代の武将。

斯波氏は、細川氏、畠山氏とならび、室町幕府将軍の補佐をつとめる管領に就任できるほどの、名門中の名門の守護大名であった。1459年、斯波氏の当主であった斯波義敏が、第8代将軍足利義政に罷免されたため、義廉がそのあとをつぎ、尾張国（現在の愛知県西部）、越前国（福井県北東部）、遠江国（静岡県西部）の守護となった。しかし1466年、義政は、義廉を当主の座からおろし、ふたたび義敏を斯波氏の当主につけたため、義廉と義敏は対立を深めた。この斯波氏の内紛、有力守護大名の細川氏と山名氏の対立、将軍の後継者問題などが複雑にからみ合って、1467（応仁元）年に応仁の乱が発生することとなる。乱がおこると、義廉は山名持豊（山名宗全）がひきいる西軍に、義敏は細川勝元ひきいる東軍に加わった。しかし、応仁の乱によって守護大名の勢力の多くがその力を失い、義廉も尾張国に没落したのを最後にゆくえがわからなくなった。

（『東山殿猿楽興行図』/ 立命館大学 ARC 所蔵）

学 室町幕府執事・官領一覧

しばよしとし

貴族・武将

斯波義敏　1435〜1508年

家督をめぐる争いのうちに、朝倉氏に越前をうばわれた

（霊泉寺）

室町時代中期の武将。

斯波持種の子。1452年、斯波義健の死後、養子となり、越前国（現在の福井県北東部）、尾張国（愛知県西部）、遠江国（静岡県西部）の守護職をついだ。

斯波家の重臣である甲斐常治と対立し、1459年、室町幕府第8代将軍足利義政から関東出陣を命じられるが関東にはむかわず、越前国の甲斐勢を攻めてやぶれた。これにより義政の怒りを買い、3国の守護職を没収され、大内氏をたよって周防国（山口県東部）へ移る。のちにゆるされて守護職に復帰するが、斯波氏をついだ斯波義廉と相続をめぐってあらそい、1467（応仁元）年にはじまる応仁の乱へと発展。義敏は細川勝元側の東軍に、義廉は山名持豊（山名宗全）側の西軍につき、戦うこととなる。1475年、越前国の土橋城にて朝倉孝景の攻撃を受け、城を出て京都へ送られた。その後、子の義良にあとをゆずり、1485年に出家し、道海と称した。晩年は歌をたしなみ、『新撰菟玖波集』に連歌7首が入っている。

しばりょうたろう

文学

司馬遼太郎　1923〜1996年

新鮮な解釈で歴史上の人物をえがく

昭和時代〜平成時代の作家。

大阪府生まれ。本名は福田定一。大阪外国語学校（現在の大阪大学外国語学部）蒙古語部に進学する。第二次世界大戦中の1943（昭和18）年、学生のまま召集されて満州（現在の中国東北地方）の戦車隊に配属された。

（写真提供・司馬遼太郎記念財団）

戦後、新聞社につとめながら小説を書きはじめ、1956年に懸賞応募作品『ペルシャの幻術師』が講談倶楽部賞を受賞する。翌年、寺内大吉らと雑誌『近代説話』を創刊した。尊敬する中国前漢の歴史家、司馬遷からペンネームをつけた。1960年に『梟の城』で直木賞を受賞し、作家としてみとめられる。歴史上の人物に焦点をあて、時代の変わり目に活躍した人物を劇的にえがきだした。

1966年、坂本龍馬の一生をえがいた『竜馬がゆく』と、織田信長や斎藤道三を中心に戦国時代を書いた『国盗り物語』では、独自の歴史観が評価され菊池寛賞を受賞した。明治はじめの激動期を背景にした『坂の上の雲』など、ドラマチックな時代背景が話題となった。1970年、吉田松陰と高杉晋作をえがいた『世に棲む日日』で吉川英治文学賞を受賞した。ほかに『関ヶ原』『花神』『燃えよ剣』などの作品がある。『この国のかたち』など、歴史に関する随筆や紀行も多い。絶筆となった読み切りの連載紀行集『街道をゆく』ではアジアからヨーロッパ、アメリカ合衆国まで取材に出かけた。1976年、『空海の風景』で日本芸術院賞恩賜賞を受賞する。1991（平成3）年に文化功労者に表彰、1993年に文化勲章を受章。

学 文化勲章受章者一覧　学 芥川賞・直木賞受賞者一覧

しぶかわしゅんかい

学問

渋川春海　1639〜1715年

日本ではじめて暦をつくった

（『天文大意録』/ 大阪市立科学館）

江戸時代前期の天文学者、碁打ち。

「はるみ」とも読む。幕府おかかえの碁打ち、安井算哲の子として京都に生まれる。儒学や、太陽や月、星の運行を観測し暦をつくる暦学を学んだ。

1652年、14歳のとき父のあとをついで算哲を名のり、幕府につとめた。

当時つかわれていた宣明暦は、中国の唐（618〜907年）で作成されたもので、800年にわたって用いられつづけた結果、実際の日付とのあいだに誤差が生じていた。

1673年、春海は宣明暦の不備を指摘し、中国の元（1271～1368年）の時代につくられた授時暦に改暦するよう幕府に意見書を提出した。しかし、授時暦の日食予報がはずれたため、採用されなかった。その後、天体観測をつづけて授時暦を改良し、大和暦を作成した。

その結果1684（貞享元）年、大和暦が採用され、当時の年号をとって貞享暦と名づけられ、翌年から施行された。これは日本人による最初の暦で、その功績によって幕府の初代天文方（天体観測や改暦をおこなった役職）になった。

囲碁は七段として徳川将軍の御前で対局する御城碁において、近代囲碁の祖とよばれる本因坊道策らと何度も戦った。

しぶさわえいいち

産業　郷土

渋沢栄一　1840～1931年

日本の近代資本主義の基礎を築いた

▲渋沢栄一　（国立国会図書館）

明治時代の実業家。

1840年、武蔵国血洗島村（現在の埼玉県深谷市）の裕福な農家に生まれる。幼いころから父やいとこから学問の手ほどきを受けた。また、家業の畑や、染料となる藍玉の製造と販売、養蚕などをてつだい、10代のころから一人で取り引きをまとめることもあった。

幕末には一時期、尊王攘夷思想の影響を受けて高崎城をのっとる計画などを立てたが、思いとどまる。1864年、24歳のときに一橋家につかえ、財政の改善などに実力を発揮した。一橋家の当主であった一橋慶喜が江戸幕府の第15代将軍徳川慶喜となると、幕臣となる。

27歳のときに慶喜の弟の供としてヨーロッパへ行き、パリの万国博覧会やその他ヨーロッパの国々を訪問して、近代的な産業や社会を学んだ。大政奉還のために明治新政府から帰国を命じられると、1869（明治2）年に日本へもどり、金融と商社をあわせたような商法会所を静岡に設立した。その後、政府にまねかれて大蔵省の一員となり、井上馨の下で貨幣、金融、財政制度の制定と改革など、新しい国づくりに深くかかわる。また、株式会社の制度に関する知識を広めるために、1871年に『立会略則』を著して、大蔵省から発行した。

1873年に大蔵省をやめると、第一国立銀行（のちの第一銀行、現在のみずほ銀行）を創立して、のちに頭取に就任した。以降、民間の経済人として、また実業家たちのリーダーとして活躍した。銀行、鉄道、ガス、製紙など、多くの会社の設立や育成にかかわり、その数は500社にものぼるといわれている。また、東京商法会議所（のちの東京商工会議所）や東京銀行集会所、東京手形交換所などを設立し、経営者や実業家たちの組織やつながりをつくることにも力をそそいだ。1915（大正4）年に渋沢同族株式会社を設立し、第一銀行を中心とする渋沢財閥をつくり上げる。翌年、実業界の第一線からは引退し、以後は教育、社会、文化事業などに支援や協力をおこなった。1931（昭和6）年、91歳で亡くなった。

▲創立時の第一国立銀行　（毎日新聞社）

会社の利益を求めることが国家の繁栄につながるような実業家でなければならないという「道徳経済合一説」をとなえ、多くの会社にかかわり、日本の近代化に大きく貢献した。

学　日本と世界の名言

しぶさわけいぞう

学問　産業

渋沢敬三　1896～1963年

銀行家で、政治家で、民俗学者

昭和時代の実業家、政治家、民俗学研究家。

東京生まれ。渋沢栄一の孫。1921（大正10）年、東京帝国大学（現在の東京大学）経済学部を卒業し、横浜正金銀行に入る。祖父の創設した第一銀行副頭取をへて、1944（昭和19）年、日本銀行総裁となる。第二次世界大戦後は幣原喜重郎内閣の大蔵大臣となり、財閥解体など、戦後の財政処理にあたった。公職追放を受けたが、解除後は国際電信電話（KDDI）社長、文化放送会長などを歴任した。

学生時代に柳田国男と出会ったことで、民俗学に興味をもつ。その影響を受けて、大学を卒業する年に、アチック・ミューゼアム（屋根裏部屋博物館）を自宅に開設した。本業のかたわら、郷土玩具の収集や調査、また少年時代から関心をもっていた生物学や漁業、民俗学の研究をつづけ、多くの研究者への援助をおこなった。

日本民族学協会、人類学会の会長もつとめた。1963年には、東洋大学の名誉文学博士号、勲一等瑞宝章を授与される。著書に『日本魚名集覧』などがある。

シベリウス，ジャン

音楽

ジャン・シベリウス　1865～1957年

力強いメロディーで祖国をたたえる

フィンランドの作曲家。

ロシア帝国統治下、フィンランド南西部のハメンリンナの生まれ。本名はヨハン。ヘルシンキ音楽院で作曲とバイオリンを学び、ベルリンとウィーンに留学。1892年に帰国後、フィンランドの民族的大叙事詩『カレワラ』を下地にした交響曲『クレルボ』を発表して評判になる。ロマン派の影響を受けたが、傑作とされる交響詩には、民族を重視する国民楽派の影響が強い。祖国の神話や自然を力強いメロディーと色彩豊かな和音でたたえる交響詩『フィンランディア』（1899年）は、ロシア帝国から演奏を禁止されたほどだった。ほかに7つの交響曲、交響詩『タピオラ』がある。

しまいそうしつ

産業

島井宗室　1539～1615年

博多の復興に尽力した豪商

（島井宗室［徳太夫・端翁］画像（法体）／東京大学史料編纂所所蔵模写）

安土桃山時代～江戸時代前期の商人。

筑前国（現在の福岡県北西部）で、代々酒屋と金融業をいとなむ島井家に生まれる。名は、宗叱とも書く。中国の明や朝鮮との貿易などで巨額の財産をたくわえ、豊後（大分県）の大友宗麟や、肥後国（熊本県）の筑紫広門など、九州の諸大名に金銀の貸しつけをおこなうほどの豪商であった。また、宗麟を通じて、和泉国堺（大阪府堺市）の商人・茶人である千利休や、天王寺屋道叱らとも親交をもった。豊臣秀吉につかえ、1587年、秀吉の命で、神屋宗湛らとともに、戦乱のため焼け野原になった博多の復興に力をつくす。交通路を整備し、南蛮貿易・朝鮮貿易などの取り引きをおこなった。1592（文禄元）年、秀吉の朝鮮出兵（文禄の役）の際には、その出兵を強く反対するが聞き入れられず、宗湛らと兵糧米や硝石（火薬の原料）の調達にあたる。1610年、質素倹約と積極的な経営を中心とする商人としての教えをしるした「十七条の遺訓」を養子の信吉にあたえ、あとをゆずった。

しまおとしお

文学

島尾敏雄　1917～1986年

小説『死の棘』で知られる

昭和時代の作家。

神奈川県生まれ。九州帝国大学（現在の九州大学）東洋史科卒業。幼いころは父母の故郷である福島県ですごし、のちに神戸へ移る。文学少年で、中学生のころから同人雑誌をつくっていた。1939（昭和14）年に同人雑誌『こをろ』を通じて阿川弘之らと親しくなる。第二次世界大戦中は、海軍に属し、敵の艦船に体当たりするための魚雷艇学生の訓練を受ける。やがて指揮官となって奄美群島に駐屯中に、のちに妻となる女性ミホと出会う。代表作に、戦争体験をもとにした『出発は遂に訪れず』や、精神を病んだ妻を題材にした『死の棘』などがある。1985年『魚雷艇学生』で野間文芸賞受賞。

しまぎあかひこ

詩・歌・俳句

島木赤彦　1876～1926年

短歌における「写生道」を追求する

明治時代～大正時代の歌人。

長野県生まれ。本名は久保田俊彦。旧姓は塚原。小学校の教員をしながら、新体詩や短歌の創作をつづけた。みたものや感じたことを率直に歌に表現する正岡子規の考えに賛同し、伊藤左千夫の門下生となる。1905（明治38）年に太田水穂と詩歌集『山上湖上』を刊行。左千夫が雑誌『アララギ』を創刊すると斎藤茂吉らとともに参加する。1913（大正2）年、中村憲吉と歌集『馬鈴薯の花』を発表。翌年、上京して左千夫が亡くなったあと『アララギ』の発展に力をつくす。『万葉集』研究と歌作における「写生道」と「鍛錬道」の発展につとめた。歌集に『切火』『柿蔭集』などがある。

しまきけんさく

文学

島木健作　1903～1945年

短編小説『赤蛙』の作者

昭和時代の作家。

北海道生まれ。本名は朝倉菊雄。3歳で父を亡くし、一家は離散。17歳で上京して、はたらきながら学校にかようが、過労から肺結核にかかる。のちに東北帝国大学（現在の東北大学）法学部に入学する。そこで農民たちの苦しみをみて、学業を捨てて農民運動に参加する。当時は、農民運動は禁止されていたため、検挙される。翌年、考えをかえて政治運動はしないと表明。1932（昭和7）年の仮釈放後に書いた『癩』や『盲目』で注目され、その後、農村の生活を題材にした『再建』や『生活の探求』『赤蛙』などを著す。『生活の探求』で北村透谷記念文学賞を受賞。この作品で弾圧に苦しむ人々に力をあたえた。

しまざきとうそん

文学　詩・歌・俳句

島崎藤村　1872～1943年

自然主義文学の代表的作家

明治時代～昭和時代の詩人、作家。

筑摩県の馬籠宿（現在の岐阜県）生まれ。本名は春樹。

10歳のときに学問のために上京し、明治学院で学び文学にめざめた。大学卒業後、女学校の教師となり、北村透谷らと交流する。1893（明治26）年、透谷とともに雑誌『文学界』を創刊し、浪漫派文学を紹介する。

（日本近代文学館）

1897年に発表した最初の詩集『若菜集』は、伝統的な詩語をつかいながら体験的な青春や恋愛を歌い、日本に浪漫主義による新しい詩の世界をひらいた。詩集にはほかに『一葉舟』『落梅集』などがある。『椰子の実』『惜別のうた』『千曲川旅情のうた』などは、いまも歌いつがれる名曲の歌詞としても知られる。

その後長野県の小諸に住み、教師をしながら小説を書く。1906年、長編小説『破戒』を自費出版し、作家としての地位を確立した。自伝的な小説『家』『新生』『夜明け前』などの作品を書いて、自然主義文学の作家として活躍した。

学 切手の肖像になった人物一覧

しまじもくらい

宗教

島地黙雷　1838〜1911年

政教分離と信仰の自由をうったえ、仏教の復活をめざす

江戸時代後期〜明治時代の浄土真宗の僧。

周防国（現在の山口県東部）出身。1849年に養子となり寺で修行した。1864年、浄土真宗の妙誓寺（山口市）の住持となった。1868（明治元）年、京都へ行き、西本願寺の改革を進言。明治新政府の太政官（政治の最高機関）に進言して、1870年に寺院寮の設立、1871年に教部省（神道、仏教を担当した官庁）の開設を実現させた。その翌年、海外の宗教事情を視察するため、ヨーロッパにわたる。1年で帰国して神道の国教化政策に反対し、政教分離と信仰の自由をうったえて仏教の復活に力をつくした。その後、伊藤博文、木戸孝允らに支援され、1875年、教部省から信教の自由を保障する通達がだされた。1879年、西本願寺の要職の執行長となる。1887年、社会の改善をめざし、日本赤十字社創立に参加。足尾銅山鉱毒事件の被害者救済に力をつくした。1888年には女子文芸学舎（現在の千代田女学園）を創立。女子の教育に力を入れた。1894年、宗門の学階（僧の学識にあたえられる位階）の最高位である勧学に昇進し、その後も各地へおもむいて最晩年まで布教した。

しまだあきら

郷土

島田叡　1901〜1945年

多くの県民の命を救い、「沖縄の神様」としたわれる知事

昭和時代の官僚。

兵庫県須磨村（現在の神戸市須磨区）の医者の子として生まれた。旧制第三高等学校（現在の京都大学）をへて東京帝国大学法科（東京大学法学部）へ入学した。中学時代から野球に熱中して全国中等学校優勝野球大会に出場し、大学でも野球部のスター選手として活躍するなどスポーツマンだった。

1925（大正14）年、大学卒業後内務省（国内の行政を統括した省庁）に入って警察関係の任務についた。太平洋戦争で日本の敗色が濃くなった1945（昭和20）年1月、大阪府の内務部長をつとめていた島田は後任のいない沖縄県知事になることを決心した。アメリカ軍が進攻してくることが予想されたが、死を覚悟して沖縄にむかった。沖縄では北部への県民疎開（空襲にそなえて地方へ避難すること）や貧窮する食料の確保につとめ、台湾へ行って3000石の米を得てきた。3月、空襲がはじまると県庁を那覇から首里に移し、地下壕で仕事をした。その後、戦局の悪化にともない各地に避難して指揮をとったが、軍部に対してはつねに住民の立場に立って発言した。

6月、敗戦が決定的になると「みな命を長らえてほしい」と訓示して、県と警察組織を解散した。6月26日、摩文仁（糸満市）の壕を出たまま消息を絶ったが、負傷して海岸付近の壕で自決したともいわれている。那覇市の奥武山公園には島田の功績や徳をしのんだ島田叡氏顕彰碑が建てられている。

しまださぶろう

政治

島田三郎　1852〜1923年

キリスト教的人道主義をつらぬいた政治家

明治時代〜大正時代のジャーナリスト、政治家。

江戸（現在の東京）の幕府御家人の家に生まれ、静岡で育つ。大蔵省附属英学校で学んだあと、横浜毎日新聞社の翻訳記者となる。

1874（明治7）年、同社の主筆となり、翌年、元老院大書記生をつとめた。1880年に文部省に移り、文部大書記官となるが、1881年の明治十四年の政変で下野。東京横浜毎日新聞

社に入社した。また、政治結社である嚶鳴社の幹部として立憲改進党の創立に参加し、神奈川県会議長になる。

（国立国会図書館）

帝国議会開設後は、神奈川県選出の衆議院議員として1890年の第1回総選挙より連続14回当選をはたし、生涯議席を確保した。

1886年に植村正久からキリスト教の洗礼を受けており、キリスト教の人道主義の立場から、政治活動をおこなった。廃娼運動や足尾鉱毒事件の被害者救済活動、選挙権拡張運動などを積極的に支援し、労働組合運動にも理解をしめした。雄弁家で知られ、政治上の不正にもきびしく対応した。とくに、シーメンス事件弾劾演説は有名である。

しまづいえひさ

戦国時代

島津家久　1576～1638年

外城制度の確立など、薩摩藩政の基盤をつくった

（尚古集成館）

安土桃山時代～江戸時代前期の武将。

薩摩国（現在の鹿児島県西部）の戦国大名、島津義弘の3男として生まれる。はじめは忠恒と名のった。父の兄、義久の娘と結婚する。

豊臣秀吉につかえ、朝鮮出兵（文禄・慶長の役）では、1598年の泗川の戦いにおいて、明・朝鮮連合軍を撃退し、戦功をあげる。

1599年に藩主の座をつぎ、対立していた家老の伊集院氏を討ち、領内でおきた反乱も平定した。翌年の関ヶ原の戦いでは父の義弘が西軍の石田三成側につくが、敗戦後、徳川家康と交渉して島津氏の地位を守ることに成功、薩摩、大隅、日向一郡の領地を守った。

1602年に鹿児島城（鶴丸城、鹿児島市）を築き、城下町の整備をはじめる。1606年、家康より琉球（沖縄県）への出兵をみとめられ、3年後から琉球に侵略、占領して薩摩の支配下においた。

1611年には領内で検地を実施し、半農半士（戦時には武士となる農民）を配置して戦時にそなえる外城制度を確立。1624年には妻子を江戸幕府に送り、参勤交代制度の先がけとなるなど、薩摩藩の基盤づくりに力をつくした。

しまづげんぞう

産業　発明・発見

島津源蔵　1869～1951年

日本の「蓄電池の父」とよばれる発明家

明治時代～昭和時代の発明家、実業家。

京都で初代源蔵の長男、梅次郎として生まれる。1875（明治8）年、父が理科器械を製造する島津製作所を創業すると、小学校を2年でやめ、家業をてつだいながら、独学で理化学を学んだ。1884年には、日本最初の感応起電機（静電発電機）を製作して、静電気実験の基礎を築いた。1894年に父が亡くなると、2代目源蔵を襲名して、島津製作所の2代目社長となる。弟2人と研究開発をつづけ、1896年には、日本初のX線写真の撮影に成功した。

1897年、京都帝国大学（現在の京都大学）からの依頼で、鉛蓄電池を作製。これは、改良されて「GS蓄電池」となり、日本の軍艦で使用されるなど、歴史的役割をになった。また、1917（大正6）年、蓄電池部門を独立させて、日本電池（現在のGSユアサ）を設立。独創的なアイディアで、多くの技術開発をなしとげ、日本の「蓄電池の父」とよばれた。中でも、産業用の蓄電池をつくるための易反応性鉛粉製造法の発明は諸外国で特許をとり、世界的に有名になった。

しまづしげひさ

島津茂久 → 島津忠義

しまづしげひで

江戸時代

島津重豪　1745～1833年

蘭学を好み、文化事業を推進

（鹿児島県歴史資料センター黎明館）

江戸時代後期の大名。

1755年、11歳で薩摩藩（現在の鹿児島県）の藩主となる。1760年代なかばから、江戸幕府では田沼意次が第9代将軍徳川家重、第10代将軍徳川家治に信頼されて積極的な経済政策をおこなっていた。海外貿易が進み、蘭学もさかんになった時代で、薩摩藩でも藩政改革を進め、1773年に藩校の造

士館、演武館、1774年に医学院、1779年には明時館（天文館）などの文化施設を次々と設立した。

長崎のオランダ商館長やシーボルトと親交のあった重豪は、動物、植物、鉱物などを研究する本草学や蘭学を学び、新しい知識を積極的に吸収した。オランダの学問に傾倒し、オランダや西洋の風俗を模倣する西洋かぶれの大名という意味から、蘭癖大名とよばれた。その一方で、藩の農業振興のための『成形図説』や『質問本草』、『琉球産物志』など多くの書籍を編さんさせ、みずから『南山俗語考』なども著した。

1787年、娘の茂姫が第11代将軍徳川家斉にとついだのをきっかけに子の斉宣にあとをつがせて隠居したが、実権をにぎりつづけた。1807年、斉宣が重豪のおこなった政策が財政難など政治の混乱をまねいたとして否定すると、翌年斉宣を隠居させて斉宣の子の斉興にあとをつがせ、その後、家臣の調所広郷を抜てきして藩の財政再建にあたらせた。また、曽孫の島津斉彬の才能を高く評価し、とてもかわいがった。

しまづたかひさ

戦国時代

島津貴久　1514〜1571年

家督争いに勝利し、薩摩を統一した

（集古集成館）

戦国時代の大名。

島津氏は、薩摩国・大隅国（現在の鹿児島県）、日向国（宮崎県）を支配する有力守護大名だった。貴久はその分家である伊作家の出身だが、島津氏の当主が若くして亡くなったため、1526年に本家の養子となり、第15代当主となった。しかし、もう一つの分家である薩州家を中心に、貴久の当主就任に反発する島津実久、勝久の勢力が反乱をおこすと、1550年には反対勢力をおさえて薩摩の統一をはたした。これにより、戦国大名としての島津氏の地位は確固たるものとなった。

貴久の時代である1543年には、種子島（鹿児島県）に鉄砲が伝わり、種子島時尭から鉄砲を献上された貴久は、いち早くこれを実戦に使用したといわれる。また、1549年には、キリスト教イエズス会の宣教師であるザビエルが、通訳のアンジローとともに鹿児島に上陸。ザビエルに対し、貴久は領内でのキリスト教布教活動を許可した。

しまづただよし

幕末

島津忠義　1840〜1897年

薩英戦争を機に、近代的な軍備をととのえた

幕末の薩摩藩（現在の鹿児島県）の藩主。

（国立国会図書館）

島津久光の子。島津茂久ともいう。1858年、薩摩藩の藩主、島津斉彬の死後、藩主となり、祖父の斉興や父久光の後見により財政の整理や軍備の充実に力をそそいだ。1862年、父久光の行列にしたがった家臣が横浜の生麦村（神奈川県横浜市）でイギリス人を殺害する事件がおきた（生麦事件）。

翌年、イギリスは薩摩藩に対して犯人の処罰と賠償金を要求するために艦隊を派遣し、鹿児島湾に到着する。

薩摩藩は要求を拒否したので戦争となり、市街地が焼失するなどの損害をこうむった（薩英戦争）。この戦いで近代軍備の必要を知った忠義は、1864年、開成所をひらいて軍事学を学ばせ、翌年、家臣の五代友厚らをヨーロッパに留学させ、西洋の文明を学ばせた。

1867年、パリでひらかれた万国博覧会に参加し、敵国だったイギリスから紡績機械や白糖製造機械を購入して工場を操業するなど、藩の近代化を進めた。

同年、兵をひきいて京へのぼり、王政復古（朝廷の政治を復活させること）に力をつくし、明治新政府の議定（新政府の総裁に次ぐ重要な役職）となった。1868年におこった戊辰戦争では新政府軍の中心となって活躍。

翌年には、長州藩（山口県）、土佐藩（高知県）、佐賀藩（長崎県・佐賀県）とともに版籍奉還（領地と人民を藩主から天皇に返すこと）を天皇に申しでて、鹿児島藩知事（藩の長官、知藩事ともいう）となった。1890（明治23）年から貴族院議員をつとめた。

しまづなりあきら

幕末

島津斉彬　1809〜1858年

卓越した見識で明治の人材を育てた名君

▲島津斉彬　（国立国会図書館）

幕末の薩摩藩（現在の鹿児島県）の藩主。

島津斉興の子。曽祖父島津重豪の影響を受けて蘭学を深く学び、高野長英ら有能な学者をまねいて洋書を翻訳させ、科学の実験をするなどした。また、江戸幕府の老中阿部正弘や水戸藩（茨城県中部と北部）の藩主徳川斉昭、福井藩（福井県北部）

の藩主、松平慶永、土佐藩（高知県）の藩主、山内豊信、宇和島藩（愛媛県）の藩主、伊達宗城らと親交をむすび、国際情報や幕府の改革について論じた。松平慶永は斉彬を「英明近世の第一人者」とほめたたえた。

1851年、父の側室お由羅が、子の島津久光（斉彬の異母弟）をあとつぎにしようとしているといううわさが立ち、斉彬支持派はお由羅や久光の暗殺をくわだてたが失敗し、斉彬支持派は切腹や島流しになった。しかし、これらのお由羅騒動の末、老中阿部正弘は斉興を隠居させると斉彬にあとをつがせた。

斉彬は大砲をつくるための反射炉や溶鉱炉、西洋式の軍備工場を建設するなどして殖産興業の充実をはかり、藩政改革を進めた。また、1856年には養女敬子（のちの天璋院。通称篤姫）を第13代将軍徳川家定にとつがせ、幕府に対する発言力を強めた。

1857年、洋式工場群を総称して集成館と名づけ、鉄砲、弾丸、火薬、ガラス、陶磁器などを製造させた。中でもガラス工芸品は現在も薩摩切子として名高い。また、紡績機械を輸入して鹿児島紡績工場のはじまりとし、洋式艦船昇平丸などを建造、ガス灯、写真術、電信機、和欧活字なども研究させて近代日本科学技術の先がけとなった。また外交においては1853年のペリー来航の翌年にむすばれた日米和親条約に反感をしめす者も多いなか、斉彬は開国的立場だった。

1858年、家定のあとつぎ問題では一橋派として徳川斉昭の子の一橋慶喜（のちの徳川慶喜）をおしていたが、彦根藩の井伊直弼が大老となり、紀州藩の徳川慶福（徳川家茂）を将軍のあとつぎに決定したために実現しなかった。

その後、井伊は大老の地位を利用して安政の大獄をおこなう。これに対して危機感をいだいた斉彬は、兵をひきいて京へのぼるために鹿児島市内の天保山で大演習を指揮したが、急病により49歳で亡くなった。

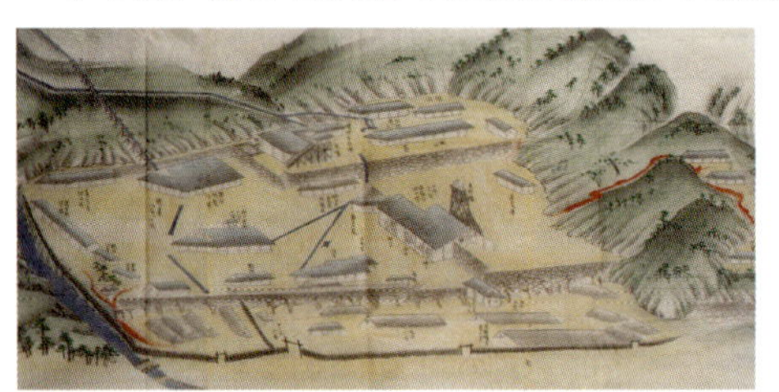
▲『薩摩見取絵図』にえがかれた集成館のようす

（武雄鍋島家資料 / 武雄市）

しまづひさみつ

幕末

島津久光　1817～1887年

公武合体を進め、生麦事件をおこす

幕末の薩摩藩主の父。政治家。

薩摩藩（現在の鹿児島県）の藩主島津斉興の子で、島津忠義の父。島津斉彬の異母弟。

1851年、父の側室で母のお由羅が、子の久光をあとつぎにしようとしているとのうわさが立つと、異母兄斉彬支持派はお由羅や久光の暗殺をくわだてたが失敗し、斉彬支持派は切腹や島流しになった。しかし、斉彬と親交のあった老中阿部正弘は斉興を隠居させ、斉彬にあとをつがせた。

▲島津久光

（国立国会図書館）

1858年、斉彬が亡くなると、久光は19歳で藩主になった子の忠義の後見役となり、国父として藩の実権をにぎった。

1862年には公武合体（朝廷と徳川将軍家が協力すること）の立場から兵をひきいて京都にのぼり、京都伏見の寺田屋に集まった過激な尊王攘夷派（天皇をうやまい外国勢力を追いはらおうという考えの人々）の薩摩藩士を弾圧した（寺田屋事件）。

同年、勅使大原重徳とともに江戸（東京）へ行き、幕府に改革を求めた。一橋慶喜（のちの徳川慶喜）を将軍後見職に、福井藩（福井県北部）の松平慶永を政事総裁職とし、また、参勤交代制を3年に1度にゆるめさせた。その京都へ帰る途中、横浜の生麦村（神奈川県横浜市）で、家臣が久光の行列を横切ろうとしたイギリス人を殺傷した生麦事件をおこした。翌年7月、イギリスは薩摩藩に対し犯人処罰と賠償金を要求するために艦隊を派遣し、鹿児島湾に到着した。薩摩藩は要求を拒否したので薩英戦争となり、市街地が焼失するなどの損害をこうむった。

1863年8月、尊王攘夷派の公家や長州藩（山口県）の藩士が宮中から追放される事件がおきた（八月十八日の政変）。久光は孝明天皇にめしだされ、幕府や公武合体派の有力大名たちの会議の主導権をにぎった。1864年の長州藩兵が京都御所をおそった禁門の変では、家臣の西郷隆盛らのひきいる薩摩藩兵が長州軍をやぶった。

1867年の王政復古のあとは、表に出ずに子の忠義を立てた。また、西郷隆盛や大久保利通が1871（明治4）年に断行した廃藩置県に対しては不満で、抗議の意味で一晩中花火を打ち上げさせたという。1873年、新政府の左大臣となるが、保守的な考えが近代的な政策を進める政府首脳と合わず、1875年に辞任、翌年、鹿児島に帰国し引退した。

▲イギリス軍に占領された下関の前田砲台

（国立国会図書館）

しまづよしひさ

戦国時代

島津義久　1533〜1611年

九州統一をめざした

戦国時代〜安土桃山時代の武将。

薩摩国（現在の鹿児島県西部）の戦国大名島津貴久の子として生まれる。島津義弘の兄。1566年、父のあとをつぐと3人の弟とともに領地の拡大につとめた。1574年、薩摩国・大隅国（鹿児島県東部）を統一し、1578年、日向国（宮崎県）を領国に加えた。九州統一をめざしてさらに戦いを進めたが、1587年、豊臣秀吉の大軍と戦ってやぶれる。

髪をそって降伏の態度をしめしたので、薩摩、大隅、日向一郡を領有することをみとめられた。1600年、関ヶ原の戦いでは国元にあり、弟義弘は石田三成の西軍に味方したが、1602年、徳川家康と交渉して薩摩、大隅、日向一郡の領有をみとめられた。

しまづよしひろ

戦国時代

島津義弘　1535〜1619年

島津氏をさかんにした勇猛な武将

（尚古集成館）

戦国時代〜安土桃山時代の武将。

薩摩国（現在の鹿児島県西部）の戦国大名島津貴久の子として生まれる。1554年、20歳で初陣をかざって以来、兄の島津義久とともに九州各地を転戦し各地で勝利をおさめて、島津氏の領地拡大に貢献し、兄が島津氏をついだあとも、協力して九州の統一をめざした。

しかし、1587年、豊臣秀吉の九州平定軍にやぶれて降伏した。その後は秀吉にしたがい、文禄・慶長の役では2度にわたって出兵し、1598年、泗川の戦いで中国の明・朝鮮の大軍をやぶった。

このとき、朝鮮から陶工（陶磁器をつくる職人）をつれ帰って、領内で陶磁器をつくらせ、薩摩焼を生みだした。1600年、関ヶ原の戦いでは石田三成の西軍に味方したが、西軍がやぶれて敵陣にとりのこされたため、その中を少数の兵で強行突破して鹿児島へもどったことが有名である。武勇と実直な人がらでしたわれ、家族愛にあふれていたという。

戦ののち、島津氏は徳川家康と交渉して領地をみとめられ、義弘の子島津家久が、薩摩藩60万5000石の初代藩主になった。

しまむらほうげつ

映画・演劇

島村抱月　1871〜1918年

新劇の普及につとめた劇作家

（国立国会図書館）

明治時代〜大正時代の評論家、劇作家。

島根県生まれ。旧姓は佐々山、本名は滝太郎。1894（明治27）年、東京専門学校（現在の早稲田大学）を卒業後、雑誌『早稲田文学』の編集者をへて母校の講師となる。1902年からイギリスとドイツに留学し、帰国後は早稲田大学教授となり、坪内逍遙とともに文芸協会を設立した。また、一時中断していた『早稲田文学』を復刊し、評論『囚はれたる文芸』を発表するなど、自然主義文学の代表的な評論家として活躍した。1909年、文芸協会に演劇研究所がもうけられると、本格的な新劇運動を開始した。俳優の養成につとめるとともに、ヨーロッパでみた演劇をもとに、イプセン作『人形の家』などを演出した。1913（大正2）年、演劇をめぐる逍遙との対立や、研究生の松井須磨子との恋愛問題により、協会をやめ、大学も退職した。須磨子と芸術座をつくり、イプセンやトルストイなどの翻訳劇を上演して、新劇の普及につとめた。

しみずしげよし

江戸時代

清水重好　1745〜1795年

御三卿とよばれた徳川氏の一族

▲清水門　清水家のあった場所にある皇居の門。

江戸時代中期の清水徳川家の初代当主。

江戸幕府第9代将軍徳川家重の子で、第10代将軍徳川家治の弟にあたる。

江戸城西の丸で生まれる。1758年、14歳のとき江戸城清水門内（現在の北の丸公園日本武道館あたり）に屋敷をあたえられ清水家を創設した。

清水家は、第8代将軍徳川吉宗の子の田安宗武が創設した田安家、宗武の弟宗尹が創設した一橋家とともに御三卿とよばれた。将軍にあとつぎがない場合、御三家（徳川家康を祖とする尾張家、紀伊家、水戸家の三家）または御三卿から次の将軍をだす役目をになった。

しみずのじろちょう

幕末

清水次郎長　1820〜1893年

義侠心にあつい、清水の侠客

（国立国会図書館）

江戸時代後期〜明治時代の侠客、博徒（ばくち打ち）。

清水次郎長は通称で、本名は山本長五郎。駿河国清水（現在の静岡市）出身。米問屋の養子となり、養父の死後米屋をついで資産をなしたが、その後、清水港の博徒の親分となり、海上交通や富士川の交通のなわばりを各地の侠客とあらそって、勢力をのばした。1866年、弟分の博徒吉良仁吉が、甲州（山梨県）の博徒の大親分黒駒の勝蔵に殺されると、復讐のために戦った。1868（明治元）年、戊辰戦争がはじまると、新政府軍により旧幕府家臣の探索を命じられた。その後、旧幕府の艦船咸臨丸が清水港へたどりついたが、新政府軍の攻撃を受けて多数の死者をだした。次郎長は義侠心により戦死者をほうむったので、旧幕府の山岡鉄舟や榎本武揚らは感激した。1873年、山岡は次郎長を後援して正業につくようにすすめた。次郎長は囚人をひきつれて富士山の裾野の開墾をおこない、清水〜横浜間の蒸気船定期航路をひらき、船会社を設立した。1884年、武器や賭博用具の所持でとらえられたが、山岡らの嘆願運動により釈放された。

しみずよしのり

文学

清水義範　1947年〜

パロディー小説の名手

作家。

愛知県生まれ。愛知教育大学卒業。SF小説（空想科学小説）のファンで、大学生のころから雑誌に小説を発表する。卒業後、広告会社につとめながら、小説家の半村良に師事して創作をつづけた。1981（昭和56）年に『昭和御前試合』で作家として注目される。1988年には、大学の入学試験を風刺した『国語入試問題必勝法』で吉川英治文学新人賞を受賞。パロディー小説の名手としても評価されている。学校や教育をテーマにした『永遠のジャック&ベティ』や『虚構市立不条理中学校』など、奇抜な発想力を生かした小説もある。また、出身地の名古屋や名古屋弁をあつかった作品でも知られる。

しもおかれんじょう

写真

下岡蓮杖　1823〜1914年

日本ではじめての職業写真家

江戸時代末期〜明治時代の写真家。

伊豆国下田（現在の静岡県下田市）出身。日本画を学んで絵師をめざしていたが、江戸（東京）で銀板写真（銀板に画像を焼きつける写真）をみて写真に関心をもち、アメリカ合衆国領事ハリスの通訳ヒュースケンなどから写真撮影について教わったという。その後横浜に移り、はたらきながらアメリカ人の写真家ジョン・ウィルソン（蓮杖の記憶ではウンシン）に、湿板写真（ガラス板を用いて紙に画像を焼きつける写真）の技術を学んだ。

（横浜開港資料館所蔵）

1862年、横浜に写真館を開業し、長崎の上野彦馬と同じく、日本ではじめての職業写真家となった。外国人に対する土産用の写真として、名所風景や、社寺、日本の風俗などの着色写真帳を製作、販売して有名になった。そのかたわら、明治時代に活躍する多くの写真家を育てている。東京〜横浜間の乗り合い馬車の経営なども試みたが、失敗した。1876（明治9）年ごろ一線をしりぞいて、東京の浅草に移った。

しもおさかんいち

音楽　教育

下總皖一　1898〜1962年

日本の近代音楽の基礎を築く

昭和時代の作曲家、音楽教育家。

埼玉県生まれ。本名は覚三。東京音楽学校（現在の東京藝術大学）卒業。学校でオルガンの音に魅せられ、音楽家をめざす。音楽学校では、作曲家の信時潔の指導を受ける。卒業後、音楽教師をつとめながら作曲をはじめた。1932（昭和7）年、ドイツのベルリン芸術大学へ留学する。帰国後は母校の教授をつとめ、團伊玖磨、芥川也寸志らを育てる。

『作曲法』などを著して研究者、教育家として日本の近代音楽の水準をおし上げるために力をつくした。童謡や文部省唱歌のほか、数多くの校歌をてがけるなど活躍する。代表作に『三味線協奏曲』や童謡の『たなばたさま』などがある。

しもじょうやいちろう

郷土

下城弥一郎　1853〜1905年

伊勢崎の織物を復興させた織元

幕末〜明治時代の商工業者。

上野国佐位郡下植木村（現在の群馬県伊勢崎市）で織物を織る家に生まれた。伊勢崎の織物は伊勢崎太織として知られていたが、明治時代になると品質が落ち、販売も低下した。農家の副業としての商品では織物の発展はみこめないと考え、1881（明治14）年、織物を織る人々を集めて、伊勢崎太織会社を設立した。

製品の規格を統一し、染料の技術を指導する染色講習所を開設して、品質向上につとめた。そうして伊勢崎銘仙を世に送りだした。その後、伊勢崎銘仙は広く受けいれられ、明治時代から昭和時代にかけて、女性の着る代表的な着物となった。一時姿を消していたが、最近になってよみがえり、ふたたび世間に注目されている。

しもだうたこ

教育

下田歌子　1854〜1936年

女子教育のために力をつくした

明治時代〜昭和時代の歌人、教育家。

美濃国（現在の岐阜県南部）の儒学者の平尾家の娘として生まれる。幼名は鉐。1872（明治5）年、宮中の女官になり、皇后から歌の才能をみこまれて「歌子」の名を受けた。1879年に結婚して退官するが、5年後夫と死別する。1881年、上流家庭の子女の教育を目的とした桃夭女塾を開設し、純日本的な良妻賢母の育成をめざした。1885年、華族女学校（のちの学習院女子部）の教授となり、皇族や華族などの教育にあたる。この間、イギリスの皇女教育などを視察する。1898年、一般庶民の女子のために帝国婦人協会を設立し、翌年、付属の実践女学校（実践女子大学）を創立した。その後、愛国婦人会会長として、女性運動にも活躍した。

しもむらおさむ

学問

下村脩　1928年〜

緑色蛍光タンパク質でノーベル化学賞を受賞

生物学者。

京都府生まれ。旧制中学生のときに長崎県諫早市に疎開。1951（昭和26）年、長崎医科大学附属薬学専門部（現在の長崎大学薬学部）を卒業し、長崎大学薬学部で実験実習指導員をへて、1955年に名古屋大学の平田義正教授の有機化学研究室の研究生となった。ウミホタルの発光物質ルシフェリンの結晶化にとりくんで、翌年に成功した。1960年から渡米し、翌年、オワンクラゲより緑色蛍光タンパク質（GFP）をとりだすことに成功した。その後、帰国、1965年にふたたび渡米してプリンストン大学上席研究員、ウッズホール海洋生物学研究所上席研究員、ボストン大学医学部客員教授などをつとめた。発見当時、GFPは使いみちがなかったが、その後、細胞内でのタンパク質の動きを観察するために、なくてはならないものとなった。2008年、「緑色蛍光タンパク質の発見と開発の業績」により、ノーベル化学賞を受賞した。同年文化勲章を受章。

学 ノーベル賞受賞者一覧　学 文化勲章受章者一覧

しもむらかんざん

絵画

下村観山　1873〜1930年

気品のある画風を築いた日本画家

（国立国会図書館）

明治時代〜昭和時代の日本画家。

和歌山県生まれ。本名は晴三郎。父は紀州徳川家おかかえの能楽師だったが、明治維新後は、印をほる篆刻の仕事などをしていた。1881（明治14）年、家族とともに東京に移り、狩野芳崖と橋本雅邦に絵を学ぶ。1889年、開校したばかりの東京美術学校（現在の東京藝術大学）に入学した。校長の岡倉天心らにすぐれた技量を期待され、卒業とともに同校の助教授となる。1898年、岡倉が校長をやめると行動を共にし、日本美術院の創立に加わる。1901年、母校に教授としてもどり、1903年から1905年までイギリスに留学した。

1907年の第1回文部省美術展覧会（文展）に、『木の間の秋』をだして、評判となった。1914年、横山大観らと日本美術院を再興し、『白狐』『弱法師』などの代表作を発表した。狩野派を基礎におきながら、大和絵の流れるような線や色彩をとり入れた画風を築いた。

しもむらこじん

文学

下村湖人　1884〜1955年

教養小説の名作『次郎物語』の作者

大正時代〜昭和時代の教育者、作家。

佐賀県生まれ。本名は虎六郎。旧姓は内田。東京帝国大学（現在の東京大学）英文科卒業。中学生のころから文学を志し、新進の詩人として注目されたが、経済的な理由から教育者となる。旧制中学や高等学校の教員をつとめたのち、48歳で退職。その後、大日本連合青年団などで青少年の指導にあたった。1941（昭和16）年、みずからの体験をもとに、一人の少年の内面的な成長をえがいた小説『次郎物語』を出版する。これが教養小説として支持され、亡くなるまでに、第5部まで書きつづけた。ほかに伝記『田沢義鋪』や随筆、教育論などの著書がある。

しもやまさだのり

産業

下山定則　1901〜1949年

戦後の怪事件「下山事件」の被害者

昭和時代の官僚。

兵庫県生まれ。父が司法官だったため、転校をくりかえした。

そのたび、時刻表を暗記したり、駅名を暗唱したりして人気者になり、「鉄道」というあだ名がついた。1925（大正 14）年、東京帝国大学（現在の東京大学）機械工学科を卒業し、鉄道省に入る。第二次世界大戦後のアメリカ合衆国占領下で、運輸次官となり、1949（昭和 24）年、日本国有鉄道（現在の JR）が発足すると、初代総裁となった。

下山は国鉄の人員整理として 9 万 5000 人をやめさせるよう命令されていた。反対運動がおこる中、就任から約 1 か月後、日本橋三越本店へ入ったまま行方不明になり、翌日、常磐線綾瀬駅付近で轢死体となって発見される（下山事件）。死因をめぐり、人員整理に反対する労働運動者による他殺説、なやんだ末の自殺説、アメリカによる謀略説など、政府、捜査当局、新聞などで意見が対立したが、真相はなぞのまま時効となった。

この事件により、労働組合の反対闘争は出鼻をくじかれ、失速した。

シャー・ジャハーン

王族・皇族

シャー・ジャハーン　1592〜1666年

タージ・マハルを建造した

インド、ムガル帝国の第 5 代皇帝（在位 1628 〜 1658 年）。

第 4 代皇帝ジャハーンギールの第 3 子として生まれる。インド北西部のラージャスターン地方や中部のデカン地方への遠征で功をあげ、父からシャー・ジャハーン（世界の王）の称号をあたえられる。その後、父と対立し、一時、デカンや東部のオリッサなどに逃れた。1627 年、父が亡くなると、帝位争いがおこり、これに勝ちぬいて、翌年、帝位についた。

内政ではヒンドゥー教徒に対する融和策をとったが、ヒンドゥー教徒とイスラム教徒の結婚を禁止するなど、イスラム色を強めた。1631 年に王妃ムムターズ・マハルが亡くなると、アグラにインド・イスラム建築の代表とされる墓廟タージマハルを建造させた（1653 年完成）。また新都デリーに豪華な建築を建てるなど、ムガル帝国の黄金時代を築いた。

1646 年から 1653 年のあいだ、3 度にわたって、中央アジアのカンダハルに出兵。いずれも失敗し、皇帝の威信を失った。晩年は第 3 子のアウラングゼーブによりアグラ城に幽閉され、ここで死去した。

シャープールいっせい

王族・皇族

シャープール 1 世　生没年不詳

ローマ帝国やクシャーナ朝と戦い、ササン朝を拡大

イラン、ササン朝ペルシアの第 2 代国王（在位 241 〜 272? 年）。

アルダシール 1 世の子として生まれ、241 年に王となる。内政では中央集権化につとめた。父の時代につくられた強力な軍隊をひきいて、対外戦争に力を入れた。西方ではローマ帝国と戦って何度も勝利をおさめ、260 年のエデッサの戦いではローマ皇帝ウァレリアヌスをはじめ、7 万のローマ軍を捕虜とする。

この捕虜を用いてかんがい用の堤防を建設させた。また戦いの勝利を記念して、ウァレリアヌスがシャープール 1 世にひざまずくレリーフがのこされた。東方ではインドのクシャーナ朝と戦い、これをやぶって中央アジアに進出。父王をこえる「イランと非イランの諸王の王」と称し、ササン朝の基礎をかためた。

以降、この称号は歴代の王に継承される。学問にも強い関心をもち、ギリシャ、インドの医学や天文学、哲学などの文献の翻訳をさせた。宗教においては、ゾロアスター教を国教としながらも、予言者であるマニと親交をもち、彼がとなえるマニ教を保護した。

シャウプ，カール

政治

カール・シャウプ　1902〜2000年

シャウプ勧告で、日本の戦後税制の骨組みをつくった

アメリカ合衆国の財政学者。

カリフォルニア州生まれ。スタンフォード大学法学部、コロンビア大学経済学部で学ぶ。1930 年、コロンビア大学で経済学博士号を取得し、1945 年、同大学の教授に就任。1949（昭和 24）年、連合国軍最高司令官総司令部（GHQ）の要請で結成された日本税制使節団（シャウプ使節団）の団長となる。

1949 年（第 1 次）、1950 年（第 2 次）に、日本の税制に関する報告書（シャウプ勧告）を司令官マッカーサーに提出した。この勧告は、税制の公平を重視し、申告税制度、

直接税中心の税体系への移行などをもりこみ、日本の第二次世界大戦後の経済安定をめざすとともに、日本の税制の骨組みを構築するものだった。

その後、アメリカ財務省顧問、アメリカ租税協会と国際財政学会の会長などを歴任。また1958年にはベネズエラ財政調査、1969年にはリベリア税制使節団などに長としてかかわり、各国の税制改革に貢献した。1971年までコロンビア大学で財政学、経済学などの教鞭をとった。

シャカ

→172ページ

ジャガー，ミック

音楽

ミック・ジャガー　1943年～

ローリング・ストーンズのボーカル

イギリスのロック歌手、作詞作曲家、俳優。

イングランドのケント州生まれ。本名はマイケル・フィリップ・ジャガー。幼いころからハーモニカを手にして歌うことが好きだった。学業にすぐれ、ロンドンにある経済学の専門学校で学ぶ。ギター奏者でソングライターのキース・リチャーズとは幼いころの顔見知りだったが、1960年に駅で再会し、音楽の話で意気投合した。

1962年、リチャーズらとともに5人組のバンド「ローリング・ストーンズ」を結成し、翌年シングルレコード『カム・オン』でデビューした。1965年のシングル『サティスファクション』は、アメリカ合衆国でも大ヒットを記録。その後、リチャーズとの共作でオリジナル曲を次々と発表する。強烈な個性が魅力で、同年代のビートルズにならぶ人気を得る。1985年には初のソロアルバムを発表した。『パフォーマンス／青春の罠』など、映画出演も多い。

2003年、イギリス王室よりナイトの称号を受ける。

シャガール，マルク

絵画

マルク・シャガール　1887～1985年

美しい色彩の幻想的な画風の画家

ロシア生まれの画家。

ビテプスク（現在のベラルーシ）でユダヤ人の両親の下に生まれる。20歳でペテルブルクの美術学校に入り、絵画の勉強をはじめる。1910年にパリに出て、詩人のアポリネールや、画家のモディリアーニなどと知り合い、エコール・ド・パリの一人として活躍した。1914年、ベルリンで個展をひらく。第二次世界大戦中は、ナチスの迫害をさけて、1947年までアメリカ合衆国に亡命し、その後は南フランスですごした。

明るく豊かな色彩で幻想的なイメージをえがいた傑作をのこした。作風ははじめは、キュビスム（立体派）の影響を受けていたが、のちに愛や戦争と平和などのテーマを、花や、故郷ビテプスクの思い出、恋人たち、ウシなどを題材にしてえがいた。

ユダヤ民族の文化をとり上げた内容も多い。主な作品に『私と村』『女曲馬師』『夏の夜の夢』『誕生日』などがある。シュールレアリスム（超現実主義）の先がけとして、アポリネールに評価された。

ジャガタラおはる

江戸時代

ジャガタラお春　1625～1697年

鎖国政策のためにジャガタラに追放された日本人女性

江戸時代前期に国外追放された女性。

イタリア人の航海士と日本人女性の子として長崎（長崎市）に生まれる。

1639年、幕府の鎖国政策により、母親や姉とともにジャガタラ（現在のインドネシアの首都ジャカルタ）に追放された。21歳のとき、平戸（長崎県平戸市）生まれのオランダ人シモン・シモンセンと結婚し、7人のこどもをもうけた。夫に先だたれたが、夫の遺産により72歳で亡くなるまでジャガタラで裕福にくらした。

鎖国政策のために、ジャガタラに追放された混血児とその母親は約280人におよんだ。それらの人々が長崎、平戸の肉親や知人に送った手紙を「ジャガタラ文」という。のちに学者の西川如見は、著書『長崎夜話草』の中で、お春の名を借りて故郷をなつかしむジャガタラ文を紹介したので、お春の名がよく知られるようになった。お春がおじにあてた手紙の写しがのこされている。

シャカ

苦しみから解放される道を説いた仏教の開祖

▲シャカの石像

■シャカ族の王子として生まれる

仏教の創始者。

ネパール南部のルンビニーで生まれる。姓はガウタマ、名はシッダールタ。また「ブッダ」（さとった人）、シャカ族の聖者の意味で「釈迦牟尼」、それを略して「釈尊」などともよばれる。父はネパール南部の小国カピラバストゥを支配するシャカ族の国王シュッドーダナ、母はマーヤー。生まれるとすぐに立ち上がり、7歩歩いて、右手を天に、左手を地にさして、「天上天下唯我独尊（天と地のあいだで、ただわれひとりが尊い）」といったといわれている。

■生きることの意味について疑問をもつ

生後7日目に母を失い、以後は母の妹（おば）に育てられ、王子としての教育を受け、めぐまれた生活を送っていた。そんななか、農耕祭のとき、土の中から顔をだした虫が小鳥についばまれ、さらに大きな鳥がその小鳥をとらえて飛んでいくのをみて、いたたまれなくなった。そして、この世に生きることの意味に疑問をもち、生、老、病、死について思いなやむようになった。

16歳のときにコーリヤ族の王女ヤショーダラーと結婚し、男子が生まれたが、精神的に満たされなかった。気晴らしに城外へ出ると、東では老人、南では病人、西では葬列と出会ったのち、北ですがすがしい顔つきをした修行者に出会った。修行者こそ苦しみを克服する姿だと思い、出家を決意した。

■出家し修行を開始、さとりを得る

29歳のとき、家族を捨て、王子としての身分も捨てて、城を脱出した。マガダ国のガンジス川のほとりで修行をする高名な仙人をたずねて、無の境地をめざす修行をおこなったが、すぐに達成してしまった。その後、ブッダガヤのセーナ村に行き、5人の修行者と山林にこもって、きびしい苦行をおこなった。その修行中、悪魔から「こんなことはやめて王位をついだらどうか」など、何度も誘惑されたが、強い意志で拒絶した。

▶シャカの誕生　母マーヤー（中央）がルンビニーの無憂樹の枝に手をかけたとき、右のわき腹からシャカが生まれたといわれている。

6年間、修行をつづけたがさとりを得ることができずにいたシャカは、あるとき、このようなきびしい苦行でもなく、城にいたころのような快楽に満ちた生活でもない、中道（まん中の道）を行くことがたいせつだと感得し、修行を中止した。そして菩提樹の木の下で瞑想にふけり、7日目の明け方、大いなるさとりを得た。それは、苦しみの実体をみつめ、苦しみのよってきたる元をさぐり、それをなくすための正しいおこないをすれば、苦しみから解放されて、完全な静寂の境地（涅槃）にいたることができるというものであった。シャカは、ここにさとりをひらき、「ブッダ」となった。

▲苦行をするシャカ　何日も絶食をつづけたため、目はくぼみ、体はやせおとろえ、骨と皮だけになった。

■説法の旅に出発

当初、自分が達することができた真理は奥深くて理解しがたいので、人々に教えてもむだではないかと思っていたが、苦しみになやまされている人に伝えなければという思いにつき動かされ、説法にむかうことを決意した。まず最初は、バラナシの北にあるサルナートに行き、苦行をともにした5人の修行者にはじめて教えを説いた。彼らは「これこそ最高の教えだ」と確信し、シャカの弟子となった。ここに、シャカを信じ、その教え（仏教）を奉じる最初の教団（サンガ）ができた。

▼ブッダガヤのマハーボーディ寺院（大菩提寺）の大塔　シャカがさとりをひらいたとされる仏教の聖地。

●シャカの関連地図

■仏教、ガンジス川中流域に広まる

その後、シャカはガンジス川の中流から下流の約300kmの平原を中心に、修行者だけでなく、さまざまな階層の人たちにも教えを広めた。バラナシでは商人の息子たちが、ブッダガヤではのちにシャカの十大弟子となる修行者のサーリプッタとマハーモッガラーナ、バラモン（司祭）のマハーカッサパも帰依（教えを信じしたがうこと）した。マガダ国では、国王のビンビサーラが帰依。王族では初の信者となり、修行道場として竹林精舎を寄進した。またコーサラ国では大商人のスーダッタが帰依して、祇園精舎を寄進した。これらの精舎（ビハーラ）が、寺院のはじまりといわれている。

■はじめて故郷に帰る

故郷のカピラバストゥに帰ると、父の王はすぐに帰依し、シャカ族の青年たちも次々に出家（僧になること）した。その中には、以後、シャカの近くにつきしたがうアーナンダや、最下層の出身の理髪師ウパーリ、息子のラーフラもいた。さらに、おばや妻のヤショーダラーをはじめ、シャカ族の女性も出家し、のちに女性の出家信者による比丘尼教団が成立した。

身分制がきびしいインド社会で、「生まれや貧富を問うてはいけない。おこないを問いなさい」といって、職業や身分、性などで差別することなく、だれにも平等に対応したため、彼をしたって多くの人が弟子入りし、在家の信者もふえていった。

■シャカの入滅

さとりをひらいてから45年間、各地を説いてまわり、80歳をむかえたシャカは、この世の生が終わりに近いことをさとり、故郷にむかって最後の旅に出た。途中ではげしい腹痛をおこして衰弱したシャカは、クシナガラ郊外にたどりつき、2本のサラ樹（沙羅双樹）の下に横たわった。そこで弟子たちに「みずからを灯明とし、みずからをよりどころにせよ」「すべてつくられたものはすぎ去る。おこたることなく、つとめはげみ、修行を成就せよ」と説いて、入滅（涅槃に入り亡くなること）した。7日後、火葬され、遺骨は8部族の王たちに分配された。王たちは各地にストゥーパ（仏塔）を建て、そこに安置した。

▲シャカの涅槃図　弟子たちのほかに、小鳥や動物たちも集まってきて見守るなか、シャカは右手をまくらにして、静かに息をひきとった。

（『仏涅槃図』東京国立博物館 Image:TNM Image Archives）

その後、教団をひきいるマハーカッサパは、シャカの教えが失われたり、意見の対立がおこったりしないように、500人の高僧を集めて、シャカの教えを確認する会をひらいた（第一結集）。ここで、シャカの教えは「経」として、守るべき戒律は「律」として決定され、後世に伝えられた。

学 日本と世界の名言

シャカの十大弟子

シャカが5人の修行者を弟子にしてから、亡くなるまでのあいだに、数千人の弟子が集まった。なかでも次の10人が傑出した弟子として知られている。

1. **サーリプッタ（舎利弗）**：智恵第一。シャカの教えをよく理解し、説法をまかされるなど、信頼があつかった。
2. **マハーモッガラーナ（摩訶目犍連）**：神通第一。すぐれた神通力をもち、人智をこえた世界を透視した。
3. **マハーカッサパ（摩訶迦葉）**：頭陀第一。きびしい精神修行をつらぬいた。教団の後継者となり、第一結集を主宰した。
4. **アーナンダ（阿難）**：多聞第一。いつもシャカの近くにつかえた。第一結集のとき、彼の記憶をもとに経が編さんされた。
5. **ウパーリ（優波離）**：持律第一。戒律に精通しよく守った。第一結集のとき、戒律をとりまとめた。
6. **ラーフラ（羅睺羅）**：密行第一。シャカの息子。シャカが決めた規則をよく守った。
7. **スブーティ（須菩提）**：解空第一。物事に執着しない「空」をだれよりもよく理解した。
8. **プンナ（富楼那）**：説法第一。わかりやすい説法でもって、辺境の土地で布教した。
9. **マハーカッチャーナ（摩訶迦旃延）**：論議第一。主に王族や貴族に教えを広めた。
10. **アヌルッダ（阿那律）**：天眼第一。不眠の修行をつづけて視力を失ったが、真理を見通せるようになった。

シャカの一生

年	年齢	主なできごと
紀元前463年ごろ	0	ネパール南部のルンビニーで生まれる。
紀元前447年ごろ	16	ヤショーダラーと結婚。
紀元前434年ごろ	29	城を出て出家する。
紀元前428年ごろ	35	ブッダガヤでさとりをひらく。
紀元前383年ごろ	80	クシナガラの郊外で入滅する。

※年齢は満年齢であらわしている

シャクシャイン

江戸時代

シャクシャイン ?～1669年

江戸時代のアイヌの首長

▲北海道静内町のシャクシャイン像
（制作者　竹中敏洋）

江戸時代前期のアイヌの首長。

1653年、シブチャリ（現在の北海道新ひだか町）のアイヌ（北海道の先住民族）の首長になる。蝦夷地（北海道）では、昔からアイヌの人々が狩りや漁をしてくらしていた。しかし、松前藩（渡島半島南部）は、アイヌの人々が自由におこなっていた交易や漁業を規制して不利な交易をおしつけ、人々の生活をおびやかした。

1669年6月、シャクシャインのよびかけで各地のアイヌがいっせいに立ち上がり、商船などを攻撃して多くの和人（本州の日本人）を殺害した。

戦いは4か月におよび、10月、和平が成立したが、和平を祝う席で松前藩のはかりごとによりシャクシャインは暗殺された。その後、各地のアイヌが次々に降伏して戦いが終結した。これをきっかけに、松前藩のアイヌに対する支配はいっそう強まった。

ジャクソン，アンドリュー

政治

アンドリュー・ジャクソン 1767～1845年

「ジャクソニアン・デモクラシー」を進めた大統領

アメリカ合衆国の政治家。第7代大統領（在任1829～1837年）。

アメリカ独立革命では幼くして軍に加わり、イギリスの捕虜になった。14歳で孤児になったが、法律を学び、法律家になる。1796年にテネシー憲法制定会議の代表に選出され、テネシー州の下院議員になると、その後は上院議員、州最高裁判所判事を歴任した。

アメリカとイギリスが戦った英米戦争の際にはニューオーリンズでイギリス軍に大勝、国民的英雄となる。1828年の大統領選挙で圧勝し、翌年、大統領に就任。

白人男子の普通選挙制度、公立学校の普及など、彼のおこなった民主的な改革は「ジャクソニアン・デモクラシー」とよばれて評価された。

民主主義政策を進める一方、先住民族を迫害し、黒人奴隷制度をみとめるなどして批判された。

学 アメリカ合衆国大統領一覧

ジャクソン，マイケル

音楽

マイケル・ジャクソン 1958～2009年

世界を魅了したキング・オブ・ポップ

アメリカ合衆国の歌手、ダンサー、音楽プロデューサー。

アフリカ系アメリカ人の家に生まれる。6歳のときに、4人の兄姉たちと音楽グループとしての活動をはじめる。グループ名を「ジャクソン5」として、1969年にデビュー曲『帰ってほしいの』でスターの仲間入りをはたす。1971年には、アルバム『ガット・トゥ・ビー・ゼア』をだし、ソロ活動をはじめた。

1982年に発売されたアルバム『スリラー』は、音楽だけでなくミュージック・ビデオでも世界中で売り上げ記録を更新した。歌とブレイクダンスを組み合わせた、独自の芸術表現を得意とした。なかでも、前進するようにみせながら足を交互にすべらせてうしろに進む「ムーンウォーク」は、世界中で大人気となった。特殊メイクやカメラワークに斬新な手法を駆使し、映像作品としても最高傑作といわれる。

1980年からグラミー賞を15回受賞し、死後も「キング・オブ・ポップ（ポップスの帝王）」と賞賛されるアーティストである。

しゃくちょうくう

釈迢空 → 折口信夫

じゃくれん

詩・歌・俳句

寂蓮 1139？～1202年

後鳥羽上皇から高く評価された歌人

平安時代後期～鎌倉時代前期の歌人。

僧の阿闍梨俊海の子。俗名（出家する前の名前）は藤原定長。1150年ころ、父の兄弟藤原俊成の養子となる。

1172年ころ出家して、諸国をめぐったのち、藤原定家らとともに多くの歌をよんだ。俊成が1200首の歌を判定して優劣を決めた「六百番歌合」、後鳥羽上皇（譲位したのちの後鳥羽天皇）や俊成が3000首の判定者となった「千五百番歌合」などに参加し、後鳥羽上皇から才能を高く評価された。

定家らがまとめた『新古今和歌集』の撰者にえらばれるが、完成に先立って没する。勅撰集（天皇や上皇の命令でつくられた和歌集）の『千載和歌集』などに歌がのこされている。

学 人名別 小倉百人一首

ジャコメッティ, アルベルト

彫刻

アルベルト・ジャコメッティ　1901〜1966年

細長い人体像で知られる彫刻家

スイスの彫刻家。

アルプスのふもとの村に生まれる。画家だった父親の影響で、幼いころからデッサンや彫刻に親しみ、才能を発揮した。ジュネーブの美術工芸学校を卒業後、1922年、パリで彫刻家のブールデルに師事した。

アフリカやエーゲ海の彫刻に影響を受け、1925年ころからキュビスム（立体派）の技法による人物像を制作する。その後、多くの哲学者や文学者たちとの交流や、シュールレアリスム（超現実主義）運動に参加して、代表作『午前4時の宮殿』を発表した。

1940年代より、針金のような細長い人物の彫像の制作をはじめる。1962年には、イタリアの美術展「ベネチア・ビエンナーレ」の彫刻部門でグランプリを受賞し、世界的に有名になった。作品制作では、つねに「みえるものをみえるとおりに実現する」ことを追求し、観察と模写を徹底的におこなった。

主な作品に、『指さす男』『腕のない細い女』『歩く人』などがある。ロダン以降の彫刻史に大きな足跡をのこした。

シャネル, ガブリエル

→176ページ

じゃはなのぼる

政治

謝花昇　1865〜1908年

沖縄の自由民権運動をおこした

明治時代の自由民権運動家。

琉球王国（現在の沖縄県）の農家に生まれる。1882（明治15）年、沖縄県からはじめての県費による留学生として上京し、帝国大学農科大学（現在の東京大学農学部）を首席で卒業する。沖縄出身で初の高等官待遇の技師として沖縄県庁に入り、精力的に県の農業の改革につくした。しかし、特権層や有力者層を優先して事業を進める県知事の奈良原繁と対立し、県庁を辞職する。

1898年に上京し、政治結社の沖縄倶楽部を結成して、機関誌『沖縄時論』などで、知事の暴政を批判。参政権を要求して運動を展開するが、知事派の弾圧で運動は挫折する。1900年の沖縄県農工銀行の役員選挙でやぶれたのち、失意のうちに亡くなる。

ジャマール・アッディーン・アフガーニー

宗教

ジャマール・アッディーン・アフガーニー　1838〜1897年

イスラム世界の一致団結をうったえた思想家

19世紀後半のイスラムの思想家・革命家。

アフガニスタン、もしくはイラン生まれ。インド留学中、イギリスがインド大反乱を鎮圧してムガル帝国を滅亡させたことに接し、ヨーロッパの帝国主義に脅威を感じ、イスラム世界の一致団結の必要性をうったえ、反帝国主義運動を指導するようになる。アフガニスタンやイスタンブールなどで活動。彼の思想を異端とするウラマー（法学者）の圧迫を受けつづけたが、カイロではムハンマド・アブドゥーなど、のちのエジプトの民族的指導者となる若者たちを育て、1882年のアラービーの反乱に影響をあたえた。

その後ヨーロッパ諸国を遍歴、1884年パリで雑誌『固き絆』を創刊してムスリム（イスラム教徒）の団結をうったえた。イランにまねかれ、近代化政策に参与。宮廷内の陰謀のため1890年に追放されたが、タバコボイコット運動の契機をつくる。1892年オスマン帝国のアブデュルハミト2世にまねかれるが、王暗殺への関与をうたがわれ、幽閉されて死亡した。アフガーニーのイスラムの団結、自由主義的政治改革の思想、合理主義的イスラム神学などの思想は、その後の多くのイスラム近代主義者にひきつがれた。

シャルダン, ジャン=バティスト

絵画

ジャン=バティスト・シャルダン　1699〜1779年

静物や市民の生活をえがいた画家

フランスの画家。

パリで家具職人の家に生まれる。15歳で弟に家業をゆずり、自分は好きな絵画の道をえらんだ。18歳のころから10年間、宮廷画家に師事して絵画を学ぶ。友人からもらった狩りの獲物、ウサギの死骸に興味をもち、静物画の制作をはじめる。

1728年、初期の代表作となる静物画『赤えい』を制作し、最初はセーヌ川ほとりの青空展覧会場で披露した。やがて『赤えい』は王立絵画・彫刻アカデミーの入会選考作品として提出され、正式な会員の資格を得た。はなやかなロココ美術が主流の18世紀のパリで、日常的な静物や庶民のつつましい生活を画題とした。作風は、写実的でこまやかな表現で、日常のものへの深い共感に満ちている。色彩には、ややくすんだ落ちつきがある。そのほかの作品に『こまを回す少年』『食前の祈り』などがある。「近代絵画の父」とよばれるセザンヌや、20世紀の画家マティスにも影響をあたえた。

ガブリエル・シャネル　20世紀の女性ファッションをかえた革新的デザイナー

■最初は小さな帽子店から

フランスのファッションデザイナー。

通称はココ。中西部のソミュールに生まれ、12歳のとき修道院の孤児院にあずけられた。ここで裁縫の技術を学びつつ、独自の美意識がやしなわれた。17歳で修道院を出て、お針子としてはたらくかたわらカフェコンセール（ステージのあるカフェ）の歌手となる。当時この店で歌っていた曲名から「ココ」とよばれるようになった。その後、名家出身の騎兵将校バルサンと知り合い、上流社会にふれ、男性と同様に乗馬をたしなむようになる。このころから、周囲の女性たちとはことなる服装を身にまとい、女性の帽子をつくりはじめた。彼女のシンプルな帽子は注目を集め、1910年、イギリスの青年実業家カペルの出資で、パリのカンボン通り21番地に帽子店を開店した。

▲ガブリエル・シャネル　愛用していた真珠のネックレスをつけている（1936年）。

■シンプルで動きやすい服

1913年にはフランス北西部ドービルにブティックを、1915年にはスペイン国境近くのビアリッツにクチュール（したて服）の店をひらく。これらの高級リゾート地の裕福な女性たちの支持を得て成功し、経済的にも自立した彼女は、1918年、現在も本店があるパリのカンボン通り31番地に開店した。

彼女がデザインしたやわらかいジャージー生地を用いた服は、ウエストをコルセットでしめつけず、シンプルで動きやすい、時流を先取りするものだった。慣習にとらわれない彼女の斬新なデザインは、男性と同様にはたらくことで社会進出し、スポーツやリゾートなどを楽しんでいた女性に支持された。

■舞台の衣装や香水、ジュエリーも

1920年代はロシアバレエの主宰ディアギレフや、作曲家のストラビンスキー、戯曲家のコクトー、画家のピカソらと交流をもち、舞台の衣装も担当した。1921年、初の香水「シャネルNo.5」を発表。華美な装飾を排したボトルデザイン、多数の花々と合成香料を組み合わせた斬新な調香は、香水の歴史を塗りかえたといわれた。

▲「シャネルNo.5」をつける女優のマリリン・モンロー　彼女は、夜寝るときに何を着るかと聞かれて、「シャネルのNo.5を数滴」と答えた。モダンなデザインの容器はニューヨーク近代美術館にも収蔵されている。

また、1926年には黒一色のシンプルな「リトル・ブラック・ドレス」を発表し、新たなエレガンスを提案した。1932年には「ダイヤモンド・ジュエリー・コレクション」を発表。シャネル初となるこのジュエリーに、彼女は孤児だったころに修道院でみた星の形の敷石をモチーフとしてとり入れた。

■世界のトップデザイナーに

1931年、アメリカ合衆国のハリウッドにわたり映画女優の衣装をデザインし、シャネルの名は世界中に広まった。事業は1930年代に最盛期をむかえ、従業員は4000人に達した。しかし、1939年に第二次世界大戦がはじまると、香水とアクセサリー以外の店はしめて、クチュールの創作活動を休止した。

戦後の1954年に創作活動を開始し、ツイードを用いた機能的で上品なスーツや、両手を自由にするキルティングのショルダーバッグなどを発表。シャネルの服は、新しい時代の活動的な女性像を先取りする女優や有名人たちに「動きやすく、しかもシック」と愛され、やがて世界中の女性から支持されるようになった。

その後も創作をつづけ、パリから世界に発信するモード界の女王として君臨し、1971年1月10日、87歳で亡くなった。

▲シャネルのスーツを着た女優とモデルたち　戦後、シャネルのスーツは活動的な女性たちに欠かせないスタイルとなった（1964年）。

ガブリエル・シャネルの一生

年	年齢	主なできごと
1883	0	8月19日、生まれる。
1895	12	修道院にあずけられる。
1910	27	パリのカンボン通り21番地に帽子店を開店する。
1913	30	ドービルにブティックをひらく。
1918	35	パリのカンボン通り31番地にクチュールの店をひらく。
1921	38	香水「シャネルNo.5」を発表する。
1924	41	ロシアバレエ『トラン・ブルー（青列車）』の衣装を担当。
1926	43	「リトル・ブラック・ドレス」を発表する。
1932	49	初のジュエリー コレクションを発表。
1939	56	カンボン通りのクチュールの店をしめる。
1954	71	カンボン通りのクチュールの店を再開する。
1971	87	1月10日、パリのホテル・リッツで亡くなる。

※年齢は満年齢であらわしている

シャルル，ジャック=アレクサンドル=セザール

学 問　発明・発見

ジャック=アレクサンドル=セザール・シャルル　1746〜1823年

世界初の水素入り気球の有人飛行をおこなった

17世紀のフランスの物理学者、発明家。

中央部のボージャンシー生まれ。キャベンディッシュなどの物理学者の業績を研究、気球の浮力をつくりだすために水素が好適であると考え、技術者のロベール兄弟に製作を依頼した。1783年、モンゴルフィエ兄弟が熱気球の有人飛行を成功させた直後に、世界初の水素入り気球の有人飛行をパリでおこない、2時間5分の飛行に成功した。その後、気体の温度による膨張についての実験をおこない、「一定の圧力においては、気体の体積は温度に比例して増加する」という法則を発見した。これをゲイ=リュサックが検討し、「シャルルの法則」と命名して、1802年に発表している。

シャルルにせい

王族・皇族

シャルル2世　823〜877年

禿頭王とよばれた西フランク王

西フランク王国の初代国王（在位843〜877年）、西ローマ皇帝（在位875〜877年）。

ルートウィヒ1世の末子。禿頭王ともよばれる。父の死後、兄弟による領土争いが激化すると、次兄ルートウィヒ2世と組み、長兄ロタール1世をやぶった。843年のベルダン条約で、自身は西フランク王、ロタール1世は中部フランク王、ルートウィヒ2世は東フランク王となり、フランク王国は分裂。のちに中部フランク王国は領土を縮小され、現在のフランス（西フランク王国）、ドイツ（東フランク王国）、イタリア（イタリア王国）のもとがつくられた。

ロタール1世からイタリアの統合と西ローマ皇帝位を相続して、ロドビコ2世の死後、イタリアに侵攻し、875年には西ローマ皇帝カール2世となる。翌年、東フランク王国に侵攻したが敗北。豪族の台頭、ノルマン人の侵入になやまされ、反対勢力鎮圧のためのイタリア王国遠征の途中で病死した。

学 世界の主な王朝と王・皇帝

シャルルななせい

王族・皇族

シャルル7世　1403〜1461年

百年戦争を終わらせたフランス王

フランス、バロア朝の第5代国王（在位1422〜1461年）。

フランス王シャルル6世の子。そのころフランスとイギリスのあいだで、王位をめぐる戦いがつづいていた。13歳で皇太子となるが、1420年にトロアの和約でイギリス王ヘンリー5世に王位継承権をうばわれる。1422年、ヘンリー5世と父王があいついで亡くなり、イギリスのヘンリー6世が2つの国の王を名のると、シャルル7世もアルマニャック派に支持されて、王位継承を宣言した。

1428年、対立するブルゴーニュ派とむすんだイギリス軍に、オルレアンで包囲されるが、ジャンヌ・ダルクの活躍によってイギリス軍は撤退。1429年、ランスで正式に王として戴冠した。翌年、異端判決により火刑となったジャンヌを見殺しにしたといわれる。1435年にブルゴーニュ派と和解し、次々にイギリス軍をやぶって領土の大半をとりかえし、1453年、1339年からつづく百年戦争を終わらせた。財政の再建、官僚機構の整備など、長い戦争で荒れた国の復興にはげんだ。勝利王とよばれている。

学 世界の主な王朝と王・皇帝

シャルルきゅうせい

王族・皇族

シャルル9世　1550〜1574年

宗教戦争を終結させられなかった王

フランス、バロア朝の第12代国王（在位1560〜1574年）。

フランス王アンリ2世の子。早世した兄フランソワ2世のあとをついで10歳で即位。母后カトリーヌ・ド・メディシスが摂政となり、実権をにぎった。国内ではユグノー（フランスのプロテスタントの一派、新教徒）とカトリック（旧教徒）の対立が激化していた。フランス宗教戦争（ユグノー戦争）を一時休戦させた1570年のサン・ジェルマンの和議や、妹とユグノーであるナバール王アンリ（のちのアンリ4世）との結婚などで、カトリックとユグノーの平和共存をめざしたが、1572年、フランス各地でプロテスタントの大量虐殺（サン・バルテルミーの虐殺）がおこり、多数のユグノーが犠牲となり、国内は混乱。有効な政策をおこなえないまま、2年後に死去した。

学 世界の主な王朝と王・皇帝

シャルルじっせい

王族・皇族

シャルル10世　1757〜1836年

ブルボン朝最後の王

フランス、ブルボン朝の第7代国王（在位1824〜1830年）。ルイ15世の息子で、ルイ16世、ルイ18世の弟。1789年にフランス革命がおこるとすぐに亡命し、反革命勢力を集めるためヨーロッパ諸国をまわり、国内の反革命運動を支援した。ナポレオン1世が失脚すると帰国し、ルイ18世の下で過激王党派を指導した。1824年、ルイ18世の死により王位を継承すると、絶対王政の復活をめざし、亡命

貴族の財産の保証、国民軍の解散、カトリック旧教徒の保護、言論抑圧などの保守政策をおこなった。

強硬的に政治を進めたため、しだいに国民から強い反発を受けるようになり、さらに過激王党派の代表だったポリニャックを首相に立て、議会とも対立した。また、共和主義者や自由主義者の反政府運動に対抗するため、1830年、「七月勅令」を公布し、定期刊行物の出版を規制するなどしたが、かえって七月革命をひきおこした。これによりブルボン朝は終わり、シャルル10世は王位をしりぞいてイギリスへ亡命。その後、イタリアで亡くなった。

学 世界の主な王朝と王・皇帝

しゃれいうん

詩・歌・俳句

謝霊運　385〜433年

山水の美しさを詩によむ山水詩の開祖

中国の南北朝時代、宋の詩人。

陳郡陽夏（現在の河南省）生まれ。東晋の危機を救った英雄を祖父にもつ名門貴族の出身。祖父のよび名「康楽公」を受けついだので、謝康楽ともよばれる。名門でありながら、政治的にはめぐまれず、美しい自然になぐさめを見いだす。ついには、反乱を計画したうたがいで処刑された。

自然や風景の美しさを力強く繊細な詩にうたい上げた。その作風は、のちの詩に多くの影響をあたえ、「山水詩の開祖」とよばれる。代表作の「池のほとりの楼に登る」「はじめて郡を去る」などが、中国最古の詩文集『文選』におさめられている。また、仏教を研究し慧厳・慧観とともに2種の訳本を統合した『大般涅槃経』36巻を完成させた。

シャロン，アリエル

政治

アリエル・シャロン　1928〜2014年

強いリーダーシップをもった軍人出身のイスラエル首相

イスラエルの軍人、政治家。首相（在任2001〜2006年）。

イギリス統治下のパレスチナ生まれ。少年のころにイスラエル建国をめざす武装組織に入隊した。1948年から1973年まで4度にわたる中東戦争に軍人として参加し、容赦ない行為も多かったが、国民的英雄となった。1973年に国会選挙で当選、政治家となる。1982年、国防大臣のときレバノンへ侵攻、パレスチナ解放機構（PLO）をレバノンから撤退させたが、味方のキリスト教軍によるパレスチナ難民キャンプでの虐殺事件の責任をとり辞任した。

1996年に国家基盤大臣、1998年、外務大臣に就任、翌年、右派政党リクードの党首となり、2001年、首相に就任。アメリカ合衆国で同時多発テロがおこると、「テロ対策」としてパレスチナ自治区への攻撃を強化した。2005年、占領していたガザ地区から軍を撤退させたが、ヨルダン川西岸の占領地は維持した。同年、党内の意見対立によって離党、新党を結成するが、翌年病にたおれ、政界を引退した。

ジャンヌ・ダルク

→ 180ページ

シャンポリオン，ジャン・フランソワ

学問

ジャン・フランソワ・シャンポリオン　1790〜1832年

古代エジプトの神聖文字を解読した学者

フランスの言語学者、考古学者、歴史家。

フィジャック生まれ。こどものころから語学にすぐれ、数多くの言語や文字の研究をはじめる。1799年にナポレオン1世がエジプトに遠征したときにロゼッタ・ストーンが発見されたが、そのことを知って古代のエジプトに関心を寄せる。この古代エジプトの石碑ロゼッタ・ストーンの写しを手に入れて、エジプト文字の解読をてがけるようになる。

18歳のとき、グルノーブル大学の歴史学の准教授となったが、1821年に教授の職を失い、ヒエログリフ（神聖文字）の解読に没頭した。1822年に解読に成功したことから、「エジプト学の父」とよばれている。

このの5エジプトにも旅行し、エジプトの研究をつづけたが、病気のため41歳で亡くなった。

しゅうおんらい（チョウエンライ）

政治

周恩来　1898〜1976年

すぐれた外交手腕を発揮した中国首相

中華人民共和国（中国）の政治家、首相（在任1949〜1976年）。

江蘇省出身。下級官僚、学者の家庭に育つ。1917年から2年近く日本に留学。1919年、天津の南開大学在学中に、日本の「二十一か条の要求」撤廃を求めた民衆運動の五・四運動に参加して投獄された。その後フランス留学中に中国共産党に入り、フランス支部をつくった。帰国後は共産党軍の指導者として、毛沢東の信頼を得た。1936年の西安事件では、張学良に蔣介石を釈放するよう説得、一方で蔣介石には国民党と

共産党が協力して抗日運動をするようによびかけ、第2次国共合作を成立させた。1949年、中華人民共和国が成立すると、首相兼外交部長として、1954年のジュネーブ会議で、インドのネルー首相と共同で「平和五原則」をとなえ、1955年のアジア・アフリカ会議では第三世界の団結を説き、平和外交に力をつくした。1966年の文化大革命でははじめ毛沢東を支持したが、のちに対立するようになった。米中関係、日中関係の改善などにも、すぐれた外交手腕を発揮した。

学 主な国・地域の大統領・首相一覧

しゅうきんぺい（シーチンピン）

政治

習近平 1953年〜

汚職問題にきびしく、外交的にも強硬な中国の国家主席

中華人民共和国（中国）の政治家。総書記、中央軍事委員会主席、国家主席（在任2013年〜）。

北京市生まれ。父は日本の内閣にあたる国務院の副総理で、特権階級のこどもとして育ったが、文化大革命における父の失脚で、15歳から地方の農村部へ移った。1974年に共産党入党、翌年、清華大学に入学、卒業後は中央軍事委員会で秘書をつとめた。以後25年間、地方で党の指導者としてはたらく。2007年、政治局常務委員に就任、翌年には国家副主席となり、胡錦濤の後継者にえらばれた。2012年に党総書記、翌年、国家主席、中央軍事委員会主席に就任、権力を掌握した。清廉潔白といわれ、汚職問題にきびしくとりくむ一方、反政府勢力に対してのとりしまりも強硬といわれる。対外的にも、尖閣諸島や南沙諸島の領有権をめぐり威圧的な態度をしめし、日本、フィリピンなど周辺諸国との対立を深めている。軍備拡大を主張する姿勢は、アメリカ合衆国からも警戒されている。

学 主な国・地域の大統領・首相一覧

しゅうとんい

学問

周敦頤 1017〜1073年

宋学の創始者の一人

中国、北宋の学者、思想家。

道州営道県（現在の湖南省）に生まれる。地方行政官として各地を転々とし、すぐれた功績をあげるが、中央政治とはかかわらず、晩年には廬山のふもとにかくれ住み、濂渓書堂を築いて学問を教え、濂渓先生と称せられた。任地では徳望があり、人格の高潔さをたたえられたが、生前は一部の人に称賛されるだけではほとんど無名に近かった。周敦頤が宋学（宋時代の儒学）の創始者の一人であることが広く知られ、思想界に重んじられるようになったのは、12世紀の儒学者である朱熹（朱子）が、周敦頤の功績を再評価したためである。

周敦頤の著作には『太極図説』『通書』などがある。仏教や道教の考えもとり入れながら、儒教の理念を宇宙観、哲学に高める役割をはたした。「人はだれでも、学問によって自己研鑽すれば、聖人になれる」という人間平等ともいえる主張は当時画期的であった。この考え方は、朱熹が打ち立てた朱子学の基盤となっている。

しゅうぶん

絵画

周文 生没年不詳

雪舟に画を教えたとされる画僧

▲伝周文作『竹斎読書図』（部分）

（東京国立博物館 Image:TNM Image Archives）

室町時代の画僧。

京都の相国寺の僧侶で、寺の運営や経理などをつかさどる仕事をしていた。この寺で、画僧の如拙に画を学び、雪舟に画を教えたとされる。また、幕府から俸禄をもらって画をえがく御用絵師でもあった。1423年には、幕府が朝鮮に送った使節に加わっている。

水墨画のほか、仏画に色をつけ、仏像を彫刻するなど、活動は多方面におよんだ。15世紀のなかばには没したとされ、御用絵師の役は小栗宗湛にひきつがれた。

周文の署名やたしかな印の入っている作品がないため、本人がえがいた作品は特定できない。

その中で、周文がえがいた可能性のもっとも高い作品は、『山水図（水色巒光図）』と『竹斎読書図』で、いずれも詩画軸という形式をもつ。詩画軸は画面上部の余白に僧侶や知識人が漢詩を書いたもので、これらを通して、中国から伝わった水墨画は、日本に定着していった。

ジャンヌ・ダルク

神のお告げにしたがいフランスを救った聖女

▲ジャンヌ・ダルク　甲冑を身につけ、右手に剣を、左手に軍旗をもっている。

■13歳のときに神の声を聞く

フランスの少女、「オルレアンの乙女」とよばれる。

北東部ロレーヌ地方のドンレミ村の農家に生まれる。信仰心があつく、家事をてつだったり糸をつむいだりして、よくはたらく娘だった。1425年、13歳の夏、「おこないを正しく教会にかようように」という神の声を聞いた。その後、神の声はひんぱんにおとずれ、「オルレアンの包囲をとけ」「王太子シャルルを戴冠させ国王にせよ」など、具体的になった。

このころのフランスは、イギリスと百年戦争（1339～1453年）を戦っているさなかだった。イギリス軍は北フランスに進出し、フランスの王族ブルゴーニュ公とむすんで、パリを支配下におさめていた。これに対しフランスは、国王シャルル6世が亡くなり空位のままで、王太子のシャルルがロアール川南部のブールジュやシノンを本拠に対抗していた。

■シノン城の王太子のもとへ

1428年、16歳になったジャンヌのもとに、「フランスを救え」という声が、強く聞こえてきた。ジャンヌはドンレミ村の北にあるボークールールの守備隊長ロベールをたずね、王太子シャルルのもとに旅立つ許可を願いでた。1429年2月、ジャンヌはロベールから6人の護衛（うち一人は王太子の伝令使）をつけてもらって、500kmはなれたシノン城にむかった。

3月6日、シノン城で王太子シャルルと会ったジャンヌは、貴族や僧がおおぜいならぶ中から、彼を見分けて、その前に進み「王太子様がランスで戴冠式をあげるため、神が私をつかわせたのです」とのべた。

▲シノン城についたジャンヌ　フランスの王太子シャルルの本陣がおかれていた。

■オルレアンの戦いで勝利

シャルルはジャンヌの誠実さをみとめ、司令官の一人としてロアール川中流のオルレアンにむかわせた。オルレアンは戦略上の要地で、1428年秋からイギリス軍に包囲されていた。

1429年4月29日、オルレアンの城内に入ると、市民から「救いの神がおりたった」とばかりに、熱狂的にむかえられた。5月4日、イギリス軍の拠点サン・ルゥ砦の攻略にむかった。ジャンヌは敗走する兵士をはげまして、彼女の旗を先頭に立てて突撃し、これを占領。奇跡的な勝利に、兵士たちのジャンヌへの信頼感が高まった。

その後も、オルレアンを包囲するイギリス軍のとりでを攻略し、5月8日、イギリス軍はオルレアンから退却した。

▲オルレアンで戦うジャンヌ

■ランスで国王の戴冠式

ジャンヌは王太子シャルルに「正式に国王になれば、敵の勢力は弱まる」といって、すぐにランスの大聖堂での戴冠式をおこなうようすすめた。ランスはフランス北東部のシャンパーニュ地方にある都市で、フランスの歴代の国王が王位につくときに戴冠式

百年戦争（1339～1453年）

1328年、フランスのカペー朝が絶えると、カペー朝の血をひくイギリス国王エドワード3世がフランスの王位をつぐ権利を主張してフランスに宣戦した。このののち、イギリスとフランスのあいだでは100年以上にわたり、断続的に戦争がくりかえされた。はじめはイギリスが優勢で、フランス内に領土を広げていった。

1400年代に入り、フランスでは国王シャルル6世の弟オルレアン公（オルレアン・アルマニャック派）と、いとこのブルゴーニュ公（ブルゴーニュ派）とのあいだで内乱がおこると、イギリスはブルゴーニュ派とむすんでフランス支配を確立しようとして、オルレアンを包囲した。これに対してオルレアン・アルマニャック派は、シャルル6世の王太子シャルルを立てて反撃しようとした。この機に登場し、フランスを救ったのがジャンヌである。

▲戴冠式のジャンヌ　ランスの大聖堂でおこなわれたシャルル７世の戴冠式に列席した。

をおこなってきた由緒あるところだった。王太子の側近たちは、途中、敵であるブルゴーニュ公の領地を通らなければならないことなどから、ランス行きに反対したが、王太子はジャンヌを信じ、ランス行きを決断した。ブルゴーニュ公の支配がおよぶ都市は、フランス軍に降伏し、市の門をひらいて王太子一行を通した。無事、ランスに到着した王太子シャルルは、7月17日、ランスの大聖堂で戴冠式をおこない、フランス国王シャルル７世として即位。その式に、ジャンヌは軍旗を手にして列席した。

■パリの攻撃に失敗

王太子シャルルを国王の座につけて栄光の絶頂期にあったジャンヌは、イギリスに支配されていたパリの解放を主張したが、国王の側近はすでにブルゴーニュ公との和議を進めていた。そのため、ジャンヌは同じ考えの兵士たちとパリにむかい、9月8日、攻撃をしかけたが、1日では落とすことができず、ジャンヌも矢を受けて負傷した。翌日、国王シャルル７世は撤退命令をだし、この戦いは失敗した。

■ブルゴーニュ軍にとらえられる

1430年4月、本国からの援軍を結集したイギリス軍は、ブルゴーニュ軍とともに、フランス国王領に侵入してきた。ジャンヌの小隊はこれを食いとめるため、5月15日、コンピエーニュ城から出撃した。しかしブルゴーニュ軍におされて城内に退却をはじめると、コンピエーニュの守備隊長ははね橋をあげ、城門をとざしてしまった。そのため、ジャンヌは城外にとりのこされ、ブルゴーニュ軍にとらえられてしまった。その後、ジャンヌはイギリス軍に売りわたされ、フランス北部のルーアンの牢獄につながれた。

イギリスの支配下にあったパリ大学神学部は、神の名をかたった少女に対し異端のうたがいをかけて、宗教裁判を要求した。イギリスもこれに同意して、1431年2月から、裁判がはじまった。ジャンヌは虚言や迷信でもって神を冒瀆したこと、男装をして教会の儀式に参加したことなどの罪をとがめられ、異端として死刑の宣告を受けた。

■ジャンヌが火刑に処せられる

1431年5月30日、ジャンヌはルーアンの代官にわたされ、その町の広場で火刑に処された。自分は奇跡によって救いだされると信じていたジャンヌは、火刑台の上でイエス・キリストの名をよびつづけながら息をひきとった。

その後、フランス軍は優勢になり、パリをとりもどし、1453年、百年戦争を終わらせた。シャルル７世は、裁判のやり直しを命じ、1456年、ジャンヌの裁判の判決が無効であると宣告された。その464年後の1920年、ローマ教皇はジャンヌを聖女に列した。シラーの戯曲、ベルディのオペラ、カール・ドライヤーの映画など、ジャンヌをえがいた作品は多い。

● 1429年ごろのフランス

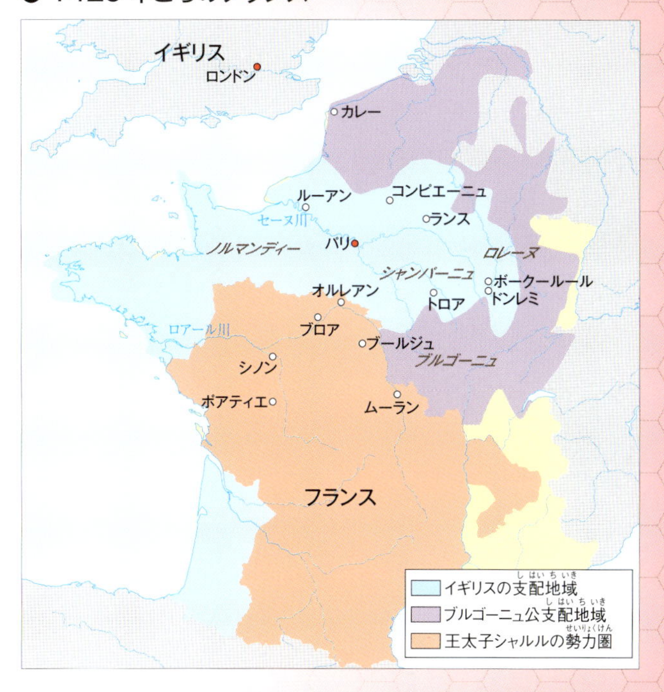

▲火刑に処せられるジャンヌ　彼女の求めに応じて、司祭が十字架をさしだしている。

ジャンヌ・ダルクの一生

年	年齢	主なできごと
1412	0	北フランスのドンレミ村で生まれる。
1425	13	「フランスを救え」という神の声を聞く。
1428	16	ボークールールの守備隊長ロベールをたずねる。
1429	17	3月、シノン城で王太子シャルルと会う。 5月、オルレアンを解放する。 9月、パリを攻める。
1430	18	5月、ブルゴーニュ軍にとらえられる。 12月、イギリス軍に売りわたされる。
1431	19	2月、宗教裁判がはじまる。 5月30日、火刑に処せられる。

※年齢は満年齢であらわしている

シューベルト，フランツ

音楽

フランツ・シューベルト　1797〜1828年

ドイツ歌曲を確立した「歌曲の王」

オーストリアの作曲家。

音楽の都ウィーンの郊外に生まれる。幼いころから音楽の才能をあらわし、11歳で宮廷礼拝堂の合唱団（現在のウィーン少年合唱団）に入団し、宮廷楽長だった作曲家サリエリらの指導を受ける。ベートーベンを尊敬し、1814年に小学校の代用教員となったころから本格的に作曲をはじめた。

作風は美しいメロディーと密度の濃い和音に特徴があり、初期ロマン派に分類される。ゲーテ、シラー、ハイネなどの詩に曲をつけて、ドイツ歌曲を確立し、その美しい旋律から「歌曲の王」とよばれる。600以上の歌曲のほか、交響曲や器楽曲など多くの作品をのこした。私生活では貧困にあえぎ、病気のため31歳で短い生涯をとじた。

主な作品に歌曲『魔王』『野ばら』『死と乙女』、歌曲集『美しき水車小屋の娘』『冬の旅』『白鳥の歌』、ピアノ五重奏曲『ます』、交響曲『未完成』、ピアノ曲『楽興の時』などがある。

シューマッハ，ミヒャエル

スポーツ

ミヒャエル・シューマッハ　1969年〜

F1記録をもつドイツ人ドライバー

ドイツのレーシングドライバー。

4歳でレーシングカートと出会う。10代からレースで活躍し、1987年にはドイツとヨーロッパのカートチャンピオンとなる。F3で実績を積み、1991年に22歳でF1デビューした。翌年のベルギーグランプリで初優勝し、1994年には初のワールドチャンピオンとなった。セナやプロストと争いをくり広げた。

1996年にベネトンからフェラーリのチームに移り、長年低迷していたフェラーリの復活に挑戦した。2000年、フェラーリにとって21年ぶりのワールドチャンピオンの座を獲得し、2004年まで5年連続でチャンピオンとなった。

2006年に現役を引退。ワールドチャンピオン7回、通算優勝91回、ポールポジション獲得68回、シーズン最多優勝13回などは、いずれもF1歴代1位の記録である。

2013年、スキー中の事故で一時は意識不明となるが、その後回復し、現在はリハビリ中である。

シューマン，クララ

音楽

クララ・シューマン　1819〜1896年

ロベルト・シューマンのよき理解者

ドイツのピアニスト、作曲家、音楽教育者。

ライプツィヒで音楽教師フリードリヒ・ウィークを父として生まれる。聞きとった音楽をすぐにピアノで演奏できるほど才能にめぐまれ、5歳から父の英才教育を受けた。1830年には11歳でピアニストとして演奏活動をはじめる。

父とドイツ各地を演奏してまわり、リストから天才ピアニストと賞賛された。1840年に作曲家のロベルト・シューマンと結婚し、夫の作品の紹介や普及、音楽教育に力を入れた。

作品に『ピアノ協奏曲イ短調』、ピアノ曲『3つのロマンス』などがある。楽譜をみないで演奏する暗譜を定着させたといわれ、ブラームスとの親交でも有名である。

シューマン，ロベール

政治

ロベール・シューマン　1886〜1963年

戦後のヨーロッパ統合に貢献したフランスの政治家

フランスの政治家。首相（在任1947〜1948年）。

ルクセンブルク生まれ。ボン大学やストラスブール大学などで法律を学ぶ。1918年の第一次世界大戦終了までドイツ国民であったが、ロレーヌ地方がフランス領になったことで、1919年からフランスの下院議員をつとめる。1947年、首相に就任し、翌年、外務大臣となり、石炭と鉄鋼の生産と取り引きに関する国際管理機関であるヨーロッパ石炭鉄鋼共同体（ECSC）の創設を提唱、1952年にヨーロッパ6か国による成立を実現させた。ECSCは、ヨーロッパ連合（EU）の前身であったヨーロッパ共同体（EC）へと発展していく。その後もヨーロッパ統合の機構づくりにとりくみ、それらの貢献から、EU本部前の広場はシューマン広場とよばれている。

シューマン，ロベルト

音楽

ロベルト・シューマン　1810〜1856年

『流浪の民』を作曲

ドイツの作曲家。

ザクセン州生まれ。書籍の出版・販売をいとなむ父と音楽好きの母のもとで育ち、7歳でピアノをはじめ、12歳で作曲をする。大学で法律を学ぶが、20歳のとき、パガニーニのバイオリン演奏を聴き、音楽家を志す。当時、著名なピアノ教師であったウィークの弟子となり、右手の故障により作曲家の道をえらぶ。1840年にウィークの娘でピアニストのクララ・シューマンと結婚。のちに精神的ななやみをかかえ、1854年にはライン川で投身自殺をはかる。そして、病院に収容され、2年後に亡くなった。感情や想像力を重視する初期ロマン派音楽の代表として知られ、標題つきのピアノ曲や、繊細な詩情の歌曲など、若いころから親しんだ文学と音楽をむすびつけた作品が多い。また、批評家として、メンデルスゾーンやブラームスらを紹介し、ドイツ・ロマン派音楽の指導的な役割をはたした。主な作品に、ピアノ曲『子どもの情景』(第7曲『トロイメライ』が有名)や、歌曲『流浪の民』『詩人の恋』などがある。

朱子学は、宋代のさまざまな学問を統合しているため、宋学ともよばれ、日本や朝鮮にも伝えられた。日本では、身分関係を重んじる封建社会の学問として江戸時代に広まり、大きな影響をあたえた。なお、朱熹の官吏としての生活は10年ほどで、のこりの大部分は学問研究に専念していた。晩年、偽学として弾圧を受け、官吏の仕事も失ったが、学問と著述をつづけた。

(玉川大学教育博物館)

学 日本と世界の名言

ジュール，ジェームズ

学問 発明・発見

ジェームズ・ジュール 1818～1889年

「ジュールの法則」に名をのこす物理学者

イギリスの物理学者。

マンチェスター近郊で裕福な醸造家の子として生まれる。病弱で正規の学校にかよえず、家庭教師に学ぶ。成長して家業をつぐと、自宅を改造して科学実験をおこなった。1840年、「導体に電流を流したときに発生する熱量は、電流の2乗と導体の抵抗の積に比例する」という発見を王立協会に発表し、のちにこれが「ジュールの法則」となる。

1843年以降、より精密な実験から、熱の量と仕事の量の関係をしめす「熱の仕事当量」を見いだして発表。しかし、無名のために評価されなかったが、ウィリアム・トムソン（ケルビン卿）が注目し、その尽力によってジュールは王立協会会員になる。その後、トムソンとの共同研究をおこない、1852年から熱力学の重大な発見である「ジュール=トムソン効果」を見いだすほか、近代熱力学をひらく研究を多数おこなった。エネルギーの仕事量をしめす単位「J（ジュール）」に名をのこす。

しゅき

思想・哲学

朱熹 1130～1200年

朱子学を生みだした中国の思想家

南宋の時代の儒学者、思想家。

現在の福建省生まれ。熹が名で、朱子は尊称。19歳で、官吏（役人）になるための試験である科挙に合格、その後、官吏となるが28歳以降、20年間は学問に没頭した。北宋の儒学者、周敦頤らの学説をまとめ、禅や道教の教えをとり入れ、儒学における哲学と実践・倫理を体系化した朱子学を完成させた。万物は、理（宇宙の根本原理）と気（物質を形成する原理）の2つからなると考え、人間の生き方として、性（人間が生まれながらにもつ本性）と理を一致させる「性即理」の説をとなえた。また、道理をきわめ、主従関係を重んじた大義名分論を説いた。

しゅげんしょう

王族・皇族

朱元璋 1328～1398年

貧農から皇帝にのぼりつめた

中国、明の初代皇帝（在位1368～1398年）。

洪武帝ともいう。中国中東部の濠州（現在の安徽省鳳陽県）に生まれる。家は貧しい農家で、17歳のころ、ききんにおそわれて親と兄弟を失ったため、近くの寺に入り僧になった。托鉢しながら各家をたずね、米やお金をもらって生きのびた。

このころの中国は、モンゴル人の元の支配が行きづまり、政治や経済が混乱し、重い税金や労働を課せられ、人々の生活は苦しかった。1351年に白蓮教（仏教の教えをひく民間宗教）を信仰する農民たちが反乱をおこす（紅巾の乱）と、朱元璋はこれに加わり、たちまち頭角をあらわした。やがて紅巾軍の一武将となり、南京を占領し、ここを拠点に勢力を広げた。

1367年までに長江の南北地域を支配下におさめ、1368年、南京で皇帝となり、国号を明と定めた。また、元号を洪武とし、一人の皇帝の時代は一つの元号とする、一世一元制を定めた。その後、20万人の軍を元の都、大都（北京）に送り、元の順帝を北方のモンゴルに追いはらい、1381年ころまでに中国全土を統一した。

内政ではモンゴル色をのぞいて、漢民族による中国支配を回復させることを宣言し、皇帝による独裁政治のしくみをつくった。宰相をおかず、政府の機関である六部を皇帝の直属とした。また軍事面でも皇帝が直接支配し、中国史上最高の独裁体制を確立した。そしてこれをささえるため、24人の皇子を全国の要所において、皇帝を守る役割をさせた。

さらに魚鱗図冊（土地台帳）や賦役黄冊（戸籍台帳）をつくり、全国に里甲制を施行した。里甲制は農民110戸を基本（1

里）とし、それをさらに10戸ずつの甲に分け、甲ごとにおいた長には税の取り立てや治安の維持にあたらせた。

また、儒教の教えをもとに、6か条からなる六諭を定め、国民が守るべき道をしめした。

うたがい深い性格で、建国のためにつくした多くの家臣を処刑し、皇太子に先立たれたため、孫をあとつぎ（建文帝）に立てて、将来に不安をかかえたまま、亡くなった。

しゅし

朱子 → 朱熹

しゅぜんちゅう

王族・皇族

朱全忠　852～912年

唐をほろぼし、五代後梁を建国

中国、五代の後梁の初代皇帝（在位907～912年）。

太祖ともいう。宋州碭山（現在の安徽省碭山県）に生まれる。はじめは朱温という名だった。儒学を教えていた父が幼いころに亡くなったため貧しい環境に育つが、学問と武芸にはげんだ。877年、黄巣がおこした民衆反乱（黄巣の乱）の軍に参加して頭角をあらわし、部隊の大将にのし上がった。しかし、反乱軍が不利になってきたのをみこして、882年、寝返って唐にくだる。そこで全忠という名をもらい、地方軍司令官（節度使）に任命され、反乱軍を鎮圧して功績をあげた。

その後はしだいに国の実権をにぎるようになり、904年に唐の第22代皇帝の昭宗を殺し、その子の哀帝を即位させた。907年には哀帝も退位させて、みずから帝位につき、国号を梁とし汴州（河南省開封）を開封府東都、洛陽を西都とした。これにより唐はほろびた。その後も山西を支配していた李克用や李存勗との戦いがつづき、軍事的に劣勢となる中、後継者争いから実子の朱友珪に殺された。

学 世界の主な王朝と王・皇帝

シュタイナー，ルドルフ

教育

ルドルフ・シュタイナー　1861～1925年

シュタイナー教育を提唱・実践

オーストリア、ドイツで活躍した教育者、哲学者。

オーストリア帝国領だったクロアチア生まれ。ウィーン工科大学、ウィーン大学で学んだのち、1890年からワイマールで『ゲーテ自然科学著作集』全5巻の編さんにあたった。自然科学的思考と精神的直観の統合を研究し、1894年に『自由の哲学』を出版した。1902年以降、独自の世界観である人智学をとなえ、神智学協会ドイツ支部設立にあたり書記長に就任。生涯、人智学の活動をつづけ、著作の中で物質世界をこえた超感覚的世界に関する事がらを語った。教育分野においては1919年、シュツットガルトにバルドルフ煙草工場付属の社営学校として、最初のバルドルフ学校を設立、自発的にみずからを成長させながら、社会に寄与する人間の育成をめざした。その後、

自由バルドルフ学校（シュタイナー学校）は増加し、世界各地に設立されている。教育に関する著書では『精神科学の立場からみた子どもの教育』『教育の基礎としての一般人間学』が有名。

シュタイフ，マルガレーテ

産業　工芸

マルガレーテ・シュタイフ　1847～1909年

テディ・ベアで成功をおさめた起業家

ドイツのぬいぐるみメーカーの創業者。

ドイツ南部の町ギンゲンに生まれる。1歳のとき小児麻痺にかかり、両足と右手が不自由になった。1861年ごろ、洋裁学校にかよい、手芸の才能をみがき、1868年ごろ、2人の姉と自宅に洋裁店をひらく。1877年、フェルト製の衣類やテーブルクロスなどを製造販売する会社を設立した。1880年、小さなゾウのぬいぐるみをつくっておいやめいに贈ったのが評判となり、ぬいぐるみを求める人が殺到した。1902年、事業をてつだっていたおいのリヒャルトがかいたスケッチをもとに、手足が動くクマのぬいぐるみをつくり、翌年ライプツィヒの国際見本市で発表すると、アメリカ合衆国のおもちゃ会社から3000体の注文を受けた。その後、このクマのぬいぐるみは、アメリカで大統領セオドア・ローズベルト（愛称テディ）にちなんで「テディ・ベア」とよばれ、大ブームがまきおこった。1906年、社名をマルガレーテ・シュタイフ社にかえ、現在も製品は一つひとつ手づくりされている。

シュタイン，カール

政治

カール・シュタイン　1757～1831年

プロイセンの改革を主導した

ドイツの政治家。首相（在任1807～1808年）。

プロイセン（現在のドイツ）のナッサウに生まれる。ゲッティンゲン大学を卒業後、1780年、プロイセン政府の官僚となった。1807年、国王フリードリヒ・ウィルヘルム3世の側近政治を批判したため辞任。故郷に帰り『ナッサウ覚書』を書き、国民と政府が協力して近代国家を建設するという理念を打ちだした。同年、フランスのナポレオン1世の軍にやぶれ、多くの領土を失ったプロイセンは、国家再建のため、彼をよびよせ首相に起用。

プロイセン改革に着手し、農民解放、市民の自治、行政改革を進めたが、反フランスを画策しているとうたがわれ、罷免させられた。その後、ロシアにむかい、皇帝アレクサンドル1世の顧問となり、1813年、プロイセン・ロシア同盟を成立。ライプツィヒの戦い（諸国民戦争）で、ナポレオン軍をやぶった。1814年から1815年に開催されたウィーン会議でドイツ帝国の建設をはかったが、実現しなかった。その後、政界を去り、ドイツの中世史研究に没頭した。

シュタイン，ローレンツ・フォン

幕末

ローレンツ・フォン・シュタイン　1815〜1890年

大日本帝国憲法に影響をあたえた

ドイツの社会学者、法学者、経済学者。

1830年代、ドイツのキール大学で哲学、法学を学んだのち、パリで社会運動や社会思想について研究した。1842年、『現代フランスの社会主義と共産主義』を刊行して有名になる。1846年、キール大学教授、1855年、オーストリアのウィーン大学教授をつとめた。

1882（明治15）年、憲法をつくるための調査にドイツにわたった伊藤博文らに、君主の権利を国会より重んじる憲法を講義、指導した。伊藤たちはそれを学んで帰国後に草案をつくり、1889年、明治天皇により日本で最初の近代的な憲法である、大日本帝国憲法が発布された。大日本帝国憲法は天皇が国民にあたえる欽定憲法で、天皇に主権があり、天皇が軍隊の統治権をもつなど、近代的な国家のしくみの中に伝統的な天皇制度が組みこまれたものだった。

しゅとく（チュートー）

政治

朱徳　1886〜1976年

中華人民共和国の成立を軍からささえる

中華人民共和国（中国）の軍人、政治家。

四川省の貧しい農家に生まれる。1909年に雲南講武学堂に入学した。孫文の中国同盟会に加わり、1911年の辛亥革命に従軍し、また袁世凱の帝政に反対する反乱にも参加した。1922年にドイツに留学して中国共産党に入党し、1926年、革命運動への参加を理由に国外追放となり、帰国。その後、北方の軍閥をたおす北伐に参加し、南昌暴動をおこすが失敗した。毛沢東と軍を合流させて朱徳が軍長、毛沢東が政治委員となり各地を転戦し、朱毛軍とよばれた。1937年以降は日中戦争で軍を指導して日本軍と戦った。1949年、中華人民共和国成立後は人民解放軍総司令となり、その後、要職を歴任して、毛沢東や周恩来とともに新国家の国づくりに貢献した。

学 主な国・地域の大統領・首相一覧

シュトックハウゼン，カールハインツ

音楽

カールハインツ・シュトックハウゼン　1928〜2007年

電子音楽で新しい音楽をリードする

ドイツの作曲家、音楽理論家。

ケルン近郊の生まれ。ケルン大学卒業。1952年にパリ音楽院で作曲家のメシアンに音楽分析を、ダリウス・ミヨーに作曲を学んだ。ケルン放送局のスタジオで電子音楽の作曲にとりくみ、1955年、少年の声と電子音を組み合わせた音楽『少年の歌』により作曲家としてみとめられる。その後、楽器の生演奏とテープの音源とを組み合わせたライブ・エレクトロニック・ミュージックという手法による『ミクロフォニー』を発表、さらに文章での指示をみて演奏者が即興演奏する直観音楽を開拓するなど、新しい試みにより前衛音楽をリードした。

1977〜2003年、連作オペラ『光』を制作。この連作中の『ヘリコプター四重奏曲』は、弦楽四重奏のメンバーがヘリコプターに乗って演奏し、録音した音を演奏会場で再構成する。『光』には日本の国立劇場が依頼した雅楽器曲『歴年』の洋楽器版もふくまれている。

シュトラウス，ヨハン

音楽

ヨハン・シュトラウス（父）　1804〜1849年

ワルツを確立した「ワルツの父」

オーストリアの作曲家、指揮者、バイオリン奏者。

ウィーン生まれ。長男は「ワルツ王」ヨハン・シュトラウス（子）。幼いころに両親を亡くし、1816年より製本の見習い工としてはたらきながらバイオリンを習う。その後、教会つきの演奏家に採用されると、1825年には自分の楽団を設立し、音楽家としての道を歩みだす。軍楽隊長、宮廷舞踏会の指揮者などを歴任し、ヨーロッパ各地を演奏旅行して名声を得る。

作品は、舞踏会用の音楽が中心で、『ドナウ川の歌』『ローレライ、ラインの調べ』をはじめ、ワルツ、ポルカ、ギャロップなど数多い。なかでも、オーストリアの国家的英雄ラデツキー将軍

の勝利をたたえた『ラデツキー行進曲』は、毎年ウィーン・フィルハーモニー管弦楽団のニューイヤーコンサートで最後に演奏されることでも有名である。

オーストリアのウィーンで流行し各地に広まったウィンナ・ワルツを確立し、ヨーロッパに広めた功績から「ワルツの父」とよばれる。

シュトラウス，ヨハン

音楽

ヨハン・シュトラウス（子）　1825〜1899年

ウィンナ・ワルツを広めた「ワルツ王」

オーストリアの作曲家、指揮者、バイオリン奏者。

ウィーン生まれ。作曲家で「ワルツの父」とされるヨハン・シュトラウスの長男。大学で商業を学ぶが、父の反対をおして、ひそかに音楽家を志し、バイオリンと作曲の勉強をはじめる。1844年、19歳で楽団を結成し、ヨーロッパ各地やアメリカ合衆国で演奏する。1849年には、亡くなった父と自分の楽団を統合。1863年、宮廷舞踏会の指揮者となる。バイオリンをひきながら、弓をタクトがわりにふる「ひきふり」というスタイルが特徴。1867年、合唱つきワルツ『美しく青きドナウ』を発表し、好評を得る。その後、喜歌劇の作曲をはじめ、1874年に代表作『こうもり』を初演した。

主な作品に、ワルツ『ウィーンの森の物語』『皇帝円舞曲』『春の声』、ポルカ『トリッチ・トラッチ』、喜歌劇『ジプシー男爵』など。19世紀のウィーンから各地に広まった華麗なウィンナ・ワルツの普及につとめ、「ワルツ王」とよばれる。

シュトラウス，リヒャルト

音楽

リヒャルト・シュトラウス　1864〜1949年

ドイツ・ロマン派、最後の巨匠

ドイツの作曲家、指揮者。

ミュンヘン生まれ。ホルン奏者の父のもと、幼いころからピアノと作曲を学び、16歳で『交響曲ニ短調』を作曲する。1882年、音楽家を志し、大学に入学するが、わずか2学期で退学する。その後、名指揮者ビューローに作曲と指揮の才能を見いだされ、宮廷管弦楽団の副指揮者に、1919年にはウィーン国立歌劇場の指揮者につく。1933年に、ナチス政権下で音楽局総裁に任命されるが、政権と対立して辞職した。

はじめは古典派的な作風であったが、リストやワーグナーの音楽に影響を受けて、革新的な傾向の曲を書くようになる。オーケストラの楽器の編成にすぐれた才能を発揮し、交響詩やオペラに大作をのこす。代表作に、交響詩『ドン・ファン』『ツァラトゥストラはかく語りき』『英雄の生涯』、オペラ『サロメ』『ばらの騎士』、交響曲『アルプス交響曲』などがある。ドイツ・ロマン派最後の巨匠といわれる。

シュトルム，テオドル

文学

テオドル・シュトルム　1817〜1888年

年代記小説の名作をのこした

ドイツの作家、詩人。

北ドイツの港町フーズムで弁護士の家に生まれる。キール、ベルリンの両大学で法律を学び、26歳で弁護士になる。のちに判事となり62歳までつとめた。同時に小説や叙情詩の創作をつづけ、約60の短・中編小説と450の詩を書いた。

小説の代表作に、老人が若き日の恋を回想する『みずうみ』や、母を亡くした少女とまま母が理解し合う姿をえがいた『三色すみれ』などがある。作風ははじめ、繊細な感性と情緒豊かなロマン主義の傾向がみられたが、後期は写実主義の性格が強まった。また『グリースフース年代記』など、文書をもとに過去の人間の情熱や悲劇を再現する年代記小説の名作を多く書きのこした。

シュトレーゼマン，グスタフ

政治

グスタフ・シュトレーゼマン　1878〜1929年

第一次世界大戦後の国際協調を進めた

ドイツ共和国の政治家。首相（在任1923年）。

ベルリンに生まれる。1907年、28歳で国会議員となった。第一次世界大戦中は領土を拡大する政策をとなえたが、敗戦後は他国との協調を主張した。1923年、ドイツ人民党の党首として首相となり社会民主党・中央党との大連合内閣をつくった。このとき国内の経済はインフレーション下にあったが、通貨の安定に成功した。フランスのルール占領に対する闘争も解決したが、それが非難をあび首相を辞任。以後6年間は外務大臣として西欧諸国との和解につとめ、ドイツの国際的地位を向上させた。1925年、西ヨーロッパの集団的安全保障を実現したロカルノ条約をむすび、国際連盟への加入をはたした。その功績がみとめられ1926年、フランス首相ブリアンとともにノーベル平和賞を受賞。学 ノーベル賞受賞者一覧　学 主な国・地域の大統領・首相一覧

シュバイツァー，アルバート

医学

アルバート・シュバイツァー　1875〜1965年

アフリカの医療に人生をささげた「密林の聖者」

フランスの医師、神学者、哲学者、オルガン奏者。

ドイツのカイザースベルク（現在のフランス、アルザス地方のケ

ゼルスベール）で牧師の子として生まれる。8歳のころから父の教会でパイプオルガンを習いはじめ、16歳のときにオルガン奏者となった。

▲アルバート・シュバイツァー

1893年にシュトラスブルク大学（現在のフランスのストラスブール大学）に入学、神学と哲学を学び、1899年には『カントの宗教哲学』を出版し、哲学博士号を得た。その後、教会の副牧師となり、そのかたわら、音楽家のバッハの研究やパイプオルガンの演奏にも熱中した。

1904年、フランス領赤道アフリカ（ガボン共和国）で医療が必要とされていることを知り、アフリカの人々の医療に奉仕することを決意し、翌年、医学生となる。在学中に、医学の勉強のかたわら、『バッハ』『イエス伝研究史』『ドイツとフランスのオルガン製作と奏法』などを出版、バッハ研究者、神学者・哲学者としても知られるようになった。

1912年に医学博士となり、翌年、38歳のとき、看護師の妻ヘレーネとともにフランス領赤道アフリカの中西部の都市ランバレネにわたり、ここに病院を建てて医療活動を開始する。第一次世界大戦がはじまると、ドイツ国籍だったためとらえられてフランスの収容所に送られた。戦争が終わると、講演や文筆活動、パイプオルガンの演奏などをして資金を集め、1924年、ふたたびランバレネに行き病院の建て直しにとりかかった。第二次世界大戦中も、ランバレネにとどまって医療活動をつづけた。

戦後は核兵器の廃絶をうったえ、生命をもつあらゆるものをうやまい、たいせつにしようという生命への畏敬をもとに、医療活動や平和運動をつづけた。1952年、ノーベル平和賞を受賞。その講演会で世界平和をよびかけ、原子爆弾による世界危機に対し、人類が理性をもって対処するよううったえた。

1965年、90歳で亡くなるまでランバレネの病院ではたらき、「密林の聖者」とよばれた。著書はほかに『水と原生林のはざまで』『わが生活と思想より』などがある。

▲ランバレネのシュバイツァー病院

学 ノーベル賞受賞者一覧

シュピリ，ヨハンナ

絵本・児童

ヨハンナ・シュピリ　1827～1901年

アルプスを舞台にした童話で世界に知られる

スイスの児童文学作家。

姓は「スピリ」とも書く。チューリッヒ州の山村ヒルツェル生まれ。医師の父と詩人の母のもとに育ち、結婚して、大都会チューリヒに住む。1871年に発表した『フローニーの墓の上の一葉』で作家としてみとめられた。

1881年にだした『アルプスの少女ハイジ』により人気作家となる。美しいアルプスの自然のもと、祖父やペーター少年、ヤギたちとくらす少女ハイジが、もちまえの素直で明るい性格により、周囲を幸福にしていく物語は、世界中で愛され、何度も映画化されている。日本では高畑勲、宮﨑駿らによりアニメ化され、主題歌とともに大人気となった。

「スイスのアンデルセン」ともよばれ、作品集『子供と子供を愛する人々のための物語』16巻がある。故郷ヒルツェルにはヨハンナ・シュピリ・ミュージアムがある。

シュミット，ヘルムート

政治

ヘルムート・シュミット　1918～2015年

サミットを創設し、ヨーロッパ統合に尽力した「鉄の宰相」

西ドイツの政治家。連邦政府首相（在任1974～1982年）。

ハンブルク生まれ。第二次世界大戦に将校として従軍。復員後、ハンブルク大学で経済学を学び、1949年卒業。学生時代、社会民主党に入党し、政治的な活動をおこなう。その後、ハンブルク市政府の要職や国会議員をつとめる。

1968年には社会民主党副党首に就任。1969年からブラント政権で国防大臣として国防軍の改革を指導した。1972年以降は大蔵大臣などを歴任し、1974年、首相に就任。翌年、フランスのジスカール・デスタン大統領とともに主要国首脳会議（サミット）を組織。

東西ドイツ間の対話を進め、テロにも毅然とした態度をしめすなど、強い指導力で「鉄の宰相」とよばれる。首相退任後も著作や講演などで国際的に活躍した。

学 主な国・地域の大統領・首相一覧

しゅようき（チューロンチー）

政治

朱鎔基　1928年～

「経済のわかる指導者」と評された中国の首相

中華人民共和国（中国）の政治家。首相（在任1998～2003年）。

湖南省生まれ。清華大学在学中、共産党入党、卒業後は地方政府ではたらき、その後、中央政府に移った。1957年、政府方針を批判したために反政府思想者とみなされ、党を除籍処分となった。

のちに党に復帰して、1987年、上海市の幹部となり、翌年には市長に就任した。上海経済を立て直した手腕を鄧小平にみとめられ、1991年、副総理にえらばれた。翌年には政治局常務委員に昇進、1998年、国務院総理（首相）に就任した。「経済のわかる指導者」と評され、2001年、中国の世界貿易機関（WTO）加盟を実現させるなど、中国経済を牽引した。2002年に党幹部を辞任、翌年、首相を退任した。

学 主な国・地域の大統領・首相一覧

シュリーマン，ハインリヒ

学問

ハインリヒ・シュリーマン　1822〜1890年

伝説のトロイ遺跡を発掘

▲ハインリヒ・シュリーマン

ドイツの考古学者、実業家。

プロイセンのメクレンブルク・シュベリン州（現在のドイツのメクレンブルク・フォアポンメルン州）の牧師の子として生まれる。少年時代に古代ギリシャの詩人ホメロスの『イリアス』を読みふけり、そこに登場するトロイの都市（当時は伝説だと思われていた）が実在すると信じ、いつか発掘しようと決意した。

商業学校卒業後、オランダのアムステルダムで商社の使いはしりをしながらさまざまな言語をおぼえ、1844年、シュレーダー兄弟商会にやとわれて海外との通信係となった。1846年、代理人としてロシアのサンクトペテルブルクに派遣されると、インドとのアイの貿易などで成功。のちに独立して商社をおこし、巨万の富をたくわえた。

1863年に事業から身をひき、翌年には世界周航の旅に立ち、1865年には幕末の日本をおとずれた。世界旅行からもどると、古代ギリシャの研究をはじめ、1868年にギリシャやアナトリア（トルコ）をおとずれて発掘の準備をはじめた。そして1871年、アナトリア北西部のヒッサリクの丘で発掘を開始。

1873年までおこなった第1回目の発掘で、巨大な城壁や、王宮への石畳、王冠などの金細工をふくむ多くの財宝などを発見し、古代ギリシャの伝説が真実であることを実証して世界中に衝撃をあたえた。

▲シュリーマンが発掘したイリオス遺跡

あわせてギリシャ本土のミケーネ、オルコメノス、ティリンスなどを発掘し、ミケーネの円形墓地をはじめ、城壁や宮殿、壁画、陶器、財宝などを発見し、古代ギリシャの伝説とされたホメロスの世界が実在することを証明した。

発掘の方法は粗雑で、年代決定などに誤りもあったが、考古学研究に新時代をひらいた。1890年12月26日、68歳のとき、イタリアのナポリで急死した。主な著書に『古代への情熱』がある。

シュルツ，チャールズ・モンロー

漫画・アニメ

チャールズ・モンロー・シュルツ　1922〜2000年

スヌーピーの生みの親

アメリカ合衆国の漫画家。

ミネソタ州に生まれる。理髪店をいとなむ父が、日曜になると新聞の漫画ページを読み聞かせてくれて、幼いころから漫画家になりたいと思う。絵をかくのがじょうずで、両親の応援があり、アートスクールの通信講座で学んだ。

こども時代ははずかしがり屋だったが、第二次世界大戦がはじまり、軍隊での生活をして自分に自信がつく。除隊後、母校で教師をしながら漫画の腕をみがき、新聞や雑誌に投稿しつづけた。やがて地元紙で採用され、1950年にはニューヨークの新聞社と5年契約をむすぶ。4こま漫画の『ピーナッツ』というタイトルは、このときに誕生した。

ビーグル犬スヌーピーと飼い主のチャーリー・ブラウンを主人公に、こどもの世界をえがいている。そのほかのキャラクターも個性的で、老若男女を問わず世界中にファンが多い。日本では詩人、谷川俊太郎が翻訳をしたことでも知られる。

シュレーダー，ゲルハルト

政治

ゲルハルト・シュレーダー　1944年〜

原発の段階的廃止、経済改革を進めたドイツの政治家

ドイツの政治家。首相（在任1998〜2005年）。

モッセンベルク生まれ。父親を第二次世界大戦で亡くし、工場などではたらきながら勉強をつづけ、ゲッティンゲン大学を卒業、弁護士となる。大学入学以前の1963年から入党していた西ドイツの社会民主党では青年部の議長をつとめ、1980年から連邦議会議員、1986年からはニーダーザクセン州議会議員となる。1990年にニーダーザクセン州首相に就任して支持を広げた。1998年、連邦議会選挙でコール政権をやぶり、16年ぶりに政権交代をはたし、連邦共和国首相に就任、2002年に再選された。エコロジーに適合した社会をめざしている緑の党と連立政権をつくり、原子力発電

所の段階的廃止や、移民を受け入れるための移民法の導入などを実現した。国際的には、フランスとともにヨーロッパ連合（EU）を主導した。経済面では、雇用制度と社会保障の削減の改革をおこなうが、短期的には失業率が上昇、社会保障の削減も不評で、2005年の総選挙で敗北、政界を引退した。

学 主な国・地域の大統領・首相一覧

シュレーディンガー，エルウィン

学問　発明・発見

エルウィン・シュレーディンガー　1887～1961年

量子力学の確立に貢献した物理学者

オーストリアの物理学者。

ウィーン生まれ。1906年、ウィーン大学に入学し物理学を学ぶ。第一次世界大戦に従軍、戦後に物理学助手や准教授をへて、1921年にチューリッヒ大学教授となる。1925年から翌年にかけて、物質波の概念をもとに波動方程式（シュレーディンガー方程式）をみちびきだし、量子力学の確立に貢献した。その後ベルリン大学で教授となるが、1933年、ヒトラーがドイツの政権をとると大学を辞職し、イギリスのオックスフォード大学のフェローとなった。同年には、シュレーディンガー方程式を完全なものにしたディラックとともに、ノーベル物理学賞を受賞した。1934年にアメリカ合衆国のプリンストン大学、さらにオーストリアのグラーツ大学に移る。1935年に提唱した思考実験「シュレーディンガーのネコ」によっても名を知られている。

学 ノーベル賞受賞者一覧

しゅん

架空

舜　生没年不詳

理想の聖王

古代中国の伝説上の帝王。

姓は虞（有虞）、名は重華。聖人たちにおさめられていたとされる伝説上の三皇五帝時代の、五帝の一人。母が亡くなったあと、盲目の父が再婚し、異母弟が生まれる。父と義母、異母弟からうとまれ殺されそうになったが、たえて孝行した。その評判によって30歳のときに推薦され、帝であった尭に会い、尭の2人の娘を妻とした。尭に信任され、50歳で摂政となる。その後、尭は舜に帝になるようにいいのこして亡くなったが、舜は尭の子に位をゆずった。しかし民が舜をしたったため、帝位につく。その39年後、巡狩の途中で亡くなった。舜の時代の朝廷には賢人が満ちてすばらしい政治がおこなわれたとされ、のちの中国の帝王たちの模範とされた。

しゅんおくみょうは

宗教

春屋妙葩　1311～1388年

足利義満の信任を受け、全国の禅寺を統括した

鎌倉時代～南北朝時代の臨済宗の僧。

甲斐国（現在の山梨県）に生まれる。夢窓疎石のおいにあたり、17歳のとき夢窓について出家した。鎌倉や京都にいる、中国の元から来た僧らの下で学び、夢窓の法をついだ。1357年、等持寺（京都市）の住持（住職）になり、翌年、天龍寺（京都市）焼失後は、その復興に力をつくす。しかし、1369年に将軍を補佐する管領であった細川頼之と意見が対立。2年後には北部の丹後国（京都府北部）に移った。1379年、頼之の失脚により京都にもどると南禅寺（京都市）の住持になり、僧録という役にはじめて任命されて全国の禅寺、禅僧を統括した。その後、東福寺（京都市）、宝幢寺（京都市）などの住持をつとめた。第3代将軍足利義満とともに相国寺（京都市）を創建したが、初代の住持にはすでに亡くなっていた夢窓を推薦し、みずからは2世住持となった。義満の信仰は深く、相国寺は宗教界、政界に大きな影響力をもった。

（春屋妙葩［智覚普明国師］画像／東京大学史料編纂所所蔵模写）

後円融天皇から智覚普明国師の号をあたえられている。著書に『智覚普明国師語録』『雲門一曲』などがある。

しゅんかん

貴族・武将

俊寛　1143?～1179?年

鹿ヶ谷の陰謀で、鬼界ヶ島に流される

▲すわっている僧のうち一人が俊寛といわれる

（『平家物語絵巻　鹿ケ谷事件』／林原美術館蔵）

平安時代後期の僧。

12世紀なかばに少僧都（僧の位で3番目）となり、その後、後白河法皇（譲位後、出家した後白河天皇）にみとめられ、法勝寺（かつて京都市にあった寺）の執行（寺の宗務をまとめる役）となった。1170年ごろ、後白河法皇の近臣として権勢をふるったが、そのころ急激に勢力を広げてきた平氏を警戒して、対立するようになった。1177年、京都東山の鹿ヶ谷（京都市）に建てた俊寛の山荘で、同じく法皇の近臣の西光、藤原成親らと、平氏打倒の陰謀をくわだてたが、密告にあって失敗し、平氏にとらえられた。藤原成経、平康頼とともに、薩摩国鬼界ヶ島（現在の鹿児島県喜界島、または硫黄島）に流罪となった。成経と康頼は、翌年罪をゆるされて都にもどるが、事件の中心人物だった俊寛はゆるされず、無念のうちに亡くなった。この事件については、鎌倉時代の軍記物語『平家物語』にくわしくえがかれ、能や浄瑠璃、歌舞伎などにとり入れられた。世阿弥作とされる能の『俊寛』は、都へ船出する2人と鬼界ヶ島にのこされた俊寛の悲劇をえがいている。

じゅんし

思想・哲学

荀子　紀元前298ごろ～紀元前235年ごろ

性悪説をとなえ、礼を学ぶたいせつさを説いた思想家

中国、戦国時代末期の思想家。

趙（現在の河北省）生まれ。況が名で、荀子は尊称。50歳で斉に遊学し、学者たちの尊敬を受け、祭酒（学長職）に任ぜられた。しかし、中傷により斉を去り、楚に移り、蘭陵の知事となった。知事の任をとかれたのちも、その地にとどまり、生涯を終えた。荀子は孔子、孟子の系列をくむ儒家であるが、孟子の性善説に対して性悪説をとなえ、人間の本性は悪であるので、それを正すために礼を学ぶことが必要であると説いた。同時に、身分に関係なく、礼儀にはげむ人はだれでも聖人になることができるとし、努力を高く評価した。一方、国の平和をたもつためには、礼をもった君主が統治することが必要であるとした。その言行録が『荀子』で、門下から韓非や李斯が出た。

しゅんじょう

宗教

俊芿　1166～1227年

戒律を重んじ、尊敬を集めた

▲月輪大師　俊芿　肖像

（泉涌寺）

鎌倉時代前期の律宗の僧。

月輪大師ともいう。肥後国（現在の熊本県）生まれ。1183年、18歳で出家し、翌年、大宰府観世音寺（福岡県太宰府市）で受戒したが、さらに戒律を学ぶため、1199年、中国の宋にわたり、座禅を重んじる禅や戒律、天台宗の学問を学び、1211年に300巻以上の書籍や仏画をたずさえて帰国した。俊芿は、中国の仏教の宗派で戒律を中心に受戒を重んじる律宗を復興させるため、北京律とよばれる戒律を伝えた。1218年、俊芿を尊敬した貴族に仙遊寺（京都市）を寄進され、のちに泉涌寺とあらためた。後鳥羽上皇（譲位した後鳥羽天皇）をはじめ、天皇、貴族、武家の北条義時らに尊敬され、喜捨（金銭や物品をさしだすこと）を受けた。その後、堂塔を整備して1224年に天皇や上皇が祈願する御願寺となり、律宗、禅宗、天台宗、浄土宗の道場として栄えた。西大寺（奈良市）の叡尊も戒律の講義を受けた一人だった。

じゅんちてい

王族・皇族

順治帝　1638～1661年

北京に清王朝を確立

中国、清の第3代皇帝（在位1643～1661年）。

世祖ともいう。名はアイシンギョロ・フリン（愛新覚羅福臨）第2代皇帝ホンタイジの第9子として生まれる。5歳で即位すると、おじのドルゴンが摂政となった。そのころ明が、李自成ひきいる農民反乱軍に首都北京を攻められ、ほろぼされた。ドルゴンの指揮の下、清軍は、明から寝返った呉三桂を先頭に北京にむかい、李自成の軍を追いはらい、無血入城をはたす。その後も農民反乱を平定し、明の残存勢力を討ち、清による中国支配を開始した。

1650年、ドルゴンが亡くなると、親政をはじめる。漢人を官僚に登用し、国政の中心に儒教をすえ、中国の支配方式をとり入れる一方、満州族の慣習であった弁髪（頭髪をそり上げ、一部の髪を長くのばし編んだ髪型）を漢人に強制するなど、強い意志でのぞんだ。

1661年、天然痘にかかり、22歳の若さで亡くなった。

学 世界の主な王朝と王・皇帝

じゅんとくてんのう

王族・皇族

順徳天皇　1197～1242年

父がおこした承久の乱に協力

（宮内庁三の丸尚蔵館）

鎌倉時代前期の第84代天皇（在位1210～1221年）。

後鳥羽天皇の子で、土御門天皇の異母弟にあたる。即位する前は守成親王とよばれた。

1200年、4歳で土御門天皇の皇太弟（天皇のあとつぎの弟）となり、1210年、父後鳥羽上皇（譲位した後鳥羽天皇）が16歳の土御門天皇を退位させると、才気のある14歳の守成親王が即位した。しかし、上皇が院政をおこなった。1219年、後鳥羽上皇と信頼関係をむすんでいた鎌倉幕府第3代将軍源実朝が暗殺されると幕府との関係が悪化、上皇は幕府を討つ計画を進め、順徳天皇も熱心に加わった。1221（承久3）年、皇子で4歳の懐成親王（のちの仲恭天皇）に譲位し、後鳥羽上皇とともに承久の乱をおこしたが、やぶれて佐渡（現在の新潟県佐渡島）に流罪となった。実際の政治をみなかったが、有職故実（朝廷の儀式、官職、法令、装束などに関する知識）をまとめた『禁秘抄』を著し、鎌倉幕府に対し朝廷の権威を高めようとした。和歌の才能にもすぐれ、『順徳院御百首』などがのこされている。

学 天皇系図　学 人名別 小倉百人一首

じゅんなてんのう

王族・皇族

淳和天皇　786〜840年

詩文にすぐれ、『経国集』をまとめた

平安時代前期の第53代天皇（在位823〜833年）。桓武天皇の子。母は奈良時代の貴族藤原百川の娘。即位する前は大伴親王とよばれた。810年、薬子の変で、平城天皇の子高岳親王が皇太子をやめさせられ、異母兄、嵯峨天皇の皇太弟（天皇のあとつぎの弟）に立つ。823年に即位し、嵯峨天皇の子の正良親王（のちの仁明天皇）を皇太子に立てた。833年に譲位し、子の恒貞親王を仁明天皇の皇太子として、皇位継承が期待された。しかし、842（承和9）年、嵯峨上皇の死の直後、恒貞親王の側近だった伴健岑と橘逸勢が恒貞親王をいただいて謀反をくわだてるという事件（承和の変）がおこり、恒貞親王は皇太子をやめさせられた。この事件は身内の皇子を天皇のあとつぎにしようという藤原氏の陰謀といわれる。

詩文にたくみで、827年、漢詩文集『経国集』をまとめさせた。また、833年、清原夏野らに奈良時代につくられた養老令の解釈を統一する注釈書『令義解』をまとめさせ、乱れてきた律令政治を立て直そうとした。

学 天皇系図

じゅんにんてんのう

王族・皇族

淳仁天皇　733〜765年

道鏡をしりぞけようとするが淡路に流される

▲天皇陵の淡路陵　（宮内庁書陵部）

奈良時代の第47代天皇（在位758〜764年）。天武天皇の孫の舎人親王の子。即位する前は大炊王とよばれた。757年、朝廷の実力者藤原仲麻呂のうしろだてにより皇太子となった。758年、孝謙天皇に位をゆずられて即位したあと、藤原仲麻呂に恵美押勝の名や、数々の特権をあたえるなど重く用いた。しかし、762年、僧の道鏡を信任する孝謙上皇（譲位した天皇）と不和になり、上皇に国家の重要なことをおこなう政治の権限をうばわれた。764年、道鏡をしりぞけようとして藤原仲麻呂が反乱をおこして討たれたのち、皇位をやめさせられて淡路国（現在の兵庫県淡路島）に流され、同地で亡くなった。淡路廃帝ともいわれる。

学 天皇系図

ジョアンにせい

王族・皇族

ジョアン2世　1455〜1495年

ポルトガルの海外進出を進めた

ポルトガル、アビス朝の第4代国王（在位1481〜1495年）。第3代アフォンソ5世の子。父王の晩年には摂政をつとめる。即位後は貴族の勢力を徹底的に弾圧して、中央集権を強化した。エンリケ航海王子の海外進出政策をひきつぎ、1482年には西アフリカのミナに商館を設置して、奴隷と金の貿易を定着させて収益をあげた。

インドへの新しい航路の開拓につとめ、ディアスの南アフリカ最南端・喜望峰到達など探検航海を援助した。コロンブスの航海事業に協力しなかったため、大西洋開拓ではカスティリャ・アラゴン連合王国（スペイン王国）におくれをとったが、1494年にスペインとトルデシリャス条約をむすび、両国のあいだで新領土の取得範囲を決める、世界分割をおこなった。「無欠王」と称される。

ジョイス，ジェイムズ

文学

ジェイムズ・ジョイス　1882〜1941年

20世紀の最高傑作『ユリシーズ』の作者

イギリス（アイルランド）の作家、詩人。

イギリス統治下のダブリン（現在のアイルランド）生まれ。イエズス会の学校で教育を受けていたが、聖職者になるより文学者になる道をえらんだ。1904年、小学校の教師に採用され、その後、さまざまな職業について、フランスやイタリアの各地を転々とした。

1914年、自伝的な長編小説『若い芸術家の肖像』を雑誌に連載しはじめ、その8年後にはホメロスの『オデュッセア』をベースにした『ユリシーズ』を出版する。

登場人物の心のつぶやきをそのままとり入れる、心理学上の意識の流れや内的独白といった方法で書かれ、表現の幅を広げた作品として評価された。『ユリシーズ』はフランスの作家プルーストの『失われた時を求めて』とともに、20世紀の小説の最高傑作といわれる。1939年には、ある男の一夜の眠りをテーマにした後期の大作『フィネガンズ・ウェイク』を発表した。ほかの作品に、詩集『室内楽』、戯曲『亡命者たち』、短編集『ダブリン市民』などがある。

しょうおう

思想・哲学

商鞅　紀元前395ごろ〜紀元前338年

大胆な改革をおこない、秦の強大化に貢献

中国、戦国時代の秦の政治家、思想家。

衛（現在の河南省）の王族の家に生まれる。衛鞅ともいう。魏の宰相につかえ、その後、秦の君主、孝公につかえる。そこで2度にわたり「商鞅の変法」とよばれる大胆な国政改革をおこなった。

目的は、法の強制によって、貴族の特権をうばい、君主が直接、民を支配する中央集権制度をつくり、富国強兵政策を進めることだった。改革は成功し、新興国の秦は強大な国となる。この功績により、商の領地があたえられ、商鞅と称した。しかし、貴族からは強い反発を受け、孝公の死後、謀反の罪に問われ、処刑された。商鞅による新しい法の精神は、法治主義を主張する法家思想の源となり、始皇帝による秦の全国統一の基礎になったともいわれる。

しょうかいせき（チャンチエシー）

政治

蔣介石　1887〜1975年

中華民国を樹立

中国、清末期〜中華民国の軍人、政治家。

浙江省出身。1907年、保定軍官学校を卒業後、日本に留学。日本で孫文が結成した中国同盟会に入った。1911年に辛亥革命がおこると帰国し、軍事面で活躍した。その後、黄埔軍官学校初代校長となり、その学校出身の学生を中心に国民革命軍を結成した。国民革命軍は北方の軍閥を排除する北伐を開始。その途中の1927年、中国共産党の勢力をおそれて上海クーデターをおこし共産党を排除、労働者や市民を虐殺した。以降、共産主義に反対し、南京に国民政府を立て、主席として独裁的地位を強めた。

満州事変後も親日路線をとっていたが、西安事件で張学良にとらわれ、国民党と共産党の内紛の停止を条件に釈放され、日中戦争では共同して戦った。第二次世界大戦後は中国共産党とふたたび決別し内戦をはじめる。1948年、アメリカ合衆国の支援を受け、正式に中華民国総統となったが、翌年共産党軍にやぶれ、政府とともに台湾に亡命。台湾でも中華民国総統として君臨し、1975年に亡くなった。

学 主な国・地域の大統領・首相一覧

しょうけいこく（チャンチンクオ）

政治

蔣経国　1910〜1988年

台湾民主化の土台をつくり、経済面でも功績をのこした

台湾の政治家。総統（在任1978〜1988年）。

中国の浙江省生まれ。蔣介石の長男。モスクワの大学に留学し、1937年に抗日運動中の中国に帰国して、地方行政などにたずさわった。

第二次世界大戦後、共産党と国民党の内戦で国民党がやぶれると、父、蔣介石とともに台湾に撤退した。台湾では、警察機構の編成などをまかされ、国民党幹部となり、強権的な政治をおこなう。蔣介石の後継者として、1972年、首相に就任、蔣介石死去の翌年1976年に国民党主席、1978年には総統に就任した。1984年、総統に再任されたが、任期中に死去した。

当初の恐怖政治からしだいに民主的な統治へと移行し、権力の世襲も廃止、台湾民主化の土台をつくった。高速道路や港湾、工場の建設など、経済発展の面でも功績をのこした。

学 主な国・地域の大統領・首相一覧

じょうげん

思想・哲学　学問

鄭玄　127〜200年

古文学を確立し、「経書」を集大成した儒学者

中国、後漢の訓詁学者、儒学者。

高密（現在の山東省）生まれ。「ていげん」ともいう。幼少から学問を好み、役人の仕事をやめて、洛陽や長安に学ぶ。そこで、今文（漢の時代の隷書で書かれた文）と古文（戦国時代の篆書で書かれた文）の両派の経書（儒教の経典）を広く学び、同時代の学者馬融にも師事し、40歳をすぎて帰郷した。しかし、官僚や文人が弾圧された「党錮の禁」にあい、10年あまり束縛を受けた。その後、経書を理解するために注釈を加える学問、訓詁学に専念する。鄭玄は、今文と古文のさまざまな説を統合して、古文をもとに、儒学の体系化につとめた。その業績は後世でも高く評価され、清朝の漢学（考証学）に貢献した。代表的著書に『三礼注』がある。

しょうじゅいん

郷土

松寿院　1797〜1865年

種子島の生活の向上につとめた女性領主

江戸時代後期の大名の娘・女性領主。

薩摩国薩摩藩（現在の鹿児島県と宮崎県の一部）藩主、島津斉宣の娘として生まれた。本名はお隣といった。1811年、15歳で薩摩藩の家臣で、種子島の領主、種子島久道と結婚したが、33歳のとき久道が亡くなったため、夫にかわって領主となり、種子島をおさめた。

島内で不足しがちな塩を生産するため、大浦川沿い（鹿児島県南種子町）に塩田の開発を計画し、1857年、私財を投じて工事をはじめた。塩田が完成すると、家臣を薩摩藩に派遣して、製塩法を学ばせた。大浦川の改修工事をして、流域に水田をひらき、西之表港（鹿児島県西之表市）に防波堤を築き、港を整備するなど島民の生活の向上につとめた。

しょうしんおう

王族・皇族

尚真王　1465〜1526年

琉球王国の王権を強化した

琉球王国、第二尚氏の第3代国王（在位1477〜1527年）。

琉球王国（現在の沖縄県）の第2尚氏をひらいた尚円の子。

1477年、13歳で即位した。

(鎌倉芳太郎資料 / 沖縄県立芸術大学附属図書館・芸術資料館)

1479年、中国の明の皇帝から臣下として称号をあたえられ君臣関係をむすぶという、冊封を受けた。明との朝貢貿易では、シャム(タイ)、マラッカ(マレー半島南西部の港湾都市)、アンナン(ベトナム)などと交易して得た蘇木(赤色の染料、漢方薬、スオウ)やコショウを献上して、ばく大な富をたくわえた。財政を安定させた尚真は、王を中心とする中央集権体制をかためるため、琉球各地に勢力をもっていた按司(地方領主)を首里に移住させ、その領地に代官を派遣しておさめさせたり、勢力のあった神女たちの組織を統制し、支配下においたりした。

また首里城を改築し、王家の墓を造営するなど、尚真王の時代は琉球王国の政治、経済、文化が発展した黄金時代だった。

しょうたいおう

王族・皇族

尚泰王 1843〜1901年

琉球王国の最後の国王

琉球王国第2尚氏、第19代国王(在位1848〜1872年)。

琉球王国(現在の沖縄県)の第18代国王である尚育の次男として生まれるが、長男が早くに亡くなったため、1847年にわずか4歳で第19代国王となる。

在位中は明治維新の激動期にあたり、経済状態が悪化するなど、多くの困難がまちうけていた。当時、琉球王国は、中国の清にも日本にも帰属していたため、ペリー来航時には、日本とは別に琉球もアメリカ合衆国と条約をむすんだ。1871(明治4)年、明治新政府による廃藩置県で、琉球王国は鹿児島県の管轄となり、いわゆる琉球処分がはじまる。翌年には、琉球王国は琉球藩とされ、尚泰は琉球藩王に任命された。1879年には沖縄県が設置され、琉球処分官が軍隊とともに首里城にやってきた際には、臣下の命を優先させ、城の明けわたしに応じた。これにともない、琉球王国の長い歴史は終わり、王国制度は解体された。その後、尚泰は侯爵となり、東京に移住させられるが、1884年に帰郷がゆるされた。

じょうちょう

彫刻

定朝 ?〜1057年

定朝様とよばれる、仏像の様式をつくった仏師

▲阿弥陀如来像 (© 平等院)

平安時代中期の仏師(仏像彫刻にたずさわる技術者)。

日本彫刻でも指折りの仏像彫刻にたずさわる技術者。同じく仏師の康尚の子、もしくは弟子といわれている。1020年、康尚とともに、藤原道長の建立した無量寿院(のちの法成寺)阿弥陀堂の9体の阿弥陀像の制作に参加し、金堂や五大堂、薬師堂などの仏像も制作した。その功績により、1022年、仏師としてははじめて、僧侶の位の一つである法橋位をさずかる。その後も天皇などのために多くの仏像をつくり、1026年には道長の娘で中宮(皇后と同じ身分)の威子の安産祈願のために、弟子の小仏師たちをひきいて27体の仏像をつくった。興福寺でも仏像の修理や制作にたずさわり、それによって1048年には法眼位に進み、仏師の社会的地位を高めた。

1053年、藤原頼通が建立した平等院鳳凰堂の本尊、阿弥陀如来像をつくる。この像は、確実に定朝の作品であるとしてのこっている唯一の作品で、最高傑作ともいわれている。おだやかで円満な顔や優美な姿形が平安貴族の心にかない、浄土信仰にふさわしい仏像とたたえられた。1054年ごろつくられた京都西院邦恒堂の阿弥陀如来像は、仏像づくりの模範であるとして、各部の寸法をくわしくはかった記録などものこされている。

定朝は、自然な姿や、丸みをおびた顔と優しげな表情など、日本らしさをもつ和様という様式を完成させた。以後、定朝様ともよばれて、その後の仏像彫刻の手本となった。また、それまでの1本の木材からほりだす一木造というつくり方ではなく、寄木造という技法も完成させた。仏像を、頭部、胸部などの部分に分け、それらを数個の木材から分業でつくって組み合わせていく方法で、一木造とくらべると、速く、大量に生産でき、大きな仏像もつくることができた。鎌倉時代に運慶、快慶らによってつくられた東大寺南大門の巨大な仁王像(金剛力士像)も、寄木造の技法でつくられている。

しょうとくたいし

聖徳太子 → 196ページ

しょうとくてんのう

称徳天皇 → 孝謙天皇

しょうねいおう

王族・皇族

尚寧王 1564〜1620年

薩摩藩に征服された琉球国王

（鎌倉芳太郎資料 / 沖縄県立芸術大学附属図書館・芸術図書館）

琉球王国、第2尚氏の第7代国王（在位1589〜1620年）。

1589年、琉球国王に即位した。琉球王国は大国である中国の明に対して朝貢して君臣関係をむすび、朝貢貿易をおこなってきた。尚寧王も1599年、1600年に使者を派遣して朝貢貿易をおこなった。1604年、尚寧王は薩摩藩（鹿児島県）から貢ぎ物を献じてくるように要求されたが使者を送るのみだった。

これに対し、1606年、薩摩藩は江戸幕府の大御所（引退した将軍）徳川家康から琉球出兵の許可を得て準備を進め、1609年、藩主島津家久は琉球を征服するために出兵した。薩摩の軍事力に圧倒された尚寧王は首里城（沖縄県那覇市）で降伏した。

1610年、尚寧王は島津家久にともなわれ、琉球国王としてはじめて国外へ出て、駿府（静岡市）で家康に謁見し、江戸（東京）で第2代将軍徳川秀忠に謁見し、琉球にもどった。その後、琉球は、明と貿易をしながら、実際は薩摩藩に従属することになった。

しょうのえいじ

絵本・児童

庄野英二 1915〜1993年

『星の牧場』で知られる

昭和時代〜平成時代の児童文学作家、随筆家。

山口県生まれ。父の貞一は帝塚山学院の創設者。弟の庄野潤三は芥川賞作家。関西学院大学文学部卒業。帝塚山学院につとめながら坪田譲治に師事し、1955（昭和30）年に童話集『こどものデッキ』でデビューした。

1963年、戦争で記憶を失いながらも死んだ愛馬の面影を追う主人公をえがいた『星の牧場』を出版。人間愛にあふれるこの作品が代表作となり、日本児童文学者協会賞など数々の賞を受賞した。ほかに童話集『雲の中のにじ』『アルファベット群島』などがある。また、随筆家としても活躍し、日本エッセイスト・クラブ賞を受賞した『ロッテルダムの灯』や『新しい靴』などのエッセー集がある。

しょうのじゅんぞう

文学

庄野潤三 1921〜2009年

家族の日常生活をえがく

昭和時代〜平成時代の作家。

大阪府生まれ。父の貞一は帝塚山学院の創設者、兄の庄野英二は児童文学作家。九州帝国大学（現在の九州大学）東洋史科卒業。学生時代から島尾敏雄らと同人誌を創刊、小説を書く。第二次世界大戦後、中学校教員や放送局での勤務をしながら執筆をつづけ、1954（昭和29）年『プールサイド小景』で芥川賞を受賞する。

戦後に登場した第3世代の作家として吉行淳之介や安岡章太郎らとともに「第三の新人」とよばれた。その後『静物』で新潮社文学賞を受賞し作家としての地位を確立。ささやかな日常をていねいにえがく作風で人気を得た。作品にはほかに『夕べの雲』『絵合せ』『明夫と良二』などがある。

学 芥川賞・直木賞受賞者一覧

しょうはし

王族・皇族

尚巴志 1372〜1439年

沖縄に、首里を都とする統一王国を築いた

▲首里城正殿
（写真提供：首里城公園）

琉球王、国第1尚氏の第2代国王（在位1422〜1439年）。

1372年、沖縄本島南部、尚思紹の子として生まれる。15世紀はじめの沖縄本島は三山時代といわれ、北山、中山、南山の3つの小国家に分かれてあらそっていた。父の尚思紹は南山の佐敷の按司（地方豪族の首長）であった。尚巴志は、こどものころから、サメに剣をもって立ちむかうなど、たいへん勇ましかった。民を大切にし、農具にするようにと、舟いっぱいの鉄を農民にあたえた話などがのこされている。

1392年、21歳のときに父からゆずられて、佐敷按司となった。その10年ほどあとには、南山の中でも大きな勢力をもっていた島添大里按司をたおして、力をのばしはじめる。1406年、浦添城（沖縄県浦添市）を攻めて中山王の武寧をほろぼし、父を中山王とした。そのころの沖縄は中国の影響が強く、王の位も、朝貢して貢ぎ物を贈ることで中国の皇帝からみとめてもらうという、冊封体制の中にあった。そのため尚巴志は、中国、明の永楽帝に使いをだして、父を正式に中山の王としてみとめてもらうと、自分はその補佐として沖縄本島の統一をめざした。また、中山の都を首里（現在の沖縄県那覇市）に移し、首里城を王城と定めて、城や都を大きく広げて整備した。那覇の港の整備もお

こない、それまで以上に海外との交流を活発にして、中国だけでなく日本や朝鮮、東南アジアの国々との外交や貿易を進めた。

そのほかにも、中国人ともいわれる懐機を参謀として、次々に新しい政治をおこなった。1416年には兵をひきいて、北山の王の攀安知を今帰仁城（沖縄県今帰仁村）に攻めると、攀安知の腹心のうらぎりもあって、1422年に北山はほろびた。1424年、父が亡くなり、2代目の中山王となる。

神号（王が即位するときにつけられる称号）は勢治高真物。その後はのこる南山の攻略を進め、南山の水源をおさえて民を降伏させたともいわれている。そして、1429年に南山王の他魯毎を攻めほろぼし、ついに沖縄本島を統一する王国を打ち立てた。地方の領主から王となった英雄であり、はじめて沖縄本島を統一して琉球王国をつくり上げた。

1代目の尚思紹をはじまりとするこの王朝は第1尚氏王統とよばれ、家臣のクーデターによって王権をうばわれるまで7代つづいた。

しょうむてんのう

聖武天皇 → 198ページ

しょうめいたいし

王族・皇族　文学

昭明太子　501〜531年

日本にも影響をあたえた『文選』を編さん

中国南朝、梁の皇太子、文学者。

梁の初代皇帝武帝の長子で、名は蕭統。学問にすぐれ、5歳で五経（5種類の儒学の経典）を暗唱したとされる。とくに詩文にすぐれ、当時の文学界の中心的存在として活躍し、文学者を保護するなどして彼を中心とした文学集団がつくられた。

中国の韻文の一つである賦や、詩、文などのひいでた作品を集めて『文選』を編さん。後世に大きな影響をあたえた。皇太子のまま亡くなり、死後、昭明太子の名が贈られた。この『文選』は、日本の平安朝文学にも影響をあたえたといわれている。

しょうりきまつたろう

産業

正力松太郎　1885〜1969年

日本にプロ野球を根づかせたメディア王

大正時代〜昭和時代の実業家、政治家。

富山県生まれ。東京帝国大学（のちの東京大学）卒業後、内務省に入る。

その後、警視庁警務部長になり、米騒動鎮圧や第1次共産党検挙など、治安対策に腕をふるった。1923（大正12）年、アナキスト（無政府主義者）の難波大助が摂政宮裕仁親王（のちの昭和天皇）を狙撃した虎ノ門事件で責任をとり辞職。翌年、読売新聞社を買い受け、後藤新平の助力で社長になった。独創的な企画で発行部数をふやし、『朝日新聞』『毎日新聞』とならぶ全国紙に育てた。戦時中、新聞を統合しようとした政府の全国新聞一元会社案に反対、撤回させた。1934（昭和9）年、大日本東京野球倶楽部（読売ジャイアンツ）を発足させ、プロ野球の歴史がはじまる。

第二次世界大戦後、日本初の民放テレビ局、日本テレビ放送網を創立。1955年に衆議院議員となり、鳩山一郎内閣、岸信介内閣で、国務大臣として入閣、原子力委員会の初代委員長となり、原子力発電所の建設構想を発表、平和利用の基礎を築く。「プロ野球の父」「テレビの父」「原子力の父」とよばれた。

しょうわてんのう

昭和天皇 → 199ページ

ショー，バーナード

映画・演劇

バーナード・ショー　1856〜1950年

イギリス演劇界を代表する作家

イギリス（アイルランド）の劇作家、評論家。

イギリス統治下のダブリン（現在のアイルランド）生まれ。実家が貧しい穀物商だったため、小学校を卒業するとすぐ不動産会社に就職した。早くから音楽、美術、演劇に興味をもち、はたらきながら独学で勉強をつづけた。

1876年、ロンドンに出てジャーナリストになり、音楽批評や劇評を書いた。社会主義思想に関心をもち、社会主義知識人団体のフェビアン協会に参加した。イプセンの影響で戯曲を書きはじめ、1892年にスラム街の住宅事情をえがいた作品『やもめの家』で、一躍有名となった。

ユーモアと風刺に富むテンポのよいせりふまわしが特徴で、演劇界に新風を吹きこんだ。『ウォレン夫人の職業』『シーザーとクレオパトラ』『人と超人』、アメリカ映画『マイ・フェア・レディ』の原作『ピグマリオン』などがある。

近代演劇を確立し、シェークスピアとならぶイギリス演劇界を代表する作家である。1925年、ノーベル文学賞受賞。

学 ノーベル賞受賞者一覧

聖徳太子

十七条の憲法を定めた飛鳥時代の皇族

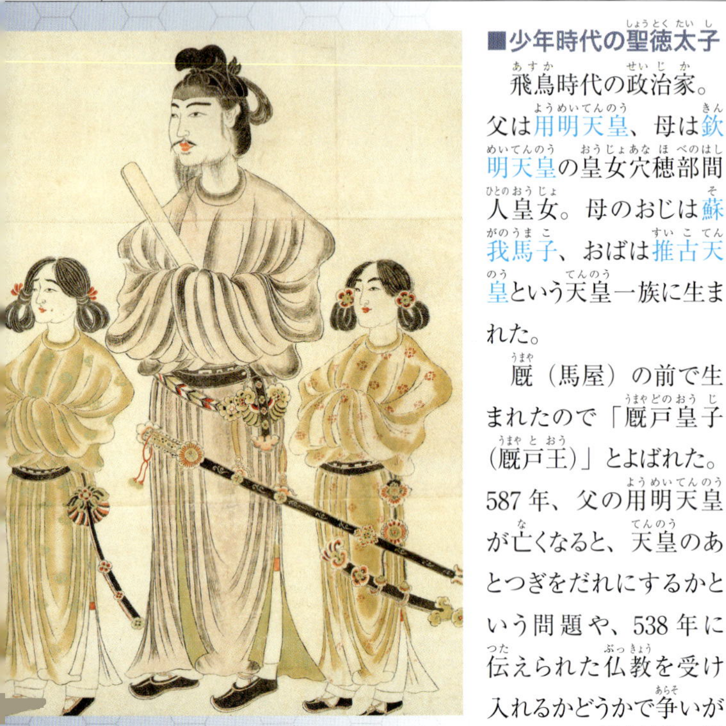

▲伝聖徳太子と二王子像　衣服や冠の形から7世紀末〜8世紀はじめにえがかれたといわれる。中央が聖徳太子、左が太子の子の山背大兄王、右が太子の弟の殖栗王。

（法隆寺所蔵／奈良国立博物館写真提供／森村欣司撮影）

■少年時代の聖徳太子

飛鳥時代の政治家。父は用明天皇、母は欽明天皇の皇女穴穂部間人皇女。母のおじは蘇我馬子、おばは推古天皇という天皇一族に生まれた。

厩（馬屋）の前で生まれたので「厩戸皇子（厩戸王）」とよばれた。587年、父の用明天皇が亡くなると、天皇のあとつぎをだれにするかという問題や、538年に伝えられた仏教を受け入れるかどうかで争いがおこった。最高職、大臣の蘇我馬子は、大臣とならぶ最高職の大連、物部守屋とはげしく対立した。守屋は欽明天皇の子の穴穂部皇子を天皇に立てようとするが、その動きを知った馬子は穴穂部皇子を討ったあと、皇族や豪族を味方につけて物部氏の本拠地を攻めて守屋をほろぼした。このとき、14歳の厩戸皇子がおじの馬子の軍に参加し、陣中で東西南北を守るという四天王の小さな木像をほって髪にくくりつけ「戦いに勝ちましたならお寺を建てます」と誓ったという。のちに聖徳太子は四天王寺（大阪市）を建立した。

■推古天皇の摂政になる

592年、用明天皇のあとをついだ崇峻天皇が蘇我馬子に暗殺されたあと、おばが推古天皇として即位した。593年、20歳の聖徳太子は推古天皇の皇太子となり、天皇を助けて政治をおこなう重要な役職、摂政に任命されて蘇我馬子とともに天皇中心の国をつくるための新しい政治をおこなった。

▲馬上太子像　物部守屋との戦いのときの姿だといわれる。　（叡福寺）

603年、中国や朝鮮半島の国々の制度を参考にして「冠位十二階」の制度を定めた。これは、朝廷の役人たちを12の位（階級）に分け、その位に応じた冠や衣服の色を決めて身につけさせるというものだった。上から徳、仁、礼、信、義、智とし、それぞれを大と小に分けた。この制度をつくった目的は、それまでのように豪族たちの家がらや勢力によって官職を決めるのではなく、才能があり仕事で実績をあげた者を抜てきすることにあった。

604年、「十七条の憲法」を定めた。憲法といっても現在の日本国憲法のように体系的な法律ではなく、役人の心がまえや日常の道徳を説いたものだった。第1条は「和をもって貴しとなす」で、人と人とのありかたでは和がたいせつだとさとしている。第2条では仏教をうやまうこと、第3条や第12条では天皇にはつつしんでしたがえと教え、第4条では豪族や役人にとって礼が何よりたいせつだと説き、第17条では重大な問題は話し合いで決めなさいと説いている。このように、十七条の憲法には仏教の教えや儒教（中国の孔子によってまとめられた学問や教え）の道徳・倫理がもりこまれ、のちの日本人の精神のありかたに大きな影響をあたえた。

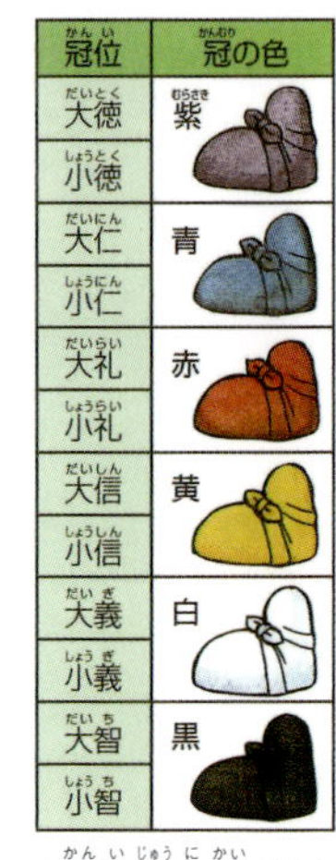

冠位	冠の色
大徳	紫
小徳	
大仁	青
小仁	
大礼	赤
小礼	
大信	黄
小信	
大義	白
小義	
大智	黒
小智	

▲冠位十二階の表

▲『日本書紀』の十七条の憲法が書かれている部分（右から3行目）

（京都国立博物館）

■遣隋使を送る

607年、聖徳太子は589年に中国を統一した隋に使者を送って倭（日本）の国際的地位を高めようとした。冠位の低い大礼だが、外交能力をみこんだ小野妹子を使者に抜てきした。妹子は数十人の留学僧をともなって隋にわたり、皇帝の煬帝に国書を提出した。その内容は隋と倭が対等な立場にあるという姿勢をしめしたものだった。世界の大国である隋の皇帝煬帝は、小さな国である倭の天皇の国書を無礼だと怒ったが、朝鮮半島の高句麗と対立していた情勢から倭を味方につけたほうがよいと考えた。そこで翌年帰国する妹子に隋の使者、裴世清をともなわせた。裴世清は飛鳥の朝廷で推古天皇や聖徳太子に煬帝からの国書をさしだしたので、太子の意図はほぼ達成された。翌608年、小野妹子をふたたび遣隋使として送った。614年には犬上御田鍬を隋に派遣した。

▲聖徳太子勝鬘経講讃画像　天皇や役人たちに仏教の経典の一つ勝鬘経を講義している場面の想像図。（四天王寺）

■仏教興隆につくす

政治の改革をおこなう一方で、仏教を深く信仰する聖徳太子は仏教の経典を研究して注釈書を書き、推古天皇や豪族たちに経典の講義をした。また、世界最古の木造建築である法隆寺（奈良県斑鳩町）の五重塔や金堂、中宮寺（奈良県斑鳩町）、四天王寺（大阪市）などを建立した。

法隆寺は斑鳩寺ともよばれ、607年に建立されたが、父の用明天皇の冥福を祈るためだったという。斑鳩には聖徳太子や聖徳太子一族の宮殿があった。

斑鳩は政治の中心だった飛鳥から約17kmはなれていた。聖徳太子はなぜこの場所に宮殿や寺院をつくったか、その理由としては政界の実力者だったおじの蘇我馬子との距離をおくため、また、この地を仏教興隆の中心地として仏教文化をさかんにするため、日本の玄関口だった難波（大阪市）に近く、外国との交流にもつごうがよかったことなどがあげられている。613年、聖徳太子は外交使節などの交通の便をはかるため難波と飛鳥をむすぶ大道をつくった。

■太子の晩年と死後の太子信仰や伝説

620年、聖徳太子は馬子とともに天皇家の由来や日本の国の成り立ちを『天皇記』『国記』という歴史書にまとめた。

622年、病気になり49歳の生涯を終えた。最期のことばと伝えられている「世間虚仮、唯仏是真（世の中はうそいつわりが多くむなしい。ただ仏のみが真実だ）」は聖徳太子の仏教への深い信仰をあらわしている。

▲法隆寺釈迦三尊像　聖徳太子の死後の623年ころ、仏師の鞍作鳥（止利仏師）によって制作された。本尊の高さ86.4㎝。（法隆寺／飛鳥園写真）

平安時代～鎌倉時代になると太子信仰がはじまり、聖徳太子は慈悲の心で人々を救う救世観音の生まれかわりだという伝説があらわれた。鎌倉時代に浄土真宗をひらいた親鸞は聖徳太子を日本の教主（仏）とあがめた。

江戸時代には建築関係の職人たちが法隆寺を創建した太子を守護神とする信仰が広まった。現在、全国に太子を祭る太子堂があり命日には太子講とよばれる法要がおこなわれている。

学 お札の肖像になった人物一覧　学 日本と世界の名言

▼法隆寺五重塔と金堂　1993（平成5）年、日本ではじめてUNESCOの世界文化遺産に登録された世界最古の木造建築。国宝。（法隆寺／飛鳥園写真）

聖徳太子の一生

年	年齢	主なできごと
574	1	聖徳太子（厩戸皇子）が生まれる。
587	14	蘇我馬子が物部守屋をほろぼす。
592	19	崇峻天皇が蘇我馬子に暗殺され、推古天皇が即位する。
593	20	推古天皇の摂政となる。
601	28	斑鳩宮を造営する。
603	30	冠位十二階の制度を定める。
604	31	十七条の憲法を定める。
606	33	推古天皇らに勝鬘経、法華経を講義する。
607	34	小野妹子らを遣隋使として中国に送る。 法隆寺を建立する。
620	47	蘇我馬子と『天皇記』『国記』をまとめる。
622	49	斑鳩宮で亡くなる。

※年齢は数え年であらわしている

さまざまな名をもつ聖徳太子

聖徳太子には厩戸皇子（厩戸王）のほかにも多くの呼び名があった。「豊聡耳命」「豊聡八耳命」「豊聡耳太子」「豊聡耳法大王」という名は、耳がよく一度に8人とか10人がうったえごとをしてきても、たちどころにその内容を聞きわけて一人ひとりに適切な判断をくだしていったところからつけられた。また、父用明天皇の宮殿の南にあった上宮に住んでいたので「上宮王」「上宮太子」ともよばれた。「聖徳王」「法大王」は太子が仏教をあつく信仰していたことをしめす名である。聖徳太子という呼び名は太子の死後、奈良時代に学者の淡海三船によってつけられた諡。

聖武天皇

奈良の大仏をつくった天皇

▲聖武天皇像（『四聖御影』より）

（東大寺／奈良国立博物館写真提供／佐々木香輔撮影）

■生まれながらの天皇

奈良時代の第45代天皇（在位724～749年）。

父は天武天皇の孫の文武天皇、母は藤原不比等の娘の宮子。即位するまでは首皇子といった。7歳のとき、父文武天皇が亡くなると、祖母が元明天皇として即位した。714年、皇太子となり翌年元明天皇は退位したが15歳の首皇子は「政治をみるにはまだ早い」というので父の姉が即位して元正天皇となった。716年、藤原不比等の娘の光明子と結婚した。2年後、光明子は娘（のちの孝謙天皇）を産んだ。首皇子は学者たちから天皇になるための帝王学を学び、724年、元正天皇から位をゆずられ聖武天皇として即位した。

■次々と朝廷におこった事件

729年、左大臣（太政大臣に次ぐ官職）の長屋王が「天皇家をのろっている」という罪を着せられて自殺に追いやられた。真相は、長屋王の存在がじゃまな藤原氏の陰謀だった。その半年後、光明子が皇后になったが、皇族出身でない皇后は異例で、これも藤原氏の策略によるものだった。その後、藤原不比等の4人の子（藤原4兄弟）が朝廷の実権をにぎった。

しかし、737年、疫病の天然痘が平城京をおそい、藤原4兄弟の命をうばった。藤原4兄弟のいなくなった朝廷では橘諸兄が右大臣に抜てきされ、中国の唐から帰国した吉備真備や僧の玄昉が聖武天皇に信頼されて政治の実権をにぎった。

740年、藤原氏一族で大宰府（朝廷が九州をおさめるために現在の福岡県太宰府市においた機関）の次官だった藤原広嗣が「真備と玄昉を朝廷から追放するように」と聖武天皇に要求した。天皇はこれに怒って九州に大軍を送り、広嗣は戦いにやぶれて処刑された（藤原広嗣の乱）。

▲東大寺大仏（盧遮那仏坐像）

（東大寺／奈良観光協会写真提供）

■都を移し、大仏造立をはじめる

藤原広嗣の乱が終わるころ聖武天皇は平城京をあとにした。そうして山背国恭仁郷（京都府木津川市）にいたり、そこを新都（恭仁京）に定めて都づくりをはじめた。741年、国分寺、国分尼寺建立の詔（天皇のことば）をだし、仏教の力で国をおさめようと考えた。742年、恭仁京の北東にある紫香楽（滋賀県甲賀市）で大仏（世界のすみずみまで照らして人々を救う毘盧遮那仏）をつくろうと思い、743年に大仏造立の詔をだして庶民にも参加をうながした。僧の行基がおおぜいの民衆をひきつれてこの事業に参加した。しかし、周辺で山火事や地震がおきたりしたので工事は中断し、745年、天皇は都を平城京（奈良市）へもどすことに決めた。大仏づくりは平城京の東の地で再開された。延べ260万人、当時の日本の人口の約半分が参加したことになる。

752年、7年の歳月をかけた聖武上皇（譲位した聖武天皇）悲願の東大寺大仏が完成し、1万人の僧が参列し開眼供養会が盛大におこなわれた。

■正倉院の宝物

756年、聖武上皇が亡くなると、光明皇太后（聖武上皇のきさきだった光明皇后）は聖武上皇が生前愛用していた品々を東大寺に献上した。それらは現在、奈良の正倉院の宝物として保存されている。

正倉院は1998（平成10）年、UNESCOの世界遺産に登録された。

学 天皇系図

▲正倉院宝物紺瑠璃杯

西アジアのガラス製品。

（宮内庁正倉院事務所）

聖武天皇の一生

年	年齢	主なできごと
701	1	聖武天皇が生まれる。
716	16	藤原不比等の娘、光明子と結婚する。
724	24	即位して聖武天皇となる。
729	29	長屋王事件がおきる。光明子を皇后とする。
737	37	天然痘により藤原4兄弟が死ぬ。橘諸兄を右大臣とする。
740	40	藤原広嗣が反乱をおこす。恭仁京に都を移す。
741	41	国分寺・国分尼寺建立の詔をだす。
743	43	大仏造立の詔をだす。
745	45	平城京に都をもどす。
747	47	大仏鋳造を開始する。
752	52	大仏開眼供養会をおこなう。
756	56	平城宮で亡くなる。

※年齢は数え年であらわしている

昭和天皇

昭和時代を生きた天皇

■天皇に即位する

昭和時代の第124代天皇（在位1926～1989年）。

嘉仁親王（のちの大正天皇）の第1男子として生まれた。名は裕仁。6歳で学習院初等科に入学し、学習院院長の乃木希典に教育を受けた。

1921（大正10）年、イギリスやフランスなどヨーロッパ諸国を歴訪して見聞を広め、帰国後、病弱な父の大正天皇の摂政となり、国事をおこなった。1924年、久邇宮良子女王（香淳皇后）と結婚した。

▲昭和天皇　（毎日新聞社）

1926（昭和元）年、大正天皇が亡くなり天皇に即位して陸海軍の最高指揮官、大元帥となった。一方で、昭和天皇は生物学の研究者でもあり、1929年に神島（和歌山県田辺市）へ行幸したときは、世界に知られた生物学者で菌類の研究者、南方熊楠から粘菌（菌類の1種、変形菌ともいう）の講義を受け、その後粘菌の研究をてがけた。

■激動の時代を生きる

昭和天皇は満州事変（1931年）、日中戦争（1937～1945年）、太平洋戦争（1941～1945年）をへて敗戦にいたる激動の時代に最高権力者として生きた。

その間の1936年、陸軍青年将校がひきいた軍が二・二六事件をおこした。昭和天皇は信頼する大蔵大臣の高橋是清らが暗殺されたことに激怒し反乱軍の鎮圧を命じた。

1941年からアメリカ合衆国やイギリスを相手に戦った太平洋戦争でしだいに日本の敗色が濃くなり、1945年8月、広島と長崎に原子爆弾が投下されて20万人以上の人々が死んだ。日本は連合国軍に降伏をせまられたが、陸海軍軍部には戦争続行を主張する幹部軍人もいた。しかし、昭和天皇は8月14日の御前会議（天皇の前で政府閣僚、陸海軍首脳によってひらかれた最高会議）で日本に降伏を勧告するポツダム宣言を受諾することを決定した。翌15日、昭和天皇はNHKのラジオ放送で降伏を伝える「終戦の詔書」をみずから読んだ。国民は昭和天皇の声（玉音）を聞くことははじめてだったのでたいへんおどろいたという。

■現人神から象徴天皇へ

明治時代以降、天皇は「現人神」とよばれ神とされてきた。しかし、敗戦後の1946年、昭和天皇はみずから神格を否定し、「人間宣言」をおこなった。その後日本各地を巡幸し、敗戦で力をなくした国民をはげました。1946年に公布された「日本国憲法」第1条は「天皇は日本国の象徴であり日本国民統合の象徴であって、この地位は主権の存する日本国民の総意にもとづく」とされた。天皇は憲法で定められたことにしたがって国事をおこなうことになった。

▲日本国憲法公布記念祝賀都民大会　1946年11月3日、新憲法公布を祝い皇居前広場でおこなわれた。昭和天皇、皇后（写真中央）も参加した。（毎日新聞社）

1951年、日本は世界の48か国とサンフランシスコ平和条約（平和条約）に調印したが、翌年講和条約が発効すると昭和天皇は伊勢神宮（三重県）などに参拝して日本が国家主権を回復したことを報告した。1976年、在位50年記念事業として東京都のアメリカ軍立川飛行場跡地に国営の昭和記念公園が建設された。1986年、在位60年記念式典がおこなわれたが、神代をのぞく天皇の中で最長在位期間を記録した。

学 天皇系図

昭和天皇の一生

年	年齢	主なできごと
1901	0	嘉仁親王の男子として生まれる。
1912	10	嘉仁親王が大正天皇として即位、皇太子となる。
1924	23	皇族の久邇宮良子女王と結婚する。
1926	25	天皇に即位し昭和と改元する。
1933	32	明仁親王（今上天皇）が生まれる。
1936	35	二・二六事件がおこり反乱軍の鎮圧を命じる。
1941	40	御前会議で決定した太平洋戦争がはじまる。
1945	44	ラジオ放送で戦争終結を告げる（玉音放送）。
1946	44 45	「人間宣言」をおこなう。 日本国憲法を公布する。
1959	57	昭和天皇の皇太子明仁親王と正田美智子が結婚する。
1971	70	皇后とともにイギリス、オランダなどを歴訪する。
1989	87	1月7日、亡くなる。

※年齢は満年齢であらわしている

ジョージいっせい

王族・皇族

ジョージ1世　1660〜1727年

ドイツのハノーファー家からイギリス国王へ

グレートブリテン王国、ハノーバー朝の初代国王（在位1714〜1727年）。

ドイツのハノーファー選帝侯エルンスト・アウグストと、イギリス国王ジェームズ1世の孫ソフィアとのあいだに生まれた。1698年、父の死によりハノーファー選帝侯をつぎ、1714年、イギリスのアン女王が亡くなると、アンに子がなかったため、あとをついで国王に即位。ハノーバー朝をひらいた。1715年、スチュアート朝復活をめざしたジャコバイトの乱がおこると、これを鎮圧。以後、ホイッグ党のウォルポールを第一大蔵卿に任命し、政治の安定をはかった。ドイツでの滞在が多かったため、イギリスの政治は内閣に一任、「国王は君臨すれども統治せず」という慣行が定着していった。

学 世界の主な王朝と王・皇帝

ジョージごせい

王族・皇族

ジョージ5世　1865〜1936年

第一次世界大戦、世界恐慌を切りぬけた国王

イギリス、ウィンザー朝の初代国王（在位1910〜1936年）。

エドワード7世とアレクサンドラ王太子妃の次男として生まれる。海軍兵学校で学び、当初は海軍軍人としての将来を期待されており、射撃にもすぐれていた。兄の死亡にともない王位継承権を得て、1901年、プリンス・オブ・ウェールズの位につき、1910年に父王の死により即位した。第一次世界大戦後は、世界恐慌によって国内経済が大きな打撃を受け、また各植民地で次々に独立運動がおこるなど問題が多発していた。

国内でも上院改革、選挙権の拡大などの難問をかかえていた。

当時、ジョージ5世の政治的な影響力はほとんどなかったが、上院の改革時には国王大権をつかって尽力し、マクドナルド労働党内閣がたおれたときには、ふたたびマクドナルドを首班に任命して挙国一致内閣を成立させるなど、政治の危機で活躍した。なお2010年に公開された映画『英国王のスピーチ』は、ジョージ5世の次男で吃音症になやんだといわれているジョージ6世をえがいたものである。

学 世界の主な王朝と王・皇帝

ジョーダン，マイケル

スポーツ

マイケル・ジョーダン　1963年〜

「エアージョーダン」が愛称のプロバスケットボール選手

アメリカ合衆国のプロバスケットボール選手。

12歳でバスケットボールをはじめる。大学在学中の1984年にロサンゼルスオリンピックに出場し、金メダルを獲得した。この年、男子プロバスケットボールリーグ（NBA）のシカゴ・ブルズに入団する。

計15年にわたる選手生活で、得点王10回、年間最多得点11回など大活躍した。シカゴ・ブルズに6度の優勝をもたらし、自身もNBAファイナル（優勝決定シリーズ）MVP（最優秀選手賞）を6度受賞した。ジャンプ力を生かした滞空時間の長い華麗なプレーから「エアー（空気）ジョーダン」の愛称で親しまれた。

1992年のバルセロナ・オリンピックに、プロのスター選手を集めたドリームチームの一員として出場し、2度目の金メダルを獲得した。

しかし翌1993年、父親が強盗に殺される事件がおこり、引退を発表した。その後野球のメジャーリーグに挑戦。マイナーリーグで外野手として試合に出場した。ふたたびNBAにもどり、2度現役に復帰したが、2003年に3度目の引退をした。

ショーペンハウアー，アルトゥール

思想・哲学

アルトゥール・ショーペンハウアー　1788〜1860年

生は苦痛であると考えた哲学者

ドイツの哲学者、思想家。

ダンツィヒ（現在のポーランドのグダンスク）で、裕福な銀行家の子に生まれる。父とともに幼少からヨーロッパ各地を旅行した。作家の母との険悪な関係が、女性ぎらいの性格を形成したという。父が自殺したのち、ゲッティンゲン大学でプラトンやカントを学ぶ。ゲーテやインド哲学、仏教の影響も受け、人生は苦そのものであるというペシミズム（厭世主義）をとなえ、無私の行為によってこの世界から解脱することを説いた。1820年にベルリン大学の講師となるが、ヘーゲルの講義の時間に自分の講義をあてたため、聴講生はいなかった。晩年に評価が高まり、その思想はニーチェらに影響をあたえた。主著『意志と表象としての世界』は、日本でも第二次世界大戦前、多くの学生に読まれた。

ショーロホフ，ミハイル

文学

ミハイル・ショーロホフ　1905〜1984年

『静かなドン』の作者

ソビエト連邦（ソ連）の作家。

南部ドン川のほとりの村で商人の家に生まれる。中学生のときにロシア革命がおき、内戦が多発しため退学した。1920年、15歳で村の革命委員会に入り、反革命軍と戦った。1922年、モスクワに出て、はたらきながら執筆活動をはじめる。1924年、

19歳で短編『ほくろ』を発表して作家としてデビューし、1926年に短編集『ドン物語』を刊行した。自分の体験をもとに、時代の流れの中で生きる人間の運命をえがいた長編小説を得意とした。ソ連時代の文学の最高峰とされる『静かなドン』は創作開始から十数年後の1940年に完成し、『開かれた処女地』は30年をついやして書き上げた。1965年、ノーベル文学賞受賞。

学 ノーベル賞受賞者一覧

ジョーンズ，ジャスパー

絵画

ジャスパー・ジョーンズ　1930年〜

ポップアートの先がけとなった画家

アメリカ合衆国の画家。

ジョージア州オーガスタで生まれ、サウスカロライナ州で育った。1947年よりサウスカロライナ大学で美術を専攻したのち、ニューヨークの商業美術学校に入学する。一時、兵役のため日本の仙台ですごした。1952年より、ブランド店で商業ディスプレーの仕事についた。1958年、ニューヨークの画廊で初の個展をひらき、星条旗をえがいた『旗』とアラビア数字だけをえがいた『数字』などを発表し、話題となる。地図やダーツの標的など、平面的な主題を平面上にえがき、絵画の物質性を強調した。コラージュ、着色したブロンズ像、オブジェ、抽象絵画と幅広い作品を制作した。身近な物をテーマにする手法は、ポップアートの先がけとなり、1960年代以降のアメリカ美術界に影響をあたえた。作品には、ほかに『標的』『白いアルファベット』などがある。たびたび来日して展覧会をひらき、東京都現代美術館にも収蔵作品がある。

ジョーンズ，ダイアナ・ウィン

絵本・児童

ダイアナ・ウィン・ジョーンズ　1934〜2011年

独創的なファンタジーを次々に出版

イギリスのファンタジー作家。

ロンドン生まれ。幼少のころから文学が好きで、オックスフォード大学セントアンズ・カレッジに入学。英語学を専攻し、トールキンやルイスの講義を受けた。1956年に卒業後、結婚し、3人の子をもうける。こどもたちにおもしろい本を読ませようと、子育てをしながらファンタジーを書きはじめ、1973年、『ウィルキンズの歯と呪いの魔法』で作家デビュー。以後、魔法使いをあつかったファンタジーを次々に出版した。1978年、『魔女と暮らせば』が、イギリスで発表されたすぐれた児童文学作品にあたえられるガーディアン賞を受賞。「ファンタジーの女王」とよばれた。『魔法使いハウルと火の悪魔』は宮崎駿監督により『ハウルの動く城』としてアニメ映画化され、日本でも人気が高まった。

しょかつりょう

政治

諸葛亮　181〜234年

三国時代の名軍師

▲諸葛亮

中国、三国時代の蜀の政治家、軍師。

山東省に生まれる。字は孔明。漢の役人をしていた父を幼いときに亡くし、おじにしたがって中国の中部にある荊州（現在の湖北省）を支配していた豪族の劉表のもとに身をよせ、晴耕雨読の生活を送っていたといわれている。その地で、世間に知られていない大人物という意味の「臥竜」とよばれていた。

後漢の末期の207年、漢王朝の血をひく劉備と会い、華北を支配した曹操に対抗するためには、江南を支配する孫権と手をむすび、みずからは荊州と益州（四川省）を支配して天下をねらうべきだという「天下三分の計」を説いた。劉備はおおいによろこんで、この策をとり入れ、その後、諸葛亮は劉備につかえた。

208年、曹操が大軍をひきいて荊州に南下してくると、諸葛亮は孫権のもとをおとずれて説得し、同盟をむすぶことに成功した。こうして長江中流の赤壁の戦いで、劉備と孫権の連合軍は曹操の船を焼きはらって、勝利をもたらした。つづいて諸葛亮は211年、劉備に益州を攻撃することをすすめ、益州の長官と戦い、214年、成都を占領した。

華北では曹操の子の曹丕が、220年に後漢の皇帝から位をゆずり受けて魏をおこすと、221年、諸葛亮は劉備に漢（蜀）を建国して皇帝になるようすすめ、みずからは丞相（宰相）となって補佐した。こうして中国は魏、呉、蜀の3国に分かれ、三国時代がはじまった。

223年、呉との戦いのさなか、劉備が諸葛亮にあとを託して亡くなると、皇帝をついだ劉備の子の劉禅の宰相として、その後も国政にあたった。華北から魏を追いはらい、劉氏による漢王朝を復興することをめざして、呉との同盟をかため、南の雲南省の異民族を平定し、背後から攻められる危険をとりのぞいた。劉禅に『出師表』をささげ、227年、魏との戦いにむかった。7年にもわたる戦いの果て、234年、五丈原（陝西省）の戦いのさなかに病気で亡くなった。のちの明代に書かれた小説『三国志演義』にも、劉備をささえた名軍師としてその活躍がえがかれ、多くの人に愛されている。

▲戦いの場になった赤壁

しょくさんじん

蜀山人 → 大田南畝

しょくしないしんのう

詩・歌・俳句

● 式子内親王　1152？～1201年

たえしのぶ恋の歌で知られる

平安時代後期～鎌倉時代前期の歌人。

後白河天皇の皇女。「しきしないしんのう」とも読む。以仁王の同母妹。1159～1169年、賀茂の斎院（京都の賀茂神社につかえた未婚の皇女。その住まいの御所をさすこともある）となり、賀茂祭（葵祭）の主役をつとめた。源氏と平氏の争乱の時代に生き、平氏の討伐をくわだてた兄以仁王が亡くなったあとは、出家して、承如法と称した。藤原俊成に和歌を学び、和歌集の『式子内親王集』をのこしている。

しのぶ恋をよんだ有名な歌「玉の緒よ　絶えなば絶えね　ながらへば　しのぶることの　よわりもぞする」が有名。この歌は、『新古今和歌集』にのせられ、藤原定家がまとめた『小倉百人一首』にもえらばれている。

学 人名別 小倉百人一首

じょこうけい

学問

🌐 徐光啓　1562～1633年

西洋の科学技術を中国の明で広めた

中国、明末期の政治家、学者。

上海に生まれる。1596年、広東省でキリスト教（中国語では天主教）を学び、1603年、南京でローシャに洗礼を受けた。キリスト教名は保禄（パウロ）。1604年、進士（官僚採用試験の合格者）となり、高級官僚の翰林院庶吉士となる。カトリック教会司祭のマテオ・リッチとともに西欧の測量学関係書の『測量法義』や、ユークリッドの『幾何学原本』などを漢訳した。積極的に西欧の科学技術をとり入れ、普及に貢献した。

また、熱心なカトリック教徒で伝道事業を援助。カトリックの教えは儒教をおぎなうものと考えており（補儒論）、そのため儒教が国教であった明朝でも迫害を受けず、1632年には内閣の一員である東閣大学士という高位にのぼることができた。アダム・シャールや李之藻らと西洋天文学の知識をとり入れた改暦にたずさわり、死後、太陰太陽暦の暦法『崇禎暦書』として完成された。

農業の振興につとめ、著書の『農政全書』は日本にも大きな影響をあたえた。

ショスタコービッチ，ドミトリイ

音楽

🌐 ドミトリイ・ショスタコービッチ　1906～1975年

ロシアの劇的交響曲を発展させる

ソビエト連邦の作曲家、ピアニスト。

ロシア帝政時代のペテルブルク（現在のサンクトペテルブルク）生まれ。13歳でレニングラード音楽院に入学し、作曲家グラズノフの指導を受ける。1925年、卒業作品として作曲した『交響曲第1番』で有名になり、1927年には、第1回ショパン国際ピアノコンクールにピアニストとして出場して名誉賞を受賞する。

ときに前衛的な作風を、ソビエト政府に批判されることもあったが、作曲家として、ロシアの劇的交響曲を発展させ、ピアノ曲や、合唱曲などを発表する。

また、母校やモスクワ音楽院の教授をつとめた。主な作品に、『交響曲第5番』『交響曲第7番』、オラトリオ『森の歌』、歌曲『エルベ河』などがある。

じょせつ

絵画

● 如拙　生没年不詳

日本の水墨画をみちびいた画僧

▲如拙作『瓢鮎図』
（退蔵院／京都国立博物館）

室町時代の画僧。

京都の相国寺の僧侶で、同じ寺にいた周文に水墨画を教えたとされる。如拙という号は、禅僧の絶海中津からあたえられた。室町幕府第4代将軍の足利義持とは密接な関係にあり、相国寺をひらいた夢窓疎石の碑を建てるため、義持の命令で四国まで石をさがしに行ったという記録がある。

代表作の『瓢鮎図』も、義持の命令を受けて、ついたてにえがかれたもので、のちに掛け軸につくり直された。

これは、「ひょうたんでナマズをおさえるにはどうするか」という禅の問題を水墨画にしたもので、図の上には、同時代の代表的な僧侶31人の詩がしるされている。

画面の一角に画をえがき、余白を多くとる構図など、中国南宋時代の宮廷画の影響を受けており、日本の水墨画の進むべき方向を決定づけた。そのほかの作品には『王羲之書扇図』や、建仁寺両足院に伝わる『三教図』などが知られる。

ジョゼフィーヌ，マリー・ローズ

王族・皇族

🌐 マリー・ローズ・ジョゼフィーヌ　1763～1814年

ナポレオン1世の最初の皇后

フランス皇帝ナポレオン1世の最初の皇后。

フランス領西インド諸島のマルティニーク島に生まれる。1779

年、16歳のときにフランスにわたり、軍人のボーアルネ子爵と結婚。1男1女をもうけた。

1794年、フランス革命中に投獄されるが、ロベスピエールが処刑されると、釈放され、総裁政府の社交界に入り花形となった。

1796年、6歳年下のナポレオンと再婚。1804年にナポレオンが皇帝に即位すると、皇后になった。後継者をもうけることができなかったため、1809年、離婚。その後、パリ郊外の都市マルメゾンの館で余生を送り、ナポレオンがエルバ島に流されると、まもなくして亡くなった。娘のオルタンスとナポレオンの弟ルイのあいだに生まれた子が、のちにナポレオン3世となった。

ジョセフ・ヒコ

ジョセフ・ヒコ ➔ 浜田彦蔵

ショックレー，ウィリアム・ブラッドフォード

学問 発明・発見

ウィリアム・ブラッドフォード・ショックレー 1910〜1989年

トランジスタの発明者の一人

20世紀のアメリカ合衆国の物理学者。

ロンドンで鉱山技師の子として生まれる。アメリカに移ってカリフォルニア工科大学を卒業し、1936年、マサチューセッツ工科大学で博士号を取得。のちにベル研究所に参加して半導体（温度や電圧によって電気を通したり、通さなかったりする物質）の研究をおこなう。第二次世界大戦がはじまるとレーダーなどの研究をおこなうが、大戦後はベル研究所で指導的な立場となり、電気の増幅などにつかう真空管にかわる部品を模索した。

バーディーンらとともに失敗をくりかえしながら研究をつづけ、1947年にトランジスタ（電気の流れをコントロールする部品で、半導体部品の代表格）を完成させた。トランジスタにより、電子機器の小型化が可能となった。1955年、サンフランシスコ郊外にショックレー半導体研究所を設立、のちに一帯は半導体開発の中心地となり、「シリコンバレー」とよばれるようになった。

1956年、共同研究者のバーディーン、ブラッテンとともにノーベル物理学賞を受賞した。 学 ノーベル賞受賞者一覧

ジョット・ディ・ボンドーネ

絵画

ジョット・ディ・ボンドーネ 1266?〜1337年

ルネサンス美術の先駆者

イタリアの画家、建築家。

フィレンツェに生まれる。ジオットともいう。生まれた年についてはいくつかの説がある。若くしてアッシジの大画家チマブーエに学び、その後、ローマなどで修業を重ねたといわれる。

フレスコ画という手法で、教会の宗教画をかくのを仕事にしていた。当時、宗教画はその教会に属する者がてがけるのがふつうだったが、どこにも属さずに独立して工房をかまえ、ローマ、パドバなど、いろいろな地方から注文を受けた。1334年、フィレンツェ大聖堂の建築家に任命され、鐘楼のデザインを担当するが、完成をみずに亡くなった。

人物や建物、背景のリアルな表現と、遠近をもった奥行きのあるえがき方を特徴とする。それまでのイタリア絵画になかった新しい世界を切りひらき、ルネサンス美術の先駆者といわれる。代表作に『聖フランチェスコの生涯』『ユダの接吻』などがある。

ショパン，フレデリック

音楽

フレデリック・ショパン 1810〜1849年

祖国ポーランドを愛した「ピアノの詩人」

ポーランドの作曲家、ピアニスト。

ワルシャワ近郊の生まれ。天才的なピアニストを母にもち、6歳でピアノと作曲を学び、8歳で宮廷での演奏会に成功。

1831年、パリでピアニストとしてデビューすると、小サロンでの演奏活動をおこない、リストやベルリオーズ、作家ジョルジュ・サンドら芸術家たちと交流する。パリを拠点にヨーロッパで活動したが、病気のため39歳で生涯をとじた。

短い生涯に、協奏曲、ソナタ、バラード、ワルツなどにすぐれた演奏技術を必要とするピアノ曲を数多くのこす。祖国ポーランドを愛し、ポーランドの民族舞曲ポロネーズやマズルカを多数作曲した。華麗であまいメロディーと情熱的で細やかな詩情の作風から「ピアノの詩人」とよばれる。主な作品に『幻想ポロネーズ』『小犬のワルツ』『24の練習曲』など。1927年から開催されている、フレデリック・ショパン国際ピアノコンクールは、ピアニストの登竜門として有名である。

ジョビン，アントニオ・カルロス

音楽

アントニオ・カルロス・ジョビン 1927〜1994年

新しい音楽ボサノバをつくり、世界に広めた

ブラジルの作曲家、編曲家、ピアニスト。

リオデジャネイロに生まれ、イパネマで育つ。10代でピアノをはじめ、ドイツ人ピアニストに作曲法などを学ぶ。1950年ころからレコード会社で仕事をしながら作詞家のモライス、メンドンサらと組んで曲を書く。また、ギタリストのジョアン・ジルベルトとともに、ヨーロッパの近代音楽とサンバなどのブラジルのリズム、アフリカのリズムがまざり合った新しい音楽ボサノバを誕生させた。歌手エリゼッチ・カルドーゾのためにつくられた『想いあふれて』が

ボサノバの最初の曲とされる。代表曲の『イパネマの娘』は、ジルベルトのギター、その妻アストラッドの歌で英語版がアメリカ合衆国で大ヒットした。

じょふく

架空

徐福 生没年不詳

不老不死を求めて船出した伝説の人物

中国、秦の方士。

『漢書』では徐福、『史記』では徐市としるされている。山東省生まれ。方士は、魔術的なわざをもち、占いや特別な薬などをつくるといわれていた。秦の始皇帝の命を受け、農民や数千人の少年少女、多くの兵士をつれて、イネなど五穀の種子や農耕の機具や技術とともに、東の海上にあるとされた三神山(蓬莱山)にむけ、不老不死の神薬とそれをあつかう仙人を求めて船出したといわれる。三神山は発見できなかったが、「平原広沢」とよばれる広い土地を発見し、その王になり中国にもどることはなかったとされる。

和歌山県熊野市や新宮市、佐賀県佐賀市など、日本各地に徐福が上陸した伝説がのこされている。

ジョブズ, スティーブ

産業

スティーブ・ジョブズ 1955～2011年

アップル社の創業者

20世紀のアメリカ合衆国の実業家。

サンフランシスコ生まれ。父はシリアからの留学生であったが、生後すぐにジョブズ夫妻の養子となる。高校生の時にヒューレット・パッカード社でのインターンシップ中に、のちに共同で「アップルコンピュータ」(アップル社)を創立するスティーブ・ウォズニアックと出会う。1972年、オレゴン州のリード大学へ進むが中退。1974年にビデオゲーム企業のアタリ社に強引に入社し、部外者のウォズニアックを無許可で仕事にひき入れるなどしていた。

1976年、「アップルコンピュータ」を設立、資金をくめんして自分たちで開発し製造したコンピューターを「アップルⅠ」と名づけて同年に販売。翌年、発表した「アップルⅡ」が爆発的な人気を集めた。1984年に発売した、一般の家庭でもつかいやすい画期的なコンピューター「マッキントッシュ」も成功。アップル社はシリコンバレーを代表する企業へと成長するが、ジョブズは経営陣との対立で1985年に解雇された。1996年に復帰して2000年にはCEO(最高経営責任者)となり、携帯電話市場などでの躍進に成功するが、がんにおかされて56歳で亡くなった。

じょめいてんのう

王族・皇族

舒明天皇 593～641年

はじめて遣唐使を派遣した

飛鳥時代の第34代天皇(在位629～641年)。

敏達天皇の孫で、即位する前は田村皇子とよばれた。推古天皇の死の翌年の629年、蘇我蝦夷の援助により、山背大兄王との皇位をめぐる争いに勝って即位した。その後、めいの宝皇女(のちの皇極天皇)を皇后とし、中大兄皇子(天智天皇)、大海人皇子(天武天皇)、また、蘇我馬子の娘とのあいだに古人大兄皇子をもうけた。630年、犬上御田鍬を第1回遣唐使として中国の唐に派遣し、翌年には唐の使節をむかえた。しかし、在位中は、蘇我蝦夷、蘇我入鹿父子が朝廷での実権をにぎっていたので、政治的にはあまり活躍できなかった。

学 天皇系図

ジョンおう

王族・皇族

ジョン王 1167～1216年

マグナ・カルタを突きつけられた

イングランド、プランタジネット朝の第3代国王(在位1199～1216年)。

イングランド王ヘンリー2世の末息子として生まれる。生まれたときには、フランスにある領地がすべて兄たちにあたえられていたため、のちに「欠地王」とよばれた。兄のリチャード1世の死後に王となるが、フランス王とあらそって、1204年、フランスの領地の大部分を失った。また大司教を任命する権利をめぐってローマ教皇に破門され、数年後に和解した。一方、国内では重税を課したため貴族や僧侶の反抗にあい、1215年、マグナ・カルタ(大憲章)をみとめさせられた。マグナ・カルタは王の権力を制限する法であり、王であってもコモン・ロー(古来の慣習など)を尊重する義務があり、権限を制限されることを文書で定めた。国王は神と教会以外の約束にしばられないとするローマ教皇が廃棄を命じ、その支持を受けて貴族と対立したが、内乱中に亡くなった。マグナ・カルタは人民や議会の権利を主張するよりどころとされ、再確認や修正をくりかえしながら、一部は現在の法までのこっている。

学 世界の主な王朝と王・皇帝

ジョンソン, リンドン

政治

リンドン・ジョンソン 1908～1973年

「偉大な社会」の建設をとなえたアメリカ大統領

アメリカ合衆国の政治家。第36代大統領(在任1963～1969年)。

テキサス州の貧しい地方政治家の長男として生まれた。テキサス州立の教育大学を卒業後、教職などをへて、1937年に民主党のテキサス州下院議員となり、1948年には連邦上院議員に当選。1953年、史上最年少で民主党院内総務に選出された。1960年の党大会ではケネディと大統領候補であらそってやぶれたが、翌年、副大統領となる。1963年のケネディ暗殺により大統領に昇格、翌年の大統領選挙で当選し、あらためて大統領に選任された。ケネディの政策をひきついで、人種を問わず政治に参加する権利などを保障した公民権法の成立をはじめ、教育の向上や貧困の克服、社会保障の充実など広範囲の改革をおこなう「偉大な社会」政策をとなえ、多くの政治的な課題を達成した。しかし、ベトナム戦争に介入し、北ベトナムへの爆撃を強行、戦争の泥沼化などにより、国民から反発を受け、1969年、任期満了後に政界から引退した。

学 アメリカ合衆国大統領一覧

ジョンまんじろう

幕末

ジョン万次郎　1827?〜1898年

漂流を乗りこえ、日本と世界をつないだ

(中浜京氏写真提供)

江戸時代後期の漁師、英学者、通訳。

本名は中浜万次郎。土佐国幡多郡中ノ浜（現在の高知県土佐清水市）の漁師の子。1841年、15歳のとき仲間とともに足摺岬の沖で漁をしていたところ暴風雨にあって、太平洋を漂流して鳥島にたどりつき、143日後にアメリカ合衆国の捕鯨船ジョン・ハラウンド号に助けられた。船長に気に入られ、ハワイでおりた仲間たちと別れて航海をつづけ、アメリカのマサチューセッツ州にわたる。船長の厚意を受けて養子となり、ジョン・マンの名で学校に入学して英語や航海術などを学び、卒業後は捕鯨船の水夫となって、世界中を航海した。1850年、カリフォルニアの金山で帰国のための費用をかせいだ。同年、ハワイの仲間と合流し、中国の上海にむかうアメリカ船ボイド号に乗った。船が琉球（沖縄県）の沖にさしかかったときに、購入しておいたボートを下ろして、琉球への上陸に成功した。その後、薩摩藩（鹿児島県西部）の取り調べを受け、1852年、故郷の土佐藩（高知県）にひきわたされた。

当時は外国船が日本近海にあらわれて、各藩がその対応に苦慮していたときだった。世界の情勢にくわしかった万次郎は、土佐藩に武士としてめしかかえられ、藩の学校で英語などを教えたが、生徒の中には後藤象二郎や、岩崎弥太郎がいた。

1853年、幕府の旗本となり、中浜の姓をさずけられた。静岡の韮山の代官の書記役となり、外国文書の翻訳や造船の指導などをおこなった。翌年、ペリーの2度目の来航ではじめ通訳をつとめたが、途中で解任される。1857年、軍艦操練所の教授となり、航海術の書物を翻訳し、会話集などを著した。

1860年、日米修好通商条約の批准書（外交文書）交換のために幕府の遣米使節が送られると、勝海舟や福沢諭吉も乗りこんだ咸臨丸に通訳として乗船して、ふたたびアメリカにわたった。

その後は薩摩藩開成所、土佐藩開成館で学問を教え、明治維新で明治政府が開成学校（現在の東京大学）を設立すると、そこで英語などを教えた。1870（明治3）年、プロイセンとフランスがあらそった普仏戦争の観察使節団としてヨーロッパにわたるが、病気にかかり引退し、71歳で亡くなった。

漂流をきっかけに語学や航海術を身につけ、開国でゆれる日本の外交や教育に、大きく貢献した。

シラー，フリードリヒ・フォン

詩・歌・俳句　映画・演劇

フリードリヒ・フォン・シラー　1759〜1805年

『第九交響曲』の歌詞を書いた詩人

ドイツの劇作家、詩人、歴史学者、医師。

南西部マールバハで軍医の息子に生まれる。士官学校を卒業して医学を学ぶが、革命的な情熱を文学で表現するシュトルム・ウント・ドラング（疾風怒濤）運動の影響を受け、1781年に戯曲『群盗』を匿名で発表する。自由への願望と権力への抵抗をテーマにしたこの作品は若者に熱狂的に受け入れられたが、一方で封建領主に危険視されることになる。そのため軍から文学活動を禁止されて各地を転々と逃亡しながら、戯曲『たくらみと恋』『ドン・カルロス』、歴史研究書『オランダ興亡史』を発表した。

1789年よりイエナ大学の教授となる。詩人ゲーテと親しくなり『ワレンシュタイン』『オルレアンの処女』、のちにロッシーニによりオペラ化された『ウィルヘルム・テル』など古典的な歴史劇を発表した。また、ベートーベン作曲『第九交響曲』の合唱部分の歌詞『歓喜に寄す』（『歓喜の歌』）の詩人として有名になった。

しらいよしお

スポーツ

白井義男　1923〜2003年

プロボクシング日本初の世界王者

昭和時代のプロボクサー。

東京都荒川区生まれ。1943（昭和18）年、プロボクサーとしてデビューした。

8戦して全勝し、翌1944年、海軍に召集された。第二次世界大戦後、ボクシング界に復帰した。そのころジムに立ちよった連合国軍最高司令官総司令部（GHQ）の職員で生物学者の

アルビン・カーンの目にとまり、彼のもとで食事の管理からボクシングのスタイルまで徹底した指導を受けた。そこで防御と攻撃のバランスを重視した科学的ボクシングを身につけ、1949年、日本フライ級と日本バンタム級の2階級を制覇した。1952年5月19日、世界フライ級チャンピオンのダド・マリノ（アメリカ合衆国）に勝利して初のタイトルを獲得し、敗戦にうちひしがれ自信を失っていた日本人に、希望と勇気をあたえた。その後、4度の防衛をはたし、1955年、現役を引退した。その後、実業界に転進して活躍した。世界チャンピオンとなった5月19日は、日本ボクシング協会により、ボクシングの日に定められた。

しらかわしずか

学問

● 白川静　1910～2006年

漢字研究の第一人者

昭和時代～平成時代の中国文学者、漢字研究者。

福井県生まれ。1943（昭和18）年に33歳で立命館大学法文学部漢文学科を卒業。のちに同大学教授となる。中国古代社会・中国古代文学を漢字の語源研究を通じて民俗学的に明らかにすると同時に、日本古代文学との比較研究をおこなった。中国最古の字書『説文解字』の研究をてがけ、以後、甲骨文、金文の研究をつづけた。長年にわたる漢字研究の成果は、漢字の字源辞典『字統』（1984年刊行）、語義と字義との対応を検証した古語辞典『字訓』（1987年刊行）にまとめられた。漢字の成り立ちや意味の展開をまとめた漢和辞典『字通』（1996年刊行）は、研究の集大成といわれる。漢字の成り立ちにおける宗教的な背景を明らかにするなど、独創的な研究を築き上げたが、実証がむずかしいものを学説とすることには批判もある。1998（平成10）年、文化功労者となる。1999年に勲二等瑞宝章受章、2004年に文化勲章を受章した。

学 文化勲章受章者一覧

しらかわてんのう

王族・皇族

● 白河天皇　1053～1129年

はじめて院政をおこなった

平安時代後期の第72代天皇（在位1072～1086年）。後三条天皇の子。即位する前は貞仁親王とよばれた。1068年、後三条天皇の即位の翌年、皇太子に立てられる。1072年、20歳で位をゆずられて即位した。母は藤原摂関家（摂政や関白になる家）の出でなく、血縁がうすかったので、父の後三条天皇と同じく、藤原氏に遠慮せず荘園の整理を強力におし進めた。1086年、8歳の皇子善仁親王を皇太子に立てると、その日に位をゆずって堀河天皇を即位させ、上皇（譲位した天皇）となり、幼い天皇にかわって政治をみた。上皇（院）が天皇にかわって政治をみるしくみを院政という。院政は、上皇の御所である院庁でおこなわれた。院庁からだされる院宣（命令書）は、天皇がだす宣旨よりも強い力をもっていた。政治の重要な会議は院庁でおこなわれ、白河上皇は形式を無視して官職の任命などをおこなったので、「治天の君（天下をおさめる君主）」とよばれた。

1087年ころ、院庁の北側に「北面の武士」をおいて院を警護させ、延暦寺（滋賀県大津市）などの僧兵の強訴（武器をもった僧たちが要求をおしとおそうとする行動）をしずめさせた。院政がはじまると、藤原氏の摂関政治は事実上の終わりを告げた。その後、堀河天皇のあとをついだ孫の鳥羽天皇、そのあとをついだ曽孫の崇徳天皇も幼かったので、上皇は、1096年に出家して法皇となったあとも朝廷に君臨し、思うままに院政をおこなった。その期間は1086年から1129年までの43年間にもおよんだ。

仏教を深く信仰し、白河（京都市）に法勝寺という八角九重塔をもつ大寺院を建立した。

学 天皇系図

▲法勝寺の復元模型　（京都市歴史資料館提供）

しらかわひでき

学問

● 白川英樹　1936年～

「電気を通すプラスチック」でノーベル化学賞を受賞

化学者。

東京生まれ。母の実家がある岐阜県高山で高校を卒業後、1957（昭和32）年、東京工業大学に入学し、1966年に工学博士号を取得。博士課程修了後に資源化学研究所助手として、プラスチックの一種であるポリアセチレンの重合（分子がたくさんむすびつくこと）の研究にとりくみ、1976年にはペンシルベニア大学の博士研究員となる。同年、ポリアセチレンに臭素を加えると、電気を通す性質（導電性）にかわることを発見した。1979年、筑波大学に移り、助教授をへて教授となる。1984年には日立製作所との共同研究により、高い導電性のポリアセチレンを作製した。2000（平成12）年に筑波大学を定年で退官。この年、ノーベル化学賞を受賞。同年、文化勲章を受章。「電気を通すプラスチック」は、現在、タッチパネルなど、さまざまなものに利用されている。

学 ノーベル賞受賞者一覧　学 文化勲章受章者一覧

シラク，ジャック

政治

ジャック・シラク　1932年～

EUの強化とユーロ導入をはたしたフランス大統領

フランスの政治家。大統領（在任 1995 ～ 2007 年）。

実業家の子として、パリに生まれる。国立行政学院を卒業。1956 年、アルジェリア戦争に従軍後、ポンピドゥー内閣の官房秘書官などをへて、1967 年、国民議会議員に初当選。内務大臣などを歴任し、1974 年、ポンピドゥー大統領の急死後の大統領選挙で首相に任命されるが、新たに選出されたジスカール・デスタン大統領との意見のちがいから辞任、共和国連合（RPR）を創設して総裁となる。1977 年からパリ市長をつとめながら国政でも活動し、1986 年、ふたたび首相になる。1995 年、3 度目の大統領選挙の出馬で初当選し大統領に就任（1981 年、1988 年と大統領選に立候補したが、ともにミッテランにやぶれた）。ヨーロッパ連合（EU）の強化と共通通貨ユーロの導入をはたし、フランスとヨーロッパの国際的影響力の拡大につとめた。伝統的に対立の多いドイツに対して協調路線をとり、アメリカ合衆国主導のイラク戦争に反対した。2005 年、欧州憲法がフランスの国民投票で拒否されて、求心力が低下、2007 年に大統領を退任した。親日家としても知られ、40 回以上の来日経験をもつ。

 主な国・地域の大統領・首相一覧

しらすじろう

政治　産業

白洲次郎　1902～1985年

「従順ならざる唯一の日本人」とよばれた

（旧白洲邸武相荘）

昭和時代の実業家、外交官。

兵庫県生まれ。ケンブリッジ大学留学中の 1928（昭和 3）年、神戸にあった父の会社、白洲商店が昭和金融恐慌のため倒産し帰国し、翌年には随筆家の白洲正子と結婚。その後英字新聞の記者、英国商社勤務をへて、日本食糧工業（現在の日本水産）取締役となる。日米開戦があやぶまれるころ、東京府南多摩郡（現在の東京都町田市）の古い農家に住み、政治や実業の一線からはなれて農業にいそしんだ。

第二次世界大戦後、外務大臣吉田茂の要請で終戦連絡中央事務局の参与となり、イギリスじこみの英語で主張すべきところは強く主張し、「従順ならざる唯一の日本人」といわれた。その後、貿易庁初代長官、サンフランシスコ講和会議全権委員顧問を歴任。その後、東北電力会長として、只見川の水利権を東京電力から切りかえ、戦後の電力再編につとめた。南多摩郡の住居は武蔵国（東京都、埼玉県、神奈川県東部）と相模国（神奈川県）にまたがっていたため、武相荘と名づけられ、現在、公開されている。

しらすまさこ

文学

白洲正子　1910～1998年

日本の美を探究しつづける

昭和時代～平成時代の随筆家。

東京生まれ。祖父は軍人で政治家の伯爵樺山資紀。夫は外交官の白洲次郎。5 歳から能を学び、1924（大正 13）年、女性としてはじめて能楽堂の舞台に立つ。学習院初等科を卒業後、アメリカ合衆国に留学し、ハートリッジ・スクールを卒業する。

1943（昭和 18）年、『お能』を発表。骨董にくわしい美術評論家の青山二郎や評論家の小林秀雄らと交流し、能、古美術、古典文学、史跡に関する本をだす。全国をおとずれ、能面の鑑賞美術品としての魅力をつづった紀行文『能面』、さびれた村里の自然、歴史、信仰と村人が守りつぐ美術品をつづる『かくれ里』で読売文学賞を受賞した。ほかに、紀行文『巡礼の旅西国三十三カ所』（のちに『西国巡礼』と改題）、『近江山河抄』『十一面観音巡礼』『世阿弥―花と幽玄の世界』『日本のたくみ』『西行』などがある。日本の古美術や古典文学を愛して、その美を探求しつづけ、普及につとめた。

しらせのぶ

探検・開拓

白瀬矗　1861～1946年

はじめて南極を探検した日本人

（国立国会図書館）

明治時代の軍人、探検家。

秋田県生まれ。こどものころ、近所の医師、佐々木節斎の寺子屋で北極の話を聞き、探検家を志すようになる。

1879（明治 12）年に陸軍入隊、仙台の第 2 師団勤務のころに北極探検をめざし予備役に編入する。1893 年、郡司成忠ひきいる千島開拓隊に加わり、シュムシュ（占

守）島で過酷な越冬を経験。その後出征した日露戦争では右手と胸を負傷、のちに中尉に昇官した。

1909年4月、アメリカ合衆国のピアリーが北極点に達したことを知った白瀬は、目標を南極に変更。さまざまな障害があったが、朝日新聞社や秋田魁新報社がよびかけた寄付金を中心に準備し、1910年11月、開南丸で東京の芝浦を出航した。1912年1月、日本人としてはじめて南極大陸に上陸。1月28日、一行は南緯80度05分まで進み、その地点を大和雪原と命名した。さらに南極点にむかったが、食料不足などのため断念して帰国した。現在も日本の南極観測隊による調査が活発におこなわれている白瀬氷河は、彼の名前にちなんでつけられた。

しらとりくらきち

学問

白鳥庫吉　1865～1942年

東洋史研究を発展させた歴史学者

（国立国会図書館）

明治時代～昭和時代の歴史学者。

千葉県生まれ。東京帝国大学文科大学（現在の東京大学文学部）史学科で、ヨーロッパの実証主義的手法（事実のみを根拠とする手法）を学び、1890（明治23）年に卒業。学習院（現在の学習院大学）教授に就任後、1900年、文学博士となり、1904年から母校の教授に就任。はじめは朝鮮古代史を研究、のちにアジア全域へと研究対象を広げた。その歴史研究は、諸民族の伝説、言語、宗教などをふくめた幅広いものであった。

1907年、東洋協会学術調査部を設立、『東洋学報』を創刊。1910年には、著書『倭女王卑弥呼考』において、「邪馬台国は北九州にあった」という説を発表し、邪馬台国畿内説の東洋学者の内藤湖南と論争をくり広げた（邪馬台国論争）。

1914（大正3）年からは東宮御用掛として、昭和天皇の皇太子時代の教育にかかわる。「東洋文庫」の設立にも尽力、東洋史研究の発展と人材育成につとめた。著書に『西域史研究』『満州歴史地理』『神代史の新研究』などがある。

シラノ・ド・ベルジュラック，サビニアン

文学

サビニアン・シラノ・ド・ベルジュラック　1619～1655年

『月世界旅行記』の作家

フランスの詩人、作家、軍人。

パリ生まれ。若いころは勇ましい軍人として活躍するが、やがて権威にとらわれず、世の中の動きを風刺した小説を発表する。作品に『月世界旅行記』『太陽世界旅行記』、戯曲『アグリピーヌの死』などがある。『月世界旅行記』は亡くなったあとの1657年に発行され、SF（空想科学小説）の先駆的作品とされる。

1897年、フランスの劇作家エドモン・ロスタンがシラノを主人公に、大きな鼻をもつ優しい剣士のせつない恋をえがいた戯曲『シラノ・ド・ベルジュラック』が大ヒットし、世界中で有名になる。この作品は、いまも上映される人気の戯曲となり、日本でもたびたび上演されている。

シルバースタイン，シェル

絵本・児童

シェル・シルバースタイン　1932～1999年

絵本『おおきな木』の作者

アメリカ合衆国の詩人、イラストレーター、絵本作家。

イリノイ州シカゴ生まれ。ルーズベルト大学卒業。作詞作曲家、フォークシンガーとしても活躍し、有名アーティストに楽曲の提供もしている。アメリカの歌手で作曲家ジョニー・キャッシュが歌った『スーという名の少年』などでグラミー賞を受賞している。

1964年に発表した絵本『おおきな木』では、ともに成長した少年にすべてをあたえつづけるリンゴの木を通して、見返りを求めない愛をえがき、話題となる。

本田錦一郎の翻訳で読みつがれてきたが、村上春樹が新訳を刊行した日本では、このほかに倉橋由美子が訳した『ぼくを探しに』『歩道の終るところ』『ビッグ・オーとの出会い』『屋根裏の明かり』『人間になりかけたライオン』『天に落ちる』などが出版されている。

ジルヒャー，フリードリヒ

音楽

フリードリヒ・ジルヒャー　1789～1860年

歌曲『ローレライ』で世界的に人気

ドイツの作曲家、指揮者、民俗音楽研究家。

シュトゥットガルト近郊シュナイトに生まれる。父から音楽の手ほどきを受ける。教師をしながらオルガンの修業をした。作曲家のウェーバーと出会い、音楽家を志す。

1815年に教育家ペスタロッチを知り、民謡教育や民謡の収集・編曲をおこなう。1817年、テュービンゲン大学の音楽監督に就任し、1852年、名誉哲学博士を受ける。ドイツ民謡を数多く収集、編集し、わすれられていた民俗音楽を復活させた。代表作の歌曲『ローレライ』（ハイネ詩）は、世界中で親しまれている。民謡を合唱曲に編曲したり民謡風の歌曲を作曲したりするなど、現在も各国の合唱団体で親しまれている曲をのこす。

ジルベルト，ジョアン
音楽

ジョアン・ジルベルト　1931年〜

ブラジル音楽、ボサノバを世界に広める

ブラジルの歌手、ギタリスト。

北東部ファセイロ生まれ。ブラジルのサンバとアメリカ合衆国のジャズを聴いて育つ。はじめは地元のバンドでドラムを演奏していたが、やがてギターを独習で身につけると、1950年にリオデジャネイロへ進出し、演奏活動を広げた。

1956年、作曲家アントニオ・カルロス・ジョビンと出会い、ギターのひき語りのレコードを発表する。サンバとジャズのハーモニーとリズムに、ささやくような歌声を加えたこの音楽は、「ボサノバ（新しい感覚、という意味）」とよばれ、一躍人気を得て世界に広まった。ヒットしたレコードに、歌手で妻のアストラッドが歌った『イパネマの娘』がある。

しろやまさぶろう
文学

城山三郎　1927〜2007年

経済小説の第一人者

昭和時代〜平成時代の作家。

愛知県生まれ。本名は杉浦英一。一橋大学卒業後、愛知学芸大学（現在の愛知教育大学）などで景気論を教える。

1957（昭和32）年、商社マンをえがいた『輸出』で文学界新人賞、翌年、株主総会がテーマの『総会屋錦城』で直木賞を受賞。その後、『乗取り』『小説日本銀行』などを発表し、経済小説の第一人者となる。公害と闘った田中正造をえがいた『辛酸』、大物経済人の渋沢栄一をとり上げた『雄気堂々』、戦犯にされた元総理大臣をえがいた『落日燃ゆ』など、人間ドラマに傑作が多い。

流行語になった『毎日が日曜日』、受験戦争をあつかった『素直な戦士たち』などのベストセラーもある。

学 芥川賞・直木賞受賞者一覧

しんいけい
政治

沈惟敬　?〜1597年

文禄の役の講和交渉を偽装し、慶長の役をひきおこす

中国、明の軍人、官僚。

浙江省（福建省という説もある）に生まれる。「ちんいけい」とも読む。1592（文禄元）年の豊臣秀吉の朝鮮出兵（文禄の役）の際、明軍の兵部尚書（軍務大臣）に任命され、朝鮮におもむき、日本軍との講和交渉にあたる。

1593年、日本軍の小西行長らとはかり、秀吉が要求した和議七か条のかわりに、にせの降伏文書を作成して明の皇帝である万暦帝へ送り、講和を成立させた。これを受けて、1596年には万暦帝の使いとして来日し、秀吉と会見するが、偽装工作が発覚して交渉は決裂。これにより、1597（慶長2）年、朝鮮への再出兵（慶長の役）をひきおこし、帰国後、万暦帝の命により処刑された。

シンガー，アイザック・メリット
産業　発明・発見

アイザック・メリット・シンガー　1811〜1875年

ミシンの普及に貢献したアメリカの発明家

アメリカ合衆国の発明家、企業家。

ニューヨーク州の機械修理工の家に生まれる。12歳で家を出て、放浪生活をしながら、機械工としての経験を積んだ。1839年以降、岩をけずる機械や、木材の加工機械などで特許をとる。1851年にミシン修理をてがけたことから、改良にとりくみ、その年のうちに改良したミシンの特許を取得、ミシンの製造販売をおこなうシンガー社を創立した。以後、10年ほどのあいだに、ミシン製造にかかわる特許を多数取得し、これらの技術がミシンの基本構造を完成させた。さらに生産面では大量生産、販売面では分割払い制度の導入をおこない、ミシンの普及に貢献した。

しんかい
政治

秦檜　1090〜1155年

南宋の基礎を築いた宰相

中国、南宋の政治家。

1115年に科挙（官僚の採用試験）に合格して北宋で順調に出世したが、1127年に北方の金によって北宋が滅亡した際（靖康の変）、金に抑留される。1130年、金から解放されると、金の内情を知る者として南宋の初代皇帝高宗に信任され、翌年には宰相となった。金との講和を進め、抗戦をとなえる岳飛ら軍人の反対派を徹底的に弾圧する。1142年、金に銀・絹を毎年贈るという条件で和平を実現。和平後も長く宰相をつとめ、南宋の繁栄の基礎を築いた。後世、岳飛が救国の英雄として尊敬されるようになったため、売国奴といわれるようになる。しかし、軍事力ではなく、豊かな経済力で国を守り、モンゴルの侵攻まで約100年つづく平和をつくったともいえる。

しんかいたけたろう
彫刻

新海竹太郎　1868〜1927年

日本の近代彫刻をめざす作品を制作

明治時代〜大正時代の彫刻家。

山形県生まれ。父は仏像の彫刻にたずさわる仏師だった。1886（明治19）年、軍人を志して上京し、騎兵隊に入隊した。そこでつくったウマの木彫りが上官の目にとまったことがきっかけで、除隊後、彫刻家の後藤貞行や小倉惣次郎に入門した。1896年に制作した北白川宮能久親王の騎馬像が評判となる。1900年からヨーロッパに留学し、ベルリン美術学校のヘルテルの指導を受けた。帰国後は、太平洋画会研究所の彫刻部で、後進を指導した。第1回文部省美術展覧会（文展）から審査員をつとめ、1917年に帝室技芸員、1919年に帝国美術院会

員となる。代表作に『ゆあみ』などがある。

しんかわかずえ

詩・歌・俳句

新川和江　1929年〜

おおらかな母性あふれる詩をつくる

詩人。

茨城県生まれ。結城高等女学校卒業。こどものころから野口雨情らの童謡に親しむ。高校在学中に詩人の西条八十の教えを受ける。1953（昭和28）年、詩集『睡り椅子』を発表。雑誌『地球』に参加し、1965年には、『ローマの秋・その他』で室生犀星詩人賞を受賞。1983年から、詩人の吉原幸子と雑誌『現代詩ラ・メール』を創刊し、女性詩人の発表を応援。

1987年に『ひきわり麦抄』で現代詩人賞、1998（平成10）年には『けさの陽に』で詩歌文学館賞、翌年『はたはたと頁がめくれ…』で藤村記念歴程賞など、数々の賞を受賞する。代表作『わたしを束ねないで』（1997年）は、女に生まれ、恋をして、妻になり母になる、女の一生を歌う詩集。

その詩の多くに曲がつけられ、合唱曲として愛唱される。1992年に童謡『星のおしごと』で日本童謡賞を受賞。30年以上にわたり『産経新聞』の『朝の詩』の選者をつとめる。

ジンギスカン

ジンギスカン → チンギス・ハン

じんぐうてるお

絵本・児童

神宮輝夫　1932年〜

イギリス・アメリカの児童文学を紹介する

児童文学評論家、翻訳家。

群馬県生まれ。早稲田大学文学部英文科卒業。在学中に早大童話会に参加し、イギリス、アメリカ合衆国の児童文学の研究をはじめる。卒業後は翻訳や評論など幅広い活動を通して、イギリス、アメリカの児童文学作品などをいち早く紹介した。青山学院大学教授などをつとめる。主な翻訳書に『アーサー・ランサム全集』『プリデイン物語』『ウォーターシップ・ダウンのうさぎたち』『かいじゅうたちのいるところ』など。日本児童文学者協会賞を受賞した『世界児童文学案内』『児童文学の中の子ども』をはじめ評論も多い。創作では『のらねこたいしょうブー』『たけのこくん』などがある。

しんぜい

信西 → 藤原通憲

しんそう

王族・皇族

神宗　1048〜1085年

北宋の最盛期をつくった皇帝

中国、北宋の第6代皇帝（在位1067〜1085年）。

第5代皇帝・英宗の長子。姓名は趙頊。そのころの北宋は、軍事費の増大や富の不均等な分配、大商人との癒着などで財政状況がとても悪く、社会不安も深刻になっていた。20歳で即位した神宗は、地方の政治で実績があり、有能と名高かった王安石を宰相に起用した。王安石とともに青苗法、保甲法などの新法を急速に進め、中小の農民や商人を保護した。財政の再建や、行政の効率化、流通の整備、土地開発などを一気におこなったため、富を独占していた大地主や大商人、皇族などから大きく反対されたが、財政はよくなった。周辺諸国との外交交渉により軍事費を大幅にへらすことにも成功し、税の負担を少なくすることで農村の再生に成功して、治安もよくなった。1176年の王安石の退任後も改革を進め、北宋の全盛期をむかえた。国内の改革に成功した神宗は、西夏へ侵攻するが、失敗した。改革なかばの38歳で病死。神宗の死後、新法は廃止され、宋は急速に衰退する。

学 世界の主な王朝と王・皇帝

しんどうかねと

映画・演劇

新藤兼人　1912〜2012年

戦争の経験を映画にした

昭和時代〜平成時代の映画監督、脚本家。

広島県生まれ。本名、兼登。1934（昭和9）年、新興キネマの現像部や美術部ではたらくかたわら、脚本を書きはじめ、溝口健二監督の教えを受ける。第二次世界大戦中、松竹の脚本部に移るも、海軍に招集され、復員後、本格的に活動する。「つくりたい映画をつくる」という信念から、映画監督の吉村公三郎、俳優の殿山泰司らと近代映画協会を設立。1951年に『愛妻物語』で監督デビューした。翌年、はじめて原爆の被害をえがいた『原爆の子』が世界的な反響をよび、多くの賞を受賞。せりふのない『裸の島』は、少人数の役者やスタッフ、短期間低予算でつくられ、1961年のモスクワ映画祭でグランプリを得た。この制作手法は、映画界に大きな影響をあたえた。1997（平成9）年に文化功労者に表彰、2002年に文化勲章を受章。

2010年には、98歳で映画『一枚のハガキ』を完成させた。自分自身を軸に、家族、職業、地域社会、国家から世界まで

幅広い問題をえがき、100歳で亡くなるまで精力的に作品を制作した。 学 文化勲章受章者一覧

ジンナー，ムハンマド・アリー

政治

ムハンマド・アリー・ジンナー 1876～1948年

イスラム教徒のインド独立の指導者、パキスタン建国の父

インド・ムスリム連盟の指導者。パキスタン初代総督（在任1947～1948年）。

パキスタン最大の都市カラチ生まれ。イギリスに留学して弁護士となり、イギリス統治下にあったインドに帰国、1906年、政治家の秘書になったことをきっかけに政界入り。1916年、イスラム教徒によるインド・ムスリム連盟の代表に就任、ガンディーひきいる国民会議派と協力し、イギリスからの独立運動を展開した。

1920年以降は、ヒンドゥー教徒とイスラム教徒の分離に反対するガンディーと対立、イギリスからの独立に際し、イスラム教徒による国家の成立を構想する。

1940年、イスラム教徒の多く住む地域をインドから切りはなす決議（ラホール決議）を議会で通過させ、以後、イギリスと国民会議派に対して、分離独立を求めて交渉をつづけた。1947年、インドのイギリスからの独立時、パキスタンをインドから分離して建国させ、パキスタンの初代総督に就任したが、翌年、病死した。「パキスタン建国の父」と称せられる。

しんみまさおき

幕末

新見正興 1822～1869年

条約批准のためアメリカにむかった

幕末の幕臣。

1829年、大坂町奉行新見正路の養子となる。1856年、小姓組番頭をへて、外国奉行となり神奈川奉行をかねた。

1859年には、日米修好通商条約の批准書（外交文書）交換のためにアメリカ合衆国に送られた遣米使節の正使に任命された。

1860年、小栗忠順ら70余名をしたがえてアメリカの軍艦ポーハタン号に乗船し、太平洋を横断してワシントンに到着した。アメリカ大統領ブキャナンと会見して批准書を交換したあと、各地を見学した。

帰国時は大老井伊直弼の暗殺後で、尊王攘夷論（天皇をうやまい外国勢力を追いはらうという考え）が高まるなか、幕府は公武合体（朝廷と幕府がむすぶこと）を進めていたので、学んできた外国の新知識を生かす場がなくなっていた。

じんむてんのう

王族・皇族

神武天皇 生没年不詳

皇室の祖先といわれる初代天皇

▲天皇陵の畝傍山東北陵

（宮内庁書陵部）

神話上の初代天皇。『日本書紀』によれば、天照大神の孫で、神々の住む高天原から地上におりた瓊瓊杵命の子孫。15歳で皇太子となり、45歳のとき、「東国に天下をおさめるよい土地がある」と、日向（現在の宮崎県）から皇子たちをひきい、瀬戸内海をへて河内（大阪府東部）にいたった。

しかし、大和（奈良県）にむかう途中で土地の豪族長髄彦のはげしい抵抗にあい、皇子たちを失った。その後、長髄彦の軍をさけて、熊野（和歌山県南部）に上陸。天照大神が送ってくれた八咫烏にみちびかれて奈良盆地へと進軍し、大和の豪族たちをしたがえて長髄彦をたおし大和を平定した。この話は「神武東征神話」とよばれている。紀元前660年、橿原宮（奈良県橿原市）をつくって即位した。在位76年、127歳で没したというが、『日本書紀』の記述による神武天皇から第9代の開化天皇までは、実在したかは不明である。 学 天皇系図

しんむらいずる

学問

新村出 1876～1967年

言語学・国語学の基礎を築いた『広辞苑』を編さん

明治時代～昭和時代の言語学者、国語学者。

山口県生まれ。山口県令関口隆吉の次男として生まれたが、1889（明治22）年、新村猛雄の養子入籍となった。

東京帝国大学（現在の東京大学）文科大学博言学科を卒業して、大学院に進み国語学を専攻した。1902年に東京高等師範学校（のちの東京文理科大学、現在の筑波大学）教授となり、1904年には東京帝国大学文科大学助教授を兼任した。1906年から2年間ヨーロッパに留学、1909年に京都帝国大学（京都大学）教授となり、1936（昭和11）年まで、同大学の言語学講座を担当した。

師の上田万年とともに西洋言語学の理論を導入し、日本の言語学・国語学の基礎を築いた。キリシタン文献の考証、語源の研究でも業績をのこす。息子の猛との共同作業による『広辞苑』の編集で知られる。1956年、文化勲章を受章した。

学 文化勲章受章者一覧

しんらん

親鸞 → 212ページ

親鸞

浄土真宗をひらいた僧

▲親鸞像　畳の上にクマの毛皮の敷物をしいてすわっている。
（奈良国立博物館所蔵／森村欣司撮影）

■法然に出会う

鎌倉時代前期の僧。

下級貴族の日野有範の子として生まれた。幼いときに両親を亡くし、貴族社会にたよれる人物がいなかったので、1181年、9歳のとき比叡山延暦寺（京都市・滋賀県大津市）で出家して僧となった。その後29歳まで仏教の経典を学び、きびしい修行をした。しかし20年間、学問にはげみ修行を積んでも自分の信仰に確信をもてなかった親鸞は比叡山をおりた。そして1201年、聖徳太子が建立したと伝えられる京都の六角堂に100日間こもった。95日目、親鸞は夢の中で聖徳太子のお告げを受けたあと、東山で布教していた法然をたずねた。法然は、「南無阿弥陀仏」とひたすら念仏をとなえればどんな人でも救われるという浄土宗の教えを説いていた。親鸞は法然の教えに感動し、法然にしたがうことを決心した。

■越後に流罪となる

法然の弟子となった親鸞が熱心に布教をおこなっていたころ、浄土宗の信者は急激にふえていった。これに対し延暦寺や奈良の興福寺は、浄土宗が広がるのをおそれ、朝廷に浄土宗をとりしまるようにはたらきかけ弾圧しようとした。1207年、朝廷は法然の弟子の中に社会の秩序を乱す者がいたという理由で法然や弟子たちを処罰した。法然は土佐国（現在の高知県）に流され、親鸞は越後国（新潟県）に流された。

越後に流された親鸞はやがて地元の豪族の娘恵信尼と出会い、妻をもってはいけないという戒律（僧が守るべき規律）をやぶって結婚し、非僧・非俗（僧でもなく俗人でもない）の暮らしを送った。

■関東での20年

1211年、流罪をゆるされたが法然が亡くなったことを知って京都にはもどらず、地方に念仏の教えを広めようと思い、恵信尼やこどもたちと関東へむかった。親鸞は常陸国稲田（茨城県笠間市）に落ち着き、ここを拠点にして関東の農民たちに念仏の教えを広げたので信者がふえた。

親鸞の教えは法然の浄土宗をさらに進めたもので浄土真宗（一向宗）という。1224年、『教行信証』を著して、極楽往生するには阿弥陀仏の力（他力）にすがるほかないとする「他力本願」、悪人（欲望やなやみなどをもち罪深いと思っている人々）こそが阿弥陀仏に救われるという「悪人正機」の考えを深めた。

▲教えを説く親鸞　約20年間をすごした稲田（茨城県笠間市）のいおりには多くの人々が教えを聞きにきた。「聖人」としるされた人物（左）が親鸞。『親鸞聖人伝絵』（稲田草庵の段）より。　（高田本山専修寺）

■京都に帰る

親鸞は1232年、60歳ころ京都にもどった。関東にいる信者たちには晩年まで手紙などを書いて、教えを伝えた。そんななかで1251年に関東の信者たちの混乱をしずめるために送った子の善鸞がいつわりの教えを伝えて信者たちをまどわした。これを知った親鸞は1256年、善鸞を義絶（肉親の縁を切ること）した。

6年後、親鸞は末娘の覚信尼にみとられて亡くなった。覚信尼によって京都東山の大谷に親鸞を祭った堂が建てられ、のちに浄土真宗の本願寺に発展した。

学 日本と世界の名言

親鸞の一生

年	年齢	主なできごと
1173	1	日野有範の子として生まれる。
1181	9	出家する。
1201	29	法然の弟子になる。
1207	35	越後に流される。このころ恵信尼と結婚する。
1211	39	流罪をゆるされる。
1214	42	常陸国へ行く。
1224	52	『教行信証』を著す。
1232	60	このころ京都へ帰る。
1256	84	子の善鸞を義絶する。
1262	90	京都で亡くなる。

※年齢は数え年であらわしている

すいこてんのう

王族･皇族

推古天皇 554〜628年

日本初の女性天皇

▲山田高塚古墳（磯長山田陵）
（宮内庁書陵部）

飛鳥時代の第33代天皇（在位592〜628年）。

欽明天皇の子で、母は蘇我稲目の娘の堅塩媛。用明天皇の妹。即位する前は額田部皇女とよばれた。576年、敏達天皇の皇后となる。592年、異母弟の崇峻天皇がおじの蘇我馬子によって暗殺されたあと、馬子におされて日本最初の女帝として即位した。翌年、おいの厩戸皇子（聖徳太子）を摂政とした。亡くなるまで、36年間天皇の位にあったが、厩戸皇子や蘇我馬子とともに603年、冠位十二階を定めて朝廷での役人の位階をしめし、604年、憲法十七条を定めて役人たちの政治への心がまえをしめした。朝廷での礼法をあらため、「役人が朝廷の門を出入りするときは、両手を地面につけ、ひざまずいて敷居をこえてから立って歩きなさい」などの命令をだして、天皇の権威を高めた。また、ある僧が、おので祖父を打つという仏教で禁じられている罪を犯したとき、僧たちの上に立つ「僧正、僧都」などを任命し、僧や尼などに対して仏教の正しい道を守らせようとした。

607年、小野妹子を遣隋使として中国の隋に送り、倭（日本）の国際的地位を高めようとした。622年、聖徳太子が亡くなると、朝廷での権力が強くなった蘇我馬子が「葛城県（現在の奈良県葛城市にあった朝廷の所有する土地）をたまわりたい」と願いでた。しかし、天皇は「馬子大臣（大和政権の最高職）のいうことは何でも聞き入れてきたが、朝廷の土地がなくなればのちの世におろかだといわれるだろうし、大臣も不忠の臣下といわれるだろう」といって蘇我氏の横暴をゆるさなかった。このことからも、推古天皇は厩戸皇子が考えていた天皇中心の政治体制をたしかなものにしようとしていたことがわかる。推古天皇の時代には、法興寺（現在の飛鳥寺）（明日村）、法隆寺（斑鳩町）が建立され、諸仏像が制作され、仏教の経典がととのえられるなど、仏教中心の飛鳥文化が花ひらいた。墓は、大阪府太子町にある山田高塚古墳（磯長山田陵）とされている。

▲推古天皇がつくらせた『天寿国曼荼羅繍』（中宮寺／奈良国立博物館写真提供／森村欣司撮影）

学 天皇系図

スウィフト，ジョナサン

文学

ジョナサン・スウィフト 1667〜1745年

『ガリバー旅行記』などの風刺小説をのこす

イギリスの作家、批評家。

アイルランドのダブリン生まれ。父はなく母にも置き去りにされ、母方のおじに育てられた。大学を出たのち、イギリスで政治家の秘書を10年間つとめ、その後アイルランドにもどって牧師となった。1704年、37歳のときにカトリック、プロテスタント、イギリス国教会の争いをえがいた『桶物語』と、古代社会と近代社会を論じて近代社会を風刺した『書物戦争』を発表し、作家としてデビューする。この2作品で風刺作家としての名声を高めた。

その後、イギリス政界で政党への批評をくり広げ、政治評論家として活躍する。1726年に、『ガリバー旅行記』を匿名で出版した。この作品は、するどい人間観察にもとづいた人間社会への批判がこめられた風刺小説でありながら、船員ガリバーの夢と空想にあふれる冒険旅行記の形から、おとなもこどもも楽しめる名作として世界中で知られる。

すうえん

思想･哲学

鄒衍 紀元前305？〜紀元前240？年

陰陽五行説をとなえた思想家

中国、戦国時代の思想家、陰陽五行家の祖。

斉（現在の山東省）生まれ。『史記』によると、鄒衍は孟子より少しあとの時代の人物で、斉で名声を得たのち、燕の王につかえた。また趙に行き、政治家の平原君の信頼を得たという。鄒衍は、万物のあらゆる動きは陰と陽という2つの気が交替してあらわれる「陰陽説」と、宇宙のあらゆる物を生成している要素は、木・火・土・金・水であるという「五行説」をむすびつけ、「陰陽五行説」を確立した。その説にもとづいた原理により、歴代王朝の交替を説明し、未来も予想したという。

陰陽五行説はのちに老荘思想と融合して道教に発展、宋の時代の宋学にも影響をあたえた。日本の陰陽道もこれを受けついだ思想である。

すうげんいん

戦国時代

崇源院　1573〜1626年

政略結婚にふりまわされた浅井家の姫

戦国時代〜江戸時代前期の姫。

近江国（現在の滋賀県）小谷城主、浅井長政の３女で、幼名は督。江、お江与の方ともいう。母は織田信秀の娘、お市の方。姉は茶々（のちの淀殿）。父は、母の兄、織田信長にほろぼされ、母と姉とともに城から助けられ、信長の保護下におかれた。1582年、本能寺の変で信長が死ぬと、その後継を決める清洲会議で、母が柴田勝家にとつぐことに決まり、それにともなって越前国（福井県北東部）に移る。しかし勝家は、羽柴秀吉（豊臣秀吉）と対立してほろび、姉の淀とともに秀吉の庇護下に入り、淀は秀吉の側室となった。督ははじめ、秀吉の意向で佐治一成に嫁にだされるが、まもなく別れさせられる。次いで、秀吉のおいで養子となった豊臣秀勝と再婚した。しかし秀勝も文禄の役に従軍し、朝鮮で病死。1595年には秀吉の家臣、徳川家康の子、徳川秀忠と再婚。千姫、竹千代（徳川家光）、国松（徳川忠長）などの子をもうける。秀忠はのちに江戸幕府の第２代将軍となり、家光は第３代将軍となった。

スーザ，ジョン・フィリップ

音楽

ジョン・フィリップ・スーザ　1854〜1932年

多くの行進曲を作曲した「マーチ王」

アメリカ合衆国の作曲家、指揮者。

首都ワシントン生まれ。父は、アメリカ海兵隊軍楽隊のトロンボーン奏者であった。こどものころからトロンボーン、バイオリン、指揮を学び、1880年に父と同じ軍楽隊の指揮者となる。1892年、スーザ楽団を結成して世界中をまわり、亡くなるまで演奏活動をつづけた。

約140曲の行進曲（マーチ）をはじめ舞曲やオペレッタなどを作曲する。チューバをマーチングバンド用に改造した金管楽器スーザフォーンの考案でも知られる。「マーチ王」とよばれ、代表曲に『星条旗よ永遠なれ』『ワシントン・ポスト』『士官候補生』などがある。

すうていてい

王族・皇族

崇禎帝　1610〜1644年

中国の明朝最後の皇帝

中国、明の第17代皇帝（在位1627〜1644年）。

名は朱由検。第15代皇帝泰昌帝の第５子。1627年、兄の天啓帝が亡くなると、あとをついで即位した。前代から宮廷の実権をにぎっていた宦官の魏忠賢らの勢力を追いはらって、徐光啓を登用し、内政改革に乗りだした。しかし、宮廷内では政府の高官や宦官の不正を批判する東林派と非東林派の官僚の抗争が絶えず、北方からは清がせまり、軍事費はふくらむ一方だった。さらに、国内できききんがおこり、各地で反乱が勃発。1644年、李自成がひきいる農民反乱軍により北京が包囲されると、崇禎帝は皇子を地方に逃がし、皇后を自殺させ、万歳山（現在の北京市景山）に登り、首をつって自殺した。これにより、約280年つづいた明はほろびた。 学 世界の主な王朝と王・皇帝

スーラ，ジョルジュ

絵画

ジョルジュ・スーラ　1859〜1891年

点描でえがく技法を完成させた画家

フランスの画家。

パリの裕福な家に生まれる。５歳のころからデッサンの勉強をはじめた。1878年に国立美術学校に入学するが、兵役で退学し、除隊後に絵を再開する。ロマン主義のドラクロアやバルビゾン派のコロー、印象派のピサロなどに興味をもち、化学者のシュブルールやヘルムホルツの色彩理論に影響を受けた。ほとんど独学で理論や構図法を研究し、科学的な根拠にもとづく画面構築をおこなった。

1884年より点描法で作品をかきはじめる。点描法は、はなれて多くの小さな点をみると、となりどうしの色がまざってみえる視覚混合の理論にのっとった方法で、絵の具をまぜずに画面の上に点々とおき、輝くような色彩を生みだした。画風の近いシニャックとともに、新印象主義を代表する画家といわれる。主な作品に『曲馬』『ポーズする女たち』『グランド・ジャット島の日曜日の午後』などがある。

スールヤバルマンにせい

王族・皇族

スールヤバルマン２世　?〜1150?年

アンコールワットを建設した

▲アンコールワットにえがかれた壁画

カンボジア、アンコール朝の第18代王（在位1113〜1150?年）。

ジャヤバルマン６世とダラニーンドラバルマン１世のおい。王として即位すると、チャンパー（現在の中部ベトナム）の首都を占領し、その後も大越国（ベトナム北部）やタイにも軍隊を進めて、領土を広げた。中国の宋にも使節を派遣し、カンボジアの最盛期の王といわれる。

首都のアンコールトムに、30年をかけてアンコールワットを建設した。アンコールワットとは、カンボジア語で「寺院の王都」とい

う意味。ヒンドゥー教の神の一人であるビシュヌ神にささげられたヒンドゥー教の寺院であったが、16世紀に仏教寺院へと改修された。クメール建築の最高傑作といわれる寺院は、南北1300m、東西1500mの堀にかこまれ、中央には高さ65mの塔がそびえ、3つの回廊がおかれている。建築物の壁面には浮き彫りの絵物語がきざまれている。破壊が進んでいたが、復旧作業の結果、1992年に世界遺産に登録された。

すえつぐへいぞう

産業

末次平蔵　?〜1630年

長崎の政治や貿易に力をふるった

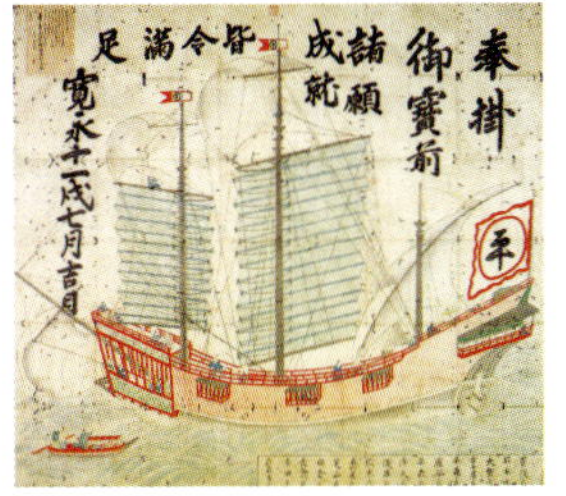

▲末次船の下絵
（長崎歴史文化博物館）

江戸時代前期の豪商。

博多（福岡市）の貿易商人の子として生まれた。1571年、長崎が開港されると父とともに長崎へ移り、町の建設に力をつくした。その後、父のあとをついで貿易商人になり、豊臣秀吉、ついで江戸幕府から朱印状（朱色の印がおされた海外渡航許可証）をあたえられて台湾、アンナン（現在のベトナム）、シャム（タイ）などに末次船とよばれた貿易船を派遣して巨万の富を築いた。

1619年、長崎を支配する長崎代官の村山等安の不正を幕府にうったえて失脚に追いこみ、かわって長崎代官になった。はじめ平蔵もキリシタンだったがその後信仰をかえ、キリスト教徒を弾圧するなど、長崎の政治や貿易に大きな力をふるった。

平蔵は、中国の明の密貿易商人から生糸や絹織物を購入することができる、台湾貿易に力を入れた。そのため、台湾を拠点にして日本との貿易をはじめたオランダから妨害を受け、1628年、末次船の船長とオランダの台湾長官があらそう事件がおきた。この事件で平蔵のうったえを聞いた幕府はオランダとの貿易を禁止した。しかし1630年に平蔵が亡くなると貿易は再開された。

▲両足院にある平蔵の供養塔　（建仁寺両足院）

末次家は平蔵の死後も代々長崎代官をつとめた。しかし、1676年、密貿易が発覚して一族はすべて処罰され、末次家はとりつぶされた。

すえはるかた

戦国時代

陶晴賢　1521〜1555年

大内氏をうらぎり実権をにぎるが毛利氏にやぶれる

戦国時代の武将。

周防国（現在の山口県東部）の大名、大内氏の重臣である陶興房の次男として生まれる。1539年、父のあとをついで周防国の守護代となり、大内義隆の重臣としてつかえた。容姿が美しかったため義隆の寵愛を受けたといわれ、元服時には義隆から1字をもらって隆房と称した。

（『木曽街道六十九次之内 三十六 藪原 陶晴賢』より　都立中央図書館特別文庫室所蔵）

1540年、安芸国（広島県西部）の吉田郡山城の戦いで、大内氏に従属していた毛利元就の援軍の総大将に任命され、尼子晴久軍を撃退した。1542年には、さらに出雲国（島根県東部）へ進攻して尼子軍を追いこむが、翌年、晴久の反撃にあって惨敗する。その後、政務への関心を失った義隆や、義隆の側近の相良武任らと対立し、1551年に反乱をおこし、義隆を自害させる。翌年、豊後国（大分県）の大名、大友宗麟の弟である晴英を大内氏の当主にむかえ、みずからは名を晴賢と改め、実権をにぎった。

1554年、毛利元就にそむかれ、安芸国の厳島で戦って大敗し、自害する。

すえひろてっちょう

政治

末広鉄腸　1849〜1896年

多くの政治小説をのこした政治家

明治時代の政治家、新聞記者。

伊予国（現在の愛媛県）宇和島藩の勘定役の家に生まれる。本名は重恭。藩校の明倫館で学び、母校の教授となる。

大蔵省につとめたのち、1875（明治8）年、新聞『あけぼの』（のちの『東京曙新聞』）の編集長となるが、直後に公布された讒謗律と新聞紙条例を批判する投書を掲載し、自宅禁固、罰金刑を受ける。その後『朝野新聞』に移って編集長をつとめるが、またも新聞紙条例の制定者の名誉を傷つけた罪として、入獄、罰金刑を受けた。1881年、自由党結成に参加したが、板垣退助の外遊を批判して、党をはなれる。1890年以降、衆議院議員に2回当選する。

著書に、政治小説『雪中梅』『花間鶯』などがある。

すえよしまござえもん

産業

末吉孫左衛門　1570〜1617年

家康にみとめられて海外と貿易をおこなった

江戸時代前期の豪商、貿易商人。

名を吉康という。摂津国平野（現在の大阪市）に商人の子として生まれる。1600年、関ヶ原の戦いがおこると、廻船業（日本の沿海を定期的に周航して物資の輸送をおこなった海運業者）をいとなむ父末吉勘兵衛とともに徳川家康に味方し、その功績によって1601年、京都伏見の銀貨の鋳造所（伏見銀座）の設立に加わった。1614年にはじまった大坂の陣では、徳川秀忠の陣営の普請などに協力して、河内国（大阪府）志紀・河内の2つの郡の代官になった。

（末吉孫左衛門吉康画像／東京大学史料編纂所所蔵模写）

1604年、家康から朱印状（朱色の印がおされた海外渡航の許可証）を受け、ルソン（フィリピン）、シャム（タイ）、トンキン（ベトナム北部）などに、末吉船とよばれた貿易船を派遣して貿易をおこない、大きな利益をあげた。京都の清水寺に末吉船をえがいた絵馬が奉納されている。

すがえますみ

学問

菅江真澄　1754～1829年

東北での旅日記の著者

江戸時代後期の国学者、紀行家。

三河国（現在の愛知県東部）に生まれる。国学者の賀茂真淵の門人植田義方に国学を学んだ。1783年、30歳のときに三河から信濃国（長野県）に旅立ち、その後、越後（新潟県）、庄内（山形県）、津軽（青森県）、南部（岩手県）、蝦夷地（北海道）などをめぐり歩いた。晩年は秋田藩（秋田市）の領内ですごし、藩主の要望にこたえて秋田藩の地誌をまとめた。東北各地の暮らしを記録した旅日記『真澄遊覧記』など200冊以上の著書は、当時の庶民の暮らしを知る貴重な資料で、現在、その多くが国の重要文化財に指定されている。

すがののまみち

貴族・武将　学問

菅野真道　741～814年

『続日本紀』の編さんにたずさわる

奈良時代後期～平安時代前期の公家の高官。

朝鮮半島の百済の王族の子孫という。778年、少内記（天皇の側近事務をつかさどる中務省の役人）、785年、東宮学士（皇太子の教師）となり、安殿親王（のちの平城天皇）の即位までつとめた。その後、民部大輔（租税や民政をつかさどる役所である民部省の次官）、左大弁（中務・式部・治部・民部省を統括する左弁官局の長官）などを歴任した。791年ころから奈良時代の歴史をしるした『続日本紀』の編さんにたずさわった。805年、参議となり、同年、同じく公家の高官の藤原緒嗣とともに桓武天皇から政治について問われ、軍事（蝦夷との戦い）と造作（平安京の都づくり）を中止するべきだという緒嗣に反対して続行をとなえたが、桓武天皇は緒嗣の意見を採用した。その後、民部卿（租税・民政をつかさどる民部省の長官）兼大蔵卿（国庫の管理などをつかさどる大蔵省の長官）となった。

スカルノ，アフマド

政治

アフマド・スカルノ　1901～1970年

インドネシアを独立にみちびいた

インドネシアの初代大統領（在任1945～1967年）。

東部ジャワのスラバヤに生まれる。幼いころから西洋式の教育を受け、バンドン工業大学を卒業した。オランダからの独立をめざしてインドネシア国民党をつくるが、まもなく国民党は禁止され、投獄される。1942年、第二次世界大戦で日本の占領下に入ると釈放されて、インドネシア側の指導者として日本軍に協力した。終戦をむかえるとインドネシアの独立を宣言し、初代大統領となった。しかしオランダがみとめず戦争がおきたため、独立が確立したのは1949年である。その後、バンドンでアジア・アフリカ会議をひらくなど新興独立国の指導者の一人となった。しかし内政では、多くの政党が乱立して不安定になり、西欧式の議会制民主政治から「指導される民主主義」をとなえ、しだいに軍事力にたよるようになった。終身大統領となり、反帝国主義を主張して、国際的な不和をまねく。共産党と軍部の対立で権力を失い、軍部のスハルト将軍によって1967年、大統領職をうばわれた。

スカルラッティ，アレッサンドロ

音楽

アレッサンドロ・スカルラッティ　1660～1725年

オペラ作品の作曲と上演で活躍した

イタリアの作曲家。

シチリア島パルレモで音楽家の一家に生まれる。息子ドメニコ・スカルラッティは作曲家でチェンバロ奏者。12歳でローマへ行き、音楽を学ぶ。1679年、はじめてのオペラ作品『顔の間違い』で大成功をおさめる。その後はローマとナポリで宮廷楽長をつとめ、主にオペラ作品の作曲と上演で活躍した。

声ののびやかさを強調したベルカント唱法によるアリア（独唱曲）や、三部形式で主部がくりかえされるダ・カーポ・アリアなどナポリ楽派とよばれるオペラの作風を確立した。代表曲に歌曲『すみれ』がある。

スカルラッティ，ドメニコ

音楽

ドメニコ・スカルラッティ　1685～1757年

近代クラビーア奏法の父

イタリアの作曲家、チェンバロ奏者。

ナポリ生まれ。父は作曲家アレッサンドロ・スカルラッティ。早くから音楽の才能をみせ、宮廷楽長の父の指導の下、チェンバロや作曲法を学んだ。16歳でナポリ宮廷礼拝堂のオルガン奏者につく。その後ポーランド女王マリア・カシミラの楽師長、バチカンのサンピエトロ大聖堂楽師長、1720年からはポルトガル国王の楽師長などをつとめた。

もっぱらチェンバロソナタとよばれる練習曲を作曲したが、作品には高度な演奏法がもりこまれ、現在、ピアノ曲としてたびたび演奏される。クラビーア（ピアノなどの鍵盤楽器の総称）の演奏法を高め、近代クラビーア奏法の父とよばれる。

すがわらのたかすえのむすめ

詩・歌・俳句　文学

菅原孝標女　1008〜?年

『更級日記』の作者

▲千葉県市原市の銅像

平安時代中期の作家、歌人。菅原道真の子孫にあたる菅原孝標の娘。『蜻蛉日記』の作者、藤原道綱母の異母妹。1017年、上総介（現在の千葉県中部の国府の次官）となった父の任地で育つ。姉に影響され、物語に関心をもつ。3年後、京にもどって都でくらすが、紫式部の『源氏物語』を読みふけり、主人公の光源氏のような登場人物にあこがれた。1039年、後朱雀天皇の皇女につかえ、翌年、中級貴族と結婚。1058年に夫が亡くなったのちに完成した『更級日記』は、少女時代の上総から京へのぼる旅のようすや、身内の死去、結婚、こどものことなど40年間におよぶ人生を回想した記録で、当時の貴族社会のようすを伝える。歌にもすぐれ、藤原定家らがまとめた『新古今和歌集』などに十数首がのこされている。

すがわらのみちざね

貴族・武将　学問

菅原道真　845〜903年

高い教養から学問の神として祭られる

▲菅原道真　（北野天満宮）

平安時代前期の公家の高官、学者。

朝廷の役人養成機関である大学寮で歴史や詩文を教える教官である文章博士をつとめた菅原是善の子。幼いときから文才にすぐれ、862年、18歳で文章生（大学寮で歴史や詩文を学ぶ学生）となり、26歳で難関といわれた方略試という国家試験に合格し、

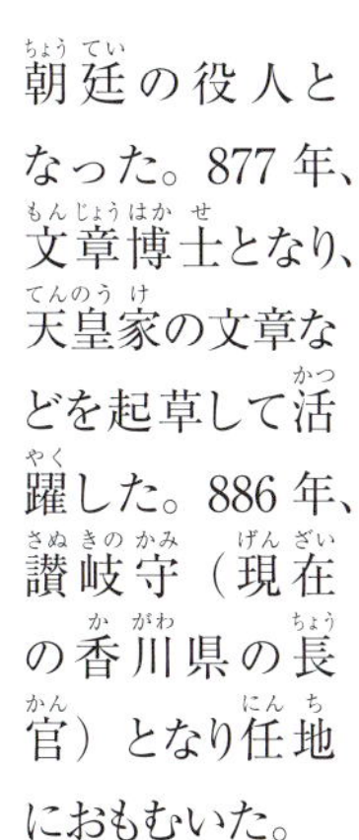

朝廷の役人となった。877年、文章博士となり、天皇家の文章などを起草して活躍した。886年、讃岐守（現在の香川県の長官）となり任地におもむいた。

▲菅原道真を祭る太宰府天満宮の本殿

（太宰府天満宮）

890年、都へもどり、893年、宇多天皇により朝廷の重職である参議に任命された。宇多天皇は政治の実権をにぎっていた藤原氏の力をおさえて天皇中心の政治をおこなおうとしていたので信頼する道真を登用した。894年、遣唐使に任命されたとき、道真は、中国の唐の政治情勢が不安定なことなどを理由に遣唐使の停止を進言して採用された。その後、権中納言、権大納言をへて、899年、右大臣に昇進。学者の家の出身者としては異例の人事だった。

しかし、右大臣道真に対する藤原氏など朝廷の貴族たちの反感が高まった。901年、道真に「醍醐天皇を退位させ、娘婿を天皇に即位させようとしている」という謀反の罪が着せられた。道真は無実をうったえたが大宰府（朝廷が九州を統括するために現在の福岡県においた機関）へ左遷され、失意のうちに亡くなった。

道真の死の6年後、道真を追い落とした中心人物の左大臣藤原時平が39歳の若さで急死した。また、道真の左遷を命じた醍醐天皇の皇子が亡くなり、宮中に雷が落ちて貴族が死んだり、醍醐天皇自身も病気で亡くなったりしたため、世間の人々はこれを道真の怨霊のたたりだとうわさした。10世紀なかば、道真のたたりをしずめるため、道真を神として祭ったのが北野天満宮（京都市）で、のちに藤原氏が神殿をつくって祭った。

学者、文人としては『類聚国史』の撰修、『日本三代実録』の編集などに名をのこす。歌人としてもすぐれ、「東風吹かば匂ひおこせよ　梅の花　主なしとて　春を忘るな」は、大宰府に左遷される道真が都のわが家でよんだ歌として有名。この歌にちなみ、道真を祭る全国の天満宮（天神）にはウメの木が植えられ、花が咲くころには、「学問の神」として祭られた道真に合格を祈願する受験生たちでにぎわう。

学 お札の肖像になった人物一覧　学 人名別 小倉百人一首

すぎうらけんぞう

医学　郷土

杉浦健造　1866〜1933年

日本住血吸虫症の治療につくした医者

明治時代〜昭和時代の医者。

山梨県中巨摩郡西条村（現在の昭和町）に生まれ、代々つづいている開業医となった。当時、甲府盆地の一部では、手足がやせて腹部がはれ、最後には肝硬変などにより死亡する、原因不明の風土病があった。健造と、娘婿で医者の三郎は、この病気の患者の治療にあたっていた。1913（大正2）年、医学博士の宮入慶之助により、日本住血吸虫の中間宿主（人体に入る前に寄生虫の幼虫が発育するところ）の淡水産巻貝が発見され、ミヤイリガイと名づけられた。これを知った健造と三郎は、予防と駆除方法を研究し、山梨県地方病予防撲滅期成組合を組織し、ミヤイリガイを撲滅する運動を進めた。その後、さまざまな対策がとられ、1996（平成8）年に日本住血吸虫症は、日本から撲滅された。

（風土伝承館　杉浦醫院）

2010年、健造と三郎親子の業績を伝えるため、当時の病院の診察室などを公開する風土伝承館杉浦医院が昭和町に開館した。

すぎうらじゅうごう

政治　教育

● 杉浦重剛　1855〜1924年

日本文化を重んじた人間形成に力をそそいだ教育者

（国立国会図書館）

明治時代〜大正時代の教育者、思想家。

近江国膳所（現在の滋賀県大津市）の膳所藩士の家に生まれる。1870（明治3）年、大学南校（現在の東京大学）に入り、1876年、文部省第2回留学生としてイギリスへ留学、化学を学ぶ。帰国後、東京大学予備門（旧制第一高等学校）長、文部省参事官兼専門学務局次長をつとめ、1885年、東京英語学校（日本学園高等学校）を設立、みずから校長に就任した。

1888年、政治評論団体の政教社を結成し、雑誌『日本人』、新聞『日本』を発刊するなどして、独自の日本文化を強調した日本主義をとなえた。その立場から、明治政府の不平等条約改正案に反対したが、一方では化学や物理学などをもとにした西洋科学主義もみとめており、両者の協調をめざしたといわれている。1890年、第1回衆議院議員に当選し、国会の院内会派である大成会の結成に加わる。1914（大正3）年には、東宮御学問所御用掛となり、昭和天皇の少年時代の道徳教育にあたった。

すぎえぜんえもん

郷土

● 杉江善右衛門　1822〜1885年

琵琶湖の水運につくした事業家

江戸時代後期〜明治時代の実業家。

近江国草津宿山田（現在の滋賀県草津市）に生まれた。山田は東海道、中山道が通る交通の要地で、中世には港として栄えたが、江戸時代にはさびれた漁港となった。1872（明治5）年、善右衛門は、昔の繁栄をとりもどしたいと考えて山田渡船組合をつくり、とりこわされた膳所城（大津市）の石垣や堀の石をはこんで、山田港を改修し、大津港への水運をひらき、大型の帆掛け船を走らせた。しかし、これでは大量の輸送を求める時代の要求にこたえられなかった。そこで、大津の米屋谷口嘉助とともに蒸気船千歳丸を購入し、さらに山田丸、末広丸の蒸気船2隻を新造して、水運を発展させた。その後、汽船会社をいくつも設立して、琵琶湖の水運につくし、山田は、水陸交通の要地として発展した。

すぎおかかそん

絵画

● 杉岡華邨　1913〜2012年

現代かな書きの第一人者

昭和時代〜平成時代の書家。

奈良県生まれ。本名は正美。1934（昭和9）年、奈良師範学校（現在の奈良教育大学）を卒業した。故郷の尋常高等小学校につとめ、習字の研究授業を命じられたことをきっかけに、書道にとりくむようになる。漢字を辻本史邑に学んだのち、かなを尾上柴舟、ついで日比野五鳳に学んだ。1951年、『はるの田』で日展に初入選し、1978年に『酒徳』で日展文部大臣賞、1983年には『玉藻』で日本芸術院賞を受賞し、平安朝以来の伝統に根ざした、現代かな書きの第一人者となる。

一方、平安時代の王朝文学や、かなの研究者としても知られ、大阪教育大学教授として後進の指導にもあたった。『かな書き入門』『源氏物語と書生活』など、著書も多い。1989（平成元）年に芸術院会員、1995年に文化功労者となる。2000年、文化勲章を受章した。

学 文化勲章受章者一覧

すぎたげんぱく

医学

● 杉田玄白　1733〜1817年

西洋医学の翻訳書『解体新書』を出版した医師

江戸時代中期の蘭学者、医者。

若狭国小浜藩（現在の福井県小浜市）の藩医の子として、

江戸（東京）に生まれる。幕府の奥医師にオランダの医学を学んで、1753年、21歳のとき小浜藩医になった。

1754年、京都で医学者の山脇東洋が人体解剖を観察したことを知らされ刺激を受け、1757年、日本橋（東京都中央区）で医者を開業した。

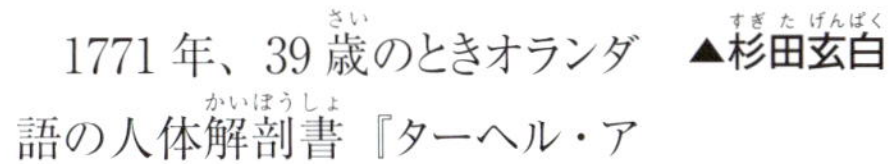

▲杉田玄白

（早稲田大学図書館）

1771年、39歳のときオランダ語の人体解剖書『ターヘル・アナトミア』（ドイツの解剖学者クルムスの著書『解剖図譜』をオランダ語訳したもの）を手に入れ、西洋の解剖図がそれまで学んできた中国の解剖図とまったくちがうことにおどろいた。同年、江戸の小塚原刑場で死刑囚の腑分け（解剖）がおこなわれることを知り、幕府の許可を得て小浜藩医の中川淳庵や豊前国中津藩（大分県中津市）藩医の前野良沢とともに解剖を見学した。

目の前でおこなわれる解剖をみて『ターヘル・アナトミア』の解剖図の正確なことを確認した玄白たちは、その翻訳を決意し、翌日から築地鉄砲洲（東京都中央区）の良沢の自宅に集まり翻訳に着手した。しかし、翻訳をはじめたときは、良沢がオランダ通詞（通訳）から学んだオランダ語を少し知っている程度だった。玄白たちはオランダの辞書をつかいながら、わかるところから少しずつ翻訳し、あとは3人で推理したり相談したりしながら進めていった。晩年の1815年に発表した玄白の回想録『蘭学事始』によれば、それは、ろやかじのない船で大海に乗りだすようなものだったという。1年半後に翻訳が終わり、1774年、『解体新書』として出版した。

『解体新書』の出版により、西洋の知識や技術、文化を研究する学問である蘭学への関心が高まり、玄白の名前は広く知られるようになった。また、この書物は日本の近代的医学書の先がけであり、日本の医学にあたえた影響はたいへん大きい。玄白は、その後は藩医としての仕事のかたわら診療につとめ、また、塾「天真楼」をひらいて蘭学を教え、大槻玄沢ら多くの蘭学者を育てた。

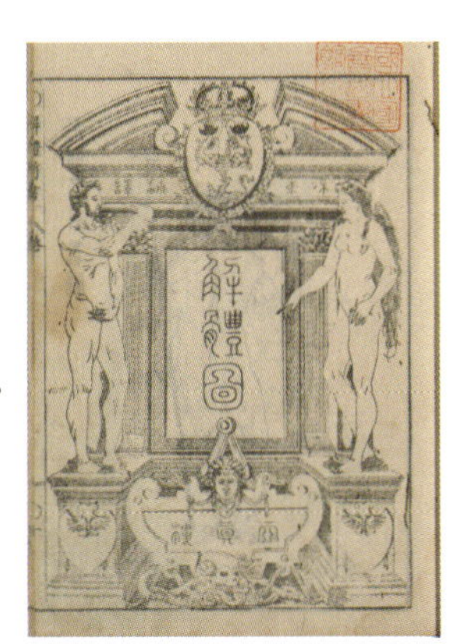

▲『解体新書』のさし絵

（国立国会図書館）

すぎのじょうすけ

郷土　工芸

杉野丈助　生没年不詳

砥部焼を創作した陶工

江戸時代中期の陶工。

伊予国伊予郡宮内村（現在の愛媛県砥部町）に生まれた。1775年、大洲藩（大洲市）から、藩の財政を豊かにするために磁器の生産を命じられた。丈助は五本松（砥部町）に窯をひらき、磁器の産地肥前国長与窯（長崎県）から職人をよびよせて、磁器づくりをはじめた。はじめは焼くと表面にひびが入るなど、失敗の連続だった。しかし、表面にかける上薬をくふうした結果、質のよい磁器を焼くことに成功した。

▲砥部焼

（砥部焼伝統産業会館）

砥部焼は、砥部町の上尾峠で産出する陶石を原料とし、焼くと青くなる呉須という顔料を使用する。丈助は上薬の自給に成功するなど、砥部焼発展の基礎をつくった。

現在は国の伝統的工芸品に指定され、食器、花器などがつくられている。

すぎはらちうね

政治

杉原千畝　1900〜1986年

ユダヤ人6000人の命を救った外交官

昭和時代の外交官。

岐阜県生まれ。医者にさせたいという父の意に反して、英語教師になるべく、早稲田大学に入学。学生試験に合格し、中国の哈爾浜でロシア語を学ぶ。1924（大正13）年、外務省書記生として採用され、その後、満州国外交部の外交官、フィンランドの公使館勤務をへて、リトアニアの日本領事館に領事代理として赴任した。

1940（昭和15）年、ナチスドイツの迫害からのがれようとする大勢のユダヤ人が、日本国内の通過ビザを求めてきた。ナチスとの関係を考慮した外務省は反対するが、それにしたがわず、独断でビザを発行した。その結果、およそ6000人のユダヤ人が亡命でき、命が救われた。帰国後は服務命令に違反したことで省内では冷遇され、1947年に外務省を辞職した。

ナチスの迫害からのがれてきた多くのユダヤ人の命を救った杉原の行動は、世界各国で評価されている。1985年にイスラエル政府から「諸国民の中の正義の人賞」を受けた。

スキピオ

古代　政治

スキピオ　紀元前235〜紀元前183?年

ハンニバルをやぶった将軍

古代ローマの将軍、政治家。

孫のスキピオと区別して、スキピオ（大）ともよばれる。名門のスキピオ家に生まれる。

紀元前218年、カルタゴとローマのあいだで第2次ポエニ戦争がおこると戦いに参加。イスパニア（スペイン）で戦っていた父が戦死すると、20代の若さで軍の指揮官となり、スペインを制圧した。その後、執政官（コンスル）にえらばれて、任地のシチリアから、カルタゴを直接攻撃するためにアフリカへ兵を進める。紀元前202年、カルタゴの将軍ハンニバルをザマでやぶり、ローマを勝利にみちびいた。英雄となり、「アフリカヌス」の称号を得て、その後もシリアとの戦いで勝利するなど名声を高めていくが、政敵との争いにやぶれ、失意のうちに政界から引退した。

すぎみきこ

絵本・児童

杉みき子　1930年～

雪国に生きる人々の姿をえがく

児童文学作家。

新潟県生まれ。本名は小寺佐和子。こどものころから同郷の小川未明の作品を愛読する。長野女子専門学校（現在の長野県短期大学）を卒業後、創作をはじめた。『新潟日報』の投稿童話欄にたびたび入選し、児童文学者の関英雄の指導を受ける。雑誌『日本児童文学』に発表した『かくまきの歌』『百ワットの星』などで、1957（昭和32）年に児童文学者協会新人賞を受賞。『小さな雪の町の物語』（小学館文学賞）、『小さな町の風景』（赤い鳥文学賞）や小学校の教科書にのった『わらぐつの中の神様』などがある。郷土の自然を舞台に、雪国に生きる人々の姿をこまやかにえがいた作品が多い。

すぎむらはるこ

映画・演劇

杉村春子　1906～1997年

日本を代表する新劇女優

▲1968年上演の舞台『女の一生』（文学座）

昭和時代～平成時代の女優。

広島県生まれ。本名、石山春子。山中高等女学校卒業後、広島女学院で音楽教師をつとめていたころ、築地小劇場の旅芝居をみて感動。1927（昭和2）年に上京し、築地小劇場に入団。『何が彼女をさうさせたか』のオルガンひきで初舞台をふんだ。1937年、岸田国士、岩田豊雄（獅子文六）、久保田万太郎が創立した文学座に参加。『ファニー』の主役以降、劇団の中心的女優になる。代表作に『女の一生』（上演回数通算947回）、『欲望という名の電車』『華岡青洲の妻』などがある。舞台のほか、小津安二郎、黒澤明、木下恵介、新藤兼人などの監督作品をはじめ、多くの映画やテレビで活躍した。1948年、演劇部門で第二次世界大戦後初の日本芸術院賞を受賞。1974年、文化功労者にえらばれる。1995（平成7）年、文化勲章候補者となるが、これを辞退した。

著作に自伝『舞台女優』などがある。死後、若手演劇人の育成に力をそそいだ杉村の遺志を尊重し、読売演劇大賞の中に新人賞的意味合いをもつ杉村春子賞が創設された。

すぎもときょうた

発明・発見

杉本京太　1882～1972年

和文タイプライターの発明者

大正時代～昭和時代の技術者、発明家。

岡山県生まれ。1900（明治33）年、大阪市電信技術者養成所を修了。活版印刷の仕事につき、活版技術を習得した。1914（大正3）年、上京し、和文タイプライターの開発にとりくみ、翌年、試作機を完成し特許を取得した。日本語のうち使用頻度の多い2400字をえらび、文字庫に活字を独自に配列し、レバーでつまみ上げて紙に打ちこむ方式である。1917年、日本タイプライター株式会社を創立、中国語のタイプライターの製造も開始した。あわせてタイピストの育成にも力をつくした。

その後も和文モノタイプ（活字鋳造機、1920年）や小型トーキー映写機（1936年）などを開発し、特許を取得した。書類作成事務の効率化に貢献したことから、1953（昭和28）年に藍綬褒章を、1965年に勲四等旭日小綬章を受章。1985年には特許庁が選定した「日本の十大発明家」の一人にえらばれた。

すぎもとぶすけ

郷土

杉本武助　1802～1875年

高野豆腐製造をさかんにした農民

▲高野豆腐

江戸時代後期～明治時代の農民。

大和国山辺郡針ケ別所村小倉（現在の奈良県奈良市）の農家に生まれた。別所村は奈良盆地の東部にある標高500mの地域で、冬は寒さがきびしく、作物はなにもつくれなかった。ある年、高野山（和歌山県高野町）に参詣したとき、自然の寒さでこおらせて乾燥させた天然冷凍豆腐（凍り豆腐）がつくられているのをみて、寒さのきびしい村の副業になると考えた。

たびたび高野山に行って、つくり方をおぼえ、くふうを重ねて、1834年ころ、高野豆腐製造に成功した。武助は冷ややかな目でみる村人に、冬の産業になると、熱心に説得した。やがて、周辺一帯で高野豆腐がつくられるようになり、奈良の町で売れるようになった。明治時代には大阪の市場にも出まわり、昭和時代なかばに、機械で冷凍する技術が開発されて、大量生産が可能になり、現在では全国に出まわるようになった。

すぎやまひこさぶろう

郷土

杉山彦三郎 1857〜1941年

品種改良でやぶきた茶を開発した研究家

（静岡県茶業会議所）

明治時代〜昭和時代のチャの研究家。

駿河国有度村（現在の静岡市）の造り酒屋に生まれた。身体が弱かったため、家業を弟にゆずり、茶園をつくって、チャの栽培をはじめた。21歳のころ、チャの木には、採取する時期に差があること、よい芽をだす木と、そうでない木があることを発見した。よい芽をだす木だけを植えれば、よいチャをたくさん収穫できるということに気づいた。

日本で最初にチャの品種に注目した彦三郎は、全国からよい芽をだすチャの木を集めて、1908（明治41）年、その中から味がよく、収穫も安定しているすぐれた品種を発見した。竹やぶを開墾してつくった茶園の北の畑に、チャの種子を植えて、栽培したことから、「やぶきた」と命名した。

やぶきた茶は、1953（昭和28）年に農林省（現在の農林水産省）の登録品種になり、全国に普及し、日本の緑茶を代表する品種になっている。

すぎやまもとじろう

政治

杉山元治郎 1885〜1964年

農民の全国組織を設立し、農民問題にとりくんだ

大正時代〜昭和時代の農民運動家、政治家。

大阪生まれ。大阪府立天王寺農学校在学中に沖野岩三郎を知り、キリスト教徒となる。1909（明治42）年、東北学院神学部を卒業、宮城県仙台市の東六番丁教会の牧師になる。その後、福島県の教会で牧師をつとめるかたわら、農民に農業技術や経営指導をおこない、農具や肥料などの取次販売をした。

1920（大正9）年、大阪にもどり賀川豊彦とともに農民運動をおこなう。1922年4月9日、賀川らと日本農民組合（日農）を設立。組合長に就任し、機関紙『土地と自由』を発刊した。その後、1926年に労働農民党が結成されると初代執行委員長に就任する。しかし、無産政党の分裂で同委員長を辞任。翌年、全日本農民組合（全日農）組合長となり、1928（昭和3）年には全日農と日農の合同による全国農民組合（全農）委員長になった。

1932年、衆議院議員に出馬し4期連続当選したが、翼賛政治会に所属していたことで、第二次世界大戦後は公職追放される。

追放解除後は社会党に所属し、1955年、衆議院副議長に就任した。

スコット，ウォルター

文学　詩・歌・俳句

ウォルター・スコット 1771〜1832年

騎士の武勇伝などの歴史小説をのこす

イギリスの詩人、作家、弁護士。

スコットランドのエディンバラで裕福な弁護士の家に生まれる。ラテン語や文学を学び、12歳でエディンバラ大学の古典学科に入学し、21歳で弁護士となる。同時に、文学の才能も開花し、物語詩『最後の吟遊詩人の歌』がワーズワースに評価される。その後も『マーミオン』『湖上の美人』などを次々と発表した。小説家としては、『アイバンホー』など騎士の武勇伝や恋愛物など歴史小説を多くのこす。さまざまなエピソードをまじえながらストーリーを複雑に展開させる作風がヨーロッパで広く愛され、のちにイタリアの作曲家ドニゼッティやビゼーらの有名なオペラの原案となった。

スコット，ロバート

探検・開拓

ロバート・スコット 1868〜1912年

南極点の初到達をめざしてやぶれた

イギリスの探検家。

海軍軍人だったが、強い希望により南極探検隊の指揮官となった。1901〜1904年、ディスカバリー号で南極を探検し、測量や科学的調査をおこなう。1910年にはテラ・ノバ号により、南極点の初征服をめざして探検に出発。壮絶な苦労の末に1912年1月18日、4人の隊員とともに南極点に到達した。しかし、それはアムンゼンの探検隊が到達した1か月後だった。極地点にはノルウェーの国旗が立てられ、近くのテントには食料や手紙がおかれていた。夢やぶれた一行は、基地に帰る途中に雪嵐にみまわれて遭難し、全員が凍死した。発見された遺骸は、アムンゼンが万一帰還できなかったときのために、南極点にのこしていた手紙をたずさえていた。

アムンゼンとの競争にやぶれた理由の一つは、輸送手段の中心を、犬ぞりではなく、すぐに故障した雪上車と、寒さにたえられないウマにしたために、結局、人力で荷物をはこび、歩きつづけなければならなかったことだった。

すざくてんのう

王族・皇族

朱雀天皇　923〜952年

おじの藤原忠平が政治を助けた

▲中央左の人物が朱雀天皇

（『大日本名将鑑 田原藤太秀郷』/東京都立図書館特別文庫室所蔵）

平安時代中期の第61代天皇（在位930〜946年）。

醍醐天皇の子。母は関白藤原基経の娘。成明親王（のちの村上天皇）の同母兄。

925年、3歳で皇太子となり、930年、8歳で位をゆずられて即位し、藤原忠平を摂政とした。この時代には、東国で平将門が、西国で藤原純友が反乱をおこすなど大きな事件があった。朱雀天皇は皇子にめぐまれず、944年、成明親王を皇太弟（天皇のあとつぎの弟）に立て、946年、24歳の若さで譲位し、村上天皇が即位した。その後は、後院とよばれる譲位後の天皇の御所である朱雀院で余生をすごした。

学 天皇系図

すしゅんてんのう

王族・皇族

崇峻天皇　?〜592年

蘇我馬子に実権をにぎられた天皇

▲献上されたイノシシをみて、殺意をもらす崇峻天皇（右上）

（『聖徳太子絵伝』（部分）東京国立博物館 Image:TNM Image Archives）

古墳時代の第32代天皇（在位587〜592年）。欽明天皇の子で、即位する前は泊瀬部皇子とよばれた。

587年、用明天皇の死後、兄の穴穂部皇子を天皇におす物部守屋をほろぼした蘇我馬子のあとおしで即位したが、政治の実権は馬子がにぎっていた。馬子に対して不満をいだいていた崇峻天皇は、あるとき大きなイノシシが献上されたとき、「このイノシシの首を切るようにだれかの首を切れるといいのに」とつぶやいた。このことばを聞いて危機を感じた馬子の命令により、馬子の部下の東漢直駒に暗殺された。馬子は、天皇にまさる権力をもっていたため、だれにもとがめられなかった。

学 天皇系図

ずしょひろさと

江戸時代

調所広郷　1776〜1848年

薩摩藩の財政を立て直した

（尚古集成館）

江戸時代後期の薩摩藩（現在の鹿児島県・宮崎県南部）の家臣。

薩摩藩の下級藩士の子として鹿児島城下に生まれる。1827年、52歳のとき藩主島津重豪に登用されて藩の財政改革にとりくんだ。当時の薩摩藩は、江戸（東京）、大坂（阪）、京都などの商人に500万両もの借金があり破産に近い状態だった。広郷は藩の収入をふやすため、タバコ、かつお節、シイタケなど領内の特産物の生産をさかんにした。なかでも奄美諸島（奄美大島、徳之島、喜界島）で生産される砂糖の専売制（領民が生産した特定の産物を藩が独占的に買い上げ売りさばく政策）を強化し、大坂で売りさばいてばく大な利益をあげた。その一方で巨額の借金を無利子にし、毎年2万両ずつ250年かけて返済するという強引な方法を商人たちにみとめさせた。さらに、琉球王国（沖縄県）を通して、中国の清と密貿易をさかんにおこない、藩財政の立て直しに成功した。その功績により家老に昇進したが、開明派の島津斉彬らと対立した。幕府に密貿易が発覚したため責任をとって自殺した。

すじんてんのう

王族・皇族

崇神天皇　生没年不詳

実在した最初の天皇とされる

▲行灯山古墳　（宮内庁書陵部）

古墳時代の第10代天皇。

『古事記』『日本書紀』によれば、開化天皇の子、垂仁天皇の父。天照大神を宮中から笠縫邑に移し、また、三輪山に大物主神を祭る（現在の奈良県桜井市の大神神社）など、祭祀をととのえた。北陸、東海、西道（山陽）、丹波（山陰）の4つの地方（道）に、将軍として皇族を送って（四道将軍）、各地の豪族を平定し、大和政権の全国支配の基礎をかためた。

また、その名を「はつくにしらすすめらみこと（御肇国天皇）」ということから、実在した最初の天皇だとも考えられている。墓は、奈良県天理市にある行灯山古墳（山辺道勾岡上陵）とされている。

学 天皇系図

すずきあきら

学 問

鈴木章　1930年～

化学物質を結合するカップリングでノーベル化学賞

化学者。

北海道生まれ。はたらきながら北海道大学理学部化学科で学び、その後、同大学大学院理学研究科に進んだ。1959（昭和34）年に卒業して同大学理学部の助手、博士号取得後に助教授となった。1963年から3年間、アメリカ合衆国インディアナ州のパデュー大学で有機ホウ素化合物の研究をおこなった。1973年に北海道大学工学部応用化学科の教授に就任。1979年には、アメリカでの研究を発展させた「鈴木･宮浦カップリング」を発見し発表した。

これはパラジウムという金属とともに、有機ホウ素化合物を用いて、ことなる有機化合物の炭素と炭素を結合させる反応（クロスカップリング反応）で、現在では、さまざまな医薬品や耐熱性のディスプレーの製造などに生かされている。2010（平成22）年、ノーベル化学賞を受賞、さらに文化勲章も受章した。

学 ノーベル賞受賞者一覧　学 文化勲章受章者一覧

すずきうめたろう

学 問

鈴木梅太郎　1874～1943年

オリザニン（ビタミンB_1）抽出に成功した農化学者

（独立行政法人理化学研究所）

明治時代～大正時代の農化学者。

静岡県生まれ。1889（明治22）年に東京農林学校（現在の東京大学農学部）に入学。校名が帝国大学農科大学にあらたまった同校を卒業して大学院へと進む。1901年、ベルリン大学に留学、ノーベル賞を受賞した化学者のフィッシャーに師事して生化学の研究をおこなった。帰国後の1910年に米ぬかから抽出した成分が、当時の難病だったかっけの治療に有効であることを報告、のちにイネの学名にちなむオリザニンと命名した。この成分は同時期にカシミール・フンクが発見したビタミンB_1と同じものだった。

鈴木はその後、母校で教鞭をとる一方、農作物などの研究をつづけ、1922（大正11）年には、米をつかわない合成清酒「理研酒」を発明した。1924年には副栄養素の研究の業績に対して帝国学士院賞があたえられた。同年に日本農芸化学会を創立して初代会長となり、日本の農芸化学研究の基礎を牽引。1943（昭和18）年には、文化勲章を受章した。

学 文化勲章受章者一覧　学 切手の肖像になった人物一覧

すずきかんたろう

政 治

鈴木貫太郎　1867～1948年

戦争終結に力をつくした総理大臣

（国立国会図書館）

大正時代～昭和時代の軍人、政治家。第42代内閣総理大臣（在任1945年）。

和泉国（現在の大阪府南西部）に生まれ、千葉県、群馬県で育つ。1898（明治31）年に海軍大学校を卒業後、海軍次官、連合艦隊司令長官、海軍軍令部長などを歴任。1929（昭和4）年に侍従長となり、枢密顧問官も兼任した。1936年には二･二六事件で反乱軍に襲撃され重傷を負うが、一命はとりとめた。枢密院の副議長、議長を歴任したあと、1945年4月、太平洋戦争の戦況が悪化するなか、昭和天皇の信頼があつかった鈴木が天皇から組閣の大命を受け、内閣総理大臣に就任する。戦争継続を主張する軍部におされながらも、終戦にむけた道筋を模索した。そして、8月6日の広島、9日の長崎への原子爆弾投下、ソビエト連邦の参戦を受けて、ついに無条件降伏（ポツダム宣言の受諾）を決定し、15日に戦争は終結した。敗戦にともない、内閣は総辞職した。ふたたび枢密院議長となり、新憲法の審議などをおこなうが、公職追放の際に辞職。郷里の関宿町（千葉県野田市）にもどり、余生をすごした。

学 歴代の内閣総理大臣一覧

すずきぜんこう

政 治

鈴木善幸　1911～2004年

「増税なき財政再建」の破綻により失脚

（内閣広報室）

昭和時代～平成時代の政治家。第70代内閣総理大臣（在任1980～1982年）。

岩手県生まれ。水産講習所（現在の東京海洋大学）卒業後、大日本水産会、全国漁業組合連合会、岩手県漁業組合連合会などに勤務。1947（昭和22）年、日本社会党から衆議院議員に初当選。のち、社会革新党、民主自由党へと移る。1960年、池田勇人内閣で郵政大臣として初入閣。以後、内閣官房長官、厚生大臣、農林大臣を歴任。

1980年、衆参同日選挙中の大平正芳首相の急死を受けて自民党総裁に選出され、内閣総理大臣に就任。明治生まれとしては最後の首相となった。「増税なき財政再建」をかかげ、土光敏夫を第2次臨時行政調査会会長に起用し、行政改革に着手。1981年の日米首脳会談の共同声明で、日本の公式文書ではじめて同盟関係を明記し、アメリカ合衆国の対ソビエト連邦（ソ連）戦略に協力する姿勢をしめした。国内では軍事力を増強し、実質的な靖国神社の公式参拝、参議院の比例代表制導入、国家公務員の昇給見送りをおこなうが、公約の破綻や、日中戦争の記述に関する教科書問題などで、1982年に退任した。

学 歴代の内閣総理大臣一覧

すずきだいせつ

思想・哲学

鈴木大拙　1870〜1966年

日本のZEN（禅）を世界に広く紹介した仏教学者

（日本近代文学館）

明治時代〜昭和時代の仏教哲学者。

石川県生まれ。本名は貞太郎。21歳で上京、東京専門学校（現在の早稲田大学）で英文学を学び、1892（明治25）年、帝国大学文科大学（東京大学文学部）の選科に入学。在学中に鎌倉の円覚寺で禅の修行をし、大拙の名を受ける。1897年にアメリカ合衆国へわたり、出版社で東洋学に関する本の出版をてつだいながら、『大乗起信論』や『大乗仏教概論』など、仏教の本を英訳して出版して、アメリカやイギリスで反響をよんだ。

1909年に帰国し、学習院教授、真宗大谷大学教授などをつとめながら、仏教の研究を進めた。第二次世界大戦後、ふたたびアメリカにわたり、コロンビア大学、ハーバード大学などで禅や仏教の講義をおこなった。1949（昭和24）年、文化勲章受章。『禅と日本文化』など英文の著書を約30冊、和文の著書を約120冊のこし、禅を「ZEN」として海外へ紹介、東洋と西洋の文化と思想の交流に力をつくした功績は大きい。

学 文化勲章受章者一覧

すすきだきゅうきん

詩・歌・俳句

薄田泣菫　1877〜1945年

文語定型詩の完成者として活躍

明治時代〜昭和時代の詩人、随筆家。

岡山県生まれ。本名は淳介。旧制岡山中学を中退したあとに上京し、独学で文学を学ぶ。

1899（明治32）年に詩集『暮笛集』を出版し、詩人としてみとめられた。その後『ゆく春』『二十五絃』『白羊宮』などの詩集で高い評価を得て、島崎藤村や土井晩翠につづく代表的な詩人と称される。七五調の定型詩にかわる八六調の新しい詩型や、イギリスの詩人キーツやワーズワースの影響を受けてソネット形式の14行詩をとり入れるなど、文語定型詩の完成者として活躍した。

1912（大正元）年に大阪毎日新聞社に入社。1916年に新聞に連載した随筆『茶話』が評判となり、随筆家としても活躍した。

すずきはるのぶ

絵画

鈴木春信　1725？〜1770年

多色刷りの錦絵を創始

▲錦絵『見立佐野の渡り』

（国立国会図書館）

江戸時代中期の浮世絵師。

江戸（現在の東京）に生まれる。浮世絵師の奥村政信や鳥居清満などの画風を学び、1760年ころ、30代のなかばで浮世絵師として活動をはじめた。はじめ役者絵や武者絵をてがけていたが、やがて、ほっそりとした清楚な美人画で注目されるようになった。

1765年、江戸の旗本（将軍の家臣のうち将軍に直接会うことをゆるされた武士）や裕福な商人のあいだで絵暦交換会が流行した。絵暦とは、1枚の絵に旧暦（江戸時代につかわれていた太陰太陽暦）の大の月（1か月が30日の月）と小の月（1か月が29日の月）をあらわした暦のことで、趣向をこらした絵暦をつくって交換し合い、そのできばえをきそう遊びを絵暦交換会といった。

旗本から絵暦の制作を依頼された春信は、彫師や刷り師と協力しながら、色数がかぎられていたそれまでの木版画をくふうして10色以上の色版を重ねる多色刷りの技法を開発し、色彩豊かな絵暦を発表して評判をよんだ。春信が開発した多色刷りの浮世絵版画は、織物の錦のように色あざやかで美しいことから「錦絵」とよばれた。

錦絵の創始によって一躍人気浮世絵師になった春信はその後、亡くなるまでに700点以上の作品を発表した。『源氏物語』や『伊勢物語』などを題材にした見立絵（江戸の美人を日本の古典や中国の故事の人物になぞらえてえがいた絵）を得意とし、また、笠森お仙など江戸で評判の美人をモデルに美人画をえがき、錦絵を普及させた。しかし、人気絶頂のさなか46歳ごろに急死した。門人に鈴木春重（司馬江漢の別号）がいる。のちの浮世絵師鳥居清長や喜多川歌麿などにも大きな影響をあたえた。

すずきぶんじ

政治

鈴木文治　1885～1946年

全国労働組合の前身となる友愛会を結成

大正時代～昭和時代の労働運動家、政治家。

宮城県生まれ。旧制山口高校をへて東京帝国大学（現在の東京大学）法科大学政治学科を卒業。在学中は、同郷の先輩である吉野作造とともに海老名弾正の本郷教会に所属、桑田熊蔵らの影響を受け、社会問題に関心をもつ。卒業後、秀英舎、東京朝日新聞社につとめ、1911（明治44）年、ユニテリアン派の統一基督教弘道会の社会事業部長となる。翌年、労働者の地位向上をめざして日本労働総同盟の前身である友愛会を創設し、会長となった。

結成当時は共済組合の色合いが強かったが、その後、全国的労働組合に成長。労働者の人格の尊重をうったえ、労働争議調停などにとりくんだ。1926（大正15）年、片山哲らと社会民衆党を結成、中央執行委員となり、1928（昭和3）年の普通選挙法による第1回衆議院選挙で当選。その後の選挙も当選したが、1940年に斎藤隆夫議員の除名に反対し、当時所属していた社会大衆党から除名された。第二次世界大戦後初の総選挙に日本社会党から立候補の届け出をおこなった翌日、急死した。

すずきぼくし

詩・歌・俳句　郷土

鈴木牧之　1770～1842年

雪国の生活を『北越雪譜』で紹介

（鈴木牧之記念館所蔵）

江戸時代後期の俳人。

越後国塩沢（現在の新潟県南魚沼市）の生まれ。生家は縮（生地の表面に独特のしわがある織物）の仲買と質屋をいとなんでいた。商売にはげむかたわら、俳諧（こっけいみをおびた和歌や連歌、のちの俳句などのこと）や書画に親しむ。

商いのため、しばしば江戸（東京）に出て、やがて戯作者（江戸時代の娯楽小説の作者）の山東京伝や十返舎一九、滝沢馬琴らと交流するようになった。

40年の歳月をかけて雪の観察記録や雪国の風俗、習慣などを紹介した『北越雪譜』を著す。1837年、京伝の弟、山東京山の協力を得て出版し評判をよんだ。ほかに『秋山記行』『東遊記行』『西遊記行』がある。

すずきみえきち

絵本・児童

鈴木三重吉　1882～1936年

児童雑誌『赤い鳥』を主宰した

（日本近代文学館）

明治時代～昭和時代の作家、童話作家。

1904年、東京帝国大学（現在の東京大学）英文科に入り、夏目漱石の講義を受けるが途中病気で休学する。その間、療養先の広島県能美島で、小説『千鳥』を書いた。

1906年、『千鳥』が雑誌『ホトトギス』に掲載され、高く評価される。

漱石の弟子となって短編集『千代紙』を書き、『お三津さん』『烏物語』などを雑誌に発表して、作家としてデビューした。大学卒業後は、中学の教師をつとめながら、創作活動をつづけ、『返らぬ日』『小鳥の巣』『黒髪』『櫛』『桑の実』などの作品を発表する。

1916（大正5）年、長女すずが生まれたことをきっかけに、こどものための作品を書きはじめ、はじめての童話集『湖水の女』を出版した。1918年からは、児童雑誌『赤い鳥』を主宰し、芥川龍之介、有島武郎、島崎藤村、北原白秋らとともに児童文芸の質を高める運動を精力的におこなった。昔話や外国の童話、小説を日本のこどもにあわせて書き直した『古事記物語』や『ルミイ』（原作『家なき子』）などがある。

さらに、小川未明、坪田譲治、新美南吉、巽聖歌といった新しい作家の作品を紹介し、日本の近代児童文学界に大きな功績をのこした。

すずきもさぶろう

政治

鈴木茂三郎　1893～1970年

新聞記者から社会主義運動に身を投じた

大正時代～昭和時代の政治家、社会主義運動家。

愛知県生まれ。1915（大正4）年、早稲田大学政治経済学部を卒業、新聞記者となる。1918年、特派員としてシベリアへわたり、シベリア出兵をくわだてる軍部の陰謀をまのあたりにしたことから、生涯戦争反対を主張した。その後、アメリカ合衆国やソビエト連邦（ソ連）をおとずれ、しだいに社会主義思想に傾倒。1927（昭和2）年に東京日日新聞を退社し、雑誌『労農』を発刊、社会主義運動に専念する。1928年、無産大衆党を結成し、書記長に就任。以後、東京無産党、日本無産党などで役員をつとめた。

反戦・反ファシズムの立場で運動をつづけ、1937年、人民戦線事件で検挙された。第二次世界大戦後、日本社会党の結成に加わり、1946年の衆議院議員初当選後、1951年には党の最高責任者である委員長となり、「青年よ、ふたたび銃をとってはならない。婦人よ、ふたたび夫を戦場に送ってはならない」とよびかけた。社会党分裂時は左派社会党委員長、党再統一後も再度委員長となる。しかし1960年、西尾末広らが離党して民主社会党を結成したことを受け、離反者をだしたことの責任をとって辞任した。

すずきやすぞう

学問

鈴木安蔵　1904～1983年

日本国憲法の内容に影響をあたえたといわれる憲法学者

昭和時代の憲法学者。

福島県生まれ。京都帝国大学（現在の京都大学）に入学してマルクス主義を研究、在学中の1926（大正15）年、戦争協力に反対し、治安維持法違反で検挙された。翌年、大学を中退、以後、数回にわたり治安維持法違反とされ、服役も経験しながら、独学で憲法学を学んだ。1937年からは衆議院憲政史編纂会につとめ、代表的な著作となる『日本憲法史』『憲法制定とロエスレル』などを出版した。第二次世界大戦後、憲法研究会を組織して、憲法草案要綱を作成、内閣と連合国軍最高司令官総司令部（GHQ）に提出した。以後、静岡大学などで教授をつとめた。

憲法研究会から提出した憲法草案要綱は、天皇制を維持しながら、統治は国民によるものとし、人権の尊重を規定するなど、現在の日本国憲法に近い内容で、GHQによる草案作成に影響をおよぼしたと考えられている。日本国憲法制定後は、護憲派の中心的存在として知られた。

すずきよへえ

郷土

鈴木与兵衛　1622～1676年

仙台に用水池をつくり、新田開発した商人

江戸時代前期の商人。

陸奥国仙台藩（現在の宮城県、岩手県南部）仙台城下の有力な町人鈴木家に生まれた。鈴木家は商売で得た利益を、公共のために役だててきた。あるとき与兵衛は城下に水の少ない荒れ地があるのをみて、そこにため池をつくれば、新田ができると考えた。1671年、私財を投じて、小田原後山（宮城県仙台市宮城野区）の渓谷に堤を築き、そこから水をひいて、南北約4.9km、東西約1.7kmの大きな用水池（与兵衛沼）をつくった。池は夏の日照りになっても、水がかれなかったという。

▲現在の与兵衛沼
（『杜の都・仙台 わがまち緑の名所100選』より）

これにより、小田原など数か所に、数百haの新田ができた。仙台藩主伊達綱村は、その功績をたたえ、与兵衛沼と名づけた。

スターリン，ヨシフ

政治

ヨシフ・スターリン　1879～1953年

ソ連の独裁者

ソビエト連邦（ソ連）の政治家。ソ連共産党書記長（在任1922～1953年）、首相（在任1941～1953年）。

本名はジュガシビリ。スターリンは筆名で「鋼鉄の人」を意味する。ジョージア（グルジア）のゴリ市に生まれ、1894年、神学校に入学した。そのころから革命運動に参加して、1898年、ロシア社会民主労働党に入党。革命家として活動し、逮捕と流刑、脱走をくりかえした。1912年、レーニンの下でボリシェビキに属し、党機関誌『プラウダ』を創刊する。1917年のロシア革命を指導し、党の要職を次々につとめ、1922年、共産党書記長に就任した。レーニンの死後は独裁的な政治をおこない、反対派のトロツキーを追放。その後も大粛正といわれる反対派の大量処刑をおこなった。農業を集団化し、重工業をさかんにして、社会主義政策を進めた。1941年に首相になり、第二次世界大戦ではじめドイツに敗北したが、他国の助けもあって勝利した。戦後は東西冷戦の東側指導者となり、各国に大きな影響をおよぼした。1953年、脳出血で急死。死後、その独裁政治はきびしく批判されている。

学 世界の主な国・地域の大統領・首相一覧

スタイン，マーク・オーレル

学問　探検・開拓

マーク・オーレル・スタイン　1862～1943年

中央アジアの考古学的調査を進めた

イギリスの考古学者、探検家。

ハンガリーのブダペストに生まれ、イギリスに帰化した。ドイツやイギリスの大学などで東洋学を学んだ。1888年、インドのラホー

ル（現在はパキスタン領）にある東洋学校の校長となる。中央アジアで遺跡の探検をくりかえした。1900～1901年の第1回探検では、新疆省（現在の新疆ウイグル自治区）で、7世紀に玄奘がたどった道を歩き、ホータン遺跡を調査した。1906～1908年の第2回探検では、敦煌の遺跡で多くの仏画、仏典、古文書を発見した。1913～1916年の第3回探検では、モンゴル西部からアフガニスタンにいたる「絹の道（シルクロード）」の一部を調査した。さらに西南アジアでも調査をおこない、1943年、アフガニスタンのカブールで、調査中に病死した。きびしい砂漠の探検に成功し、中央アジアではじめて本格的な考古学的調査をおこなった人物である。また、研究の成果をくわしく報告書として発表したことも、大きな評価を得ている。

スタインベック，ジョン

文学

ジョン・スタインベック　1902～1968年

アメリカを代表するノーベル賞作家

アメリカ合衆国の作家。

カリフォルニア州生まれ。高校時代は陸上やバスケットボールの選手として活躍した。1920年、スタンフォード大学に入り、文学や海洋生物学を学ぶが、5年で退学する。1942年、ニューヨークへ出てさまざまな創作にはげみ、30歳のときに短編小説集『天の牧場』を発表して、作家としてみとめられた　故郷カリフォルニアを舞台とする物語で知られ、代表作に長編小説『怒りの葡萄』と『エデンの東』がある。また、短編や中編小説にもすぐれた作品をのこしている。晩年は、アメリカ文明を批判し、キリスト教と異教、近代の産業主義と原始主義、自然と人間などをテーマに執筆をおこなった。日本では、中編小説の『二十日鼠と人間』『真珠』『赤い子馬』なども人気がある。1940年にピュリッツァー賞、1962年にノーベル文学賞を受賞した。

学 ノーベル賞受賞者一覧

スタニスラフスキー，コンスタンチン

映画・演劇

コンスタンチン・スタニスラフスキー　1863～1938年

俳優の教育に影響をあたえた演出家

ロシア・ソビエト連邦の俳優、演出家。

モスクワの工場主の家に生まれる。本名は、アレクセーエフ。幼いときから芝居が好きで、14歳のころ兄弟姉妹と家庭劇団を結成する。以来、俳優や演出家として演劇活動をおこなった。1888年にモスクワ芸術文学協会をつくり、それまでの型にはまった演劇を批判して、民衆の日常生活に根ざした写実的な演劇をめざした。1898年に、モスクワ芸術座を創立して、チェーホフの『かもめ』『ワーニャ伯父さん』、ゴーリキーの『どん底』などを上演した。俳優が役を演じる際に必要な心がまえや身体のつかい方をまとめた独特の演劇論「スタニスラフスキー・システム」を確立した。世界の演劇界における俳優教育に大きな影響をあたえ、多くのすぐれた俳優を育てた。晩年には、俳優や演出家が身につけておくべき心がまえや技術などを『俳優修業』に書いた。

スタンダール

文学

スタンダール　1783～1842年

最初の近代小説『赤と黒』の作者

フランスの作家、評論家。

南東部グルノーブルに弁護士の息子として生まれる。本名はアンリ・ベール。7歳で母を亡くし、内気な少年時代を送った。中学卒業後、軍隊に入り、1800年に17歳でナポレオン軍に参加、イタリアに侵攻する。ナポレオン1世の没落後、ミラノに移住、1821年までミラノで芸術論を書いてくらした。その後パリへ移り、評論活動のほか、小説の執筆をはじめた。

恋人たちの心の動きを分析した評論『恋愛論』、はじめての小説『アルマンス』などののち、1830年には、軍人と聖職者の運命を題材にした代表作『赤と黒』、1839年にはイタリアを舞台にした『パルムの僧院』を発表した。『赤と黒』は文学史上、最初の近代小説といわれる。心の動きを細かく観察し、登場人物の内面を感情豊かに表現した心理小説を得意とした。ほかに、自伝的な小説『エゴチスムの回想』『アンリ・ブリュラールの生涯』などがある。

スタンリー，ヘンリー

探検・開拓

ヘンリー・スタンリー　1841～1904年

アフリカでリビングストンをさがしだした

イギリスの探検家、ジャーナリスト。

北ウェールズの田舎町に生まれたが、家庭にめぐまれず、救

貧院で育った。1859年、客船の乗組員になり、アメリカ合衆国にわたる。1862年、商人の養子となり市民権を得ると、南北戦争に加わった。

その後、新聞社の海外特派員として、従軍記事などで活躍する。1869年、アフリカで行方不明になっている探検家リビングストンをさがすようにと、新聞社から特命を受けて出発した。1871年、タンガニーカ湖近くの村（現在のタンザニア）で、病床のリビングストンと劇的な対面をはたし、その記事は世界の人々を興奮させた。5か月間、リビングストンとともに探検をつづけ、その後、みずからも探検家として活躍した。1874年、ビクトリア湖に達してナイル川の源流を確認。1877年には、アフリカ大陸を横断するコンゴ川をくだり、川の流路を解明した。ベルギー国王のコンゴ自由国の行政官をつとめたのちに、イギリスに帰国し国会議員になった。不屈の精神の持ち主だったといわれる。

ズッペ，フランツ・フォン

音楽

フランツ・フォン・ズッペ　1819〜1895年

明るく軽快なオペレッタの名手

オーストリアの作曲家、指揮者。

アドリア海に面したダルマチア（現在のクロアチア）生まれ。1835年、父の死後、母とともにウィーンに移り、ウィーン音楽院でゼヒターやザイフリートから指導を受ける。1841年から、オーストリア各地で、劇場つきの音楽指揮者をかねた作曲家として活躍する。ウィンナ・ワルツやイタリア・オペラの要素をとり入れた明るく軽快で親しみやすいオペレッタやバレエ音楽などにすぐれた作品をのこし、オッフェンバック、ヨハン・シュトラウス（子）らと名声をきそう。代表作に『スペードの女王』『軽騎兵』『詩人と農夫』『ボッカチオ』などが知られている。

スティーブンソン，ジョージ

→ 229ページ

スティーブンソン，ロバート・ルイス

文学

ロバート・ルイス・スティーブンソン　1850〜1894年

冒険小説『宝島』の作者

イギリスの作家、詩人、児童文学作家。

スコットランドのエディンバラに灯台技師の子として生まれる。大学では工学を専攻したが、途中から法律にかえ、1875年に弁護士の資格をとる。幼いころからからだが弱く、成人してからは持病を治すために南フランスやベルギーを旅行してまわった。その体験をもとに、『旅は驢馬をつれて』などの旅行記や随筆を書くようになり、作家としての生活をはじめた。1888年より、療養のためにヨットで太平洋の島々をめぐり、1890年には南太平洋のサモア諸島に移り住み、そこで晩年をすごした。1883年に出版された、ジム少年を主人公とする冒険小説『宝島』は、現在も児童文学の名作として世界中で読まれている。また、二重人格者を主人公にした『ジキル博士とハイド氏』など、空想あふれる作品で知られている。ほかに、童謡集『子どもの詩の園』、随想などを集めた『若き人々のために』などの作品がある。

ステビン，シモン

学問

シモン・ステビン　1548〜1620年

小数の理論を提唱した数学者

フランドル（現在のベルギー）の数学者、物理学者。数学の教師。

1585年に書いた『十進分数論』で、ヨーロッパではじめて小数を提唱し、29.17を29（0）1（1）7（2）とあらわした。この表記は、20年後にジョン・ネーピアの提唱で、現在の表記方法、29.17に改変された。のちに、アルキメデスの研究を発展させ、力の平行四辺形の法則、テコの原理を証明する。

ステンカ・ラージン

政治

ステンカ・ラージン　1630?〜1671年

ロシアのコサック反乱の指導者

ロシアの農民反乱指導者。

ドン川流域のコサック（ドン・コサック）の裕福な家に生まれる。コサックは、圧制からのがれて南ロシアに住みついた農民や兵士で、辺境の警備などにあたっていた。1667年春、ラージンは貧しいコサック農民や逃亡農民をひきいて、ドン川やボルガ川下流域、カスピ海で略奪をくり広げた。1670年、これまでとちがって7000人の大部隊でドン川を出発。ボルガ川下流の沿岸の町をことごとく制圧し、「敵（政府）をやっつけて、庶民に自由をあたえよ」という内容の「魅惑の書」をばらまき、農民や都市下層民、少数民族をまきこんでいった。さらにさかのぼってシンビルスク（現在のウリヤノフスク）を包囲。ここでロシア皇帝アレクセイの大軍と戦ってやぶれ、ドン川の本営にのがれたが、裏切りにあってとらえられ、モスクワの赤の広場で処刑された。その生涯は、国民のあいだに民謡や伝説となって広く語り伝えられた。

ジョージ・スティーブンソン

世界初の実用的蒸気機関車を製作

■炭鉱の蒸気機関技師に

イギリスの機械技術者。

北部の都市ニューカッスル近郊の炭鉱村ワイラム生まれ。父は炭鉱ではたらいていた。家が貧しかったため学校へは行かず、8歳のころ牛飼いの仕事についた。14歳のとき石炭をボイラーに入れるなどして蒸気機関を動かす火夫見習いに、17歳のとき炭鉱の排水用蒸気機関の機関士となった。また18歳のときに夜学にかよい、読み書きや算数など学校教育を受けた。1803年、22歳のとき、キリングワース炭鉱のまき上げ機の技師となった。やがて炭鉱のポンプをはじめ、炭鉱でつかうさまざまな機械の修理をまかされ、蒸気機関の原理やはたらきについて学んだ。

▲ジョージ・スティーブンソン

■初の実用的蒸気機関車を製作

イギリスの技術者トレビシックが発明した蒸気機関車を改良して、1814年、石炭をはこぶための蒸気機関車を開発。プロイセンの将軍にちなんで「ブリュッヘル号」と名づけた。当時、石炭をのせた貨車を坑内からはこびだすのにはウマがつかわれていたが、スティーブンソンは蒸気機関車ではこぶことに成功。貨車8両をひいて時速6.5kmで走った。

1821年、イギリス北部のストックトン〜ダーリントン間約21kmの鉄道建設がはじまり、その技師長となった。また1823年、この区間を走らせる蒸気機関車をつくる工場を設立。1825年9月27日、この工場でつくった機関車「ロコモーション号」で鉄道が開通した。ロコモーション号は38台の車両をひき、スピードも時速20km以上に達した。なお、このときのレール間の幅は1.435mで、この幅はのちに「スティーブンソンゲージ」とよばれ、世界の軌道の標準となった。

▲ロコモーション号　1825年につくられた。

■鉄道の時代が到来

1826年には、北部の2つの都市リバプール〜マンチェスター間約45kmの鉄道建設がはじまり、その技師長となった。1829年、ここを走らせる蒸気機関車のコンクールがひらかれ、息子のロバートと開発にとりくんだ「ロケット号」が時速30km以上をだして優勝した。翌1830年9月の開通式には8台の車両に1000人以上を乗せて快走し、鉄道の時代の到来を広く世に知らせた。

▲ロケット号　ボイラーの中に直径約7.6cmの銅パイプ25本を通し、高圧の蒸気をつくることに成功した。

その後も、ロンドン〜バーミンガム間をはじめイギリス国内のほか、ヨーロッパ各地やアメリカ合衆国からも、鉄道建設や蒸気機関車の製造の依頼や相談があいつぎ、「蒸気機関車の父」とよばれた。

1847年、バーミンガムに世界初のイギリス機械学会が創立され、その初代会長にえらばれた。父の鉄道建設を助けた息子のロバートは、父のあとをついで、イギリス国内だけでなく各国の鉄道建設にたずさわった。とくに橋の設計にすぐれ、イギリスのメナイ海峡にかけられたブリタニア橋や、カナダのセントローレンス川にかけられた大ビクトリア橋が知られている。

▶ロケット号　1829年、蒸気機関車のコンクールに出場した。

ジョージ・スティーブンソンの一生

年	年齢	主なできごと
1781	0	6月9日、イギリスの炭鉱村ワイラムに生まれる。
1803	22	長男ロバートが生まれる。
1814	33	石炭をはこぶ蒸気機関車「ブリュッヘル号」を製作。
1823	42	機関車工場を開設。
1825	44	ストックトン〜ダーリントン間の鉄道が開通。
1829	48	蒸気機関車コンクールで「ロケット号」が優勝。
1830	49	リバプール〜マンチェスター間の鉄道が開通。
1838	57	ロンドン〜バーミンガム間の鉄道が開通。
1847	66	イギリス機械学会の会長に就任。
1848	67	8月12日、チェスターフィールドで亡くなる。

※年齢は満年齢であらわしている

ストウ，ハリエット・ビーチャー

文学

ハリエット・ビーチャー・ストウ　1811～1896年

『アンクル・トムの小屋』の作者

アメリカ合衆国の作家。

コネティカット州の牧師の家に生まれる。父が校長をしていた神学校の教師と結婚し、オハイオ州に移り住む。そこは奴隷制度がある南部の州に近く、キリスト教徒の家庭に育ったため、奴隷のようすをみて、虐げられた黒人たちの境遇に深い同情をもった。

1851年、奴隷制に反対する新聞に、小説『アンクル・トムの小屋』を連載し、翌年、出版されると大ベストセラーとなる。この作品は、親切な主人から残酷な主人に売られた黒人の悲劇をえがき、奴隷解放運動や、南北戦争（1861～1865年）の勝利による奴隷解放に大きな力になったとされる。日本でも人気が高く、こどもむけにも翻訳されて出版されている。後年、「アンクル・トム」は白人に対して従順な黒人を意味する蔑称としても用いられた。

ほかに、『牧師の求婚』『オールドタウンの人々』『オーズ・アイランドの真珠』など、地方色豊かな作品も書いている。

すとくてんのう

王族・皇族

崇徳天皇　1119～1164年

保元の乱をおこし、怨霊となった

（宮内庁三の丸尚蔵館）

平安時代後期の第75代天皇（在位1123～1141年）。

鳥羽天皇の子で、後白河天皇の兄。即位する前は顕仁親王とよばれた。

1123年、曽祖父白河法皇（譲位後に出家した白河天皇）の意志により5歳で皇太子となり、父の譲位により即位した。1141年、鳥羽上皇（譲位後の鳥羽天皇）により、異母弟の躰仁親王（近衛天皇）に譲位させられた。1155年、近衛天皇の死後、鳥羽上皇は雅仁親王（後白河天皇）を即位させ、雅仁親王の子の守仁親王（のちの二条天皇）を皇太子とした。こうして自分の子、重仁親王に皇位をつがせる望みを断たれた崇徳上皇は、父をうらむようになり、後白河天皇と対立するようになった。1156（保元元）年、父鳥羽法皇が亡くなった直後、崇徳上皇は藤原頼長、源為義らを味方につけて兵をあげ、平清盛や源義朝をひきいた後白河天皇方と戦ったがやぶれ、讃岐（現在の香川県）に流罪となった（保元の乱）。その後、うらみのうちに死んだ上皇の怨霊が世の人々をおどろかせた。朝廷は上皇に崇徳院の号を贈り、霊をしずめようとした。

学 天皇系図

ストラウス，リーバイ

産業

リーバイ・ストラウス　1829～1902年

ジーンズの原型をつくったアメリカの起業家

アメリカ合衆国の企業家。

ドイツ南部のバイエルン州生まれ。20代のはじめに家族でアメリカに移住した。1849年以降、金鉱を求めてカリフォルニアに人が殺到したため、サンフランシスコで衣料品店をひらき、労働者のためのキャンバス地のじょうぶな作業ズボンを売った。この店が、のちにリーバイス社となる。

1873年、取り引きのあった仕立業者の提案で、作業ズボンのポケットをびょうで補強する特許を申請して、翌年に登録され、これがジーンズの原型となった。ストラウスの死後、ジーンズは作業着からファッションへと用途を広げ、リーバイスは世界的ブランドに成長した。

ストラディバリ，アントニオ

工芸

アントニオ・ストラディバリ　1644？～1737年

名器ストラディバリウスを製作する

イタリアの弦楽器製作者。

北部クレモナの生まれ。1660年ころ、楽器作者のニコロ・アマーティの工房で修業をはじめ、クレモナのバイオリン製作の伝統を受けつぐ。1680～1690年ごろ、独立して自分の工房をもつ。バイオリンに改良を加え、それまでより大型で豊かな音色をもつ新しいバイオリン、ストラディバリウスを生みだし、近代バイオリンの標準型をつくる。92歳で亡くなるまで、息子たちと約1200の弦楽器をつくった。

ストラディバリウスの豊かな音色の秘密は、表面にぬったニスだとする説もあるが、くわしいことはわかっていない。製作から300年をへても、音色はおとろえず、多くの名演奏家につかわれている。

現在、バイオリン、ビオラ、チェロあわせて約650点がのこっている。1700～1720年のころの作品は、最高の名器として名高く、数千万～数億円で取り引きされ、資産家や所有団体などから演奏家へ貸しだされることもある。

ストラビンスキー，イーゴル

音楽

イーゴル・ストラビンスキー　1882～1971年

20世紀の最大の音楽家の一人

ロシアの作曲家、指揮者、ピアニスト。

サンクトペテルブルク近郊の生まれ。オペラ歌手の父のもと、幼いころから音楽に親しんで育つ。大学で法律を学ぶが、在学中に作曲家リムスキー＝コルサコフに出会い、音楽の道に進む。

1908年、ロシアバレエ団の主宰者ディアギレフに交響的幻想曲『花火』をみとめられ、1913年までに、バレエ三部作『火の鳥』『ペトルーシュカ』『春の祭典』を発表した。その後、ヨーロッパで活躍し、フランスに帰化。1945年にはアメリカ合衆国の市民権を得て、ニューヨークで生涯を終えた。

複雑なリズムや不協和音をもつ原始主義音楽から、古典音楽の復活をめざす新古典主義音楽、シェーンベルクのはじめた十二音音楽と、つねに新しい作風で20世紀の音楽をリードする。1959（昭和34）年に来日し、NHK交響楽団を指揮し、無名だった武満徹の作品を高く評価した。著書に『音楽とは何か』がある。

ストラボン

古代　学問

ストラボン　紀元前64?～紀元後23?年

『地理誌』を著した古代ギリシャの「地理学の父」

古代ギリシャの地理学者、歴史家、ストア派哲学者。

小アジア（トルコ）の都市アマセイア生まれ。文章表現の技術である修辞学や、哲学、地理学を学んだ。イタリア、ギリシャ、小アジア、エジプトなどを旅行し、とくにローマやアレクサンドリアに長く滞在して、見聞を広めた。ギリシャ・ローマの歴史をまとめた全47巻の歴史書を書いたとされるが、現存していない。もう一つの著作『地理誌』は全17巻がほぼすべてのこっており、当時認識されていた世界の地理についてのべられている。

世界全体についての序説からはじまり、各地域の記述をのべるという構成は、以後のヨーロッパの地理書に長くひきつがれた。歴史的な事がらや伝説などと関連づけながら各地を説明した記述は、貴重な歴史資料にもなっている。

自然の摂理を重視するストア派哲学の立場から、『地理誌』でも、地理が人間の生活と対応したものとなることを説明した。「地理学の父」と称される。

ストリンドベリ，アウグスト

文学　映画・演劇

アウグスト・ストリンドベリ　1849～1912年

イプセンとならぶ近代劇の創設者

スウェーデンの劇作家、作家。

ストックホルム生まれ。早くに母と死に別れ、没落した商人の父のもとで貧しさのなか反抗心をもって育つ。

ウプサラ大学で学んでいたが、作家を志し、『ローマにて』『平和なき者』『ウーロフ師』などの戯曲を書いてみとめられた。1879年に自伝的な小説『赤い部屋』を発表し、スウェーデンで最初の自然主義小説として評価されて、一躍有名になった。

女性に対する特別な思いや自分の苦しみやなやみを、そのまま作品の中にさらけだす姿勢がつらぬかれている。代表的な作品に、戯曲『父』『令嬢ジュリー』『死の舞踏』『稲妻』、小説『痴人の告白』がある。

ストルイピン，ピョートル

政治

ピョートル・ストルイピン　1862～1911年

革命運動を徹底的に弾圧した

ロシアの政治家。首相（在任1906～1911年）。

ペテルブルク大学を卒業後、内務省に入る。1902年より州知事を歴任。農民運動をしずめた功績などがニコライ2世にみとめられ、1906年、内務大臣となり、国会が解散されると、同年、首相となった。選挙法を改正して労働者や農民の政治的権利をへらし、出版物の規制を強めるなど、革命運動を徹底的におさえこんだ。そのうえで、ミール（農村共同体）を解体して土地の私有化をみとめる農業改革をおこない、独立した自作農をつくって生産性を上げるとともに、農民が革命運動にむかうのをふせごうとしたが、反対を受けて進まなかった。また、ミールから離脱した農民の多くは貧困化し、ロシア革命をひきおこす要因の一つとなった。

すなおかわち

郷土

直川智　生没年不詳

サトウキビの栽培をはじめた殖産家

江戸時代前期の殖産家。

奄美大島の大和村大和浜（現在の鹿児島県大島郡）に生まれた。1605年、琉球（沖縄県）にわたる途中で台風にあい、明（中国）の南東にある福建省に漂着した。そこでサトウキビの栽培がおこなわれているのをみる。明ではサトウキビを国外に持ちだしたり、外国人に製糖技術を教えたりすることは禁止されていた。しかし、1年半の滞在中、ひそかにサトウキビの栽培技術や製糖方法をおぼえた。帰国するとき、サトウキビの苗3本を衣類箱にかくしてもち帰り、群島の島々に栽培を広めた。諸説あるが、3年後、栽培したサトウキビから黒糖（黒砂糖）を製造することに成功したとされている。

すなだひろし

絵本・児童

砂田弘　1933〜2008年

児童文学に社会問題をとり入れた

昭和時代〜平成時代の児童文学作家、評論家。

朝鮮（現在の大韓民国）生まれ。早稲田大学仏文科卒業。高校生のころから北原白秋の影響を受け、在学中は早大童話会に入り、古田足日らの「小さな仲間」にも参加する。卒業後、出版社につとめながら1961（昭和36）年に、すりの少年を主人公にした『東京のサンタクロース』を発表。1971年、欠陥車による事故をテーマに、児童文学に社会問題をとり入れた『さらばハイウェイ』で日本児童文学者協会賞を受賞。中学時代から高校野球のファンで、『二死満塁』『かあさん甲子園へいく』など、少年野球を題材にした物語や、歴史上の人物の伝記、評論集『砂田弘評論集成』など多くの著作がある。

すなむらしんざえもん

郷土

砂村新左衛門　？〜1667年

久里浜の内川新田の開発者

江戸時代前期の開拓者。

出身地は越前国（現在の福井県北東部）といわれ、三国湊（福井県坂井市）で土木事業にたずさわり、その後、各地の新田開発をみてまわったという。のちに、相模国三浦内川（神奈川県横須賀市久里浜）の入り海を埋め立てて、新田をつくろうと考えた。幕府に開発許可を願いでるとともに、久里浜、浦賀など付近の村の名主を説得し、1659年から工事を開始した。

▲内川新田開発の記念碑

（久里浜観光協会）

苦労の末、8年後に内川新田がひらかれ、360石の米がとれるようになった。

スノー，エドガー

文学

エドガー・スノー　1905〜1972年

中国共産党の姿を世界に報道

アメリカ合衆国のジャーナリスト、作家。

ミズーリ州生まれ。ミズーリ大学やコロンビア大学で学ぶ。世界一周旅行の途中で中国に立ちより、そこで週刊誌の編集助手となり、そのまま中国に滞在する。のちにジャーナリストになるニム・ウェールズと知り合い、1932年東京で結婚した。

1936年、外国人としてはじめて中国共産党の支配地区に入り、指導者と会見した。その後、6か月のあいだともに行動して、その見聞を『中国の赤い星』（1937年）に著す。その中の毛沢東の会見は、毛沢東の半生の伝記となっている。

第二次世界大戦中は、『サタデー・イブニング・ポスト』の特派員としてソビエト連邦、中国、インド、中東などで取材をおこなった。戦後は1960年に訪中し『中国もう一つの世界』（1961年）を著すなど、独自のルートで中国共産党を取材し、その姿を報道した。そのほか、『極東戦線』『革命、そして革命…』や、自伝『目覚めへの旅』がある。

スパルタクス

古代　政治

スパルタクス　?〜紀元前71年

自由を求めて戦った剣闘士

古代ローマの奴隷反乱指導者。

トラキア（バルカン半島南東部）の出身。ローマ軍にとらえられ、闘技場で真剣勝負をみせる剣闘士の養成所に入れられた。紀元前73年、約70人の仲間と養成所を脱出し、武器をうばってベスビオ山に立てこもった。追ってくるローマ軍を次々に撃退すると、各地で虐げられていた奴隷たちも加わって、スパルタクスにしたがう反乱軍は、一時12万人にも達する（スパルタクスの乱）。彼の戦術は、ローマのどの将軍よりもすぐれていたと評価された。その後、自由と解放を求めてシチリアへ脱出を試みるが、クラッススひきいるローマ軍との激戦の末、戦死。紀元前71年、ローマ史上最大の奴隷反乱は鎮圧された。

スハルト

政治

スハルト　1921〜2008年

インドネシアの経済を発展させた軍人出身の大統領

インドネシアの軍人、政治家。大統領（在任1968〜1998年）。

ジョクジャカルタ生まれ。1940年以降、オランダ、日本による統治下のインドネシアで、軍人として経歴を積んだ。第二次世界大戦後は、オランダとの独立戦争を戦い、1949年のインドネシア独立後は、国軍の司令官などを歴任した。1965年におきたクーデター事件で、負傷した国防大臣の代行をつとめてクーデターを鎮圧したが、多くの犠牲者をだした（9月30日事件）。

クーデターをおこした共産党と深くかかわっていたスカルノ大統領にかわり、1967 年から大統領を代行、翌年、正式に大統領に就任した。軍部の強力な支持を背景に、経済開発をおし進め、30 年間大統領をつとめた。

1998 年、アジアの金融危機に連動して国内各地でおきた暴動と、民主化を求める運動の高まりを受け、大統領を辞任した。

反体制派に対するきびしい弾圧の一方、工業化を進め、経済発展を実現、東南アジアにおける強い発言力を獲得した。

スピノザ，バルク・ド

思想・哲学

バルク・ド・スピノザ　1632〜1677年

自然そのものが神であると説いた哲学者

オランダの哲学者。

アムステルダムに、裕福なユダヤ商人の子として生まれる。ユダヤ教の神学校に学ぶが、デカルトなどの近代的思想に影響を受けた。父が亡くなり家業をつぐが破産して廃業、ユダヤ教会からも破門された。その後、レンズみがきの仕事をして各地をめぐりながら、研究をつづけたと伝えられる。

1670 年に思想と言論の自由を主張した『神学政治論』を匿名で刊行、旧約聖書を批判する内容があるとして神学者などから非難され、無神論者とよばれた。このため主著『エチカ』は、生前に刊行できなかった。

1673 年、ハイデルベルク大学教授にまねかれたが、教育と研究は両立できないと辞退した。1677 年、44 歳で死去。キリスト教的な人格神ではなく、自然そのものが神であり、人間の自由意志も偶然も存在しないとするスピノザの考えは、当時、無神論とみなされ批判されたが、およそ 100 年後、ゲーテによってみとめられ、ドイツ哲学に大きな影響をあたえた。

スピルバーグ，スティーブン

映画・演劇

スティーブン・スピルバーグ　1946年〜

ヒット作を生みだしつづける映画監督

アメリカ合衆国の映画監督、映画製作者。

オハイオ州シンシナティで、コンピューター技師の長男に生まれる。こどものころから 8 ミリ映画をつくっていたが、勉強にはほとんど集中できず、成績もよくなかった。

カリフォルニア州立大学を中退後、テレビ番組のディレクターとなり、1972 年にテレビ映画『激突！』で注目された。その後、映画監督として多くのヒット作を生みだしている。1975 年公開の『ジョーズ』は、当時最高の興行成績をおさめ、世界を代表する映画監督の一人となった。

1993 年、ナチスのホロコーストをえがいた『シンドラーのリスト』でアカデミー賞監督賞、作品賞を受賞した。はでなアクションや特撮を多くつかったダイナミックな作品が多い。また自身が影響を受けたディズニーのパロディーがよく登場する。代表作に『未知との遭遇』『E. T.』『ジュラシック・パーク』、ルーカスとともに製作した『インディ・ジョーンズ』シリーズなどがある。

スペンサー，ハーバート

思想・哲学

ハーバート・スペンサー　1820〜1903年

社会進化論をとなえた哲学者

イギリスの哲学者、社会学者。

イングランド中部のダービーで、教師の家に生まれる。病弱であったため、学校ではなく、家庭で父やおじから教育を受けた。鉄道会社の技師や、雑誌『エコノミスト』の編集をへて、1860 年に主著『総合哲学大系』の概要を発表する。以後 30 年以上をかけて全 10 巻を完成させた。

一般的には、ダーウィンの進化論の考えを社会に適用し、社会もしだいに進化していくとする社会進化論と、それにもとづく自由放任主義をとなえた、と解釈される。これは当時の産業革命によって生まれた、産業ブルジョワジーたちの世界観を組織化したものともいえる。

一生を大学や学会とは関係をもたない在野の研究者として終えたが、著作は当時の日本をふくめ、広く読まれ、多くの支持者を得た。

すみいすえ

文学

住井すゑ　1902〜1997年

『橋のない川』を書いた農民作家

昭和時代〜平成時代の作家。

奈良県生まれ。講談社の記者をへて、1924（大正 13）年、農民作家で夫の犬田卯とともに農民文芸研究会を設立し、「土の芸術」をめざして農民自治と女性解放運動の旗手となる。第二次世界大戦後は、戦争への反対を童話『夜あけ朝あけ』

や小説『向い風』などでわかりやすく表現し、新しい農民作家として高く評価される。

1957（昭和32）年、病気で亡くなった夫と共同の回想記『愛といのちと』が評判となる。

1961年、被差別部落に育った少年たちの差別との戦いをえがいた『橋のない川』を発表。部落解放問題を正面にすえたこの作品は、1973年に第6部を出版、その後20年をへて第7部が刊行され、代表作となった。そのほかの作品に『野づらは星あかり』などがある。一生を通じて、農業をしながら、社会の底辺で苦しむ人々の側に立った小説を書きつづけた。

スミス，アダム

学問

アダム・スミス　1723～1790年

古典派経済学の創始者で、『国富論』の著者

イギリスの経済学者、哲学者。古典派経済学の創始者。

スコットランド生まれ。グラスゴー大学で道徳哲学を学び、1751年にグラスゴー大学教授に就任。1759年、講義記録をまとめた『道徳感情論』を出版して、ヨーロッパ中に知られる存在となる。1764年から3年間、フランスにわたって経済学者ケネーらと交流し、帰国すると『国富論』（『諸国民の富』ともいう）を執筆、1776年に発表した。1787年にはグラスゴー大学総長に就任し、3年後、67歳で亡くなった。

スミスは、国家が経済を管理することに反対し、個人の自由な経済活動こそが国家の発展をもたらし、また、その活動は市場の作用である「みえざる手」によって、富の分配も実現するという自由放任主義の考えをとなえた。

『国富論』は経済学上の課題をはじめて理論的、体系的に分析した大著であり、古典派経済学の基礎を築くとともに経済学の原典となった。「経済学の父」とよばれている。

スミス，ポール

デザイン

ポール・スミス　1946年～

紳士服から人気が出たデザイナー

イギリスの服飾デザイナー。

ノッティンガムに生まれる。自転車競技の選手になりたくて、15歳で学校を自主退学し、はたらきながら練習にはげむ。事故で重傷を負って1年近く入院したため、夢をあきらめた。

地元におしゃれなメンズショップがなく、17歳のとき自分で店をひらいたところ人気をよび、オリジナル商品をつくろうと考えた。1976年、パリのアパートを借りてコレクションを発表する。これが成功してデザイナーとしてみとめられ、ロンドンをはじめ、世界に店舗をもつまでに成長した。

イギリスの伝統的な紳士服を基本に、現代のセンスを加えたシンプルなスタイルが、年代を問わず広く愛されている。

スミス，ユージン

写真

ユージン・スミス　1918～1978年

水俣病を世界に伝えた写真家

アメリカ合衆国の写真家。

カンザス州に生まれる。中学のころから写真を撮り、10代なかばには新聞に掲載されるほどの腕前だった。1936年、穀物商をいとなむ父が世界恐慌で破産して自殺してしまい、奨学金をもらってノートルダム大学に入学する。その翌年から雑誌『ニューズウィーク』ではたらきはじめた。

第二次世界大戦中は従軍記者としてサイパン、グアム、沖縄などをまわる。沖縄で重傷を負って療養し、1947年に仕事に復帰する。写真雑誌『ライフ』で『カントリー・ドクター』『慈悲の人、シュバイツァー』など、フォト・エッセーとよばれる作品を次々に発表して、独特の世界を築き上げた。

1971（昭和46）年からは熊本県の水俣に3年間滞在し、作品集『水俣』を発表して、水銀汚染がもたらす水俣病の実態を世界に伝えた。

白と黒のコントラストがはっきりとして、被写体がきわだつモノクロ写真を特徴とする。人間の痛みや苦しみを深い愛情をもってとらえた作品は、ときに宗教画にたとえられる。

スミッソン，ジェームス

産業

ジェームス・スミッソン　1764?～1829年

スミソニアン協会の設立に貢献した

イギリスの化学者、鉱物学者。

イギリス貴族のノーサンバランド公の庶子としてフランスに生まれる。鉱物学の研究をおこない、菱亜鉛鉱を分析した功績から、この鉱物は「スミソナイト」と名づけられた。生涯独身で相続者をもたなかったことから、親から相続したばく大な遺産を「科

学の研究や知識の普及に役だてたい」と、それまで一度もおとずれたことのないアメリカ合衆国に寄付した。

アメリカでは1846年、この寄付をもとにスミソニアン協会を設立。初代所長の物理学者ヘンリーは、独創的な研究者に研究費を提供し、知識の普及のために科学の定期刊行物を出版した。その後、傘下には航空宇宙博物館や自然史博物館などの博物館や美術館、研究所ができた。

すみともきちざえもん

産業

住友吉左衛門　1647～1706年

銅鉱業で住友家の基礎を築く

江戸時代中期の豪商。

大坂（阪）の豪商、住友友以（通称は理兵衛）の子として生まれる。本名は友信。住友家は、慶長年間（1596～1615年）に蘇我理右衛門が粗銅（精製されていない銅）にふくまれる銀を分離させる技術を開発して、巨万の富を築いたことにはじまる。その子、友以が書籍、医薬品をあつかう住友家の養子にむかえられ、京都に銅吹き屋（銅の精錬業者）の泉屋をおこし、1630年代から大坂に本拠を移して、銅の精錬・輸出と砂糖や薬種などの輸入をおこない、家業の基礎をかためた。

1662年、友以が亡くなったため、16歳で家業をついで住友家3代目当主になり吉左衛門を名のった。

その後、銅鉱業に進出して東北地方の阿仁銅山（北秋田市）や、備中国吉岡銅山（岡山県高梁市）などを経営し、家業を繁栄させた。1685年に隠居するが、子の友芳のうしろだてとして家業を指導した。子孫は代々、住友吉左衛門を名のった。

すみともともよし

産業

住友友芳　1670～1719年

日本最大級の銅山を開発

▲『別子銅山図』（版画）

（住友資料館）

江戸時代中期の豪商。

大坂（阪）の豪商、住友吉左衛門（友信）の子。和歌や狂歌（風刺や皮肉をもたせた短歌）を好んだといわれる。1685年、16歳のとき、隠居した父のあとをついで住友家4代目当主になった。

銅の鉱脈を調査し、1691年、幕府から採掘許可をあたえられて伊予国別子銅山（愛媛県新居浜市）を開発した。産出したばく大な銅を大坂（阪）で精錬して、長崎から中国の清やオランダに輸出した。その後、両替商（手数料をとって金銀貨と銭貨を交換する店）にも乗りだした。別子銅山は、日本最大級の銅山で、1973（昭和48）年に閉山されるまで、約280年にわたって銅を産出しつづけた。

すみのくらりょうい

産業　郷土

角倉了以　1554～1614年

運河をつくって物流の発展を助けた

▲角倉了以木像　（大悲閣千光寺）

戦国時代～江戸時代前期の豪商。

京都の嵯峨（京都市）で医者と土倉（高利貸し。つちくらともいう）をいとなむ家に生まれた。

了以は家業のかたわら、1603年、幕府から朱印状（朱色の印がおされた海外渡航許可証）をあたえられ、アンナン（現在のベトナム）との貿易をはじめた。以後、亡くなるまで毎年のように角倉船とよばれた貿易船を派遣して巨万の富を築いた。

一方で、全国の河川の開削工事（土地を切りひらいて道路や運河を通すこと）を積極的におこなった。1606年、53歳のとき幕府の許可を得て、桂川上流の大堰川の開削工事をおこない、難工事の末に丹波国世木（京都府南丹市）と嵯峨をむすぶ運河をひらいて丹波地方の農作物や材木を京都へ輸送できるようにした。

その成功により翌年、幕府の命を受けて富士川の開削をおこない、駿河国岩淵（静岡県富士市）と甲斐国鰍沢（山梨県富士川町）をむすぶ船での輸送路をひらいた。さらに、天竜川の開削にもとりくんだが、水流がはげしく成功しなかった。

1611年には、息子の素庵とともに京都の中心部と伏見（京都市）をむすぶ運河、高瀬川をひらいた。工事は了以みずから陣頭に立って指揮し、工事にかかる費用約7万5000両（現在の約75億円）も了以が負担した。高瀬川の完成により、京都の中心部から伏見、さらに淀川を通って大坂（阪）に通じる水運がひらかれ、大坂方面からの物資が船で京都の中心部へはこばれるようになった。その功績により、角倉家は幕府から高瀬川の通行料を徴収することをゆるされ、代々高瀬川を管理した。

▲復元された高瀬舟と高瀬川

（京都市歴史資料館協力）

すみよしぐけい

絵画

住吉具慶　1631～1705年

『洛中洛外図巻』で有名な御用絵師

江戸時代前期の画家。

土佐派（平安時代以来の大和絵の様式を受けつぐ絵画の流

派）の流れをくむ住吉派の祖、住吉如慶の子として京都に生まれる。本名は、はじめ広純、のちに広澄。父の画法を受けつぎ、幕府や朝廷の依頼を受けて、絵巻物や障壁画を制作した。1674年、髪をそって出家し、具慶と名のった。1685年、55歳のとき幕府の御用絵師（幕府や大名の命を受けて制作をおこなう画家）に任命され、江戸（現在の東京）に移住した。江戸の人々にはなじみのなかった大和絵を広め、住吉派がさかんになる基礎を築いた。以後、住吉派は、狩野派（狩野正信・狩野元信父子にはじまる絵画の流派）とともに幕府の御用絵師として、幕末まで活躍した。

（国立国会図書館）

代表作に17世紀前半の京都市中と郊外の庶民の暮らしぶりをえがいた『洛中洛外図巻』などがある。

すみよしじょけい
絵画

住吉如慶　1599～1670年

大和絵の一派、住吉派の祖

江戸時代前期の画家。

和泉大坂（現在の大阪府）の堺で土佐光吉・光則父子に師事して土佐派（平安時代以来の大和絵の様式を受けつぐ絵画の流派）の画法を学び、のちに京都に移った。1625年、僧の天海にまねかれ『東照宮縁起絵巻』を制作するため、江戸（東京）に出たといわれる。1661年、出家して如慶と称した。1662年、後西天皇の勅許を得て、鎌倉時代の画家住吉慶恩の家を再興させて住吉を名のり、住吉派の祖になった。その後、幕府や大名の命を受けて制作をおこなう御用絵師となって活躍し、大和絵を江戸の地に伝えた。

▲住吉如慶作『年中行事図屏風』右隻:第1-3扇
（東京国立博物館 Image:TNM Image Archives）

代表作に『東照宮縁起絵巻』『年中行事絵巻』がある。子の住吉具慶も画家として活躍した。

スメタナ，ベルジフ
音楽

ベルジフ・スメタナ　1824～1884年

チェコ国民音楽の父

チェコの作曲家。

ボヘミア北部（現在のチェコ）生まれ。1843年からプラハで音楽を学ぶ。1848年にリストのすすめで、プラハに音楽学校を設立し、学校経営とピアニストとしての活動をおこなう。1856年から5年間、スウェーデンのイェーテボリ音楽協会の指揮者をつとめた。帰国後、オペラ『売られた花嫁』をプラハの国民劇場で発表して大成功をおさめる。主な作品は、連作交響詩『我が祖国』（第2曲目の『ブルタバ（モルダウ）』がよく知られる）、2つの『弦楽四重奏曲』などがある。国民楽派の創始者として、チェコの民族運動を音楽面から支援し、「チェコ国民音楽の父」とよばれる。

すやまとつあん
郷土

陶山訥庵　1657～1732年

対馬の農業の発展につくした学者

江戸時代前期～中期の医者、学者。

別号は鈍翁。対馬藩（現在の長崎県対馬）の藩医（藩につかえる医者）の子として府中（長崎県対馬市）に生まれた。11歳のとき江戸（東京）に出て、儒学者の木下順庵に学び、1677年、学者として対馬藩につかえた。1699年、郡奉行（地方をおさめる役人）になると、農作物を食い荒らしていたイノシシ退治にとりくんだ。当時、5代将軍徳川綱吉が、生き物の殺生を禁止する「生類憐みの令」を発布していたため、反対する人々もいたが、1700年から9年かけて、約8万頭のイノシシとシカを退治した。また、サツマイモの栽培を進めるなど対馬の農業の発展につくした。著書に『農政問答』などがある。

スラ
古代　政治

スラ　紀元前138?～紀元前78年

古代ローマを貴族中心の政治にもどした

古代ローマの将軍、政治家。

貴族階級の出身。マリウスの副官として、北アフリカのユグルタ戦争や、同盟市戦争で功績をおさめる。しかしその後は、平民派のマリウスと対立し、閥族派（元老院を中心とした貴族出身の一派）の中心人物になる。

紀元前88年、執政官（コンスル）にえらばれ、同年におこった小アジアでのミトリダテス戦争では、総司令官として出征した。そのあいだにローマでは、平民派がクーデターをおこし内乱状態になるが、マリウスが病死すると、ミトリダテス戦争に勝利して帰国したスラは、マリウス派を処刑した。紀元前82年には、独裁官（ディクタトル）に就任。政敵を一掃する恐怖政治をおこない、元老院の権力を回復した。

スレイマンいっせい
王族・皇族

スレイマン1世　1494～1566年

オスマン帝国の黄金時代をつくった

オスマン帝国の第10代スルタン（イスラム国家の政治的最高権力者）（在位1520～1566年）。

第9代スルタンセリム1世の子として生まれる。父が1520年に亡くなると、26歳でスルタンの位につき、翌年から遠征を開始。バルカン半島のベオグラード（現在のセルビアの首都）を攻め、1522年にはトルコ南西部の沿岸から約10kmにあるロードス島を包囲し、ここに駐屯していたキリスト教徒のヨハネ騎士団を追いはらい、東地中海の制海権を手にした。

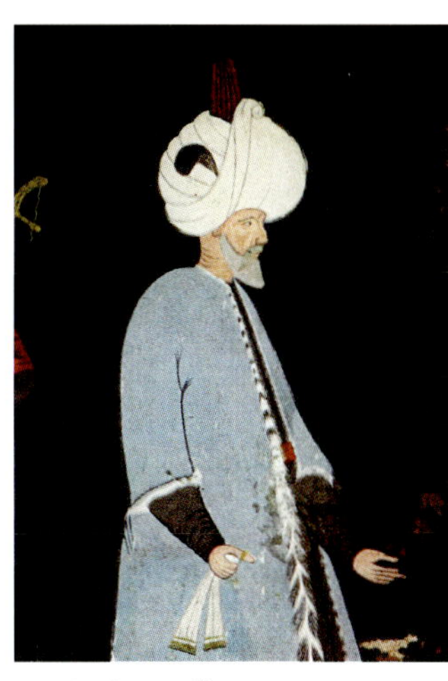
▲スレイマン1世

つづいて1526年、東ヨーロッパのドナウ川をさかのぼってハンガリー王ラヨシュ2世を討ち、ブダ（ハンガリーの首都ブダペスト）を占領した。これに対し、ハプスブルク家出身の神聖ローマ皇帝カール5世の弟フェルディナントがハンガリーの王位継承を宣言すると、1529年、オーストリアのウィーンを包囲し、ヨーロッパの国々に衝撃をあたえた。

その後、フランス王フランソワ1世と同盟をむすび、神聖ローマ帝国と対決するなど、ヨーロッパの政治に大きな影響をおよぼした。東方では1533年、イランのサファビー朝の支配下にあったアゼルバイジャンを制圧し、翌年、イラクに遠征しバグダッドを占領した。

提督バルバロスの下で力を増強した海軍は、1538年、ギリシャ西岸のイオニア海に面したプレベザ沖でスペイン、ベネツィア、ローマ教皇の連合艦隊をやぶり、地中海全域と黒海、紅海にいたる制海権を手にした。また、オスマン帝国海軍はペルシア湾からアラビア海、インド洋にも勢力をのばし、インド洋に進出してきたポルトガルと対抗した。

内政では地方をおさめるための行政制度をととのえ、相続税や儀式、刑罰などの法律を集大成し、カヌーニー（立法者）ともよばれた。学問や芸術を好み、詩人や歴史家、哲学者などを保護した。首都イスタンブール（トルコのイスタンブール）には、建築家シナーンによって高さ53mの大ドームと高さ64mの4本のミナレット（塔）をもつ壮麗なスレイマニエ・モスクが建てられた。

1566年、ハンガリーへの遠征中、72歳で亡くなった。46年の在位のうち、13回の遠征をおこない、帝国の領土は西アジアから東ヨーロッパ、北アフリカにまで広がり、最大となった。

▲スレイマニエ・モスク

学 世界の主な王朝と王・皇帝

スンウェン

孫文 → 孫文

すんうえ

せ

Biographical Dictionary 2

ぜあみ

伝統芸能

世阿弥　1363?～1443?年

能を幽玄の美として大成させた

▲観世座の舞台のようす
（『紙本著色洛中洛外図屏風（歴博甲本）』より　国立歴史民俗博物館）

室町時代の能楽師、謡曲の作者。

大和猿楽の結崎座の創設者であり、人気役者でもあった観阿弥の長男として生まれる。本名は観世三郎元清。幼名は鬼夜叉。幼いころから父に猿楽能を教えられ、舞台に立つ。1374年、12歳のとき、京都の今熊野で父と演じた猿楽能を、室町幕府第3代将軍足利義満が見物し、気に入られる。それ以降、義満から大きな援助を受けて能にとりくみ、名声を高めていった。摂政の二条良基にも気に入られると、藤若の名をあたえられる。1384年、22歳のときに父が亡くなり、2代観世大夫をついだ。のちに、芸名として世阿弥陀仏をつかい、これが省略されて「世阿弥」となった。1400年ごろから、はじめての能楽書『風姿花伝』を著す。観阿弥の教えをもとにして、芸術の精神を論じたもので、その後20年近くをかけて成立したといわれている。1408年に義満が亡くなると最大の後援者を失ったが、かわらず能を高めることに力をそそいでいた。60歳で出家。観世大夫の座を長男の元雅にゆずる。足利将軍家の寵愛は次第になくなり、1428年に即位した第6代将軍足利義教のときには、義教が世阿弥の甥の音阿弥の後援者となったため、世阿弥一座は弾圧されるようになった。1432年に長男の元雅が若くして死去。1434年、72歳のときには、世阿弥は佐渡に流刑となる。音阿弥を観世大夫にしようとした義教と対立したためともいわれているが、理由はわかっていない。1443年ごろに亡くなるが、流刑となった佐渡で死をむかえたとも、義教が暗殺されたため流刑をとかれ、娘の婿の金春禅竹のもとにいたともいわれている。

▲世阿弥作の能『清経』の一場面（公益社団法人能楽協会提供）

世阿弥は、物まねの要素が強かった猿楽を、舞踊や音楽を中心とした、上品な優雅さである「幽玄」の美意識をめざす芸術へと高め、能を大成させた。観阿弥、世阿弥の能楽は観世流として現代に受けつがれている。

世阿弥の書いた謡曲は、『高砂』『老松』『清経』『井筒』『砧』『班女』『融』など50曲近くがのこされ、現在でも演じられている。また、能の理論、真髄を伝えるための能楽書も『風姿花伝』をはじめ、『至花道』『花鏡』、晩年の『拾玉得花』『却来華』まで、数多く著した。その内容は、役者の心がまえやけいこ方法、能の歴史や美学など幅広い。能の精神や芸術への考えを著したこれらの本は、現在海外へむけても翻訳され、高い評価を受けている。

学 日本と世界の名言

せい

済 → 允恭天皇

せいしょうなごん

清少納言 → 240ページ

せいしんせい

貴族・武将　学問

井真成　699～734年

中国の唐にわたった留学生

奈良時代の留学生。

2004（平成16年）、中華人民共和国（中国）西安（かつての長安）で日本人の墓誌（死者の経歴や業績を書いた文）が発見され、奈良時代に中国の唐にわたった日本人留学生のことがわかった。墓誌には「姓井字真成国号日本」と書かれていた。姓の井は、葛井の略で、名は「まなり」ではないかといわれている。死んだ年から考えて、717年に派遣された遣唐使にしたがい、留学生として阿倍仲麻呂や吉備真備とともに唐にわたったと考えられている。墓誌の文面には「生まれつき才能があり、長安で猛勉強したので将来朝廷の役人になったら、ならぶものがなかったにちがいない」と書かれている。734年、36歳で急死した。唐の玄宗皇帝はその死をいたみ、尚衣奉御（皇帝の衣装をとりあつかう尚衣局の長官）という高い官職を贈った。その葬儀では、赤い幟（旗）を立てて哀悼の意をあらわしたという。墓誌は最後に「からだは異国にうめられたが、魂は故郷へ帰ることを願っている」とむすんでいる。

せいそう（セジョン）

王族・皇族

世宗（朝鮮王朝）　1397～1450年

李朝の黄金時代を実現した

朝鮮王朝の第4代国王（在位1418～1450年）。

第3代国王太宗の第3子。姓名は李祹。内政にも対外関係にもすぐれた業績をあげ、王朝の基盤をかためた。内政では王宮内に学問研究所の集賢殿を設置し、若く有望な儒学者や外国人らを採用して学問・政治研究に専念させ、政策諮問機関として成果をあげた。農業を重視し、貢法詳定所を設置して

田税制度を定めて税制の大改革をおこない、朝鮮通宝を鋳造して貨幣経済を浸透させた。日本との外交では、1419年に上王としてまだ実権をにぎっていた太宗の意向によって倭寇の本拠地とみなした対馬に侵攻したが、以後は関係を改善して貿易を開始するなど、平和的な関係をたもった。北方には積極的に進出し、建州女真への侵略戦争をおこなって領土を広げた。1446年には集賢殿の学者に命じて「訓民正音」（ハングル）を制定するなどして民族文化を発展させ、「李朝の黄金時代」といわれる時代をつくった。朝鮮王朝における最高の聖君と評価されている国民的英雄である。

せいそう

世宗（清）→ 雍正帝

せいたいこう

政治

西太后　1835〜1908年

大きな権力をもち清朝を動かした

中国、清末期の皇妃。

慈禧太后ともいう。18歳で、第9代皇帝咸豊帝の皇妃となる。1856年に子を生み、その子が同治帝として5歳で即位すると、咸豊帝の皇后である慈安太后（東太后）とともに摂政となった。その後、東太后をおさえて権力を強め、曾国藩や李鴻章らを支持して、内外に多くの問題をかかえていた清朝を一時的に安定させた。1875年に同治帝が亡くなると、幼いおいを光緒帝として強引に即位させ、ひきつづき摂政として光緒帝が成年になっても独裁体制をしいた。光緒帝がみずから政治をおこなうようになり、1898年、康有為らと近代化のための改革運動「戊戌の変法」をおこすと、西太后は保守派とむすんでこれに反対。約3か月で運動をおさめ、光緒帝を幽閉し、摂政となって閉鎖的な政治をつづけた。1900年、外国勢力を排除するために民衆が決起する義和団事件がおこると、これを利用して欧米の列強に宣戦布告するが失敗に終わった。政権は勢いを失い、光緒帝の急死の翌日に亡くなった。

せいとうてい

王族・皇族

正統帝　1427〜1464年

モンゴル軍の捕虜となった皇帝

中国、明の第6代皇帝（在位1435〜1449年）、第8代皇帝（在位1457〜1464年）。

第5代皇帝の宣徳帝の子。姓名は朱祁鎮、廟号は英宗。第6代皇帝では正統帝、第8代皇帝となったときは天順帝とよぶ。9歳で皇帝となり、最初は太皇太后張氏（祖父・洪熙帝の皇后）や有能な官僚によって、国政は安定していた。彼らの死などにより、宦官の王振の専横がはじまり、国政は乱れ、大規模な農民反乱がたびたびおこり、エセン・ハンのモンゴル軍が侵入するようになる。1449年、王振によって強行されたモンゴル親征で敗北し、捕虜となる（土木の変）。そのため弟が景泰帝として即位し、オイラトの攻撃から北京を守った。翌年、正統帝は釈放されたが、景泰帝により幽閉される。1457年、クーデターによって、天順帝として復位した。

学 世界の主な王朝と王・皇帝

せいめいおう

王族・皇族

聖明王　?〜554年

日本に仏教を伝えた百済の王

朝鮮、百済の第26代王（在位523〜554年）。

『三国史記』では聖王としるされている。父は武寧王。524年、親交のあった中国の梁から、「持節・都督・百済諸軍事・綏東将軍・百済王」の称号を受ける。

538年、首都を扶余に移し、国号を南扶余とあらためた。聖明王の時代の百済は、北方に高句麗、東方には新羅がかまえ、つねに侵攻の脅威にさらされていた。王は、新羅や倭（日本）と連携して高句麗と戦い、また新羅と対抗するために倭に援軍をたのむなど、たくみな外交を展開する。そして再度、新羅との連合を試みるが、554年、新羅との戦いのさなかに戦死した。仏教を尊び、日本へ仏像や経典を伝えた人物といわれている。

学 世界の主な王朝と王・皇帝

せいわてんのう

王族・皇族

清和天皇　850〜880年

『続日本後紀』を編さんさせた

平安時代前期の第56代天皇（在位858〜876年）。

文徳天皇の子。母は藤原良房の娘、藤原明子。即位する前は惟仁親王とよばれた。1歳で皇太子に立てられた。858年、父が亡くなったので、9歳で即位した。はじめての幼い天皇だったので、太政大臣の藤原良房が政治をみた。866年、応天門が放火されて炎上する応天門の変がおこり、犯人とされた実力者で大納言の伴善男が失脚した。同年、良房が人臣ではじめての摂政となった。文徳天皇の時代に編さんがはじまった仁明天皇一代の歴史をしるした『続日本後紀』を869年、良房らに命じて、完成させた。872年、良房の死後は良房の養子の藤原基経に政治を補佐させた。

その後の朝廷では、北家藤原氏（藤原房前を祖先とする家系）が大きな勢力をもつようになった。のちに武家の棟梁となる清和源氏の祖。

学 天皇系図

清少納言

『枕草子』の作者

■有名な歌人の子に生まれる

平安時代中期の歌人、随筆家。

父の清原元輔は下級貴族だったが、朝廷のすぐれた歌人として知られ、天皇の命令でえらばれる勅撰集の撰者になっている。清少納言は幼いころから父に平安貴族女性の教養である和歌を学び、漢籍（中国の書物）や仏教の経典なども教えられた。

▲清少納言図　雪のふった朝、中宮定子から「香炉峰の雪は?」と問いかけられた清少納言はすぐにすだれをまき上げた。唐の有名な詩人白楽天の詩「香炉峰（中国の名山）の雪はすだれをかかげてみる」を知っていたからである。定子やそばにいた女房たちはその機転に感心したという。

（東京国立博物館 Image:TNM Image Archives）

974年、父が67歳でやっと周防守（現在の山口県の長官）に任命されたので、任地におもむく父にしたがい、4年間をすごした。その後都にもどり、981年、16歳のころ中級貴族の橘則光と結婚して、翌年、子の則長を生んだ。しかし、のちに則光と別れる。

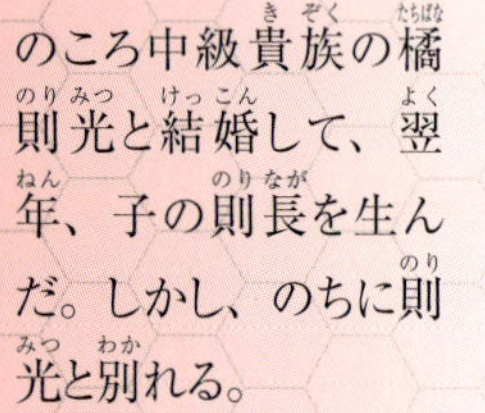

■中宮定子につかえる

993年、28歳のころ、一条天皇の中宮（皇后と同じ身分）となった18歳の藤原定子（中宮定子）につかえ、定子の教養をみがくための女房（宮中につかえる女官）となった。

定子は清少納言の明るい性格や、和歌や漢詩の才能を気に入ってそば近くつかえさせたので、宮中でも評判の人気者となり、公卿（朝廷の高官）たちとも交流した。

995年、朝廷の実権をにぎっていた藤原定子の父で関白の藤原道隆が病死し、翌年、定子の弟の藤原伊周・藤原隆家兄弟が花山法皇（譲位後に出家した花山天皇）を弓矢で射るという事件をおこして流罪となるなどの不幸がつづいた。

1000年、定子は出産後25歳の若さで亡くなった。清少納言は定子の死後宮中から身をひいたと考えられている。その後のことはほとんど不明だが、尼になったとも、晩年は落ちぶれた暮らしをしていたともいわれている。

■『枕草子』を著す

あるとき、清少納言は藤原定子に草子（字を書いていないとじ本）をわたされ「ここに何か書いてみなさい」といわれて書きはじめたのがいまにのこる『枕草子』で300あまりの短文からなる随筆集である。紫式部の『源氏物語』とともに日本の文学史上で最高傑作といわれている。

『枕草子』は定子につかえていたころの貴族とのやりとり、季節の移りかわり、日常のできごとなどを自由につづったもので、『方丈記』『徒然草』とともに日本の三大随筆とされる。冒頭の部分は「春は曙　やうやう白くなりゆく山ぎは　少し明かりて　紫だちたる雲の　細くたなびきたる」と、四季おりおりの美しい自然への思いをつづる清少納言独特の感性があらわれている。

学 人名別 小倉百人一首

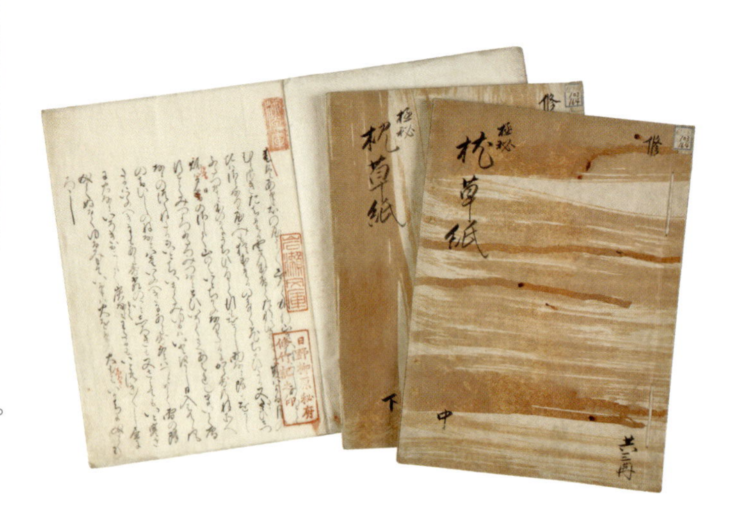

▲『枕草子』表紙と冒頭の「春はあけぼの……」の部分　（西尾市岩瀬文庫）

清少納言の一生

年	年齢	主なできごと
966?	1	清原元輔の子として生まれる。
974	9	父にしたがい周防国へ行く。
981	16	橘則光と結婚する。
990	25	藤原道隆の娘定子が一条天皇の中宮となる。
993	28	藤原定子につかえる。
995	30	藤原道隆が亡くなり藤原道長が政権をにぎる。
1000	35	藤原定子が亡くなり宮中を去る。
1001	36	このころ『枕草子』を書き終わったといわれる。
1025?	60	このころ亡くなったといわれる。

※年齢は数え年であらわしている

セーガン，カール

学問

カール・セーガン 1934～1996年

惑星を研究し、「核の冬」を提唱した科学者

20世紀のアメリカ合衆国の天文学者、作家。

ニューヨーク生まれ。元妻は生命科学者のリン・マーギュリス。1951年、シカゴ大学入学。1960年には天文学と天体物理学の博士号を得る。のちにスミソニアン天体物理観測所の研究員、ハーバード大学やコーネル大学で教鞭をとり、1971年には教授となって惑星科学の研究を進めた。生命科学とのつながりも強く、宇宙生物学や地球外生命探索なども推進。アメリカ航空宇宙局（NASA）による惑星探査機計画に指導的な立場でかかわり、また居住可能惑星をつくる「テラ・フォーミング」や、核戦争がおこす寒冷化現象の「核の冬」などの概念を提唱した。

一般の人々への科学の解説にも尽力。テレビシリーズになった『コスモス』の著作でも知られ、ピュリッツァー賞やヒューゴー賞など、執筆家としての受賞も多い。火星探査機マーズ・パスファインダーの着陸地点は、彼にちなんで「カール・セーガン基地」と名づけられている。

せがわやすお

絵本・児童

瀬川康男 1932～2010年

『ふしぎなたけのこ』をえがいた絵本画家

昭和時代～平成時代の画家、絵本作家。

愛知県生まれ。少年時代から絵をかくことが好きで、13歳のとき近所の日本画家に日本画を学ぶ。東京藝術大学を受験するが失敗、独学で絵をかきつづける。1960（昭和35）年、月刊絵本『こどものとも』として刊行された『きつねのよめいり』（文・松谷みよ子）で絵本画家としてデビュー。3冊目の絵本『ふしぎなたけのこ』（文・松野正子）がブラチスラバ世界絵本原画展（BIB）でグランプリを受賞し、日本を代表する絵本画家として活躍。代表作に、松谷みよ子とのコンビによるロングセラー絵本『いないいないばあ』『やまんばのにしき』や谷川俊太郎の詩による『ことばあそびうた』などがある。

せきぐちちょうざえもん

郷土

関口長左衛門 1808～1872年

大島ナシの栽培につくした農民

江戸時代後期の農民、果樹栽培家。

上野国勢多郡下大島村（現在の群馬県前橋市）に生まれた。周辺は、かつては利根川の川床で、砂地だったので、米などの作物は育たなかった。20歳のころ読んだ『梨木の伝』というナシづくりの書物を参考にし、砂地でも育つナシの栽培を研究し、くふうを重ねて大島ナシという品種の開発に成功した。その後、現在もおこなわれている「棚づくり栽培」を考え、周辺の農家もナシの栽培をはじめた。前橋藩主に献上したところ、おおいによろこばれたという。その後、評判が広まり、伊勢国（三重県東部）や備中国（岡山県西部）にまねかれて、ナシの栽培技術を教えた。現在、下大島は大島ナシの名産地となっている。

せきたかかず

学問

関孝和 1642？～1708年

和算を発展・確立した数学者

（藤岡市教育委員会）

江戸時代前期の数学者。

甲府藩（現在の山梨県）の藩主、徳川綱重、綱豊（徳川家宣）親子につかえて、会計などの仕事をつとめた。1704年に綱豊が5代将軍徳川綱吉の養子になると、直属の家臣として江戸城に入る。独学で吉田光由の数学書『塵劫記』を学び、中国の天元術に独自のくふうを加え、多元方程式を筆算でとく計算法を考えた。また、暦の作成に必要な円周率の近似値計算に、「正131072（$=2^{17}$）角形」を用いて、『3.14159265359微弱』と小数11位まで算出した。$2^2 \rightarrow 2^3 \rightarrow 2^4 \rightarrow 2^5 \rightarrow 2^6$……とつづく正多角形をつかい、辺の長さの和と中心からの距離の比率を2^{17}＝正131072角形まで求め、さらに現在では加速法とよばれる手法を用いて詳細な円周率の近似値を求めた。

和算（日本独自に発達してきた数学）は、明治政府の文明開化政策で導入されたヨーロッパの数学によりわすれられ、第二次世界大戦後に光をあてられた。学 切手の肖像になった人物一覧

せきねしょうじ

絵画

関根正二 1899～1919年

幻想に満ちた作風の洋画家

（福島県立美術館）

大正時代の洋画家。

福島県生まれ。1908（明治41）年、父の仕事の関係で、東京の深川に住む。小学校の同級生に、のちに日本画家となる伊東深水がいた。小学校卒業後、深水の紹介で印刷会社の図案部に就職した。はじめ日本画を学ぶが、すぐに洋画に転じ、本郷絵画研究所などにかよう。印刷会社をやめ、長野を旅行したときに出会った洋画家の河野通勢に大きな影響を受けたが、ほぼ独学で絵画を学んだ。1915（大正4）年、二科美術展覧会（二科展）にはじめて出品したときに展示され

ていた安井曽太郎の作品をみて、色彩や構図のたいせつさを意識するようになる。

1918年に蓄膿症の手術を受けたが、経過が悪く、しばしば幻覚をみるようになる。しかし、この年の二科展に『信仰の悲しみ』や『姉弟』などを出品し、新人賞にあたる樗牛賞を受賞した。幻想性な作風は、『三星』や『子供』にもみられる。『慰められつゝ悩む』を完成させてまもなく、病没した。

せきのまごろく

関孫六 → 孫六兼元

セクスティウス，ルキウス

古代　政治

ルキウス・セクスティウス　生没年不詳

リキニウス・セクスティウス法を制定

古代ローマの政治家。

紀元前376年、古代ローマの民会の一つ、平民会で、リキニウスとともに、護民官に選出された。護民官は、貴族で構成された元老院の議決に対して拒否権をもつなど、平民を守るための、平民の指導者であった。10年間にわたりローマの統治に貢献し、紀元前367年、リキニウス・セクスティウス法とよばれる法律を成立させた。その内容は、古代ローマの政治と軍事の最高権力者である2人の執政官（コンスル）のうち1人を平民からえらぶこと、公有地の占有を制限すること、借金の返済についての規定の、3つからなっていた。これにより、貴族との身分闘争は前進し、平民の身分と権利が保護された。

セザンヌ，ポール

絵画

ポール・セザンヌ　1839〜1906年

「近代絵画の父」といわれる画家

フランスの画家。

南フランスのエクサン・プロバンスで銀行家の父のもとに生まれる。大学で法律を学び、一度は銀行につとめていたが、22歳で画家をめざし、パリに出る。ドラクロアやクールベ、マネの影響を受けたが、のちに印象派の画家ピサロを通じてモネやルノアールらと知り合い、ともに活動した。自然などの題材を、自分の中で、さまざまな視点からみたイメージで再構成してえがく独自の画風を確立した。プロバンスとパリの2つの町で生涯をすごし、プロバンスで晩年をむかえた。

ゴッホ、ゴーガンらとともに後期印象派を代表する画家で、ピカソやマティスら20世紀の画家に大きな影響をあたえ、「近代絵画の父」といわれる。

代表作に『トランプをする人々』『サント・ビクトワール山』などがある。また、リンゴが好きで、約200点の静物画の中で、60点以上の作品にリンゴをえがいている。

セジョン

世宗（朝鮮王朝）→ 世宗（朝鮮王朝）

せつ

架空

契　生没年不詳

殷王朝の始祖

中国、伝説とされる三皇五帝時代の重臣。

有娀氏の娘で、帝であった嚳の第2夫人である簡狄が、ツバメの卵を飲んで契が生まれたとされる。契は帝王の堯や舜につかえて、禹の治水事業を助けた。その功績によって、舜により商（現在の河南省）の地をあたえられ、そこをおさめた。また、子という姓をあたえられた。

紀元前17、16世紀ごろに、禹のひらいた夏王朝をたおして殷王朝をおこした湯王は契から数えて14代目の子孫とされる。殷王朝は実在がみとめられている中国最古の王朝である。殷の名はほかからの呼び名であり、湯王みずからは契のおさめた地から、商王朝と称した。

ぜっかいちゅうしん

宗教　詩・歌・俳句

絶海中津　1336〜1405年

朱元璋にも謁見した、五山文学を代表する漢詩人

（慈済院）

南北朝時代〜室町時代の僧、漢詩人。

土佐国（現在の高知県）の豪族、津野氏の出身。京都に出て夢窓疎石の弟子となり、天龍寺（京都市）、南禅寺（京都市）などで修行し、疎石の死後は建仁寺（京都市）で、同郷の臨済僧である義堂周信とともに修行した。1368年には中国の明にわたって各地の寺で学び、絶海の号をあたえられた。明の建国者である朱元璋（洪武帝）にも謁見した。

1378年に日本に帰国したあとは、室町幕府第3代将軍足利義満に重用され、等持寺（京都市）や相国寺（京都市）の住持（住職）をつとめ、幕府の有力者の多くが絶海を信じてその力にすがった。

室町幕府は、臨済宗を幕府の公式宗教として重要視し、五山制度とよばれる寺の格付け制度によって、臨済宗の寺院を管理した。1398年、絶海は幕府から、寺院の管理と臨済僧の人事を統括する僧録の役をあたえられた。

臨済僧は、義満の時代に栄えた文化である北山文化のにない手でもあり、絶海は義堂周信とともに五山文学の双璧といわれ、五山文学を代表する漢詩人として知られている。

せっしゅう

絵画

雪舟　1420～1506？年

独自の水墨画を確立した画僧

▲雪舟　（岡山県立美術館）

室町時代の画僧。

備中国赤浜（現在の岡山県総社市）に生まれる。幼くして出家し、京都にのぼって相国寺に入る。春林周籐のもとで修行を積むかたわら、同じ寺にいた画僧の周文に水墨画を習った。のちに相国寺を出て、周防国（山口県）に移り、守護大名の大内氏の援助を受けて、雲谷庵という画室をかまえる。40歳代のなかばころに中国元時代の僧侶である楚石梵琦の書を入手したが、そこにしるされた雪舟の2字をみずからの号とした。

それ以前は、拙宗等楊と名のっていたとされている。1467年、48歳のときに、大内氏の船に乗り、明時代の中国にわたる。およそ2年間滞在しているあいだに、宋から明時代にいたる水墨画を研究しただけでなく、中国の風景にもふれ、大きな成果を得る。『四季山水図』は、この時期にえがかれたとされている。帰国後は、豊後国（大分県）や石見国（島根県）などを拠点として、各地に足をはこんで、精力的に創作活動をおこなった。

1486年には、雲谷庵で、全長約16mにおよぶ代表作『四季山水図巻（山水長巻）』をえがいた。1495年、弟子の宗淵の求めにこたえて『破墨山水図』をえがき、絵の修業を終えたしるしとしてあたえ、翌年には、達磨とその弟子を題材にした大作『慧可断臂図』を制作した。

写生をもとにえがいた『天橋立図』は、1501年、82歳をこえてからの作品ともいわれ、筆の力は晩年まで、おとろえることがなかった。相国寺の如拙、周文の流れをくみながら、夏珪、李唐、梁楷、玉澗、李在など、中国の宋から明時代にいたる画家を幅広く研究して、その成果を吸収し、さらに強い個性を加えて独自の画風を築いた。

とくに山水画では、考えぬかれた画面構成と力強い筆づかいによって、中国の山水画とはことなる様式を打ち立て、後世に大きな影響をおよぼした。そのほかにも、人物画や花鳥画、仏画などの作品がある。

▲『四季山水図』より「秋冬山水図」（東京国立博物館　Image:TNM Image Archives）

せとうちじゃくちょう

文学

瀬戸内寂聴　1922年～

はげしく生きた女性像をえがく

作家。

徳島県生まれ。出家前は、瀬戸内晴美の名で作品を発表。文学少女で、小学生のころは世界・日本文学全集を読みふける。東京女子大学在学中に結婚して中国へわたり、1946（昭和21）年に長女をつれて帰国。その後、奔放な恋愛から離婚をへて小説を書きはじめた。女流文学賞を受けた『夏の終り』や『おだやかな部屋』など初期の作品では、人の心にかくされた情念をえがき、その後は伝記小説に進む。大正時代から昭和時代をはげしく生きぬいた女性たちをとり上げ、『かの子撩乱』『美は乱調にあり』などの作品にえがく。1973年、中尊寺（岩手県平泉町）で出家したのち、寂聴となる。出家後の作品には谷崎潤一郎賞を受賞した『花に問え』や、『源氏物語』の現代語訳、『風景』（泉鏡花文学賞）などがある。ユーモアたっぷりの法話も人気が高く、嵯峨野（京都市）にむすんだ寂庵に多くのファンを集める。2006（平成18）年文化勲章受章。

学 文化勲章受章者一覧

セナ，アイルトン

スポーツ

アイルトン・セナ　1960～1994年

F1で活躍した天才ドライバー

ブラジルのレーシングドライバー。

4歳の誕生日に父親からプレゼントされたレーシングカートに夢中になり、ドライビングの魅力にめざめる。

13歳ではじめてカートレースに参戦し，17歳で南アメリカのカート選手権に優勝した。ヨーロッパにわたり、ジュニアフォーミュラ、F3で勝利を重ね、1984年にF1デビューし、翌年のポルトガルグランプリで念願のF1初優勝をはたす。

1988年にマクラーレンに移籍し、すでに2度のワールドチャンピオンの経験をもつアラン・プロストとコンビを組んだ。16戦中15勝という圧倒的な強さでチームは勝利し、セナ自身も初のワールドチャンピオンとなった。

以後も1990年、1991年とワールドチャンピオンのタイトルを獲得し、天才ドライバーとして活躍したが、1994年のサンマリノグランプリのレース中の事故により死亡した。ブラジルの国民的英雄として、葬儀は国葬でおこなわれた。

せなけいこ

絵本・児童

せなけいこ　1932年～

はり絵をつかった赤ちゃん絵本で知られる

絵本作家。

東京生まれ。本名は黒田恵子。御茶の水女子大学附属高等学校を卒業後、童画家の武井武雄の教えを受け、絵本の世界に入る。1969（昭和44）年、自分のこどものためにえがいた赤ちゃん絵本『いやだいやだの絵本』（全4巻）を発表し、翌年、サンケイ児童出版文化賞を受賞した。ユーモアあふれるやわらかいタッチのはり絵をつかった独自のスタイルを確立し、多くの読者を得た。

作品は、『ねないこだれだ』『あーんあん』『ひとつめのくに』『めがねうさぎ』『おばけのてんぷら』など多数。ほかに紙芝居や装丁などもてがける。2008（平成20）年、日本児童文芸家協会児童文化功労賞を受賞した。

ぜにやごへえ

産業　郷土

銭屋五兵衛　1773～1852年

河北潟を干拓した加賀藩の御用商人

▲銭屋五兵衛
（銭屋五兵衛記念館）

江戸時代後期の豪商、海運業者。

加賀国宮腰（現在の石川県金沢市）に商人の子として生まれた。姓は清水で、銭屋は屋号。清水家は代々両替商（手数料をとって金銀貨と銭貨を交換する店）をいとなみ、銭屋とよばれた。1789年、17歳で家業をつぎ、両替商と質屋、しょうゆの醸造業などをいとなんだ。父も海運業をはじめたが廃業。1811年、五兵衛が39歳のとき、質流れの古船を手に入れて、ふたたび海運業に乗りだした。そのころ、日本海には北前船とよばれる商船が行き来していた。北前船は、蝦夷地（北海道）や北陸でコンブやニシンなどの海産物を仕入れて大坂（阪）へはこび、大坂などで仕入れた米や塩、木綿、雑貨などを北陸や蝦夷地へ輸送して売りさばいて利益を上げていた。五兵衛は少しずつ船をふやしていき、やがて1000石積以上の船20隻を中心に200隻の北前船を所有し、江戸（東京）や大坂、長崎、新潟、松前（北海道松前町）など全国34か所に支店をおくまでになった。

さらに、加賀藩（石川県・富山県）の御用商人（幕府や藩の御用を請け負った特権商人）になり、藩主前田家の紋をかかげて交易をおこなうことをゆるされて、ばく大な富を築いた。

1849年、五兵衛は金沢平野の北部にある河北潟を干拓し、広大な新田を開発する計画を立てた。加賀藩の許可を得て1851年から着手したが難工事だった。そうしたとき、1852年、河北潟の水面に大量の魚の死がいが浮き、魚を食べた人が中毒死する事件がおきた。埋め立てに反対していた沿岸の漁民たちは、五兵衛が漁民をだまらせるために海に毒を投げこんだのではないかとうわさした。

▲現在の河北潟

その結果、五兵衛は息子や工事関係者たちとともにとらえられた。無実をうったえたが聞き入れられず、3か月後に獄中で亡くなり、ばく大な財産はすべて藩に没収された。

実はこの事件には諸説あるが、加賀藩が五兵衛から借りていたばく大な借金を帳消しにし、さらに、五兵衛の財産によって窮乏していた藩財政を立て直そうとしてでっちあげたともいわれている。

セネカ，ルキウス・アンナエウス

古代　思想・哲学

ルキウス・アンナエウス・セネカ　紀元前4ごろ～紀元後65年

皇帝ネロにつかえたローマのストア派哲学者

古代ローマの哲学者、劇作家。

スペインのコルドバ生まれ。のちにローマへ移住。修辞学や哲学を学び、ストア派のアッタロスや、アレクサンドリア出身でプラトン哲学の流れをくむソティオンらの影響を受けた。国家財務官，元老院議員などをつとめたが、陰謀によって8年間、コルシカ島に追放された。皇帝ネロの家庭教師をゆだねられたほか、相談役や演説の起草者もつとめた。しかし、ネロの暗殺計画に関与したうたがいをかけられ、命令によって自殺した。作品に『幸福なる生活について』『人生の短さについて』などの哲学的著作や、ギリシャ悲劇を翻案した文芸作品がある。

ゼノン

古代　思想・哲学

ゼノン　紀元前335～紀元前263年

ヘレニズム哲学の一つ、ストア派の創始者

古代ギリシャの哲学者。

キプロス島キティオンの生まれ。30歳ごろ、アテネでキュニコス派やメガラ派、アカデメイア派などに属する師に学んだ。その後、独自の哲学を確立して、アゴラ（広場）の「彩色柱廊（ストア・ポイキレ）」とよばれる公共の会堂で講義をひらいた。「ストア派（柱廊の人々）」の名前はこれに由来している。理性や自然にしたがって生きる賢者の生活を理想とし、欲望や情熱をおさえる禁欲主義を説いた。こうしたストア派の実践哲学は、古代末期およびルネサンス哲学に多大な影響をあたえた。彼の最期は、外でころんだ際に「いま行く、どうして私をよぶのか」といい、みずから息を止めて死んだと伝えられる。

せりざわけいすけ

工芸

芹沢銈介　1895～1984年

型染めの技法で人間国宝になった工芸家

（撮影：望月康）

昭和時代の染色工芸家。

静岡県生まれ。東京高等工業学校（現在の東京工業大学）を卒業後、図案家として工業試験場につとめる。1927（昭和2）年、柳宗悦の論文『工藝の道』を読んで感動し、さらに翌年、博覧会で琉球紅型と出会ったことで、型染めを中心とする染色の道へ進む。1931年、柳らが創刊した『工藝』の装丁を担当し、本格的に民芸運動に参加した。1939年には、沖縄で紅型の技法を研究した。第二次世界大戦後は、多摩美術大学や女子美術大学で後進の指導にもあたった。

図案から型彫り、染めまでを一貫しておこなう型染めの技法により、1956年、重要無形文化財保持者（人間国宝）となる。芹沢が考案したこの技法は、以後「型絵染」とよばれるようになった。布や紙の染色にかぎらず、家具の製作から版画、ガラス絵、装丁など、活動はさまざまな分野におよぶ。工芸品の収集でも有名だった。

セリムいっせい

王族・皇族

セリム1世　1470?～1520年

マムルーク朝をほろぼし、領土を広げた

オスマン帝国の第9代スルタン（イスラム国家の政治的最高権力者）（在位1512～1520年）。

第8代スルタンのバヤジット2世の子。3番目の子だったがクーデターをおこして即位。父帝と同じように、即位後の内紛をさけるために兄弟たちを殺した。父の暗殺もうたがわれている。1514年にはサファビー朝イランに侵攻。マムルーク朝との対決姿勢も強め、1516年シリア・アレッポでマムルーク軍をやぶり、1517年、エジプト・カイロに入ってマムルーク朝を滅亡させた。従来型の騎兵戦術をとるマムルーク軍に対し、オスマン軍は鉄砲、大砲を有効につかってやぶったのである。オスマン帝国は、イラン・アラブ地域を征服し、シリア・エジプトの交易ルートも獲得して、東西交易のすべてのルートをおさえることとなった。また、聖地メッカとメディナの保護者となり、スンナ派イスラムの盟主の地位を獲得した。エジプト遠征後に病気となり、54歳で死去した。8年間の短い治世であったが、父から受けついだオスマン帝国の領土を約2倍に増大させた。

学 世界の主な王朝と王・皇帝

セリムにせい

王族・皇族

セリム2世　1524～1574年

ヨーロッパ諸国と、地中海の制海権をあらそった

オスマン帝国の第11代スルタン（イスラム国家の政治的最高権力者）（在位1566～1574年）。

第10代スルタンのスレイマン1世の子。後継者争いに勝利して、父の死後に即位。セリム2世自身が遠征に出ることはなかったが、オスマン軍の戦勝はつづき、キプロス島を占領し、東地中海を制圧した。これはヨーロッパ諸国にとって東方貿易の危機であり、そのため、1571年、スペインとベネツィアの連合海軍が編成され、オスマン海軍を攻撃する（レパントの海戦）。オスマン海軍はやぶれるが、翌年には回復して、チュニスを征服してハフス朝をほろぼし、アルジェリアも支配。1574年には地中海の制海権を回復した。軍事に関心をもたず、飲酒癖があり、凡庸とされることもあるが、有能な宰相を中心とした官僚統治に適したスルタンともいわれる。

学 世界の主な王朝と王・皇帝

セリムさんせい

王族・皇族

セリム3世　1761～1808年

オスマン帝国の近代化をはかった

オスマン帝国の第28代スルタン（イスラム国家の政治的最高権力者）（在位1789～1807年）。

第26代スルタンのムスタファ3世の子。若いときからヨーロッパ各国の事情に関心をもち、フランス国王ルイ16世と文通をした。1789年、第27代スルタンのアブデュルハミト1世が亡くなると、あとをついでスルタンとなった。オスマン帝国の中興をはかって、軍事や財政の改革に着手した。フランスから軍事顧問団をまねき海軍と陸軍の技術学校を開設、西洋式軍団の創設などを通して軍事力の強化をはかり、財源確保のための新税制を導入、ヨーロッパ各国に大使を派遣するなど、近代化を進めた。従来の常備軍イェニチェリの反乱にあい、1807年、退位させられ、翌年、暗殺された。

学 世界の主な王朝と王・皇帝

セルシウス，アンダース

学問　発明・発見

アンダース・セルシウス　1701～1744年

実用的温度計を提唱し、「摂氏温度」で知られる

18世紀のスウェーデンの天文学者、物理学者。

ウプサラで、天文学者の子として生まれる。父から天文学を学んだあとウプサラ大学に入り、1730年から同大学の天文学教授となる。1733年、自分の観測をふくめた300をこえるオーロラの観測結果を集めてドイツで刊行。1736年には、フランス王立科学アカデミーによる探検隊に加わってスウェーデンのサーミラン

ドを訪問し、子午線の長さを計測して地球の形状についてのニュートンの予想をたしかめた。1741年にウプサラ天文台台長となり、翌年に、氷点と沸点のあいだを100等分する世界最初の実用的温度計を提唱。現在用いられている摂氏温度（セ氏温度、セルシウス度。℃であらわす）のもとになった。結核により42歳で亡くなるが、温度目盛りや月面のクレーターに名をのこしている。

セルバンテス，ミゲル・デ

文学

ミゲル・デ・セルバンテス　1547〜1616年

スペイン・ルネサンス文芸の代表

▲ミゲル・デ・セルバンテス

スペインの作家、詩人、劇作家。

マドリード近郊のアルカラ・デ・エナレス生まれ。父は貧しい外科医で、まともに教育を受けられなかったといわれる。1570年、ナポリに駐屯するスペイン軍に入隊。翌年、ギリシャのレパント沖でのオスマン帝国軍との戦い（レパントの海戦）に参戦、胸と左腕に銃弾を受けて、左手が不自由になる。スペインに帰国したのちも仕事にめぐまれず、文筆で身を立てようと戯曲や小説を書いたが、成功しなかった。その後、徴税吏となるが、トラブルにまきこまれて投獄される。その獄中で得た構想をもとに『ドン・キホーテ』を書きはじめ、1605年、58歳のときに第1部を出版。こっけいな冒険を重ねる筋立てで、笑いと人情味にあふれ、不朽の名作として、いまも読者を集める。

作品には、ほかに12編の短編からなる『模範小説集』、『ドン・キホーテ』第2部、冒険小説『ペルシーレスとシヒスムンダの苦難』などがある。作品には、するどい風刺とともに愛する祖国に対する深い愛着をのぞかせる。スペインのルネサンス文芸の代表であるとともに、ヨーロッパの近代小説の先がけとして、ディケンズやフローベール、ドストエフスキー、ジョイスなど、のちの多くの作家たちに影響をあたえた。 学 日本と世界の名言

▲スペイン広場のドン・キホーテ像

ぜんあみ

建築

善阿弥　生没年不詳

将軍足利義政に重用された庭師

室町時代の庭師。

はじめ虎菊などとよばれていた。河原者とよばれる被差別民の出身ながら、室町幕府第8代将軍の足利義政から天下一の庭づくりの名手とたたえられ、重用された。善阿弥の名は、義政によってあたえられた。高齢になってからは、しばしば病にたおれるが、そのつど義政が薬を送ったり、医師を派遣したりした。

▲名勝　旧大乗院庭園
（公益財団法人日本ナショナルトラスト提供）

京都の相国寺蔭涼軒、花の御所とよばれた将軍邸の泉殿、高倉御所、相国寺睡隠軒のほか、奈良にくだって興福寺大乗院などの庭づくりに従事したとされる。睡隠軒の庭には池をつくらず、小さな山だけを築いたといわれる。また、盆栽に関心を寄せていた義政の命令で、その管理などにもかかわった。子孫も造園にたずさわっており、慈照寺（銀閣）の庭園は、善阿弥と子の小四郎、孫の又四郎の3代によって完成したとされている。

ぜんかい

郷土

禅海　1691〜1774年

耶馬渓に青の洞門をつくった僧

（大分県中津市）

江戸時代中期の僧。

越後国（現在の新潟県）に生まれ、20代のころに江戸（東京）に出て、僧になったといわれる。

山国川流域の羅漢寺（大分県中津市）に参詣したとき、けわしいがけがそそり立つ競秀峰の岸壁につくられた道を人々が鎖をつたい、命がけでわたっているのをみて、競秀峰にトンネル（洞門）をつくることを決意した。1735年、中津藩（大分県中津市）の許可を得て、のみとつちだけで、かたい岩をほりはじめた。その後、一心に岩をほる禅海の姿に感動した周辺の村人がてつだうようになり、諸大名から寄付金も集まり、石工（石を加工する職人）をやとって、約340mの洞門を完成した。洞門ができると、中津藩の許可を得て、通行人から通行料を集めて洞門を広げる工事をおこない、着工から30年後、ウマに乗った人も通れる洞門を完成させた。これは青の洞門とよばれ、有名な景勝地になり、観光客がおとずれている。菊池寛の小説『恩讐の彼方に』は、この実話をもとに書かれている。

せんがく

学問

仙覚　1203〜?年

『万葉集』の研究を発展させた

鎌倉時代中期の僧、万葉学者。

常陸国（現在の茨城県）出身で天台宗の僧だったといわれる。13歳のころから『万葉集』に親しみ、研究を志した。1246年、

鎌倉幕府第4代将軍藤原頼経から『万葉集』の校勘（古典の刊本や写本などを調べて本文のちがいをくらべたり誤りを正したりすること）を命じられた。

この作業により、『万葉集』の中に無点歌（訓読するためのふりがなや送りがななどがない歌）のあることを知り、152首に新しく訓点をつけた。1253年、研究の成果を『仙覚律師奏覧状』として後嵯峨上皇（譲位した後嵯峨天皇）に献上した。その後も校勘をつづけ、1266年から1269年にかけて『万葉集註釈』（『仙覚抄』）を完成した。仙覚以後、『万葉集』の研究は飛躍的に発展したといわれる。

せんたいきん

学問

銭大昕　1728〜1804年

実証的史学を確立した

中国、清の考証学者、歴史家。

江蘇省の上海に生まれる。1754年、26歳のときに科挙に合格し、皇帝の詔勅を起草する翰林院で『大清一統志』など勅撰書の編さんにたずさわった。1775年、父が亡くなると江蘇省に帰り、紫陽書院などで弟子に教えるとともに、自分の学問の研究にあたった。若いころはヨーロッパの数学や天文学を学び、その後、哲学や地理、音韻学、詩文などにも通じた。とくに史学に、鐘や石碑、仏像などにきざまれた金石文の基本資料などを重視する考証学の方法をとり入れ、実証的史学を確立した。著書に『二十二史考異』などがある。

せんださだあき

郷土

千田貞暁　1836〜1908年

広島港を建設した役人

江戸時代後期の武士。明治時代の役人。

薩摩国薩摩藩（現在の鹿児島県）の藩士の子として生まれた。戊辰戦争がおこると、新政府軍に加わり活躍した。1872（明治5）年、東京府（東京）の役人となり、1880年、広島県令（県知事）となったが、到着した広島の港では大船から小船に乗りうつらなければならなかった。広島発展のためには大型の船が直接入港できる港が必要だと考え、沖の宇品島まで埋め立てる計画を立てた。1884年、工事がはじまり、台風や工事費増大など多くの困難にぶつかったが、1889年、宇品港が完成した。1894年におこった日清戦争で、兵隊を戦地に送りだす軍港として重要になり、発展した。その後広島港と名をかえ、現在は広島の海の玄関口となっている。

センダック，モーリス

絵本・児童

モーリス・センダック　1928〜2012年

『かいじゅうたちのいるところ』をえがいた絵本作家

アメリカ合衆国のイラストレーター、絵本作家。

ニューヨーク生まれ。グラフィックアートを学んだのち、仕事先のおもちゃ屋で絵本の魅力を知る。1952年、『あなはほるものおっこちるとこ』（文・ルース・クラウス）の絵が高く評価された。以後イラストレーターをしながら絵本の技法を学び、1963年に代表作『かいじゅうたちのいるところ』を出版。オオカミの着ぐるみを着たいたずらっこのマックスが怪獣の王様になって大さわぎをくりひろげるこの絵本は、教育上よくないとおとなから批判されたが、世界中のこどもたちの心をとらえてコルデコット賞を受賞した。ほかに『まよなかのだいどころ』『まどのそとのそのまたむこう』などがある。

1970年には国際アンデルセン賞画家賞を受賞し、アメリカでもっともすぐれた絵本作家の一人として活躍した。またアニメーションやオペラ、ミュージカルの舞台芸術もてがけ、幅広い才能を発揮した。

ぜんとかん

全斗煥 → 全斗煥

せんとくてい

王族・皇族

宣徳帝　1398〜1435年

内政を重視して、国を安定させた

中国、明の第5代皇帝（在位1425〜1435年）。

第4代洪熙帝の長子。姓名は朱瞻基。即位した当時、祖父の第3代皇帝永楽帝による北京への遷都や、たび重なる外征によって国の財政は圧迫され、豪族や地主による租税の滞納や、農民の逃亡が増大していた。

父の洪熙帝は外征をおこなわず、内政をととのえることに力をつくしたが、宣徳帝もその方針を継承し、軍備の削減などにより、社会秩序と財政の再建につとめた。対外的にも活動の規模を大幅に削減。中国からの独立戦争が激化したベトナムの支配を放棄し、モンゴルに対しては防衛線を長城の内側にまで後退させた。領土は祖父の時代よりせばまったが、財政はふたたび充実し、国力はひとまず回復、安定した治世となった。

学 世界の主な王朝と王・皇帝

せんのりきゅう

華道・茶道

千利休　1522〜1591年

天下人につかえ茶道を完成させた

安土桃山時代の茶人。

和泉国堺（現在の大阪府堺市）に生まれた。姓は田中、幼名は与四郎。のちに宗易、さらに利休と名のる。父の与兵衛は、納屋衆とよばれる問屋業、倉庫業をいとなむ裕福な商人だった。当時は京都や堺の商人のあいだにも茶の湯文化が広まり、利休も若いころから茶の湯に親しんだ。やがて武野紹鷗に学び、わび茶の世界で才能を発揮していく。

織田信長に茶頭（茶の湯をもってつかえる者）として重用され、信長の死後は、豊臣秀吉につかえた。茶の湯を政治的に利用した秀吉に信頼され、秀吉の側近でもあった。1585年、関白就任の記念に秀吉がひらいた禁中茶会に際し、正親町天皇から利休の号をあたえられた。また1587年、秀吉が北野天満宮（京都市）でひらいた、身分のちがいなくだれでもが参加できる北野大茶の湯でも活躍し、名声を得た。前田利家、古田織部、細川忠興をはじめ、多くの大名が利休を尊敬し、彼の弟子となった。

▲長谷川等伯筆『千利休画像』

（表千家不審菴蔵）

ところが1591年、怒りにかられた秀吉に自刃を命じられる。大徳寺（京都市）の山門の上におかれた利休の木像が、その下をくぐる秀吉の頭上をふみつけているという不敬罪が理由とされるが、これが本当の理由かどうかは現在もわかっていない。弟子の大名たちが助命に動いたが、かなわなかった。利休が完成させた「わび茶」は、茶の湯の道具や茶室に、質素でかざり気のない美しさを求めるもので、禅宗の影響も受けている。利休は2畳の茶室を考案し、また長次郎を指導して、現在「樂焼」とよばれる茶碗をつくらせ、とくに黒の茶碗を好んだ。日々の生活や自然の中に見いだせる美を尊ぶ利休は、ある日、庭をちり一つなく美しく掃除したあとで、木をゆらして落ち葉をちらしたという。理由を聞かれると「秋の庭はそのほうが自然でよい」とこたえたという。

利休の亡きあと、天下一の茶人になったのは、利休の弟子古田織部だった。のちに、利休の後妻宗恩の連れ子の少庵、孫の宗旦が、千家を再興し、宗旦の3人の子が、表千家、裏千家、武者小路千家のいわゆる三千家を築いた。

▲大阪府堺市にある千利休の屋敷跡

学 日本と世界の名言

せんひめ

江戸時代

● 千姫　1597～1666年

豊臣家にとついだ将軍の娘

江戸幕府の第2代将軍徳川秀忠の長女。

秀忠と、浅井長政の娘、江（崇源院）の長女として京都に生まれる。1603年、7歳で豊臣秀頼にとつぎ、大坂（阪）城へ入った。4歳年上の秀頼とはいとこどうしにあたり、夫婦仲はよかったといわれる。しかし、1615年の大坂夏の陣で豊臣方が敗北すると、大坂城から出され、秀頼と淀殿の助命を嘆願したがはたせなかった。翌年、伊勢国桑名藩（現在の三重県桑名市）の藩主、本多忠政の長男、忠刻と再婚して姫路（兵庫県姫路市）へ移った。1男1女をもうけたが、30歳のときに忠刻が亡くなったため、出家して天樹院となり、江戸（東京）にもどり、江戸城内竹橋御殿でくらした。

▲姫路城の近くにある千姫の銅像

江戸では、弟の第3代将軍徳川家光に信頼され、家光の次男綱重の養育をまかされた。秀頼とのあいだにこどもはいなかったが、秀頼と側室とのあいだに生まれた女児の養母になった。この女児は、のちに東慶寺（神奈川県鎌倉市）の住職になる天秀尼で、東慶寺が縁切り寺となる基礎をつくった。

ぜんほうじゅん（チョンボンジュン）

政治

全琫準　1854～1895年

甲午農民戦争の指導者となった

朝鮮王朝末期の農民反乱指導者。

全羅道に生まれる。私塾の先生をしていた父は、農民反乱の首謀者として処刑された。30歳のとき、儒教、仏教、道教などをまじえた新宗教「東学」に入り、まもなく、その全羅道古阜郡の責任者となる。また、ここで、私塾の先生、漢方医として活動した。このころ、この地の郡の役人は不正を重ね、多額の税を徴収するなど、人々を苦しめていたため、各地で武力蜂起がおこっていた。1894年、東学の教祖が反乱をおこすと、その軍事指導者となって郡役所を襲撃（甲午農民戦争）。武器をうばって、租税米を農民に返還させた。この反乱軍が全羅道をおさめたことに脅威を感じた朝鮮政府は、同年6月、政府軍と反乱軍とのあいだに全州和約をむすぶ。その後、反乱軍は全羅道諸郡県に執綱所という自治機関をつくったが、まもなく日本軍と清軍がともに上陸し、7月末には日清戦争がはじまった。同年9月、ふたたび反乱をおこしたが、各地で敗北。全琫準も逮捕され、翌年、漢城（現在のソウル）で処刑された。

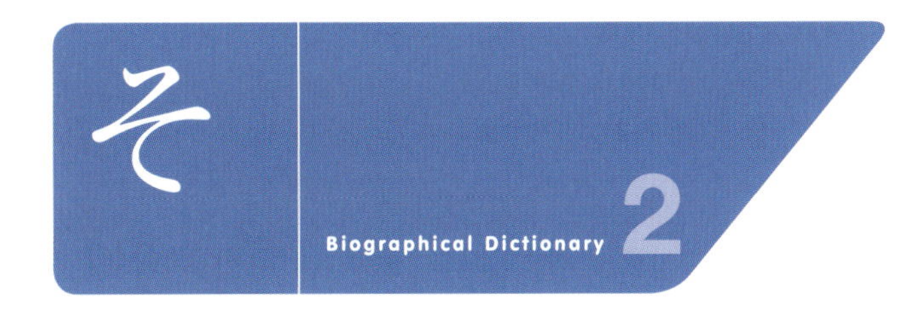

そあ

産業

祖阿　生没年不詳

貿易を申しこむため、明につかわされた

室町時代の僧。

室町幕府が最初に中国の明に派遣した、第1回遣明船の正使（使者の代表）をつとめたが、それ以外の業績は明らかではない。

当時の明は、日本海沿岸に多数出没する海賊集団である倭寇を警戒して、海外貿易には消極的であった。しかし、室町幕府第3代将軍足利義満は明との貿易を望み、1401年、祖阿を正使に、博多の商人肥富を副使（使者の副代表）に任命して遣明船を送り、日明交渉のきっかけをつくった。

以後、日本が明に従属すること（朝貢形式）、公式な貿易船と倭寇を区別するために勘合とよばれる割符を使用すること（勘合貿易）、日本が倭寇の取り締まりをおこなうことを条件に、日明貿易が開始された。

貿易により室町幕府の財政はうるおったが、日本が明の秩序の下におかれる形式であったため、日明貿易は第4代将軍足利義持の時代に中止された。しかし、貿易の利益を重視した第6代将軍足利義教が日明貿易を再開し、貿易は戦国時代までつづいた。

そうおうせい

学問

宋応星　1587〜1650?年

『天工開物』を著した

中国、明末期の学者、官吏。

江西省南昌府奉新県（現在の江西省奉新県）の出身。1615年に、兄の宋応昇とともに郷試（科挙の地方試験）に合格したが、合格者のみが受けられる次の会試には受からず、地方役人となった。1635年、袁州府分宜県（江西省分宜県）の教育関係の役人となり、その在任中に『天工開物』などを著した。『天工開物』は全3巻で、衣服、製塩、鋳造、兵器、製陶など生活一般の18の項目についての産業技術を、図版入りで詳細な説明をした、いわば農業や手工業技術の百科全書である。日本では貝原益軒の『大和本草』（1708年）などに引用され、和刻本も出版されるなど、大きな影響をあたえた。

1638年以降各地の司法官や知事などをつとめたが、1644年に辞職して故郷に帰る。同年、明が滅亡すると、兄が時代の流れを嘆いて自殺。宋応星は隠遁して、清にはつかえなかった。自然科学的な事物や現象を論じた『卮言十種』などの著書もある。

そうぎ

詩・歌・俳句

宗祇　1421〜1502年

正風連歌を一流の文芸に高める

（国立歴史民俗博物館）

室町時代の連歌師。

近江国（現在の滋賀県）あるいは紀伊国（和歌山県・三重県南部）生まれとされる。若いころに出家して、京都の臨済宗相国寺に入ったが、30歳ごろから和歌や連歌に専念して禅宗をはなれる。はじめ連歌師の高山宗砌の指導を受け、のちに心敬、専順、東常縁らに師事して連歌、和歌、古典を学んだ。

1474年、自撰句集『萱草』、1476年、先達7人の句を集めた『竹林抄』を完成。1488年、北野社（北野天満宮）におかれた連歌会所の奉行に就任、当時の連歌界で最高の名誉職である宗匠となる。和歌の伝統にもとづいた正風連歌を確立し、各地を旅して大名や武将に指南、連歌を広めるとともに一流の文芸に高めた。

弟子の肖柏と宗長とともに100の連歌をよんだ「水無瀬三吟百韻」（1488年）と「湯山三吟百韻」（1491年）は、歴史にのこる連歌会として有名。ほかに連歌集『新撰菟玖波集』の編さん、連歌論『吾妻問答』、句集『老葉』などがある。

そうきょうじん（ソンチャンレン）

政治

宋教仁　1882〜1913年

中華民国で臨時憲法を成立させた

中国、清末期〜中華民国初期の革命運動家、政治家。

湖南省に生まれる。貧しい中、武昌普通学堂で学んだが、反政府活動をおこなって放校された。

1903年、黄興らと華興会を組織して清をたおそうとするが、失敗して日本に逃亡した。1905年に亡命してきた興中会の孫文をむかえ、革命各派を集めて中国同盟会をつくる。辛亥革命で清をたおして、中華民国臨時政府の法制院総裁となり、臨時憲法の制定につとめ、1912年、袁世凱の下で成立させた。

同年、議会政治の開始にそなえて国民党を組織し、1913年の選挙で第一党となったが、上海駅で暗殺された。近代化政策をみずから進めたい大統領の袁世凱が、宋がとなえる議会制民主主義によって権力を制限されるのをおそれ、暗殺したといわれている。

そうけいれい（ソンチンリン）
政治

宋慶齢　1893〜1981年

共産党で活躍した孫文の夫人

▲孫文（左）との写真

中国の政治家。

孫文の夫人。上海の実業家、宋耀如の娘。姉は宋靄齢（孔祥熙夫人）、妹は宋美齢（蔣介石夫人）。宋家の3姉妹として知られる。アメリカ合衆国、ジョン・ウェズリー大学に留学。帰国後、辛亥革命で中華民国臨時政府臨時大総統となった孫文と結婚した。1925年の孫文の死後、政界に入り国民党中央執行委員会委員、婦女部長などをつとめた。孫文の後継者である蔣介石が共産党を排除する上海クーデターをおこすと、慶齢は孫文の共産党容認の立場を支持し、これを非難した。蔣介石との対立は深まり、汪兆銘の武漢国民政府に身を寄せるが、汪兆銘も共産党への粛正をはじめたため、国共分裂で同政府が崩壊すると、ドイツやソビエト連邦におもむいた。

その後帰国し、魯迅らと中国民権保障同盟を結成するなど、国民政府の反動化と戦った。第二次世界大戦後、上海にもどり、中華人民共和国成立後も中国共産党との関係をたもち、後年、国家副主席、国家名誉主席などの要職についた。女性運動への功績によってスターリン平和賞を受賞。

学 主な国・地域の大統領・首相一覧

そうこくはん
政治

曾国藩　1811〜1872年

太平天国の乱を鎮圧した

中国、清末期の政治家、軍人。

湖南省出身。1838年に科挙（官僚の採用試験）に合格して中央官庁につとめ、その後礼部右侍郎に昇進した。

1852年に帰郷した際、太平天国の乱を鎮圧するために、郷里の湖南省湘郷出身者で湘軍とよばれる義勇軍を組織した。鎮圧部隊の中心となって活躍し、両江総督などに任命される。1864年、ついに太平天国が首都とした南京を陥落させた。その功績により侯爵となり、直隷総督も命じられる。

反感をもたれることをおそれて直隷総督はまもなく辞任するが、両江総督の約10年のあいだに、江蘇、安徽、江西、浙江4省の政治、軍事の権力をにぎり、江南地方に安定した地位を築いた。

また、西洋の科学技術、とくに武器がすぐれていることを早くからみとめ、実際に海外から武器を輸入し、中国ではじめて軍需工場を建設、アメリカ合衆国へ留学生を派遣するなど、西洋の近代的な技術をとり入れて富国強兵を進める、洋務運動の中心としても活躍。清を一時的に安定させた。教え子に李鴻章、左宗棠がいる。

そうさだしげ
貴族・武将

宗貞茂　?〜1418年

対馬を本拠地に、朝鮮王朝との関係を深めた

室町時代の武将。

1398年、対馬（長崎県）の島主として島内を平定し、室町幕府から対馬国守護に任じられた。

対馬は朝鮮半島と距離が近く、古くから交流、貿易がさかんにおこなわれていた。

しかし、貞茂の時代には、倭寇とよばれる海賊集団が九州地域の日本海に多発し、海上の治安を悪化させていた。貞茂は対馬を統治するとともに、倭寇の取り締まりにつとめた。貞茂の死後、倭寇の再発を危惧した朝鮮王朝が、1419（応永26）年、倭寇討伐の目的で突如対馬に襲来した。しかし、あとをついだ貞茂の子、貞盛はこれを撃退した（応永の外寇）。

応永の外寇によって一時的に宗氏と朝鮮との交流は断絶したが、1443（嘉吉3）年には両者のあいだで嘉吉条約とよばれる貿易協定がむすばれた。

この条約によって宗氏は対朝鮮貿易を独占。その後も中央政府（豊臣政権や江戸幕府）が朝鮮と交渉する際には、宗氏を仲介としていた。

そうし
思想・哲学

荘子　生没年不詳

老子の思想を発展させて、老荘思想をひらいた思想家

中国、戦国時代の道家の思想家。

宋（現在の河南省）の生まれ。周が名、荘子は尊称。紀元前300年ごろに活躍したとされる。

それまでの儒学者の思想に反対し、老子がひらいた道家の思想を発展させたといわれている。荘子の思想をあらわす有名な説話に「胡蝶の夢」がある。「荘子がチョウになる夢をみて、目がさめる。しかし、荘子が夢をみてチョウ

になったのか、チョウが夢をみて荘子になったのかわからない」という内容である。

世の中には絶対的な真実は存在せず、どちらも真実だと受け入れたらよい。すべてをあるがままに受け入れるところに、ほんとうの自由があると考えた。

著書『荘子』の中で、無為自然を説き、人間は欲望を捨てて、自由に生きるべきだと主張している。生死、善悪、貴賤なども平等にとらえ、自然の道理に身をまかせて、精神の自由と平安を求めることを理想とした。

このような思想は、老子とあわせて老荘思想といわれ、道教や禅宗に大きな影響をあたえ、長く中国の思想をささえた。

学 日本と世界の名言

そうすけくに

貴族・武将

宗助国　?～1274年

島内の武士をひきいて元軍と戦った武将

鎌倉時代中期の武将。

名は資国とも書く。対馬国（現在の長崎県対馬）の守護と地頭をかねていた少弐氏の地頭代（代官）だった。宗氏を名のった最初の人物である。1274（文永11）年10月、元軍（モンゴル軍）が襲来したとき（文永の役）、島内の武士たちをひきいて佐須浦（対馬市厳原町）で戦ったが、こどもたちとともに討ち死にした。

そうせっきん

文学

曹雪芹　1715？～1764？年

中国最高峰の小説『紅楼夢』の作者

中国、清時代の作家。

南京の名門貴族の家に生まれる。本名は霑。幼いころに一家が没落し、以後は苦しい生活をしいられた。

北京に移り住み、若いころは貢生（学生の役人）になったこともあった。さっぱりとした気性で、詩や絵画を好み、またすぐれていた。晩年の10年間、友人の助言にしたがい、自分の半生をモデルにした長編小説『紅楼夢』を書く。作品では、都にくらす大貴族の息子を主人公に、没落する貴族や大家族の複雑な問題や恋愛を克明につづった。古い封建体制への批判もふくみ、中国文学の最高峰の一つとされる。

貧困のうちにこどもを病気で失い、悲嘆のあまり小説を完成させないまま、自分も病死したといわれている。

そうそう

王族・皇族

曹操　155～220年

三国時代の魏の創始者

中国、後漢時代末期の武将。

中東部の安徽省に生まれる。父は後漢の宦官（後宮で皇帝の世話をする役）をしていた祖父の養子。若いときは素行が悪く周囲の評判がよくなかったが、兵法の書物を読むなど勉強家で、20歳のとき朝廷につかえた。

184年、太平道の教祖張角による黄巾の乱がおこると、鎮圧に功をあげて、済南（山東省）の相（宰相）となった。189年、軍閥（豪族）の董卓が武力で幼帝を廃して主導権をにぎったため、これに対抗して挙兵。黄巾の乱の残党を平定し、山東省から江蘇省にいたる地域を拠点にした。

194年、後漢の献帝をむかえて官軍の名目を得て勢力をのばし、207年ごろには華北を統一。208年、後漢の丞相（大臣）となって南進をはかるが、赤壁（湖北省、長江の右岸）の戦いで、蜀（四川省）の劉備と呉（江南）の孫権の連合軍と戦ってやぶれた。213年、献帝から魏公に、次いで216年、魏王に任じられた。一流の戦略家であるとともに、博識多芸で詩文や音楽にもすぐれていた。死後、子の曹丕が後漢をほろぼし、皇帝の座について魏王朝をひらいた。中国は魏、呉、蜀の3つに分かれた。

学 世界の主な王朝と王・皇帝

そうちょう

詩・歌・俳句

宗長　1448～1532年

宗祇のあとをつぎ連歌を広める

（酒井抱一作『集外三十六歌仙　紫屋宗長』愛媛県立美術館）

室町時代の連歌師。

駿河国（現在の静岡県）生まれ。宗歓、長阿、柴屋軒とも名のった。鍛冶職人の家に生まれ。戦国武将の今川義忠につかえるが、義忠の戦死により、京にのぼる。

大徳寺の一休宗純から禅を、連歌師の宗祇から連歌を学ぶ。やがて、「湯山三吟百韻」「水無瀬三吟百韻」など連歌の席に参加して、宗祇や弟子たちと句をよんだ。宗祇の死後は連歌の指導者となる。

戦乱の世になると、駿河に帰り、義忠をついだ今川氏親につかえて、連歌の指導や、政治の補佐をして、今川家につくした。また、宇津山に柴屋軒（静岡市の吐月峰柴屋寺）を建て、駿河と京を往復してくらす。その旅行中の見聞記は、『宗長日記』で知ることができる。

句集に『壁草』『那智籠』、連歌論に『連歌作例』『永文』、日記や旅行記に『宗祇終焉記』『宇津山記』『宗長手記』などがある。

そうひ

王族・皇族

曹丕　187〜226年

魏の初代皇帝

▲『歴代帝王圖巻』（傳閻立本）より　（ボストン美術館）

中国、三国時代の魏の初代皇帝（在位220～226年）。

後漢末から三国時代にかけて中国北部に大きな勢力をもった曹操の長男。弟の曹植との後継者争いに勝って太子となり、220年に曹操が亡くなると、あとをついで魏王となった。

その後、後漢の献帝から皇帝の位をゆずりうけて、魏の初代皇帝、文帝となる。都を洛陽（現在の中国河南省北部）に移し、九品中正といわれる人材の登用制度をつくった。呉の孫権と対立したため遠征をおこなったが、失敗した。在位は7年ほどと短いが、国内は安定していたといわれる。武芸にすぐれ、父の曹操、弟の曹植とともに文人としても評価が高い。『典論』という文学についての本を著し、中国最初の類書（百科事典の一種）である『皇覧』の編集もさせた。

学 世界の主な王朝と王・皇帝

そうびれい（ソンメイリン）

政治

宋美齢　1897?～2003年

蔣介石をささえた夫人

中華民国の政治家、蔣介石の夫人。

上海の実業家宋耀如の3女。宋靄齢（孔祥熙夫人）と宋慶齢（孫文夫人）の2人の姉とともに、宋家の3姉妹として知られる。政治家、実業家の宋子文は兄。アメリカ合衆国のジョン・ウェズリー大学を卒業。帰国後の1927年、国民政府の蔣介石と結婚。その後、蔣の勢力が拡大すると、自身も新生活運動、婦人運動などで活躍した。西安事件では張学良にたのまれ、周恩来とともに蔣を説得し、第2次国共合作をささえる。太平洋戦争がはじまると、英語力を生かした外国の要人との交渉の通訳など、多方面で夫を助けた。戦後は国民党中央執行委員もつとめ、台湾に移ってからは中国婦女反共抗ソ連合会主席となり、1975年の夫の死後はアメリカでくらした。

そうまぎょふう

詩・歌・俳句　音楽

相馬御風　1883～1950年

童謡『春よ来い』を作詞する

明治時代～大正時代の詩人、評論家。

新潟県生まれ。本名は昌治。中学生のころから短歌をつくり、早稲田大学英文科に入学後、雑誌『明星』に参加する。1903（明治36）年、作家の岩野泡鳴らと雑誌『白百合』を創刊。卒業後は、作家の島村抱月のもとで『早稲田文学』を編集する。

人生をありのままにえがく自然主義文学を提案し、評論『黎明期の文学』を発表する。詩人の三木露風や野口雨情らと自由なことばによる口語自由詩を提案した。晩年は故郷で良寛を研究し『大愚良寛』を著した。早稲田大学校歌、日本初の流行歌『カチューシャの唄』、童謡『春よ来い』の作詞などでも知られる。詩集に『御風詩集』がある。

そうまこっこう

産業

相馬黒光　1876～1955年

多くの芸術家をささえた、中村屋の創業者

明治時代～昭和時代の実業家、随筆家。

宮城県仙台市の士族の家に生まれる。本名は良。宮城女学校、明治女学校で文学を学ぶ。卒業後、長野県の実業家の相馬愛蔵と結婚し、1901（明治34）年に夫婦で上京する。本郷で小さなパン屋の中村屋を開業し、1904年、クリームパンを発明する。1907年に店を新宿に移し、中華まんじゅうやインド式カリーなどの新製品を考案し、事業を拡大していった。

また、商売のかたわら、店を芸術家のサロンとして開放し、ロシア人の詩人エロシェンコ、彫刻家の荻原守衛、洋画家の中村彝らを支援したことでも知られている。著書に、半自叙伝『黙移』や、『明治初期の三女性』などがある。

そうよしとし

戦国時代

宗義智　1568～1615年

対馬の藩主として、朝鮮との国交回復をはたす

安土桃山時代～江戸時代前期の武将。

対馬国（現在の長崎県対馬）の守護、宗将盛の子として生まれる。初名は昭景。12歳で父のあとをつぐが、その後、養父である宗義調が復帰。1588年、義調の死により守護に再任する。豊臣秀吉の命で朝鮮と外交をおこない、1591年に通信使（朝鮮から日本へ派遣された外交使節団）の来日をはたし、戦争回避につとめた。しかし1592（文禄元）年と1597（慶長2）年、秀吉が朝鮮半島への出兵（文禄・慶長の役）を決行。義智は小西行長軍の先陣となる一方、早期講和につとめた。1600年の関ヶ原の戦いでは西軍についてやぶれるが、とりつぶしをまぬがれ、徳川家康の下、朝鮮との国交回復につとめる。1609年には朝鮮との貿易再開をもりこんだ己酉約条をむすび、日朝交流の基礎をつくった。

そえじまたねおみ

幕末

副島種臣　1828～1905年

明治新政府の外交をささえた

幕末～明治時代の政治家。

佐賀藩（現在の佐賀県）の藩士、枝吉忠左衛門の子。

1850年、大隈重信や江藤新平、大木喬任らと、天皇をうやまい外国勢力を追いはらおうという尊王攘夷運動に参加し、1852年、京へのぼって活動をつづけた。1859年、父の死後、佐賀藩士副島利忠の養子となった。

（国立国会図書館）

1863年、藩校弘道館の指導者となる。1864年、佐賀藩が長崎に設立した藩校致遠館の学生監督となり、大隈重信らとアメリカ合衆国から来日した宣教師のフルベッキに英語やアメリカの憲法、経済、法律などを学んだ。1868（明治元）年、明治新政府に出仕して参与（相談役）となり、弟の福岡孝弟と新政府の政治組織などをしるした政体書を起草し、また領地と人民を藩主から天皇に返還する版籍奉還に力をつくした。

1871年、外務卿（外務大臣）となる。翌年、ペルーの船マリア・ルース号が、奴隷として売買された中国の清の労働者（苦力）230名を乗せて横浜港に寄港した際に、虐待を受けていた苦力が船から逃亡して救助を求めた。副島は人身売買をみとめず、苦力を保護して清に送りかえした（マリア・ルース号事件）。のちにペルー政府との争いになったが、国際的に支持されて日本側が勝利した。

1873年、日清修好条規の批准のため清にわたって、清の皇帝と謁見した。また、台湾人による琉球（沖縄県）の宮古島島民殺害事件の処理のための特命全権大使もかねていたが、清政府は責任を回避したため、日本は翌年台湾出兵をおこない清から賠償金を得た。西郷隆盛、板垣退助らと、国交を拒否し鎖国政策をとっていた朝鮮に対し、出兵するべきだという征韓論を主張したが、国内政治を優先する岩倉具視、大久保利通らにやぶれ、西郷、板垣らとともに政府を去った。

1874年、板垣らと日本最初の政党、愛国公党を結成し、国会の開設や憲法の制定などを求める「民撰議院設立建白書」に名をつらねたが、自由民権運動には参加しなかった。その後は宮中に出仕して、宮中顧問官、枢密顧問官、枢密院副議長を歴任し、1892年、第1次松方正義内閣の内務大臣となった。力強い独特の作風をもつ能書家としても知られている。

そがきょうだい

貴族・武将

曽我兄弟　兄十郎祐成　1172～1193年　弟五郎時致　1174～1193年

あだ討ち物語にえがかれた悲劇の兄弟

鎌倉時代前期の武将。

父のあだ討ちが『曽我物語』としてえがかれたことで知られる。1176年、父の河津祐泰は、荘園（私有地）をめぐる争いにより、一族の工藤祐経に暗殺された。兄の十郎祐成と弟の五郎時致は母の再婚先の相模国曽我荘（現在の神奈川県小田原市）で、まま父の曽我氏のもとで育てられながら、あだ討ちを決意した。その後、鎌倉幕府の将軍と主従関係をむすんだ有力御家人、北条時政につかえたといわれる。一方の工藤祐経は源頼朝の寵臣であった。1193年、初代将軍源頼朝が富士山の裾野で巻狩（狩り場にえものを追いこんでとらえる狩り）をおこなった日の夜、兄弟は工藤祐経をおそい、殺害した。兄の祐成は頼朝の家臣仁田忠常に討たれ、弟の時致は頼朝の宿泊所へおし入ったところをとらえられて処刑された。

（国立国会図書館）

この必死のあだ討ちは鎌倉時代後期に成立した『曽我物語』にえがかれ、室町時代以後、能や歌舞伎、浄瑠璃にとり上げられて世間の評判をよび、現在もさかんに上演されている。

そがのいなめ

貴族・武将

蘇我稲目　?～570年

蘇我氏繁栄の基礎をつくった大臣

▲稲目の墓といわれる都塚古墳
（明日香村教育委員会）

古墳時代の豪族。蘇我馬子の父。540年、大和政権の実力者だった大伴金村が失脚したあと、大連とならぶ最高職の大臣となり、欽明天皇につかえた。欽明天皇のきさきとした娘たちが、用明天皇、推古天皇、崇峻天皇を産んだので、皇室との関係が深まり、蘇我氏繁栄のもとを築いた。欽明天皇の時代、朝鮮半島の百済の聖明王により仏教が伝来した。稲目は、仏教受け入れに反対する物部尾輿や中臣鎌子と対立、寺をつくり、仏像を安置して仏教をうやまった。その後、疫病がはやると、物部尾輿はこれを仏教信仰のせいだとして寺を焼きはらったので、蘇我氏と物部氏の対立は子孫の代までつづいた。

そがのいるか

貴族・武将

蘇我入鹿　?～645年

乙巳の変で暗殺された大臣

飛鳥時代の豪族。

蘇我蝦夷の子、蘇我馬子の孫。いとこに蘇我倉山田石川麻呂、山背大兄王、古人大兄皇子がいる。

中国の隋に遣隋使として派遣されて仏教などを学んできた僧、旻に学んで頭角をあらわす。皇極天皇の時代、父とともに朝廷で活躍した。642年、父のつくった2つの墓のうち、一つを天皇の墓と称して自分の墓とした。また643年、父から天皇のゆるしもなく大臣の位をゆずりうけ、大和政権の最高職である大臣となるなど、天皇を軽んずるような、かってなふるまいにおよんだ。

▲飛鳥寺にある蘇我入鹿の墓
（明日香村教育委員会）

同年、朝廷内でじゃまな存在だった聖徳太子の子、山背大兄王とその一族をほろぼした。644年、蝦夷と入鹿は甘樫丘（奈良県明日香村）に2つの家を建て、蝦夷の家を上の宮門（皇居）、入鹿の家を谷の宮門とよび、こどもを皇子とよばせるなどおごりたかぶった行為で、皇族や豪族たちから反感を買った。

645年、入鹿は皇室の危機を感じた中大兄皇子（のちの天智天皇）と藤原鎌足らによって、朝廷の大極殿でおこなわれた儀式の途中で暗殺された。入鹿の死を知った父の蝦夷も自宅に火をはなって自殺した。これを乙巳の変という。このとき、入鹿のいとこの蘇我倉山田石川麻呂は、中大兄皇子らに味方しており、その後右大臣となったが、649年に謀反のうたがいをかけられて自殺した。

そがのうまこ

貴族・武将

蘇我馬子 ?〜626年

聖徳太子と政治をおこなった大臣

▲蘇我馬子
（『聖徳太子勝鬘経講讃図』より／斑鳩寺）

飛鳥時代の豪族。蘇我稲目の子、蘇我蝦夷の父。蘇我氏は、娘たちを天皇のきさきとし、皇子が生まれると外戚（母方の父）として力をふるった。572年、大和政権の最高職である大臣に任じられ、その後、用明天皇、崇峻天皇、推古天皇につかえた。父の稲目のとき、仏教の経典と仏像が朝鮮半島の百済からもたらされた。蘇我氏は仏をうやまう崇仏派の中心となり仏像を祭る伽藍（堂や塔）をつくったが、仏教受け入れに反対する廃仏派の物部氏とはげしく対立した。587年、用明天皇が亡くなると、皇位をめぐる争いがおきた。馬子は、物部守屋がおす欽明天皇の子、穴穂部皇子をほろぼしたあと、皇族や豪族を味方につけ、河内渋川（大阪府八尾市）の物部氏の本拠地をせめ守屋をたおした。このとき、馬子の軍勢に14歳の厩戸皇子（聖徳太子）が参加していた。その後、馬子は、欽明天皇の子の泊瀬部皇子を崇峻天皇として即位させた。しかし、崇峻天皇が馬子の横暴なふるまいに不満をもったことを知ると、部下に命じて暗殺し、敏達天皇の子で、めいの額田部皇女を推古天皇として即位させた。また、娘たちを厩戸皇子や田村皇子（のちの舒明天皇）のきさきとして、皇族とのむすびつきを深めた。

▲墓といわれる石舞台古墳
（明日香村教育委員会）

仏教をあつく信仰した馬子は、596年に日本ではじめての本格的な伽藍をそなえた寺院である法興寺（現在の飛鳥寺）（奈良県明日香村）を建立した。造営にあたっては百済からやってきた技術者たちが大きな力になったという。

その後、聖徳太子とともに政治を指導し、620年には『天皇記』『国記』などの歴史書を編さんさせた。聖徳太子の死後は、朝廷でただ一人の実力者となり、624年には、朝廷の所有する葛城県（葛城市）を望んだが、推古天皇に拒否された。

亡くなったあと、桃原墓にほうむられたといわれるが、これは奈良県明日香村にある石舞台古墳ではないかといわれている。

そがのえみし

貴族・武将

蘇我蝦夷 ?〜645年

政治をほしいままにした大臣

▲『多武峯縁起絵巻』の蘇我邸炎上のようす
（談山神社蔵／奈良国立博物館写真提供／森村欣司撮影）

飛鳥時代の豪族。蝦夷は「毛人」とも書く。蘇我馬子の子、蘇我入鹿の父。626年、馬子の死後、大和政権の最高職である大臣となった。628年、推古天皇の死後、皇位をめぐる争いがおこると、有力な皇位継承者だった聖徳太子の子の山背大兄王をおす境部摩理勢を殺し、反対派をおさえて舒明天皇を即位させた。641年に舒明天皇が亡くなると、その皇后を皇極天皇として即位させ、大臣として権勢をふるった。

642年、自分と入鹿の2つの墓をつくり、みずからの墓を天皇の墓と称して、天皇家を軽んずる態度をとった。643年、天皇のゆるしなく入鹿に大臣の位を受けつがせ、また入鹿が山背大兄王一族をほろぼし、朝廷では蘇我氏の独裁的なふるまいに対する反感が強まった。

645年、乙巳の変で中大兄皇子（のちの天智天皇）たちに入鹿が暗殺されたあと、邸宅に火をはなって自殺したが、そのとき、聖徳太子と馬子が編さんした歴史書の『天皇記』『国記』も焼いたといわれている。

そがのくらやまだのいしかわまろ

貴族・武将

蘇我倉山田石川麻呂 ?〜649年

乙巳の変に加わり、右大臣となった

飛鳥時代の豪族。

蘇我馬子の孫、蘇我蝦夷のおい、蘇我入鹿のいとこ。蘇我氏本流の蝦夷・入鹿父子とは対立していた。娘たちを皇族のきさきとし、地位を高めようとした。中大兄皇子（のちの天智天皇）と藤原鎌足の入鹿暗殺計画に加わり、645年の乙巳の変を成功させた。その後、孝徳天皇の新政府で右大臣となり活躍したが、やがて政治の実権をにぎった中大兄皇子や鎌足と対立。649年、中大兄皇子への反乱を計画していると密告されて、本拠地の山田（奈良県桜井市）へのがれたが、中大兄皇子の軍に攻められ、妻子とともに自殺した。のちに、密告はうそだったとわかった。

石川麻呂が築いていた山田寺（桜井市）の本尊はのちに興福寺（奈良市）に移され、火災で頭部だけがのこされた。この山田寺仏頭は、7世紀後半の白鳳文化の彫刻の特徴をしめす、貴重な作品である。

そくてんぶこう

王族・皇族

則天武后 624?〜705年

中国史上ただ一人の女帝

▲則天武后

中国、唐の第3代皇帝高宗の皇后。周の女帝（在位690〜705年）。

山西省に生まれる。姓は武、名は照。幼少から美人と評判になり、14歳のとき、第2代皇帝太宗（李世民）の後宮に入った。649年に太宗が亡くなると、寺に入り尼になったが、高宗に望まれてふたたび後宮にもどった。

後宮では皇后の王氏ときさきの蕭氏があらそっている中、策略をめぐらして両方とも追いだし、655年、高宗の皇后となる。やがて病気がちな高宗にかわって、みずから政治をおこなった。660年代には、朝鮮半島の新羅とむすんで百済と高句麗をほろぼした。また、洛陽の近郊にある龍門石窟の造営には、高宗とともに積極的にかかわり、高さ17.4mの盧舎那仏像の顔は武后がモデルだといわれている。

683年に高宗が亡くなると、自分の子を中宗として即位させた。しかし、まもなくこれを廃して、その弟を睿宗として即位させると、皇帝を名目のみのものとし、みずから政治をおこなった。これに反対して挙兵した皇族たちを武力でたおし、以後、投書箱をもうけて密告を奨励し、敵対者を次々に排除。政権を強化していった。さらに近臣の僧に「武后が帝位につくことは仏の意思である」とふれまわらせた。

こうして690年、みずから皇帝の位につき、中国史上初の女帝となると、国号を周とあらため、都を長安（現在の西安）から洛陽に移した。また、仏教によって国を鎮護しようと、各地に大雲経寺を建てた。この情報は遣唐使によって日本に伝えられ、聖武天皇が全国に国分寺をつくるきっかけとなった。この治世のあいだ、政権の中枢を占めていた貴族にかわって、試験によって広く役人を採用する科挙という制度を採用して人材を集めた。

705年、宰相の張氏がクーデターをおこして中宗を皇帝につけ、武后は幽閉され、まもなく亡くなった。

武后が政権をにぎった約45年間、独裁政治をおこなった女帝としておそれられたが、有能な人材を採用して政治や社会、文化などの面で唐の新しい気運をつくりだした。

▲高宗と則天武后の墓がある乾陵

ソクラテス

古代 学問

ソクラテス 紀元前469ごろ〜紀元前399年

「無知の知」を説いたギリシャの哲学者

古代ギリシャの哲学者。

アテネ生まれ。ペロポネソス戦争に歩兵として、3度参戦し、アテネ市民の義務をはたす。当時、アテネでは多くのソフィスト（弁論術などを教えることを職業とした知識人）が活躍していたが、ソクラテスは彼らを批判し、真理の探究につとめた。そして、「何も知らないのに知っていると思いこむ」よりも、「何も知らないということを知っている（無知の知）」ほうがすぐれていると気づく。ソクラテスは、「無知の知」を人々に伝えようと街角に立ち、若者に声をかけて、対話や問答をおこなった。

しかし、アテネ当局から、「青少年をまどわしている」という罪で告訴され、裁判にかけられた結果、死刑となった。誤解をとく機会もあたえられたが、「悪法もまた法である」といい、みずから毒を飲んで刑に服した。ソクラテスは書物をのこさなかったが、弟子のプラトンが書いた『ソクラテスの弁明』などに、その思想がのべられ、近代の哲学が発展するみなもととなった。

学 日本と世界の名言

ソシュール，フェルディナン・ド

学問

フェルディナン・ド・ソシュール 1857〜1913年

近代言語学の礎を築いた言語学者

スイスの言語学者。

ジュネーブに生まれる。ドイツの大学で比較言語学を学び、フランス、スイスの大学で研究をつづけた。インド・ヨーロッパ語を

中心に研究し、言語には、個人的な側面と社会的な側面があることを主張した。

また、言語学という学問を、言語の時間による変化を研究する通時言語学と、言語のある一時期の状態を研究する共時言語学とに分けて考えた。これらのことをくわしく解説したジュネーブ大学での講義が、ソシュールの没後に弟子によってまとめられて『一般言語学講義』として出版された。この著作は近代言語学の基礎として重んじられただけでなく、文化人類学など他分野の学問からも注目され、広く人文学全般に影響をあたえた。

そしょく

蘇軾 → 蘇東坡

そしん

思想・哲学

蘇秦　？～紀元前317年

合従策を説き、6国の同盟により秦に対抗した縦横家

中国、戦国時代の政治家、縦横家。

洛陽生まれ。張儀とともに斉に行き、思想家の鬼谷子に弁術を学んだ。はじめは秦の恵王に外交を説いたが受け入れられず、その後、燕、趙、韓、魏、斉、楚の王のもとへ行く。蘇秦は、この6国が連合して、西の強国の秦に対抗するべきだという「合従策」を主張した。同盟を成立させると、みずから同盟の長となり外交にかかわった。この政策により、秦は15年にわたり東方に進出できなかったといわれる。その後、張儀が6国に対して、秦との個別の同盟をむすぶ「連衡策」を主張し、合従はやぶられた。蘇秦は斉にのがれたが、その地で暗殺された。蘇秦は張儀とともに、策略と弁術をもって人や国を動かそうとする縦横家とよばれている。

そとうば

詩・歌・俳句

蘇東坡　1036～1101年

北宋第一の詩人

中国、北宋時代の政治家、文人。

眉山（現在の四川省）の地主の家に生まれる。本名は軾。22歳のときに役人の採用試験である科挙に合格し、地方や国の役人となり出世した。国の財政改革をめざす王安石の新法党の政策に反対したために、新法党と旧法党の対立にまきこまれ、投獄される。100日後に特赦によって死罪をまぬがれ、黄州（湖北省）に流罪となる。やがて政権がかわると、登州（山東省）の知事職や中央政府での要職についた。

政局によりはげしい浮き沈みを経験するが、多くの人と積極的に交際し、逆境にくじけない詩を書いて、北宋第一の詩人とよばれた。代表作に黄州時代に執筆した『赤壁の賦』がある。多才で文学・詩作ともにすぐれ、文学では唐宋八大家の一人に数えられ、詩作は著作集『東坡七集』がある。24歳から約40年間に2700の詩を書いた。父の蘇洵、弟の蘇轍とあわせて三蘇とよばれる。

そねごんだゆう

郷土

曽根権太夫　？～1720年

武蔵野台地の開拓をおこなった武士

江戸時代前期の武士。

第5代将軍徳川綱吉の側用人となった柳沢吉保の家臣。

1694年、川越藩（現在の埼玉県川越市）の藩主となった吉保に命じられ、武蔵野台地を開拓した。台地を上富（埼玉県三芳町）・中富・下富（埼玉県所沢市）の3つの村に分け、それぞれの村に幅6間（約11 m）の道を通し、両側に241戸の農家を入居させ、後方に広大な畑や雑木林をつくらせた。台地は火山灰におおわれたやせた土地で、ヒエやアワなどの雑穀しかとれなかったが、3年間の開拓によりサツマイモの栽培がさかんになり、「富のいも」とよばれ、評判になった。現在は、サツマイモのほか、ホウレンソウなどの野菜がつくられている。

そのあやこ

文学

曽野綾子　1931年～

社会問題や宗教をテーマにえがく

作家。

東京生まれ。本名は三浦知寿子。夫は作家の三浦朱門。聖心女子大学英文科卒業。在学中に『新思潮』の同人になる。1954（昭和29）年に発表した『遠来の客たち』が芥川賞候補になり、作家として知られる。

戦争や社会問題、宗教をテーマに、世界各地に取材し、キリスト教的な考え方をもとに作品を発表している。代表作に『リオ・グランデ』『神の汚れた手』、人間の罪をえがいた『天上の青』などがある。また、随筆にも人気があり、100万部以上を売り上げた『誰のために愛するか』などのエッセー集がある。日本財団会長や教育再生実行会議の有識者メンバーをつとめる。2003（平成15）年文化功労者。

そのだどうかん

郷土

園田道閑　1626～1667年

能登国の農民一揆の指導者

江戸時代前期の農民。

加賀藩（現在の石川県）の重臣長氏の領地、能登国久江

村（石川県鹿島町）の豪農（裕福な農民）で、十村頭（村の長である庄屋をまとめる大庄屋）をつとめた。

1666年、農民がひそかに隠田（農民がかくして耕作していた田）を開発しているといううわさが立ち、長氏が検地（土地の調査）をおこなおうとした。道閑は、翌1667年、検地反対をうったえて一揆をおこし、とらえられて、久江村で処刑され、3人の息子も首をはねられた。死後、人々のために命をかけて百姓一揆を指導した農民、義民とよばれて、のちの人々から尊敬された。

ソフォクレス

古代　政治　

ソフォクレス　紀元前496?～紀元前406?年

『オイディプス王』で知られる悲劇詩人

古代ギリシャの詩人。

アテネの郊外コロノスの裕福な家に生まれる。紀元前468年、ディオニュシア祭の悲劇の競演会にはじめて出場。新人でありながら、大先輩のアイスキュロスをおさえて優勝し、第一線に立った。ディオニュシア祭では、生涯を通じて24回優勝したといわれる。

ソフォクレスは、劇を演じる俳優を2人から3人にふやして、会話や演技を重視し、合唱隊（コロス）の人数や構成をかえるなど、劇を改革した。生涯で123の劇をつくったといわれるが、完全な形で現存するのは『オイディプス王』など7作品のみである。また、政治家としても手腕を発揮し、財務長官や将軍などの要職を歴任した。アイスキュロス、エウリピデスとならび、三大悲劇詩人とされている。

そめやげんえもん

郷土

染谷源右衛門　生没年不詳

印旛沼の水害と闘った名主

江戸時代中期の農民、治水家。

下総国平戸村（現在の千葉県八千代市）の名主（村の長）をつとめた。付近の印旛沼の水が大雨のときには村々に水害をもたらしたため、水を利根川ではなく、江戸湾（東京湾）に流せば、水害をなくせると考えた。印旛沼にそそぐ平戸川と、江戸湾にそそぐ花見川を掘割（水路）でつなぎ、約14kmの堀をつくると、完成すれば新田がひらかれ、利根川と江戸湾をむすぶ水運もひらかれるという計画を練り、1724年、幕府に工事の許可を願いでた。

幕府は源右衛門の計画をみとめ、6000両の資金をあたえた。工事を開始したが、大水で掘割がこわれたりして資金がつづかず、中止となった。その後、1783年、幕府が工事をおこなったが、洪水のために完成しなかった。明治時代以後も工事がつづけられたが、水害はおさまらなかった。約250年後の1969（昭和44）年、印旛沼の干拓工事が完成し、周辺の村を水害から救った。

ゾラ，エミール

文学

エミール・ゾラ　1840～1902年

下層の人々の生活や人生をえがく

フランスの作家。

パリの生まれ。父はイタリア人の土木技師。生後まもなく南フランスのエクサン・プロバンスに移った。7歳で父を亡くすと、生活が苦しくなり、転々とした。18歳でパリに出て、さまざまな職についた。バルザックやゴンクール兄弟、哲学者テーヌらに影響を受け、読書にいそしみながら文学の勉強をした。24歳のとき、はじめての短編集を刊行した。

1867年、人間社会にはびこる善悪や情念を自然主義の作風でえがいた小説『テレーズ・ラカン』を発表し、作家としてみとめられる。そのうち社会のあらゆる分野での人間の姿を探究するため、実験科学の方法を小説の執筆にとり入れた。パリの労働者や職人の生活をつぶさに観察して、『ルーゴン・マッカール叢書』全20巻に書きのこした。ふつうの庶民、とくに下層階級の人々の生活や人生をえがいた長編小説で、『居酒屋』（第7巻）や『ナナ』（第9巻）が代表作とされる。

ゾルゲ，リヒャルト

政治

リヒャルト・ゾルゲ　1895～1944年

日本でスパイ活動をおこない逮捕された

ドイツの共産主義者、ソビエト連邦（ソ連）のスパイ。

ロシアのバクー近く（現在のアゼルバイジャン共和国サブンチ村）で、ドイツ人の父とロシア人の母のもとに生まれる。一家はその後ベルリンに移住した。ドイツ陸軍に志願して、第一次世界大戦で重傷を負うと、このつらい戦争体験をきっかけにマルクス主義に接近した。ベルリン大学、キール大学をへて、1919年、ハンブルク大学で政治学の博士号を取得すると、独立社会民主党をへて、ドイツ共産党に入党。ベルリンで銀行員としてはたらいたのちモスクワに行き、コミンテルン本部情報局要員に抜てきされる。1924年、ソ連共産党に入党すると、やがて軍事諜報部門である赤軍第4本部に配属され、スパイ活動をはじめる。

ドイツの有力紙『フランクフルター・ツァイトゥング』の記者として、中華民国の上海に派遣され、アメリカ人ジャーナリストのスメドレーの紹介で尾崎秀実と知り合い、協力を受ける。1933（昭和8）年、同じく記者として、満州事変以降の日本の対ソ連政策や軍事情報をつかむため来日。尾崎らの協力を受けて日本が南方侵略を優先するといった情報をソ連に送り、その情報をもとにソ連はドイツとの戦争に集中できた。1941年、仲間の自供により、スパイ容疑で警視庁に逮捕（ゾルゲ事件）。1944年、尾崎とともに死刑に処された。

ソルジェニーツィン，アレクサンドル

文学

アレクサンドル・ソルジェニーツィン　1918～2008年

文学で国家の権力とたたかう

ソビエト連邦（ソ連）の作家。

南ロシアのキスロボツク生まれ。生まれる前に、銃の暴発事故で父が亡くなり、母によって育てられた。少年時代をドン川下流のロストフ・ナ・ドヌ市ですごし、地元の大学の物理数学科を卒業。その後モスクワ大学の通信教育で文学を学ぶ。1945年2月、砲兵大尉として従軍中に友人に書いた手紙の中で、当時のソ連の最高権力者スターリンを批判したとうたがわれて、突然逮捕された。旧ソ連の収容所に送られ、8年間の強制労働を体験。刑期を終え、教師をしながら執筆活動をおこなう。

1962年、ソ連の収容所の内側をえがいた小説『イワン・デニーソヴィチの一日』を発表する。文学的な表現で、秘密になっていた事実を書きあらわし世界的な大反響をまきおこした。1973年に『収容所群島』を発表し、翌年国外追放となるが、ソ連解体後の1994年に帰国した。ほかに『ガン病棟』『煉獄のなかで』などの作品がある。1970年、ノーベル文学賞受賞。

学 ノーベル賞受賞者一覧

ゾロアスター

宗教

ゾロアスター　紀元前7世紀～紀元前6世紀ごろ

古代ペルシアのゾロアスター教の始祖

古代ペルシア（古代イラン）の宗教家、思想家。

ザラスシュトラ、ツァラトゥストラとも表記する。生没年は不詳で、紀元前600年ころとする説と、紀元前1200年ころとする説がある。イラン北東部からロシア南部にかけての遊牧・半定住生活をしていたインド・イラン語族の祭司階級に生まれたとされ、アフラ・マズダーを主神とするゾロアスター教をひらいた。対立する部族に暗殺されたと伝わる。

ゾロアスター教は、「マズダ教」、あるいは火を神聖視するため「拝火教」ともよばれる。一般に「世界最古の一神教」といわれ、善悪がはっきりし、善が勝利する楽観的で倫理性を尊ぶ宗教である。ユダヤ教、キリスト教、仏教、イスラム教の一部など、世界の諸宗教に多大な影響をあたえた。

ササン朝ペルシアでは国教になっていたが、7世紀イスラムの興隆とともに衰退し、現在の信徒はインドやイランを中心に15万人程度といわれる。

ソロー，ヘンリー

思想・哲学

ヘンリー・ソロー　1817～1862年

個人の自由や独立を尊重する作家

アメリカ合衆国の随筆家、思想家。

マサチューセッツ州コンコード生まれ。ハーバード大学を卒業後、家業の手伝いや教師、測量士などをしてはたらいた。1836年ころ、地元の思想家エマソンに会い、人間と自然、神との交流をとく思想に共鳴し親交を深めた。

1845～1847年、故郷コンコードのウォルデン池のほとりに小屋を建て、自然の崇高な啓示を受けて素朴な生活を送る実験をおこなった。

この自然観察と思索にふける生活を『ウォルデン―森の生活』として、1854年に発表。徹底した個人主義者でもあり、個人の自由や独立を尊重する思想は、人々に感銘をあたえ、死後に随筆、詩集などが編集された。

ソロモンおう

王族・皇族

ソロモン王　?～紀元前922?年

イスラエル王国の絶頂期を築いた

イスラエル王国の第3代国王（在位紀元前960?～紀元前922?年）。

ダビデ王の子として、エルサレムに生まれる。父の死後、王座につき、エジプトのファラオ（王）の娘と結婚して、地位を安定させた。旧約聖書では、知恵にすぐれた王として、多くの伝説が語られている。ソロモン王は、イスラエル王国がメソポタミアや、エジプト、アラビアをむすぶ交易路にあたることから、商人たちから通行税などの税金をとり、交易もさかんにおこなって巨万の富を集めた。また大規模な土木工事に力を入れて、都市の機能を発展させ、エルサレムには壮麗なヤハウェ（ユダヤ教の神）の神殿を建設。王国に「ソロモンの栄華」とよばれ

る繁栄をもたらし、絶頂期を築いた。ソロモン王は野心的な事業をおこない、はなやかな宮廷生活を送る一方で、国民には重税と強制労働を課した。そのため国力はしだいに弱まり、近隣諸民族の反乱をまねく。死後、王国は、イスラエル王国とユダ王国に分裂した。

学 日本と世界の名言

そろりしんざえもん

戦国時代

曽呂利新左衛門　生没年不詳

頭がよく秀吉のお気に入りで、多くの逸話をのこした

(国立国会図書館)

安土桃山時代の豊臣秀吉の御伽衆（相談役）。

本名は杉本（または坂田）甚右衛門（または彦右衛門）。和歌、狂歌、茶の湯、香道にすぐれ、とんちがきいて話がうまかったので、秀吉に気に入られたといわれるが、実在の人物かどうかは明らかではない。のちの関白で秀吉のおいの豊臣秀次の邸宅にも出入りしていたという。

堺の史料『堺鑑』によると、和泉国（現在の大阪府南西部）で生まれ、刀をおさめるさやをつくる名人で、刀の小口とさやがそろりと合うことから、曽呂利とよばれるようになったという。その活躍ぶりをえがいた、狂歌逸話集『曽呂利狂歌咄』に書かれている「松の狂歌」「耳嗅ぎ」「ごまもち」「そばがき」「米倉と紙袋」などの小話は、怪談集『曽呂利物語』とならび、広く民衆にも親しまれてきた。彼の逸話はほかにも、随筆『甲子夜話』『閑窓瑣談』『皇都午睡』『半日閑話』など、江戸時代の各書物により伝えられ、脚色されて芝居などでも上演されるようになった。

ソロン

古代　政治

ソロン　紀元前640?～紀元前560?年

アテネの政治を改革した

古代ギリシャの政治家。

アテネの中流の家に生まれる。若いころは貿易の仕事にたずさわっていた。紀元前594年、執政官（アルコン）にえらばれ、貴族と平民の対立を調停するための改革（ソロンの改革）をおこなった。

まず、市民が借金によって債務奴隷になることをふせぐために、借金を帳消しにして、身体を担保にして借財をすることを禁止した。また市民を家がらではなく、財産によって4等級に分け、それぞれに権利と義務を定めた。これにより、平民も政治に参加できるようになった。

貧富の差を解消するための一連の改革は、民主政の第一歩であり、ギリシャ七賢人の一人とうたわれる。しかし、貴族も平民も満足するまでにはいたらず、改革後数十年、混乱がつづいた。

そんえんにゅうどうしんのう

王族・皇族　絵画

尊円入道親王　1298～1356年

御家流の源流である青蓮院流をひらいた能書家

(国文学研究資料館)

南北朝時代の皇子、僧。名は守彦。伏見天皇の第6皇子として生まれる。1308年に天台宗の寺院、青蓮院（京都市）に入り、2年後に親王宣下を受けて法親王（出家したあと親王となった皇族の称号）となり、尊彦と名のった。1311年に青蓮院門主となり、名を尊円とあらためる。1331年には天台宗の総本山、比叡山延暦寺（京都市・滋賀県大津市）の住職で、天台宗の寺を管轄する天台座主となって、その後4度、その任についた。

また尊円入道親王は、青蓮院流の流祖として名高い能書家である。父の伏見天皇も書にすぐれており、世尊寺流を代表する能書家の世尊寺行房・行尹兄弟に書を習うと、父ゆずりの才能を開花させた。端正で上品な世尊寺流に、日本に強い影響をあたえた中国、宋の書家張即之のような力強さを加えて、独自の書風を完成させたとされる。以後、青蓮院流は、宮廷や貴族、ほかの寺院へと広がり、後世に伝わる。とくに江戸時代には御家流とよばれて朝廷、幕府、諸藩の公文書で用いられ、寺子屋でも教えられたため、庶民のあいだにも広まった。

そんけん

王族・皇族

孫権　182～252年

呉の初代皇帝

▲『歴代帝王圖巻』（傳閻立本）より　(ボストン美術館)

中国、三国時代の呉の初代皇帝（在位229～252年）。字は仲謀。漢代末に中国南部の江南に勢力をもつようになった孫堅の息子。192年に父が、200年に兄の孫策が亡くなったため、19歳で孫氏をひきいる立場となる。208年、中国北部に大きな勢力をもつ曹操が攻めてくると、劉備と同盟して赤壁の戦いでこれをやぶった。劉備とはしば

らくよい関係であったが、荊州（現在の湖北省）の領有をめぐってしだいに対立。劉備が益州も領地にすると、曹操と同盟して荊州を守っていた劉備の武将の関羽を攻めてたおし、荊州を領有した。

222年に曹操の息子の曹丕が、漢の皇帝から位をゆずり受けて魏を建国すると、呉王の位をあたえられたが、人質を求められたのを拒否し、年号を独自に定めて独立をしめした。劉備の死後は蜀と同盟して魏と対立する。229年に都を建業（南京）に定めて皇帝の位についた。

その後、たびたび反乱をおこしていた山越という民族を討伐して配下にした。

晩年は皇太子を先に亡くしたことで後継争いがおこり、呉は混乱した。

学 世界の主な王朝と王・皇帝

そんし

思想・哲学

孫子 生没年不詳

すぐれた兵法書「孫子」を著した兵法家

中国、春秋時代（紀元前5世紀ごろ）の兵法家、武将。

斉（現在の山東省）生まれ。武が名で、孫子は尊称。若いころから兵書を読み、兵法の研究をしていた。呉につかえ、軍事の才能をみとめられ、将軍となる。西の強国、楚を少ない軍勢でやぶり、北の斉、晋をおびやかして、諸国のあいだで名声を高めた。

呉の勢力拡大にも大きく貢献した。孫子は、兵法書『孫子』の作者とされている。

その中で、「敵を知り、おのれを知る」ことの重要性や、「戦わずして勝つ」「長期間におよぶ戦争は成功しない」ことなどを説いた。

孫子の戦争に対する思想や戦略は、後世の世界の軍事指導者や研究者に大きな影響をあたえ、今日でも高く評価されている。

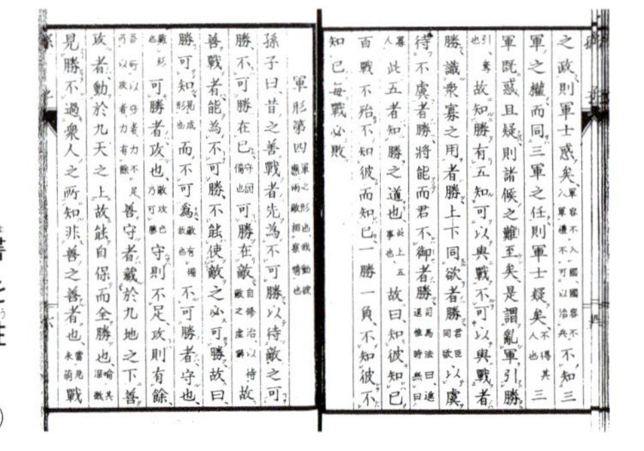

軍形第四

孫子曰、昔之善戰者、先為不可勝、以待敵之可勝、不可勝在己、可勝在敵、故善戰者、能為不可勝、不能使敵之必可勝、故曰、勝可知、而不可為、不可勝者守也、可勝者攻也、守則不足、攻則有餘、善守者藏於九地之下、善攻者動於九天之上、故能自保而全勝也、見勝不過衆人之所知、非善之善者也、戰

之政、則軍士惑矣、不知三軍之權而同三軍之任、則軍士疑矣、三軍既惑且疑、則諸候之難至矣、是謂亂軍引勝、故知勝有五、知可以與戰不可以與戰者勝、識衆寡之用者勝、上下同欲者勝、以虞待不虞者勝、將能而君不御者勝、此五者知勝之道也、故曰、知彼知己、百戰不殆、不知彼而知己、一勝一負、不知彼不知己、每戰必敗

▶曹操が兵法書『孫子』に注釈を加えた『魏武帝註孫子』

（国立国会図書館）

ソンチャンレン

宋教仁 → 宋教仁

ソンチンリン

宋慶齢 → 宋慶齢

ソンツェン・ガンポ

王族・皇族

ソンツェン・ガンポ 581?～649年

古代チベットを統一し、王国発展の基礎を築く

古代チベット、吐蕃の国王（在位？～638年、643～649年）。

正式名はチソンツェン。地方の部族長の子として生まれ、父が毒殺されると、父にかわってチベットを統一した。620年代には、官位十二階制度を設置して、諸士族を王の支配下におき、統治を強化した。

この制度は、日本の冠位十二階制度と共通するところが多い。また、周辺国の吐谷渾から、政治や軍事などの諸制度を導入した。

東アジアの大国である唐に対しては、皇帝の娘との婚姻を求めて関係を強化しようとするが、唐の太宗（李世民）が応じなかったため、638年に国境を攻撃。

そのため、太宗は娘の文成公主をチベットに送り、ソンツェン・ガンポの第2皇后とした。

ソンツェン・ガンポは、ネパールの王女ティツゥンもきさきとしてむかえ入れている。

文成公主がラモチェ寺、ティツゥンはトゥルナン寺をそれぞれラサに建立して仏教文化をもたらすなど、この2人の王女を通して、中国とインドから学問や文化、さまざまな技術が伝えられた。

そんぶ

孫武 → 孫子

そんぶん

孫文 → 261ページ

ソンメイリン

宋美齢 → 宋美齢

そんぶん(スンウェン)

政治 1866〜1925年

孫文

中華民国の建国につくした中国革命の父

■医学生から革命家へ

▲孫文　1921年ごろ。

中国の革命家、政治家、中華民国の創始者。

広東省の貧しい農家の子として生まれる。12歳のときに、ハワイで成功した兄のもとに行き、キリスト教系の学校にかよい、アメリカ合衆国の近代教育を受けた。16歳のときに帰国し、広州の医学校で、つづいて香港の西医書院で医学を学んだ。そのかたわら、満州族の清朝政府に批判的な秘密結社に参加し、救国や革命について論じ合った。

1892年、マカオで医院を開業するが、「個人を救うよりも危機的な状態にある中国を救うことが先だ」と、しだいに革命運動に専念した。1894年、ハワイで秘密結社「興中会」を結成し、翌年、広州で武装蜂起をくわだてたが失敗。日本に亡命し、その後、ロンドンにわたり、ヨーロッパ社会に直接ふれて、のちの三民主義の構想を得た。1897年、ふたたび日本をおとずれ、自由民権派の宮崎滔天や政治家の犬養毅らの協力を得た。1900年、ふたたび広東省で蜂起を計画するが、失敗して国外にのがれた。

■三民主義をとなえ、辛亥革命を実現

1905年、東京に中国の革命派グループを集めて中国同盟会を結成し、孫文が総理にえらばれた。そこで彼は、民族の独立、民権の伸長、民生の安定をめざす三民主義を発表した。

1911年、清朝打倒をめざした辛亥革命がおこると、アメリカで資金集めなどをしていた孫文はすぐさま帰国。1912年、中華民国が発足し、臨時大総統となった。しかし、力が弱かった革命派は、清朝皇帝が退位することを条件に、清朝の首相をつとめていた袁世凱に大総統の地位をゆずった。しかし、袁は独裁支配を強め、革命派を排除しようとしたため、孫文は翌1913年に第二革命を、1915年には第三革命をおこした。また、各地で軍閥(軍人の集団)が乱立し混戦をつづけるなか、1917年、広東軍政府を樹立し、軍閥に対抗した。

▲中華民国の臨時大総統にえらばれた孫文　前列左から5番目。

■中国共産党とむすび第一次国共合作成立

中国での利権をねらう日本からおしつけられた「二十一か条の要求」を中華民国政府がみとめると、1919年、それに対する学生や民衆による政治運動が全国各地でくり広げられた(五・四運動)。そこで、孫文は民衆の手によって革命を達成することが必要だと痛感し、中国国民党を結成した。

1924年、第一次国共合作により中国共産党と手をむすび、農民や労働者の結集をはかって、反軍閥・反帝国主義の戦いを進めることを表明した。その後、国民会議の開催をめざして北京へむかう途中、日本をおとずれ神戸で講演をおこない、「ともにアジアの被圧迫民族を解放するために戦おう」とうったえた。翌1925年3月、「革命はまだ成功していない、共同して努力すべし」とのことばをのこし、58歳で死去した。

生涯を国民革命にささげた孫文は「中国革命の父」とされ、遺骸はのちに南京郊外の中山陵にほうむられた。孫文がかかげた三民主義は、のちに毛沢東の新民主主義へと受けつがれ、中国革命の基本理念となった。

▲中山陵　南京郊外にある孫文の墓地。

孫文の一生

年	年齢	主なできごと
1866	0	11月12日、中国の広東省で生まれる。
1878	12	ハワイに行き、ホノルルの学校で学ぶ。
1883	17	中国に帰国。その後、広州、香港の医学校に入る。
1892	26	マカオで医院を開業。
1894	28	ハワイで興中会を結成。
1896	30	ロンドンへむかう。
1905	39	東京で中国同盟会を組織する。
1911	45	辛亥革命がおこり、アメリカから帰国。
1912	46	中華民国の臨時大総統にえらばれる。
1919	53	中国国民党を創設する。
1925	58	3月12日、北京で亡くなる。

※年齢は満年齢であらわしている

た

Biographical Dictionary 2

ダーウィン，チャールズ

学問

チャールズ・ダーウィン　1809～1882年

『種の起源』で進化論を提唱

イギリスの博物学者、生物学者。

バーミンガムの北西部シュルーズベリに生まれる。祖父のエラズマスは医師で博物学者、父は医者、母は陶芸家ウェッジウッドの娘という裕福な家庭に育つ。1825年、エディンバラ大学医学部に入学したが、興味がわかず中途で退学。牧師になるためケンブリッジ大学神学部に移ってからも、昆虫採集や地質の調査旅行に熱中し、博物学を独学する。

大学を卒業後の1831年、イギリス海軍の測量船ビーグル号の世界一周航海に博物学者として乗船する。その後5年間にわたり、南アメリカの海岸やガラパゴス諸島などの南太平洋諸島、オーストラリア沿岸などをめぐり、動植物の標本や化石の収集、地質調査などをおこなった。

1836年に帰国すると、膨大な量の記録や採集された標本を整理し、『ビーグル号航海記』を出版、大きな反響を得た。また、化石になった動物とそれに似ている現在の動物との関連や、同じ種の動物でも島により少しずつちがった形をしていることに着目し、その原因を研究した。そして、生存競争によって生きのこるのにつごうのよい性質をもったものが生きのこり（自然淘汰）、子孫をのこして何代もたつうちに、ちがったものに進化していくという進化論を原稿としてまとめた。

しかし、当時の社会では、生物はすべて神によってつくられたもので不変であるとするキリスト教の教えが信じられていたため、ダーウィンは進化論がおよぼす影響の大きさを考えて発表をひかえていた。

1858年、マレー半島で生物の研究をしていた博物学者ウォーレスから送られてきた論文には、独自にたどりついた自然選択の考えがまとめられていた。このため、ダーウィンはウォーレスの論文といっしょにロンドンのリンネ学会（植物学者リンネを記念してつくられた学会）でみずからの進化に関する理論を発表し、翌1859年には『種の起源』として出版した。教会関係者から猛烈な批判を受けるが、その後も、人間の進化について明らかにした『人類の起源』など多くの著書を著した。

▲ダーウィンの自宅の書斎

その後、ダーウィンの進化論は、科学的な裏づけがおこなわれ、いまでは生物学の基本の一つとなっている。

学 日本と世界の名言

ターナー，ジョゼフ

絵画

ジョゼフ・ターナー　1775～1851年

「光の画家」とよばれる風景画家

イギリスの画家。

ロンドンの繁華街コベントガーデンで、理髪師の子として生まれる。14歳でロイヤル・アカデミー（王立美術学院）に入り、絵画を学ぶが、生活のために水彩画や劇場の背景などをかいていた。15歳の若さでアカデミーの展覧会に出品し、入選した。27歳のときロイヤル・アカデミー会員になり、1807年、ロイヤル・アカデミーの遠近法教授に就任する。イングランドやスコットランドを旅行して、多くの風景画をえがいた。1808年から水彩画を中心にえがくようになった。

44歳のときにイタリアをおとずれてから、形よりも光や色彩の効果を重んじる画風にかわった。光、空気、水の美しさを繊細な色であらわし、モネなどフランスの印象主義の画家たちに大きな影響をあたえた。代表作に『難破船』『雨、蒸気、速度』『戦艦テメレール号』などがある。イギリスでもっとも知られた風景画家で、「光の画家」ともよばれる。

ターナー，テッド

産業

テッド・ターナー　1938年～

アメリカのニュース専門放送局CNNの創設者

アメリカ合衆国の実業家。

オハイオ州生まれ。ブラウン大学卒業後、自殺した父が経営していた広告会社を受けついだ。1970年、アトランタのテレビ放送局を買いとり、放送事業に参加。ターナー・ブロードキャスティング・システム（TBS）を設立する。ラジオ局、テレビ局を次々と買収し、1980年、全米初のニュース専門放送局ケーブル・ニュース・ネットワーク（CNN）を開局した。CNNはニュース速報や生中継映像によって報道界に大きな影響をあたえ、中でも

1989年の天安門事件、1991年の湾岸戦争で生中継をおこなったことで、一躍世界的メディアに成長した。また積極的に有色人種をキャスターに採用するなど、テレビジャーナリズムに大きな変革をもたらした。

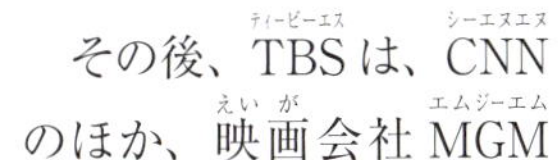

その後、TBSは、CNNのほか、映画会社MGMやアニメーション漫画専門局などを傘下におさめ、メディア界に大きな影響力をもったが、1996年、タイム・ワーナー社と合併。ターナーは2003年に副会長職を辞職、2006年には取締役からもしりぞいている。

ダール，ロアルド

絵本・児童　映画・演劇

ロアルド・ダール　1916〜1990年

『チョコレート工場の秘密』の作者

イギリスの作家、児童文学作家、脚本家。

ノルウェー人の両親のもと、南ウェールズ地方に生まれる。石油会社ではたらき、第二次世界大戦ではイギリス空軍のパイロットとして従軍し、負傷した。戦後、執筆活動をはじめ、パイロット時代の経験をもとに、飛行機を故障させる妖精「グレムリン」を題材にした短編小説などを書いた。不気味さをともなった独特のユーモアのある作品に特徴があり、その持ち味を生かしたこどもむけの作品も多い。代表作に、なぞのチョコレート工場に招待されたこどもたちの体験をえがいた『チョコレート工場の秘密』があり、この作品は、のちに『チャーリーとチョコレート工場』として映画化された。映画『チキ・チキ・バン・バン』などの脚本もてがけている。

ダイアナひ

王族・皇族

ダイアナ妃　1961〜1997年

世界中から注目されたプリンセス

イギリスの皇太子妃。

スペンサー伯爵の3女としてノーフォーク州サンドリンガムに生まれる。中等教育を終えたあとは、幼稚園の先生としてはたらいていた。1981年にイギリス王室の皇太子チャールズと結婚。称号はプリンセス・オブ・ウェールズ。その上品な美貌により国内外で人気が高まり、婚礼は全世界に中継された。つねに注目され、その衣装や髪型が流行を生んだ。1982年にはウィリアム王子、1984年にはヘンリー王子をもうけた。社会問題に関心が高く、慈善事業に積極的にかかわり、尊敬を集める。しかし、しだいに夫妻の仲はうまくいかなくなり、1992年には別居、4年後に離婚した。離婚後はそれまで以上に慈善事業にとりくみ、エイズ問題やホームレス支援、地雷禁止運動などにはとくに強い関心を寄せていた。離婚をめぐるスキャンダルをはじめ、人気者だった彼女の行動は異常なまでにマスコミの関心を集め、私生活はつねに追われていた。1997年、マスコミから車で逃げる最中、事故で亡くなった。

たいいんくん（テウォングン）

王族・皇族

大院君　1820〜1898年

李氏朝鮮で実権をにぎり、排外、鎖国政策をおこなった

朝鮮王朝末期の政治家。

漢城（現在のソウル）に生まれる。王族出身で、本名は李昰応。第25代国王、哲宗にあとつぎがいなかったため、みずからの次男を高宗（のちの李太王）として王位につかせた。王の生父として「興宣大院君」と称され、幼い高宗の摂政となり、約10年間、実権をにぎった。国内では王の外戚や寵臣が政権を独占しつづけており、それをかえるため、党派をこえた人材を採用。地方で権力をふるった両班の勢力をおさえるなどの改革をおこなった。また、徹底的に外国人や外国思想、製品などを排除する立場をとり、欧米列強からの開国要求に対して鎖国。ときに武力によってその要求をこばみ、1866年のアメリカ合衆国船シャーマン号事件などをひきおこした。その封建的支配に対する民衆の不満がつのり、また改革で不利益を得た両班や貴族層の反発にあい、1873年に失脚した。その後は高宗みずからが政治につき、王妃である閔妃の一族が政権をにぎった。

タイガー・ウッズ

スポーツ

タイガー・ウッズ　1975年〜

24歳でゴルフのグランドスラム優勝を達成

アメリカ合衆国のプロゴルファー。

「タイガー」は愛称で、本名はエルドリック・ウッズ。アメリカ陸軍の将校だった父とタイ人の母のあいだに生まれる。ゴルフ好きの父親によって幼少期から英才教育を受ける。

アマチュアの大会で活躍したのち、1996年にスタンフォード大学を中退して、プロへ転向した。次々と勝利を重ね、翌年には、史上最年少の21歳3か月でマスターズトーナメントに初優勝し、その年の賞金王に輝いた。

2000年には史上最年少で、ゴルフの四大メジャー大会（全米オープン、全英オープン、マスターズ、全米プロゴルフ選手権）のすべてに優勝した。2年にまたがるこの記録は、「グランドスラム」ではなく、「タイガースラム」とよばれた。

また2008年には、すべてのメジャー大会に3回優勝し「トリプルグランドスラム」を達成した。その後けがなどで勝てない時期がつづいたが、2013年には、4年ぶりに賞金王を奪還した。

たいこうぼう

政治

太公望　生没年不詳

周の軍師として活躍した武将、斉の創始者

紀元前12世紀ごろの中国、周の武将、軍師、政治家。

現在の山東省生まれ。名は姜子牙、または呂尚という。『史記』によると、落ちぶれた呂尚が渭水という川のほとりで釣りをしていたところ、周の文王と出会う。文王に、「わが太公（周の祖）がまち望んでいた人物である」と見いだされ、「太公望」として軍師にむかえられた。太公望は周の軍の指揮官となり、殷をほろぼす。その功績で、斉の領地をあたえられ、戦国時代の斉国の創始者となった。そして、斉に居住していた異民族をまとめ、周の東方の安定化をはかり、産業を発展させて、春秋時代に大国となる斉の基礎を築いた。日本で、釣り人や釣りが好きな人を「太公望」とよぶのは、この人に由来する。

だいこくやこうだゆう

探検・開拓

大黒屋光太夫　1751～1828年

ロシアから帰国した最初の漂流民

▲大黒屋光太夫

（『漂民御覧之記』　早稲田大学図書館）

江戸時代後期の船頭。

伊勢国南白子（現在の三重県鈴鹿市）に生まれた。1782年、32歳のとき神昌丸の船長として白子港を出航し江戸（東京）へむかったが途中で嵐にあって遭難し、8か月後、アリューシャン列島（アメリカ合衆国のアラスカ半島からロシアのカムチャツカ半島にむかってのびる列島）のアムチトカ島に漂着した。1787年、こわれた船の木材や流木で船をつくってカムチャツカ半島へわたり、その後、シベリア東部のヤクーツクをへてバイカル湖畔の都市イルクーツクに移った。この間、栄養失調などで11人の仲間が亡くなり、6人になった。

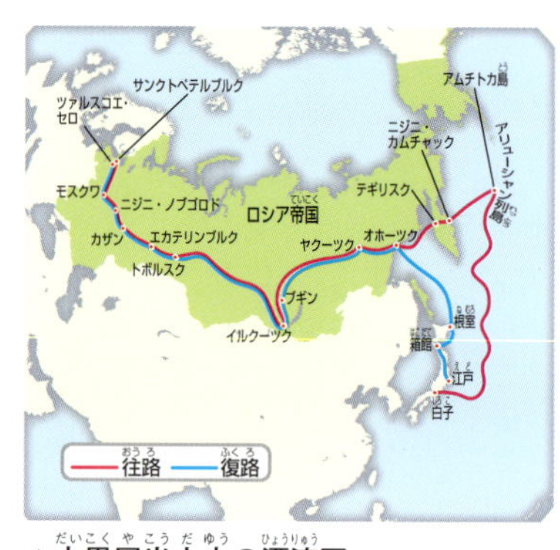

▲大黒屋光太夫の漂流図

イルクーツクはロシア帝国のシベリア開発の拠点で中国の清との交易がさかんだった。日本との交易に必要な通訳を養成するための日本語学校があり、ロシア政府から日本語教師になるよう強くすすめられたが、帰国したいという望みを捨てきれなかった。そうしたとき博物学者のキリル・ラクスマンに出会った。日本に強い関心をもっていたラクスマンの協力を得た光太夫たちは、1791年、首都サンクトペテルブルクに行き、女帝エカチェリーナ2世に謁見して帰国を嘆願したが、その後帰国をゆるされた。

1792年、ラクスマンの息子で通商交渉の使節に任命されたアダム・ラクスマンにともなわれ、蝦夷地（北海道）の根室に到着した。このとき、日本に帰ったのは光太夫と磯吉ら3人だった。翌年、江戸幕府にひきわたされて江戸に送られ、第11代将軍徳川家斉をはじめ、老中松平定信たちからロシアで見聞したことを質問された。

その後、外国の事情を部外者に知られることをおそれた幕府によって、故郷ではなく江戸・番町の薬草園（東京都千代田区）の屋敷で暮らすことになり、大槻玄沢などの蘭学者と交流しながら、そこで一生を終えた。光太夫がロシアで見聞したことは、1794年、幕府の将軍やその家族の診療にあたる奥医師で蘭学者の桂川甫周によって『北槎聞略』という本にまとめられた。

だいごてんのう

王族・皇族

醍醐天皇　885～930年

「延喜の治」とよばれる徳政をおこなった

（後醍寺蔵）

平安時代前期の第60代天皇（在位897～930年）。

宇多天皇の子。893年、皇太子となり、897年、13歳で父に位をゆずられて即位した。このとき、父から、天皇の日常の心得、儀式や年中行事の作法などをしるした『寛平御遺誡』をあたえられ、その教えを尊重した。899年、藤原時平を左大臣、菅原道真を右大臣に任命して政治を補佐させた。

901年、道真を九州の大宰府（朝廷が九州をおさめるために現在の福岡県においた機関）に左遷させたが、これは藤原氏の陰謀によるものといわれる。902年、荘園整理令をだし、

国家の土地管理をきびしくした。907年、9世紀後半の法令を整理した『延喜格』を編さんさせ、同年、醍醐寺を建立した。909年に時平が亡くなると、参議（朝廷の重要な官職）の藤原忠平や宇多上皇とともに積極的に政治をみたので、藤原氏の勢いが一時弱まった。また914年には律令政治や国家についての意見を聞く『意見封事十二箇条』を三善清行に提出させ、927年には藤原忠平に命じて律令制度の細かい規則をまとめた『延喜式』を完成させた。

律令政治の再建をめざした理想的な政治をおこない、紀貫之らに命じて『古今和歌集』を編さんさせるなど文化の発展にもつとめたので、年号から「延喜の治」とたたえられている。

学 天皇系図

たいしょうてんのう

王族・皇族

大正天皇　1879〜1926年

日本の西洋化が進んだ大正時代の天皇

大正時代の第123代天皇（在位1912〜1926年）。

明治天皇の第3皇子として東京に生まれる。名は嘉仁、称号は明宮。1889（明治22）年、皇太子となり立太子礼をおこなった。1900年、公爵九条道孝の4女節子（貞明皇后）と結婚、裕仁親王（のちの昭和天皇）、雍仁親王（秩父宮）、宣仁親王（高松宮）、崇仁親王（三笠宮）の4皇子を得た。

皇太子時代は地方巡啓として沖縄をのぞく日本各地をまわったほか、1907年には併合前の韓国もおとずれた。また、文学を好み、漢詩などにすぐれていた。

1912（大正元）年7月、明治天皇のあとをついで即位し、大正と改元。1915年11月、京都で即位式がおこなわれた。即位式の翌年ころから体調がすぐれず、療養生活を送ることが多くなったため、1921年、皇太子裕仁親王が摂政に任ぜられた。1926年12月25日、葉山御用邸で死去。多摩御陵（現在の武蔵陵墓地）にほうむられた。14年4か月という短い在位期間であったが、その間、第一次世界大戦や大正デモクラシー、関東大震災など社会的に大きなできごとがあった。

学 天皇系図

たいそ

太祖（後梁）→ 朱全忠

たいそ

太祖（高麗）→ 王建

たいそ

太祖（宋）→ 趙匡胤

たいそ

太祖（清）→ ヌルハチ

たいそう

太宗（唐）→ 李世民

たいそう

王族・皇族

太宗（北宋）　939〜997年

北宋の発展の基礎を築いた

中国、北宋の第2代皇帝（在位976〜997年）。

武将、趙弘殷の3男として浚儀県（現在の河南省開封市）に生まれる。太宗は廟号。姓名は趙匡義。こどものころから学問が好きで、後周の武将であった兄の趙匡胤を助けた。960年に後周に幼い皇帝が立ち、不安が広がると、軍とともに兄を説得し、皇帝の座につけた。趙匡胤は国の名を宋とし、初代皇帝太祖となった。

その後も皇帝の右腕として序列は宰相より上におかれ、国を安定させ、中国の統一のために活躍した。976年に趙匡胤が亡くなり、皇帝に即位する。趙匡胤の子ではなく太宗がついだため、太宗が先帝を暗殺したという説もある。即位後は兄の政治を継承し、兄が征討できなかった呉越、北漢を平定して中国統一を完成させた。内政では武人勢力の削減につとめ、科挙官僚を登用し、それまでの軍人政治から文治主義への転換に成功した。武力は低下したが、文治を進めた。『太平御覧』を編さんするなど、文化の保護、奨励にも熱心だった。

学 世界の主な王朝と王・皇帝

たいそう

太宗（清）→ ホンタイジ

だいそえい

王族・皇族

大祚栄　?〜719年

唐から独立して震国をおこした渤海国の始祖

朝鮮北部、渤海の建国者（在位698〜719年）。

高王ともいう。高句麗人という説と、高句麗の支配下にあった靺鞨人という説がある。668年、高句麗が滅亡したあと、そののこされた民の一部は、中国の唐によって営州（現在の遼寧省）に移されていた。その地の契丹が696年に反乱をおこしたのをきっかけに、大祚栄と父の乞乞仲象らは、高句麗の民と靺鞨人をひきいて東方へ逃走し、独立をはかる。

698年には独立を阻止しようとする唐の追討軍をやぶり、東牟山（吉林省敦化市）に城を築いて、震国を建国した。一説には、乞乞仲象と大祚栄は、父子ではなく、同一人物であるといわれている。

しばらく唐とのあいだには緊張がつづいたが、大祚栄は朝貢で友好関係をつくっていった。713年には、唐の皇帝、玄宗から「渤海郡王」の称号があたえられる。これにより、国号を渤海とあらためた。

だいどう

郷土

大道　1768〜1840年

三里浜に砂防林をつくった僧

江戸時代中期〜後期の僧。

越前国敦賀（現在の福井県敦賀市）の唯願寺に生まれた。京都の東本願寺で学んだあと、旅をしながら、教えを広めた。そのころ、福井県坂井市から福井市にかけてのびる砂丘の三里浜では、夏は雨がふらず、冬は強風によって畑が砂にうまり、作物が育たなかった。

これをみた大道は、農民たちを指導して、12kmにおよぶ砂浜に植林をおこなった。最初に乾燥に強いネムノキを植え、次にマツの苗を植える方法で、砂浜を松林にかえていった。三里浜の植林は、明治時代から昭和時代にかけてつづけられ、現在では松林に守られた畑で、ラッキョウやスイカ、メロンなどが栽培されている。

たいぶてい

王族・皇族

太武帝　408〜452年

華北を統一後、中国ではじめて仏教を弾圧

中国北朝、魏（北魏）の第3代皇帝（在位423〜452年）。明元帝の長男で、名は拓跋燾。北魏は鮮卑族の拓跋氏が華北に建てた国で、三国時代の魏と区別して元魏とも後魏ともよばれる。16歳で即位すると、鮮卑族中心の軍を統率してモンゴル系遊牧民の柔然を討った。次いで十六国の夏、北燕、北涼をほろぼし、439年に華北を統一。五胡十六国時代を終わらせた。450年には南朝の宋を攻めて各地で勝利をおさめたが、講和をむすんだことで撤退し、南北で分立した。

内政では崔浩を中心に漢民族を重用し、政治的にも経済的にも安定させたが、これにより鮮卑族の有力者の不満がつのることにもなる。寇謙之がひらいた道教をあつく保護し、崔浩の意見で中国初の仏教弾圧政策をおこなう。後継者問題をかかえるなか、皇太子と対立した宦官の宗愛に殺された。

学 世界の主な王朝と王・皇帝

たいほう

スポーツ

大鵬　1940〜2013年

昭和時代の大相撲黄金期の横綱

昭和時代の大相撲力士、第48代横綱。

樺太（現在のサハリン）に生まれ、北海道に育つ。本名は納谷幸喜。ウクライナ人であった父とは戦争で生き別れになり、母子家庭で苦労しながら育つ。1956（昭和31）年、高校を中退して二所ノ関部屋に入門し、同年9月場所で初土俵をふむ。

早くから将来有望な力士として注目され、1960年の1月場所で新入幕をはたす。同年の11月場所で初優勝して、大関に昇進する。翌年には7月場所、9月場所と連続優勝し、当時の最年少記録である21歳3か月で第48代横綱となった。同時に横綱へ昇進したライバルの柏戸とともに「柏鵬時代」とよばれる大相撲の黄金期を築く。その強さと人気から、こどもたちがあこがれるものという意味の「巨人、大鵬、卵焼き」という流行語が生まれた。優勝32回（2015年1月場所で白鵬が優勝するまでは幕内最高記録）、うち6場所連続優勝2回、45連勝などの記録をのこし、1971年に現役を引退。その後大鵬部屋をひらき、親方として後進の指導にあたった。2013（平成25）年に死去。同年国民栄誉賞がおくられた。

学 国民栄誉賞受賞者一覧

ダイムラー，ゴットリープ

産業

ゴットリープ・ダイムラー　1834〜1900年

ガソリンエンジンによる自動車開発の先駆者

19世紀のドイツの技術者、実業家。

西部のショルンドルフ生まれ。工場などではたらきながら、シュトゥットガルトの工業専門学校で技術を習得し、技術先進国だったイギリスやフランスを視察するなど、研究を重ねる。その中で設計技術者マイバッハと出会う。1869年、カールスルーエ機械製作所に入社して、ともにエンジン開発にいどみはじめ、1875年には4ストローク（サイクル）エンジンを発明したオットーのドイツガス発動機会社に2人して移籍した。オットーと対立して1881年に退社するが、その後もマイバッハと協力して開発を進め、1883年、初のガソリンエンジンのダイムラーエンジン1号を完成させた。これは小型・軽量で高性能のエンジンであった。1885年に新エンジンを搭載した世界初のオートバイを発表、1890年にはダイムラー自動車会社（のちのダイムラー・ベンツ）を創立して、2年後に自動車の販売をはじめた。会社は急速に成長するが、ダイムラーは体調をくずし、66歳で亡くなった。その後もマイバッハは開発

をつづけ、高性能自動車の先がけを生みだした。

タイラー，ワット

政治

ワット・タイラー　?〜1381年

ワット・タイラーの乱の指導者

イギリスの農民一揆指導者。

イングランド東部エセックス出身の煉瓦職人（タイラー）だったという説もある。1380年、国王リチャード2世は百年戦争の膨大な戦費調達のために、12歳以上のすべての人に人頭税を課し、賃金を統制した。これに対して農民一揆が各地でおこり、下層階級の農民と労働者の反乱はたちまちほぼ全土に広がった。1381年、タイラーは反乱軍を組織し、反乱の思想的指導者ボールを獄中から救いだし、ロンドンへ進撃（ワット・タイラーの乱）。ロンドン市民も反乱軍を受け入れ、大司教は殺され、大商人の屋敷などが焼き打ちされた。リチャード2世はやむなくタイラーと面会し、農奴制の撤廃や小作料の軽減、反乱参加者の恩赦などをみとめる姿勢をしめしたため、一部の反乱軍は解散した。しかし翌日の面会時、ロンドン市長ウォルワースがタイラーを刺殺。国王軍は反乱軍を鎮圧して一揆は失敗に終わる。国王と富裕な領主階級は支配を強化させたが、農奴解放の流れは進むことになった。

たいらのあつもり

貴族･武将

平敦盛　1169?〜1184年

若くして悲劇の死をとげた、笛の名手

(国立国会図書館)

平安時代後期の武将。

平清盛の異母弟、経盛の子。官職についていなかったので無官大夫ともよばれた。源平の争乱のなか、1184年、一ノ谷（兵庫県神戸市）の戦いで、平氏軍は源義経の軍にやぶれて海上にのがれたが、敦盛はにげおくれて討たれた。笛の名手で、祖父の平忠盛が鳥羽院からたまわった「小枝」とよばれる名笛をもっていたという。

鎌倉時代の軍記物語『平家物語』には、その場面が哀切をもってえがかれている。平氏軍の沖の船をめざして海にウマを乗り入れた敦盛は、熊谷直実によびとめられ、ひきかえして戦い組みふせられた。直実は、若い敦盛をみてわが子を思いだしためらったが、涙をふるい討ちとった。これを機に直実は人の世の無常を感じ、のちに出家したという。

16歳の若さで悲劇の最期をとげた敦盛は、後世の人々の同情をさそい、室町時代の能『敦盛』をはじめ、謡曲や浄瑠璃などの題材となった。

学 源氏・平氏系図

たいらのきよもり

平清盛 → 269ページ

たいらのくにか

貴族･武将

平国香　?〜935年

平将門と対立してやぶれる

平安時代中期の常陸国（現在の茨城県）の豪族。

平高望の子で、平氏の祖先とされる。初名は良望。889年、父にしたがって東国へむかい、常陸国の筑波山西麓の東石田を本拠地とした。地方の役所で3番目の位である常陸大掾や、東北地方をおさめる軍事的な役所の長官の鎮守府将軍に任命される。931年、支配下の平良兼と、おいの平将門が対立する。935年、都からもどって勢力を広げた将門と、所領をめぐる争いをおこして戦ったが、国香はやぶれて死んだ。

子の平貞盛は、はじめ和睦をはかろうとしたが、おじの良兼らが介入し敵対することとなり、藤原秀郷の協力を得て、将門を討ちとった。

学 源氏・平氏系図

たいらのこれひら

貴族･武将

平維衡　生没年不詳

平氏繁栄の基礎を築く

平安時代中期の武将。

平貞盛の子。伊勢国（現在の三重県東部）北部を本拠地として勢力をのばした。1006年、伊勢守（長官）に任じられたが、藤原道長の反対で解任され、上野守（群馬県の長官）となった。その後、道長ら朝廷の有力者に接近し、備前国（岡山県南東部）、常陸国（茨城県）の国守（長官）を歴任した。大江匡房の『続本朝往生伝』や鎌倉時代の説話集『十訓抄』にすぐれた武士として書かれている。伊勢平氏の祖先とされ、その後の平氏繁栄の基礎を築いた。

学 源氏・平氏系図

たいらのこれもり

貴族･武将

平維盛　1158?〜1184?年

源平合戦の敗因をつくった

平安時代後期の武将。

平清盛の孫で、平重盛の長男。順調に朝廷で出世し、小松中将ともよばれた。容姿にすぐれ、舞もたくみだった。源平の争乱のおこった1180年、源頼朝をたおすために、平氏軍の総大将となり、源氏軍と駿河国（現在の静岡県中部と北東部）の富士川で対峙した。ところが、夜半にとびたった水鳥の羽音を敵の襲撃とまちがえて、おどろいて戦わずにげかえったので、清盛の怒りを買った。1183年、越中国（富山県）砺波山の倶

利伽羅峠の戦いで、源義仲軍にやぶれて京に逃げ帰り、義仲軍が京に入ると平氏一門と西国へ落ちのびた。軍記物語『平家物語』には、途中で平氏軍からはなれて出家し、那智（和歌山県那智勝浦町）の海で入水したと書かれている。

学 源氏・平氏系図

たいらのさだもり

貴族・武将

平貞盛　生没年不詳

将門の乱をしずめた

（国立国会図書館）

平安時代中期の武将。平国香の子。朝廷の役人をめざして都に行き、朝廷のウマの飼育・養成をつかさどる左馬允となった。

935年、いとこの平将門が関東で勢力を広げ、それと戦った父の国香が殺されたことを知り、常陸国（現在の茨城県）にもどった。おじの平良兼とともに将門と戦ったが撃退され、将門は各地の役所などを占領して、みずから新しい天皇の意味で新皇を名のった。940年、貞盛は下野国（栃木県）の押領使（盗賊をとりしまり反乱をしずめる官職）の藤原秀郷と手をむすんで政府軍をひきいて、将門をほろぼした。その功により、朝廷のウマの飼育・養成をつかさどる右馬寮の役人である右馬助に任じられた。その後、鎮守府将軍（東北地方をおさめる軍事的な役所の長官）、陸奥守（山形県・秋田県をのぞく東北地方の長官）を歴任した。子の平維衡は、伊勢平氏の祖先とされている。

たいらのしげひら

貴族・武将

平重衡　1157～1185年

源平の合戦で勇猛に戦った平氏の武将

（早稲田大学図書館）

平安時代後期の武将。平清盛の子。平重盛の異母弟、平宗盛、平知盛、建礼門院の弟。1166年、尾張守（現在の愛知県西部の長官）、蔵人頭（天皇の機密文書などを管理する蔵人所の長官）などをへて、左近衛権中将（宮中の警備などをおこなう左近衛府の次官）に昇進した。

勇敢な武将として知られ、源平の争乱がはじまると、1180年、以仁王と源頼政の挙兵を討ちやぶり、平氏政権と対立した南都（奈良）の東大寺大仏殿や興福寺を総大将として攻めて、堂塔を焼きはらった（南都焼き討ち）。1181年にも墨俣川の戦いで源行家をやぶり、平家一門が京都から西国に逃げたあとも、いくつかの戦場で勝利した。1184年、一ノ谷の戦いで源氏軍にやぶれ捕虜となった。兄の宗盛へ三種の神器を返して和睦するように伝えるが失敗し、鎌倉へ送られた。源頼朝のもてなしを受けるが、1185年、東大寺、興福寺の要求で、奈良に連行される途中、処刑された。

学 源氏・平氏系図

たいらのしげもり

貴族・武将

平重盛　1138～1179年

清盛をいさめた温厚な長男

（宮内庁三の丸尚蔵館）

平安時代後期の武将。平清盛の長男。平宗盛、平知盛、平重衡、建礼門院の異母兄。1156（保元元）年の保元の乱、1159（平治元）年の平治の乱で活躍し、伊予守（現在の愛媛県の長官）となった。1167年、権大納言（太政官の定員外の次官）となる。清盛の片腕として、平氏政権の中心的役割をはたした。平氏一門の中では、後白河法皇（譲位後に出家した後白河天皇）に近い立場をとり、清盛と法皇との対立を調停しようとしたが、うまくいかなかった。1177年、内大臣となる。後白河法皇の側近たちが平氏打倒の計画を立てた鹿ケ谷事件がおこると、法皇を幽閉しようとする清盛をいさめた。妻の兄が首謀者であったことや、病も重なって、表舞台に出ないまま亡くなった。

軍記物語『平家物語』には、文武にすぐれた温厚な人物としてえがかれている。

学 源氏・平氏系図

たいらのたかもち

貴族・武将

平高望　生没年不詳

桓武平氏の祖先

平安時代前期の武将。桓武天皇の孫高見王の子で、高望王という。平国香、平良兼、平良将（平将門の父）の父。889年ころ、宇多天皇から平の姓を受け、皇族から臣下となって、桓武平氏の祖先となる。上総介（現在の千葉県中部の次官だが事実上の長官）として任国におもむいた。当時の関東地方には盗賊などが横行していたが、高望はこれをしずめるために派遣された、軍事専門の貴族だという説もある。高望は、任期が終わっても都にもどらず、豪族の娘たちを妻として血縁関係をむすび、子孫をふやした。その後、子孫たちは下総国（千葉県北部・茨城県南西部）、常陸国（茨城県）など各地に勢力を広げた。

学 源氏・平氏系図

平清盛

平氏の全盛時代を築いた武将

▲平清盛像　『天子摂関御影』より。
（宮内庁三の丸尚蔵館）

■清盛出生の秘密

平安時代後期の武将。源氏とならぶ平氏の棟梁（頭）の平忠盛の子として生まれた。実は、白河法皇（譲位後に出家した白河天皇）の子で、母は白河法皇に愛された祇園女御の妹だともいわれる。父忠盛が亡くなったあと36歳で平氏の棟梁の地位をついだ。

平氏は桓武天皇の子孫で、祖父の平正盛や父平忠盛のときに白河法皇や鳥羽法皇（鳥羽天皇）につかえて朝廷に進出し、瀬戸内海の海賊をしずめるなどの実績をあげて急速に力をつけた。

■保元の乱・平治の乱で勝利

そのころ朝廷では天皇の位をめぐって後白河天皇と兄の崇徳上皇（譲位した崇徳天皇）が対立し、これに藤原氏の内部争いがからんで1156（保元元）年、保元の乱がおこった。清盛は源氏の源義朝とともに後白河天皇方について崇徳上皇方についた義朝の父源為義をやぶり、勝利にみちびいた。

1159（平治元）年、保元の乱後の恩賞などに不満だった源義朝が清盛をたおそうと平治の乱をおこしたが清盛は義朝をやぶり源氏を追放した。義朝の子の源頼朝は伊豆国（現在の静岡県伊豆半島）に流罪となり、頼朝の弟の源義経は京都北方の鞍馬寺にあずけられた。

■平氏の全盛期をつくる

朝廷での実力者となった清盛は1160年、後白河上皇（譲位した後白河天皇）に信頼され正三位という高い位をさずけられ、政治に参加する参議に任命されて公家の高官となった。その後、めざましい速さで昇進し、1167年、武士としてはじめて最高職の太政大臣となり朝廷での実権をにぎった。清盛は兄弟、こどもなど一門の人々を次々と昇進させ、朝廷の高位・高官の半分以上が平氏で占められた。

▲平清盛坐像
（宮島歴史民俗資料館）

1168年、病のため出家するがその後も政治に大きな影響力をもちつづけた。同年、後白河上皇のきさきとなっていた清盛の妻の妹滋子が産んだ皇子が高倉天皇として即位した。1171年、娘の徳子を高倉天皇のきさきとし、7年後に皇子が生まれた。

▲厳島神社　（広島県写真提供）

清盛は中国の宋との貿易に力を入ればく大な利益をあげた。日本からは砂金、水銀、刀剣、漆器などを輸出し、宋からは宋銭（宋の銅銭）を大量に輸入し貨幣が発行されていなかった日本で流通させた。そのほか陶磁器、絹織物なども輸入した。貿易のために大輪田泊（現在の兵庫県神戸市にあった港）を修復して瀬戸内海交通の拠点とし、航海の安全を守る厳島神社（広島県廿日市市）をあつく信仰した。

■おごる平氏への反感

平氏一門が朝廷で権力をにぎり勢力を広げていくことに後白河法皇（出家後の後白河上皇）や貴族たちは警戒心をいだいた。1177年、鹿ケ谷（京都市左京区）で法皇の側近たちが集まり平氏打倒を計画したが密告により失敗した。その後法皇と清盛の対立が深まり、1179年、清盛は法皇を鳥羽殿にとじこめ、院政（上皇や法皇が天皇にかわって政治をおこなうしくみ）を停止した。こうして平氏の政権が誕生した。

1180年、清盛は高倉天皇を退位させ、娘徳子の3歳の皇子を安徳天皇として即位させた。しかし平氏に反発する人々も多くなり、各地の源氏が平氏打倒の兵をあげ平氏軍は各地でやぶれた。清盛は平氏の行く末を心配しながら亡くなった。

学 源氏・平氏系図

平清盛の一生

年	年齢	主なできごと
1118	1	平忠盛の子として生まれる。
1153	36	父忠盛が亡くなりあとをつぐ。
1156	39	保元の乱で源為義をやぶる。
1159	42	平治の乱で源義朝をやぶる。
1160	43	公卿となり宮中への昇殿をゆるされる。
1167	50	太政大臣となる。
1171	54	娘の徳子を高倉天皇にとつがせる。
1179	62	後白河法皇の院政を停止し独裁政治をおこなう。
1180	63	娘の子が安徳天皇として即位する。平氏打倒の挙兵がおこる。
1181	64	熱病で亡くなる。

※年齢は数え年であらわしている

たいらのただつね

貴族・武将

平忠常　967～1031年

平忠常の乱をおこし、源氏が東国に進出するきっかけに

平安時代中期の武将。

陸奥介（現在の山形県・秋田県をのぞく東北地方の次官）、平忠頼の子。

下総国相馬郡（千葉県北西部）を本拠地として勢力をのばし、武蔵国（東京都・埼玉県・神奈川県東部）の押領使（盗賊をとりしまり反乱をしずめる官職）、上総介（千葉県中部の次官だが事実上の長官）に任じられた。その後、税として国におさめる物品を略奪して反乱をおこした。

1028年、安房守（千葉県南部の長官）を殺害し、国衙（各国の役人が勤務する役所）を占領し、その後3年間、房総地方（千葉県）を支配した（平忠常の乱）。

1030年、武名の高かった源頼信が追討使（盗賊をとりしまる官職）に命じられると戦わずに降伏し、京都に送られる途中、病死した。この乱は源氏が東国に進出するきっかけとなった。

たいらのただまさ

貴族・武将

平忠正　?～1156年

おいの平清盛に処刑された

平安時代後期の武将。

平正盛の子。平忠盛の弟。顕仁親王（のちの崇徳天皇）につかえて右馬助（朝廷のウマの飼育・養成をおこなう右馬寮の次官）となる。その後、藤原頼長にしたがい、1156（保元元）年の保元の乱では、崇徳上皇（譲位した崇徳天皇）と藤原頼長方について参戦し、敗北して伊勢（現在の三重県東部）にのがれたが、おいの平清盛にとらえられ、六条河原で処刑された。

学 源氏・平氏系図

たいらのただもり

貴族・武将

平忠盛　1096～1153年

平氏繁栄の基礎を築いた

（国立国会図書館）

平安時代後期の武将。

平正盛の子で、平清盛の父。白河法皇（譲位後に出家した白河天皇）につかえ、検非違使（都の治安維持や裁判を担当する官職）、伯耆守（現在の鳥取県中部と西部の長官）、越前守（福井県北東部の長官）などを歴任する。1129年、山陽道（中国地方の瀬戸内海沿岸地域）と南海道（和歌山県・淡路島・四国地方）の海賊取り締まりに活躍した。

同年、白河法皇の死後は鳥羽上皇（譲位した鳥羽天皇）に重用され、院の別当（長官）となり、1132年、院（上皇や法皇の御所）への昇殿をゆるされた。武士で下級貴族の忠盛の出世は貴族たちの反感をまねき、宮中でやみ討ちされそうになったこともあったが、刀をぬいて逆におどかしたという。このころ鳥羽上皇の所有する肥前国（佐賀県・長崎県）の荘園を管理し、中国の宋との日宋の貿易にかかわり財産をたくわえた。

1135年、ふたたび山陽道、南海道の海賊をとりしまった。その後、諸国の国守（長官）を歴任し、1151年、刑部卿（裁判や刑の執行をおこなう刑部省の長官）となった。

忠盛は西国に勢力を広げ、平氏繁栄のもとを築いたが、武力や財力だけでなく和歌の教養があり家集『平忠盛朝臣集』をのこしている。

学 源氏・平氏系図

たいらのときただ

貴族・武将

平時忠　1127?～1189年

「平氏一門にあらざる者は人にあらず」と強気な発言も

平安時代後期の公家の高官。

桓武天皇の孫で、平の姓を受け臣下となった平高棟の子孫、平時信の子。平清盛の妻、時子の弟。策謀家として知られ、1161年、妹の産んだ憲仁親王（のちの高倉天皇）を皇太子に立てようと、はかりごとをめぐらして失敗し、出雲（現在の島根県東部）へ流罪となった。1165年にゆるされて都へもどり、1167年、高位の参議となった。平氏が全盛期にあった1174年ころ、時忠は「平氏一門にあらざる者は人にあらず」といいはなったという。1183年、正二位権大納言に昇進し、平関白ともいわれた。1185年、平家最後の戦いとなる壇ノ浦（山口県下関市）の戦いでとらえられ、能登（石川県）に流されて亡くなった。

学 源氏・平氏系図

たいらのとくこ

平徳子 → 建礼門院

たいらのとももり

貴族・武将

平知盛　1152～1185年

壇ノ浦の合戦での最期が有名

平安時代後期の武将。

平清盛の子で、平重盛の弟、平徳子（建礼門院）の兄。

1159年、8歳で蔵人（天皇の機密文書などを管理する蔵人所の役人）となる。1160年、武蔵守（現在の東京都・埼玉県・神奈川県東部の長官）に任命され、その後8年間、同国を支配し平氏の勢力を築いた。1180年には源平の争乱のはじめとなる以仁王と源頼政の挙兵に対し、平氏軍をひきいて頼政軍を宇治（京都府宇治市）でやぶり、その翌年源行家を尾張（愛

知県西部）でやぶった。しかし、1183年の源義仲の軍に粟津（滋賀県大津市）の戦いでやぶれて西国にのがれ、讃岐の屋島（香川県高松市）を本拠地として西国に勢力を築いた。1184年、源氏軍に一ノ谷（兵庫県神戸市）の戦いでやぶれ、翌年の屋島の戦いにもやぶれて西へのがれた。壇ノ浦（山口県下関市）で源義経軍と戦ったが追いつめられ、安徳天皇の入水を見届けたのち、いかりをかついで「見るべき程の事は見つ、今は自害せん」といい入水自殺した。室町時代につくられた能『船弁慶』には、知盛の亡霊が海上で源義経をなやませるという劇的な場面がある。

たいらののりもり

貴族・武将

平教盛　1128〜1185年

平氏を守ろうとするがかなわず

平安時代後期の武将。

平忠盛の子。平清盛の異母弟。

1148年、蔵人（天皇の機密文書などを管理する蔵人所の役人）となる。淡路（現在の兵庫県淡路島）、大和（奈良県）、越中（富山県）などの国守（長官）を歴任したのち、後白河上皇（譲位した後白河天皇）の院近臣（上皇の御所につかえる役人）となる。1156（保元元）年の保元の乱、1159（平治元）年の平治の乱で戦功をあげた。1161年、平時忠とともに清盛の妻の妹が産んだ憲仁親王（のちの高倉天皇）を皇太子に立てようとはかりごとをめぐらして失敗し、解任された。1168年、高倉天皇が即位すると、蔵人頭（蔵人所の長官）、参議となって平氏政権の中心に立って活躍し中納言に昇進する。清盛の邸宅の門のわきに住んでいたので門脇殿とよばれた。

1180年、源平の争乱がはじまるが、翌年、清盛が亡くなると、平氏は劣勢となった。1183年、平氏一門の都落ちで西国にむかい、1185年、壇ノ浦（山口県下関市）で平氏軍がやぶれると兄の平経盛とともに鎧の上にいかりを背負って海へとびこんだという。

学 源氏・平氏系図

たいらのまさかど

貴族・武将

平将門　?〜940年

地方で勢力をたくわえ、新皇を名のる

平安時代中期の武将。

下総国（現在の千葉県北部・茨城県南西部）出身。平良将（桓武天皇のひ孫、平高望の子）の子。平国香のおい、平貞盛の従弟。相馬小次郎と称した。

青年のころ都へのぼり、右大臣の藤原忠平につかえ、朝廷の役人をめざしたが、父が亡くなったので故郷へもどった。935年、父の所領をめぐる争いから国香と戦って殺害した。この事件でうったえられ、翌年、朝廷にめしだされて監禁されたが、朱雀天皇の元服（男子が成人となる儀式）による大赦によってゆるされ、帰国した。しかし、同族間の争いははげしくなった。

▲7人の影武者がいるといわれた平将門

（東京都神田神社蔵）

939年、武蔵介（東京都・埼玉県・神奈川県東部の次官）源経基と、郡司（地方長官）の争いを調停しようとして失敗し、源経基は朝廷にもどり将門をうったえた。

一方、常陸守（茨城県の長官）と豪族の紛争に介入したことから、常陸国府（国の役所）を占領して建物を焼きはらった。こうして国家に対する反乱をおこした将門は、その後、上野（群馬県）、下野（栃木県）の国府を占領した。将門は、新しい天皇の意味でみずから「新皇」と称して弟たちを関東諸国の国守（長官）に任命し、本拠地の石井（茨城県坂東市）に都をつくって関東の独立をめざした。しかし、940年、国香の子の貞盛や下野国押領使（盗賊を取り締まり反乱をしずめる役人）の藤原秀郷の軍と戦って討ち死にした。この平将門の乱は、そのころ西国でおこった藤原純友の乱とともに朝廷をおどろかせた。乱の経過は、まもなく成立した『将門記』にくわしく書かれている。

朝廷に反抗した将門は、関東の豪族や民衆からは英雄としてたたえられ、その後の武士たちの守護神となった。将門には伝説が多く、東京の大手町にある将門首塚は、京都でさらされた首が、故郷へもどるために空中を飛んできて落ちたところだとされる。また、近くにある神田明神（東京都千代田区）は、将門の霊を祭るためにつくられたといわれるが、ほかにも将門を祭る神社が関東各地にある。

学 源氏・平氏系図

▲東京都千代田区神田明神の首塚　（神田神社）

たいらのまさもり

貴族・武将

平正盛　生没年不詳

伊勢平氏が中央政界に進出するもとを築く

平安時代後期の武将。

平高望の子孫、平正衡の子。平忠盛の父。平清盛の祖父。

1097年、伊賀国（現在の三重県西部）の所領を白河上皇（譲位した白河天皇）の娘に寄進して白河上皇にとりたてられ、院（上皇や法皇の御所）の警備をする北面の武士となり、伊勢国（三重県東部）で力をつけ、桓武天皇の子孫である伊勢平氏が中央政界に進出するもとを築いた。1108年、出雲国（島根県東部）で殺人や強盗をおこなった源義親を討ったのち、但馬守（兵庫県北部の長官）となる。その後、備前守（岡山県南東部の長官）など各国の国守（長官）を歴任し、右馬権守（朝廷のウマの飼育・養成をつかさどる右馬寮の定員外の

長官）に昇進した。その間、西国の海賊追討、京の強盗取り締まり、僧兵の朝廷への要求をおしとおそうとする行動を阻止するなど、数々の武名をあげた。

学 源氏・平氏系図

たいらのむねもり

貴族・武将

平宗盛　1147～1185年

清盛のあとをついだ平氏滅亡のときの総大将

（宮内庁三の丸尚蔵館）

平安時代後期の武将。平清盛の子。平重盛の異母弟。平知盛、平重衡、建礼門院の兄。1159（平治元）年、平治の乱で戦功をあげ、遠江守（現在の静岡県西部の長官）となる。1179年、兄の重盛が亡くなったため、平氏のあとつぎとなった。1181年、清盛の死後、平氏政権の中心に立ち、翌年、内大臣に昇進する。

源平の争乱がおこると、平氏と対立していた後白河法皇（譲位後に出家した後白河天皇）にもあゆみ寄りながら、討伐軍の派遣をした。北陸で源義仲の軍にやぶれ、1183年、義仲が都に入る前に、安徳天皇を擁立して平家一門で西国にのがれる。その後、勢力を回復して讃岐国屋島（香川県高松市）などに陣をかまえるが、1184年の一ノ谷（兵庫県神戸市）の戦い、1185年、屋島の戦いで源義経軍にやぶれ、さらに同年、壇ノ浦（山口県下関市）の戦いで、平氏はほろんだ。宗盛は入水しようとしたが、とらえられ鎌倉に送られ、その後斬首された。

学 源氏・平氏系図

たいらのよりつな

貴族・武将

平頼綱　?～1293年

幕府の実権をにぎり、北条氏の勢力をのばす

鎌倉時代後期の武将。

北条氏本家の当主である得宗の家臣。8代執権北条時宗につかえ、1271年にはほかの宗派の攻撃や幕府の批判をしていた日蓮をとらえ、佐渡（現在の新潟県佐渡市）に流罪とした。1284年、妻が北条貞時の乳母だったので、鎌倉幕府の政治を統括する9代執権となった貞時の下で内管領（北条氏の当主の座をついだ得宗家の執事）となって頭角をあらわしたが、幕府の実権をにぎっていた安達泰盛と対立。翌年、泰盛に謀反のうたがいをかけて攻めほろぼした（霜月騒動）。その後、幕府の実権をにぎり、諸国の守護（国の軍事をまとめる役職）の半数を、鎌倉幕府の将軍と主従関係をむすんだ有力御家人から北条氏一族にかえるなど専制的な政治をおこなったため、貞時からもその力をおそれられた。1293年、頼綱が次男を将軍につかせようとしていると密告され、これを好機とみた貞時が軍をさしむけて頼綱の館をおそったため、頼綱は一族とともに自害した（平頼綱の乱）。

たいらのよりもり

貴族・武将

平頼盛　1132?～1186年

頼朝に厚遇された

平安時代後期の武将。

平忠盛の子。平清盛の異母弟。母は、忠盛の後妻の池禅尼。

1156（保元元）年、保元の乱に参加する。その後朝廷で出世し、権大納言（太政官の定員外の次官）に昇進、池大納言ともよばれた。後白河上皇（譲位した後白河天皇）と親しく、清盛とはあまり仲がよくなかったため、平氏政権内での政治的な立場はきびしいものだった。

1183年、源義仲軍が京に入る前に平氏一門は都落ちして西国にむかったが、頼盛は都にとどまった。同年、鎌倉に行き、源頼朝と対面した。頼朝は、1159（平治元）年の平治の乱でとらえられたとき、池禅尼によって命を助けられており、その恩にむくいるため頼盛をゆるしてもてなした。旧所領をみとめられ、元の官職にも復職して京都にもどり、翌年、出家した。

学 源氏・平氏系図

タウト，ブルーノ

建築

ブルーノ・タウト　1880～1938年

近代建築運動を進めたドイツの建築家

ドイツの建築家。

旧ドイツ東部ケーニヒスベルク（現在のロシアのカリーニングラード）に生まれる。はたらきながら大学を卒業し、22歳からドイツ各地で建築家として活動し、1909年にベルリンで事務所をもった。1914年にドイツ工作連盟展に出展した『ガラスの家』などのユニークな設計で注目を集め、第一次世界大戦後は近代建築運動の推進者として活躍した。

1933年、ヒトラーのナチス政権の迫害をのがれて日本に亡命し、1936年まで滞在した。その間、宮城県仙台市や群馬県高崎市の工芸所で、設計と制作を指導した。1936年トルコのイスタンブール美術学校教授となり、ここで生涯を終えた。

日本建築や伝統美術に強い関心をもち、桂離宮や伊勢神宮を「世界第一級の建築」と賞賛、合掌造を世に知らしめた。熱海の旧日向別邸を設計した。著作に、日本文化を紹介した『ニッポン』『日本美の再発見』『日本文化私観』などがある。

たかがきひとみ

絵本・児童

高垣眸　1898〜1983年

『快傑黒頭巾』で人気となる

大正時代〜昭和時代の大衆児童文学作家。

広島県生まれ。本名は末男。早稲田大学卒業。学生時代は歌舞伎や演劇に熱中した。卒業後、劇団員や軍隊生活をへて、東京府立第九高等女学校（現在の都立多摩高校）で教師をつとめながら、少年小説を書く。1925（大正14）年に雑誌『少年倶楽部』に連載されたデビュー作の『龍神丸』は、生徒にせがまれて話した物語がもとになっている。その後、次々と少年小説を発表、なかでも、なぞの人物、快傑黒頭巾が姉弟を助けて2人の父親を救出する『快傑黒頭巾』は、当時の少年少女に圧倒的な人気を博した。ほかに『まぼろし城』『豹の眼』などがある。

たかがわかく

伝統芸能

高川格　1915〜1986年

不死鳥といわれた囲碁棋士

大正時代〜昭和時代の囲碁棋士。

和歌山県生まれ。6歳のころ、碁をおぼえる。1925（大正14）年、光原伊太郎五段に入門し、本格的に棋士の道をあゆみはじめた。1928（昭和3）年、中学1年で入段し、以後、順調に段を上げ、1960年に九段となる。1952年に橋本本因坊をやぶり、第7期本因坊位を得て、秀格と名のる。以来、第15期まで9連覇の偉業を達成し、現役のまま名誉本因坊の資格をあたえられる。1965年に十段位を獲得し、1968年に名人戦に勝利して53歳の名人就任となり、「不死鳥・高川」といわれた。ゆったりした流れで、全局的なバランス感覚のある打ち方は、「平明流」とよばれた。称号は、22世本因坊秀格である。1975年、囲碁代表団団長として中華人民共和国（中国）を訪問し、現在世界60数か国で愛好される囲碁の国際化の基礎を築いた。1974年に紫綬褒章、1985年に勲三等旭日中綬章を受章した。生涯成績は、1169局660勝504敗5持碁で勝率5割6分7厘だった。

たかぎせいかく

絵画

高木聖鶴　1923年〜

かな書きに新しい境地をひらいた書家

書家。

岡山県生まれ。本名は郁太。1947（昭和22）年、かなの書家として知られる内田鶴雲に師事した。平安時代末期の『元永本古今和歌集』をはじめ、多くの古典を研究し、王朝の洗練されたかな書きを身につけるとともに、現代的な感覚をとり入れていった。

内田らが進めた「大字かな」の運動に加わり、展覧会の壁面にかざる大きな文字のかな書きに、新しい境地をひらいた。1950年、日展にはじめて入選し、1973年の日展では、特選となった。1991（平成3）年には内閣総理大臣賞を受賞し、1995年、『春』で日本芸術院賞を受賞した。

1975年から日本書芸院の理事、のちに最高顧問をつとめ、現代日本の書の発展につくしている。『かなの教室』など著書も多い。2006年に文化功労者となり、2013年に文化勲章を受章した。

学 文化勲章受章者一覧

たかぎていじ

学問

高木貞治　1875〜1960年

世界に名を知られた数学者

明治時代〜昭和時代の数学者。

岐阜県に生まれる。東京帝国大学（現在の東京大学）数学科を卒業したのち、3年間ドイツに留学し、数学者ヒルベルトに師事した。帰国後は、母校で教鞭をとりながら、研究をつづけた。

1903（明治36）年に発表した「ガウス数体の虚数乗法論」で、世界的に注目された。

1920年には、「類体論」を発表した。

ヒルベルトらの類体の考え方を発展させたもので、世界的に高い評価を受けた。これらの功績から、1936（昭和11）年、数学のノーベル賞といわれる第1回フィールズ賞の選考委員に指名された。

1938年に出版された著書『解析概論』は、数の連続性や、微分積分学を数学的に完全な形で解説したもので、現在でも、日本の数学界の代表的な名著として知られている。1940年、数学者としてはじめて、文化勲章を受章した。1951年、文化功労者となった。

学 文化勲章受章者一覧

たかぎとしこ

絵本・児童

高木敏子　1932年～

『ガラスのうさぎ』で平和をうったえる

児童文学作家。

東京生まれ。文化学院卒業。太平洋戦争末期におこった1945（昭和20）年3月10日の東京大空襲で、母と2人の妹を失う。焼け跡に、熱でとけたガラスのウサギがのこっていた。8月には、米軍機による機関銃射撃で父も失う。1977年、これらの体験を自伝的作品『ガラスのうさぎ』として出版すると、たちまちベストセラーとなった。平和と命の大切さをうったえるこの本は、世界各国のことばに翻訳され、映画、テレビドラマ、アニメになり、児童福祉文化賞奨励賞などを受賞。

作品はほかに、『めぐりあい～ガラスのうさぎと私～』、集団疎開をえがいた童話『けんちゃんとトシせんせい』などがある。

たかくらけん

映画・演劇

高倉健　1931～2014年

日本を代表する映画スター

昭和時代～平成時代の映画俳優。

福岡県生まれ。本名、小田剛一。1955（昭和30）年、明治大学卒業後スカウトされ、東映の新人俳優、ニューフェイスの第2期生となり、『電光空手打ち』の主役でデビュー。『網走番外地』『日本侠客伝』など多くの任侠映画がヒットした。決めぜりふ「死んでもらいます」や「義理と人情をはかりにかけりゃ…」という主題歌の歌詞は流行語になった。1976年、東映から独立すると、『君よ憤怒の河を渉れ』『八甲田山』など人間ドラマやアクション映画へ活躍の場を広げた。山田洋次監督の『幸せの黄色いハンカチ』では口数の少ない、いちずな男を演じ、数々の賞を受賞した。『ザ・ヤクザ』『ブラック・レイン』などのハリウッド映画をはじめとし、海外作品にも多数出演している。1959年、歌手の江利チエミと結婚し12年後に離婚したあとは、独身を通した。1998（平成10）年に紫綬褒章、2013年に文化勲章を受章。高倉健の名は哀愁を背負う不器用な男の代名詞として多くのファンをひきつけ、「健さん」の愛称で親しまれた。

学 文化勲章受章者一覧

たかくらてんのう

王族・皇族

高倉天皇　1161～1181年

平氏全盛期のころの天皇

平安時代後期の第80代天皇（在位1168～1180年）。

後白河天皇の子。即位する前は憲仁親王とよばれた。1166年、父により6歳で皇太子に立てられ、1168年、六条天皇のあとをついで即位した。1178年、平清盛の娘で中宮（皇后と同じ身分）となった徳子（のちの建礼門院）が産んだ言仁親王（安徳天皇）を皇太子に立てた。後白河法皇の近臣が平氏打倒の陰謀をめぐらす鹿ヶ谷事件が1177年におこり、1179年には後白河法皇が清盛により鳥羽殿（京都市にあった離宮）に幽閉されると、温和な性格だった天皇は父の法皇と妻の父清盛の対立を心配した。そして1180年、清盛の強引な政策により3歳の皇太子に位をゆずり、上皇として安徳天皇を後見したが、21歳の若さで亡くなった。多くの人にしたわれ、笛の名手だったといわれる。

学 天皇系図

たかさきたつのすけ

産業

高碕達之助　1885～1964年

実業家として活躍し、日中貿易の促進にも貢献した

大正時代～昭和時代の実業家、政治家。

大阪府生まれ。中学校の教師から水産の重要性を学び、水産講習所（現在の東京海洋大学）に入学。卒業後アメリカ合衆国で製缶技術を学び、1917（大正6）年、東洋製缶を設立した。以降、製缶事業に打ちこむが、1941（昭和16）年、鮎川義介にまねかれ、満州重工業の副総裁に就任。翌年、総裁となる。第二次世界大戦の終戦の際は、在満日本人会会長として日本人の引き揚げに尽力。帰国後、電源開発（J-POWER）初代総裁に就任し、佐久間ダムを建設。外国からの技術と資本を導入し、日本における土木技術を飛躍的に発展させた。1954年、鳩山一郎内閣の経済企画庁長官、1958年、岸信介内閣の通商産業大臣などを歴任。アジア・アフリカ会議に政府代表として出席したほか、日ソ漁業交渉など経済外交で活躍。御母衣ダム（岐阜県白川村）展望台にある2本の巨桜は、ダム建設によって湖底にしずむことをおしんで、高碕が移植させたものである。その桜は「荘川桜」と名づけられ、現在も御母衣電力所が管理し、守りつづけている。

たかさぶりゅうたつ

伝統芸能

高三隆達　1527～1611年

庶民にも流行した隆達節の創始者

安土桃山時代～江戸時代前期の歌人、僧。

和泉国堺（大阪府堺市）の薬種商の末子に生まれる。早くから日蓮宗顕本寺（大阪府堺市）の僧となったが、兄隆徳が没したため還俗（僧侶をやめて俗人にもどること）し、おいの

後見として家業にたずさわった。連歌や音曲、書画などに非凡な才能を発揮、みずから作詞した小歌を天性の美声で歌い、独自の節づけをして隆達節を編みだした。曲節は現在には伝わっていないが、扇拍子や一節切（尺八）、小鼓などを伴奏に恋歌や祝歌が多く歌われた。詩型は七・五・七・五の4句からなる半今様型がもっとも多いが、近世小歌調の七・七・七・五も見受けられる。

隆達節がもっとも流行したのは文禄･慶長期（1592～1615年）で、伏見城の能舞台において細川幽斎の鼓を伴奏に小歌を歌い、豊臣秀吉をよろこばせたという。

たかしなたかかね

絵画

高階隆兼　生没年不詳

美しく繊細な大和絵をえがいた宮廷絵師

▲『春日権現験記絵』

（宮内庁三の丸尚蔵館）

鎌倉時代後期の絵師。14世紀はじめに宮廷関係の絵画制作をおこなう絵所預（絵師の長）をつとめた。平安時代以来の大和絵を学んで集大成し、美しい色彩と繊細な技法でえがいた。1309年、左大臣西園寺公衡に命じられ、春日明神の不思議な力を絵巻にした『春日権現験記絵』を制作し、春日大社（奈良市）に奉納された。

たかしまかえもん

郷土

高島嘉右衛門　1832～1914年

横浜の発展につくした実業家

（東京ガス　ガスミュージアム）

江戸時代後期～明治時代の商人、実業家。

江戸（現在の東京）で材木商、建築請負業をいとなむ家に生まれた。1859年、開港した横浜で物産店をひらくが、金銀の密売によりとらえられて、牢獄生活を送った。牢獄で中国の占いの書『易経』を熱心に読み、のちの事業に役だてたという。1865年、横浜で材木商、建築業をいとなみ、イギリス公使館などを建築した。内外の要人が宿泊する旅館、高島屋も経営した。1870（明治3）年、新橋～横浜間の鉄道建設にあたり、横浜海岸の一部を埋め立てて鉄道を通す工事を請け負い、鉄道の敷地や国道となる土地を政府に献上した。その功績により、町が「高島町」と名づけられた。同年、ドイツのガス会社が横浜にガス灯の建設を申請したことを知り、ガス事業を独占されると考え、有力者を集めて日本社中という会社をつくり、建設の権利を得た。1872年、ガス工場が完成し、横浜の馬車道などに日本で最初のガス灯がともった。

たかしましゅうはん

幕末

高島秋帆　1798～1866年

西洋式の高島流砲術を創始した

（高島秋帆画像／東京大学史料編纂所所蔵模写）

幕末の砲術家、兵学者。

本名は茂敦。長崎の町年寄（町役人の最高職）と鉄砲方（砲術をつかさどる役職）を兼務した、高島四郎兵衛茂紀の子。1814年、17歳で町年寄見習、その後町年寄となった。父から日本の砲術を学んでいたが、ヨーロッパの砲術との格差を知ると、出島のオランダ人から砲術や蘭学などの知識を学び、銃器を購入して高島流砲術を創始した。

1840年、イギリスと中国の清のあいだでアヘン戦争がおきたという情報が伝わると、幕府に西洋式砲術の採用を進言した。1841年、幕府の命令で江戸（現在の東京）に行き、武蔵国徳丸ヶ原（板橋区）で西洋砲術の演習をした。幕府に採用されて江川太郎左衛門らに砲術を教えたが、蘭学をきらう役人に謀反をうたがわれて、逮捕される。

1853年、ペリーの来航によって西洋式軍備が必要とされるとゆるされて、幕府が設置した武芸訓練機関の講武所で砲術師範をつとめた。高島の砲術は、日本の近代軍備に大きな影響をあたえた。

たかすぎしんさく

幕末

高杉晋作　1839～1867年

奇兵隊をつくった幕末の志士

▲高杉晋作

（国立国会図書館）

幕末の志士。

長州藩（現在の山口県）の藩士高杉小忠太の子。長門国萩（萩市）出身。1857年、藩校の明倫館に学び、同年、吉田松陰の松下村塾に入門し、久坂玄瑞とともに松陰から高い評価を受ける。1858年、江戸（東京）に出て、幕府の昌平坂学問所に入学した。そのころ、過激な考えにかたむいた松陰をいさめる手紙を書いたが松陰は江戸に送られ、安政の大獄で処刑された。

1862年、海外事情を知るため清（中国）の上海にわたり、西洋諸国の半植民地化した都市をみて日本の危機を感じ、天皇をうやまい外国勢力を追いはらおうという尊王攘夷運動に加わり、久坂玄瑞らと品川にあったイギリス公使館を焼き打ちした。

1863年5月、幕府が朝廷に対して約束した攘夷実行のため、長州藩は下関海峡を通過するアメリカ合衆国の商船などを砲撃した。しかし6月、アメリカ軍艦が報復のため下関の砲台を砲撃して、軍艦2隻をしずめた。高杉は藩主の命令で下関の防衛にあたり、正規軍をおぎなうために下級武士や農民などからなる非正規の軍隊の奇兵隊を結成した。

1863年、八月十八日の政変で尊王攘夷派が宮中から追いだされ、長州藩も京都から追放された。7月、勢力を回復するため、長州藩の過激派が京都御所をおそって禁門の変をおこしたが、幕府軍にやぶれて朝敵（天皇の敵）となった。このとき高杉は、京都進発に反対して牢屋に入れられた。

そのころ、長州藩は下関海峡を封鎖して外国船が通過できないようにしたため、1864年8月、イギリス、アメリカ、フランス、オランダの4か国の連合艦隊が下関を砲撃して砲台を占領し、長州藩を降伏させた（四国連合艦隊下関砲撃事件）。高杉は牢から出て藩の代表として講和にあたり、ほとんどの条件を受け入れた。一説に、下関にある彦島の租借（領土の一部を借りること）だけは拒否したという話があるが、真実かどうかは不明。同年11月、幕府は第1次長州出兵をおこなうと、長州藩は幕府に謝罪し責任者を処罰した。しかし高杉は藩の方針に反対して脱藩し、奇兵隊をひきいて下関の役所を襲撃して反乱をおこし、翌年には藩の保守派を追放して実権をにぎり、藩全体を倒幕の方向へみちびいた。

1866年、幕府の第2次長州出兵では長州海軍をひきいて、坂本龍馬の亀山社中を味方につけて幕府軍をやぶった。しかし翌年、29歳の若さで病死した。

▲高杉晋作挙兵像　（功山寺）

たかだとしこ

詩・歌・俳句

● 高田敏子　1914〜1989年

お母さん詩人として活躍する

昭和時代の詩人。

東京生まれ。旧制跡見高等女学校卒業。詩誌『現代詩研究』『日本未来派』に参加。1960（昭和35）年ごろから『朝日新聞』家庭欄に連載した詩を『月曜日の詩集』として発表し、好評を得る。その後、お母さん詩人、台所の詩人として人気となった。1965年、雑誌『野火』を創刊する。1967年、詩集『藤』で室生犀星詩人賞。1986年、『夢の手』で現代詩女流賞などを受賞する。また、中学生むけの詩の入門書『詩の世界』はロングセラーとなる。合唱曲も作詞し、『嫁ぐ娘に』『五つの童画』（以上は三善晃作曲）、『飛翔』（南弘明作曲）で芸術祭奨励賞を受賞する。

たかだやかへえ

産業

● 高田屋嘉兵衛　1769〜1827年

ゴロブニン釈放や箱館の発展につくす

▲高田屋嘉兵衛　（函館市中央図書館所蔵）

江戸時代後期の海運業者。淡路国都志本村（現在の兵庫県洲本市）に生まれた。家は貧しい農家で、少年のころ奉公にだされた。1790年、22歳のとき、灘（兵庫県神戸市・西宮市）の酒を大坂（阪）から江戸（東京）へ輸送する樽廻船の船員になり、船頭に出世した。

その後、廻船問屋（荷主から荷物を集め、船を手配して海上輸送をおこなった海運業者）に奉公して北前船（北海道と大坂のあいだを往復し交易をおこなった船）の船頭になった。1795年、27歳のとき1500石積の帆船辰悦丸を建造して船持船頭になり海運業に乗りだした。兵庫で仕入れた酒、塩、木綿などを箱館（北海道函館市）にはこんで売りさばき、箱館で買い入れたコンブやニシンを上方（京都や大坂）で販売してばく大な利益を上げ、1798年には箱館に支店をひらいた。

1799年、東蝦夷地（北海道の太平洋側と千島列島）を直轄地にした江戸幕府の命令で、探検家の近藤重蔵らと千島列島（北海道東端とロシアのカムチャツカ半島南端のあいだにある列島）の択捉島にわたった。そこで、国後島と択捉島をむすぶ航路を開拓し、択捉島に漁場をひらくことに成功した。その功績により、1801年、幕府から蝦夷地御用定雇船頭に任命され、苗字帯刀（名字を名のり刀をさすこと）をゆるされた。その後、蝦夷各地の漁場を経営し、箱館を本店として兵庫や大坂に支店をおき、海運業をさらに繁栄させた。

一方で、箱館でスギやマツの植林、魚介類の養殖、造船場の建設などをおこない、箱館の発展につくした。1806年、箱館に大火が発生したときには住民に米や衣料品をくばったり、建築用材などを安く販売したりして復興につとめた。

1812年、官船観世丸で国後島沖を航行中、ロシア軍艦ディアナ号副艦長のリコルドにとらえられた。前年に、

▲辰悦丸復元模型　（高田屋顕彰館）

幕府が国後島を測量中のディアナ号艦長ゴロブニンをとらえたことへの報復だった。カムチャツカへ連行されたが、同地でロシア語を習得してリコルドにゴロブニンの釈放を約束し、1813年、送還された。帰国後、ゴロブニンの釈放に力をつくした。

晩年は家業を弟にゆずって淡路島にもどり、港や道路を修理するなど故郷の発展に力をつくした。

たかのいわさぶろう

学問

高野岩三郎　1871～1949年

日本の社会統計学の先がけとなった

大正時代～昭和時代の統計学者、社会運動家。

長崎県生まれ。兄は労働運動家の高野房太郎。東京帝国大学法科大学（現在の東京大学法学部）を卒業後、大学院在学中の1897年に創立された社会政策学会の中心メンバーとなる。1899（明治32）年、ドイツのミュンヘン大学へ留学、統計学、経済学を学び、帰国後、母校で統計学を教えた。1910年に国勢調査準備委員となり、日本初の「センサス（統計調査）」、「二十職工家計調査」を実施した。これらの調査は、政府が国民の生活状況を正確に知る第一歩となった。

1919（大正8）年、東京帝国大学法科大学より経済学部を独立させ、国際労働会議（ILOの総会）の代表にもえらばれたが、労働組合の反発にあって辞退し、同時に大学を辞職。同年、大原社会問題研究所の所長となり、社会労働問題の研究調査や労働者の生活向上に力をつくした。第二次世界大戦後、『日本共和国憲法私案要綱』を発表して、天皇制の廃止を主張。のちに日本社会党の顧問となる。1946（昭和21）年、日本放送協会（NHK）会長として放送の民主化を進める。1948年には日本統計学会の初代会長に就任した。

たかのたつゆき

学問　音楽

高野辰之　1876～1947年

日本の演芸史を研究

明治時代～昭和時代の作詞家、国文学者。

長野県生まれ。長野師範学校を卒業後、1897（明治30）年に上京、国語学者の上田万年に師事する。その後、教師となり、1902年からは、文部省で国語や唱歌（音楽）の教科書の編さんにあたる。そのかたわら、『故郷』『朧月夜』『春が来た』『春の小川』など、文部省唱歌や全国の校歌を多数作詞する。

1910年、東京音楽学校（現在の東京藝術大学）の教授につくと、日本歌謡史の講義をおこない、邦楽科の設立に力をつくす。また、日本の歌謡や演劇の歴史を研究し、演芸史という新たな学問の道をひらく。著書に『日本歌謡史』や『江戸文学史』『日本演劇史』『近松門左衛門全集』などがある。

たかのちょうえい

学問　医学

高野長英　1804～1850年

幕府の批判をして投獄されるも脱走

（椿椿山筆『絹本着色高野長英画像』
高野長英記念館所蔵）

江戸時代後期の医者、蘭学者。

陸奥国仙台藩（現在の宮城県・岩手県南部）の一門である水沢伊達氏の家臣の子として生まれ、幼いころに医者の高野家の養子になった。17歳のとき、江戸（東京）に遊学し、医学と蘭学（西洋の知識や技術、文化を研究する学問）を学んだのち、シーボルトがひらいた長崎の鳴滝塾で研究をつづけた。1828年のシーボルト事件をきっかけに江戸にもどり、医者を開業した。

その後、三河国田原藩（愛知県渥美半島）の藩士の渡辺崋山らと交流し、蘭学者を中心とする研究会をひらき、世界情勢などについて意見を交換した。1837年、日本人の漂流民をともない来航したモリソン号を江戸幕府の異国船打払令によって砲撃する事件がおこると、『夢物語』を書いて幕府の対外政策を批判した。そのため、蛮社の獄により投獄されて永牢の刑（死ぬまで牢に入る刑罰）を受けた。1844年、脱獄し各地を転々としたのち江戸にもどり、劇薬で顔を焼いて人相をかえ、医者を再開した。しかし、幕府の役人に発見されて自殺した。

たかののにいがさ

王族・皇族

高野新笠　?～789年

百済の王族の血をひく

▲墓所の大枝陵

（宮内庁書陵部）

奈良時代の光仁天皇のきさき。

朝鮮半島の百済の王族の子孫で、渡来人の和乙継の娘。白壁王（のちの光仁天皇）にとつぎ、能登女王、山部親王（桓武天皇）、早良親王を生んだ。光仁天皇が即位すると、高野という姓があたえられた。781年に光仁天皇が亡くなり、桓武天皇が即位すると、皇太夫人（天皇の生母で前天皇の夫人）と称した。

たかのふさたろう

政治

高野房太郎　1869〜1904年

日本の労働組合運動の創始者

明治時代の労働運動家。

長崎県生まれ。横浜商業学校の夜学部で英語を学ぶ。

1886（明治19）年にアメリカ合衆国へわたり、はたらきながら苦学し、サンフランシスコ商業学校を卒業した。この間、労働問題に関心を深め、1891年に、沢田半之助、城常太郎らと、労働問題研究会の職工義友会を結成する。また、労働運動の指導者、ゴンパーズに出会い、AFL（アメリカ労働総同盟）の日本オルグ（組合員を勧誘し、組織を拡大する役割）に任命される。1896年に帰国し、翌年片山潜らと職工義友会をつくり、母体として労働組合期成会を結成。同年、日本初の労働組合となる鉄工組合を結成し、『労働世界』を創刊するなど、日本の労働組合運動の先がけとなった。思想は穏健で、社会主義には反対であった。

たかのまさなり

郷土

高野正誠　1852〜1923年

日本初の国産ワインをつくった醸造家

（甲州市観光交流）

幕末〜明治時代の果樹栽培家、醸造家。

甲斐国祝村（現在の山梨県甲州市）に生まれた。1877（明治10）年、26歳のとき、同郷の土屋助次郎とともに、勝沼（甲州市）に設立された日本初のワイン醸造会社「大日本山梨葡萄酒会社」の伝習生にえらばれ、ブドウ栽培とワインづくりを学ぶためフランスに留学した。わずか1年半の短期間で、ブドウの剪定（枝の一部を切ること）、つぎ木の技術、ワインの醸造法などを習得して、1879年に帰国した。

その後、地元で収穫された甲州ブドウをつかってワインづくりにとりくみ、約30石（1石は約180L）のワインをつくった。

しかし、ワインは、一般の人々になじみがうすく、売れ行きはよくなかった。1886年、会社が解散したのち、ブドウ栽培と醸造技術の普及につとめた。著書に、ブドウ栽培法やワインの醸造法、ブドウ園の経営などについてまとめた『葡萄三説』がある。

たかはしかげやす

学問

高橋景保　1785〜1829年

シーボルト事件で亡くなった

江戸時代後期の天文学者、地理学者。

天文学者の高橋至時の子。大坂（阪）生まれ。1797年、父のいる江戸（現在の東京）に出て、父から太陽や月、星の運行を観測し暦をつくる暦学を学び、昌平坂学問所（江戸幕府直轄の学問所）で儒学をおさめた。1804年、病死した父のあとをつぎ、20歳で天体観測や改暦をおこなう天文方になった。

1807年、幕府から世界地図の作製を命じられ、3年後、『新訂万国全図』を完成した。また、蛮書和解御用（オランダの書物などを翻訳する機関）の創設につとめ、1811年、その翻訳官になった。一方で、父に師事した伊能忠敬の全国測量を監督して、忠敬の死後『大日本沿海輿地全図』の作成に力をつくした。

しかし、1828年、長崎の出島のオランダ商館医シーボルトに、海外へのもちだしが禁止されていた日本地図を贈ったことが発覚してとらえられ（シーボルト事件）、きびしい取り調べの末、獄中で亡くなった。

シーボルトに日本地図を贈ったのは、ロシア人の探検家クルーゼンシュテルンの探検記『世界周航記』と交換するためだったといわれる。

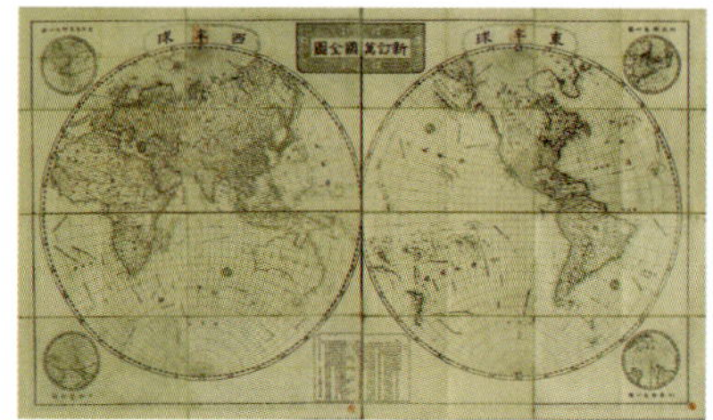

▲景保がつくった世界地図『新訂万国全図』

（国立国会図書館）

たかはしかずみ

文学

高橋和巳　1931〜1971年

知識人の苦悩をえがく

昭和時代の作家、中国文学者。

大阪府生まれ。京都大学中国文学科卒業。少年のころに戦争を体験し、作家の埴谷雄高らにひかれる。1962（昭和37）年、『悲の器』で、婚約問題により周囲から孤立する大学教授の悲劇をえがき、文藝賞を受賞。代表作『邪宗門』（1966年）は、第二次世界大戦前の宗教団体をめぐる弾圧、分裂、崩壊の物語。ほかに『散華』『我が心は石にあらず』『憂鬱なる党派』などの作品で人気を得る。

中国文学者としてもすぐれ、京都大学文学部助教授になるが、大学紛争で学生の立場に立ち、大学を辞職する。その経過を『わが解体』（1969年）に著す。辞職の翌年、39歳の若さで亡くなった。夫人は『誘惑者』で知られる作家の高橋たか子。

たかはしこれきよ

政治

高橋是清　1854〜1936年

すぐれた財政手腕を発揮

明治時代〜昭和時代の政治家。第20代内閣総理大臣（在任1921〜1922年）。

江戸幕府の御用絵師、川村庄右衛門の子として江戸（現在の東京）に生まれ、仙台藩（宮城県仙台市）の足軽、高橋是忠の養子となる。幼名は和喜次といった。アメリカ人宣教師

であり医師のヘボンがいとなむ私塾で学び、1867年、藩の留学生としてアメリカ合衆国のサンフランシスコにわたったが、同行のアメリカ人商人やホームステイ先の家族にだまされ、奴隷同然に他家に売られる契約をされる。しかし、自力で領事立ち会いのもと、契約破棄の裁決を勝ちとり、日本に帰国した。

そのころ、日本では江戸幕府がたおれ、明治政府が成立していた。帰国後の是清は、サンフランシスコで知り合った森有礼のすすめで文部省に入る。同時に英語教師もつとめ、共立学校(現在の開成高校)の初代学長となった。教え子には俳人の正岡子規がいる。

その後、農商務省の官吏となると、1884(明治17)年には特許局の初代局長となり、日本の特許制度をととのえる。しかし5年後には辞職。ペルーにわたって銀山の開発にとりくむが失敗して帰国した。その際、第3代日本銀行総裁の川田小一郎にさそわれ、日本銀行に入行。はじめ、建設中だった日本銀行本館の建築事務主任となり、その仕事ぶりを買われると、九州全域を管下とする西部支店の初代支店長をまかされた。

1904年、日露戦争の最中には日本銀行副総裁として戦費調達のため外債募集をおこない、同盟国のイギリスをおとずれ、投資をよびかけるなどした。

1905年に貴族院議員にえらばれ、1911年には日本銀行総裁に就任。大蔵大臣となって財政政策に手腕をふるったのち、1921(大正10)年には立憲政友会総裁として内閣総理大臣となった。その後も農商務大臣、農林大臣、商工大臣などをつとめて活躍。自身4回目の大蔵大臣のときには世界恐慌をたくみなかじとりで乗り切り、また昭和恐慌の際も金の輸出を禁止するなど、思い切った政策で景気にてこ入れした。国家財政立て直しのため、軍事費をおさえたことから軍部の反感を買い、7回目の大蔵大臣任期中だった1936(昭和11)年2月26日、陸軍青年将校らがおこしたクーデター(二・二六事件)にまきこまれ、暗殺された。

ふくよかな容貌から「ダルマ蔵相」とよばれ、親しまれた。

学 歴代の内閣総理大臣一覧　学 お札の肖像になった人物一覧

たかはしなおこ

スポーツ

● 高橋尚子　1972年〜

女子陸上初となるマラソンの金メダリスト

陸上選手(マラソン)。

岐阜県生まれ。中学から本格的に陸上競技をはじめるが、

大学時代までは、ほぼ無名の選手だった。大学を卒業後、1995(平成7)年に実業団の陸上チームに入り、小出義雄監督の指導のもと、トレーニングにはげんだ。中距離選手からマラソンに転向し、2度目のフルマラソンとなる1998年の名古屋国際女子マラソンに日本最高記録で優勝した。その後、6連勝をとげるなど「Qちゃん」の愛称で親しまれる人気ランナーとなった。

なかでも2000年のシドニーオリンピックでは日本女子陸上界初となる金メダルを獲得し、同年、国民栄誉賞を受賞した。また2001年のベルリンマラソンに当時の世界最高記録で優勝した。

2008年に現役を引退した。翌年の名古屋国際女子マラソンに一般参加で出場し、それまでの応援に対する感謝の思いをこめた「ありがとうラン」をおこなった。

学 国民栄誉賞受賞者一覧

学 オリンピック日本代表選手 メダル受賞者一覧

たかはしぶざえもん

郷土

● 高橋武左衛門　1740〜1819年

横手新田の開発にとりくんだ名主

(秋田市総務部文書法制課)

江戸時代中期〜後期の農民、開拓者。

名は信虎。出羽国平鹿郡下境村(現在の秋田県横手市)の肝煎(村の長)の家に生まれ、秋田藩(秋田県)の年貢収納役をつとめた。この地方は、毎年のように凶作で田畑が荒れて、農民たちが苦しんでいた。武左衛門は農民を救うため、荒れ地を立て直し、新田を開発しようと計画した。雄物川流域の荒れ地、四ツ小屋、御野場(秋田市)の開発にとりくんだ。

1801年、開墾をはじめ、10年以上をかけて約400haの新田をひらいた。用水路づくりに苦労したが、江戸時代前期に先人が築いた仁井田堰からひくことができた。

しかし、私財はつかいはたした。藩主佐竹義和は、その功績をほめ、「先農の神」とたたえて社に祭った。その後も、武左衛門は仙北郡、秋田郡など各地の村々の開発をおこなった。武左衛門のひらいた用水路(武左衛門堰)は、現在も周辺の田畑をうるおしている。

たかはしまさしげ

郷土

高橋政重　1650〜1726年

幸野溝（用水）を完成した武士

江戸時代前期〜中期の武士。

肥後国人吉藩（現在の熊本県人吉市）の藩士。藩の命令を受け、湯前村（湯前町）と久米村（多良木町）の広い荒れ地を調査し、用水をひけば開墾できると報告した。1696年、用水工事の責任者に任命され、幸野（熊本県湯前町）で球磨川をせき止めて、全長約15㎞の用水をひく工事をはじめた。翌年、用水路が完成したが、堰の建設は難航した。完成直前に洪水がおきて、藩は工事を断念した。政重は十一面観音像を背負って村々をまわり、寄付を集めて工事を再開し、1705年、用水が完成し、荒れ地が水田になった。用水は取水場の名をとって幸野溝と名づけられた。

たかはしゆいち

絵画

高橋由一　1828〜1894年

日本の洋画の開拓者

▲高橋由一

（笠間日動美術館蔵　山岡コレクション）

幕末〜明治時代の画家。

江戸（現在の東京）生まれ。最初の名は猪之助、次いで佁之介、明治維新後に由一を名のる。2歳で父母が離婚し、母と祖父に育てられる。家は代々、下野国（栃木県）佐野藩の武術の指南役をつとめていた。そのため、あとつぎとして祖父から剣術などの指導を受けたが、体が弱かったこともあり、絵の道に進むことをゆるされる。

12、13歳のころから狩野派の画家に絵を学んだが、あるとき西洋の石版画と出会い、日本画にはない真にせまる表現に衝撃を受ける。1862年、幕府の洋学研究機関である洋書調所の画学局に入って、川上冬崖から洋画を学ぶ。さらに1866年、横浜にイギリス人画家チャールズ・ワーグマンをたずねて指導を受ける。1872（明治5）年に、代表作の一つ『花魁』を制作し、1873年にはウィーン万国博覧会に『富嶽大図』を出品した。同じ年、日本橋に画塾の天絵楼をひらき、後進の指導をはじめる。1875年には塾の名を天絵社とあらため、翌年からは自作や門下生の作品を定期的に一般公開した。

1876年、工部美術学校の教師としてイタリア人画家フォンタネージが来日すると、さっそく教えを受ける。その影響は大きく、翌年にえがかれた代表作『鮭』の中にもあらわれている。1879年、天絵社（はじめ天絵楼）を拡充する資金を得るために金刀比羅宮に自作35点をおさめ、天絵社を天絵学舎とする。元老院の依頼で、明治天皇の肖像画もえがいている。また、東北地方などを旅行し、多くの風景画をのこした。日本の洋画の開拓者で、はじめて本格的な油絵の技法をつかって写実的な表現を追求し、前期の『花魁』に代表されるように、それまでの日本の肖像画とも西洋の肖像画ともことなる、独自の画風をつくり上げた。静物画にすぐれた作品が多く、『豆腐』『読本と草子』『なまり節』『鮭』など、日本特有の題材をとり上げている。

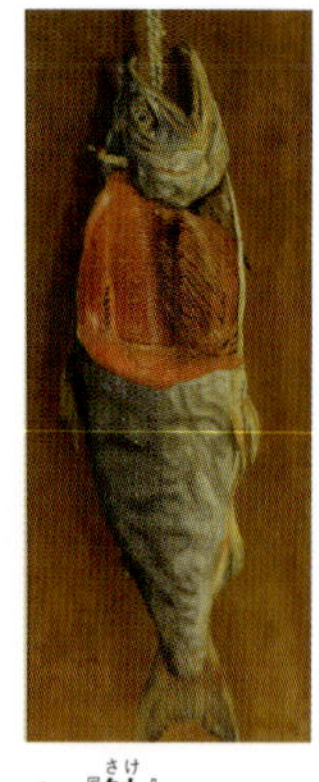

▲『鮭』

（東京藝術大学所蔵）

たかはしよしとき

学問

高橋至時　1764〜1804年

寛政暦を完成させた

江戸時代後期の天文学者。

江戸幕府の役人の子として大坂（阪）に生まれ、1778年、15歳で父のあとをついだ。1787年、麻田剛立に入門して天文学や、太陽や月、星の運行を観測し暦をつくる暦学を学んだ。

1795年、新しい暦にあらためる改暦のために、同門の間重富とともに幕府から江戸（現在の東京）にめしだされ、天文方（天体観測や改暦をおこなった役職）をつとめた。改暦作業の中心になって活躍し、1797（寛政9）年、寛政暦を完成させ、1798年から施行された。

その後は、フランス人ラランデが書いた天文学書の翻訳にとりくみ、『ラランデ暦書管見』を著したが、途中で病のため亡くなった。その一方で、門人の伊能忠敬の全国測量を助けて、測量を監督した。子の高橋景保も天文学者で、忠敬の『大日本沿海輿地全図』の完成に力をつくした。

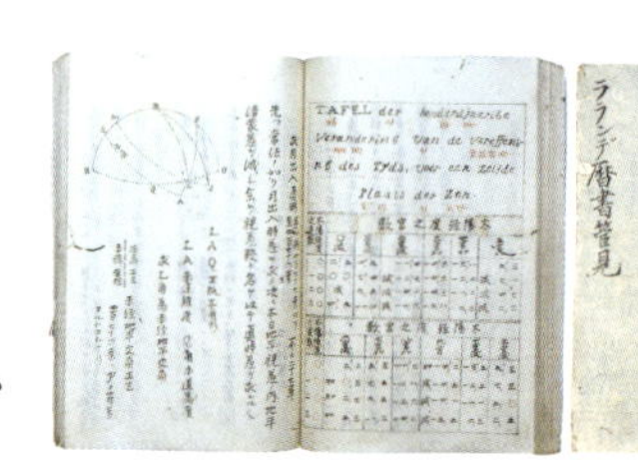

▲『ラランデ暦書管見』

（伊能忠敬記念館）

たかはまきょし

詩・歌・俳句

高浜虚子　1874〜1959年

近代俳句の確立者

明治時代〜昭和時代の俳人、作家。

愛媛県生まれ。本名は清。能楽にかかわる家として知られる池内家に生まれ、祖母の実家の高浜姓をついだ。

俳人の河東碧梧桐と旧制中学時代に知り合う。中学時代から文学を志し、碧梧桐を通じて同じ松山市出身の正岡子規と出会い、虚子と命名された。仙台の旧制第二高等学校を中退して、子規の俳句革新運動に参加すると、1898（明治31）年に雑誌『ホトトギス』をひきつぐ。その後、夏目漱石に刺激されて小

（日本近代文学館）

説に進み、短編集『鶏頭』をだす。

子規が亡くなったのち、碧梧桐が俳句の定型や季語をつかわない革新運動を推進すると、俳句に復帰して定型や季語を重視した伝統俳句を守る立場をとった。その後『ホトトギス』を舞台に、村上鬼城、飯田蛇笏など昭和時代まで多くの俳人を指導した。作品には、句集『五百句』、子規の晩年をえがいた小説『柿二つ』などがある。1954（昭和29）年、俳人として初の文化勲章を受章。 学 文化勲章受章者一覧

たかばやしけんぞう

発明・発見　郷土

高林謙三　1832〜1901年

製茶機械を発明した医師

『高林謙三翁の生涯とその周辺』より／川越市立博物館）

明治時代の医師、製茶機械発明家。

武蔵国平沢村（現在の埼玉県日高市）の農家に生まれた。医者を志して西洋医学を学び1859年、28歳のとき小仙波村（川越市）で外科医を開業した。やがて、医者の仕事で得た資金をもとに、日本の主要な輸出品だったチャの栽培をはじめた。しかし当時は、チャの葉をむしたり、もんだり、乾燥させたりする作業のほとんどを手作業でおこなっていたため、生産量がかぎられていた。生産量を増加させるためには機械化が必要だと考え、財産を投じて機械の発明に打ちこんだ。茶つぼの中のチャが、つぼが動くたびに動くことをヒントにして、ほうじ茶をつくる機械を完成し、さらにチャをむす機械などを発明した。その後、医者をやめて機械の改良にとりくみ、1897（明治30）年、66歳のときに製茶機械「高林式茶葉粗揉機」を完成させ、製茶の機械化に成功した。高林式茶葉粗揉機の原理や構造は、現在の機械にも用いられている。

たかまつきろく

郷土

高松喜六　？〜1713年

江戸時代に新宿を開発した町人

江戸時代前期〜中期の町人。

江戸浅草（現在の東京都台東区）の名主（村の長）だった。江戸時代初期、江戸から西へむかう甲州街道は、日本橋から最初の宿場の高井戸（東京都杉並区）までが16kmあり、距離が長かった。喜六は、日本橋（東京都中央区）と高井戸の中間に新しい宿場をつくることを幕府に願いでた。1698年、5600両を幕府におさめることで許可された。信州高遠藩藩主内藤氏の屋敷地の一部につくられた新しい宿場ということから、「内藤新宿」とよばれた。喜六は内藤新宿（東京都新宿区）に移り住み、名主となって宿場をととのえ、江戸の四宿の一つとして発展させた。

たかみじゅん

文学

高見順　1907〜1965年

昭和史や現代文学史の資料ものこす

昭和時代の作家、詩人、評論家。

福井県生まれ。本名は高間義雄、のちに芳雄。東京帝国大学（現在の東京大学）英文科卒業。学生時代から左翼運動に参加し、左翼芸術同盟を結成。労働者の立場から現実をえがくプロレタリア文学の雑誌に小説や評論を発表した。その後、検挙され思想的な立場をかえる。その苦しい経験をもとにした『故旧忘れ得べき』が第1回芥川賞の候補になり、新進作家として注目される。1940（昭和15）年代表作となる『如何なる星の下に』を刊行。

第二次世界大戦後は、詩誌『日本未来派』の同人となり、詩作にはげむ。また評論『昭和文学盛衰史』、『対談現代文壇史』を発表する。ほかの作品に小説『いやな感じ』、詩集『死の淵より』などがある。昭和史の重要な資料ともなる『高見順日記』をのこした。

たかみねじょうきち

産業　発明・発見

高峰譲吉　1854〜1922年

アドレナリンを発見し、医学の発展に貢献した

（金沢ふるさと偉人館）

明治時代〜大正時代の化学者、実業家。

越中国（現在の富山県）の加賀藩医の家に生まれる。藩校明倫堂で学んだあと、11歳で長崎に留学してオランダ語と英語を、京都、大阪では医学や化学を学ぶ。1879（明治12）年、工部大学校（現在の東京大学工学部）を主席で卒業。翌年、イギリスに留学し、グラスゴー大学で調査、研究をおこなう。

帰国後、農商務省、専売特許局につとめ、清酒や塩の製造法の研究にとりくむ。リン酸肥料に注目し、1886年、東京人造肥料会社（日産化学工業）を渋沢栄一らと設立。1890年にアメリカ合衆国にわたり、4年後、こうじ菌から消化酵素のタカジアスターゼをつくって特許をとる。1900年には、世界ではじめて、

ウシの副腎からホルモンの1種、アドレナリンを抽出し、結晶化させることに成功。アドレナリンは止血剤として医学の発展に貢献した。1913（大正2）年、国民科学研究所（現在の理化学研究所）の設立を提案。同年、タカジアスターゼの独占販売権をもつ三共（第一三共）の初代社長となった。

たかむこのくろまろ

貴族・武将

高向玄理　?～654年

乙巳の変のあとの、新しい政治をささえた

飛鳥時代の官人。

玄理は「げんり」とも読む。渡来人の子孫といわれる。608年、遣隋使の小野妹子にしたがう留学生として、南淵請安、旻らと中国の隋にわたり、政治制度や文化、学問を学んだ。640年、32年ぶりに南淵請安とともに帰国し、隋を受けついだ唐の制度や文物を伝えた。

645年、中大兄皇子（のちの天智天皇）と藤原鎌足が蘇我蝦夷・蘇我入鹿の父子をほろぼした乙巳の変のあと、旻とともに国博士（政治顧問）に任じられ、長年の中国での経験と学問で、新しい政治の組織をつくることに貢献した。

646年、朝鮮半島の新羅に派遣され、翌年、新羅の使節をともなって帰国した。654年、第3回遣唐使として唐にむかい、唐の皇帝に拝謁したが、同年、唐で亡くなった。

たかむらこううん

彫刻

高村光雲　1852～1934年

木彫に新しい道をひらいた彫刻家

（国立国会図書館）

明治時代～大正時代の彫刻家。

江戸（現在の東京）の浅草生まれ。最初の名前は中島光蔵。詩人、彫刻家の高村光太郎の父。仏像彫刻の高村東雲に入門し、東雲の姉の養子となる。1877（明治10）年の内国勧業博覧会に東雲の代作で『白衣観音』をだし、最高賞を受賞した。明治維新後、木彫がおとろえていくなかで、木彫に専念し、西洋美術を学び、写実主義をとり入れて、新しい道を切りひらいた。

1889年の東京美術学校（現在の東京藝術大学）の開校にあたっては、岡倉天心のすすめで彫刻科の指導にあたり、教授となった。1890年、皇室に作品制作を奨励される帝室技芸員にえらばれる。翌年、光雲と名のる。1893年のシカゴ万国博覧会には、代表作となる『老猿』を出品した。上野公園の『西郷隆盛像』や皇居前の『楠公像』の銅像制作には、木彫の原型づくりから加わった。弟子には、光太郎のほか、米原雲海、平櫛田中らがいる。

たかむらこうたろう

詩・歌・俳句　彫刻

高村光太郎　1883～1956年

近代美術をリードした詩人

明治時代～昭和時代の詩人、彫刻家。

東京生まれ。本名は光太郎。父は彫刻家高村光雲。東京美術学校（現在の東京藝術大学）卒業。幼いころから彫刻刀をにぎり、彫刻の道に進む。同時に文学にも興味をもち『明星』に短歌を発表。ロダンの作品により新しい芸術のあり方を模索して、1906（明治39）年に彫刻の勉強のためアメリカ合衆国にわたる。その後ニューヨーク、ロンドン、パリで学んだ。

帰国後は彫刻や絵画の制作をおこなう一方、評論『緑色の太陽』などで日本美術界の古い体質を批判した。また、北原白秋らのパンの会に参加して詩や美術評論などを発表し、岸田劉生らと美術団体のフュウザン会を結成するなど、旺盛な創作活動をつづける。1914（大正3）年には詩集『道程』を発表し、画家の長沼智恵子と結婚する。このころの彫刻作品は多くが戦災で焼失し、わずかに『裸婦坐像』『手』などがのこされている。ほかに詩集『智恵子抄』『大いなる日に』などがある。また、ロダンの理論の紹介者として近代美術に大きな影響をあたえた。

学 日本と世界の名言

たかむれいつえ

学問

高群逸枝　1894～1964年

女性史学を確立した

（くまもと文学・歴史館）

大正時代～昭和時代の女性史研究家、評論家。

熊本県生まれ。教育者の家庭に育ち、熊本師範学校と熊本女学校を中退、女工や代用教員をつとめながら文芸家を志す。1918（大正7）年、四国巡礼に出発。5か月にわたる記録『娘巡礼記』を『九州日日新聞』に連載して文才をみとめられた。翌年、教員時代に知り合った橋本憲三と結婚。その後、上京して詩集『放浪者の詩』『日月の上に』を発表、詩人としてもみとめられた。1930（昭和5）年、

平塚らいてうらと無産婦人芸術連盟を結成し、アナキズム（無政府主義）系の雑誌『婦人戦線』を主宰、評論や婦人問題を執筆した。

1931年からは一切の交遊をことわって書斎にとじこもり、夫の全面的な協力の下、女性史研究に専念。膨大な文献をもとに研究をつづけ、1936年、『大日本女性人名辞書』を刊行。さらに『母系制の研究』で古代日本における母系制の存在を立証、『招婿婚の研究』で従来の婚姻史をくつがえすなど、女性史学を確立した。没後に自伝『火の国の女の日記』が刊行された。

たかもちおう

高望王 → 平高望

たかやなぎけんじろう

学問

高柳健次郎　1899〜1990年

「日本のテレビの父」と称される工学者

大正時代〜昭和時代の工学者。静岡県生まれ。東京高等工業学校（現在の東京工業大学）附設工業教員養成所を1921（大正10）年に卒業後、工業学校教諭をへて、1924年に浜松高等工業学校（静岡大学工学部）助教授に就任して、テレビの研究をはじめる。1926年に世界初のブラウン管による送受像実験に成功。このとき送られた画像はかたかなの「イ」だった。1937（昭和12）年、NHKに出向して、1940年に予定されていた東京オリンピックのテレビ放送計画にたずさわり、1939年には初のテレビ公開実験に成功するが、日中戦争の激化によって計画は中断した。

第二次世界大戦後は連合国軍最高司令官総司令部（GHQ）の指令により、一時テレビ研究が禁止されるが、1946年、日本ビクターに入社し、その後、NHK、シャープ、東芝との共同開発でテレビ受像機を完成。

この年にテレビ技術の研究開発をおこなう組織（のちのテレビジョン学会）の委員長に就任した。日本ビクター副社長をへて、1973年に同社技術最高顧問となる。1981年には文化勲章を受章した。「日本のテレビの父」とよばれている。

学 文化勲章受章者一覧

たかやまうこん

戦国時代

高山右近　1552?〜1615年

戦国時代を代表するキリシタン大名

安土桃山時代〜江戸時代前期の武将、キリシタン大名。

名は長房。摂津国（現在の大阪府北西部・兵庫県南東部）にて、大和国（奈良県）沢城主の長男として生まれる。1564年、父や母とともにキリスト教に入信。洗礼名はジュスト。1573年、荒木村重につかえ、摂津国の高槻城主となった。1578年、村重が織田信長に反乱をおこした際（有岡城の戦い）、右近は村重と信長のあいだで苦悩し、宣教師オルガンチノに助言を求めた。信長はキリスト教徒を軟禁して右近を脅迫、右近は信長にくだり、結果として高槻領は守られた。本能寺の変のあとは豊臣秀吉につかえ、1585年、播磨国（兵庫県南部）の明石城主となる。宣教師を助けて大名や領民への布教活動をつづける一方、茶人としても有名で、千利休門下七哲の一人であった。1587年に秀吉が布告したキリスト教禁止令にしたがわず、信仰を守ったため、大名の地位を失い、領国をとり上げられた。

（しろあと歴史館蔵）

その後、加賀国（石川県南部）の前田利家に保護されるが、1614年にだされた徳川家康の禁教令で、マニラに追放となり、翌年、その地で病死した。

たかやまちょうごろう

郷土

高山長五郎　1830〜1886年

「清温育」を考案した養蚕家

（藤岡市教育委員会文化財保護課）

江戸時代後期〜明治時代の養蚕家。

上野国緑野郡高山村（現在の群馬県藤岡市）の名主（村の長）の家に生まれた。母が早く亡くなり、祖母に育てられた。祖母は養蚕で一家の暮らしをささえていたが、カイコに白いカビがつく病気がはやっていた。18歳で家をつぎ、養蚕にとりくんだが、カイコが病気で全滅するという不幸がおそった。部屋の風通しをよくして、温度や湿度を調整し、きちんと管理して育てる飼育法を考え「清温育」と名づけた。

1870（明治3）年、自宅に養蚕改良高山組という組織をつくり、組合員となった農民に清温育を教えた。1884年、組織を養蚕改良高山社とあらため、伝習所をもうけて指導した。2年後、長五郎は亡くなるが、事業は発展し高山社蚕業学校が設立され、清温育は近代的養蚕法として広まった。現在、自宅は、UNESCOの世界遺産の「富岡製糸場と絹産業遺産群」にふくまれ、史跡となっている。

たかやまちょぎゅう

思想・哲学

高山樗牛 1871～1902年

明治時代の青年を熱狂させたカリスマ的文学者

（国立国会図書館）

明治時代の文芸評論家、文学博士、思想家。

山形県の庄内藩士の家に生まれる。本名は林次郎。東京英語学校、第二高等中学校（現在の東北大学）で学び、1893（明治26）年、帝国大学文科大学（東京大学文学部）哲学科に入学する。在学中、『平家物語』を題材にした歴史小説『滝口入道』が、『読売新聞』の懸賞小説に入選して話題となり、1895年、『帝国文学』の創刊に参加した。当時は浪漫主義の傾向が強かった。

大学を卒業後、第二高等学校の教授となったが、翌年辞任して博文館に入社。1897年、総合雑誌『太陽』の編集責任者になる。そのころから、日本の伝統や文化を精神の基本とする日本主義、国粋主義に転じ、文学、哲学、美学など多くの分野で、するどい評論活動をつづけた。のちにドイツの哲学者ニーチェの影響を受けて、個人の価値がすべてに優先する個人主義を主張するようになった。1901年、東京帝国大学の講師となるが、肺結核が悪化し、翌年、32歳で死去した。

たかやまひこくろう

江戸時代

高山彦九郎 1747～1793年

幕末の志士に影響をあたえた勤王家

（国立国会図書館）

江戸時代中期の思想家。

上野国（現在の群馬県）出身。13歳のとき、南北朝時代の動乱をえがいた『太平記』を読んで感激し、先祖が南朝方の武将新田義貞の家臣だったこともあり、尊王思想にめざめた。のちに京都に出て尊王思想を学び、一方で公家や学者とも親しく交際した。その後、全国をめぐり歩いて尊王思想を説いた。そのため、つねに幕府から行動を監視されていたが、1793年、九州各地をめぐっている最中に、筑後国久留米（福岡県久留米市）で自害した。幕府の監視にいきどおったためともいわれるが、くわしい理由はわかっていない。

その行動力は、高杉晋作や西郷隆盛など、幕末の志士に大きな影響をあたえた。吉田松陰は、尊敬していた彦九郎の諡（死後に贈られる名）「松陰以白居士」にちなんで、松陰を名のったといわれる。尊王思想や国の問題に強い興味をもち、奇妙な行動が多かったとされるが、蒲生君平や林子平とともに、寛政の三奇人（奇妙な行動をするすぐれた人物）の一人といわれる。

たかやまろくえもん

郷土

高山六右衛門 ？～1734年

床島堰をつくった庄屋たちのリーダー

▲恵利堰（床島堰） （九州農政局）

江戸時代中期の農民、治水家。

筑後国鏡村（現在の福岡県久留米市）の庄屋（村の長）をつとめた。村の水不足を解消するため、稲数村（久留米市）の庄屋、中垣清右衛門ら4つの村の庄屋たちと、筑後川の水を恵利瀬（久留米市）でせき止め、村まで用水をひく計画を立てた。

新田開発を進める久留米藩（福岡県久留米市）から工事費用を借用して、1712年、久留米藩士草野又六の指揮で工事をはじめた。しかし、堰をもうける予定の恵利瀬付近は、川幅が広いうえ、水流がはげしかった。そのうえ、用水をつくることに反対していた福岡藩（福岡県西部）の領民との争いをさけるため、夜間に作業をおこなわなければならず、きびしい工事となった。2年後の1714年、ようやく床島堰は完成し、周辺の村の約2000haの田畑がうるおった。

たからいきかく

宝井其角 → 榎本其角

たからべたけし

政治

財部彪 1867～1949年

ロンドン海軍軍縮会議にのぞんだ海軍大臣

（国立国会図書館）

明治時代～昭和時代の軍人、政治家。

日向国都城（現在の宮崎県都城市）生まれ。1893（明治26）年、海軍大学校を卒業後、日清戦争に従軍。日露戦争では大本営海軍部の作戦参謀として活躍した。海軍次官、海軍大将を歴任し、1923（大正12）年、加藤友三郎内閣の海軍大臣となる。以降、第2次山本権兵衛内閣、加藤高明内閣、第1次若槻礼次郎内閣、浜口雄幸内閣のときにも海軍大臣をつとめた。

浜口内閣の海軍大臣であった1930（昭和5）年に、ロンドン海軍軍縮会議の全権代表の一人として条約に調印。軍縮による軍事費削減をねらったこの調印に不満をもつ海軍軍令部は、軍令部の承認を得ずに政府が兵力量を決定することは、天皇の陸海軍に対する統帥権を犯すものであるとして、浜口内閣を攻撃する（統帥権干犯問題）。内閣は軍縮方針を曲げず、条約は批准されるが、批准の翌日、財部は海軍大臣を辞任、実質的に引退することとなった。

たがわすいほう

漫画・アニメ

田河水泡　1899〜1989年

国民的キャラクター「のらくろ」の生みの親

▲田河水泡

昭和時代の漫画家、落語作家。

東京府東京市本所区（現在の東京都墨田区）生まれ。本名、高見澤仲太郎。1歳で母を亡くし、16歳までおじ夫婦に育てられる。おじはアマチュアながら絵のうまい人で、幼い仲太郎の絵心が育まれるきっかけとなった。父のところにもどったのちは、家がいとなんでいたメリヤス（伸縮性のある編み方の布地）工場のあとをつぐため、ほかの店に奉公する。奉公先では、店がひまなときにペン画をえがいていた。18歳のときに父が亡くなると、いとこで錦絵の複製名人だった高見澤遠治に声をかけられ、下働きをしながら絵の勉強をすることになる。しかし絵画で生活するのは容易でなく、絵にたずさわる仕事を模索して、印刷図案（現在でいうグラフィックデザイン）の仕事をしようと考えていた。

1919（大正8）年には徴兵で、朝鮮半島に派遣。満期除隊で帰国すると、画家を志して日本美術学校に入学。卒業後は一時、抽象画家として活動するも、街頭装飾の仕事で食いつないでいた。そのかたわら、新作落語を書いて講談社に売りこみ、『面白倶楽部』という雑誌に掲載されて評判となる。このころの作品では『猫と金魚』が有名。

その編集長のすすめで漫画をかくことになり、1928（昭和3）年、こどもむけに『目玉のチビちゃん』を発表し、同年、小林秀雄の妹である潤子と結婚。翌年、おとなむけに『人造人間』という作品をえがいている。ペンネームは高見澤のローマ字表記を「TAKAMIZAWA」と区切り、「たかみず　あわ」と読ませ漢字をあて、「田河水泡」とした。

▲東京都江東区にある田河水泡・のらくろ館　（名古屋市蓬左文庫）

1931年から『少年倶楽部』に『のらくろ二等卒』の連載を開始。こっけいで、ギャグがおもしろく、哀愁や人情味のあるストーリーが大人気となる。のらくろのキャラクターデザインは、昔から縁起が悪いとされ捨てられる運命にあった、足先の白い黒犬をモデルにした。そんなイヌでも陽気に元気に活躍する姿が、世の不幸なこどもたちのはげましになるだろうとの思いからだった。「のらくろ」は漫画にとどまらず、こどもたちの学用品を中心にグッズがつくられ、キャラクタービジネスの先がけとなる。またアニメ映画やテレビアニメにもなり、登場以降、何十年も愛されるキャラクターになった。

弟子には『あんみつ姫』の倉金章介、『サザエさん』の長谷川町子らがおり、のらくろの漫画執筆権は、弟子の山根青鬼、山根赤鬼、永田竹丸らにゆずられた。

たきがわかずます

戦国時代

滝川一益　1525〜1586年

織田信長の下で活躍した武将の一人

戦国時代〜安土桃山時代の武将。

近江国（現在の滋賀県）に生まれる。通称は、彦右衛門。

織田信長につかえ、伊勢・伊賀攻めで活躍。1574年、伊勢国（三重県東部）の長島一揆を平定し、長島城主となった。1582年には甲斐国（山梨県）に遠征し、武田勝頼攻めで戦功をあげ、上野国（群馬県）、信濃国（長野県）を得て、上野国の厩橋城主となる。同年、本能寺の変で信長が亡くなると、北条氏政・氏直と対立し、神流川の戦いでやぶれ、長島（三重県桑名市）へのがれる。翌年、柴田勝家らとともに、羽柴秀吉（のちの豊臣秀吉）とあらそうが、降伏。1584年、織田家を支援する徳川家康と秀吉が対立した小牧・長久手の戦いでは秀吉側につくが、家康にやぶれ、越前国大野（福井県大野市）に引退し、出家した。

たきがわゆきとき

学問

滝川幸辰　1891〜1962年

現代の刑法学の基礎を築いた法学者

昭和時代の刑法学者。

岡山県生まれ。京都帝国大学（現在の京都大学）を卒業後、京都地方裁判所の判事をつとめ、1918（大正7）年に京都大学の助教授となった。ドイツ留学をへて、1924年に教授となり、法に即した客観的な裁定の重要性を主張した。1932（昭和7）年、講演の内容が、翌年には著書の内容が危険思想とみなされて、右翼の攻撃を受け、文部省から休職を命じられた。これに反発して京大の同僚教授らが辞表を提出、学生もまきこんで、大学の自由と自治を守る運動へと拡大した（滝川事件）。この事件を受けて京大を辞職し、第二次世界大戦中は弁護士としてはたらきながら、法学研究をつづけた。終戦後の1946年、京大に復帰して、法学部長、総長を歴任する一方、学外では日本刑法学会の初代理事長をつとめた。

客観を重んじた刑法理論を広め、現代の刑法学の基礎を築いた。1953年、学問上の功績をみとめられ学士院会員となった。

たきざわばきん

文学

滝沢馬琴　1767～1848年

江戸時代のベストセラー『南総里見八犬伝』の作者

（早稲田大学図書館）

江戸時代後期の戯作者。

曲亭馬琴ともいう。本名は興邦、のちに解。江戸の深川（現在の東京都江東区）に旗本につかえる武士の子として生まれる。武家奉公をきらって家をとびだし、当時流行していた俳諧（こっけいみをおびた和歌や連歌、のちの俳句などのこと）や、儒学などを学んだのち、戯作者（江戸時代の娯楽小説の作者）の山東京伝に弟子入りした。出版元の蔦屋重三郎のもとではたらきながら絵を中心にすえた娯楽小説を書く。これらは表紙が黄色だったため黄表紙とよばれた。その後、読本（さし絵よりも文章を中心にした小説）の作家に転向し、『椿説弓張月』で人気作家になった。

1814年、48歳のとき、『南総里見八犬伝』を書きはじめる。これは、仁、義、礼、智、忠、信、孝、悌の玉をもった八犬士が、里見家再興のために力をあわせるという長編小説で、勧善懲悪の物語が人気を集めた。執筆の途中で失明するが、息子の嫁お路に口述筆記をさせ、28年かけて全98巻の大作を完成させた。

学 切手の肖像になった人物一覧

タキトゥス，ガイウス・コルネリウス

古代　学問

ガイウス・コルネリウス・タキトゥス　55ごろ～120年ごろ

『ゲルマニア』『年代記』で有名な古代ローマの歴史家

ローマ帝国の歴史家、政治家。

属州のベルギカ（現在のベルギー）の騎士階級に生まれる。名はガイウスともプブリウスともいわれる。77年、ローマ軍人アグリコラの娘と結婚し、元老院議員となる。このときの皇帝ウェスパシアヌス以降、ティトゥス、ドミティアヌス、ネルウァ、トラヤヌスの下でも、元老院議員をつとめた。97年には、執政官（コンスル）にえらばれ、112～113年ごろは、属州アシア総督として小アジア（トルコ）におもむいた。

政治家として手腕を発揮するかたわら、多くの著作をのこしている。98年に、義父の伝記『アグリコラ』を書き、属州ブリタニア（イギリス）の民族や風土などを紹介した。同年には、ゲルマン人社会を記述した『ゲルマニア』も出版し、質実剛健なゲルマン人をえがく一方で、堕落したローマの現状を批判した。つづいて書いた『同時代史』では、同時代の皇帝たちのみにくい皇位争いや悪徳を暴露し、最後の史書『年代記』では、ティベリウスからネロまでの半世紀にわたって事件などをしるした。

たきれんたろう

音楽

滝廉太郎　1879～1903年

日本で最初に西洋音楽を受け入れる

▲滝廉太郎

（滝廉太郎記念館所蔵）

明治時代の作曲家、ピアニスト。

東京生まれ。東京音楽学校（現在の東京藝術大学）卒業。生家は江戸時代まで豊後日出藩（現在の大分県）の家老をつとめた家系で、内務官僚だった父の転勤にともない、幼いころから横浜、富山と各地ですごす。1891（明治24）年、大分県竹田に一家で移り住む。こどものころから絵画や西洋音楽を楽しみ、ハーモニカやバイオリンを演奏していた。小学校を卒業後、音楽の道をめざして上京する。

1894年、最年少の16歳で音楽学校に入学。ピアニストで作曲家の幸田延やロシア人音楽家のケーベルらの下で、ピアノや作曲を学んだ。卒業後、母校の音楽学校でピアノ講師として指導をおこなうかたわら、作詞作曲をてがけ、音楽雑誌に作品を投稿しはじめる。

1901年、文部省派遣生としてドイツに留学する。バッハやメンデルスゾーンにゆかりの深いライプツィヒ王立音楽院でピアノや作曲を学んでいたが、2か月後に結核にかかり、翌年に帰国。大分県竹田で療養生活を送っていたが、1903年に25歳の若さで亡くなった。

作曲家としては、歌曲集『四季』（合唱曲『花』で有名）や、ピアノ曲『メヌエット』など、日本ではじめて本格的なヨーロッパ音楽の形式による作品を作曲した。作風は、流れるようなあまく美しいメロディーが特徴である。『荒城の月』『箱根八里』など

の歌曲は、現在でも学校の教科書で紹介され親しまれている。なかでも『荒城の月』（土井晩翠作詞）は、故郷である大分の岡城址を思いだしてつくったとされ、古風な七五調の歌詞とロマンチックなフレーズが叙情的で、海外でもよく知られている。ほかに、作詞者の東くめらとともに『お正月』『鳩ぽっぽ』などこどもむけの曲の入った『幼稚園唱歌』を作曲・編さんした。遺作はピアノ曲『憾』だった。

ピアニストとしての技術も高く、日本人ではじめてバッハの作品『イタリア協奏曲』を公開演奏し絶賛された。日本でヨーロッパ音楽を正統的に受け入れ、発展させた最初の音楽家として高く評価されている。

▲岡城跡の桜と滝廉太郎像

たくあんそうほう

宗教

沢庵宗彭　1573～1645年

家光に信頼されて東海寺をひらいた

（祥雲寺蔵 / 大阪市立美術館提供）

江戸時代前期の臨済宗の僧。

但馬国出石（現在の兵庫県豊岡市）城主山名氏の家臣の子として生まれる。10歳で出家し、14歳のとき出石の禅宗の寺、宗鏡寺に入って修行した。1609年、37歳で大徳寺（京都市にある臨済宗大徳寺派の本山）の住職になるがすぐに去り、以後、大坂夏の陣で焼失した南宗寺や、荒廃した宗鏡寺の再興につとめた。

1628年、後水尾天皇があたえた徳の高い僧への紫衣着用のゆるしを、江戸幕府がとがめてとりけしたことに抗議する意見書を提出し、そのため1629年、出羽国上山（山形県上山市）に流された（紫衣事件）。1632年、ゆるされて江戸（東京）にもどり、第3代将軍徳川家光に信頼されて、1638年、品川に東海寺をひらいた。剣術家柳生宗矩のために執筆した『不動智神妙録』は、剣禅一致（剣法と禅の一致）についての書で、柳生の剣法の大成に影響をあたえた。また、現在に伝わる漬け物、たくあん漬は、沢庵が考案し家光が命名したといわれるが諸説ある。

学 日本と世界の名言

たぐちうきち

学問　産業

田口卯吉　1855～1905年

日本の経済学、歴史学に大きな影響をあたえた

（国立国会図書館）

明治時代の経済学者、日本史学者。

江戸幕府の徳川家につかえた幕臣の家に生まれる。明治維新の際は、徳川家にしたがい、静岡県の沼津に移った。

1872（明治5）年、大蔵省翻訳局に入り、洋書の翻訳をしながら経済学や西洋の文明史などを学ぶ。1877年、全6巻にわたる歴史書『日本開化小史』を書きはじめる（1882年に完成）。1879年に退職すると、翻訳業をしながら新聞への投書や執筆活動をつづけ、同年、イギリスの経済雑誌『エコノミスト』をモデルとした『東京経済雑誌』を創刊。自由貿易を主張し、政府の保護貿易を批判した。また1891年には、歴史研究の個人雑誌『史海』を刊行し、久米邦武の神道は宗教ではなく、自然を祭る古い習わしであるという祭天古俗論を支持した。『群書類従』『国史大系』などの大規模な歴史資料集を編集、刊行し、歴史学の発展に大きな業績をのこす。

実業界では東京株式取引所（現在の東京証券取引所）や、両毛鉄道の設立にかかわり、政界では東京府会議員、1894年以後は衆議院議員をつとめるなど、幅広く活躍した。

たぐちよしさと

郷土

田口慶郷　1798～1866年

中津川に付知用水をひいた農民

▲付知五大用水の一つ、西股用水
（中津川市付知公民館）

江戸時代後期の農民、治水家。

美濃国付知村（現在の岐阜県中津川市）の庄屋（村の長）の家に生まれた。付知村には、付知川（中津川市内を流れ木曽川と合流する川）が流れていたが、川床が村の土地よりも60m低く、川の側面が絶壁になっていて、水を利用することができなかった。

慶郷は、付知川の上流で水をとり入れて用水をひき、荒れ地に新田をひらこうと計画した。そして、私財を投じて用水工事に着手し、20年かけて、鱒淵用水など付知五大用水を完成した。用

水の完成により、約56haの田畑がひらかれて、村は豊かになった。

ダグラス=ヒューム，アレック

政治

アレック・ダグラス=ヒューム　1903〜1995年

貴族出身のイギリスの政治家

イギリスの政治家。首相（在任1963〜1964年）。

ロンドン生まれ。スコットランドの貴族ヒューム家の第14代当主。オックスフォード大学卒業後、保守党下院議員となり、ネビル・チェンバレン首相の秘書時代にはミュンヘン会議も同行した。1951年、伯爵となり上院議員に移ってからは外務大臣などをつとめた。1963年、マクミラン首相の辞職を受け、上院議員は首相に就任しないというならわしから、爵位を捨て首相および保守党党首に就任。しかし、経済面に弱いことが指摘された。翌年、総選挙にやぶれて辞任、党首の座もヒースにゆずった。1970年からヒース内閣でふたたび外務大臣をつとめ、イギリスのヨーロッパ共同体（EC）加盟に貢献した。

学 主な国・地域の大統領・首相一覧

たけいたけお

絵本・児童

武井武雄　1894〜1983年

日本の童画界の中心的役割をはたした

大正時代〜昭和時代の童画家、版画家、童話作家。

長野県生まれ。東京美術学校（現在の東京藝術大学）卒業。児童雑誌にこどもむけの絵をかきはじめ、1922（大正11）年、雑誌『コドモノクニ』では創刊から参加し、表紙やさし絵を担当する。翌年、最初の童話集『お噺の卵』を出版、つづいて『ペスト博士の夢』『ラムラム王』などを発表した。一方、童画ということばを生みだし、こどもの心にふれる空想力豊かな独特の画風で日本の童画界の中心的役割を果たした。童画や童話、版画のほか、みずから印刷や製本までもてがけた造本作品、おもちゃやトランプのデザインなど、さまざまな芸術分野で活躍した。

たけうちせいほう

絵画

竹内栖鳳　1864〜1942年

近代の京都画壇を代表する画家

明治時代〜昭和時代の日本画家。

京都生まれ。本名は恒吉。料理屋の長男で、小さいころから絵を好み、はじめ四条派の画家、土田英林に絵を学んだ。1881（明治14）年からは、同じ四条派の大家である幸野楳嶺に入門し、棲鳳の雅号をあたえられ、たちまち頭角をあらわした。内国絵画共進会などに出品して、受賞を重ねるかたわら、京都府画学校（現在の京都市立芸術大学）で学生の指導にあたる。1886年、京都でフェノロサの講演を聞いて感動し、古い絵画の模写につとめた。京都画壇近代化の中心的な存在となる。一方、四条派にかぎらず、多くの様式をとり入れていったため、批判も多かった。

▲竹内栖鳳

（海の見える杜美術館）

1900年から翌年にかけて、ヨーロッパ各地を旅行し、ターナーやコローなどから強い影響を受ける。帰国後、西洋の「西」の字をとって、雅号を栖鳳とあらため、西洋絵画の手法をとり入れた『和蘭春光』『伊太利秋色』『羅馬之図』などの風景画を発表した。文部省美術展覧会（文展）では、1907年の第1回展から1918（大正7）年まで審査員をつとめ、『雨霽』『アレ夕立に』『絵になる最初』などの代表作を出品した。1913年に皇室に作品制作を奨励される帝室技芸員に、1919年には帝国美術院会員となる。1920年と1921年の2回、中国を旅行し、1922年の日仏交換美術展覧会には、その成果として『蘇州の雨』を出品した。のちにフランス政府からレジオン・ドヌール勲章を贈られる。1909年から1924年まで、京都府画学校の後身である京都市立絵画専門学校の教授をつとめ、画学生を育てる一方、画塾の竹杖会をひらいて、上村松園、土田麦僊ら多くの弟子の育成にも力をそそいだ。

近代の京都画壇を代表する画家として、後進に大きな影響をあたえ、東京の横山大観とならび称された。

代表作には、ほかに『班猫』『夏鹿』などがある。1937（昭和12）年、第1回文化勲章を受章した。

▲『班猫』（重要文化財）

（山種美術館）

学 文化勲章受章者一覧

たけうちひとし

学問

竹内均　1920〜2004年

一般にむけた科学の普及に力をつくした物理学者

昭和時代〜平成時代の地球物理学者。

福井県生まれ。中学時代に読んだ寺田寅彦のエッセーに動かされて科学者をめざした。1943（昭和18）年、東京帝国大学（現在の東京大学）理学部地球物理学科を卒業、大学院に進む。その後、地球潮汐の研究成果から世界的に知られるようになった。1963年、東京大学理学部教授に就任。大陸移動説を一般に広める活動を積極的におこなった。1964年には地球物理学界で権威あるラグランジュ賞をベルギー王立科学アカデミーから授与される。1973年には、SF映画『日本沈没』に大学教授役で出演し、話題となった。

1981年に東京大学を定年退職後、科学雑誌『Newton』を創刊して編集長となり、一般にむけた科学の普及に力をつくす。ユーモアをまじえた独特の語り口調が評判となり、放送メディアなどでも活躍。また多数の書籍を世にだした。1994（平成6）年には、勲三等旭日中綬章（教育研究功労）を受けた。晩年まで科学の啓蒙活動をつづけて、83歳で亡くなった。

ダゲール，ルイ・ジャック

絵画　写真　発明・発見

ルイ・ジャック・ダゲール　1787～1851年

実用的な近代写真の発明者

フランスの写真の発明者、画家。

パリ郊外の豊かな家庭に生まれる。若くして建築や絵画を学びはじめ、1804年より舞台装飾家の工房で装飾画家としての修業を積む。1819年よりオペラ座で舞台美術のデザイナーをつとめる。自然主義的な画風で、油彩画や旅行ガイドブックの地勢図などもてがけ、高い評価を得た。

1822年に、パリで大がかりな風景画の見せ物「ジオラマ館」をひらいて大評判となり、翌年にはロンドンにも開館して興行師としても成功をおさめた。

ジオラマの風景画をかくときは、箱に小さな穴をあけたピンホールカメラをつかい、うつしだされた画像を手がきしていたが、化学者のニエプスと協力して、ヨウ化銀をつかって金属板に画像を定着させる銀板写真技術「ダゲレオタイプ」を完成させた。この技術は1839年にフランス学士院で発表され、実用的な写真技術のはじまりといわれる。

たけこしさんさ

政治　学問

竹越三叉　1865～1950年

近代的な視点で日本の歴史をまとめあげた

明治時代～昭和時代の歴史学者、ジャーナリスト、政治家。

武蔵国本庄（現在の埼玉県本庄市）生まれ、新潟育ち。「三叉」は号であり、本名は与三郎。

慶應義塾に学び、在学中から新聞に執筆をはじめる。卒業後、

（国立国会図書館）

『時事新報』の記者となるが、のちに1890（明治23）年の『国民新聞』の創刊にかかわり政治評論を担当、翌年、近代的な視点で明治維新史を分析した『新日本史』全3巻の刊行を開始した。結果的に下巻は未刊に終わったが、日本初の本格的な現代史書となった。1896年、主筆として日刊雑誌『世界之日本』、日本通史である『二千五百年史』を刊行、そのほかにも多数の文明史書を世に送りだし、文明史、文明史論を論じ、政治的論説をおこなった。西園寺公望の側近として活躍していた1898年、西園寺が第3次伊藤博文内閣の文部大臣として入閣した際、大臣秘書官に任命され、1902年の衆議院議員総選挙で初当選、以降も当選を重ね、政界に身をおきながらも評論活動はつづけていた。

たけざきすえなが

貴族・武将

竹崎季長　1246～?年

元寇で活躍し、『蒙古襲来絵詞』をかかせた

（国立国会図書館）

鎌倉時代中期の武将。

肥後国（現在の熊本県）の、鎌倉幕府の将軍と主従関係をむすんだ御家人で、一族の領地争いの裁判に負け、領地は益城郡竹崎（宇城市松橋町）のわずかなものだった。

1274（文永11）年、中国の元が襲来した元寇（文永の役）で手がらを立てれば恩賞をもらえると考え、従者をひきいてわずか5騎で大将の少弐景資のもとに参戦した。息の浜（福岡県の博多湾に面した海岸）に上陸した元軍に対し、季長は先陣を切って果敢に戦い、先がけの功をあげた。

先がけの功が鎌倉幕府に報告されていないことを知り、翌年、鎌倉（神奈川県鎌倉市）に恩賞の要求におもむき、御恩奉行（恩賞の認定をおこなう役職）の安達泰盛に直訴した。その結果、竹崎の地に近い益城郡海東郷（宇城市小川町）の地頭（荘園などから徴税をする役職）に任命された。

1281（弘安4）年の元寇（弘安の役）の際も、博多湾（福岡県）の防衛戦で活躍し、肥前国鷹島（長崎県北部の伊万里湾にある島）の海戦では敵2名の首をとるなどの武功をあげ、肥後国守護（国の軍事をまとめる役職）の安達盛宗（泰盛の弟）に報告した。

その後、2度の戦いでの活躍や、安達泰盛に地頭職をあたえられたことなどを感謝して絵巻物を制作させ、甲佐明神（熊本県甲佐町）に奉納した。これが、現在にのこる『蒙古襲来絵詞』で、元寇のときの戦いのようすを伝える貴重な史料となっている。

たけしたのぼる

政治

竹下登　1924〜2000年

消費税を導入、リクルート疑惑で辞職した

昭和時代〜平成時代の政治家。第74代内閣総理大臣（在任1987〜1989年）。

島根県生まれ。早稲田大学卒業後、中学教員、青年団活動などをへて、1951（昭和26）年、島根県議会議員となった。1958年、自由民主党から衆議院議員に初当選、以後14回連続当選した。1971年、第3次佐藤栄作内閣で内閣官房長官として初入閣。

第2次田中角栄内閣では内閣官房長官、その後も建設大臣、大蔵大臣を歴任。1985年、自民党田中派内部に創世会を結成。田中角栄の死後、1987年に経世会として独立し、党内最大派閥となる。同年、自民党総裁となり、昭和時代最後の内閣総理大臣に就任。ふるさと創生事業、消費税導入、牛肉・オレンジ輸入自由化をてがける。この政策による支持率の低下と1988年の株取引に関する贈収賄事件であるリクルート事件疑惑によって、1989（平成元）年、内閣総辞職。

その後も宇野宗佑、海部俊樹、宮沢喜一各内閣誕生への関与など強い影響力をもったが、1992年、竹下派が小渕恵三、橋本龍太郎を中心とする小渕派（のちに橋本派）と、羽田孜、小沢一郎を中心とする羽田派に分裂。2000年、政界を引退した。

学 歴代の内閣総理大臣一覧

たけしまはごろも

詩・歌・俳句　音楽

竹島羽衣　1872〜1967年

唱歌『花』の作詞者。

明治時代〜昭和時代の歌人、詩人、国文学者。

東京生まれ。帝国大学（現在の東京大学）在学中に学術・文芸雑誌『帝国文学』の創刊に参加し、新体詩を発表、「赤門派」とよばれた。

1896（明治29）年の卒業後、東京音楽学校（東京藝術大学）、日本女子大学の教授などをつとめた。

滝廉太郎作曲の唱歌『花』の作詞で知られる。

たけだいずも

伝統芸能

竹田出雲　1691〜1756年

『仮名手本忠臣蔵』などの傑作を書いた2世

（早稲田大学図書館）

江戸時代中期の人形浄瑠璃の作家。

大坂（阪）に生まれる。父の初世竹田出雲は、竹本座（竹本義太夫がおこした人形浄瑠璃の劇場）の興行主で、作家だった。はじめ竹田小出雲と名のり、1747年、初世出雲の死後、2世竹田出雲を称して、舞台演出にくふうをこらして興行主として手腕を発揮し、人形浄瑠璃の最盛期を築いた。

作家としては、浄瑠璃・歌舞伎の作家近松門左衛門の教えを受け、父やほかの作家との共作で『義経千本桜』『菅原伝授手習鑑』『ひらかな盛衰記』『仮名手本忠臣蔵』など、多くの傑作を書いた。『仮名手本忠臣蔵』は赤穂浪士のあだ討ちを室町時代におきかえた物語で、1748年に竹本座で初演され評判となった。出雲の作品は、現在も歌舞伎や文楽（人形浄瑠璃）で上演されている。

たけだかつより

戦国時代

武田勝頼　1546〜1582年

父・信玄のあとをつぎ、織田・徳川と対立

（法泉寺）

戦国時代〜安土桃山時代の武将。

武田信玄の4男として生まれる。はじめは母の生家である諏訪家をついだが、1573年、信玄の急死により、甲斐国（現在の山梨県）武田家の第20代当主となる。

父のあとをついで西上作戦を続行し、翌年、初戦では遠江国（静岡県西部）の高天神城を攻め落とした。そののちも、北条氏とむすんで、美濃国（岐阜県南部）や三河国（愛知県東部）に進出したが、1575年、三河の長篠の戦いで織田信長・徳川家康の連合軍に大敗し、多くの重臣を失う。1578年、越後国（新潟県）の上杉謙信が亡くなり、そのあとつぎをめぐる争いで勝頼は上杉景勝を支持したため、もう一人のあとつぎ候補の上杉景虎の兄である北条氏政とも対立し、次々に領国を失った。

1581年、甲斐国韮崎（山梨県韮崎市）に新府城を築き、

態勢を立て直したが、家臣内部でも対立がおこり、親族衆の木曽義昌が信長側へ、穴山信君が家康側に寝返った。翌年、信長に攻められ、勝頼は天目山にのがれ、一族とともに自害する。これにより武田氏は滅亡した。

たけだこううんさい

幕末

● 武田耕雲斎　1803〜1865年

天狗党をひきいて尊王攘夷をめざした

(国立国会図書館)

幕末の水戸藩士。

本名は正生。水戸藩（現在の茨城県中部と北部）の藩士の子に生まれる。1829年、徳川斉昭が藩主になるために力をつくし、重臣として水戸藩の改革を進めた。1841年には藩校弘道館を設立。弘道館からは、のちの尊王攘夷派（天皇をうやまい外国勢力を追いはらおうという考えの人々）が多く育った。1844年、斉昭が幕府から隠居謹慎を命じられると反対運動をしたため、とらえられた。1849年、斉昭が復帰するとゆるされてふたたび藩政に参加し、1856年、執政となり藤田東湖とむすんで、斉昭の進める尊王攘夷運動の中心に立った。1860年、斉昭が亡くなると藩内は混乱し、保守派によって政治から遠ざけられた。1864年、藤田東湖の子、藤田小四郎が、攘夷をめざす天狗党を結成して筑波山で挙兵した（天狗党の乱）。耕雲斎は過激な小四郎をいさめたが、反対に天狗党の首領となるようにたのまれ、やむなく首領となった。その後、斉昭の子の一橋慶喜（のちの徳川慶喜）にたよろうと京都にむかったが、加賀国（石川県南部）で幕府軍にとらえられ、小四郎とともに処刑された。

たけだしんげん

武田信玄 ➔ 292ページ

たけだたいじゅん

文学

● 武田泰淳　1912〜1976年

第一次戦後派の代表的作家

昭和時代の作家。

東京で浄土宗の寺に生まれる。幼名は覚。東京帝国大学（現在の東京大学）支那文学科中退。在学中に左翼運動に参加。1934（昭和9）年には竹内好らと中国文学研究会をつくり、中国の文学・歴史を研究する。1937年に召集されて中国大陸に送られる。除隊後、中国の歴史家の評論『司馬遷』を発表した。第二次世界大戦後は、社会の事件や動きにふりまわされる人間の姿をえがいた『審判』『蝮のすゑ』『風媒花』『ひかりごけ』『富士』などの作品を発表し、第一次戦後派の代表的作家として活躍した。みずからの経験をもとに、極限の状態におかれたときの人間のありかたや考え方を問いつづけた。

たけだのぶひろ

貴族・武将

● 武田信広　1431〜1494年

コシャマインの乱を平定

(北海道大学附属図書館)

若狭国（現在の福井県南西部）の武将。

武田信賢の子として生まれたといわれている。1454年、蝦夷地（北海道）にわたり、上ノ国（檜山郡）の花沢館主である蠣崎季繁に身を寄せた。その当時、鎌倉時代以降に蝦夷地に移住してきた和人たちは、陸奥国下北半島（青森県）の領主、安東氏の支配下にある南岸地方に「館」とよばれるとりでを築いて、たがいに対立していた。このころつくられた12の館「道南十二館」の一つが、上ノ国の花沢館である。1457年、アイヌ人の反乱、コシャマインの乱がおこり、次々と館が陥落していったが、武田信広がコシャマイン父子を討ち、平定した。信広はこれをきっかけに蠣崎氏の婿養子となって、蠣崎信広と名のり、家督をついだ。そののち勢力を強め、花沢館の近隣に勝山館、洲崎館を築き、蝦夷の館主たちを統一した。のちの蝦夷地の大名、松前氏の祖先となる。

たけちのおうじ

王族・皇族

● 高市皇子　654?〜696年

天武天皇、持統天皇を助けた

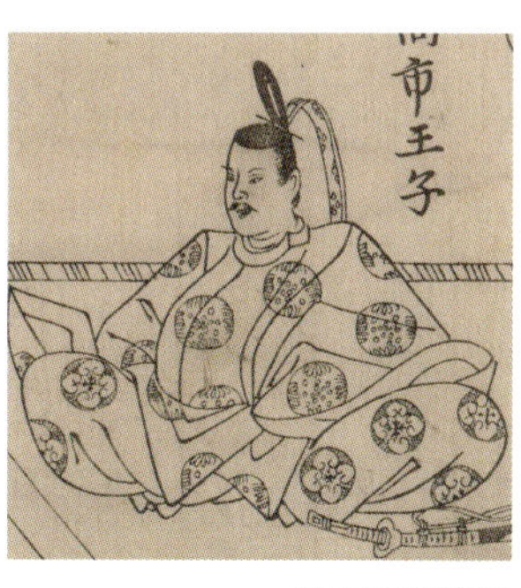
(国立国会図書館)

飛鳥時代の皇子。

大海人皇子（のちの天武天皇）の子、長屋王の父。672年、父のおこした壬申の乱のとき、近江大津宮（滋賀県大津市）から脱出して父の軍に加わり、軍をひきいて天智天皇の子の大友皇子を中心とする近江朝廷軍をやぶり、勝利へみちびいた。その結果、673年に父は飛鳥（現在の奈良県明日香村）で天武天皇として即位した。

高市皇子は長男だったが、母は低い身分の出身だったので、同じく天武天皇の子である草壁皇子、大津皇子より下位の地位だった。しかし温厚な性格で役人たちの信頼があつかったという。草壁皇子の死後、690年、朝廷の最高職である太政大臣に任命され、持統天皇の政治を助けた。『万葉集』に3首の歌がおさめられている。

武田信玄

天下をめざした戦国大名

▲武田信玄像
（持明院蔵／高野山霊宝館）

■父を追放して国をおさめる

戦国時代の武将。

甲斐国（現在の山梨県）の守護大名（国への支配を強めた守護）武田信虎の子として生まれた。はじめは晴信といった。武田氏は鎌倉時代から甲斐の守護（国の軍事をまとめる役職）をつとめる家がらだった。父信虎は躑躅ヶ崎（山梨県甲府市）を本拠地とし甲斐の統一を進めた。しかし、きびしく独裁的な政治をおこなったので家臣や領民たちの信頼を失っていた。1541年、21歳のとき信玄は父を駿河国（静岡県中部と北東部）に追放し、武将や領民たちの心をつかんで国内をまとめた。

1547年、「甲州法度之次第」55か条を定め、国をおさめる基本方針をしめした。国を豊かにする政策も進めた。治水工事にも力をそそぎ、甲府盆地を流れる釜無川に「信玄堤」とよばれる堤防を築いて洪水をふせいだ。新田の開発を進めて農作物の収穫量を高めた。国内の金山を開発して商工業を発展させたので領内は発展し、信玄は有力な戦国大名となった。

■信濃への侵略と川中島の戦い

信玄は、領土を広げるため、1542年ころから信濃国（長野県）の小領主小笠原氏や村上氏らの城を攻め落としていった。信濃を追われた領主たちは越後（新潟県）の上杉謙信に助けを求めた。謙信は、信濃が信玄のものになると越後もあぶないと考え信濃へ軍をむけて信玄と戦った。両軍は1553年から1564年まで川中島付近（長野市）で5回戦ったが、1561年の戦いがもっともはげしかった。

1561年9月、海津城に入った武田軍と妻女山に本陣をかまえた上杉軍がにらみ合った。両軍とも1万数千の大軍だった。10日夜、信玄は軍を2つに分け、一方の軍に妻女山の背後から謙信の軍をおそわせた。しかし、もぬけのからだった。謙信は武田軍の動きを知り、千曲川をわたって信玄の本陣をおそったが決着はつかなかった。

信玄はその後信濃に進出し大部分を手中にした。

▶「風林火山」の旗　信玄が戦場で立てた有名な旗。
（雲峰寺蔵／信玄公宝物館）

■大軍で京都にむかうが野望ついえる

その間、1554年、信玄は駿河国の今川義元、相模国（神奈川県）の北条氏康と同盟をむすんだ。これにより武田氏は北へ、今川氏は西へ、北条氏は東への進出をねらえるようになった。しかし、1560年に桶狭間の戦いで今川義元が織田信長に討たれると信玄は徳川家康とむすび1568年、駿河国を占領した。

さらに、中部、近畿地方に領土を広げようとしていた織田信長を討って最強の戦国大名となるため4万ともいわれる軍で進撃をはじめた。1572年、信長と同盟をむすんだ家康を三方ヶ原（静岡県浜松市）の戦いで打ちやぶり京都をめざしたが、翌年病気で亡くなり、天下をめざした野望はついえた。

▲信玄（左上）と謙信の一騎打ち『川中島合戦図屏風』より。（岩国美術館）

●川中島の戦い地図

❶1回目　1553年　布施の戦い
❷2回目　1555年　大塚の対陣
❸3回目　1557年　上野原の戦い
❹4回目　1561年　八幡原の戦い
❺5回目　1564年　塩崎の対陣

武田信玄の一生

年	年齢	主なできごと
1521	1	甲斐国で武田信虎の子として生まれる。
1541	21	父の信虎を追放し甲斐の守護となる。
1547	27	「甲州法度之次第」を定める。
1553	33	川中島で上杉謙信と戦う（以後計5回戦う）。
1554	34	今川氏、北条氏と三国同盟をむすぶ。
1568	48	駿河国を占領する。
1572	52	三方ヶ原の戦いで徳川家康軍をやぶる。
1573	53	京をめざすが信濃国で病死する。

※年齢は数え年であらわしている

たけつるまさたか

産業

竹鶴政孝　1894〜1979年

日本初の国産ウイスキーをつくった

大正時代〜昭和時代の実業家、ウイスキー製造・技術者。

広島県生まれ。実家は造り酒屋。1916（大正5）年、大阪高等工業学校（現在の大阪大学工学部）醸造科を卒業後、摂津酒造に入社。イギリス、スコットランドのグラスゴー大学に留学し、理論を学ぶかたわらウイスキー工場につとめ、日本人ではじめてウイスキーの醸造技術を身につける。

周囲の反対をおしきり、イギリス人のジェシー・ロバータ・カウン（愛称リタ）と結婚し帰国。1923年、鳥居信次郎の寿屋（現在のサントリー）に入社。日本初のウイスキー製造工場である山崎工場を設立し、工場長をつとめた。1934（昭和9）年、独立して北海道余市に大日本果汁を設立。当初はリンゴジュースなどを製造しながらウイスキーの原酒をつくりつづけ、1940年、ニッカウイスキー第1号を発売。1952年、ニッカウヰスキーと社名変更。

第二次世界大戦後の洋酒ブームで業績をのばし、以降もウイスキーの製造に従事。1969年、勲三等瑞宝章を受章。85歳で死去、従四位に叙せられる。「日本のウイスキーの父」とよばれる。

たけなかはんべえ

戦国時代

竹中半兵衛　1544?〜1579年

秀吉をささえた戦国時代の名軍師

戦国時代の武将。

美濃国（現在の岐阜県南部）の菩提山の城主の子に生まれる。半兵衛は通称で、名は重治。

はじめ斎藤竜興につかえるが、悪政をいさめるため、1564年に竜興の稲葉山城をわずか数十名でうばった。その後、城を返還してひっそりとくらすが、竜興が没落したのち、織田信長の要請を受けてつかえ、1570年ごろから豊臣秀吉の下で軍師として活躍する。

秀吉に重用され、各地の戦場でその策略が用いられた。もともと病弱であったといわれ、播磨国（兵庫県南部）の平定で三木城を攻める際、病気のため30代なかばで亡くなった。黒田孝高（官兵衛）とともに、秀吉をささえた名軍師として尊敬されている。子孫が竹中流軍学をおこした。

たけのうちしきぶ

宗教　思想・哲学

竹内式部　1712〜1767年

尊王思想を説き、宝暦事件で追放された

▲船見町にある銅像　（新潟市）

江戸時代中期の神道家。

越後国（現在の新潟県）に医者の子として生まれる。名は敬持。1728年、京都に行き、公家の徳大寺家につかえた。山崎闇斎が創始した垂加神道や、中国の孔子がおこした儒学を学んだのち私塾をひらき、桃園天皇の側近の若い公家たちに、垂加神道にもとづく尊王思想（天皇をうやまう考え）を説いた。

しかし、公家たちに軍学や武術を教えているとのうわさが広まり、関白ら朝廷上層部の要請で京都所司代（朝廷と西日本の大名を監視する役職）の取り調べがおこなわれた。このときは処分されずにすんだが、式部の説に幕府批判がふくまれていると告発され、1759年、京都から追放された。これを宝暦事件という。1766（明和3）年、山県大弐らが謀反のうたがいでとらえられた明和事件との関連をうたがわれ、翌年、八丈島に流される途中で、三宅島で病死した。式部の説いた尊王思想は、幕末の尊王攘夷運動の先がけとなった。

たけのじょうおう

華道・茶道

武野紹鷗　1502〜1555年

わび茶の精神を追求し、千利休に伝えた

（国文学研究資料館）

戦国時代の茶の湯名人、豪商。

大和国（現在の奈良県）に生まれる。若狭国（福井県南西部）守護の武田氏の子孫とされ、父の信久は和泉国堺（大阪府堺市）の有力な商人だった。父の代に堺の舳松町（堺市協和町）に定住し、皮革の商いをいとなむようになった。1528年以降、当時の代表的文化人だった三条西実隆に古典や和歌を学んだが、その際、藤原定家の歌論書『詠歌大概』を伝授され、そこから茶の湯の真髄にめざめたという。30歳までは連歌師だったが、31歳のときに出家して紹鷗と称した。京都の下京四条、えびす堂のとなりに茶室をかまえ、大黒庵とした。『山上宗二記』によると、茶の湯に関

しては、村田珠光の門人である村田宗珠、十四屋宗伍らに学んだとされる。4畳半より小さい3畳や2畳半の茶室を考案、わびの境地を確立していった。珠光の提唱したわび茶の道を継承し、その精神を次代の千利休や津田宗及、義理の息子の今井宗久に伝えた。格言に「正直につつしみ深く、おごらぬさまをわびという」などがある。

たけひさゆめじ

絵画

竹久夢二　1884〜1934年

商業美術をはじめててがけた画家

▲竹久夢二

(日本近代文学館)

明治時代〜昭和時代の画家、詩人。

岡山県生まれ。本名は茂次郎。神戸中学校（現在の神戸高等学校）を中退した。家族と福岡県へ移るが、家出をして上京し、早稲田実業学校に入学した。1905（明治38）年、荒畑寒村のすすめで、平民社から出していた社会主義の雑誌『直言』に、はじめて「こま絵」とよばれる小さなさし絵をのせる。また、雑誌『中学世界』にこま絵を投稿して、1等に入選し、このときはじめて夢二を名のる。この年、早稲田実業を中退し、新聞や雑誌にこま絵などを発表した。1907年に、岸たまきと結婚したのち、彼女をモデルにした目の大きい、ものうげな女性像をえがいた。それは、夢二式美人とよばれ、明治時代末から大正時代にかけて、一世をふうびした。1909年にだした最初の著書『夢二画集　春の巻』はベストセラーになり、以後も画集や詩画集を次々に出版した。詩や童話などもてがけ、1913（大正2）年の『どんたく』におさめられた詩「宵待草」は、のちに曲がつけられ、楽譜が刊行されて、全国に広まった。

日本画から水彩画、油絵、木版画までこなしたが、生涯、美術団体には属さなかった。また、本の装丁、広告の図案、日用雑貨から浴衣のデザインまで、商業美術の先がけとなる活動をした。1914年には、日本橋にみずからがデザインした日用品をあつかう港屋絵草紙店をひらいている。

▲「宵待草」1931年にハワイで描いた。

恋多き人としても知られ、たまき夫人と別れたあと、1916年に京都に移り、翌年から彦乃とくらしはじめた。1920年に彦乃が結核で亡くなったあとは、モデルだったお葉と生活を共にするが、のちに別れる。代表作となった『黒船屋』のモデルについては、彦乃説とお葉説がある。1931（昭和6）年から1933年にかけて、アメリカ合衆国、ヨーロッパなどを旅行したが、帰国後、結核をわずらい、長野県の富士見高原療養所で亡くなった。

たけまえこはちろう

郷土

竹前小八郎　？〜1729年

紫雲寺潟を干拓した庄屋

江戸時代中期の農民、治水家。

信濃国米子村（現在の長野県須坂市米子町）で代々庄屋（村の長）をつとめる竹前家に生まれた。紫雲寺潟（新潟県新発田市と胎内市に広がっていた潟）のはんらんで農民たちが苦しんでいることを知り、自費で紫雲寺潟を干拓し、新田をひらく計画を立てた。1726年、兄の竹前権兵衛とともに幕府に許可を願いでた。翌年、工事に着手し、紫雲寺潟の水を海に流すための川（現在の落堀川）を切りひらき、周辺の川をせき止めて、紫雲寺潟に水が流れこまないようにした。小八郎は、工事の途中で病気になり亡くなった。工事は権兵衛にひきつがれ、1733年、埋め立てが終了した。紫雲寺潟には42の村と約2000haの田畑がひらかれ、紫雲寺潟新田とよばれた。

たけまえごんべえ

郷土

竹前権兵衛　？〜1749年

紫雲寺潟を干拓した庄屋

江戸時代中期の農民、治水家。

信濃国米子村（現在の長野県須坂市米子町）の庄屋（村の長）をつとめた。新潟県新発田市と胎内市に広がっていた、紫雲寺潟のはんらんで、農民たちが苦しんでいることを知り、紫雲寺潟を自費で干拓して、新田をひらく計画を立て、1726年、弟の竹前小八郎と幕府に許可を願いでた。翌年、幕府の許可がおりると小八郎が工事に着手し、紫雲寺潟の水を海に流すための川（現在の落堀川）を切りひらき、さらに周辺の川をしめきって、紫雲寺潟に水が流れこまないようにした。1729年に小八郎が病死したため、工事をひきつぎ、1733年に紫雲寺潟の埋め立てを終えた。これにより42の新しい村と約2000haの田畑がひらかれ、紫雲寺潟新田とよばれた。

たけみつとおる

音楽

武満徹　1930〜1996年

独創性豊かな現代音楽を作曲

昭和時代の作曲家。

東京生まれ。1948（昭和23）年ころに、作曲家の清瀬保二に師事した以外は、ほとんど独学で作曲を学ぶ。1951年、音楽家、詩人、画家などの芸術グループ「実験工房」に参加する。1959年、『弦楽のためのレクイエム』が海外で高く評価され、1967年には、琵琶と尺八とオーケストラによる『ノヴェンバー・ステップス』の初演で一躍有名になった。

いくつかの現代音楽祭の芸術監督などをつとめ、国内外の現代音楽を広く紹介する。伝統的な楽器と管弦楽との組み合わせや、独自の旋律や作曲法により、現代音楽や文化に大きな刺激をあたえた。『旅』『カトレーン』『遠い呼び声の彼方へ！』などのほか、映画音楽にも多くの作品をのこす。

たけみやけいこ

漫画・アニメ

竹宮惠子　1950年〜

少女漫画界の第一人者

漫画家、教育者。

徳島市に生まれる。高校3年だった1968（昭和43）年、雑誌『週刊マーガレット』の新人賞に佳作入選してデビュー。1970年、徳島大学教育学部（現在の鳴門教育大学）を中退して上京。萩尾望都らと東京都練馬区のアパートで共同生活をはじめる。アパートは、のちに「24年組」とよばれる同世代の少女漫画家が集まり、切磋琢磨する場になった。スランプに苦しむこともあったが、古代エジプトを舞台にした『ファラオの墓』をきっかけに、話題作を次々に創作。『風と木の詩』では少年どうしの恋を美しくえがき、衝撃をあたえた。SF（空想科学）作品の『地球へ…』は少年漫画誌に掲載され、これは当時の少女漫画家としては画期的なことだった。2000（平成12）年、京都精華大学マンガ学科の教授に、2014年には同大学学長に就任。漫画教育法を研究実践し、原画の保存・公開に力をつくしている。

第9回星雲賞、第25回小学館漫画賞、第41回日本漫画家協会賞文部科学大臣賞などを受賞。2014年、紫綬褒章に叙せられた。

たけもとぎだゆう

伝統芸能

竹本義太夫　1651〜1714年

評判の高い人形浄瑠璃の語り手

江戸時代中期の人形浄瑠璃の太夫（語り手）。

摂津国大坂（現在の大阪）に農民の子として生まれる。三味線などの伴奏で物語を語る浄瑠璃に、あやつり人形による芝居がむすびついた劇である、人形浄瑠璃の修業を積み、のちに京都に出て宇治加賀掾の一座に参加した。その後、名前を竹本義太夫とあらため、1864年、大坂の道頓堀に竹本座をおこした。その旗揚げ興行で近松門左衛門の『世継曽我』を上

（東京大学駒場図書館）

演したところ、豪放な語り口が受けて大評判になった。その後も、『曽根崎心中』や『国性爺合戦』など、近松の作品を多く語って人気を集め、人形浄瑠璃がさかえる基礎をつくった。義太夫が創始した人形浄瑠璃の語りを義太夫節という。義太夫節で語られる人形浄瑠璃は、現在では「文楽」の名前で親しまれている。

学 切手の肖像になった人物一覧

たけもとすみたゆう

伝統芸能

竹本住大夫　1924年〜

「けいこの鬼」といわれる7世

▲7世竹本住大夫

人形浄瑠璃文楽太夫。

大阪生まれ。本名は岸本欣一。先代竹本住太夫の養子。1946（昭和21）年、2世豊竹古靱大夫（のちの山城少掾）に入門し、豊竹古住太夫を名のる。この年の8月に『勧進帳』の番卒で初舞台をふんだ。1960年に9世竹本文字大夫、1985年に代々つづく名跡の7世竹本住大夫を襲名する。

「むずかしいけど、好きで入った世界。死ぬまで勉強、死んでからも勉強」と、若いころから「けいこの鬼」といわれ、浄瑠璃の基本である音や、息で情を伝える当代一の人形浄瑠璃文楽太夫として、人気を不動のものとする。

1987年に紫綬褒章を受章し、1989（平成元）年に重要無形文化財保持者（人間国宝）に認定された。1994年に勲四等旭日小綬章受章、2005年に文化功労者となる。2012年に脳こうそくでたおれ、懸命なリハビリをして舞台に復帰したが、「自分の芸に納得できない」と2014年に引退した。

たけやまみちお

文学

竹山道雄　1903〜1984年

『ビルマの竪琴』の作者

昭和時代のドイツ文学者、評論家、作家。

大阪府生まれ。幼い時期を京城（現在の大韓民国のソウル）ですごす。東京帝国大学（現在の東京大学）独文科を卒業後、旧制第一高等学校の講師をへてドイツへ留学する。帰国後は

評論活動や翻訳などをおこなう。ニーチェの研究家として知られ、ナチスや思想統制に関する評論も書いている。第二次世界大戦後、児童雑誌『赤とんぼ』に、戦場での人類愛をえがいた『ビルマの竪琴』を発表し、この作品により小説家として広く知られる。主な著作に日本文化の根源をさぐった『昭和の精神史』『妄想とその犠牲』『日本人と美』などがある。『ヨーロッパの旅』ほかで1961（昭和36）年度の読売文学賞受賞。

タゴール，ラビンドラナート

文学　詩・歌・俳句

ラビンドラナート・タゴール　1861～1941年

抒情詩集『ギーターンジャリ』の作者

インドの詩人、作家、評論家。

カルカッタ（現在のコルカタ）の名門に生まれる。めぐまれた環境で育ち、こどものころからインドの古典文学や音楽に親しみ、イギリス・ロマン派文学に影響を受けた。1878年よりイギリスに留学し、ヨーロッパの文学を学ぶ。

帰国後、1882年に叙情詩集『夕べの音楽』を発表するなど、文学、音楽、美術とさまざまな分野で活躍する。

1901年に寄宿学校を創設し、亡くなるまでベンガルの教育に力をつくした。また当時、植民地としてイギリスの支配下にあったインドで、独立運動を指導していたガンディーに協力し、運動をささえた。インド国歌『ジャナガナマナ』の作詞・作曲者でもある。

主な作品に、詩集『新月』、長編小説『ゴーラ』などがある。日本では、信仰する神にささげられた、神秘的で美しい英訳の叙情詩集『ギーターンジャリ（歌のささげもの）』がよく知られている。1913年、ノーベル文学賞受賞。学 ノーベル賞受賞者一覧

だざいおさむ

文学

太宰治　1909～1948年

戦後の日本文学を代表する作家

昭和時代の作家。

青森県生まれ。本名は津島修治。東京帝国大学（現在の東京大学）仏文科中退。生家は津軽地方の大地主。中学生のころから芥川龍之介の影響を受け、短編小説を書いていた。在学中に共産主義運動に関係し、大学を中退。1935（昭和10）年に『逆行』が芥川賞の候補になる。翌年、短編集『晩年』を出版し、作家としてみとめられた。

また、伝統への回帰をうたう『日本浪曼派』に参加し、井伏鱒二や佐藤春夫らと親交をむすぶ。その後、第二次世界大戦の終戦までに『富嶽百景』『走れメロス』『津軽』などの作品を書いた。

（日本近代文学館）

1947年に発表した『斜陽』で、若者を中心に多くの支持を集め、織田作之助や坂口安吾らとともに人気作家となる。執筆に忙殺されるなか、治ったはずの薬物中毒が再発。1948年に『人間失格』を書き上げると、新聞小説『グッド・バイ』を連載中に、女性とともに東京の玉川上水に投身自殺した。

だざいしゅんだい

学問

太宰春台　1680～1747年

儒教の基礎として経済学を発展させた

（国立国会図書館）

江戸時代中期の儒学者。

信濃国飯田藩（現在の長野県飯田市）の藩士の子として生まれる。9歳のとき父が浪人したため一家で江戸（東京）に出た。15歳で但馬国出石藩（兵庫県豊岡市）につかえたが、数年後に辞職し、その後は各地を転々としながら学問にはげんだ。

はじめ儒学の一派である朱子学を学び、1711年、32歳のとき荻生徂徠に入門して古文辞学（荻生徂徠がおこした儒学の一派）を学んだ。同年、下総国生実藩（千葉県千葉市）につかえるが長つづきせず、江戸に紫芝園という塾をひらき、多くの門人を育てた。

経世論にひいで、武士も商業にたずさわり、専売制（領民が生産した特定の産物を藩が独占的に買い上げ売りさばく政策）によって利益をあげるべきだと説き、思想家の海保青陵などに影響をあたえた。1729年に完成した『経済録』は、江戸時代の政治・経済などを知るための貴重な資料とされている。

たじりそうま

郷土

田尻惣馬　1678～1760年

矢部川に堤防を築いた武士

江戸時代前期～中期の武士。

筑後国柳川藩（現在の福岡県柳川市）の藩士で普請役（土木工事を担当した役職）をつとめた。村々にとって矢部川は重要な用水源だったが、大雨がふるとはんらんして洪水をおこし、

農民たちを苦しめていた。矢部川沿いに堤防を築く計画を立てた藩は、惣馬の父、惣助を工事の責任者に任命し、惣馬が助手をつとめた。綿密な調査をおこなって、農民たちを動員し、昼も夜も休みなく工事をつづけたので、鬼奉行とおそれられたが、1695年、約1300間（約2300m）の堤防（千間土居）が完成した。

その後も大潮でこわれた干拓地の黒崎開（福岡県みやま市）の堤防を修築するなど土木工事につくした。

たしろえいすけ

政治

田代栄助　1834〜1885年

秩父事件における農民たちのリーダー

（秩父市石間交流学習館）

明治時代の秩父事件の農民軍指導者。

武蔵国秩父郡（現在の埼玉県秩父市）の旧家に生まれる。農業をいとなむかたわら、代言人（弁護士）として他者の金銭トラブルなどの仲裁や、放浪者やこまっている人を助けるなど、弱者に人望があつく、「熊木の親方」とよばれて信頼されていた。当時の秩父地方は、明治政府の富国強兵による増税や、大蔵大臣、松方正義のデフレ政策の影響で、経済危機に苦しんでいた。田代らも1883（明治16）年の秋ごろから負債の延期運動などを進め、役所などにうったえていた。しかしそれは聞き入れられず、翌年、田代は農民たちが結成した秩父困民党の総理（最高指導者）となり、武装蜂起を指揮した。

これが、日本史上最大規模の民衆蜂起とされる「秩父事件」である。秩父困民党は官庁を占領し、高利貸を襲撃した。政府は徹底的にこれを鎮圧し、死刑7名をふくむ、約4000名が処罰された。田代は進撃の途中、持病により本陣をはなれたが、潜伏中にとらえられ、翌年に処刑された。

タスマン，アーベル

探検・開拓

アーベル・タスマン　1603〜1659年

タスマニア島の発見者

オランダの航海者、探検家。

北部のフローニンゲン近郊に生まれる。オランダ東インド会社に入り、1633年に船長としてバタビア（現在のインドネシアのジャカルタ）にむかった。1642年8月、南アメリカへの航路を調査するため、バタビアを出発。オーストラリアの南をまわり、11月にタスマニア島を発見した。さらに東にむかい、12月、ニュージーランドに到達したが、先住民のマオリ族におそわれ乗組員4人が殺されたため、上陸をあきらめて北東に進んだ。その後、トンガ諸島、フィジー、ソロモン諸島をへて、ニューギニア島の北をまわり、6月、バタビアにもどった。1644年にふたたび南アメリカへの航路をさがそうと、オーストラリアの北の海を東にむけて進んだが、ニューギニア島とオーストラリアがつながっていると判断し、途中でもどった。その後は商人となり、1659年、バタビアで亡くなった。

タスマニア島と、ニュージーランドとオーストラリアのあいだのタスマニア海は、タスマンにちなんで名づけられた。

ダスラー，アドルフ

産業

アドルフ・ダスラー　1900〜1978年

世界的スポーツシューズメーカーの創業者

ドイツのスポーツシューズ製作者、企業家。

南部バイエルンの靴職人の家に生まれる。兄のルドルフはプーマの創業者。第一次世界大戦後、スポーツシューズの製作をはじめ、靴底にくぎを打ったスパイクシューズをつくった。

国内のサッカーブームや、ベルリン・オリンピックにむけての時代の流れに乗り、事業を拡大。1936年のベルリン・オリンピックでは、ドイツ選手のほか、複数の競技で金メダルをとったアメリカ合衆国のオーエンス選手もはいていたことから、ダスラーのシューズは世界的に有名になった。1948年、アドルフの愛称アディと名字のダスラーから、アディダスの名でスポーツシューズの会社を設立、世界中のアスリートやスポーツ愛好家にさまざまなシューズを提供した。

ただかすけ

郷土

多田嘉助　1639〜1686年

百姓一揆、嘉助騒動の指導者

江戸時代前期の農民、庄屋。

加助とも書く。信濃国松本藩領中萱村（現在の長野県安曇野市）の庄屋（村の長）をつとめた。数年つづいた不作により、農民が苦しんでいるにもかかわらず、1686年、松本藩（長野県）は年貢をひき上げようとした。

嘉助は領内の村々の農民約1700人をひきいて、城下におしよせ、年貢を低くしてほしいとうったえた。おどろいた藩が嘉助たちの要求を聞き入れたので、農民たちは村に帰った。しかし、一揆がしずまったのをみて、約束をひるがえした藩によって、嘉助たち指導者はとらえられ、処刑された（嘉助騒動、貞享騒動）。嘉助は農民たちに一身をささげた義民として、貞享義民社（加助神社）に祭られた。

たちばなたかし

文学

立花隆　1940年〜

幅広いテーマを追求する評論家

ノンフィクション作家、評論家、ジャーナリスト。

長崎県生まれ。東京大学仏文科卒業後、文藝春秋社勤務をへて、1967（昭和42）年、東京大学哲学科に学士入学し、在学中からフリーライターとして活動する。1974年、当時の首相の人脈や金脈を徹底的に調査して書きあげた『田中角栄研究――その金脈と人脈』を雑誌『文藝春秋』に発表し、大きな反響をよぶ。

その後も、政治や社会問題から脳科学、宇宙、人間と死など、さまざまなテーマについてするどい批評眼で書きつづける。菊池寛賞、司馬遼太郎賞など受賞も多い。主な著書は、『日本共産党の研究』『宇宙からの帰還』『臨死体験』『脳を鍛える』など。

たちばなのおおいらつめ

王族・皇族

橘大郎女　生没年不詳

天寿国曼荼羅繡帳をつくらせた

飛鳥時代の皇族。

敏達天皇の孫。厩戸皇子（聖徳太子）のきさきとなって、白髪部王、手島女王を生んだ。

622年に聖徳太子が亡くなったあと、推古天皇に願いでて、天寿国（阿弥陀如来の住む極楽浄土）にいるという聖徳太子をしのんで、天寿国のようすを刺しゅうした帳をつくらせた。この刺しゅうは天寿国曼荼羅とよばれ、現在は一部しかのこされていないが、聖徳太子の建立した中宮寺（奈良県斑鳩町）に伝わり、日本最古の刺しゅうとして国宝となっている。

飛鳥時代の仏教、工芸、絵画、服装などを知ることのできる貴重な作品である。

たちばなのならまろ

王族・皇族

橘奈良麻呂　721?〜757年

藤原仲麻呂に対立し、謀反をくわだてる

奈良時代の公家の高官。

橘諸兄の子。757年、右大弁（兵部・刑部・大蔵・宮内省を統括する右弁官局の長官）に昇進した。この年、朝廷の実力者だった父の諸兄が亡くなると、藤原仲麻呂が台頭し、大炊王（のちの淳仁天皇）のうしろだてとなり権勢をふるった。これに対し奈良麻呂は、仲麻呂に不満をもつ大伴氏、佐伯氏、多治比氏らの豪族や、塩焼王、黄文王、安宿王などの皇族とともに仲麻呂を殺害する計画を立てたが、密告により逮捕され獄中で死んだ（橘奈良麻呂の乱）。計画は失敗し、関係者が数百名も処罰された。乱ののち、藤原仲麻呂の勢力が強大になり、専制政治がおこなわれるようになった。

たちばなのなりすえ

貴族・武将　文学

橘成季　生没年不詳

説話集『古今著聞集』をまとめる

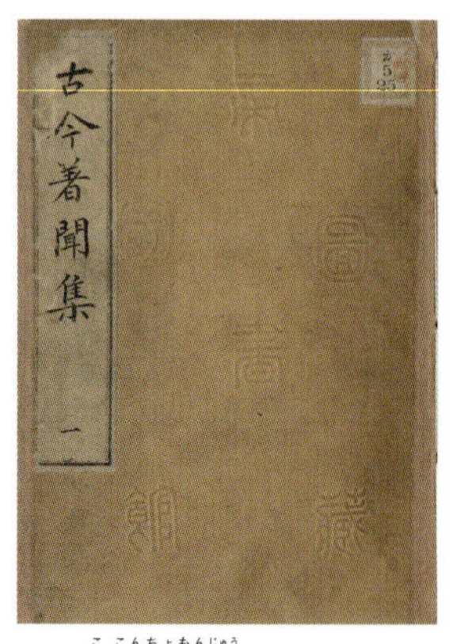

▲『古今著聞集』表紙
（国立国会図書館）

鎌倉時代中期の官人、文人。

奈良時代の左大臣橘諸兄の子孫ともいわれるが、生涯は不明。競馬（古式競馬、きおいうま、きそいうまとも読む）、管絃、漢詩文などにすぐれていたという。1230年ころ、右衛門尉（宮中の警護などをおこなう衛門府の督、佐に次ぐ官職）をつとめ、九条家（藤原忠通の子九条兼実にはじまる家系）につかえた。

その後、仕官をやめて説話の収集をはじめ、1254年に説話集『古今著聞集』（全20巻）をまとめた。これは、平安時代末にまとめられた説話集『今昔物語集』（全31巻）に次ぐ規模で、神祇（天と地の神）、釈教（仏教）、文学、和歌、管絃、馬芸、蹴鞠など30編に分類した説話を集め、当時の社会や風俗を伝える貴重な史料となっている。

たちばなのはやなり

貴族・武将

橘逸勢　?〜842年

書にひいで、三筆の一人として知られる

（国立国会図書館）

平安時代前期の役人。

橘奈良麻呂の孫。804年、遣唐使にしたがい、留学生として中国の唐にわたったが、このとき、天台宗をひらいた最澄や、真言宗をひらいた空海も唐にわたった。806年、帰国したあと、天皇の住まいである内裏の宮門の額を書くなど書の能力を発揮した。

840年、但馬権守（現在の兵庫県北部の定員外の長官）に任命される。842（承和9）年、嵯峨上皇（譲位した嵯峨天皇）が亡くなった直後、有力貴族の伴健岑らとともに皇太子の恒貞親王を擁立し謀反をくわだてていると密告され、逮捕されて伊豆（現在の静岡県伊豆半島）に流罪となったが、途中の遠江国（静岡県西部）で亡くなった（承和の変）。恒貞親王は皇太子をやめさせられ、藤原良房の妹、藤原順子が生んだ道康親王（のちの文徳天皇）が皇太子に立てられた。事件の背後には、有力貴族の伴氏や橘氏を政界から追い落と

そうとする良房の陰謀があったといわれている。

書にすぐれた逸勢は、嵯峨天皇、空海とともに後世「三筆」の一人とされている。

たちばなのひろみ

貴族・武将

橘広相　837〜890年

阿衡事件のきっかけをつくった

（国立国会図書館）

平安時代前期の公家の高官。

860年、朝廷の役人養成機関である大学寮で歴史や詩文を学ぶ文章生となり、869年、皇太子貞明親王（のちの陽成天皇）の東宮学士（皇太子の教育係）をつとめた。

884年、文章博士（大学寮の教官）、蔵人頭（天皇の機密文書などを管理する蔵人所の長官）などをへて太政官の役職の一つである参議に昇進し、朝廷の最高機関太政官で、各省を監督する左弁官局の長官である左大弁も兼任した。887年、宇多天皇の即位にあたり、太政大臣藤原基経を関白に任命したが、基経は慣例にしたがい辞退した。

これに対し、天皇は広相に勅答（天皇の答え）を起草させた。ところが、その中に「阿衡の任」ということばがあり、基経は「阿衡は名誉職で実権がない」と理屈をつけて政務を放棄してしまった。こまった天皇は、翌年あらためて基経を関白に任命した。この「阿衡事件」で広相は責任を問われるが、当時讃岐守（香川県の長官）菅原道真のとりなしなどもあり難をのがれた。

たちばなのもろえ

貴族・武将

橘諸兄　684〜757年

恭仁京遷都の陰で暗躍

（国立国会図書館）

奈良時代の公家の高官。敏達天皇の子孫、美努王の子。橘奈良麻呂の父。葛城王とよばれた。

736年に皇族の身分をはなれ、橘諸兄と改名。737年、藤原4兄弟が疫病によりあいついで死んだあと、聖武天皇に登用され、最高官職の左大臣に次ぐ右大臣となって朝廷の中心に立った。吉備真備、玄昉を重く用い、東大寺（奈良市）の大仏づくりを進めた。これに不満をいだいた藤原広嗣が740年、九州で反乱をおこすなど、政情が不安定となった。

聖武天皇は平城京（奈良市）から都を移そうと考え、恭仁京（京都府木津川市）を都と定めたが、付近には諸兄の別荘があり、過去に天皇が行幸したこともあることから、諸兄が強力に新京づくりをおし進めたと考えられている。

743年、左大臣となるが、実力をつけた藤原仲麻呂が台頭し、政治上の立場が弱くなった。755年、聖武上皇（譲位した聖武天皇）が病気になったとき、不敬な言動があったとうったえられた。その後ゆるされたが、翌年、職を辞任し、失意のうちに亡くなった。

たちはらまさあき

文学

立原正秋　1926〜1980年

独特の美意識にあふれた世界をえがく

昭和時代の作家。

朝鮮慶尚北道（現在の大韓民国）で生まれる。父は李朝の貴族の子孫。1937（昭和12）年に横須賀に移る。第二次世界大戦後、早稲田大学で聴講しながら小説家をめざす。1961年に『八月の午後と四つの短編』が近代文学賞を受賞、作家としてデビューする。

その後『薪能』『剣ヶ崎』などが芥川賞の候補となり、1966年には『白い罌粟』で直木賞を受賞。同人誌『犀』の主宰や雑誌『早稲田文学』の編集長として、新人の育成にもつとめた。

能などの日本の古典を愛し、独特の美意識にあふれた世界をえがいて、多くのベストセラーをのこした。主な作品に、世阿弥の夢幻能を背景にした『きぬた』『冬のかたみに』『漆の花』などがある。

学 芥川賞・直木賞受賞者一覧

たちはらみちぞう

詩・歌・俳句

立原道造　1914〜1939年

独自の14行詩型をつくる

昭和時代の詩人。

東京生まれ。東京帝国大学（現在の東京大学）建築科卒業。はじめは歌人の前田夕暮が主宰する『詩歌』に参加し短歌をつくっていたが、その後、三好達治の影響を受けて詩人を志す。高校時代には堀辰雄や室生犀星に師事し、丸山薫やリルケを学ぶ。

音楽のような独自の14行詩型（ソネット形式）をつくりだし、自然の風光を背景に、青春の痛みを繊細で清らかに歌い上げた。大学を卒業後、建築事務所ではたらきながら詩をつくるが、肺結核のために26歳の若さで亡くなった。詩集に『萱草に寄す』『暁と夕の詩』がある。死の直前に中原中也賞を受賞。

死後には、堀辰雄らの編さんによって詩集『優しき歌』が刊行された。

たつのきんご

建築　郷土

● 辰野金吾　1854〜1919年

明治・大正時代の建築界の第一人者

▲辰野金吾
（国立国会図書館）

明治時代〜大正時代の建築家。

肥前国（現在の佐賀県・長崎県）生まれ。フランス文学者で随筆家の辰野隆は長男。唐津藩の下級武士の出身で、藩の英語学校に入り、のちに首相となる高橋是清に学ぶ。1873（明治6）年、工部省工学寮（のちの工部大学校、現在の東京大学工学部）に第1回生として入学した。教養課程を終えたあと、造船志望をやめて、造家（建築）科に進む。

1877年にジョサイア・コンドルが来日して教授となると、その下で学び、1879年、造家科を主席で卒業した。同期生に片山東熊、曽禰達蔵らがいた。1880年から1883年までイギリスに留学し、ロンドン大学やコンドルの師であるウィリアム・バージェスの事務所などで学ぶ。

帰国後の1884年、コンドルの後任として工部大学校の教授となる。1886年、工部大学校が帝国大学に吸収されると、その教授に就任。1902年に大学をやめるまで、伊東忠太をはじめ多くの建築家を育てた。この間、1888年には日本銀行本店の設計者にえらばれ、その準備のため、翌年にかけてヨーロッパに留学している。

1898年には帝国大学工科大学の学長をつとめた。1903年、東京に辰野葛西建築事務所をもうけ、1905年には、大阪に辰野片岡建築事務所を設立した。また、建築学会の会長をつとめるなど、明治・大正時代の建築界の第一人者、指導者として活躍した。

代表的な建築には、1896年完成の日本銀行本店や、各地にある同銀行の支店、1909年完成の旧両国国技館や日本生命九州支店、1914（大正3）年完成の中央停車場（現在の東京駅）、1918年完成の大阪市中央公会堂、佐賀県内では1915年完成の武雄温泉（武雄市）の桜門などがある。辰野の事務所がてがけた建築は、200をこえるといわれる。

▲日本銀行旧館　辰野金吾の設計。

国会議事堂の建設にあたっては、建築設計競技（コンペ）によって設計者を決めることを主張し、審査員をつとめたが、結果をみることなく亡くなった。

たつまつはちろべえ

伝統芸能

● 辰松八郎兵衛　?〜1734年

女形人形の名手

▲人形をあやつる辰松八郎兵衛
（国立国会図書館）

江戸時代中期の人形つかい。

大坂（阪）の竹本座（竹本義太夫がおこした人形浄瑠璃の劇場）で、人形つかいの名手として活躍した。

1703年、竹本座で初演された近松門左衛門の『曽根崎心中』でヒロインお初をあやつって人気を得た。1707年には、義太夫の弟子豊竹若太夫とともに、興行がうまく行かずに中絶していた、大坂（阪）のもう一つの人形浄瑠璃劇場の豊竹座の再興に力をつくした。その後ふたたび竹本座にもどり、1715年、近松の『国性爺合戦』で成功をおさめた。

1719年、江戸の葺屋町（東京都中央区）に辰松座をおこして、人形芝居を興行し評判をよんだ。江戸城にまねかれて『八百屋お七』『曽根崎心中』などを上演したこともあった。とくに女形人形（女性役の人形）をつかうのにすぐれ、また、手妻人形とよばれるいくつもの人形をあやつる技などもたくみであった。

たつみせいか

詩・歌・俳句　音楽

● 巽聖歌　1905〜1973年

童謡『たきび』の作詞

大正時代〜昭和時代の童謡詩人、歌人。

岩手県生まれ。本名は野村七蔵。小学校卒業後、神奈川県の旧制中学校に進学。20歳ごろ雑誌『赤い鳥』に詩や童謡の投稿をはじめ、北原白秋に師事する。1930（昭和5）年、児童文学作家の与田凖一らと童謡雑誌『乳樹（のちのチチノキ）』を創刊し、翌年には『雪と驢馬』を出版して童謡詩人としてみとめられる。

簡潔な語り口で、詩『水口』は白秋から絶賛された。第二次世界大戦後は、児童詩の普及に力をそそぎ、新美南吉の作品を世に広めることにもつとめた。代表作に童謡『たきび』がある。白秋が主催する短歌誌『多磨』の歌人。

だてくにしげ

郷土

● 伊達邦成　1841〜1904年

伊達市の発展のもとを築いた開拓者

幕末の藩主。明治時代の開拓者。

陸奥国仙台藩（現在の宮城県、岩手県南部）支藩の亘理

藩（宮城県亘理町など）藩主だったが、戊辰戦争で新政府軍にやぶれ、2万4000石から58石にへらされた。これでは家臣たちをやしなっていけないので、北海道への移住を新政府に請願した。

1869（明治2）年、北海道有珠郡の支配を許可され、翌年から数回にわたって、家族、家臣2600人をひきいて、北海道へ移り住んだ。家臣を団結させ、西洋式農機具を購入して開拓を進め、西洋果樹の栽培、畜産、養蚕をおこなわせた。さらに製糖や製藍工場を設立し、また学校を創立するなど、伊達家の再興をはかった。伊達市は邦成が開拓したことにちなみ、名づけられた。

だてまさむね

戦国時代

● 伊達政宗　1567〜1636年

「独眼竜」とよばれた初代仙台藩主

（仙台市博物館）

安土桃山時代〜江戸時代前期の武将。

出羽国（現在の山形県・秋田県）米沢城主、伊達輝宗の子として生まれる。幼名は梵天丸。元服後は藤次郎政宗と名のる。幼いころに右目を失明し、のちに「独眼竜」とよばれた。1579年、三春城主田村清顕の娘、愛姫と結婚。1584年、隠居した父にかわり家をついだ。翌年、二本松の畠山義継に拉致された父が不慮の死をとげると、積極的に領土拡大に乗りだす。そしてわずか5年のあいだに南奥州（東北地方南部）の覇者として、その名をとどろかせた。しかし1590年に豊臣秀吉に服従し、翌年には国がえになり玉造郡岩出山城（宮城県大崎市）の領主になった。1600年、関ヶ原の戦いでは東軍に加わり、徳川家康から60万石（のちに62万石）をあたえられ、翌年、仙台城に移った。これは加賀藩（石川県・富山県）の前田氏、薩摩藩（鹿児島県）の島津氏に次ぐ石高であり、城下町の仙台は奥羽地方最大の都市になっていく。

以後、政宗は仙台藩（宮城県・岩手県南部）の経営につくした。藩の財政基盤をかためるため、土木工事をおこなって北上川河口の石巻と内陸部をむすぶ水運網を整備し、領内の米を石巻に集めて江戸（東京）に送る廻米というしくみをととのえた。また、塩竈神社（宮城県塩竈市）、大崎八幡宮（仙台市）、国分寺薬師堂（仙台市）、瑞巌寺（松島町）などの寺社仏閣を再興・造営した。外国への関心も高く、1613（慶長18）年には、スペインとの通商を求めて、支倉常長らを大使（使者）とする慶長遣欧使節団をスペイン、ローマに派遣。しかし一行が出発した直後に幕府が全国にむけてキリスト教の禁令を発し、取り締まりを強めたため、目的をはたすことはできなかった。政宗には天下統一という野心があったという説があるが、江戸幕府第3代将軍徳川家光のころには、外様大名ながら異例の信頼を得て、70歳の天寿をまっとうした。和歌や能、茶道のほか、書家としても一流といわれた政宗には、衣装に気をつかい、はでな行動をするエピソードが伝わっている。たとえば、小田原攻めにおくれた際は、死を覚悟する白装束で謁見したとされる。1592（文禄元）年、文禄の役に出兵した際は、けんらん豪華な戦の衣装を着た兵士をひきいて行軍し、沿道の人々の歓声をあびている。こうした行動が、人目をひく人や粋な人を意味する「伊達者」「伊達男」の語源になったといわれている。

だてむねなり

幕末

● 伊達宗城　1818〜1892年

幕末の四賢侯の一人

（福井市立郷土歴史博物館）

幕末〜明治時代の大名、政治家。

江戸（現在の東京）に生まれる。旗本、山口直勝の次男。伊予国宇和島藩（愛媛県宇和島市）の藩主、伊達宗紀の養子となり、1844年、あとをついだ。

藩政の改革につとめ、明治政府が打ちだした富国強兵、殖産興業（生産をふやし、産業をさかんにすること）の政策を積極的に進めた。1854年から、江戸幕府第13代将軍徳川家定の後継をめぐる問題で、一橋慶喜（徳川慶喜）を支持する側に加わったことにより、1858年、安政の大獄で弾圧を受け、藩主の座を宗紀の3男宗徳にゆずって、引退する。しかし、そののちも島津久光や山内容堂（山内豊信）らと公武合体を進め、中央政界で発言力をもった。明治維新後は、民部卿（民部省長官）、大蔵卿（大蔵省長官）などをつとめ、1871（明治4）年には欽差全権大使として中国の清へわたり、日清間の対等条約である日清修好条規を締結した。

同年、廃藩置県を機に、中央政界からしりぞく。幕末に活躍した大名、松平春嶽（松平慶永）、山内容堂、島津斉彬とともに幕末の四賢侯とよばれる。

たなかいっこう

デザイン

● 田中一光　1930〜2002年

日本の広告デザイン界をリードしたデザイナー

昭和時代〜平成時代のグラフィックデザイナー。

奈良県生まれ。本名は一光。1950（昭和25）年、京都市立美術専門学校（現在の京都市立芸術大学）を卒業して、紡績会社、新聞社をへて上京し、広告デザイン会社に就職した。一企業の宣伝広告を一つのチームですべててがけ、日本の広告デザインの先例をつくる。1963年に独立し、企業の広告デザインのほか、ポスターやロゴマークの作成、装丁、建物の内装や外装のデザインまでてがけ、1970年には大阪万国博覧会の政府館の展示設計を担当した。

日本の伝統的な色や形を、現代的なデザイン感覚で表現し、後進に大きな影響をあたえ、国際的にも高く評価された。2000年、文化功労者となる。

たなかかくえい

政治

田中角栄　1918〜1993年

庶民宰相として親しまれた昭和時代の総理大臣

昭和時代の政治家。第64､65代内閣総理大臣（在任1972年、1972〜1974年）。

新潟県の農家に生まれる。成績優秀で小学校低学年のころから、上級生に意見を主張してしたがわせるなど、言動がきわだっていた。教師から進学をすすめられたが、家計が苦しかったため、高等小学校を卒業後、東京に出て土木関係の会社ではたらいた。第二次世界大戦中に会社を立ち上げ、利益をあげるが、仕事で知り合った国会議員のすすめで政治の道に入った。1947（昭和22）年に、衆議院議員に初当選すると、1957年には岸信介内閣の郵政大臣に就任、その後、大蔵大臣、通産大臣などをつとめ、「コンピューターつきブルドーザー」とよばれた頭脳と実行力で、政策をおし進めた。

1972年、福田赳夫と首相の座をあらそい勝利、日中国交正常化と「日本列島改造論」を公約として、総理大臣に就任すると、2か月後には中華人民共和国（中国）にわたり、日中共同声明に調印、中国との国交回復を実現した。「日本列島改造論」は、工業の拠点を地方に移し、新幹線や高速道路を整備して地方を活性化させるという主張で、都市の過密化と地方の過疎化を打開する改革として期待を集めた。

しかし、この政策を受けて地価、物価が急上昇し、年末の総選挙で自民党の議席をへらす要因となった。選挙後に第2次内閣を組織したが、翌年のオイルショックでさらに物価が上昇、大金をつかっての選挙や政治活動への批判も高まり、支持率は低下、1974年に総理大臣を辞任した。

辞任後の1976年、アメリカ企業による大規模な贈収賄事件であるロッキード事件にかかわり、不正な金銭を受けとっていた容疑で逮捕された。議員辞職後、1983年に懲役判決を受け、自民党を離党したが、以後も政界に絶大な影響力をたもち、「目白の闇将軍」（東京都文京区目白台に田中角栄の私邸があったことから）といわれた。

1985年、脳梗塞でたおれ、ロッキード事件について上告中のまま、1993年、75歳で死去した。

農家出身で、学歴をもたない庶民宰相として「今太閤」（現代の豊臣秀吉という意味）と親しまれ、日中国交正常化、「日本列島改造論」など、力強いリーダーシップと政策実行力で、大きな実績をのこした。一方、金銭で人や政治を動かす手法は「金権政治」ともよばれ、政治に対する不信感を生んだ。

学 歴代の内閣総理大臣一覧

たなかぎいち

政治

田中義一　1864〜1929年

シベリア出兵を強行した陸軍大臣

（国立国会図書館）

明治時代〜昭和時代の軍人、政治家。第26代内閣総理大臣（在任1927〜1929年）。

長門国（現在の山口県西部）長州藩の下級藩士の子に生まれる。陸軍大学校卒業後、日清戦争に従軍し、その後ロシアに留学した。日露戦争では満州軍参謀としてつとめた。

1906（明治39）年、山県有朋の命で「帝国国防方針」の原案をつくり、その後、軍部の役職を歴任。1918（大正7）年、原敬内閣で陸軍大臣となり、シベリア出兵を強行。いったん大臣を辞任するが、第2次山本権兵衛内閣でふたたび陸軍大臣をつとめた。1925年に陸軍を退役し、高橋是清のあとをついで立憲政友会総裁となり、以降は政治家として活動する。

1927（昭和2）年に昭和金融恐慌により辞職した若槻礼次郎内閣にかわって内閣総理大臣となって組閣し、外務大臣を兼任。武力行使をふくむ対中国積極外交を進め、治安維持法の改正や共産党の弾圧を強行して悪評が高かったが、1928年におきた張作霖爆殺事件の責任を負って、翌年7月に総辞職した。その3か月ほどあとに急逝した。

学 歴代の内閣総理大臣一覧

たなかきゅうぐ

郷土

田中丘隅　1662〜1729年

酒匂川に堤防をつくった功労者

江戸時代前期〜中期の農政家。

武蔵国多摩郡平沢村（現在の東京都あきる野市）の農家に生まれた。絹織物の行商で知り合った川崎宿（神奈川県川崎市）

の名主（村の長）で、本陣（大名が宿泊する宿）をいとなむ田中家の養子となった。1709年、六郷川渡し船の経営権を代官（地方をおさめる役人）に願いでて許可され、安定した利益を川崎宿にもたらした。

▲文命東堤　（南足柄市秘書広報課）

1721年、宿場運営、治水事業などについての進言書『民間省要』を著した。これが8代将軍徳川吉宗の目にとまり、多摩川下流の六郷用水、二ヶ領用水の改修、酒匂川の改修工事を命じられた。

酒匂川は、富士山の噴火による火山灰や土砂で流れがせき止められ、雨がふると洪水がおこった。村々に堤防をつくれば、田畑に洪水の被害がなくなるとよびかけ、高さ約6m、幅約20mの文命東堤（南足柄市）と同じ規模の文命西堤を完成させた。1729年、代官（地方の事務をおこなう役職）に任命され、3万石の領地の管理を任された。

たなかげんば

郷土

田中玄蕃　生没年不詳

銚子ではじめてのしょうゆ醸造家

江戸時代前期のしょうゆ醸造家。

下総国飯沼村（現在の千葉県銚子市）の大地主で漁業をいとなんでいた田中家は、代々玄蕃の名をついだ。1616年、初代の玄蕃は、酒づくりで知られた西宮（兵庫県西宮市）出身の真宜九郎右衛門という人物にしょうゆづくりを教わり、しょうゆの醸造をはじめた。当時、江戸（東京）では関西のしょうゆがはこばれて、つかわれていたが、玄蕃により江戸っ子の好みに合った濃い味のしょうゆがつくられた。はじめは漁業のあいまに自家用としてつくっていたが、17世紀の終わりころから本格的に醸造業をいとなむようになった。これが関東でのしょうゆづくりのはじまりといわれる。

たなかこういち

学問

田中耕一　1959年〜

失敗からの思いがけない発見で、ノーベル化学賞を受賞

化学者。

富山県生まれ。東北大学工学部で電磁波やアンテナ工学を学んで卒業し、島津製作所に入社、化学分野の技術研究をおこなう。1985（昭和60）年、非常にむずかしいと考えられていたタンパク質の質量分析（重さをはかること）のための「ソフトレーザー脱着法」を開発。これは、まちがってグリセリンとコバルトの混合物をまぜてレーザーをあてたところ、タンパク質が分解せずにうまく分析できたことによる。2002（平成14）年、ソフトレーザー脱着法が評価されてノーベル化学賞を受賞。現役サラリーマン初の受賞として話題となった。同年に文化勲章も受章。その後、島津製作所のフェローとなり、田中耕一記念質量分析研究所の所長になって、研究をつづけている。

学 ノーベル賞受賞者一覧　学 文化勲章受章者一覧

たなかしょうすけ

産業

田中勝介　生没年不詳

はじめて太平洋を横断した日本人

江戸時代前期の商人。

「勝助」とも書く。1609年、フィリピン総督を退任したロドリゴ・デ・ビベロがフィリピンからメキシコへもどる途中で暴風雨にあい、上総国岩和田（現在の千葉県御宿町）の海岸に漂着した。メキシコとの貿易を望んでいた徳川家康は1610年、ビベロ一行を送りかえすにあたり、京都の商人であった田中ら日本人23人を同行させた。メキシコとの貿易計画を進めるためといわれるが、メキシコではあまり歓迎されず目的をはたせなかった。スペインの大使ビスカイノの船で帰国後、静岡の駿府城で家康に会い、ぶどう酒やラシャ（毛織物の一種）などを献上して、メキシコの事情を伝えた。メキシコ滞在中にキリスト教徒になり、フランシスコ・デ・ベラスコの洗礼名を得た。太平洋を横断した最初の日本人とされる。

たなかしょうぞう

政治　郷土

田中正造　1841〜1913年

足尾鉱毒事件で先頭に立って闘った指導者

▲田中正造　（国立国会図書館）

明治時代の政治家、社会運動家。

下野国安蘇郡（現在の栃木県佐野市）生まれ、幼名は兼三郎。小中村の名主の家に生まれ、儒家の赤尾小四郎の塾に学ぶ。17歳で小中村名主となり、1868年、領主六角家のきびしすぎる政治に反抗し、改革運動に成功したが投獄され、追放された。

明治維新後の1870（明治3）年に上京し、30歳のときに、江刺県（秋田県鹿角市）の下級官吏となるが、上司暗殺のうたがいをかけられ、2年間投獄された。無罪釈放となり故郷の栃木県に帰り、青年教育に力をつくした。

1879年に『栃木新聞』（現在の『下野新聞』）を創刊し、国会開設の必要性を説いて自由民権運動に参加する。翌年、県会議員となり、民権結社である中節社を組織して国会開設建白書を元老院に提出、また、政治結社の嚶鳴社から人をよび、

各地で演説会をひらくなど民権思想の普及につとめた。

1886年に同議長をへて、1890年の第1回総選挙で衆議院議員となり、その後、連続6回当選。足尾銅山（栃木県足尾町）の鉱毒により渡良瀬川流域が汚染された足尾鉱毒問題にとりくみ、被害者農民側に立ち、政府と古河鉱業を相手に闘った。とくに1891年の第2回衆議院議会では、政府に質問書を提出して追及、1896年には渡良瀬川で大洪水がおき、鉱毒被害が深刻化すると、操業停止を求めて被害者農民を組織し、議会でこの問題をとり上げ、新聞社にもはたらきかけて世論をおこした。

1900年、農民らの陳情団が憲兵や警官らにより阻止されて流血の惨事となった川俣事件がおこると、議会で亡国演説をおこない、政府責任をはげしく追及した。翌年、議員を辞職、明治天皇に直訴をおこなう。社会に衝撃をあたえ、鉱毒問題に社会の関心が集まった。

しかし、1902年、内閣が設置した鉱毒調査委員会が谷中村に貯水池をもうけて渡良瀬川の治水をはかるという計画を立てると、田中は1904年に水没の危機に直面した谷中村に移り住み、強制買収や遊水池化計画に反対し、国家権力や警察の弾圧に対して最後まで闘いつづけた。1913（大正2）年、道なかばで病死する。

▲足尾銅山

半生をかけて闘った、足尾鉱毒事件は日本の公害運動の原点といわれている。

たなかだてあいきつ

学問

田中舘愛橘　1856〜1952年

日本の地球物理学の基礎を築いた地球物理学者

（田中舘愛橘記念科学館）

明治時代〜大正時代の地球物理学者。

陸奥国二戸郡福岡（現在の岩手県二戸市）に南部藩士の子として生まれる。藩校で学んだあとに東京へ移住し、1878（明治11）年、東京大学理学部（のちに帝国大学理科大学）に入って電磁気学や地球物理学を学ぶ。卒業後に準助教授、助教授となり、この間に電磁方位計を考案した。ケルビンのもとで学んだイギリス留学をへて、1891年に東京帝国大学理科大学教授に就任する。同年の濃尾地震の震源調査から、地震研究の必要性をうったえ、この地震によりできた根尾谷断層（岐阜県）を世界に紹介した。翌年、設立された文部省震災予防調査会に参加。緯度観測所（現在の国立天文台水沢VLBI観測所）設立にも尽力した。

その後、地磁気の研究や気球など航空に関する研究にとりくみ、日本初の近代的有人飛行（グライダー）を成功にみちびいた。1918（大正7）年に東京帝国大学航空研究所の顧問となる。国際度量衡委員会の委員もつとめ、1917年に東京帝国大学名誉教授、1925年に貴族院議員（帝国学士院会員議員）となり、1944（昭和19）年には文化勲章を受章した。天文学者の木村栄はじめ多くの後進を育てて、95歳で亡くなった。

学 文化勲章受章者一覧　学 切手の肖像になった人物一覧

たなかちかお

映画・演劇

田中千禾夫　1905〜1995年

日本の新劇界をリードする

昭和時代〜平成時代の劇作家。

長崎県生まれ。慶應義塾大学仏文科卒業。妻は劇作家の田中澄江。大学在学中から岸田国士の新劇研究所に入り、1933（昭和8）年、雑誌『劇作』に発表した『おふくろ』で劇作家としてデビューする。1937年、劇団「文学座」の創設に参加し、中山昌作の名前で俳優として舞台にも出演した。

第二次世界大戦後は、劇団「俳優座」に加わり、多くの作品を書き上げるとともに、演出や文学指導、俳優育成に力をそそぐ。原爆後の長崎の人たちをえがいた『マリアの首』（1959年）で岸田演劇賞、芸術選奨文部大臣賞を受賞。作品には『雲の涯』『教育』『8段』『肥前風土記』などがある。

たなかともさぶろう

工芸　郷土

田中友三郎　1839〜1913年

笠間焼を発展させた商人

（笠間市教育委員会提供）

江戸時代後期〜明治時代の商工業者。

美濃国（現在の岐阜県南部）に生まれる。江戸（東京）に出て焼き物を売る商人となった。22歳のとき、素朴な味わいのある笠間（茨城県笠間市）の焼き物の魅力にひかれ、笠間に移住した。この地の焼き物は、江戸時代のなかばにはじまり、箱田焼、宍戸焼などとよばれていた。それを「笠間焼」と名づけ江戸で売りだした。みずからも笠間ですぐれた陶土をさがし、美濃での焼き物の技術を生かして、焼き物づくりをはじめた。

陶器製造組合を組織して、笠間焼の信用を高めることに努力した。さらに陶器伝習所をつくって、後継者を育成した。

たなかひさしげ

工芸　産業

田中久重　1799〜1881年

多種多様なからくりをつくった

江戸時代後期〜明治時代の技術者。

筑後国久留米（現在の福岡県久留米市）のべっ甲細工師の子に生まれる。幼いころから細工や発明にすぐれ、20代はじめには五穀神社（久留米市）の祭礼に水しかけのからくり人形をおどらせて、「からくり儀右衛門」として有名になった。1824年、久留米を出て各地で技術を学んで消防ポンプ、天文機器などを製作し、大坂（阪）では無尽灯とよばれるランプを発明して販売した。

1851年には精密な機械技術で和時計の最高傑作といわれる万年自鳴鐘（万年時計）を製作。京都に移り、機巧堂という店をもち、高級時計をつくった。1853年、肥前国佐賀藩（佐賀県）にまねかれて蒸気機関を、その後は久留米藩で大砲の製造をおこなった。

1875（明治8）年、東京の銀座で田中製作所を設立し、電信機械製作を開始した。その後2代田中久重が事業を受けついで近代機械工業を発展させ、現在の東芝の基礎を築いた。

たなだかじゅうろう

政治

棚田嘉十郎　1860〜1921年

平城宮跡の保存に生涯をささげた

明治時代〜大正時代の植木職人、文化財保護運動家。

奈良県生まれ。1896（明治29）年、平城宮の大極殿跡（京都市）をおとずれた棚田は、畑にウシのふんが積み重なっているようすをみて、保存運動を進めることを決意。1906年、平城宮址保存会を設立し、私財をなげうって政界や財界の要人らにはたらきかけた。

1910年、平城遷都1200年祭を成功にみちびき、以後、平城宮跡地の買収を進めた。この買収に宗教団体がかかわるという事件にまきこまれ、1921（大正10）年、身の潔白をあかすため自害した。

棚田の死後、跡地は国に寄付され、1922年、第二次大極殿・朝堂院跡が史跡に、1952（昭和27）年以降、平城宮跡が特別史跡となり、その後も順次指定範囲が広がっていった。現在、平城宮跡の朱雀門の前には、左手にかわらをもち、右手は大極殿をさしている棚田の銅像が立っている。

たなべさくろう

郷土

田辺朔郎　1861〜1944年

琵琶湖疏水をひらいた技術者

（京都市下水道局）

幕末〜昭和時代の技術者。

幕府家臣の子として江戸（現在の東京）に生まれ、工部大学校（現在の東京大学工学部）の土木学科で学んだ。卒業論文は、琵琶湖から京都へひく人工の水路に関するものだった。

卒業後、京都府知事の北垣国道により、京都府の技師に抜てきされ、疏水工事をまかされた。しかし、ばく大な資金が必要なことと、鴨川がよごれるという理由で、代表者会（市議会）で反対された。2人は京都発展のためには疏水が必要だと、ねばり強く説き、市議会の賛成を得た。

1885（明治18）年、工事をはじめ、琵琶湖側と京都側からトンネルをほり、山の上からも竪坑をほる新しい技術を導入し、1889年に2436mの第1トンネルが開通、翌年第1疏水が完成し、琵琶湖から水がひかれた。

大津（滋賀県大津市）から京都までの舟運がひらかれ、物資の大量輸送が可能になった。また水力発電所の建設にも力をつくした。1891年、日本初の蹴上発電所が完成した。これにより工場が建設され、電灯がともり、京都に市街電車が走った。

たなべせいこ

文学

田辺聖子　1928年〜

ユーモアと風刺にあふれる小説家

作家。

大阪府生まれ。樟蔭女子専門学校卒業。1958（昭和33）年に、懸賞小説『花狩』でみとめられ、1963年には『感傷旅行（センチメンタル・ジャーニィ）』で芥川賞を受賞する。大阪の方言をたくみにつかって、ユーモアや風刺にあふれた作品を次々に生みだす。

自伝的な小説から伝記小説、古典の小説化や歴史小説まで分野は幅広く、テンポのよいエッセーも人気がある。主な作品に、自伝『欲しがりません勝つまでは―私の終戦まで』、吉川英治文学賞を受賞した『ひねくれ一茶』、エッセー『ラーメン煮えたもご存じない』『新源氏物語』などがある。2008（平成20）年に文化勲章受章。

学 文化勲章受章者一覧　学 芥川賞・直木賞受賞者一覧

たなべはじめ

思想・哲学

田辺元 1885〜1962年

京都学派を代表する「田辺哲学」を確立した思想家

大正時代〜昭和時代の哲学者。

東京生まれ。第一高等学校（現在の東京大学教養学部）で学び、1904（明治37）年、東京帝国大学理科大学（東京大学理学部）数学科に入学するが、文科へ移り、哲学科を卒業した。東北帝国大学（東北大学）理学部の講師をつとめ、1919（大正8）年、哲学者の西田幾多郎にまねかれ、京都帝国大学（京都大学）助教授となり、1927（昭和2）年、教授に就任。

西田とともに、哲学の学派である京都学派の黄金時代をつくり、その哲学は「田辺哲学」といわれた。しかし、みずからが主張した「絶対弁証法」が戦争を正当化することとなり、第二次世界大戦後は責任を感じ、隠遁生活を送り、宗教哲学を研究した。1950年、文化勲章受章。代表作に『科学概論』『種の論理の弁証法』などがある。

学 文化勲章受章者一覧

たにかぜ

スポーツ

谷風 1750〜1795年

天下無敵の相撲力士

江戸時代中期の相撲力士。

名は梶之助、本名は金子与四郎。陸奥国霞目村（現在の宮城県仙台市）の農家に生まれる。幼いころから怪童と評判され仙台藩主伊達家のおかかえ力士になった。1769年、20歳のとき江戸（東京）の深川八幡宮の興行で初土俵をふみ、1776年から2代谷風梶之助の名前で活躍した。初代谷風は高松藩主松平家のおかかえ力士だった。

筑後国久留米藩（福岡県久留米市）有馬家のおかかえ力士小野川喜三郎との対戦が評判をよび、江戸で相撲が流行した。

1789年、ライバルの小野川とともに横綱の免許を受けて、江戸幕府第11代将軍徳川家斉の前でも対戦した。身長約189cm、体重約161kgといわれる。優勝21回、63連勝と強さを誇り、雷電を弟子にとり、育てた。

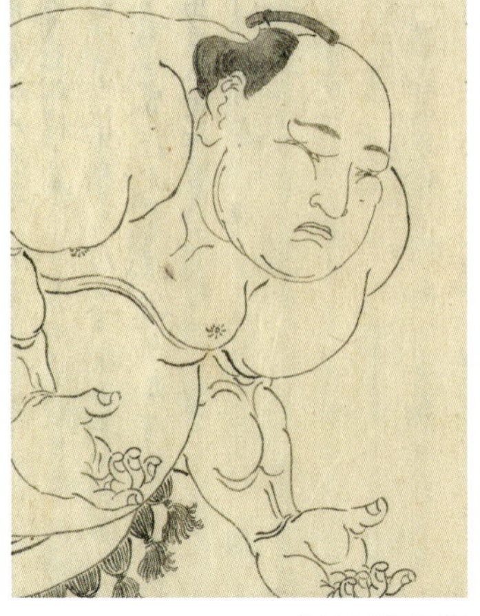
（国立国会図書館）

現役中の1795年、江戸で流行していたかぜが原因で病死した。生涯の取組の成績は、258勝14敗（対小野川8勝4敗）。

たにがわこうじ

伝統芸能

谷川浩司 1962年〜

スピード感あふれる将棋で知られる棋士

将棋棋士。

兵庫県生まれ。5歳のとき、僧侶の父より将棋を教わる。1973（昭和48）年、小学校5年のときに、5級で若松政和七段に入門し、1976年、四段に昇段した。中学2年生で史上2人目の中学生棋士になり、1983年、21歳で史上最年少の名人となる。1984年に九段となる。1992（平成4）年には、棋聖、王将、王位、竜王の四冠に輝く。1997年、羽生善治名人をやぶり、通算5期目の名人位を獲得して、17世名人の資格を得た。2002年に1000勝を達成して、特別将棋栄誉賞を受賞し、2011年に1200勝を達成する。スピード感あふれる棋風は、「光速の寄せ」「光速流」とよばれている。

2012年に日本将棋連盟の棋士会の会長に就任した。棋士やアマチュアの指導員が小学校、中学校に出むいて、将棋の指導をする活動を進めるなど、将棋の普及につとめている。2014年、紫綬褒章を受章した。通算成績は、1267勝802敗（2016年11月現在）。

たにかわしゅんたろう

絵本・児童 詩・歌・俳句

谷川俊太郎 1931年〜

現代詩の最先端で活躍

詩人。

東京生まれ。父は哲学者の徹三。都立豊多摩高校卒業。1950（昭和25）年に三好達治におされて『ネロ』などを発表。1952年に発表した詩集『二十億光年の孤独』では、するどい感受性で生命の輝きを歌い、現代詩の新星として注目される。その後、もっとも人気のある現代詩人として活躍、詩集『六十二のソネット』『日々の地図』『世間知ラズ』『トロムソコラージュ』などで数々の文学賞に輝く。1962年には『月火水木金土日のうた』で第4回日本レコード大賞作詞賞を受賞、テレビアニメ『鉄腕アトム』の主題歌の作詞もてがける。

絵本や児童書も多く、詩集『ことばあそびうた』や『日本語のおけいこ』などで人気を得る。伝承童謡『マザー・グース』、レオ・レオーニの絵本作品、シュルツ作のコミック『ピーナッツ』の翻訳でも知られる。エッセーや対談、戯曲、脚本と、活躍の範囲は広い。

たにかんじょう

谷干城 → 谷干城

たにざきじゅんいちろう

文学

谷崎潤一郎 1886〜1965年

耽美派の代表的作家

（日本近代文学館）

明治時代〜昭和時代の作家。

東京生まれ。弟は英文学者で作家の精二。東京帝国大学（現在の東京大学）国文科中退。中学のころから文才が知られ、作家を志す。1910（明治43）年に、小山内薫らと第2次『新思潮』を創刊し、『スバル』の同人となると、短編小説『刺青』『麒麟』『少年』などをやつぎばやに発表する。これらの作品が永井荷風に絶賛され、新進作家として大いに注目される。

はじめのころは、ひたすら美を追求する耽美主義の世界をえがき、耽美派の代表的な作家として活躍する。1923（大正12）年の関東大震災のあと、関西に移り住み、風俗小説として評判となった『痴人の愛』『卍』などを発表。やがて、古典的な日本美への追求に移り、最高傑作とされる『春琴抄』や『細雪』などを生みだした。また、現代語訳を完成させた『源氏物語』や随筆『陰翳礼讃』など、日本美をえがいた作品は高く評価されている。1949（昭和24）年、文化勲章受章。

学 文化勲章受章者一覧

たにじちゅう

学問

谷時中 1598〜1649年

土佐南学を確立した

江戸時代前期の儒学者。

本名は素有。土佐国甲浦（現在の高知県東洋町）の富裕な家に生まれる。父は浄土真宗の僧。幼くして出家して慈沖と称したが、儒学者の南村梅軒をしたって、梅軒の弟子の門人となり、儒教の一派である朱子学を学んだ。のちに僧をやめて儒学者となり時中とした。野中兼山、山崎闇斎ら優秀な門人を育てて土佐に南学（土佐におこった朱子学の一派。海南学派ともいう）を確立した。著書に『素有文集』『素有語録』がある。

たにたてき

幕末

谷干城 1837〜1911年

佐賀の乱・台湾出兵・西南戦争で活躍

（国立国会図書館）

幕末の土佐藩士、明治時代の政治家。

「かんじょう」とも読む。土佐藩（現在の高知県）の藩校教授館の教授谷万七の子。1856年、江戸（東京）に出て、安積艮斎や安井息軒に儒学を学んだ。帰郷後に尊王攘夷運動（天皇をうやまい外国勢力を追いはらおうという運動）に参加する。1866年、藩の命令で長崎、中国の清の上海を視察した。戊辰戦争では土佐藩兵をひきいて軍功をあげた。1871（明治4）年、明治政府の陸軍大佐となり、1874年、江藤新平がおこした佐賀の乱を鎮圧し、同年、西郷従道にしたがい台湾に出兵した。1877年におこった西南戦争では熊本鎮台（熊本におかれた陸軍の部隊）を死守した。1878年、陸軍中将に昇進、陸軍士官学校校長となり、その後学習院院長に就任した。1885年、第1次伊藤博文内閣の農商務大臣となるが、1887年、伊藤内閣の西洋化政策を批判し、井上馨外務大臣の条約改正案にも反対して辞任した。1890年、貴族院の議員となり地租増徴に反対、日露戦争開戦にも反対した。

たにぶんちょう

絵画

谷文晁 1763〜1840年

すぐれた技術と独特の画風で江戸の画壇を指導

▲谷文晁

（国立国会図書館）

江戸時代後期の画家。

御三卿（徳川氏の一族で田安、一橋、清水の3家）の田安家の家臣で、詩人としても有名な谷麓谷の子として江戸（現在の東京）に生まれた。少年時代に狩野派（狩野正信・狩野元信父子にはじまる絵画の流派）の画家に絵を学んだ。次いで円山派（円山応挙を祖とする絵画の流派）、文人画（学者や文人がえがいた絵画）、西洋画などさまざまな画風を学び、また長崎に遊学して、中国の絵画を研究し独特の画風を確立した。

1788年、26歳で田安家につかえ、1792年、老中（将軍を補佐して政治をおこなう役職）松平定信に才能をみとめられてそば近くにつかえた。1793年、江戸湾（東京湾）の防備にとりくむため、相模（神奈川県）や伊豆（静岡県伊豆半島）の海岸調査をおこなった定信に同行し、各地の風景を西洋画の遠近法や陰影法をとり入れてえがき、『公余探勝図巻』を制作した。

定信が老中をやめたあともつかえて、1796年に定信の命令により、全国をめぐって各地にのこる古い書画や武具などの文化財を調査、模写して図録集『集古十種』『古画類聚』を編さんした。

一方で、精力的に絵をえがき、諸国を旅行したときの写生をもとにえがいた『彦山真景図』『隅田川・鴻台真景図』や、肖像画『木村兼葭堂像』などの作品をのこした。芸術一家で、弟や妹、妻たちも画家として知られ、また、渡辺崋山や田能村竹田などすぐれた画家を育て、江戸の絵画界の中心人物として活躍した。

▲『公余探勝図巻』
（東京国立博物館　Image:TNM Image Archives）

たにりょうこ

スポーツ

谷亮子　1975年〜

女子柔道で金メダルを2度獲得

柔道選手。

福岡県生まれ。旧姓は田村。8歳から柔道をはじめ、1990（平成2）年の福岡国際女子柔道選手権に15歳で初優勝した。

オリンピックでは、1992年のバルセロナ大会、1996年のアトランタ大会は銀メダルに終わるが、2000年のシドニー大会で念願の金メダルを獲得した。2003年に結婚し、谷姓でいどんだ2004年のアテネ大会でも金メダルを手にして、2連覇をかざった。5度目の出場となる2008年の北京大会では銅メダルを獲得し、「ヤワラちゃん」の愛称で親しまれた。

2010年、参議院議員選挙に初当選し、この年、柔道選手としての現役を引退した。

学 オリンピック日本代表選手 メダル受賞者一覧

たぬまおきつぐ

江戸時代

田沼意次　1719〜1788年

経済発展に力をつくした老中

江戸時代中期の大名、老中。

紀州藩（現在の和歌山県・三重県南部）の藩士の子として生まれる。父は身分の低い武士だったが、1716年、藩主徳川吉宗が江戸幕府第8代将軍になると、江戸（東京）に出て、旗本（将軍に直接会うことをゆるされた武士）に登用された。意次も16歳で吉宗の子徳川家重の小姓になった。

1745年、第9代将軍になった家重の側近としてつかえ、1758年、40歳のとき1万石をあたえられて大名になった。家重の子で第10代将軍徳川家治にも信頼されて、1767年、側用人（将軍のそば近くにつかえ将軍の命令を老中に伝えたりする役職）になり、ついに遠江国（静岡県西部）相良城主になった。1772年、54歳で老中に昇進し政治の実権をにぎった。

▲田沼意次　（勝林寺蔵）

意次は、年貢による増収には限界があると考え、経済活動を活発にして幕府の収入をふやそうとした。

オランダや中国との貿易をさかんにするため、銅山の開発や、いりこ（ナマコをほしたもの）、ふかひれ、干しあわびなど海産物の増産を進め、銅や海産物を輸出して、金銀を輸入した。海産物の産地である蝦夷地（北海道）にも関心をしめし、工藤平助の『赤蝦夷風説考』にもとづいて蝦夷地を調査させ、開発を計画した。

また、江戸と大坂（阪）の商人に出資させて下総国（千葉県北部・茨城県南西部）印旛沼の干拓工事にも着手した。一方で、蘭学に理解をしめしたので、杉田玄白や前野良沢の『解体新書』が出版されるなど学問が発展した。

しかし、特権を得ようとする商人や大名から多額の献金を受けたため、わいろ政治と批判された。1784年、意次の子で若年寄（老中を補佐し旗本や御家人を指揮・管理した役職）の田沼意知が殺される事件がおきた。さらに、浅間山の大噴火（1783年）などが重なって米の値段が高騰し、各地で百姓一揆や打ちこわしが発生した。1786年、将軍家治が危篤となり、うしろだてを失うと、反田沼派の人々から老中をやめさせられ。田沼が幕府の政治を動かした時代を「田沼時代」という。

学 江戸幕府の大老・老中一覧

▲田沼意次とゆかりが深く、墓がある東京の勝林寺　（勝林寺蔵）

たぬまおきとも

江戸時代

田沼意知　1749〜1784年

江戸城内で切りつけられた

江戸時代中期の幕臣。

田沼意次の子。1783年、若年寄（老中を補佐し旗本や御家人を指揮・管理した役職）になり、父意次とともに江戸幕府第10代将軍徳川家治の側近として権勢をふるった。しかし、1784年、江戸城の城内で旗本の佐野政言に切りつけられ、亡くなった。佐野からわいろを受けとりながら約束をはたさなかったので、うらみを買ったといわれる。事件後、田沼親子の権勢をこころよく思っていなかった世間は、佐野に同情し、「世直し大明神」とよんでほめたたえた。この事件によって意次の権威はおとろえ、老中をやめさせられるきっかけになった。

たぬまたけよし

写 真

田沼武能　1929年～

世界のこどもを撮影する写真家

写真家。

東京都生まれ。東京写真工業専門学校（現在の東京工芸大学）を卒業後、雑誌を発行する会社のスタッフとしてはたらきながら、木村伊兵衛の助手になり、さまざまな撮影に同行した。1951（昭和26）年から、雑誌『芸術新潮』の仕事を受け、小説家や画家などの写真を撮る。1965年にタイム・ライフ社と契約したころから、こどもの撮影をはじめた。その後フリーとなり、1984年からUNICEF親善大使に同行し、世界各地のこどもたちを撮影した。その成果は、1975年に発行した『すばらしい子供たち』などの写真集におさめられている。2003年に文化功労者にえらばれた。

たねがしまときたか

戦国時代

種子島時堯　1528～1579年

ポルトガル伝来の鉄砲を日本に広めた

（鉄砲館提供）

戦国時代の武将。

大隅国（現在の鹿児島県東部）種子島の領主、種子島恵時の子として生まれ、父のあとをついだ。

1543年、16歳のときに、種子島に漂着したポルトガルの商人より、鉄砲2丁を購入する。そして、刀工の八板清定（金兵衛）に鉄砲を分解して調べさせ、はじめて国産の鉄砲をつくることに成功する。鉄砲は島津氏を通して、室町幕府の第12代将軍足利義晴に献上されたといわれ、数年後には量産化がはじまり、種子島銃として日本各地に普及した。

1555年以降は薩摩国（鹿児島県西部）の戦国大名、島津貴久につかえ、同年、島津氏の、大隅国の蒲生氏攻めに参加。1558年からの肝付氏攻めには、家臣を派遣した。また、長年にわたり、領地の拡大をめざす禰寝氏ともあらそい、領地を守った。貴久のあとをついだ島津義久に自分の娘をとつがせるなど、島津氏からの信頼はあつく、種子島氏は、代々島津家の家老をつとめる家がらとなった。

たねださんとうか

詩・歌・俳句

種田山頭火　1882～1940年

漂泊の中で独自の自由律俳句をのこす

（日本近代文学館）

大正時代～昭和時代の俳人。

大地主の長男として山口県に生まれる。本名は正一。10歳のときに母親の自殺にあい、終生その衝撃を背負う。成績は優秀で早稲田大学に進むが、中退して故郷にもどり、父とともに酒造業をいとなむ。1913（大正2）年から荻原井泉水に師事し、季語や五・七・五の定型にこだわらない自由律俳句をつくり、俳誌『層雲』に発表した。

1916年に家が破産、離婚や父の死などが重なり、酒におぼれるようになった。1924年、熊本市内の報恩寺で出家し、法名を耕畝とする。やがて、禅僧として遍歴の旅に出た。一笠一杖の姿で、托鉢をしながら全国を漂泊し、多くの俳句をつくった。俳句は9000にものぼり、禅僧らしい独自のおもしろみをもつ。句集『草木塔』や死後に友人がまとめた日記紀行文集『愚を守る』、『あの山越えて』などがある。代表作に「分け入つても分け入つても青い山」「まつすぐな道でさみしい」などがある。

たのむらちくでん

絵 画

田能村竹田　1777～1835年

詩文にもすぐれた文人画家

（大分市美術館蔵）

江戸時代後期の画家。

豊後国岡藩（現在の大分県竹田市）の藩医の子として生まれる。儒学を学ぶかたわら、詩画に親しんだ。1798年、藩校由学館に出仕して『豊後国志』の編さんなどにたずさわった。1801年、江戸にのぼり、かねてより文通で文人画（学者や文人がえがいた絵画）を学んでいた谷文晁をたずねる。1811年と1812年に領内で大きな一揆がおきたとき、2度にわたって藩政の改革を求める意見書を提出したが採用されず、1813年、37歳で隠居した。

その後は書画を中心とする生活を送った。九州や京都、大坂（阪）などをめぐり、頼山陽をはじめとする多くの文人と交流した。やわらかな線で、気品のあるおだやかな、中国の伝統的な南画に近い絵をえがき、代表作に重要文化財にも指定されている『赤復一楽帖』『梅花書屋図』などがある。また、絵画や画家について評した『山中人饒舌』や、友人や弟子の話をしるした『竹田荘師友画録』など著作も多い。

ダビッド，ジャック・ルイ

絵画

ジャック・ルイ・ダビッド 1748〜1825年

ナポレオン1世の首席画家をつとめた画家

フランスの画家。

パリで商人の家に生まれるが、幼いときに両親をなくし、おじたちに育てられる。絵の才能がみとめられ、少年時代に美術学校で絵画の指導を受ける。1774年ローマ賞を受賞し、翌年から5年間ローマへ留学した。

1784年、『ホラティウス兄弟の誓い』をサロンに出品する。剣を高々とかかげる兄弟の勇敢な姿は、当時の民衆を勇気づけた。古代美術やルネサンスの影響により、ローマの英雄伝説など、歴史的な題材の作品を制作した。フランス革命からの激動の時代、革命派に入って政治にかかわり、ナポレオン1世の主席画家となった。フランス革命を題材にした作品が多い。代表作に『マラーの死』『皇帝ナポレオン1世と皇妃ジョセフィーヌの戴冠』『アルプスを越えるナポレオン』などがある。ナポレオンが失脚すると、スイスやベルギーのブリュッセルで亡命生活を送り、そこで生涯を終えた。

ダビデおう

王族・皇族

ダビデ王 ?〜紀元前960年ごろ

イスラエル全土を支配した

イスラエル王国の第2代国王（在位紀元前1000〜紀元前960年ころ）。

ベツヘレム生まれ。羊飼いだった少年時代をへて、サウル王につかえた。その後、だれもがおそれるペリシテ人兵士ゴリアテを、石を投げただけでたおし、王にみとめられる。出陣するたびに勝利をおさめると、名声は高まり、王の娘ミカエルと結婚した。しかし、しだいに王にうとまれ、命をねらわれるようになったため、国外へのがれた。やがて王がペリシテ人との戦いで戦死すると、かわって王の座につき、エルサレムを首都として、ペリシテ人などを制圧。イスラエル全土を支配した。また周辺の地域にも勢力をのばし、国内の官僚制度を整備して、中央集権を確立した。イスラエル王国全盛の基礎を築き、息子のソロモン王に王位をゆずった。ダビデ王の生涯は、旧約聖書の中で、理想的な国王としてえがかれている。またダビデ王は、旧約聖書の「詩編」の作者で、竪琴の名手としても知られている。

タフト，ロバート

政治

ロバート・タフト 1889〜1953年

労働運動の規制をおこなった

アメリカ合衆国の政治家、弁護士。

第27代大統領ウィリアム・タフトの子として生まれる。エール大学、ハーバード大学を卒業し、オハイオ州で弁護士となった。第一次世界大戦後の1921年にはオハイオ州下院議員、1931年には同上院議員となり、1939年に連邦上院議員となった。1947年には共和党の上院政策委員会議長となり、党の国内政策を指導した。財政分野に強く、1947年、下院議員のハートレーとともに、労働者に大きな保護をあたえ労働組合を発展させていたワグナー法をあらためて、タフト・ハートレー法を制定した。これは、労働組合員だけをやとい入れる「クローズドショップ」の禁止や、従業員の団結しない権利の保障などを定めた内容だった。

たべいじゅんこ

探検・開拓

田部井淳子 1939〜2016年

女性で世界初の7大陸最高峰登頂者

昭和時代〜平成時代の登山家。

福島県生まれ。こどものころはからだが弱く、運動も苦手だったが、小学4年のときに栃木県の那須連峰に登ったことで、登山の楽しさにめざめた。

大学を卒業後、日本物理学会のジャーナル編集部ではたらきながら、社会人の山岳会に所属して登山活動に力をそそいだ。1969（昭和44）年、女性だけで海外遠征をおこなうことを目標に「女子登攀クラブ」を設立した。1975年に、女性ではじめて世界最高峰のエベレスト山の登頂に成功した。

その後も各大陸の最高峰に登頂し、1992（平成4）年に女性で世界初の7大陸最高峰登頂者となった。

たまかじぞうこく

工芸　郷土

玉楮象谷 1806〜1869年

讃岐漆器の技法を完成させた職人

江戸時代後期の職人。

讃岐国高松藩（現在の香川県高松市）高松城下で刀のさやをぬる塗師（漆器職人）藤川理左衛門の子として生まれた。20歳のころ、京都に行って、寺社の書画、陶器、美術工芸にふれ、中国や東南アジアの漆塗り技法を研究した。

25歳で帰郷し、日本古来の技法に中国の技法や東南アジアの蒟醤技法などをとり入れた象谷塗という技法を完成させた。木やタケなどの材料に、赤、黒の漆をぬってから、花、草、虫などの模様をほり、さらに青、藍などの漆をぬって、光沢をだす方法だった。東南アジアの蒟醤塗にならったものといわれている。

高松藩3代の藩主につかえ、印籠、小箱をはじめ、調度品をたくさんつくって献上したので、その功績によって玉楮の姓をあたえられ、帯刀をゆるされた。讃岐漆器の祖とよばれた象谷がはじめた蒟醤塗の技法は、国の重要無形文化財に指定されている。

▲玉楮象谷の漆器
（高松市美術館）

たまがわきょうだい

郷土

玉川兄弟

兄庄右衛門　？～1695年
弟清右衛門　？～1696年

玉川上水を完成させた治水家

▲羽村取水堰付近にある銅像
（東京都水道局）

江戸時代前期の町人、治水家。

江戸（現在の東京）の町人とも、多摩地方の農民とも伝えられている。

江戸は1603年に幕府がひらかれてから急速に人口がふえ、水不足になやんでいた。4代将軍徳川家綱のとき、江戸の南西部を流れる多摩川から上水（水道）をひく計画が立てられた。

多摩川周辺の水利に通じていた兄の庄右衛門は、標高が高く、じゅうぶんな水量があるところから水をとり入れる必要があると考えた。弟の清右衛門とともに取水場所をさがして歩きまわり、多摩川上流の羽村（東京都羽村市）から取水するとうまくいくのではないかと考えた。そこから、江戸の西に広がる武蔵野台地を横切り、江戸城外堀の西側にある出入り口の四谷大木戸（東京都新宿区）まで上水をほり、四谷大木戸からは石や木でつくった樋（水道管）を地中に通して、江戸の町中に給水するという計画を立てた。

この計画は幕府に許可され、6000両の資金をあたえられた。1653年、2人は人手を集めて工事をはじめた。羽村から四谷大木戸までは約43km、高低差は約92mだった。距離が長く、勾配のゆるやかな水路をほるためには、正確な測量技術が必要だったが、各地を細かく測量して、水の通り道を決めた。

玉川上水の地図

工事は兄弟の計画通りに進んだが、高井戸（東京都杉並区）付近までで幕府からあたえられた資金をつかいきってしまった。そのため、私財を投げだし、屋敷を売って工事をつづけ、7か月あまりで工事を完成させた。翌年には、地中の水路工事を虎ノ門（東京都港区）まで完成させた。

上水の完成により、兄弟は「玉川」という姓をあたえられ、玉川上水の管理をまかされた。1659年からは上水の修理費用にあてるため、武家や町人から上水使用料をとることがゆるされた。玉川上水ができたことにより、水がとぼしかった武蔵野台地に新しい村がひらかれ、畑がつくられた。

玉川上水の水はその後、青山・三田・千川上水に分水されて、給水地域が広がった。羽村の取水堰（水量を調節する施設）は、明治時代に現在の規模に改築された。多摩川の水は350年以上たった現在も、東京都民の飲料水となっている。

たまがわしょうえもん

玉川庄右衛門 → 玉川兄弟

たまがわせいえもん

玉川清右衛門 → 玉川兄弟

たまきぶんのしん

幕末

玉木文之進

1810～1876年

松下村塾で松陰を育てた

（山口県萩市役所提供）

江戸時代後期～明治時代の長州藩士。

吉田松陰のおじ。長州藩（現在の山口県）の藩士の家に生まれ、玉木家の養子となって家をつぐ。1842年、萩城下松本村（萩市）に私塾松下村塾をひらいて、きびしく子弟の教育にあたった。おいの吉田松陰も門下生であり、のちに松下村塾を受けついだ。

藩校明倫館の都講（塾頭）に任命され、さらに異賊防御掛（外国への防衛を担当する役職）、各地の代官や郡奉行などを歴任した。

1869（明治2）年、引退して松下村塾を再興し、教育に専念する。幕府がたおれて士族（旧武士）となった人々の生活は苦しく、1876年、元参議（明治政府の重要な官職）の前原一誠が明治新政府の政治に反対する不平士族をひきいて萩の乱をおこすが、政府軍にやぶれた。一族や門下生の中に乱に加わった者が多数いたので、玉木は責任を感じ、先祖の墓の前で自殺した。

たまぐすくちょうくん

郷土

玉城朝薫　1684～1734年

音楽劇の組踊りを創作した役人

▲『執心鐘入』の一場面

（国立劇場おきなわ）

江戸時代中期の琉球王国の役人。

琉球王国（1429年から1879年まで琉球諸島にあった王国）の首都首里（現在の沖縄県那覇市）に生まれた。祖父のあとをつぎ、1692年、玉城間切（数か所の村からなる琉球王国の行政区画）の惣地頭（村をおさめる役人）になった。のちに国王につかえ、王の命令で、薩摩国（鹿児島県西部）や江戸（東京）に行き、能や歌舞伎などを鑑賞した。

1718年、明（中国）の皇帝の使者をもてなすうたげの踊奉行（音楽や踊りの責任者）に任命された。琉球に古くから伝わる話をもとに、歌舞伎や能などをとり入れて、『二童敵討』『執心鐘入』などの台本を書き、歌、舞踊、せりふで構成される音楽劇を創作した。

翌1719年のうたげで初演して、評判をよんだ。朝薫が創作した音楽劇は、のちに「組踊り」とよばれるようになり、沖縄の古典芸能として受けつがれ、現在は国の重要無形文化財に指定されている。

たむらせいべえ

郷土

田村清兵衛　生没年不詳

京都の和束郷に新田開発をした庄屋

江戸時代中期の農民、開拓者。

山城国相楽郡和束郷（現在の京都府相楽郡和束町）の集落の庄屋（村の長）の家に生まれた。郷全体の庄屋をまとめる大庄屋となり、和束郷を発展させるためには新田を開発して米を増産することが一番だと考え、私財を投じて数十人の農民を集め、開発にあたった。

1702年、和束郷西北の荒れ地に用水池をつくり、水をひいて、約1150aの水田（田村新田）をひらいて、23戸の農家を移住させ、田村新田村（井手町）をつくった。

その後、湯船村（和束町）の寺院の修理費用をつくるために湯船奥山を開墾し、水田約100aをひらくなど、和束郷の発展につくした。

たむらとしこ

文学

田村俊子　1884～1945年

女性の自立をえがく

明治時代～大正時代の作家。

東京生まれ。本名は佐藤とし。日本女子大学中退。作家の幸田露伴の弟子となり、1903（明治36）年、雑誌『文芸倶楽部』に佐藤露英の名前で小説『露分衣』を発表する。その後、舞台女優をへて、1911年、『大阪朝日新聞』の懸賞小説に応募した『あきらめ』が1等に当選し、作家活動に入る。主な著書は、『誓言』『女作者』『木乃伊の口紅』『炮烙の刑』など。恋に生きる女性や、女性の自立をするどくえがいた作品が多い。1918（大正7）年、恋人を追ってカナダにわたり、18年間滞在する。その後中国にわたって雑誌の編集などをおこなっていたが、1945（昭和20）年上海で急死した。

たむらりゅういち

詩・歌・俳句

田村隆一　1923～1998年

戦後の詩の旗手として活躍

昭和時代～平成時代の詩人、翻訳家、随筆家。

東京生まれ。中学時代から詩作をはじめ、詩誌『新領土』や『LE BAL』などに参加した。明治大学文芸科に入学後、学徒出陣で海軍航空隊に配属され、第二次世界大戦の終戦をむかえた。戦後は1947（昭和22）年に、鮎川信夫、黒田三郎らと詩誌『荒地』を創刊し、1956年に最初の詩集『四千の日と夜』を発表する。現代文明に対する危機感や批判を詩に歌い、戦後詩の旗手として活躍した。詩集は『言葉のない世界』『ハミングバード』ほか多数。軽妙な文体のエッセーにも人気がある。また、アガサ・クリスティ、エラリー・クイーンなどの推理小説の翻訳も多くてがけている。

ためながしゅんすい

文学

為永春水　1790～1843年

江戸の男女の恋のかけひきをえがく

▲著作『春色梅児誉美』

（早稲田大学図書館）

江戸時代後期の戯作者。

本名は佐々木貞高。江戸（現在の東京）に生まれる。貸本屋をいとなむ一方で、巧妙な話術で軍記物やあだ討ちなどを語る講談師としても活躍した。そのかたわら、戯作者（江戸時代の娯楽小説の作者）をめざして式亭三馬に弟子入りする。1832年、江戸の男女の恋のかけひきをえがいた『春色梅児誉美』で人気を得た。その後、門人たちとの合作で多くの人情本

（恋愛小説）を発表し、江戸を代表する人情本の作者になった。しかし、水野忠邦の天保の改革がはじまると、恋愛を主題にした内容が風紀を乱すとして、1842年、手鎖（両手首に手錠をかけて自宅謹慎させる刑罰）50日の刑を受け、翌年病死した。

ためひらしんのう

王族・皇族

為平親王　952〜1010年

源氏とむすび、藤原氏と対立

平安時代中期の皇子。

村上天皇の子。冷泉天皇の同母弟。円融天皇の同母兄。

965年、朝廷で藤原氏に対立する左大臣源高明（醍醐天皇の子）の娘をきさきとしたので藤原氏の反発を買った。967年に冷泉天皇が即位すると、藤原氏は為平親王を皇太子に立てることを拒否し、弟の守平親王（のちの円融天皇）を皇太弟（天皇のあとつぎの弟）に立てた。同年、皇太弟守平親王を退位させ、為平親王を天皇に即位させようと謀反をたくらむ者がいるという密告があった。朝廷で役人をとりしらべた結果、源高明が事件にかかわっていたとされ、高明は大宰府の長官である大宰権帥に左遷され、為平親王は出家した。この安和の変とよばれる事件は、源高明を失脚させるための藤原氏の陰謀だったと考えられている。藤原氏は源氏の勢力を中央から追放し、政界の中心に立った。

たやすむねたけ

江戸時代

田安宗武　1715〜1771年

御三卿の一つを創設

▲宗武が群馬県太田市の清泉寺に建立した仏塔　（太田市教育委員会）

江戸時代中期の大名。

徳川氏の一族で、紀伊藩（現在の和歌山県・三重県南部と東部）の藩主だった徳川吉宗の次男。江戸幕府第9代将軍徳川家重の弟。御三卿の田安家の初代当主。

幼いころから利発で、国学者の荷田在満や賀茂真淵に国学や和歌を学んだ。武芸にもすぐれていたので、家臣の中には、病弱だった家重よりも、宗武を次の将軍におす動きがあったという。しかし、吉宗は後継者争いがおこることをさけるため、長子相続を重んじて家重を後継者にした。

1731年、江戸城田安門内の屋敷に移り、田安家を創設した。田安家は、弟の宗尹が創設した一橋家、家重の次男重好（のちの清水重好）が創設した清水家とともに御三卿とよばれ、将軍にあとつぎがない場合、御三家または御三卿から次の将軍をだす役割をになった。

たやまかたい

文学

田山花袋　1871〜1930年

日本の自然主義文学運動の先駆者

（日本近代文学館）

明治時代〜大正時代の作家。

群馬県生まれ。本名は録弥。父は館林藩（現在の群馬県館林市）の下級藩士だったが、1877（明治10）年に西南戦争で戦死する。12歳のころから儒学者の吉田陋軒に漢学を学び、文学にめざめ、雑誌に和歌や漢詩を投稿していた。1886年に一家で上京し、西洋文学にひかれ、作家を志す。

1891年、尾崎紅葉をたずねて、同年には小説『瓜畑』などを発表した。さらに『文学界』で活躍していた島崎藤村や国木田独歩と交流し、独歩らとの共著で詩集『抒情詩』を出版する。1907年、女弟子とみずからの関係や自分の心を書いた小説『蒲団』を発表する。この小説で日本の自然主義文学（あらゆる美化をさけて自然のままの真実をえがく文学）を方向づけ、さらには私小説（作者自身の経験や心理をありのまま書いた小説）という新しい分野を切りひらく。また、客観的な描写を「平面描写」とよんで推進し、自然主義文学運動の先頭に立った。ほかに『生』『妻』『縁』の三部作、『田舎教師』などの作品や、評論『露骨なる描写』などがある。

ダライ・ラマ

宗教

ダライ・ラマ　1935年〜

ノーベル平和賞を受賞したチベット仏教の最高指導者

ダライ・ラマ14世（1935年〜）は、チベット北東部のアムド地方（中華人民共和国の青海省）のタクツェル村に、農家の子として生まれる。幼名はラモ・トンドゥプ。2歳のときに、ダライ・ラマ14世と認定された。1940年に即位し、教育を受けはじめる。1949年から翌年にかけ、中国軍のチベット侵攻がおこなわれ、その後の1959年、チベットの中心地ラサでチベット人が民族蜂起をすると、ふたたび中国軍が弾圧。14世は亡命を余儀なくされ、北インドのダラムサラに亡命政権を樹立し、チベット

の平和的独立をめざして活動をおこなっている。2011年、政府の長から引退。「ダライ・ラマはチベットの政教両面の権威者」というダライ・ラマ5世以来の伝統を終わらせた。14世は現在も世界的に著名な仏教指導者の一人であり、1989年にノーベル平和賞を受賞している。

なお、ダライ・ラマとはチベット仏教の最高指導者の称号である。チベット仏教ゲルク派（黄帽派）の開祖の高弟ゲンドゥン・ドゥッパ（1391～1474年）の転生者が代々この称号を受けついでおり、現在にいたるまでチベット仏教徒の精神的なささえとなっている。4世（1589～1617年）はアルタン・ハンの曽孫であり、内モンゴル地方にチベット仏教ゲルク派の教えを広め、5世（1617～1682年）はチベット全土を統一し、1642年に宗教・政治の両権をあわせもつダライ・ラマ政権を確立した。13世（1876～1933年）は清（中国）、イギリス、ロシアの覇権争いに巻きこまれながらも、チベットの国権の保持と近代化につとめた。

学 ノーベル賞受賞者一覧

ダラディエ，エドゥアール

政治

エドゥアール・ダラディエ　1884～1970年

第二次世界大戦開始時のフランス首相

フランスの政治家。首相（在任1933年、1934年、1938～1940年）。

カルパントラス生まれ。歴史学教授から急進社会党に入り、1919年に下院議員にえらばれた。1924年にエリオ内閣に入閣。植民地大臣などを次々につとめ、首相となった。人民戦線を結成してファシズムに反対し、戦争を否定。ブルム内閣の国防大臣兼副首相となったのち、1938年には3度目の首相となった。ミュンヘン会談でドイツの要求を受け入れて、ドイツに勢いをあたえてしまった。内政では金融の安定と国防費確保につとめ、人民戦線を一転して弾圧、崩壊させた。

1940年に首相を辞任。第二次世界大戦でフランスが降伏すると、ドイツに協力的な政府に逮捕されドイツに送られる。大戦末期にアメリカ軍に救出され、戦後も国民議会議員をつとめた。

ダランベール，ジャン・ル・ロン

思想・哲学　学問

ジャン・ル・ロン・ダランベール　1717～1783年

百科事典である『百科全書』の編集をした数学者

フランスの数学者、物理学者、哲学者。

パリ生まれ。騎士の庶子で、ガラス職人の夫婦に育てられた。マザラン修道学院で教育を受け、弁護士となるが、その後、数学、物理学、哲学も学ぶ。22歳で「積分法に関する論文」を公表し、1741年、科学アカデミー会員にえらばれた。1743年に出版した『動力学論』で解析力学の基礎を築く。力学に均衡の考えをとり入れた「ダランベールの原理」は有名である。

天文学でも歳差運動（回転する物体の回転軸が首をふるように回転して行く運動）や地軸の章動（歳差運動の際、自転軸が微小なゆれをおこす現象）に関する研究で知られる。1751年から親友のディドロと『百科全書』の編集に参加、序文と数学の項目を担当して、すぐれた記述をのこした。

ダリ，サルバドール

絵画

サルバドール・ダリ　1904～1989年

シュールレアリスムの代表的な画家

スペインの画家。

スペイン北東部に生まれる。幼少のころから絵の才能にすぐれ、マドリード美術学校で絵画を学んだ。1928年パリでピカソやミロと出会い、シュールレアリスム（超現実主義）運動に加わった。また、未来派やジョルジョ・デ・キリコの形而上絵画の影響を受けた。フロイトの精神分析に傾倒し、その考えを作品にとり入れた。夢や幻覚といった人間の無意識の世界を表現して、「偏執狂的批判的方法」と名づけた、だまし絵のような作品をえがいた。

1940年にアメリカ合衆国に定住して、市民権を得た。著作や版画、映画や舞台装置、宝石などの商業デザインのほか、映画監督ブニュエルと共同制作した映画『アンダルシアの犬』など、さまざまな作品に才能を発揮した。代表作は、ぐにゃぐにゃにのびた時計で知られる『記憶の固執』、人体を極端に強調した『内乱の予感』などがある。著書に『非合理の征服』などがある。

タルコフスキー，アンドレイ

映画・演劇

アンドレイ・タルコフスキー　1932～1986年

深い精神性のある作品で評価された映画監督

ソビエト連邦（ソ連）の映画監督。

イワノフ州に生まれる。ソ連の国立映画大学で学び、1960年に卒業制作として監督した作品『ローラーとバイオリン』がニューヨーク国際学生映画コンクールで第1位となり、国際的に注目された。

1962年、はじめての長編作『僕の村は戦場だった』で、こどもの視点から戦争をえがき、ベネチア国際映画祭金獅子賞を受賞した。以後、作品数は少ないながら、独特の美しい映像や、深い精神性のある作品で評価された。1984年にソ連から亡命した。スウェーデンで『サクリファイス』（1986年）を撮影したあと、1986年にパリで死去した。代表作に『惑星ソラリス』（1972年）、『鏡』（1975年）などがある。

だるま

宗教

達磨　?～528?年

中国禅宗の開祖

(国立国会図書館)

中国、南北朝時代の仏教の僧。

達磨大師の名で知られ、正式には菩提達磨という。インドの王族の生まれで、6世紀はじめに中国にわたり、禅を伝えた。河南省洛陽を中心に活動し、嵩山の少林寺で、9年間、無言のまま壁にむかって座禅をしてさとりをひらいたという。この「面壁九年の座禅」など、問答や座禅などの禅を実践し、仏法を説きながら、修行僧に心身鍛錬の拳法をさずけたとされる。その教えは弟子の慧可に受けつがれ、中国全土に広まった。528年に150歳で亡くなったといわれるが、さだかではない。人々に説いたとされる自己修養の入り方や言行を記録した禅の書『二入四行論』などがある。

日本の伝説では、達磨の生まれかわりが聖徳太子に出会ったとされ、また平安時代末期には達磨宗がおこり、鎌倉時代の新仏教である臨済宗や曹洞宗に大きな影響をあたえた。開運や商売繁盛を願う、赤い張り子のだるまは、赤い衣で座禅をしている達磨の姿をかたどったものである。

ダレイオスいっせい

王族・皇族

ダレイオス1世　紀元前550?～紀元前486年

アケメネス朝ペルシア最盛期の王

アケメネス朝ペルシアの第3代国王（在位紀元前522～紀元前486年）。

ダリウス1世ともよばれる。王家の一族の出身。先王の死後、反乱をおこした神官をたおして即位する。その後、各地の反乱もしずめて、先王の領地を回復し、さらに周辺に遠征して、エーゲ海からインダス川におよぶ最大領土を支配した。ギリシャにも紀元前492年、紀元前490年の2度にわたり遠征を試みたが、失敗に終わった。

首都をペルセポリスに定め、全国を約20の州に分けてサトラップ（州長官）を派遣した。そのうえでサトラップの監視や、各地の状況を王に報告するために、「王の目」「王の耳」とよばれる監察官を派遣した。また交通網を整備し、中でも都のスサと小アジアのサルデスをむすぶ約2500kmの「王の道」は有名である。さらに街道には宿駅をもうけ、物資や情報の伝達がしやすい制度をつくった。

中央集権体制を確立し、宗教や文化の自由をみとめる公平な統治をおこなって経済も発展させ、アケメネス朝の絶頂期を築いた。

ダレイオスさんせい

王族・皇族

ダレイオス3世　紀元前381?～紀元前330年

アケメネス朝ペルシア最後の王

アケメネス朝ペルシアの国王（在位紀元前336?～紀元前330年）。

ダリウス3世ともよばれる。当時、アケメネス朝では宮廷の争いがつづき、王位を継承する直系が絶えていた。ダレイオス3世は、先王を暗殺した宮廷の実力者から王位につけられたが、のちにその暗殺者をたおして実権をにぎると、エジプトなどの反乱をしずめ、弱体化した帝国の立て直しをはかった。しかし、まもなくマケドニア王国のアレクサンドロス大王による侵攻を受ける。その際には、みずから軍をひきいて防衛したが、イッソス、ガウガメラの2度の戦いにおいて、いずれも大敗した。戦争に負けたダレイオス3世は、逃走している途中、部下のサトラップ（州長官）に暗殺され、アケメネス朝ペルシアはほろびた。

タレーラン，シャルル・モーリス・ド

政治

シャルル・モーリス・ド・タレーラン　1754～1838年

フランス革命期をたくみに乗りこえた外交官

フランスの政治家、外交官。

名門貴族の子として生まれる。神学校で学び、聖職者となり、1788年、ブルゴーニュのオータンの司教となった。1789年、僧侶、貴族、平民からなる議会である三部会の第一身分（僧侶）議員となり、立憲君主主義者として活躍。1790年、国民議会の議長となり教会財産の国有化を実現させた。1792年、イギリス、アメリカ合衆国に亡命。1796年、帰国後、総裁政府の外務大臣となり、ナポレオン1世の下でも外務大臣をつとめた。国際協調と平和外交を重んじ、1807年、辞任。1814年、ルイ18世の下で外務大臣に就任し、ウィーン会議ではフランスの国際的地位の保全に成功した。1830年、七月革命後、駐イギリス大使となった。40年以上にわたる波乱の時代を外交官として生きぬいた。

タレス

古代　思想・哲学

タレス　紀元前624ごろ～紀元前546年ごろ

「哲学の父」とよばれたギリシャ七賢人の一人

古代ギリシャの哲学者、数学者。

エーゲ海沿岸にあるイオニア地方の町ミレトスで、フェニキア人の名門の家に生まれる。ミレトス学派の創始者でギリシャ七賢人の筆頭にあげられる。西洋哲学において、古代ギリシャの記

録にのこる、最初の自然哲学者といわれている。そのゆえんは、それまで神話的であった世界の起源について、はじめて合理的な説明をしたことによる。彼は万物の根源（アルケー）は水であり、ほかのいっさいの事物は水より自然的に生じると考えた。そして、大地は水の上に浮かんでいると説いたと伝えられる。

測量術や天文学にくわしく、その知識を用いて、紀元前585年5月28日におきた日食を予言し、また、ピラミッドの高さを影の長さから測定した。さらに、中学の教科書に出てくる「タレスの定理（直径に対する円周角は直角である）」を証明した。『航海天文学』という著作があったともいわれるが、タレス自身が書いたものではないという説が一般的である。

たわらとうた

俵藤太 → 藤原秀郷

たわらまち

詩・歌・俳句

俵万智　1962年〜

歌集『サラダ記念日』で鮮烈デビュー

歌人。

大阪府生まれ。早稲田大学文学部卒業。在学中に佐佐木幸綱に短歌を学び、歌誌『心の花』に入会する。卒業後は高校教師をしながら短歌をつくる。1986（昭和61）年、「八月の朝」で角川短歌賞を受賞し、気鋭の歌人として注目される。

翌年発表した最初の歌集『サラダ記念日』は、歌壇の垣根をこえて広く読まれ、大ベストセラーになった。軽い話しことばでつづられた短歌は、現代人が無理なく共感でき、短歌のすそ野を広げるうえで大いに力がある。1989（平成元）年から創作に専念。作品には『よつ葉のエッセイ』、歌集『チョコレート革命』などのほか、数々のエッセーや評論がある。

たわらやそうたつ

絵画

俵屋宗達　生没年不詳

天皇や大名などから制作の依頼を受けた画家

江戸時代前期の画家。

16世紀の末から17世紀のなかばにかけて活躍した画家だが、生没年や出身地などくわしい経歴はわかっていない。京都で色紙や短冊、巻物、扇面画（扇にえがいた絵）、屏風絵などを制作する工房「俵屋」を経営しながら、みずからも画家として活躍したといわれる。

芸術家の本阿弥光悦に才能を見いだされ、1602年、広島藩（現在の広島県）の藩主、福島正則による厳島神社（広島県廿日市市）の『平家納経』の修理に参加し表紙絵などを制作した。その後も光悦と協力し、宗達がえがいた下絵の上に光悦が和歌を書いた作品などをのこした。

後水尾上皇（譲位した後水尾天皇）から依頼を受けるなど、その作品は天皇、公家から大名、庶民にまで広く好まれた。

なまがわきの墨や絵の具の上に、濃度の異なる墨やほかの色を重ねてにじませる「たらしこみ」とよばれる技法を考案した。代表作に、金地の大画面に風神と雷神をえがいた『風神雷神図屏風』や、『源氏物語』の有名な場面をえがいた『源氏物語関屋・澪標図屏風』などがある。また、水墨画にもすぐれ、ハスの花とカイツブリをえがいた『蓮池水禽図』などをてがけた。

後世の画家尾形光琳に大きな影響をあたえたことでも知られ、宗達が創始し、光琳によって大成された絵画の流派は、琳派とよばれている。

▲俵屋宗達作『風神雷神図屏風』

（建仁寺 / 京都国立博物館）

ダン，エドウィン

郷土

エドウィン・ダン　1848〜1931年

北海道酪農の父とよばれる指導者

（北海道大学付属図書館）

明治時代のアメリカ人牧畜業指導者。

アメリカ合衆国オハイオ州の大農場主の家に生まれた。1873（明治6）年、北海道開拓使の農業・牧畜指導者として明治政府にまねかれ、ウシ42頭、ヒツジ100頭をつれて来日した。日本人女性と結婚し、真駒内（北海道札幌市）に本格的な牧場をつくった。家畜用の水をひくため、真駒内川から全長約4kmの用水路をつくった。新冠（北海道新冠町）にも牧場をつくり、開拓農民を指導してウシ、ウマ、ヒツジ、ブタを育て、バターやチーズを製造する酪農を指導した。

当時の日本人は、肉を食べ牛乳を飲む習慣がなく、製品は売れなかったが、しだいに牧場を経営する農民が多くなった。また、ウマをあつかう農機具のつかい方を教え、オオムギ、コムギ、ジャガイモ、砂糖の原料となるテンサイ（ビート）などをつくる西洋式農業を普及させた。1882年、開拓使の廃止により、一時アメリカに帰国したが、1884年、外交官として来日し、日清戦争の和平交渉に貢献した。

だんいくま

音楽

● 團伊玖磨　1924〜2001年

日本オペラ『夕鶴』の作曲

昭和時代〜平成時代の作曲家、随筆家。

東京生まれ。東京音楽学校（現在の東京藝術大学）卒業。小学生のころからピアノを習う。1952（昭和27）年、日本語のオペラ『夕鶴』（作・木下順二）を作曲、上演した。芥川也寸志、黛敏郎と「三人の会」を結成し、『ブルレスク風交響曲』、管弦楽組曲『シルクロード』などを発表する。

ヨーロッパ近代音楽を正統に受けつぐ作風で、交響曲をはじめさまざまな作品にいどむが、とくにオペラに積極的にとりくみ、1972年の『ひかりごけ』などの意欲作を発表する。ほかに、童謡『ぞうさん』『やぎさんゆうびん』、歌曲『花の街』、『ラジオ体操第2』が有名。著書に随筆集『パイプのけむり』がある。1999（平成11）年、文化功労者。

だんかずお

文学

● 檀一雄　1912〜1976年

小説『火宅の人』で知られる

昭和時代の作家。

山梨県生まれ。少年期や晩年を父の故郷である福岡県ですごす。長男はエッセイストの太郎、長女は女優のふみ。東京帝国大学（現在の東京大学）経済学部卒業。作家の佐藤春夫の弟子となり、1937（昭和12）年、短編集『花筐』を出版。第二次世界大戦後、亡き妻の闘病と看病をつづった『リツ子・その愛』『リツ子・その死』で注目される。1951年、歴史小説『真説石川五右衛門』『長恨歌』で直木賞を受賞。遺作『火宅の人』は、愛人とすごした日々をえがいた自伝的小説で、読売文学賞、日本文学大賞を受賞。料理じょうずで世界各地を旅した食通としても知られ、『檀流クッキング』『美味放浪記』などの著作もある。

学 芥川賞・直木賞受賞者一覧

ダンカン，イサドラ

映画・演劇

🌐 イサドラ・ダンカン　1878〜1927年

モダンダンスの生みの母

アメリカ合衆国のダンサー。

カリフォルニア州サンフランシスコに生まれる。父の経営する銀行が倒産し、両親は離婚する。ピアノ教師の母を助け、6歳から近所のこどもに踊りを教えて生活費をかせいだ。

1899年、ダンス教室が火事になる。家族は財産を失い、イギリスに移住した。古代ギリシャの歴史を勉強し、その知識を生かしてダンスのリサイタルをおこない、世間でみとめられる。パリ、ベルリンなどを巡業して、人気の的となった。その後、アメリカ、ロシア、ドイツなどにダンス学校をひらき、こどもに教える。1927年、回顧録を書くために滞在していたフランスのニースで、事故死した。

ゆったりしたドレスに裸足というスタイルで、思いのままに身体を動かす、まったく新しいダンスを生みだし、「モダンダンスの母」とよばれる。自由な生き方は絵画や彫刻のモデルにもなり、画家ミュシャのポスターにえがかれた。

だんきずい（トワンチールイ）

政治

🌐 段祺瑞　1865〜1936年

中華民国の成立時に活躍した

中国、清末期〜中華民国の軍閥政治家。

安徽省に生まれる。天津の北洋武備学堂を卒業後、ドイツに留学し、軍事を学んだ。早くから袁世凱の腹心としてひそかに活躍し、「北洋の三傑」の一人に数えられた。辛亥革命では革命軍の鎮圧にあたったが、袁世凱にしたがって宣統帝（溥儀）に退位をせまる。中華民国成立後は陸軍総長、国務総理をつとめるが、袁世凱の帝政に反対して辞職した。1916年に袁世凱が亡くなると、国務総理となって北洋政府を支配。親日の立場をとり、日本から多額の金銭的支援を受けた。その後、いったん政治からはなれたが、1924年、張作霖らにすすめられ、北京臨時執政となる。1926年には北京の民衆運動を「三・一八事件」で弾圧した。その後辞職し、上海で亡くなった。

たんけい

彫刻

● 湛慶　1173〜1256年

三十三間堂の千手観音坐像などを製作

（六波羅蜜寺）

鎌倉時代前期〜中期の仏師。

仏師の運慶の子。康弁、康勝の兄。1198年ごろ、父の運慶のもとで、京都にある真言宗の東寺（教王護国寺ともいう）南大門の仁王像、中門の二天王像を康弁、康勝らとともに制作した。その後法眼（僧位の法印に次ぐ位）となり、1212年ごろ、奈良の興福寺北円堂の持国天像を制作した。1213年、京都の法勝寺九重塔の仏像をつくり、運慶の推薦で法印（僧位の第2位）となる。

1223年、運慶の死後、後継者として一門を統率した。1249年、焼失した京都の蓮華王院（三十三間堂）の千体千手観音像の再興では、仏師をひきいる修理大仏師となり、1254年、本尊の千手観音坐像を完成させた。1256年、東大寺講堂の本尊、千手観音像を制作中に亡くなった。湛慶は、運慶の力強い様式を受けつぎながら、洗練された写実的で美しい仏像を制作したといわれている。

たんげけんぞう

建築

丹下健三　1913〜2005年

戦後の日本を代表する建築家

昭和時代〜平成時代の建築家

大阪府生まれ。父の転勤で中国にわたり、帰国後は愛媛県今治市でくらす。旧制高校時代にみた雑誌でル・コルビュジエを知り、建築家をめざす。1938（昭和13）年、東京帝国大学（現在の東京大学）を卒業し、1941年まで、ル・コルビュジエの教え子である前川國男の事務所につとめる。1942年、大東亜建設記念造営計画の設計競技（コンペ）で1等を受賞し、注目を集める。第二次世界大戦後、1946年に東京大学助教授、1963年から1974年まで教授をつとめ、槇文彦、磯崎新、黒川紀章ら多くの後進を育てる。1949年、広島市主催の平和記念都市計画の設計競技で1位となり、のちに世界的に評価される。

代表的な建築に、広島平和記念資料館、香川県庁舎、国立代々木競技場、東京都庁舎がある。海外における都市計画の設計でも知られる。1980年に文化勲章を受章した。

学 文化勲章受章者一覧

だんたくま

産業

団琢磨　1858〜1932年

鉱山開発に成功し、三井財閥の最高指導者となった

（国立国会図書館）

明治時代〜昭和時代の実業家。

福岡県生まれ。旧藩主黒田家から海外留学生に抜てきされ、1871（明治4）年、13歳で岩倉具視ら特命全権大使の使節団に同行。アメリカ合衆国にわたる。日本にある鉱山資源で国を富ませたいという気持ちからアメリカにのこり、マサチューセッツ工科大学鉱山学科を卒業。帰国後、官営三池炭鉱の技師となり、三井財閥への払い下げとともに三井に移り、炭鉱事務局長となった。最新鋭のイギリス製排水ポンプの導入、三池港の築港、専用鉄道の施設などにより鉱山開発に成功。技術、経営両面での手腕を高く評価され、1914（大正3）年、三井合名会社理事長に就任。以降17年間、三井財閥を統括し、日本工業倶楽部理事長、日本経済連盟会長などの要職を歴任。財界のリーダーとして活躍した。世界恐慌時、日本の金輸出再禁止をみこして大量のドル証券の買い入れをおこなったことが非難され、1932（昭和7）年、右翼団体血盟団の菱沼五郎により、三井本館前で暗殺された。

ダンテ・アリギエリ

詩・歌・俳句

ダンテ・アリギエリ　1265〜1321年

イタリア最大の詩人

イタリアの詩人、政治家。

フィレンツェで貴族の家に生まれる。幼いころから文法や古典文学を学んで研さんを積み、ボローニャをたずねて文学を学んだ。また、フィレンツェアルノ川のほとりでベアトリーチェという少女に出会い、はげしい恋に落ちるが、ベアトリーチェは若くして亡くなってしまう。1293年、その恋や悲しみを詩にあらわし、詩集『新生』として発表した。

1295〜1302年には政治家として活動していたが、政党の争いに負け、フィレンツェを追放されて放浪生活を送る。その間に、叙事詩の大作『神曲』を書き上げた。ベアトリーチェへの思いや社会への批判を、深い信仰心と広い知識で哲学的に表現し、代表作とされる。ほかに詩学と哲学倫理の問題を論じた『饗宴』、国家が教会から独立することを主張した『帝政論』がある。ペトラルカ、ボッカチオとならび、ルネサンス文学の基礎をつくったイタリア最大の詩人とされる。

だんどうしげみつ

学問

団藤重光　1913〜2012年

死刑廃止を主張した法学者、判事

昭和時代〜平成時代の法学者、判事。

山口県生まれ。東京帝国大学（現在の東京大学）法学部を卒業後、1937（昭和12）年に同大助教授、1947年に教授となり、刑事訴訟を専門に研究し、業績をあげた。第二次世界大戦後、司法省の嘱託として、刑事訴訟法の草案を作成し、その後も、法改正や関連法案の作成にたずさわった。1949年には、日本刑法学会を創設した。1974年、定年で東京大学を退職すると、最高裁判所の判事となった。1975年、白鳥事件とよばれた事件の刑事裁判において、裁判のやり直しのための

条件を緩和する決定をだし、被告人の利益の尊重を主張した。最高裁判所を退職後、1983 年から昭和天皇の参与（相談役）をつとめた。

刑法学の第一人者として、戦後の刑法立案に貢献したほか、裁判の誤りの可能性をみとめ、とりかえしのつかない刑罰であるとして死刑の廃止を主張した。1981 年、学問の功績をみとめられ学士院会員となり、1995（平成 7）年には文化勲章を受章した。

学 文化勲章賞受賞者一覧

ダントン，ジョルジュ＝ジャック

政 治

ジョルジュ＝ジャック・ダントン　1759〜1794年

ジャコバン派の指導者の一人

フランス革命期の政治家。

シャンパーニュ地方の裁判所の役人の子として生まれる。1780 年、パリに出て、法律事務所ではたらき、1787 年、弁護士となった。1789 年にフランス革命がはじまると、パリのコルドリエ地区の議長にえらばれ、1790 年、人民結社コルドリエ・クラブを創設し、国王の退位を主張。雄弁で実行力がある革命家として、パリ民衆の人気を集めた。1791 年、立憲君主制をとなえるラ・ファイエットの軍により集会を鎮圧され、いちじ、イギリスにのがれた。1792 年、民衆の蜂起によって王政をたおすと、司法大臣に就任。オーストリア軍が攻めてくると、「国民よ、大胆であれ」と国民を鼓舞し、救国の英雄とされた。共和制の下で国民公会の議員となり、ロベスピエールやマラーらとともに山岳派（ジャコバン派）の指導者として活躍。寛容派を結成し、恐怖政治の廃止をよびかけるが、ロベスピエール派により収賄を告発され、1794 年、処刑された。

ダンロップ，ジョン・ボイド

産 業　発明・発見

ジョン・ボイド・ダンロップ　1840〜1921年

空気入りゴムタイヤを発明した発明家

イギリスの発明家、実業家、獣医。

スコットランド南西部のエアシャー生まれ。アイルランドで獣医を開業していたが、ウシの胃がガスで膨張する症状から、息子の三輪自転車に、空気を入れてふくらませたゴムのタイヤをつけることを思いついた。空気を入れたゴムのチューブにゴムをぬったじょうぶな布をかぶせて、木の車輪にまいたこのタイヤが、速く走れて乗り心地がよかったことから、1888 年に空気入りゴムタイヤの特許を取得した。翌年、タイヤの製造会社を立ち上げると、空気入りゴムタイヤは自動車のタイヤとしてもとり入れられるようになり、急速に普及した。ダンロップの事業は、マレーシアなどで原料の生ゴムを栽培するゴム園を経営するなど、世界規模に拡大した。

人物事典

Biographical Dictionary

2

く・け・こ
さ・し・す・せ・そ
た

2017年1月　第1刷発行

発行者
長谷川 均

発行所
株式会社ポプラ社
〒160-8565 東京都新宿区大京町22-1

電話
03-3357-2212(営業)
03-3357-2635(編集)

振替
00140-3-149271

ホームページ
http://www.poplar.co.jp/(ポプラ社)
http://www.poplar.co.jp/poplardia/(ポプラディアワールド)

印刷・製本
凸版印刷株式会社

N.D.C.280／319P／29cm×22cm
ISBN978-4-591-15047-4